PROVENCE

Directeur	David Brabis
Rédactrice en chef	Nadia Bosquès
Rédaction	Stéphanie Vinet, Guylaine Idoux
Informations pratiques	Catherine Rossignol, Philippe Gallet, Isabelle Foucault, Nicolas Borg
Documentation	Eugenia Gallese, Yvette Vargas
Cartographie	Alain Baldet, Michèle Cana, Véronique Aissani, Laurence Sénéchal, Fabienne Renard, Thierry Lemasson, DzMap Algérie
Iconographie	Cécile Koroleff, Stéphane Sauvignier
Secrétariat de rédaction	Pascal Grougon, Jacqueline Pavageau, Danièle Jazeron, Anne Duquénoy
Correction	Agnès Jeanjean
Mise en pages	Didier Hée, Jean-Paul Josset, Frédéric Sardin
Maquette intérieure	Agence Rampazzo
Création couverture	Laurent Muller
Fabrication	Pierre Ballochard, Renaud Leblanc
Marketing	Ana Gonzalez, Flora Libercier
Ventes	Gilles Maucout (France), Charles Van de Perre (Belgique), Fernando Rubiato (Espagne), Philippe Orain (Italie), Jack Haugh (Canada), Stéphane Coiffet (Grand Export)
Relations publiques	Gonzague de Jarnac
Remerciements	Patrick Berger

Régie pub et partenariats	michelin-cartesetguides-btob@fr.michelin.com
	Le contenu des pages de publicité insérées dans ce guide n'engage que la responsabilité des annonceurs.

Chiffres de population	Source : www.insee.fr

Pour nous contacter	Le Guide Vert Michelin
	Michelin Cartes et Guides
	46, avenue de Breteuil 75324 Paris Cedex 07
	☏ 01 45 66 12 34 – Fax : 01 45 66 13 75
	LeGuideVert@fr.michelin.com
	www.ViaMichelin.fr

Parution 2007

Le Guide Vert,
la culture en mouvement

Vous avez envie de bouger pendant vos vacances, le week-end ou simplement quelques heures pour changer d'air ? Le Guide Vert vous apporte des idées, des conseils et une connaissance récente, indispensable, de votre destination.

Tout d'abord, **sachez que tout change**. Toutes les informations pratiques du voyage évoluent rapidement : nouveaux hôtels et restaurants, nouveaux tarifs, nouveaux horaires d'ouverture… Le patrimoine aussi est en perpétuelle évolution, qu'il soit artistique, industriel ou artisanal… Des initiatives surgissent partout pour rénover, améliorer, surprendre, instruire, divertir. Même les lieux les plus connus innovent : nouveaux aménagements, nouvelles acquisitions ou animations, nouvelles découvertes enrichissent les circuits de visite.

Le Guide Vert **recense** et **présente ces changements** ; il réévalue en permanence le niveau d'intérêt de chaque curiosité afin de bien mesurer ce qui aujourd'hui vaut le voyage (distingué par ses fameuses 3 étoiles), mérite un détour (2 étoiles), est intéressant (1 étoile). Actualisation, sélection et appréciation sur le terrain sont les maîtres mots de la collection, afin que Le Guide Vert soit à chaque édition le reflet de la réalité touristique du moment.

Créé dès l'origine pour **faciliter et enrichir vos déplacements**, Le Guide Vert s'adresse encore aujourd'hui à tous ceux qui aiment connaître et comprendre ce qui fait l'identité d'une région. Simple, clair et facile à utiliser, il est aussi idéal pour voyager en famille. Le symbole ♣♦ signale tout ce qui est intéressant pour les enfants : zoos, parcs d'attractions, musées insolites, mais également animations pédagogiques pour découvrir les grands sites.

Ce guide vit pour vous et par vous. N'hésitez pas à nous faire part de vos remarques, suggestions ou découvertes ; elles viendront enrichir la prochaine édition de ce guide.

L'ÉQUIPE DU GUIDE VERT MICHELIN
LeGuideVert@fr.michelin.com

ORGANISER SON VOYAGE

COMPRENDRE LA RÉGION

OÙ ET QUAND PARTIR

Nos conseils de lieux de séjour 8
Nos propositions d'itinéraires 12
Nos idées de week-end 17
Les atouts de la région au fil
　des saisons 21

S'Y RENDRE ET CHOISIR SES ADRESSES

Où s'informer avant de partir..... 23
Pour venir en France 24
Transports 25
Budget 28
Se loger......................... 29
Se restaurer.................... 32

À FAIRE ET À VOIR

Les activités et loisirs de A à Z 36
La destination en famille......... 46
Que rapporter................... 48
Événements..................... 50
Nos conseils de lecture 53

NATURE

Entre mer et garrigue............ 58

HISTOIRE

Influence et indépendance....... 63
La Provence antique............. 66
Les personnalités de la région.... 68

ART ET CULTURE

L'architecture 70
ABC d'architecture............... 76
De la Lumière et des couleurs 82
La langue qui chante 83

LA PROVENCE AUJOURD'HUI

Les activités économiques 85
L'artisanat...................... 87
L'art de vivre en Provence........ 89
Traditions tauromachiques....... 90
Noëls de Provence.............. 91
La gastronomie 93

VILLES ET SITES

À l'intérieur du premier rabat de couverture, la carte générale intitulée
« **Les plus beaux sites** » donne :
　– une **vision synthétique** de tous les lieux traités ;
　– les **sites étoilés** visibles en u+n coup d'œil ;
　– les **circuits de découverte**, dessinés en vert, aux environs des destinations
　principales.
Dans la partie « **Découvrir les sites** » :
　– les **destinations principales** sont classées par ordre alphabétique ;
　les **destinations moins importantes** leur sont rattachées sous les rubriques
　« Aux alentours » ou « Circuits de découverte » ;
　– les **informations pratiques** sont présentées dans un encadré vert dans
　chaque chapitre.
L'**index** permet de retrouver rapidement la description de chaque lieu.

DÉCOUVRIR LES SITES

Aigues-Mortes 98
Aix-en-Provence 104
Les Alpilles 116
Ansouis 121
Apt 122
Gorges de l'Ardèche 127
Arles 135
Aubagne 147
Avignon 150
Bagnols-sur-Cèze 168
Barbentane 172
Les Baux-de-Provence 174
Beaucaire 179
Étang de Berre 184
Bollène 189
Bonnieux 191
Les calanques 193
La Camargue 199
Carpentras 208
Cassis 215
Cavaillon 220
La Ciotat 225
Grotte de la Cocalière 228
La Côte Bleue 229
Fontaine-de-Vaucluse 232
Golfe de Fos 236
Massif du Garlaban 238
Gordes 241
Le Grau-du-Roi 244
Grignan 247
L'Isle-sur-la-Sorgue 249
Le Luberon 252
Marseille 262
Martigues 288
Ménerbes 291

Abbaye de Montmajour 293
Dentelles de Montmirail 295
Nîmes 298
Nyons 310
Orange 313
Aven d'Orgnac 319
Pernes-les-Fontaines 322
Pont du Gard 325
Pont-Saint-Esprit 328
Roussillon 331
Saint-Blaise 333
Saint-Gilles 335
Saint-Maximin-la-Sainte-Baume 340
Saint-Rémy-de-Provence 343
Massif de la Sainte-Baume 350
La Sainte-Victoire 355
Les Saintes-Maries-de-la-Mer . . . 358
Salon-de-Provence 362
Sault 368
Abbaye de Sénanque 372
Abbaye de Silvacane 375
Tarascon 377
La Tour-d'Aigues 384
Uzès 389
Vaison-la-Romaine 396
Vallon-Pont-d'Arc 402
Valréas 404
Venasque 407
Mont Ventoux 409
Villeneuve-lès-Avignon 413

Index 438
Cartes et plans 445
Votre avis nous intéresse 447

La Côte Bleue paradisiaque.

OÙ ET QUAND PARTIR

Forte de son climat privilégié et de sa culture méditerranéenne, la Provence a toujours entretenu un certain art de vivre. Mieux, elle le partage. Avec son littoral tour à tour rocheux et sablonneux, son arrière-pays semblable à un terrain de jeux grandeur nature et ses villes pétries d'histoire, la Provence est une région où vous pourrez modeler des vacances qui vous ressemblent.

Soleil, mer et collines calcaires sont les constantes ; pour les variables, à vous de voir. Vous avez envie de lézarder, de vous cultiver, de barouder ? Vous n'avez qu'un week-end ou plusieurs semaines ? Vous trouverez en Provence des lieux de séjours adaptés à vos envies : campings ou palaces, hôtels de charme ou auberges de jeunesse, chambres d'hôte ou gîtes d'étape. La région éprouve ses structures touristiques depuis plusieurs générations car ses atouts naturels en font une terre convoitée. La rançon de ce succès ? Une forte fréquentation, parfois accompagnée de médiocres rapports qualité-prix. D'une façon générale, pendant la période estivale et durant les festivals ou ferias, sachez que les places sont rares et chères. Il vous faudra réserver longtemps à l'avance, ou ruser, en privilégiant les coins moins connus. Aujourd'hui, les organismes de promotion touristique mettent en avant le printemps et l'automne. Bonne idée : hors vacances scolaires, les tarifs baissent d'un cran, le service se détend et les foules ne sont pas encore là (ou elles sont reparties). Il pleut au Nord ? Alors ne restez pas planté là comme un santon. Cap au Sud !

Fontaine à Pernes-les-Fontaines.

Nos conseils de lieux de séjour

Pour plus d'informations sur les types d'hébergement, les services de réservation, les adresses que nous avons retenues dans ce guide, reportez-vous au chapitre suivant « S'y rendre et choisir ses adresses ».

LÉZARDER SUR LA PLAGE

Calanques et côte rocheuse

Entre La Ciotat et Marseille, le littoral provençal montre les dents. La côte rocheuse abrite les célèbres **calanques**. Paradis des randonneurs, varappeurs, plongeurs et kayakistes, ce site naturel classé ne possède aucun hébergement, même le bivouac est interdit. Vous établirez donc votre lieu de séjour à La Ciotat, Cassis et Marseille, les villes les plus proches, où le choix d'hébergements et de restaurants est varié. Les petits budgets trouveront un motel-camping à **La Ciotat** et deux auberges de jeunesse, l'une à **Cassis**, l'autre à Marseille. Pour vous rendre au cœur des **calanques**, il faudra aller en voiture ou en bus jusqu'aux parkings d'accès : Sormiou, Morgiou, Luminy et Callelongue à Marseille, Port-Miou à Cassis, Figuerolles à La Ciotat.

Bon à savoir – Dans les calanques, comme dans tous les espaces naturels sensibles de Provence, la circulation à pied est réglementée en été, interdite toute l'année les jours de violent mistral, en raison des risques d'incendie *(se renseigner auprès des offices de tourisme)*.

D'une manière générale, nous vous déconseillons l'accès aux calanques avec les enfants : les sentiers pierreux sont parfois instables et la forte réverbération du soleil sur le calcaire augmente les risques de déshydratation.

Les **familles** préféreront séjourner à Cassis et La Ciotat, où profiter des seules plages surveillées et équipées de cette partie de littoral. Hors saison, l'ancien port de Cassis est un lieu de promenade apprécié des Marseillais, à adopter si vous aimez voir et être vus. Choisissez l'une des terrasses huppées du port. Le mistral souffle ? Et alors ?

Stéphane Sauvignier / MICHELIN

Musarder en ville

La douceur de vivre provençale se décline en version urbaine : **Marseille**, **Aix**, **Arles**, **Nîmes** ou **Avignon** ont chacune de quoi vous retenir plusieurs jours, voire plusieurs semaines (*pour plus de détails, reportez-vous au chapitre « Nos idées de week-end », p. 17*). La palette des hôtels est variée mais, en haute saison, les tarifs ont tendance à prendre un coup de chaud. Les petits budgets préféreront alors séjourner en périphérie, où certaines adresses compensent leur éloignement par des prix plus abordables. Vous découvrirez en prime des aspects moins connus de la région. Ainsi, **Aubagne** (à 15mn en TER de Marseille) est la capitale des santons, incontournable à la période de Noël. Et **Villeneuve** (à 5mn en bus d'Avignon) abrite une splendide chartreuse du 16e s. Mais si vous ne possédez pas de voiture, vérifiez la fréquence des transports en commun avant de réserver. Autre option, les chambres d'hôte urbaines qui se sont beaucoup développées ces dernières années. Généralement d'un bon rapport qualité-prix, certaines offrent aussi des lieux de séjour extraordinaires (villa Belle Époque avec vue sur mer à Marseille ou hôtel particulier restauré en Avignon). Les vacances s'annoncent historiques !

Sur la Côte Bleue

Havre balnéaire entre les zones industrielles de Fos et Marseille, la Côte Bleue est passée de la pêche au thon à celle aux touristes. Ses filets ont bien des attraits, surtout pour les **familles**, qui apprécient une tradition d'accueil bien ancrée : petits hôtels-restaurants, locations de meublés, parcs de loisirs et activités sportives (voile, pêche, plongée, kayak, golf, cheval)…

Sur place, il fait bon lézarder dès le printemps dans les criques de **Carry-le-Rouet** et sur les plages surveillées de **Sausset-les-Pins**. Les fesses douillettes opteront pour les plages de sable de Sainte-Croix et du Verdon, une rareté géologique au pays du calcaire !

Les **véliplanchistes** sont nombreux sur le spot réputé de **Carro**, un village qui abrite aussi le seul port de pêche encore en activité de la Côte Bleue. Les adeptes du monde du silence préféreront le **centre de plongée** réputé du hameau de **Niolon**, si joli vu de la mer avec ses cabanons colorés aggripés à la roche calcaire.

En Camargue

Si les clichés véhiculés par le cinéma et la télévision vous font rêver, il faudra planifier avec soin votre séjour pour ne pas être déçu. En effet, la Camargue est une terre farouche et secrète. Le monde des gardians et des manades (les « ranchs » camarguais) vous fascine ? Réservez une chambre d'hôte installée dans un mas. Les offices du tourisme locaux vous fourniront les coordonnées. Le musée camarguais du Pont-de-Rousty complètera votre initiation aux coutumes gardianes. Autrement, côté hébergement, aux **Saintes-Maries-de-la-Mer** comme au **Grau-du-Roi**, c'est tout l'un ou tout l'autre : camping au bord de l'eau ou mas camarguais grand confort !

Si c'est la nature camarguaise qui vous intrigue, fréquentez la maison du Parc naturel régional de Camargue et le parc ornithologique du Pont-de-Gau, d'où observer les oiseaux migrateurs. Pour les bains de mer en **famille**, choisissez les plages surveillées des Saintes-Maries-de-la-Mer. Pour les grandes étendues sauvages, préférez les plages de Beauduc, Piémanson et Napoléon.

La Camargue a aussi de quoi séduire les **sportifs** : à pied ou à vélo, ils longent la digue à la mer, l'étang de Vaccarès ou les berges de l'étang du Fangassier, où nichent les flamants roses. Au **domaine de la Palissade**, vous trouverez votre monture pour de longues chevauchées dans les paysages de Camargue originelle. Enfin, n'oubliez pas **Aigues-Mortes** : vous prendrez plaisir à vous y promener et vous approvisionner en vin des sables !

EXPLORER L'ARRIÈRE-PAYS

Au cœur des Alpilles

Les marcheurs apprécieront les **Alpilles**, paysage tout empreint des senteurs de la garrigue et parsemé de petits villages : Fontvielle et son moulin de Daudet, Maillane où Mistral vit le jour, Graveson et ses jardins. Séjournez dans la cité, si provençale, de **Saint-Rémy-de-Provence**, avec son vieux centre et sa ceinture de boulevards ombragés de platanes. L'animation aux beaux jours y est permanente, que ce soit dans les arènes ou en ville. À 40 km au sud-est, retrouvez Nostradamus en sa bonne ville de **Salon**, célèbre pour sa fontaine moussue : les hébergements (à l'hôtel ou en chambre d'hôte) y sont abordables et agréables. Et Les Baux-de-Provence ? Il fait bon y flâner… moins y séjourner car les hôtels affichent des tarifs à la hauteur du site.

Et pourquoi pas une incursion dans la proche Montagnette ? Installez-vous alors à **Tarascon**, où les hôtels sont d'un bon rapport qualité-prix, et vous en profiterez pour faire un saut chez sa rivale, **Beaucaire**.

Le moulin de Daudet à Fontvieille.

Stéphane Sauvignier / MICHELIN

Le Luberon

Si vous cherchez un hôtel abordable afin d'aller découvrir **le Luberon**, vous vous arrêterez à ses portes, à **Cavaillon**. Mais rien ne vaut les chambres d'hôte, qui constituent désormais l'essentiel de l'hébergement dans la région. Certaines sont à des prix très élevés, comme à **Gordes**, ce qui ne vous empêchera pas d'aller flâner dans ses « calades » et d'aller visiter, non loin, l'abbaye de Sénanque qui aime se parer de lavande (il faudra toutefois songer à réserver votre visite chez les moines à l'avance !). D'autres, heureusement, sont à des tarifs plus raisonnables, comme à **La Tour-d'Aigues**.

C'est à pied, à vélo ou à cheval, que vous sillonnerez le Luberon, vous arrêtant à **Roussillon**, pour son ocre et son sentier tracé dans les anciennes carrières ; à **Ménerbes**, que rendit célèbre l'écrivain anglais Peter Mayle ; à **Bonnieux** où vous ferez quelques pas dans la forêt de cèdres ; à **Oppède**, où le minéral et le végétal semblent ne faire qu'un ; à **Lacoste**, tout frémissant encore des frasques du divin marquis de Sade ; ou encore, plus au sud, à **Lourmarin**, après un détour par les falaises de Buoux, idéales pour les varappeurs.

D'Uzès aux gorges de l'Ardèche

Si **Nîmes** offre un vaste choix d'établissements, vos options seront plus limitées à **Uzès**, à moins que vous n'ayiez l'intention de vous accorder une « petite folie » ! La vie est douce dans les hôtels huppés du plus vieux duché de France, à explorer avant de descendre les gorges du Gardon. En canoë ? À pied par le GR ? En voiture ? C'est une question de goût ! Les baignades pourront alterner avec des promenades : au passage, on ne manquera pas de découvrir le célèbre **Pont du Gard**. Une visite à Saint-Quentin-la-Poterie vous permettra de découvrir les étals des nombreux potiers, l'artisanat phare du village.

Remontant vers le Nord, en direction de la **vallée de la Cèze** puis des gorges, quelques chambres d'hôte vous accueilleront plus chaleureusement que les petits hôtels. Pour une halte dans les **gorges de l'Ardèche**, vous vous contenterez du camping à Vallon-Pont-d'Arc.

De la terre des papes au Géant de Provence

En **Avignon**, sachez que tout reste cher. Cependant, la cité des Papes est si belle… Comme les cardinaux, vous aimerez faire retraite sur l'autre rive du Rhône, non pas à la chartreuse (qui accueille seulement les écrivains en résidence !), mais simplement dans la petite ville de Villeneuve-lès-Avignon. Une incursion vers le nord ? Ce sera dans le vignoble de Châteauneuf-du-Pape, où s'élabore un fameux côtes-du-rhône, puis à **Orange** (à 30mn d'Avignon en TER). Vous pourrez faire une halte dans cette ville ; cependant, pour séjourner, préférez les chambres d'hôte à prix moyen à une petite trentaine de kilomètres au nord-est, à **Vaison-la-Romaine**, où les vestiges archéologiques retiendront votre attention (ne négligez pas pour autant la ville médiévale).

De là, vous ferez un saut à Nyons, à 16 km au nord, pour ses fameuses olives, avant de rejoindre **Sault**, capitale de la lavande (mais aussi du miel et du nougat), base idéale pour un séjour « vert ». De multiples excursions seront réalisables : à l'assaut du **mont Ventoux** (en hiver, pensez à emporter vos skis, de fond ou de descente !), sur le **plateau d'Albion** percé de nombreux gouffres, dans les gorges

Toyota Prius.
La première berline dont la motorisation électrique
se recharge toute seule.

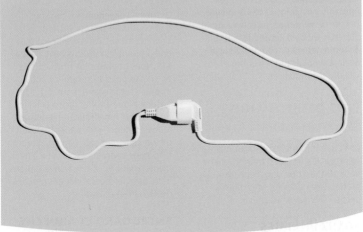

Toyota Prius. Technologie HSD hybride essence/électricité.

HYBRID SYNERGY DRIVE
ESSENCE/ELECTRICITE

Grâce à sa technologie hybride, la TOYOTA PRIUS est une voiture dont la motorisation électrique est entièrement autonome. Alliance d'un moteur essence et d'un moteur électrique, la TOYOTA PRIUS permet de combiner les performances d'une berline familiale et les consommations d'une petite citadine (**4,3 L/100 km** en cycle mixte). De plus, en produisant **une tonne de CO_2 en moins par an** [1], la TOYOTA PRIUS vous permet de faire un véritable geste pour l'environnement qui vous fera bénéficier **de 2 000 € de crédit d'impôt** [2].

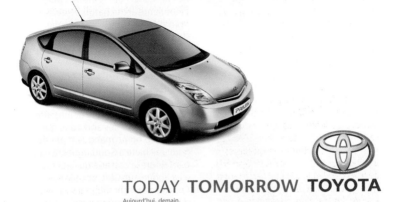

TODAY **TOMORROW TOYOTA**
Aujourd'hui, demain.

de la Nesque ou vers les dentelles de Montmirail que ponctuent de superbes villages peu connus : **Gigondas**, qui élabore un côtes-du-rhône réputé, ou **Beaumes-de-Venise**, qui produit un muscat.

Attardez-vous à **Carpentras**, ville aussi sympathique qu'animée, en particulier lors des Estivales d'août. Dans ses environs, ne manquez pas le village perché de Venasque, qui ouvre sur le Luberon, ou bien Pernes, la ville aux 36 fontaines, ou encore L'Isle-sur-la-Sorgue avec ses roues à aubes et ses villages d'antiquaires.

Nos propositions d'itinéraires

Pour vos étapes, consultez notre sélection d'adresses d'hébergement et de restauration dans l'encadré pratique des villes ou sites dans la partie « Découvrir les sites ».

BEAUX VILLAGES DU LUBERON

Circuit de deux jours au départ de Cavaillon (128 km).

1er jour – Profitez de la fraîcheur matinale pour faire provision de melons à Cavaillon (et visiter, dans la vieille ville, la synagogue et le Musée juif), puis partez flâner parmi les antiquaires et brocanteurs sur les rives de la Sorgue, à L'Isle-sur-la-Sorgue. En fin de matinée, certains fileront vers Saumane-de-Vaucluse pour évoquer le souvenir du marquis de Sade. D'autres préféreront honorer Pétrarque qui s'était retiré à Fontaine-de-Vaucluse, non loin de la spectaculaire résurgence de la rivière. L'après-midi, pour aborder le Luberon, rien ne vaut le village des Bories, ces étranges constructions de pierres sèches symbolisant la région, d'autant qu'il est situé aux portes de

Abricots de Rousillon.

Stéphane Sauvignier / MICHELIN

Gordes, d'où l'on domine la vallée du Calavon. Non loin, l'abbaye de Sénanque, dans son écrin de lavande, est un havre de sérénité (qu'il faudra réserver à l'avance pour découvrir). La journée s'achève sous les façades badigeonnés de Roussillon, dans les étranges carrières où l'ocre était extraite. Nuit aux alentours d'Apt.

2e jour – Le lendemain, cap sur Saint-Saturnin-lès-Apt où vous démarrerez cette deuxième journée en admirant le moulin à vent. Puis, à Apt, vous goûterez les fruits confits et, si vous passez un samedi, vous apprécierez le grand marché. Partez ensuite pique-nique face aux falaises de Buoux (7 km au sud), en admirant les escaladeurs, puis flânez dans le pittoresque hameau. Cap ensuite sur la forêt de cèdres de Bonnieux. En fin d'après-midi, vous ferez une dernière halte dans les beaux villages perchés de Ménerbes et Oppède.

ENTRE GARD ET ARDÈCHE

Circuit de deux jours au départ d'Uzès (198 km).

1er jour – Consacrez votre première matinée à explorer la cité ducale d'Uzès, avec son élégante tour Fenestrelle, son majestueux Duché et sa charmante place aux Herbes. À midi, vous partirez déjeuner dans l'une des tables campagnardes des environs de Bagnols-sur-Cèze. En début d'après-midi, vous visiterez le musée d'Art moderne figuratif avant de partir faire quelques pas dans la vieille ville de Pont-Saint-Esprit (13 km au nord).

2e jour – Partez explorer les gorges de l'Ardèche. Pour remonter jusqu'à l'étonnante arche naturelle du Pont d'Arc (38 km), comptez une demi-journée, le long de la D 290 où abondent grottes, belvédères et avens. Après une rapide pause déjeuner à Vallon-Pont-d'Arc, ne manquez pas le spectaculaire aven d'Orgnac, à 21 km au sud-sst. Consacrez le reste de la demi-journée à la découverte des agréables gorges de la Cèze, en ne manquant pas de faire une halte à Goudargues, avant d'atteindre la cascade du Sautadet à La Roque-sur-Cèze et celle des Concluses. En chemin, s'il vous reste du temps, pourquoi ne pas partir à l'assaut du Guidon du Bouquet d'où vous dominerez cette garrigue sèche et aride, avec ses capitelles (abris de berger) qui se fondent dans le paysage et sa végétation si particulière où, parmi les chênes verts, abondent thym, romarin et arbousiers ?

LA CAMARGUE

▶ **Circuit de trois jours au départ d'Arles (228 km).**

1er jour – Passez la matinée en Arles, pour vous imprégner de l'atmosphère de la capitale camarguaise. Visitez le Museon Arlaten, puis déjeunez sur l'une des terrasses de l'agréable place du Forum. Partez enfin vers la Camargue aux multiples facettes. D'abord celle des marais, maîtrisée par l'homme, avec la découverte du domaine du Vigueirat, dans la Crau humide ; après avoir rejoint le delta par le bac de Barcarin, découvrez en fin d'après-midi celle des salines à Salin-de-Giraud, où vous dînerez dans l'un des bars-restaurants du village, qui compte aussi deux hôtels

2e jour – Commencez la journée en arpentant les sentiers du domaine non endigué de la Palissade (possibilité de randonnée accompagnée à cheval d'avril à octobre), avant de profiter de l'immense plage de Piémanson, près de l'embouchure du Grand Rhône. Après un pique-nique sur la plage, consacrez l'après-midi à la découverte de la faune et de la flore au domaine de la Capelière ou des traditions de la « bouvine » au domaine de Méjanes. Là, en outre, un petit train permet d'approcher les rives de l'étang de Vaccarès. N'oubliez pas ensuite de visiter le précieux Musée camarguais, consacré aux mœurs et coutumes locales, et visitez dans la foulée le château d'Avignon, avant de vous offrir une bonne nuit de repos, pourquoi pas dans un mas transformé en chambre d'hôte.

3e jour – Consacrez au moins la matinée à vous promener sur les sentiers, ponctués de panneaux explicatifs, au parc ornithologique du Pont-de-Gau, occasion unique de mieux faire connaissance avec les oiseaux aperçus de loin dans les étangs. Vers midi, partez arpenter les ruelles des Saintes-Maries dont les maisons blanches se blottissent autour de l'imposante église fortifiée. Aux beaux jours, vous pourrez déjeuner les pieds dans le sable dans l'un des restaurants de plage, avant de gagner, par le pont de Sylvereal ou le bac du Sauvage, la belle cité fortifiée d'Aigues-Mortes. Vous y flânerez, puis

Cheval camarguais.

Stéphane Sauvignier / MICHELIN

irez déguster quelques tellines et une soupe de poissons en guise de dîner sur le port du Grau-du-Roi. Le retour vers Arles s'effectuera par l'étang de Scamandre, tout envahi de roselières, et Saint-Gilles, où vous détaillerez, dans la lumière du couchant, les sculptures du portail de l'abbatiale, chef-d'œuvre du roman provençal.

LA PROVENCE ANTIQUE

▶ **Circuit de trois jours au départ d'Orange (233 km).**

1er jour – Il faudra bien la matinée entière pour profiter d'Orange et de ses deux prestigieux monuments romains, l'arc de triomphe et le magnifique théâtre (dont la visite est désormais couplée avec celle du musée juste en face). Après un déjeuner dans le quartier, vous rejoindrez Vaison et son impressionnant site archéologique (28 km au nord-est). Un arc de triomphe à Carpentras, quelques traces de mur romain à Avignon précéderont votre arrivée au plateau des Antiques, aux portes de la jolie cité provençale de Saint-Rémy, où vous verrez les vestiges de la vieille cité de Glanum. C'est ici que vous passerez votre première nuit, dans un hôtel ou dans l'une des chambre d'hôte qui abondent.

2e jour – Vous aborderez Arles, son amphithéâtre, son théâtre antique, ses mystérieux Cryptoportiques (malheureusement fermés pour une période indéterminée), les thermes de Constantin, la mélancolique nécropole des Alyscamps et l'excellent musée de l'Arles antique… La journée ne suffira pas à découvrir tous les trésors arlésiens. Vous aurez bien mérité une nuit de repos, peut-être l'un de ces magnifiques hôtels particuliers du centre-ville, transformés en hôtels.

Vestiges romains du quartier de Puymin, à Vaison-la-Romaine.

3ᵉ jour – La journée entière sera consacrée à Nîmes, la « Rome française », que vous parcourrez des arènes au temple de Diane, en passant par la Maison carrée. Suivez le tracé des remparts mis au jour çà et là, dont le vestige le plus impressionnant est la fameuse tour Magne. Le Castellum, où aboutissaient les eaux puisées dans la fontaine de l'Eure, près d'Uzès, sera un excellent prélude à la découverte, en fin d'après-midi, du majestueux Pont du Gard, partie la plus spectaculaire d'un aqueduc qui courait dans la garrigue sur près de 50 km !

MERVEILLES NATURELLES DU VAUCLUSE

▶ Circuit de deux jours au départ de Carpentras (258 km).

1ᵉʳ jour – De bon matin, promenez vous dans les ruelles de la vieille ville de Carpentras, que vous quitterez pour les paysages échancrés des dentelles de Montmirail, avec un arrêt au pittoresque village de Malaucène. Offrez-vous un déjeuner de terroir dans un village des environs. Si vous pouvez prolonger votre séjour, profitez de l'après-midi pour vous promener sur les sentiers balisés, au cœur des vignes du fameux muscat de Beaumes-de-Venise. Sinon, entamez l'ascension du mont Ventoux voisin (les grands sportifs s'y mesureront à vélo). À tous, le sommet réserve un panorama exceptionnel... pour peu que l'air soit assez transparent ! Offrez-vous une longue promenade sur les sentiers balisés du Géant de Provence (en ski de fond ou en raquettes l'hiver !), puis passez la nuit aux alentours, dans une chambre d'hôte de charme nichée dans les vignes et les oliviers.

2ᵉ jour – Longez les gorges de la Nesque, pour atteindre dans la matinée les impressionnantes carrières d'ocre du Colorado de Rustrel, aux portes du Luberon. Grimpez ensuite au Mourre Nègre avant de consacrer l'après-midi à sillonner la montagne du Luberon. Vous déjeunerez dans l'un de ses villages perchés avant d'en savourer les charmes. Ne manquez pas Bonnieux, Roussillon (où l'ocre est roi) et Gordes, avec ses calades et son village des Bories. En fin d'après-midi, offrez vous une dernière échapée à Fontaine-de-Vaucluse, où visiter l'étonnante résurgence de la Sorgue, au terme d'un mystérieux parcours souterrain sous le plateau de Vaucluse.

MONTAGNES DU LITTORAL ET DE L'ARRIÈRE-PAYS MARSEILLAIS

▶ Circuit de trois jours au départ de Marseille (290 km).

1ᵉʳ jour – Ce circuit sera l'occasion d'utiliser vos chaussures de marche... ou vos palmes ! En effet, après une matinée urbaine consacrée à une agréable promenade dans le vieux Marseille sur les pentes du Panier ou de N.-D.-de-la-Garde, l'après-midi sera balnéaire : cap sur les criques et les anciens hameaux de pêcheurs de la Côte Bleue, à une trentaine de kilomètres à l'est de Marseille. Niolon attirera les plongeurs, tandis que les minuscules plages de la Redonne permettront d'attraper quelques oursins, voire des « pourpres » (poulpes). Baignades plus tranquilles à Carry-le-Rouet, Sausset-les-Pins ou Carro avant de mettre cap au nord et de s'attarder en soirée dans les rues d'Aix bordée de magnifiques hôtels particuliers.

2ᵉ jour – Après une nuit passée dans l'une des nombreuses demeures historiques aixoises transformées en hôtel, partez sur les traces de Cézanne. De l'atelier des Lauves aux carrières de Bibémus, en passant par le Jas de Bouffan, l'emblématique montagne Sainte-Victoire apparaît en toile de fond. Consacrez l'après-midi à ses sentiers, parfois escarpés, qui ouvrent, depuis la Croix de Provence, sur un superbe panorama. Vos pieds auront bien mérité ensuite de se reposer pour la nuit dans le confort de l'une des maisons d'hôte postées au pied de la montagne Sainte-Victoire.

3ᵉ jour – De bon matin, faites halte au couvent royal de Saint-Maximin (41 km à l'est en direction de Brignoles), pour ensuite partir en excursion dans

La Provence à 2 pas de chez vous.

Avec TGV, évadez-vous sans encombre ni stress, et découvrez toute la région en réservant à des conditions avantageuses votre voiture de location AVIS en même temps que votre billet de train. ✱ ✱ ✱
✱ ✱
✱ ✱ ✱ ✱ ✱ ✱ ✱ ✱ ✱ ✱ ✱ *Organisez votre voyage sur tgv.com*

TGV Prenez le temps d'aller vite | SNCF

le massif de la Sainte-Baume, qui attire aussi bien les pèlerins que les randonneurs et les fans de varappe. Là, dans le bucolique parc de Saint-Pons, vous pique-niquerez à la fraîche, sous quelque ombrage, avant de retrouver la mer à La Ciotat et de parcourir la route des Crêtes. À Cassis enfin, vous embarquerez sur l'une des navettes qui partent à la découverte des somptueuses calanques. Au retour, dînez de poissons et coquillages dans l'un des restaurants du port.

BALADE SUR LES TRACES DE…

Nous vous proposons ci-dessous un certain nombre de thèmes pour construire vous-même votre itinéraire.

Paul Cézanne

À Aix, où le célèbre peintre est né en 1839 ; à l'atelier des Lauves, aménagé en musée ; au Jas de Bouffan, la bastide familiale où il s'entraînait à peindre, parfois à même les murs *(visite guidée, sur réservation à l'office de tourisme)* ; sur le sentier de découverte des carrières de Bibémus, dont il aimait reproduire le chaos rocheux sur des toiles qui préfigurent le fauvisme et le cubisme *(visite guidée, sur réservation à l'office de tourisme)* ; sur les sentiers de la montagne Sainte-Victoire, qu'il pris tant de fois comme modèle dans son œuvre ; dans le centre-ville d'Aix, où un circuit pédestre balisé vous mène au fil des lieux qu'il aimait fréquenter, comme la brasserie « Les Deux Garçons », où il s'entretenait avec… émile Zola, un autre enfant du pays !

Alphonse Daudet

À Nîmes, sur le boulevard Gambetta, où se trouve sa maison natale ; à Auriolles, au Mas de la Vignasse, où il passait ses vacances chez son cousin… qui lui inspira le personnage de Tartarin ; à Tarascon, dans la maison de ce dernier ; à Saint-Michel-de-Frigolet, devant un verre de l'élixir du RP Gaucher ; et à Fontvieille, bien entendu, au pied du moulin…
Voir aussi la rubrique « Routes thématiques » *(p. 44)*.

Henry Espérandieu

À Marseille, principalement, où l'architecte a donné la plus grande mesure de son génie bâtisseur (controversé) au cours du 19e s., après une petite infidélité avec Nîmes, où il prit le temps de naître ; à Marseille, la cathédrale de la Major, la basilique N.-D.-de-la-Garde et le Palais Longchamp, mais aussi ses œuvres moins connues, l'école des Beaux-Arts et les deux pavillons d'entrée du palais du Pharo.

Les Félibres

À Maillane, avec la maison et la tombe de Frédéric Mistral, et en Arles, avec le Museon Arlaten, une des grandes œuvres mistraliennes ; à Saint-Rémy-de-Provence, au musée des Alpilles rénové, qui leur consacre une petite section… mais aussi aux Saintes-Maries, où Mirèio mourut d'insolation, ou à Cassis et dans les gorges de la Nesque, lieux des exploits de Calendau.

Mirabeau

À Pertuis, où son père naquit ; à Aix, où l'hôtel de Marignane retentit encore de ses frasques et le palais de justice de son éloquence ; au château d'If enfin, où il fut un des involontaires pensionnaires.

Nostradamus

À Saint-Rémy où Michel de Nostre- Dame naquit le 14 décembre 1503 ; en Avignon où il fit une partie de ses études ; dans sa maison de Salon, enfin, où il écrira les énigmatiques *Centuries astrologiques*. L'office du tourisme de Salon fournit (gratuitement) un dépliant intitulé « Sur les traces de Nostradamus ».
Voir aussi la rubrique « Routes thématiques » *(p. 44)*.

Marcel Pagnol

À Aubagne, où est né l'écrivain et cinéaste, très exactement au 16 cours Barthélemy ; à Marseille, où le jeune Marcel a grandi, où il tourna (bien plus tard) des scènes de ses films, au bar de la Marine, sur le Vieux Port ou sur la Canebière ; dans les collines marseillaises, à la Treille, sur les sentiers du Garlaban, au pied duquel la famille Pagnol séjourne pour les vacances à la Bastide-Neuve ; toujours à La Treille, où l'écrivain-cinéaste réside désormais pour l'éternité, au cimetière.
Voir aussi la rubrique « Routes thématiques » *(p. 44)* et le massif du Garlaban dans la partie « Découvrir ».

Pierre Puget

À Marseille, dans le quartier du Panier où ce sculpteur du 17e s. naquit ; devant l'hôtel de ville qui lui doit ses deux chapiteaux ; à la Vieille Charité où il a conçu la chapelle ; au parc Borély où trône sa statue de Louis XIV à cheval ; au musée des Beaux-Arts où sont conservées certaines de ses peintures ; à Aix, enfin, où admirer l'hôtel Boyer d'Éguilles.

Sade

Le divin marquis passa son enfance à Saumane-de-Vaucluse, commit quelques extravagances au château de Mazan, près de Carpentras, fut brûlé en effigie à Aix-en-Provence et se réfugia jusqu'à son arrestation à Lacoste où son séjour ne passa pas inaperçu…

Vincent Van Gogh

À Arles, avec la fondation Van-Gogh, hommage des artistes contemporains au génial hollandais, le café de la place du Forum et l'espace Van-Gogh, ancien Hôtel-Dieu devenu centre culturel, mais aussi au pont de Langlois ; à Saint-Rémy, dans l'ancien monastère de Saint-Paul-de-Mausole où il fut interné un an et, en ville, au centre d'art Présence-Van-Gogh installé dans l'hôtel Estrine. Et, enfin, en Avignon, avec la fondation Angladon-Dubrujaud, seul musée de Provence où vous pourrez voir une toile de l'artiste.

Nos idées de week-end

Les week-ends proposés ci-dessous sont facilement accessibles en train.
👣 Pour plus de détails sur les liaisons ferroviaires avec la Provence, voir la rubrique « Transports » (p. 26).
Pour les week-ends urbains, vous n'aurez pas besoin de voiture. Pour les week-ends thématiques, nous vous précisons si la voiture est nécessaire. Si vous arrivez en train, le plus simple sera alors de louer un véhicule dans la gare d'arrivée.
À Aix, Arles, Avignon, Marseille et Nîmes, les offices de tourisme commercialisent des **forfaits** donnant accès aux musées, aux monuments et aux transports en commun pendant un à trois jours.
👣 Pour plus de détails, reportez-vous à l'encadré pratique de chaque ville dans la partie « Découvrir les sites ».

AIX

À Aix, tout commence et tout finit sur le cours Mirabeau, votre week-end aussi. Premier acte : mettez à profit la première partie de la matinée pour l'arpenter et admirer ses hôtels particuliers dont on ne se lasse pas de détailler les façades, portails et balcons. Plongez ensuite au cœur du Vieil Aix en dégustant quelques calissons et en gardant un œil sur les jolies boutiques et sur les nombreux restaurants du quartier. Avant d'y déjeuner, faites un saut place de l'Hôtel-de-Ville, très colorée le samedi, jour du marché aux fleurs. Auparavant, vous serez passé par le marché traditionnel place Richelme. L'après-midi, continuez jusqu'à la cathédrale Saint-Sauveur et visitez le musée de la Tapisserie, si le cœur vous en dit. Il sera ensuite temps de vous promener dans le quartier Mazarin avant de dîner rue d'Italie, où nichent plusieurs petits restaurants. Pour dormir, choisissez l'un de ces charmants hôtels qui ont pris place dans d'anciens bâtiments (prieuré, cloître, immeuble 18e s.).

Dimanche, consacrez la journée à un voyage sur les pas de Cézanne, en suivant un circuit qui vous mènera à son atelier, au nord de la ville (en taxi ou en en bus, ligne 1 depuis le centre). Revenez au centre pour suivre, à pied, le circuit Cézanne dans le vieil Aix, mis en place par l'office de tourisme (demander le dépliant). Le week-end s'achève comme promis cours Mirabeau, au café-brasserie « Les Deux Garçons », où le peintre avait ses habitudes.

ARLES

Elle va vous faire tourner la tête, cette ville rare où les hommes ont déposé leurs trésors de pierre depuis l'Antiquité… En premier lieu, goûtez l'air de Provence saturé de saveurs méditerranéennes au marché du samedi matin sur le boulevard des Lices. Consacrez ensuite le reste de la journée à remonter le temps. Première étape, le théâtre antique et les arènes,

Arlésiennes en costume folklorique.

qui ne devront pas vous faire oublier la pause déjeuner dans l'un des restaurants du quartier. En guise de balade digestive, une promenade le long du quai, en direction du musée de l'Arles et de la Provence Antiques. Là, vous verrez notamment des sarcophages provenant des Alyscamps, où vous vous rendrez avant un dîner bien mérité. Rien de tel qu'un bon steak de taureau, la spécialité locale, pour vous remettre d'aplomb.

Après une nuit passée dans l'un des hôtels particuliers du vieil Arles transformés en hôtel de charme, votre dimanche s'annonce hétéroclite : l'église Saint-Trophime et la Fondation Van-Gogh le matin, suivi d'un déjeuner ensoleillé à la terrasse de l'un des restaurants postés à proximité de l'agréable place du Forum. Gardez l'après-midi pour découvrir le musée Réattu pour la donation Picasso, puis le Museon Arlaten pour Mistral. Finissez le week-end par une pause au « Café Van Gogh ».

AVIGNON

Dans la cité des papes, il est des étapes obligées ! Le palais des Papes, bien entendu, que vous visiterez dès votre arrivée. Un petit tour au Rocher des Doms qui réserve un beau point de vue et il faudra déjà penser à déjeuner. L'un des restaurants avec terrasse aux alentours du Palais semble tout indiqué, pour rester dans le quartier. Car ensuite, vous rejoindrez le musée du Petit Palais qui abrite de somptueuses collections, dont des toiles italiennes du 13e au 18e s. Enfin, dernier incontournable : le pont Saint-Bénezet, plus connu sous le nom de pont d'Avignon. Le soir, vous pourrez opter pour un dîner-croisière sur le Rhône ou une table en ville, d'autant plus que certaines autorisent des petites folies gastronomiques. Il est l'heure de dormir ? Faites votre choix, de la chambre d'hôte au cloître réaménagé par Jean Nouvel, en passant par le simple hôtel…

Dimanche matin, vous flânerez au hasard des rues sans manquer celle des Teinturiers, bordée par la Sorgue. Envie de musée ? Nichée dans son bel hôtel particulier, la Collection Lambert comblera les amateurs d'art contemporain et le musée Angladon ravira ceux qui préfèrent l'art moderne. L'après-midi, vous passerez sur l'autre rive, pour visiter la chartreuse de Villeneuve-lès-Avignon.

Marché aux poissons sur le Vieux Port de Marseille.

MARSEILLE

Rien à voir à Marseille ? Allons donc ! Une semaine suffirait à peine pour découvrir la cité phocéenne et vous disposez seulement de deux jours. Prêt ? Partez ! Première bonne nouvelle : ce week-end s'effectue de préférence à pied, un atout certain quand on a goûté aux joies de la circulation marseillaise (infernale !). Grimpez tout d'abord les ruelles du Panier, sous lesquelles dorment les fondations grecques de Massalia. Poussez jusqu'à la Vieille Charité, ancien hospice abritant le musée d'Archéologie méditerranéenne et le musée des Arts africains, océaniens, amérindiens. Revenez sur le Vieux Port pour déjeuner sur l'une des terrasses du seul quai ensoleillé à cette heure (côté mairie). Au menu ? Poissons grillés, voire la sacro-sainte bouillabaisse, bien qu'elle soit devenue chère, peuchère. Filez ensuite au musée d'Histoire de Marseille. Bien qu'installé au rez-de-chaussée d'un centre commercial tout en béton, il abrite de précieux vestiges gallo-romains, essentiels pour comprendre la ville. En fin d'après-midi, remontez la Canebière pour aboutir cours Julien, le fief « alternatif » (les graffitis) et « créateur » (les boutiques). Originales, les pièces restent en général abordables, pas de quoi menacer votre budget dîner. Dans ce quartier, les petites tables sympathiques abondent, les bars de fin de soirée aussi. Côté hébergement, nous vous conseillons de rester proche du Vieux Port, idéal car central.

Le lendemain, vous serez tout près pour filer écouter les joutes orales qui animent le marché aux poissons, quai des Belges. Rejoignez ensuite le musée Cantini, qui rassemble des œuvres du 20e s., avant d'aller saluer la vierge dorée qui coiffe N.-D.-de-la-Garde.

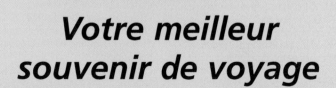

Votre meilleur souvenir de voyage

Avant de partir en vacances, en week-end ou en déplacement professionnel, préparez votre itinéraire détaillé sur www.ViaMichelin.com. Vous pouvez comparer les parcours proposés, sélectionner vos étapes gourmandes, afficher les cartes et les plans de ville le long de votre trajet. Complément idéal des cartes et guides MICHELIN, ViaMichelin vous accompagne également tout au long de votre voyage en France et en Europe : solutions de navigation routière par GPS, guides MICHELIN pour PDA, services sur téléphone mobile,...

Pour découvrir tous les produits et services :

www.viamichelin.com

BUCH CORPORATE - www.buch.co.fr

De là, si vous avez prévu votre pique-nique, descendez à pied jusqu'au Vallon des Auffes, où vous pourrez aussi piquer une petite tête aux beaux jours. Autrement, revenez vers le cours d'Estienne-d'Orves, où les terrasses en piazza offrent l'embarras du choix pour déjeuner. Allez ensuite visiter la basilique Saint-Victor avant une promenade dans le parc du Pharo ou bien embarquez pour les îles du Frioul. Au retour, offrez-vous l'une des tables en vue de la jeune garde de la cuisine créative marseillaise : version raffinée chez « Une table, Au sud » ou ambiance bistrot au « Café des Épices ». Achevez votre soirée au jazz bar « La Caravelle ». Depuis le balcon, la vue sur le port est imprenable. Déjà, au terme de ce week-end, vous n'avez pas eu le temps de faire tout ce que vous vouliez… On vous avait prévenu, il faudra revenir !

SENTEUR LAVANDE

L'été, d'immenses nappes bleutées ondulent sur le **plateau de Sault**. Outil indispensable pour ce week-end parfumé : une voiture, à louer dans les gares d'Avignon ou Orange si vous arrivez en train. Vous pourrez ensuite établir votre QG dans une maison d'hôte, d'où vous partirez, le premier jour, à la découverte de **Sault**, berceau de la distillation industrielle. Le matin, visitez la Ferme des lavandes et son conservatoire botanique, puis faites vos emplettes à la Maison des producteurs. Déjeunez terroir dans un restaurant ou une ferme-auberge. L'après-midi, découvrez l'exposition lavande du Centre de découverte de la nature, faites un tour à la distillerie du Vallon et à la savonnerie Brunarome. Option plein air : suivez la boucle pédestre de 4 km, « Chemins des lavandes ».

Le lendemain matin, direction le sud ! Suivez la spectaculaire route des

Champ de lavande en fleurs.

Stéphane Sauvignier / MICHELIN

gorges de la Nesque. Rendez-vous ensuite à l'abbaye de Sénanque, que vous visiterez, entourée de ses célèbres champs odoriférants. Achevez votre descente vers le sud en consacrant l'après-midi au **musée de la lavande** de Coustellet. Le week-end est terminé : vous voilà désormais au parfum.

AUTOUR DE NOËL

👁 **Bon à savoir** – Si le Noël provençal s'étend jusqu'à la Chandeleur (le 2 février), il est préférable de programmer ce week-end courant décembre, quand les animations liées à Noël battent leur plein. Nous vous expliquons ci-dessous comment organiser une échappée spécial Noël à Marseille. Sachez qu'à quelques nuances près, le même type de week-end peut être organisé à Saint-Rémy, Aubagne ou Aix.

Le premier jour, la visite des **crèches** d'églises prélude à votre après-midi consacré au shopping chez les **santonniers** ! Deux options : aller de boutique en boutique (plusieurs artisans sont installés dans le quartier du Panier, dont vous trouverez les coordonnées à l'office du tourisme de Marseille) ou profiter de la **Foire aux santons**, qui réunit les plus grands santonniers provençaux. Le soir, assistez à une **veillée calendale** : chants, danses et contes de Noël interprétés par les groupes folkloriques.

Le lendemain matin, sur les **marchés**, vous trouverez les ingrédients des fameux treize desserts : pompe à huile, nougat noir, nougat blanc, figues sèches… Si vous venez une semaine avant Noël, profitez-en pour aller à **Aix-en-Provence** où se tient le marché des treize desserts. Vous ferez peut-être quelques entorses à la tradition en craquant aussi pour des melons confits, calissons et marrons glacés… L'après-midi sera réservé aux **marchés de Noël** du centre-ville, de quoi vous donner des idées cadeaux fleurant bon la Provence, pour rapporter un peu du soleil d'ici sous votre sapin de Noël.

TOUT TRUFFE

Premier producteur de France, le Vaucluse est la terre de prédilection de la truffe noire *(voir aussi la rubrique « Truffes » p. 45)*. Pour partir sur les traces du divin tubercule, il vous faut un véhicule, loué en gare d'Avignon si vous arrivez par le rail. Autre condition : attendre la saison, marquée par l'ouverture, mi-novembre, du **marché aux truffes de Carpentras**. Mieux vaut venir dès le vendredi matin, jour de ce marché. Jusque début mars, vous y verrez vendeurs et négociants chuchoter leurs prix autour des sacs de jute. Ce marché est réservé aux professionnels. Vous irez ensuite flâner dans les ruelles de Carpentras, avant de choisir l'un des restaurants de la vieille ville proposant un menu truffé. L'après-midi, partez « caver » (ramasser la truffe) avec un « rabassier » (trufficulteur) dont l'office du tourisme de Carpentras vous fournira les coordonnées. Pour la nuit, l'une des maisons d'hôte postée au pied du mont Ventoux, au cœur des **truffières**, semble tout indiquée.

Le lendemain matin, si vous êtes sur place un samedi, partez vers l'autre grand marché aux truffes de France, celui de **Richerenches**. Plus rustique que le précédent, il augure un déjeuner truffé dans un restaurant du village. Faites quelques pas dans les ruelles de l'ancienne cité templière avant de mettre le cap sur le sommet du **mont Ventoux**. Consacrez l'après-midi à une promenade sur les sentiers balisés du Géant de Provence (pensez à vous emmitoufler, le mistral peut être redoutable). Ou offrez-vous, si l'enneigement le permet, quelques descentes à ski dans la station aménagée sur le versant nord. Un week-end gourmand en noir (la truffe) et blanc (la neige), qui dit mieux ?

Les atouts de la région au fil des saisons

Les gens du Nord se montrent souvent horriblement jaloux du soleil dont les Provençaux jouissent tout au long de l'année, de la luminosité exceptionnelle, de la rareté des pluies et des températures clémentes ! Il faut toutefois savoir (même si la région jouit d'un ensoleillement de plus de 2 500 heures par an) que les conditions climatiques n'y sont pas toujours idylliques (on ne compte plus les hivers glacials !) et que le rythme des saisons y est parfois fort irrégulier.
D'une façon générale, la Provence maritime jouit d'un climat moins

Celle qui chante tout l'été…

pluvieux et plus chaud que la Provence intérieure où le facteur altitude modifie sensiblement la température.

L'été

La belle saison par excellence : chaleur et absence de pluie font le plus souvent la joie des visiteurs venus chercher du soleil ! Il y tombe moins de 70 mm d'eau et le thermomètre flirte le plus souvent avec les 35 °C… Cette chaleur est toutefois rarement accablante, car elle n'est pas chargée d'humidité. Sa stabilité s'explique par la présence d'une masse d'air chaud provenant du Sahara, que le Massif central protège des dépressions humides occidentales. Notez que quelques orages, parfois homériques, viennent de temps à autre rafraîchir l'atmosphère.
C'est le temps des baignades sur la côte ou des balades au fil de l'eau dans les villages rafraîchissants tels L'Isle-sur-la-Sorgue, Pernes-les-Fontaines, Venasque, Goudargues… ou bien du côté de Sault, où s'étendent les champs de lavande en fleur. Il fera trop chaud pour se lancer dans des randonnées ; d'ailleurs l'accès à pied aux massifs (Alpilles, calanques, Montagnette, Sainte-Victoire) est strictement réglementé du 1er juillet au 2e samedi de septembre, parfois interdit en raison des risques d'incendie.
En juillet-août, les festivals (en journée ou le soir) battent leur plein : théâtre en Avignon, art lyrique à Aix et Orange, photographie en Arles, danse, musique et théâtre contemporains à Marseille, correspondance à Grignan, danse à Vaison, etc.

L'automne

Il est marqué par l'apparition des pluies, entre la mi-septembre et la fin novembre, sous l'influence des dépressions atlantiques : ce sont parfois de véritables trombes d'eau qui s'abattent ; il peut tomber plus de 100 mm d'eau en une heure, sur un total de 600 mm annuels ! Cela n'est pas sans évoquer les catastrophes d'un passé récent, à Nîmes ou Vaison-la-Romaine. Cependant, c'est une période agréable pour se promener tranquillement, passé la foule de la haute saison, et découvrir la Camargue notamment (pensez alors à vous protéger des moustiques).

L'hiver

Il est le plus souvent relativement doux et ensoleillé. La transparence de l'air est alors exceptionnelle et l'on a pu apercevoir le sommet du mont Canigou, à la frontière espagnole, depuis la colline de N.-D.-de-la-Garde (non, ce n'est pas une galéjade !). Le froid peut alors provenir des redoutables « coups de mistral » capables d'abaisser la température d'une dizaine de degrés en quelques heures : brrr ! Quant aux chutes de neige, elles sont rarissimes, excepté sur les hauteurs, comme au mont Ventoux, qui voit descendre les skieurs sur ses pentes ! Il faut venir en décembre pour vivre le Noël provençal, avec ses foires aux santons, sa veillée et sa table aux treize desserts.

Le printemps

Il est fort capricieux ! Retour des dépressions atlantiques (en général moins violentes qu'en automne) qui alternent avec de belles journées, presque estivales. Mais là encore, méfiance ! Le mistral fait souvent des siennes et gare aux imprudents qui n'ont pas pensé à emporter une « petite laine » !

C'est le moment de rentrer dans l'arène, avec le retour des ferias (de mars à septembre) en Camargue, et la saison idéale pour parcourir les calanques. Mai et juin sont propices à la descente des gorges de l'Ardèche, pas encore embouteillées.

LE MISTRAL

À tout seigneur tout honneur, le mistral (*mistrau* signifie « maître » en provençal) mérite bien sa célébrité. Descendant du nord-ouest, notamment des hauteurs enneigées du Massif central, il s'engouffre dans la vallée du Rhône. Ses violentes rafales purgent le ciel de ses nuages et purifient le sol (les paysans l'appellent *mangio-fango*, ou « mange-fange », car il assèche les mares de boue). Mais lorsque le mistral se déchaîne, c'est la tempête : le Rhône se met à rouler des vagues, les étangs se couvrent d'écume, portes et fenêtres claquent à tout-va et les déplacements deviennent parfois difficiles. « Tout le moulin craquait. Des tuiles s'envolaient de sa toiture en déroute. Au loin, les pins serrés dont la colline est couverte s'agitaient et bruissaient dans l'ombre. On se serait cru en pleine mer... », écrivait sans exagération Daudet à Fontvieille. Mais s'il est coléreux, le mistral n'est pas rancunier : il se calme aussi soudainement qu'il est apparu et, en quelques jours, tout rentre dans l'ordre.

Si l'on a pu compter, en dehors du mistral, une trentaine de vents différents, la plupart sont essentiellement locaux. Deux autres vents, toutefois, comptent vraiment : le « marin », venu du sud-est, accompagne pluie et brouillard ; quant au « labech », arrivant du sud-ouest, il accompagne, lui, les orages.

S'Y RENDRE ET CHOISIR SES ADRESSES

Où s'informer avant de partir

Ceux qui aiment préparer leur voyage dans le détail peuvent rassembler toute la documentation utile auprès des professionnels du tourisme de la région, qui disposent de cartes touristiques, brochures sur l'hébergement et la restauration, dépliants sur les activités, etc.

♿ Outre les adresses indiquées ci-dessous, sachez que les coordonnées des offices de tourisme ou syndicats d'initiative des villes et sites décrits dans ce guide sont données systématiquement dans l'**encadré pratique** des villes et sites, sous la rubrique « Adresse utile ».

Plaques de rue en provençal et en français à Aix-en-Provence.

LES ADRESSES UTILES

Un numéro pour la France, le 3265 – Un nouvel accès facile a été mis en place pour joindre tous les offices de tourisme et syndicats d'initiative en France. Il suffit de composer le 3265 (0,34 €/mn) et de prononcer distinctement le nom de la commune. Vous serez alors directement mis en relation avec l'organisme souhaité.

Comités régionaux du tourisme

Provence-Alpes-Côte d'Azur – Les Docks - Atrium 10.5 - 10 pl. de la Joliette - BP 46214 - 13567 Marseille Cedex 02 - ℘ 04 91 56 47 00 - www.deouverte-paca.fr

Languedoc-Roussillon (pour le département du Gard) – CS 79507 - 34960 Montpellier Cedex 2 - ℘ 04 67 22 81 00 - www.sunfrance.com

Rhône-Alpes Tourisme (pour les gorges de l'Ardèche) – 104 rte de Paris - 69260 Charbonnières-les-Bains - ℘ 04 72 59 21 59 - www.rhonealpes-tourisme.com

Comités départementaux du tourisme

Ardèche – 4 cours du Palais - 07000 Privas - ℘ 04 75 64 04 66 - www.ardeche-guide.com
Le site www.ardeche-resa.com permet de réserver ses hébergements en ligne.

Bouches-du-Rhône – Le Montesquieu - 13 r. Roux-de-Brignoles - 13006 Marseille - ℘ 04 91 13 84 40 - www.visitprovence.com

Gard – 3 r. Cité Foulc - BP 122 - 30010 Nîmes Cedex 04 - ℘ 04 66 36 96 30 - www.tourismegard.com
Le CDT édite un nouveau guide « Envies de Gard ».

Vaucluse – 12 r. du Collège-de-la-Croix - BP 147 - 84008 Avignon Cedex 1 - ℘ 04 90 80 47 00 - www.provenceguide.com
Le site Internet www.degrifprovence.com offre des réductions de dernière minute sur les hôtels, chambres d'hôte et locations.
◉ Le site **www.provence-resa.com** permet de réserver des hébergements en ligne.

TOURISME DES PERSONNES HANDICAPÉES

Un certain nombre de curiosités décrites dans ce guide sont accessibles aux personnes à **mobilité réduite**, elles sont signalées par le symbole ♿. Le degré d'accessibilité et les conditions d'accueil variant toutefois d'un site à l'autre, il est recommandé d'appeler avant tout déplacement.

Accessibilité des infrastructures touristiques

Lancé en 2001, le label national **Tourisme et Handicap** est délivré en fonction de l'accessibilité des équipements touristiques et de loisirs au regard des quatre grands handicaps : auditif, mental, moteur ou visuel. À ce jour, un millier de sites labellisés (hébergement, restauration, musées, équipements sportifs, salles de spectacles, etc.) ont été répertoriés en France. Vous pourrez en consulter la liste sur le site Internet de Maison de la France à l'adresse suivante : **www.franceguide.com**

Le magazine *Faire Face* publie chaque année, à l'intention des personnes en situation de handicap moteur, un hors-série intitulé *Guide vacances*. Cette sélection de lieux et offres de loisirs est disponible sur demande *(5,30 €, frais de port non compris)* auprès de l'**Association des Paralysés de France** (APF) - Direction de la Communication - 17 bd Auguste Blanqui - 75013 Paris - www.apf.asso.fr

Pour de plus amples renseignements au sujet de l'accessibilité des musées aux personnes atteintes de handicaps moteurs ou sensoriels, consultez le site **http://museofile.culture.fr**, qui répertorie nombre de musées français.

Accessibilité des transports

Train – Disponible gratuitement dans les gares et boutiques SNCF ou sur le site www.voyages-sncf.com, le *Mémento du voyageur handicapé* donne des renseignements sur l'assistance à l'embarquement et au débarquement, la réservation de places spéciales, etc. À retenir également, le numéro vert **SNCF Accessibilité Service** : ℘ 0 800 15 47 53.

Avion – Air France propose aux personnes handicapées le service d'**assistance Saphir**, avec un numéro spécial : ℘ 0 820 01 24 24. Pour plus de détails, consultez le site Internet www.airfrance.fr

Pour venir en France

Voici quelques informations pour les voyageurs étrangers en provenance de pays francophones comme la Suisse, la Belgique ou le Canada.

Pour en savoir plus, consultez le site de la Maison de la France **www.franceguide.com**

En cas de problème, voici les coordonnées des ambassades :

Ambassade de Suisse – 142 r. de Grenelle - 75007 Paris - ℘ 01 49 55 67 00 - www.eda.admin.ch/paris

Ambassade du Canada – 35-37 av. Montaigne - 75008 Paris - ℘ 01 44 43 29 00 - www.amb-canada.fr

Ambassade de Belgique – 9 r. de Tilsitt - 75017 Paris - ℘ 01 44 09 39 39 (en cas d'urgence seulement) - www.diplomatie.be/paris

FORMALITÉS

Pièces d'identité

La carte nationale d'identité en cours de validité ou le passeport (même périmé depuis moins de 5 ans) sont valables pour les ressortissants des pays de l'Union européenne, d'Andorre, du Liechtenstein, de Monaco et de Suisse. Pour les Canadiens, il n'y a pas besoin de visa mais d'un passeport valide.

Santé

Les ressortissants de l'Union européenne bénéficient de la gratuité des soins avec la **carte européenne d'assurance maladie**. Comptez un délai d'au moins deux semaines avant le départ (fabrication et envoi par la poste) pour obtenir la carte auprès de votre caisse d'assurance maladie. Nominative et individuelle, elle remplace le formulaire E 111 ; chaque membre d'une même famille doit en posséder une, y compris les enfants de moins de 16 ans.

Véhicules

Pour le conducteur : permis de conduire à trois volets ou permis international. Outre les papiers du véhicule, il est nécessaire de posséder la carte verte d'assurance.

QUELQUES RAPPELS

Code de la route

Sachez que la **vitesse** est généralement limitée à 50 km/h dans les villes et agglomérations, à 90 km/h sur le réseau courant, à 110 km/h sur les voies rapides et à 130 km/h sur les autoroutes.
Le port de la **ceinture** de sécurité est obligatoire à l'avant comme à l'arrière. Le taux d'**alcoolémie** maximum toléré est de 0,5 g/l.

Argent

La monnaie est l'**euro**. Les chèques de voyage, les principales **cartes de crédit** internationales sont acceptées dans presque tous les commerces, hôtels, restaurants et par les distributeurs de billets.

Téléphone

En France tous les numéros sont à 10 chiffres.
Pour appeler la France depuis l'étranger composer le **00 33** et les neufs chiffres de votre correspondant français (sans le zéro qui commence tous les numéros).

Pour téléphoner à l'étranger depuis la France composer le **00** + l'indicatif du pays + le numéro de votre correspondant.

Numéros d'urgence – Le **112** (numéro européen), le **18** (pompiers) ou le **17** (police, gendarmerie), le **15** (urgences médicales).

Transports

PAR LA ROUTE

Les grands axes

D'une façon générale, on rejoint la Provence par l'autoroute du Soleil (**A 6** jusqu'à Lyon, puis A 7) qui se divise en deux branches à hauteur d'Orange : l'une dessert Nîmes et le Languedoc (**A 9**), l'autre permet d'atteindre Aix en suivant la vallée de la Durance (**A 7**). Dans un cas comme dans l'autre, comptez, depuis Paris, 8 heures de trajet, dans des conditions de circulation normales.

Informations autoroutières – 3 r. Edmond-Valentin - 75007 Paris - informations sur les conditions de circulation sur les autoroutes au ℰ 0 892 681 077 - www.autoroutes.fr

Les cartes Michelin

En automobiliste prévoyant, munissez-vous de bonnes cartes. Les produits Michelin sont complémentaires : ainsi, chaque ville ou site présenté dans ce guide est accompagné de ses références cartographiques sur les cartes Local. Nous vous proposons de consulter également nos différentes gammes de cartes.

Les **cartes Local** ont été conçues pour ceux qui aiment prendre le temps de découvrir une zone géographique plus réduite (un ou deux départements) lors de leurs déplacements en voiture. Elles comprennent un index complet des

Distances en km	Marseille	Nîmes
Lille	994	930
Lyon	315	253
Nice	204	278
Paris	776	714
Poitiers	781	703
Strasbourg	801	739

Info pratique

Changement de numération routière

Sur de nombreux tronçons, les routes nationales passent sous la direction des départements. Leur numérotation est en cours de modification.
La mise en place sur le terrain a commencé en 2006, mais devrait se poursuivre sur plusieurs années. De plus, certaines routes n'ont pas encore définivement trouvé leur statut au moment où nous bouclons la rédaction de ce guide. Nous n'avons donc pas pu reporter systématiquement les changements de numéros sur l'ensemble de nos cartes et textes.

👁 **Bon à savoir** – Dans la majorité des cas, on retrouve le n° de la nationale dans les derniers chiffres du n° de la départementale qui la remplace. Exemple : N 16 devient D 1016 ou N 51 devient D 951.

localités et contiennent les plans des préfectures. Pour ce guide, consultez les cartes Local **331**, **332**, **339** et **340**.

Les **cartes Régional** couvrent le réseau routier secondaire et donnent de nombreuses indications touristiques. Elles sont pratiques lorsqu'on aborde un vaste territoire ou pour relier des villes distantes de plus de cent kilomètres. Elles disposent également d'un index complet des localités et proposent les plans des préfectures. Pour ce guide, utilisez la carte **526** (Languedoc-Roussillon) ou **527** (Provence-Côte d'Azur).

Pensez aussi aux **cartes Zoom**, n° **113** pour la Provence et n° **114** pour le Pays varois.

Enfin, n'oubliez pas, la **carte de France n° 721** vous offre la vue d'ensemble de la Provence au 1/1 000 000, avec ses grandes voies d'accès, d'où que vous veniez.

Sur Internet et Minitel

Le site **www.ViaMichelin.fr** offre une multitude de services et d'informations pratiques d'aide à la mobilité (calcul d'itinéraires, cartographie : des cartes pays aux plans de villes, sélection des hôtels et restaurants du Guide Michelin…) sur la France et d'autres pays d'Europe.

Les calculs d'itinéraires sont également accessibles sur le 3615 ViaMichelin et peuvent être envoyés par fax (3617 ou 3623 Michelin).

Distances	Aix	Arles	Avignon	Nîmes	Marseille	Orange
Aix	–	76	81	108	30	100
Arles	76	–	34	35	92	65
Avignon	81	34	–	43	97	30
Nîmes	108	35	43	–	98	56
Marseille	30	92	97	98	–	120
Orange	100	65	30	56	120	–

EN TRAIN

Le réseau grandes lignes

Au départ de Paris, nombreux TGV pour Avignon (2h40), Nîmes (2h50), Aix-en-Provence et Marseille (en 3h).

Pensez à réserver vos billets à l'avance afin de bénéficier de tarifs préférentiels (sous certaines conditions). Il existe des allers Paris-Marseille en TGV à 25 € (le billet « Prem's » s'achète en ligne).

Informations et réservations – La SNCF a mis en place un numéro unique de ligne directe : ☎ 36 35 (0,34 €/mn). 3615 SNCF (0,20 €/mn). www.voyages-sncf.com

Le réseau régional

Le **TER** assure les liaisons interrégionales, ce qui permet d'aller d'une ville à l'autre rapidement et facilement. La ligne Marseille-Aubagne-Toulon dessert les calanques et celle de Marseille-Miramas rejoint la Camargue. Entre Marseille et Avignon, vous pourrez vous arrêter à Salon-de-Provence ou Cavaillon, Arles ou Tarascon, ou bien pousser jusqu'à Orange. D'Avignon, vous irez à Nîmes, et de Marseille vous vous rendrez à Aix-en-Provence. Si vous désirez faire une escapade dans le Var (consultez *Le Guide Vert Côte d'Azur*), prenez la ligne Marseille-Vintimille : Toulon est à 50mn et Cannes à 2h.

Informations générales et réservations – ☎ 36 35. 3615 TER (0,15 €/mn) - www.ter-sncf.com

Les bons plans

Les tarifs de la SNCF varient selon les périodes : –50 % en période bleue, –25 % en période blanche, plein tarif en période rouge (calendriers disponibles dans les gares et boutiques SNCF).

Les cartes de réduction

Différentes réductions sont offertes grâce aux cartes suivantes, valables un an, en vente dans les gares et boutiques SNCF :

– **carte enfant** pour les moins de 12 ans ;

– **carte 12-25** pour les 12-25 ans, qui peut être achetée la veille de ses 26 ans pour l'année suivante ;

– **carte senior** à partir de 60 ans. Ces différentes cartes offrent une réduction de 50 % sur tous les trains dans la limite des places disponibles et sinon 25 %. La SNCF offre la possibilité de les essayer une fois gratuitement en prenant la carte découverte appropriée.

Les familles ayant au minimum 3 enfants mineurs peuvent bénéficier d'une **carte famille nombreuse** (16 € pour l'ensemble des cartes, valables 3 ans) permettant une réduction individuelle de 30 à 75 % selon le nombre d'enfants (la réduction est toujours calculée sur le prix plein tarif de 2e classe, même si la carte permet de voyager également en 1re). Elle ouvre droit à d'autres réductions hors SNCF *(voir p. 28)*.

La **carte Grand Voyageur**, valable 3 ans, permet de gagner des points et d'avoir des réductions exclusives. Elle donne aussi accès à certains services comme le transport des bagages.

La **carte Escapade** permet une réduction de 25 % sur tous les trains pour des allers-retours d'au moins 200 km, comprenant une nuit sur place du samedi au dimanche.

Les réductions sans carte

Sans disposer d'aucune carte, vous pouvez bénéficier de certains tarifs réduits.

Sur Internet, profitez des billets **Prem's** : très avantageux pourvu que vous réserviez suffisamment à l'avance, ils s'achètent uniquement en ligne mais ne sont ni échangeables ni remboursables.

Les **billets Découverte** offrent quant à eux des réductions de 25 % pour les moins de 25 ans, les plus de 60 ans, et sous certaines conditions entre 25 et 60 ans. Si vous effectuez un aller-retour d'au moins 200 km et si

Aquitaine
Bordelais Landes Béarn

LE Guide Vert

Dans la même collection, découvrez aussi :

France

- Alpes du Nord
- Alpes du Sud
- Alsace Lorraine
- Aquitaine
- Auvergne
- Bourgogne
- Bretagne
- Champagne Ardenne
- Châteaux de la Loire
- Corse
- Côte d'Azur
- France
- Franche-Comté Jura
- Île-de-France
- Languedoc Roussillon
- Limousin Berry
- Lyon Drôme Ardèche
- Midi-Pyrénées
- Nord Pas-de-Calais Picardie
- Normandie Cotentin
- Normandie Vallée de la Seine
- Paris
- Pays Basque
- Périgord Quercy
- Poitou Charentes Vendée
- Provence

Europe

- Allemagne
- Amsterdam
- Andalousie
- Autriche
- Barcelone et la Catalogne
- Belgique Luxembourg
- Berlin
- Bruxelles
- Budapest et la Hongrie
- Bulgarie
- Croatie
- Écosse
- Espagne
- Florence et la Toscane
- Grande Bretagne
- Grèce
- Hollande
- Irlande
- Italie
- Londres
- Moscou Saint-Pétersbourg
- Pologne
- Portugal
- Prague
- Rome
- Scandinavie
- Sicile
- Suisse
- Venise
- Vienne

Thématiques

- La France sauvage
- Les plus belles îles du littoral français
- Paris Enfants
- Promenades à Paris
- Week-ends aux environs de Paris
- Week-ends dans les vignobles
- Week-ends en Provence

Paris Enfants

Monde

- Canada
- Égypte
- Maroc
- New York

Photos : Corel/Goodshoot

votre séjour comprend une nuit du samedi au dimanche, vous pouvez profiter du tarif **Découverte Séjour**. Si vous êtes de 2 à 9 personnes à effectuer un aller-retour, que vous ayez ou non un lien de parenté, et si votre voyage comprend au moins une nuit entre l'aller et le retour, vous pouvez bénéficier du tarif **Découverte à deux**.

EN AVION

Ce moyen de transport ne s'avère guère avantageux : le temps de trajet intrinsèque est réduit mais il faut ajouter les transferts entre les aéroports. En outre, il vous en coûtera plus cher, à moins que vous ne trouviez des vols promotionnels plus intéressants qu'un voyage en train à plein tarif. Cherchez sur Internet les vols dégriffés où renseignez-vous auprès des compagnies aériennes.

Les compagnies aériennes

Air France – La compagnie assure quotidiennement les liaisons entre Marseille et Ajaccio, Brest, Bastia, Bordeaux, Clermont-Ferrand, Calvi, Figari, Lille, Lyon, Nantes, Paris, Rennes, Strasbourg, Toulouse. Elle propose aussi des vols Paris-Avignon.

👁 **Bon à savoir** – En réservant 30 jours à l'avance, le prix du billet aller-retour peut-être attractif.
📞 0 820 820 820. www.airfrance.fr

Les aéroports de la région

Aéroport international de Marseille Provence – 13727 Marignane - 📞 04 42 14 14 14 - www.marseille. aeroport.fr

Aéroport d'Avignon-Caumont – 📞 04 90 81 51 51 - www.avignon. aeroport.fr - 4 vols quotidiens directs Avignon/Orly, Aéro-club.

Liaisons depuis l'aéroport

Aéroport international de Marseille Provence – Un service de **bus** assure les liaisons avec Aix (7,70 €, dép. ttes les 30mn de 4h45 à 22h45, durée du trajet 30mn), Marseille-gare (8,50 €, dép. ttes les 20mn de 5h30 à 21h50). Moins fréquents (mais quotidiens), d'autres bus relient Manosque, Digne, Salon et Vitrolles. Les horaires sont régulièrement réactualisés sur le site Internet de l'aéroport.
Vous trouverez aussi des **taxis** à la sortie de l'aéroport, comptez env. 40 € pour rejoindre le centre de Marseille le jour, 50 € la nuit.

Aéroport d'Avignon-Caumont – Il n'y a aucun service de bus. En **taxi**, comptez 15 à 20 € jusqu'au centre d'Avignon, à 10 km.

Budget

Vous pouvez obtenir des réductions grâce aux solutions suivantes.

FORFAITS TOURISTIQUES INTÉRESSANTS

À Aix, Arles, Avignon, Nîmes ou Marseille, les offices de tourisme commercialisent des **forfaits** donnant accès aux musées, aux monuments et aux transports en commun de la ville pendant un à trois jours.

👁 Pour plus de détails, reportez-vous aux **encadrés pratiques** de chaque ville dans la partie « Découvrir les sites ».

Info pratique

« Bon week-end en ville »

Deux nuits d'hôtel (dans un établissement de 1 à 4 étoiles) pour le prix d'une ? C'est possible, du 1er novembre au 31 mars, à **Avignon**, **Aix-en-Provence** et **Marseille**, qui participent à cette opération. Il faut réserver au moins 48h à l'avance. Demandez la liste des hôtels participant à l'opération dans les Offices de tourisme de ces villes, ou consultez le site Internet **www.bon-week-end-en-villes.com**

LES BONS PLANS

Les chèques vacances

Ce sont des titres de paiement permettant d'optimiser le budget vacances/loisirs des salariés grâce à une participation de l'employeur. Les salariés du privé peuvent se les procurer auprès de leur employeur ou de leur comité d'entreprise ; les fonctionnaires auprès des organismes sociaux dont ils dépendent.

On peut les utiliser pour régler toutes les dépenses liées à l'hébergement, à la restauration, aux transports ainsi qu'aux loisirs. Il existe aujourd'hui plus de 135 000 points d'accueil.

La carte famille nombreuse

On se la procure auprès de la **SNCF** (voir p. 26). Elle ouvre droit, outre les billets de train à prix réduits, à des réductions très diverses auprès des

NOS CATÉGORIES DE PRIX				
	Se restaurer (prix déjeuner)		Se loger (prix de la chambre double)	
	Province	Grandes villes Stations	Province	Grandes villes Stations
😊	jusqu'à 14 €	jusqu'à 16 €	jusqu'à 45 €	jusqu'à 65 €
😊😊	plus de 14 € à 25 €	plus de 16 € à 30 €	plus de 45 € à 65 €	plus de 65 € à 100 €
😊😊😊	plus de 25 € à 40 €	plus de 30 € à 50 €	plus de 65 € à 100 €	plus de 100 € à 160 €
😊😊😊😊	plus de 40 €	plus de 50 €	plus de 100 €	plus de 160 €

musées nationaux, de certains sites privés, parcs d'attraction, loisirs et équipements sportifs, cinémas et même certaines boutiques. Mieux vaut l'avoir sur soit et demander systématiquement s'il existe un tarif préférentiel famille nombreuse.

NOS ADRESSES D'HÉBERGEMENT ET DE RESTAURATION

Au fil des pages, vous découvrirez nos **encadrés pratiques**, sur fond vert. Ils présentent une sélection d'établissements dans et à proximité des villes ou des sites touristiques remarquables auxquels ils sont rattachés. Pour repérer facilement ces adresses sur nos plans, nous leur avons attribué des pastilles numérotées.

Nos catégories de prix

Pour vous aider dans votre choix, nous vous communiquons une **fourchette de prix** : pour l'hébergement, les prix communiqués correspondent aux tarifs minimum et maximum d'une chambre double ; il en va de même pour la restauration et les prix des menus proposés sur place. Les mentions « *Astuce prix* » et « bc » signalent : pour la première les formules repas à prix attractif, servies généralement au déjeuner par certains établissements de standing, pour la seconde les menus avec boisson comprise (verre de vin ou eau minérale au choix). Les prix que nous indiquons sont ceux pratiqués en **haute saison** ; hors saison, de nombreux établissements proposent des tarifs plus avantageux, renseignez-vous… Dans chaque encadré, les adresses sont classées en quatre catégories de prix pour répondre à toutes les attentes *(voir le tableau ci-dessus)*.

Premier prix – Choisissez vos adresses parmi celles de la catégorie 😊 : vous trouverez là des hôtels, des chambres d'hôte simples et conviviales et des tables souvent gourmandes, toujours honnêtes.

Prix moyen – Votre budget est un peu plus large. Piochez vos étapes dans les adresses 😊😊. Dans cette catégorie, vous trouverez des maisons, souvent de charme, de meilleur confort et plus agréablement aménagées, animées par des passionnés, ravis de vous faire découvrir leur demeure et leur table. Là encore, chambres et tables d'hôte sont au rendez-vous, avec également des hôtels et des restaurants plus traditionnels, bien sûr.

Haut de gamme – Vous souhaitez vous faire plaisir, le temps d'un repas ou d'une nuit, vous aimez voyager dans des conditions très confortables ? Les catégories 😊😊😊 et 😊😊😊😊 sont pour vous… La vie de château dans de luxeuses chambres d'hôte pas si chères que cela ou dans les palaces et les grands hôtels : à vous de choisir ! Vous pouvez aussi profiter des décors de rêve de lieux mythiques à moindres frais, le temps d'un brunch ou d'une tasse de thé… À moins que vous ne préfériez casser votre tirelire pour un repas gastronomique dans un restaurant renommé. Sans oublier que la traditionnelle formule « tenue correcte exigée » est toujours de mise dans ces élégantes maisons !

Se loger

L'arrière-pays est accueillant et reposant ; cependant, sachez que si vous souhaitez y séjourner en période hivernale (entre la Toussaint et Pâques), se loger relève parfois du casse-tête (comme du reste y manger !), tant leur rythme d'activité est accordé à celui des vacances… Mieux vaut alors privilégier les villes qui, comme Nîmes, Marseille ou Aix, disposent de nombreux hôtels de toutes catégories, souvent situés au cœur de la cité, avec une mention spéciale pour Arles et Avignon où certains d'entre eux ont investi d'anciennes nobles demeures, hôtels particuliers ou livrées cardinalices.

NOS CRITÈRES DE CHOIX

Les hôtels

Nous vous proposons, dans chaque encadré pratique un choix très large en terme de confort. La location se fait à la nuit et le petit-déjeuner est facturé en supplément. Certains établissements assurent un service de restauration également accessible à la clientèle extérieure.

Pour un choix plus étoffé et actualisé, **Le Guide Michelin France** recommande des hôtels sur toute la France. Pour chaque établissement, le niveau de confort et de prix est indiqué, en plus de nombreux renseignements pratiques. Le symbole « **Bib Hôtel** » signale des hôtels pratiques et accueillants offrant une prestation de qualité à prix raisonnable à moins de 72 € en province (88 € grandes villes et stations balnéaires).

Les chambres d'hôte

Vous êtes reçu directement par les habitants qui vous ouvrent leur demeure. L'atmosphère est plus conviviale qu'à l'hôtel, et l'envie de communiquer doit être réciproque : misanthropes, s'abstenir ! Les prix, mentionnés à la nuit, incluent le petit-déjeuner. Certains propriétaires proposent aussi une table d'hôte, ouverte uniquement le soir, et toujours réservée aux résidents de la maison. Il est très vivement conseillé de réserver votre étape, en raison du grand succès de ce type d'hébergement.

👁 **Bon à savoir** - Certains établissements ne peuvent pas recevoir vos compagnons à quatre

pattes ou les accueillent moyennant un supplément, pensez à le demander lors de votre réservation.

Le camping

Le **Guide Camping Michelin France** propose tous les ans une sélection de terrains visités par nos inspecteurs. Renseignements pratiques, niveau de confort, prix, agrément, location de bungalows, de mobile homes ou de chalets y sont mentionnés.

LES BONS PLANS

Les services de réservation

Fédération nationale des services de réservation Loisirs-Accueil – 280 bd St-Germain - 75007 Paris - 📞 01 44 11 10 44 - www.franceguide.com ou www.loisirsaccueilfrance.com. La Fédération propose un large choix d'hébergements et d'activités de qualité, édite un dépliant regroupant les coordonnées des 54 services Loisirs-Accueil et, pour tous les départements, une brochure détaillée.

Fédération nationale Clévacances France – 54 bd de l'Embouchure – BP 52166 - 31022 Toulouse Cedex - 📞 05 61 13 55 66 - www.clevacances. com. Cette fédération propose près de 27 000 locations de vacances (appartements, chalets, villas, demeures de caractère, pavillons en résidence) et 3 500 chambres dans 22 régions réparties sur 89 départements en France et outre-mer, et publie un catalogue par département (passer commande auprès des représentants départementaux Clévacances).

L'hébergement rural

Maison des Gîtes de France et du Tourisme vert – 59 r. St-Lazare - 75439 Paris Cedex 09 - 📞 01 49 70 75 75 - www.gites-de-france.com. Cet organisme donne les adresses des relais départementaux et publie des guides sur les différentes possibilités d'hébergement en milieu rural (gîtes ruraux, chambres et tables d'hôte, gîtes d'étape, chambres d'hôte de charme, gîtes de neige, gîtes de pêche, camping à la fermes, locations de chalets, gîtes Panda).

Fédération des Stations Vertes de Vacances et Villages de Neige – BP 71698 - 21016 Dijon Cedex - 📞 03 80 54 10 50 - www.stationsvertes.com. Situées à la campagne et à la montagne, les 582 Stations Vertes

Chambre d'hôte Domaine de la Carraire à Lauris, dans le Luberon.

Stéphane Sauvignier / MICHELIN

Pour les bonnes petites adresses, suivez le guide.

Pour dénicher les meilleures petites adresses du moment, découvrez les nouveaux Bib Gourmands du Guide Michelin pour de bonnes tables à petits prix. Avec 45 000 adresses de restaurants et d'hôtels en Europe dans toutes les catégories de confort et de prix, le bon plan n'est jamais loin.

MICHELIN

Une meilleure façon d'avancer

sont des destinations de vacances familiales reconnues tant pour leur qualité de vie (produits du terroir, loisirs variés, cadre agréable) que pour la qualité de leurs structures d'accueil et d'hébergement.

L'hébergement pour randonneurs

Les randonneurs, mais aussi les amateurs d'alpinisme, d'escalade, de ski, de cyclotourisme et de canoë-kayak peuvent consulter le guide **Gîtes d'étapes, refuges**, de A. et S. Mouraret (Rando Éditions, BP 24, 65421 Ibos, ✆ 05 62 90 09 90) ou **www.gites-refuges.com**. Cet ouvrage et ce site sont principalement destinés aux amateurs de randonnée, d'alpinisme, d'escalade, de ski, de cyclotourisme et de canoë-kayak.

Les auberges de jeunesse

Il existe deux réseaux d'auberges de jeunesse en France.

Fédération Unie des Auberges de Jeunesse (FUAJ) – 27 r. Pajol - 75018 Paris - ✆ 01 44 89 87 27 - www.fuaj.org. La carte FUAJ est délivrée en échange d'une cotisation annuelle de 10,70 € pour les moins de 26 ans, de 15,30 € au-delà de cet âge et de 22,90 € pour les familles.

Ligue française pour les Auberges de Jeunesse (LFAJ) – 67 r. Vergniaud - bâtiment K - 75013 Paris - ✆ 01 44 16 78 78 - www.auberges-de-jeunesse.com. La carte LFAJ est délivrée en échange d'une cotisation annuelle de 10,70 € pour les moins de 26 ans et de 15,25 € au-delà de cet âge.

👁 **Bon à savoir** – En Provence, vous trouverez des auberges de jeunesse dans les villes suivantes : Aix, Arles, Cassis, Marseille, Nîmes, Tarascon (FUAJ) et Carpentras, Cassis, Saintes-Maries-de-la-Mer (LFAJ).

POUR DÉPANNER

Les chaînes hôtelières

L'hôtellerie dite « économique » peut éventuellement vous rendre service. Sachez que vous y trouverez un équipement complet (sanitaire privé et télévision), mais un confort très simple. Souvent à proximité de grands axes routiers, ces établissements n'assurent pas de restauration. Toutefois, leurs tarifs restent difficiles à concurrencer (moins de 50 € la chambre double). En dépannage, voici donc les centrales de réservation de quelques chaînes :

Akena – ✆ 01 69 84 85 17.
B&B – ✆ 0 892 782 929.
Etap Hôtel – ✆ 0 892 688 900.
Villages Hôtel – ✆ 03 80 60 92 70.
Enfin, les hôtels suivants, un peu plus chers (à partir de 68 € la chambre), offrent un meilleur confort et quelques services complémentaires :
Campanile – ✆ 01 64 62 46 46.
Kyriad – ✆ 0 825 003 003.
Ibis – ✆ 0 825 882 222.

Se restaurer

Sur la côte, la restauration est inégale : souvent « industrielle » (méfiez-vous des saisonniers !), elle peut être authentique dans certains petits établissements qui ne paient pas de mine. Un simple loup grillé aromatisé au fenouil accompagné d'un vin blanc servi dans un guinguette de plage camarguaise, des supions grillés en persillade dégustés les pieds dans le sable sur la plage de la Pointe Rouge à Marseille, quelques huîtres présentées sur le coin d'une table recouverte d'une toile cirée, avec au loin le soleil se couchant sur les étangs, constitueront un souvenir inoubliable ! Sur la Côte Bleue, **sardinades** (l'été) et **oursinades** (l'hiver) se déroulent sur le même principe : après avoir acheté ses sardines grillées (ou ses oursins frais) sur les étals, on les déguste sur de grandes tables en bois installées en plein air. Convivialité garantie !

Jean Malburet / MICHELIN

La ratatouille, un plat simple et savoureux.

À l'intérieur des terres, outre quelques grandes tables, vous trouverez une cuisine volontiers rustique, copieuse, toujours savoureuse et relevée (à l'ail, notamment !), que ce soit sous les tonnelles des restaurants de villages ou dans les fermes-auberges et tables d'hôte qui privilégient une gastronomie du terroir, parfois revisitée avec créativité. Enfin, n'oubliez pas que les restaurants d'hôtels peuvent vous accueillir.

NOS CRITÈRES DE CHOIX

Pour répondre à toutes les envies, nous avons sélectionné des **restaurants** régionaux bien sûr, mais aussi classiques, exotiques ou à thème… Et des lieux plus simples, où vous pourrez grignoter une salade composée, une tarte salée, une pâtisserie ou déguster des produits régionaux sur le pouce.

Pour un choix plus étoffé et actualisé, **Le Guide Michelin France** recommande des restaurants sur toute la France. Pour chaque établissement, le niveau de confort et de prix est indiqué, en plus de nombreux renseignements pratiques. Le symbole « **Bib Gourmand** » signale les tables qui proposent une cuisine soignée à moins de 28 € en province (36 € grandes villes et stations balnéaires). Quelques **fermes-auberges** vous permettront de découvrir les saveurs de la France profonde. Vous y goûterez des produits authentiques provenant de l'exploitation agricole, préparés dans la tradition et généralement servis en menu unique. Le service et l'ambiance sont bon enfant. Réservation obligatoire !

« SITES REMARQUABLES DU GOÛT »

Ce label dote des sites dont la richesse gastronomique s'appuie sur des produits de qualité et un environnement culturel et touristique intéressant. À ces sites sont associés des visites de jardins, musées, unités de production, des dégustations, des marchés, des manifestations. Informations sur **www.legout.com**

En Provence, bénéficient de ce label l'oliveraie de la **vallée des Baux**, **Apt** pour ses fruits confits, **Richerenches** (Vaucluse) pour ses truffes et la messe des truffes, **Nyons** pour ses olives et son huile, **Beaumes-de-Venise** pour son muscat.

« TERROIR ET PATRIMOINE »

Certaines villes ont mis en place un partenariat avec des restaurants qui proposent des menus à base de produits de la région à 15 € ou 20 €, une « Assiette du Terroir » à 10 € et un « Petit gourmet » pour les enfants. La formule « Journée Terroir et Patrimoine » combine un déjeuner et des visites. **Aubagne**, **Cavaillon**, **Martigues** et **Uzès** font partie du club. Demandez la liste des établissements auprès des offices de tourisme de ces villes ou consultez le site Internet **www.villes-de-terroir.com**

LES GRANDS CHEFS

La Provence est une région gourmande. La preuve ? Elle se trouve dans l'assiette de cinq cuisiniers distingués que nous vous recommandons.

À Marseille
Gérald Passédat représente la 3e génération de cette famille fixée sur la Corniche depuis 1917, année où le grand-père Germain créa le restaurant. Lui succéda le petit fils Jean-Paul, cuisinier étoilé, désormais chargé de l'accueil en salle alors que le fils est au fourneau depuis déjà plus de vingt ans. Élève de Troisgros et Guérard, sa cuisine est un mariage de tradition familiale, raffinement et originalité. À la carte, le traditionnel loup de ligne « Lucie Passédat » côtoie avec bonheur la bouillabaisse revisitée tandis que les poissons de la pêche du jour tiennent la vedette. Déjeuner ou dîner au Petit Nice, dans ce véritable bijou formé de deux villas perchées sur les rochers, face à la grande bleue, est un rare privilège… que les Marseillais garderaient volontiers pour eux, mais il y a bien longtemps que la réputation de la maison, qui s'honore de deux étoiles, n'est plus à faire.
👁 *Le Petit Nice* - 🗲 04 91 59 25 92.

À Bonnieux
Édouard Loubet, savoyard de naissance, est désormais attaché à la Provence et plus particulièrement au Luberon. Après avoir tout d'abord exploité le Moulin de Lourmarin où il fut le plus jeune chef étoilé de France en son temps, il exerce maintenant son talent à la Bastide de Capelongue, mas idéalement niché dans la garrigue. La cuisine inventive où il fait partager les couleurs et les senteurs de la Provence s'appuie sur de solides acquis reçus notamment chez Alain Chapel et Marc

Veyrat. De ses origines savoyardes, Édouard Loubet a gardé la passion pour les sports de montagne tels le ski et l'escalade, mais le jardinage constitue également un de ses hobbies préférés. Aussi, les plantes entrent-elles dans un bon nombre de ses plats.
👁 *La Bastide de Capelongue -* 📞 *04 90 75 89 78.*

À Lourmarin

Reine Sammut est une autodidacte de la cuisine. Au départ, rien ne prédisposait cette jeune femme originaire des Vosges à s'installer au fourneau. Mais la Provence et l'amour lui ont fait abandonner ses études de médecine et c'est aux côtés de la mère de son mari qu'elle a commencé par apprendre les secrets de la cuisine méditerranéenne. Passionnée, et bien soutenue par son époux en salle, elle régala rapidement les fins palais de la région dans leur première auberge située au cœur du bourg, tandis que la réputation de sa cuisine n'a cessé de grandir dans sa nouvelle adresse à la campagne où elle fait chanter la cuisine provençale entre lavandes et oliviers. Reine Sammut ? une histoire d'amour, de cuisine et de Provence !
👁 *Auberge La Fenière -* 📞 *04 90 68 11 79.*

En Avignon

Christian Étienne, dès son enfance, rêvait d'être cuisinier et c'est au cours de repas de famille mitonnés par ses grands-mères et sa maman qu'il conforta sa conviction. Natif d'Avignon, il ne l'a pas quitté pour exercer sa passion et c'est dans une demeure historique accolée au palais des Papes qu'il régale ses clients d'une cuisine régionale où les légumes provençaux tiennent une grande place. Maître cuisinier, cet homme chaleureux et à l'accent chantant aime communiquer sa passion et faire découvrir sa région aux 4 coins du monde. Il a aussi écrit des livres pour partager ses recettes.
👁 *Christian Étienne -* 📞 *04 90 86 16 50.*

À Nîmes

Michel Kayser, natif de Moselle, a adopté et a été adopté par la région depuis fort longtemps. C'est ainsi qu'il mène depuis plus de 20 ans son élégant restaurant « Alexandre », souvenir du patronyme de l'ancien propriétaire qui était une figure de la restauration à l'époque. Ayant fait ses armes comme second de cuisine à la célèbre Maison Kammerzell de Strasbourg, le chef concocte ici une cuisine épurée et goûteuse, teintée de saveurs locales. Proche de l'aéroport, l'adresse attire les clients de tout le département et d'ailleurs ; et c'est Monique, l'épouse de Michel, qui se charge de l'accueil et du bien-être des convives tout au long du repas. Des repas le plus souvent arrosés des meilleurs vins du Languedoc-Roussillon pour lesquels Michel Kayser se passionne.
👁 *Alexandre -* 📞 *04 66 70 08 99.*

LES VINS

Pour découvrir les nectars de la région *(voir aussi p. 95)*, rien ne vaut une visite dans l'antre des vignerons. Pour obtenir les adresses des caves et des domaines, contactez les Syndicats et Maisons des vins.

Côtes-du-rhône – Maison des vins d'AOC côtes-du-rhône et Vallée du Rhône - 6 r. des Trois-Faucons - 84000 Avignon - 📞 04 90 27 24 00 - www.vins-rhone.com
🍷 *Voir Dentelles de Montmirail, Orange, Vaison-la-Romaine.*

Coteaux d'Aix-en-Provence – Syndicat général des Coteaux d'Aix-en-Provence - Maison des Agriculteurs - 22 av. Henri-Pontier - 13626 Aix-en-Provence - 📞 04 42 23 57 14 - www.coteauxaixenprovence.com
🍷 *Voir Aix-en-Provence.*

Vins des Baux-de-Provence – Syndicat des vignerons des Baux - 📞 04 32 61 90 67.
🍷 *Voir Les Baux-de-Provence, Salon-de-Provence.*

Vins de Cassis – Syndicat des vignerons de Cassis - Domaine du Bagnol - 12 av. de Provence - 13260 Cassis - 📞 04 42 01 78 05.
🍷 *Voir Cassis.*

Côtes-du-luberon – Syndicat général des vins des côtes-du-luberon - BP 12 - La Tour-d'Aigues - 84125 Pertuis Cedex - 📞 04 90 07 34 40 - www.vins-cotes-luberon.fr
🍷 *Voir Apt, Ménerbes.*

Côtes-de-provence – *Voir La Sainte-Victoire.*

Costières de Nîmes – *Voir Nîmes.*

Vins de pays des sables du golfe du Lion – *Voir Aigues-Mortes.*

🍷 Dans l'**encadré pratique** des villes ou sites, retrouvez notre sélection d'adresses à la rubrique « Achats ». Pour approfondir le sujet, consultez *Le Guide Vert Les Thématiques « La France des Vignobles ».*

Le petit chaperon rouge

Mais comme le petit chaperon rouge avait pris sa carte Local Michelin, elle ne tomba pas dans le piège. Ainsi, elle ne coupa pas par le bois, ne rencontra pas le loup et, après un parcours touristique des plus pittoresques, arriva bientôt chez sa Mère-Grand à qui elle remit son petit pot de beurre.

Fin

À FAIRE ET À VOIR

Les activités et loisirs de A à Z

Les **comités départementaux** et **comités régionaux** de tourisme *(voir p. 23)* disposent de nombreuses documentations et répondront à vos demandes d'informations quant aux activités proposées dans leur secteur.

Pour trouver d'autres adresses de prestataires, reportez-vous aux rubriques « Visite » et « Sports & Loisirs » dans les **encadrés pratiques** de la partie « Découvrir les sites ».

ARCHÉOLOGIE

Si vous avez l'âme d'un archéologue, si vous aimez gratter la terre et ne craignez pas le soleil, vous pouvez vous inscrire à des chantiers de fouilles qui sont organisés chaque été en Provence par les services régionaux de l'archéologie :

DRAC Provence-Alpes-Côte d'Azur – Service régional de l'Archéologie - 21 allée Cl.-Forbin - 13100 Aix-en-Provence - ✆ 04 42 99 10 00.

DRAC Rhône-Alpes – 6 quai St-Vincent - 69283 Lyon Cedex 01 - ✆ 04 72 00 44 45 - www.culture.gouv.fr/rhone-alpes

DRAC Languedoc-Roussillon – Service régional de l'Archéologie - CS 49020 - 5 r. de la Salle-l'Évêque - 34967 Montpellier Cedex 2 - ✆ 04 67 02 32 71.

👁 **Bon à savoir** – La revue *Archéologia* (www.archeologia-magazine.com) publie chaque printemps la liste des chantiers ayant besoin de recrues.

BAIGNADE

En mer

Plages de sable fin en pente douce (Le Grau-du-Roi, La Ciotat) ou plus abrupte (Les Saintes-Maries-de-la-Mer), criques rocheuses (les calanques, la Côte Bleue, les îles du Frioul) ou plages de galets, voire d'herbe (Marseille, plages Borély), il y en a pour tous les goûts ! Elle est bonne, mais est-elle propre ? Si vous désirez connaître le résultat des contrôles de qualité des eaux de baignade effectués chaque mois de juin pour toutes les plages du littoral, consultez le site du Ministère de la Santé http://baignades.sante.gouv.fr. Sachez que les plages sont classées en 4 catégories, de A (bonne qualité) à D (mauvaise qualité).

En rivière

C'est possible dans le **Gardon** (autour de Collias et du Pont du Gard), dans la **Cèze**, dans l'**Ardèche**…, mais gare aux orages qui font monter subitement les eaux !

BALLON

On a réussi à faire le tour du monde en aérostat… mais à propos, le saviez-vous ? Bertrand Piccart, un des auteurs de l'exploit, a des origines provençales puisqu'une de ses grands-mères était nîmoise ! Rien d'étonnant alors qu'il y ait tant de possibilités de découvrir la Provence de cette façon, notamment dans l'**Uzège** *(voir Uzès)* et au-dessus du **Luberon** *(voir La Tour-d'Aigues)*.

CANOË-KAYAK

La pratique du canoë-kayak permet d'aborder les sites les plus inaccessibles de l'**Ardèche** *(voir gorges de l'Ardèche)*, de la **Cèze** *(voir Bagnols-sur-Cèze)*, du **Gardon** *(voir Pont du Gard)* et de la **Sorgue** *(voir Fontaine-de-Vaucluse)*.

Fédération nationale de canoë-kayak – 87 quai de la Marne - 94344 Joinville-le-Pont - ✆ 01 45 11 08 50 - www.ffcanoe.asso.fr. La Fédération

---

Règlementation particulière

Dans les **gorges de l'Ardèche**, une zone comprise entre Charmes et Sauze est classée Réserve naturelle.

Les **deux lieux de bivouac** sont Gaud et Gournier, ce qui limite le séjour à deux nuits dans la réserve.

Cela implique un certain nombre de règles à respecter pour les visiteurs la parcourant à bord d'une **embarcation** : accès interdit aux planches à voile et aux embarcations de plus de 3 personnes, port du gilet de sauvetage obligatoire.

Pour toute information pratique complémentaire, adressez-vous à la **Maison de la réserve**, à Gournier : ✆ 04 75 98 77 31.

édite un livre, *France canoë-kayak et sports d'eaux vives*, et avec le concours de l'IGN, une carte, « Les rivières de France », avec tous les cours d'eau praticables.

Fédération départementale de canoë-kayak du Vaucluse – 1 r. Bourguet - 84000 Avignon - ℰ 04 90 27 90 63 - www.canoe-alpesprovence.com. Renseignements sur les clubs, les loueurs et les sites praticables dans le Vaucluse.

Fédération départementale de canoë-kayak des Bouches-du-Rhône – 109 av. Pierre-Mendès France - 13008 Marseille - ℰ 04 91 76 51 41. Renseignements sur la pratique du canoë-kayak (location, clubs, etc.) mais aussi le kayak de mer (*voir ci-dessous*).

Kayak de mer

Cette discipline utilise un équipement à peu près semblable au kayak, mais avec des embarcations plus longues et plus étroites. Son intérêt ? Elle permet de visiter de petites criques inaccessibles par voie terrestre. Les premières sorties sont accompagnées de navigateurs expérimentés.
On pratique surtout le kayak de mer dans les **calanques**. Vous trouverez des clubs et des loueurs dans la plupart des stations balnéaires *(se renseigner auprès des offices de tourisme)*.

👁 **Bon à savoir** – À Marseille, l'office de tourisme propose une journée découverte en kayak de mer.

CHINER

Une cruche à pastis des années 1950, un meuble provençal patiné, une carte postale du Marseille de la Belle Époque, une publicité années 1930 pour le savon… Tout, tout, tout, vous trouverez tout dans les brocantes, nombreuses en Provence.
L'Isle-sur-la-Sorgue abrite quelques 300 spécialistes réunis au sein des « villages des antiquaires ». Un bémol cependant : les tarifs, parfois élevés. Bien meilleur marché, le **marché aux Puces des Arnavaux**, à Marseille, attire chaque dimanche une foule bigarrée, les uns venus pour les boucheries halal et les primeurs bon marché, les autres pour les galeries d'antiquités, certaines spécialisées *seventies* et *eighties*. Plus haut de gamme, **Villeneuve-lès-Avignon** rassemble chaque samedi matin à l'entrée de la ville une quarantaine de brocanteurs (meubles, bouquinistes

et bibelots). Les autres rendez-vous provençaux ? Le lundi matin à **Nîmes**, en bas du boulevard Jean-Jaurès ; le dimanche après-midi sur le parking des platanes de **Carpentras** ; à Pernes-les-Fontaines, chaque mercredi d'été en nocturne sur le quai de Verdun.

👁 **Bon à savoir** – Pour faire les meilleures affaires, venez au tout début (6h du matin, eh oui !) ou en fin de brocante, quand les vendeurs pressés de remballer seront ravis de vous céder ces encombrants et pesants tisonniers en fonte que vous cherchiez pour votre cheminée !

CORRIDA ET FERIA

On l'aime ou on la déteste : la corrida ne laisse personne indifférent. Très implantée en Camargue, la tauromachie provençale est mâtinée d'influences espagnoles. **Arles** (à Pâques) et **Nîmes** (à la Pencôte) organisent les deux plus grandes ferias de Provence, rassemblant des milliers de personnes. Entre deux corridas, les *bodegas* (bars éphémères) affichent complets. Vin et pastis coulent à flots, d'immenses paellas sont cuisinées en plein air tandis qu'une foule compacte danse dans les rues au son des *penas* (fanfares). Saint-Martin-de-Crau, Fourques, Les Saintes-Maries-de-la-Mer, Méjanes, Saint-Gilles, Saint-Laurent-d'Aigouze, Salin-de-Giraud, Le Grau-du-Roi, Lunel, Mauguio et Beaucaire organisent aussi plus ou moins régulièrement des ferias.

COURS DE CUISINE ET D'ŒNOLOGIE

Aux fourneaux

Les **cours de cuisine** se multiplient : pressés par la demande, les restaurants provençaux se mettent à partager leurs secrets, comme « Le Jardin de la

Vin de Vacqueyras et Gigondas.

Tour » *(voir Avignon)* ou l'auberge « La Fontaine » *(voir Venasque)*. L'office du tourisme de **Marseille** propose une journée « bouillabaisse » sous la houlette d'un chef local.

Dans le verre

Vous voulez goûter le vin ? Découvrez l'art de la dégustation le temps d'une visite à l'Espace Vin à **Cairanne** (𝄞 04 90 30 82 05 - www.cairanne.com), d'un atelier d'initiation aux techniques de la dégustation du vin à la Maison des truffes et du vin du Luberon de **Ménerbes** *(voir ce nom)*, d'un rendez-vous d'initiation proposée par l'office du tourisme de **Marseille** *(voir ce nom)*, d'une journée à l'Académie du Vin et du Goût à **Roquemaure** (𝄞 04 66 33 04 86) ou d'un week-end à l'Université du vin à **Suze-la-Rousse** *(voir Bollène)*, qui propose également des stages de perfectionnement.

Vélotouriste dans les gorges de la Nesque.

Stéphane Sauvignier / MICHELIN

CYCLOTOURISME

À vélo ou à VTT, nombreux circuits possibles… mais attention aux côtes et à la chaleur !

Citons les circuits balisés autour de l'**enclave des papes** (37 km autour de Valréas) et le circuit viticole du haut Vaucluse, compliqué par l'ascension de quelques caves coopératives particulièrement coupe-jarret.

Cap sur l'Antiquité, en suivant la boucle de 38 km autour du **Pont du Gard**. Ce circuit, très vallonné, est décrit dans un dépiant gratuit disponible à l'office du tourisme d'Uzès *(voir ce nom)*.

Dans le **Luberon** *(voir ce nom)*, un itinéraire touristique Cavaillon-Apt-Forcalquier-Manosque-Lourmarin-Cavaillon (236 km) présente l'avantage d'être jalonné de panneaux d'informations permettant de ne pas pédaler idiot et de s'être mis

en rapport avec des professionnels de l'hôtellerie ravis d'accueillir les cyclotouristes. Sur le même principe, le circuit « Les ocres en vélo » (50 km) passe par Apt, Rustrel et Cavaillon.

Les plus vaillants compareront leurs performances à celles des forçats de la route en se mesurant au Géant de Provence, le mont **Ventoux** *(voir ce nom)*, à partir de Bédoin.

Ceux qui préfèrent pédaler sur terrain plat emprunteront l'un des 5 grands circuits de **Camargue** *(voir ce nom)*.

Documentations

Un *Cyclo-guide* de 18 itinéraires a été mis au point par le comité départemental de cyclotourisme du **Vaucluse**. Il est disponible gratuitement au comité départemental du tourisme du Vaucluse, tout comme le topoguide *Spécial VTT*, décrivant 9 itinéraires balisés sur le mont Ventoux.

Pour un point de vue cyclo sur l'ensemble des **Bouches-du-Rhône**, une carte décrivant tous les itinéraires possibles (dont ceux balisés pour le VTT) est disponible gratuitement au comité départemental du tourisme.

👁 **Bon à savoir** – Les clubs cyclotouristes organisent des **sorties week-end** ou des **circuits « découverte »** avec des guides. Demandez leurs adresses auprès des comités départementaux de cyclotourisme, qui dépendent de la Fédération.

Fédération française de cyclotourisme, 12 r. Louis-Bertrand - 94200 Ivry-sur-Seine - 𝄞 01 56 20 88 88 - www.ffct.org

ESCALADE

Un grand mot ? Les lecteurs de Tartarin le penseront peut-être… N'empêche que s'il paraît superflu de s'encorder pour escalader la **Montagnette** *(voir Tarascon)*, les adeptes de la varappe ont quelques-unes des plus belles parois de France à se mettre sous la dent : d'abord dans les **calanques** *(voir ce nom)* où Gaston Rebuffat fit ses premières armes, et dans la **montagne Sainte-Victoire**. Bien d'autres voies équipées réjouiront les grimpeurs : les **dentelles de Montmirail** *(voir ce nom)*, les gorges du Gardon autour de Collias et celles de l'Ardèche, le **Luberon** *(voir ce nom)* autour des falaises abruptes de Buoux, le massif de la Sainte-Baume.

Club alpin français Marseille-Provence – 14 quai Rive-Neuve - 13007 Marseille - ℘ 04 91 54 36 94 - http://cafmarseille.free.fr/pages/club/club.htm

Fédération française de Montagne et d'Escalade – 8 quai de la Marne - 75019 Paris - ℘ 01 40 18 75 50 - www.ffme.fr

👁 **Bon à savoir** – Consultez également le *Guide des sites naturels d'escalade en France,* par D. Taupin (Éd. Cosiroc/FFME) pour connaître la localisation des sites d'escalade dans la France entière.

GOLF

Les terrains ne manquent pas pour entraîner votre swing dans un cadre enchanteur. Un **golf-pass** Provence (carnet de 5 *greenfees*) a été mis en place. Renseignements au Comité régional de tourisme Paca et sur le site **www.golfpass-provence.com**

🖐 Retrouvez notre sélection dans les **encadrés pratiques** d'Aix-en-Provence, des Alpilles, d'Avignon, des Baux-de-Provence, de Fontaine-de-Vaucluse, d'Orange et d'Uzès.

LAVANDE

Sur les quatre départements du territoire de Haute-Provence (Alpes-de-Haute-Provence, Hautes-Alpes, Drôme et Vaucluse), les **Routes de la lavande** sont une invitation à la découverte de nombreux sites liés à la culture et à l'exploitation de la lavande. Les itinéraires proposés vous mèneront au cœur des paysages de lavande de la Drôme provençale au plateau de Valensole en passant par le **pays de Sault** (*voir « Nos idées de week-end » p. 20*). Des visites de distilleries, de fermes et de jardins, des animations et des sorties accompagnées ainsi que des ateliers pour les enfants permettent de découvrir la lavande sous toutes ses facettes : huiles essentielles, parfums, botanique, cuisine, histoire et lecture des paysages.

Info pratique

Événements

La **lavande** est célébrée tout au long de l'été : à Ferrassières le 1er dim. de juil., à Valensole le 3e dim. de juil., à Sault le 15 août, ou au corso de Digne et de Valréas déb. août.

Les Routes de la lavande – 2 av. de Venterol - 26110 Nyons - ℘ 04 75 26 65 91 - www.routes-lavande.com L'association édite un **guide pratique** ainsi qu'un calendrier des séjours, ateliers et animations du printemps à l'automne. N'hésitez pas à la contacter.

MARCHÉS

Pour vos achats, ayez le réflexe marché. Certes, ce que l'on y achète est le plus souvent périssable… Pourtant, faire son marché en Provence constitue un souvenir de voyage en soi. Et certains produits artisanaux (miels, confitures, lavandes, vins, épices, truffes ou huiles d'olive) garniront vos placards d'une douceur toute provençale. Tissus provençaux et objets artisanaux paradent aussi sur les étals.

👁 **Bon à savoir** – Quelle est la différence entre un marché tout court et un « **marché paysan** » ? Sur le second, vous trouverez exclusivement des producteurs qui se sont engagés à ne vendre que les produits qu'ils récoltent eux-mêmes. Les revendeurs sont interdits. C'est le Parc naturel régional du Luberon qui a créé ce label en 1980. Souvent copié (jamais égalé ?), le **marché paysan du Coustellet** fut le premier de France (*voir Le Luberon*).

🖐 Marchés paysans ou marchés, nous répertorions les plus réputés dans les **encadrés pratiques** de la partie « Découvrir les sites ».

NAVIGATION

Sur le Rhône – À partir d'Avignon *(voir ce nom)* sont organisées des promenades en bateau sur le Rhône et des croisières à la journée.

Sur les canaux de la Petite Camargue – Promenade en péniche au départ d'Aigues-Mortes *(voir ce nom)*.

En mer – Au départ de **Marseille** *(voir ce nom)*, visite du château d'If et des îles du Frioul ; au départ de **La Ciotat** et de **Cassis** *(voir ces noms)*, visite des calanques.

OLIVES

L'arbre symbolique de l'univers provençal fait l'objet de plusieurs circuits répartis dans les **Bouches-du-Rhône** (route de l'olivier des Alpilles et de la vallée des Baux, route de l'olivier du pays d'Aix-en-Provence) et dans la **Drôme** (route de l'olivier en

Baronnies, autour de Nyons et Buis-les-Baronnies), unissant les principales oliveraies et les producteurs d'huile d'olive ayant reconnu la charte **Route de l'olivier**. Ils sont signalés par des panonceaux détaillant les spécificités de la production locale.

En outre, de nombreux restaurateurs intègrent des produits oléicoles dans leurs menus.

Renseignements – Association française interprofessionnelle de l'olive (AFIDOL), 22 r. Henri-Pontier, 13626 Aix-en-Provence Cedex 1, ℘ 04 42 23 01 92.

👁 **Bon à savoir** – La reine de la gastronomie provençale est gourmande : pour obtenir un litre d'huile, 4 à 5 kg d'olives sont nécessaires. Or un olivier donne entre 15 et 50 kg d'olives. Faites le calcul et vous comprendrez pourquoi l'huile d'olive, même bon marché, n'est pas donnée. *Voir aussi p. 86.*

Olives de Nyons.

Stephane Sauvignier / MICHELIN

💧 Il existe différentes variétés d'olives *(voir p. 93)* et donc d'huile. Vous pourrez vous initier à la dégustation d'huile d'olive à **Nyons** *(voir ce nom).*

PÊCHE

En eau douce

Carpes, truites et autres monstres aquatiques n'ont qu'à bien se tenir ! Le **Rhône** et la **Durance** ne sont pas avares des premières, qui aiment à se laisser surprendre depuis le pont Daladier. Les secondes n'empruntent pas sans appréhension les différentes rivières provençales…, mais il faut savoir que le réseau hydrographique de la Provence n'est pas très dense et qu'il est sujet à d'importantes variations. Nombre de ruisseaux ne se mettent à couler que lorsque la pluie tombe. Néanmoins, des rivières comme l'Ardèche, le Gard ou la Durance (sans parler du Rhône), ainsi que les canaux et les retenues d'eau (Cadarache, Brinon) attirent les pêcheurs de truites, de chevesnes, de carpes, de tanches, de brochets…

👁 **Bon à savoir** – Généralement, le cours supérieur des rivières est classé en 1re catégorie tandis que les cours moyen et inférieur le sont en 2e. Pour la pêche dans les lacs et les rivières, il convient d'observer les réglementations nationale et locale, de s'affilier pour l'année en cours dans le département de son choix à une association de pêche et de pisciculture agréée, d'acquitter les taxes afférentes au mode de pêche pratiqué, ou éventuellement d'acheter une carte journalière.

Conseil supérieur de la pêche – Immeuble Le Péricentre - 16 av. Louison-Bobet - 94132 Fontenay-sous-Bois Cedex - ℘ 01 45 14 36 00.

En mer

La Méditerranée est sans doute moins poissonneuse que les autres mers bordant le littoral français… Néanmoins, vous ne rentrerez sans doute pas bredouille. Dans les **zones rocheuses**, les poissons de roche pullulent : rascasses (la gloire de la bouillabaisse), rougets, congres et murènes partagent les lieux avec une foule de poulpes et d'araignées de mer, divers mollusques et quelques rares langoustes. Dans les **zones sableuses**, on trouve des raies, des soles et des limandes. Des bancs de sardines, d'anchois et de thons passent **au large** ainsi que des daurades, des loups (ou bars) et des muges (mulets).

👁 **Bon à savoir** – Il n'est nul besoin d'autorisation pour pratiquer la pêche en mer, pourvu que ces produits soient réservés à votre consommation personnelle. En revanche, il existe une réglementation pour le ramassage des **oursins** : il n'est autorisé que de novembre à mars, à raison de quatre douzaines par personne, et les oursins doivent avoir une taille supérieure à 5 cm.

Fédération française des pêcheurs en mer – Résidence Alliance, centre Jorlis - 64600 Anglet - ℘ 05 59 31 00 73 - www.ffpm-national.com

PLAISANCE

Les hardis loups de mer ne manquent pas d'endroits où jeter l'ancre, car la plupart des localités côtières possèdent des ports bien équipés

APPORTEZ VOTRE PIERRE
À L'ÉDIFICE DE LA SAUVEGARDE ICCROM
DU PATRIMOINE
NE L'EMPORTEZ PAS DANS VOS BAGAGES

Un cœur transpercé d'une flèche et deux prénoms se jurant l'amour éternel, le tout gravé dans la pierre d'un monument historique ; emballages de pellicules, mégots de cigarettes ou bouteilles vides abandonnés sur un site archéologique. Comment confondre notre patrimoine culturel avec un carnet mondain ou une poubelle ? Pour la plupart d'entre nous, ces agissements sont de toute évidence condamnables, mais d'autres comportements, en apparence inoffensifs, peuvent également avoir un impact négatif.

Au cours de nos visites, gardons à l'esprit que chaque élément du patrimoine culturel d'un pays est singulier, vulnérable et irremplaçable. Or, les phénomènes naturels et humains sont à l'origine de sa détérioration, lente ou immédiate. Si la dégradation est un processus inéluctable, un comportement adéquat peut toutefois le retarder. Chacun de nous peut ainsi contribuer à la sauvegarde de ce patrimoine pour notre génération et les suivantes.

Ne considérez jamais une action de façon isolée, mais envisagez sa répétition mille fois par jour

- Chaque micro-secousse, même la plus inoffensive, chaque toucher devient nuisible quand il est multiplié par 1 000, 10 000, 100 000 personnes.

- Acceptez de bon gré les interdictions (ne pas toucher, ne pas photographier, ne pas courir) ou restrictions (fermeture de certains lieux, circuits obligatoires, présentation d'œuvres d'art par roulement, gestion de l'affluence des visiteurs, éclairage réduit, etc). Ces dispositions sont établies uniquement pour limiter l'impact négatif de la foule sur un bien ancien et donc beaucoup plus fragile qu'il ne paraît.

- Évitez de grimper sur les statues, les monuments, les vieux murs qui ont survécu aux siècles : ils sont anciens et fragiles et pourraient s'altérer sous l'effet du poids et des frottements.

- Aimeriez-vous emporter en souvenir une tesselle de la mosaïque que vous avez tant admirée ? Combien de visiteurs avec ce même désir faudra-t-il pour que toute la mosaïque disparaisse à jamais ?

Faites preuve d'attention et de respect

- Dans un lieu étroit et rempli de visiteurs tel qu'une tombe ou une chapelle décorées de fresques, faites attention à votre sac à dos : vous risquez de heurter la paroi et de l'abîmer.

- Les pierres sur lesquelles vous marchez ont parfois plus de 1 000 ans. Chaussez-vous de façon appropriée et laissez pour d'autres occasions les talons aiguilles ou les semelles cloutées.

N'enfreignez pas les lois internationales

- L'atmosphère de certains lieux invite à la contemplation et/ou à la méditation. Évitez donc toute pollution acoustique (cris, radio, téléphone mobile, klaxon, etc.).

- En vous appropriant une partie, si infime soit-elle, du patrimoine (un fragment de marbre, un petit vase en terre cuite, une monnaie, etc.), vous ouvrez la voie au vol systématique et au trafic illicite d'œuvres d'art.

- N'achetez pas d'objets de provenance inconnue et ne tentez pas de les sortir du pays ; dans la majorité des nations, vous risquez de vous exposer à de graves condamnations.

Message élaboré en partenariat avec l'ICCROM (Centre international d'études pour la conservation et la restauration des biens culturels) et l'UNESCO.

Pour plus d'informations, voir les sites :

http://www.unesco.org

http://www.iccrom.org

http://www.international.icomos.org

où un certain nombre de places sont réservées aux visiteurs de passage. Renseignements auprès des capitaineries des ports.
Citons d'ouest en est :

Le Grau-du-Roi – ✆ 0 825 888 868.

Les Saintes-Maries-de-la-Mer – ✆ 04 90 97 85 87.

Port-St-Louis-du-Rhône – Port Napoléon, ✆ 04 42 48 41 21.

Martigues – Capitainerie : Portmaritima - ✆ 04 42 07 00 00.

Port-de-Bouc – ✆ 04 42 06 38 50.

Sausset-les-Pins – ✆ 04 42 44 55 01.

Carry-le-Rouet – ✆ 04 42 45 25 13.

L'Estaque – ✆ 04 91 46 01 40.

Marseille (bureau de plaisance) – ✆ 04 91 33 25 44.

Marseille (capitainerie de Pointe-Rouge) – ✆ 04 91 73 13 21.

Frioul – ✆ 04 91 59 01 82.

Port-Miou – ✆ 06 26 84 51 58.

Cassis – ✆ 04 42 01 96 24.

La Ciotat – ✆ 04 42 08 62 90.

PLONGÉE

C'est à Marseille que **Jacques-Yves Cousteau** et **Émile Gagnan** ont mis au point le détendeur moderne qui a permis le développement de la plongée en scaphandre autonome : c'est dire qu'ici, lorsqu'on évoque la plongée, on sait de quoi on parle !

On pourra la pratiquer à **Marseille** et dans les **calanques** (voir Cassis et Côte Bleue) mais aussi à **La Ciotat** (voir ce nom), dans le parc naturel aquatique du Mugel.

Les plongeurs peuvent en outre visiter **six sites exceptionnels** : des épaves comme celles du Chauoen, cargo marocain échoué sur l'île du Planier (au large de Marseille), de la Drôme, épave reposant par 51 m de fond, du paquebot Liban qui sombra devant l'île Maïre en 1903 ; ou bien des sites naturels comme Les Impériaux, célèbre pour ses immenses gorgones rouges, la Cassidaigne, zone de passage de poissons au pied du phare à 4 milles de Cassis, ou encore l'île Verte, au large de La Ciotat, riche en poissons et en flore sous-marine.

👁 **Bon à savoir** – Après les baptêmes dispensés par des moniteurs et l'engouement pour la découverte des superbes paysages sous-marins, on n'en est pas pour autant un plongeur confirmé. Il faut savoir que l'apprentissage est long et qu'il doit être dispensé par des moniteurs titulaires des diplômes de moniteurs fédéraux 1er et 2e degré ou titulaires des brevets d'État d'éducateur sportif 1er ou 2e degré option plongée subaquatique.

Fédération française d'études et de sports sous-marins – 24 quai de Rive-Neuve - 13284 Marseille Cedex 07 - ✆ 04 91 33 99 31 ou 0 820 000 457 - www.ffessm.fr. Elle regroupe un grand nombre de clubs nationaux et publie un ensemble de fiches présentant les activités subaquatiques de la fédération et les contacts régionaux.

RANDONNÉE ÉQUESTRE

Pour vous mettre en selle, la Camargue (voir ce nom, Le Grau-du-Roi et Saint-Gilles), le Luberon (voir ce nom), la Montagnette (voir Tarascon) et la Sainte-Victoire (voir ce nom).

👁 **Bon à savoir** – Attention aux trop nombreuses promenades à cheval qui consistent à suivre un sentier quelconque sur une monture désabusée… Renseignez-vous avant sur le club choisi.

Comité national de tourisme équestre – 9 bd Macdonald - 75019 Paris - ✆ 01 53 26 15 50 - www.tourisme-equestre.fr. Le comité édite une brochure annuelle, Cheval nature, l'officiel du tourisme équestre, répertoriant les possibilités en équitation de loisir et les hébergements accueillant cavaliers et chevaux.

👁 **Bon à savoir** – Le comité départemental du Vaucluse édite une carte intitulée Tourisme équestre en Vaucluse.

Association régionale de tourisme équestre de Provence – 28 pl. Roger-Salengro, 8400 Cavaillon, ✆ 04 90 78 04 49.

RANDONNÉE PÉDESTRE

La découverte de la Provence à pied est un véritable enchantement pour l'œil tant la luminosité ambiante met en valeur la beauté des paysages, qu'ils soient restés sauvages ou qu'ils portent la marque de l'homme, au fil des villages et de leurs terroirs.

Pour mieux lire le paysage, vous pourrez effectuer des randonnées accompagnées, notamment dans **les Alpilles** (voir ce nom), dans les

collines marseillaises sur les traces de Pagnol (*voir Aubagne*) ou dans le **Luberon** (*voir ce nom*).

De nombreux sentiers de Grande Randonnée sillonnent la région décrite dans ce guide. Le **GR 4** traverse le bas Vivarais jusqu'au mont Ventoux, le **GR 42** longe la vallée du Rhône, le **GR 6** suit le cours du Gard jusqu'à Beaucaire puis s'enfonce dans les Alpilles et le Luberon. Le **GR 9** suit la face nord du Ventoux, traverse le plateau du Vaucluse, le Luberon, puis les massifs de la Sainte-Victoire et de la Sainte-Baume. Les GR 63, 653 (Camargue), 92, 97 et 98 -51 (calanques de Marseille à Cassis) en sont les variantes.

À côté des GR existe une multitude de sentiers de Petite Randonnée **(PR)** correspondant à des parcours de quelques heures à 48 heures.

Fédération française de randonnée pédestre – 14 r. Riquet - 75019 Paris - ℘ 01 44 89 93 93 - www.ffrandonnee. fr. La Fédération donne le tracé détaillé des GR, GRP et PR ainsi que d'utiles conseils. Vente de topoguides sur Internet.

Comité départemental de la randonnée pédestre des Bouches-du-Rhône – 21, av. de Mazargues - 13008 Marseille - ℘ 04 91 32 17 10.

Comité départemental de la randonnée pédestre du Gard – 114 bis rte de Montpellier - La Vigneronne - 30540 Milhaud - ℘ 04 66 74 08 15 - Email : cdrp30@ wanadoo.fr. Conseils pratiques, sur le choix des topoguides (*vendus par la fédération française, voir ci-dessus*), et informations sur les sentiers (inondations, créations)…

Randonneurs dans les calanques.

Stéphane Sauvignier / MICHELIN

Comité départemental de la randonnée pédestre du Vaucluse – 1 r. Bourguet, 84000 Avignon - ℘ 04 90 85 65 04 - http://rando84.free.fr. Informations sur les randonnées, les hébergements et les topoguides, vendus par la fédération française.

Documentations

Le Comité départemental du tourisme des **Bouches-du-Rhône** édite un coffret *Balades et randonnées en Provence*, avec 14 itinéraires détaillés, régulièrement enrichis et remis à jour.

On peut également obtenir une brochure intitulée *Gard : Terre de Randonnée* auprès du Comité départemental du tourisme du **Gard**.

Le comité départemental du tourisme du **Vaucluse** vous fournira sur demande la brochure *Je me bouge* : dix circuits pédestres sont détaillés, avec d'autres activités de pleine nature.

Les syndicats d'initiative et les offices de tourisme proposent généralement

Info pratique

ACCÈS AUX MASSIFS

Afin de lutter contre les incendies, dans certaines zones boisées ou d'écosystème particulièrement fragile, l'**accès aux massifs est règlementé** par arrêté préfectoral :
- du 1er juillet au 31 août pour le Vaucluse ;
- du 1er juillet au 9 septembre pour les Bouches-du-Rhône.

À partir des prévisions de risque de Météo France, la préfecture émet quotidiennement une carte matérialisant le niveau de risque incendie par massif. Cette carte est consultable tous les jours, à partir de 19h, sur les sites des préfectures : **www.bouches-du-rhone.pref.gouv.fr www.vaucluse.pref.gouv.fr**

Renseignements également dans les **offices de tourisme**.

L'accès à chacun des massifs est réglementé de la manière suivante :
- couleur jaune : niveau de risque incendie modéré. La prudence est de mise ;
- couleur orange : niveau de risque incendie sévère. L'accès aux massifs est déconseillé ;
- couleur rouge : niveau de risque incendie très sévère ; l'accès aux massifs est fortement déconseillé ; certains accès routiers sont interdits à la circulation (signalisation spéciales) ;
- couleur noire : niveau de risque incendie exceptionnel. Les accès routiers et pédestres sont formellement interdits.

des dépliants de balades et de randonnées, tout comme les Parcs naturels régionaux. La plupart sont gratuits.

ROUTES HISTORIQUES

Pour découvrir le patrimoine architectural local, la **Fédération nationale des routes historiques** (www.routes-historiques.com) a élaboré 21 itinéraires à thème. Tracés et dépliants sont disponibles auprès des offices de tourisme ou au centre d'information de la demeure historique : Hôtel de Nesmond - 57 quai de la Tournelle - 75005 Paris - 𝒫 01 55 42 60 00.

La région couverte par ce guide est parcourue, en totalité ou en partie, par deux routes historiques :

Route historique du patrimoine juif du Midi de la France – Comité départemental du tourisme de Vaucluse - 𝒫 04 90 80 47 00 - www.provenceguide.com

Routes historiques en Languedoc-Roussillon – Château de Flaugergues - 1744 av. Albert-Einstein - 34000 Montpellier - 𝒫 04 99 52 66 37.

Info pratique

DANS LES VIGNOBLES

Ces dernières années, la plupart des vignobles provençaux se sont ouverts au **tourisme vert**. Quelques exemples : circuits VTT balisés dans les vignes de Châteauneuf-du-Pape, randonnées pédestres balisées de panneaux pédagogiques dans les vignes de Beaumes-de-Venise ou chambres d'hôte dans des domaines viticoles en activité (souvent doublées d'excellentes tables d'hôte).

👁 **Bon à savoir** – Pour connaître les dates des **manifestations** liées au vignoble, informez-vous auprès des offices de tourisme.

ROUTES THÉMATIQUES

Elles sont mises en place par des associations, des Offices de tourisme et autres organismes, et bénéficient souvent de brochures explicatives.

Via Domitia

Construite par les Romains pour relier Rome au sud de l'Espagne, la « voie domitienne » a tout d'une survivante : son tracé perdure, même s'il est aujourd'hui souvent recouvert par le bitume. En Provence, cette voie antique passait par Apt, Cavaillon, Tarascon et Nîmes *(voir ces noms)*. Près d'Apt, ne manquez pas l'un des vestiges majeurs, le Pont-Julien, jeté sur le Coulon en 3 av. J.-C.

Renseignements – Association Régionale Via Domitia - CRT - CS79507 - 34960 Montpellier Cedex 2 - 𝒫 04 67 22 81 00 - www.viadomitia.org

Route des peintres de la lumière en Provence

Elle propose une découverte de la région à travers des sites ayant servi de modèles aux « peintres de la lumière », entre 1875 et 1920.

Renseignements – Comité régional du tourisme Provence-Alpes-Côte d'Azur.

Circuits Cézanne et Van Gogh

De leur côté, les offices du tourisme d'**Aix-en-Provence** et de **Saint-Rémy-de-Provence** *(voir ces noms)* organisent les circuits « Cézanne » et « Sur les lieux peints par Van Gogh ».

Circuits Marcel Pagnol

Plusieurs circuits permettent, au départ de l'office du tourisme d'**Aubagne** *(voir ce nom)*, de découvrir les lieux où l'écrivain-cinéaste passa une partie de son enfance et certains des lieux de tournage de ses films.

👣 Pour un circuit complet sur les traces de l'écrivain-cinéaste, voir aussi le massif du Garlaban dans la partie « Découvrir les sites » et « Balade sur les traces de » *(p. 16)*.

Circuit Alphonse Daudet

L'office du tourisme de **Fontvieille** *(voir Les Alpilles)* a mis en place ce circuit à travers les lieux qui inspirèrent à l'écrivain les fameuses *Lettres de mon moulin*.

👣 Voir aussi « Balade sur les traces de » *(p. 16)*.

Circuit Nostradamus

Pour suivre la piste de l'énigmatique auteur des *Centuries astrologiques*, on consultera le dépliant gratuit fourni par l'office du tourisme de **Salon-de-Provence** *(voir ce nom)*, intitulé « Sur les traces de Nostradamus ».

👣 Voir aussi « Balade sur les traces de » *(p. 16)*.

SKI

Eh oui ! Ce sera sur le mont **Ventoux** (*voir ce nom*), où pistes de ski alpin, ski de fond et raquettes vous attendent au mont Serein, versant nord, et au Chalet-Reynard, versant sud.

SPÉLÉOLOGIE

Pour les fans des mystères souterrains, cette région n'en est pas avare… À Fontaine-de-Vaucluse, on tentera de résoudre les énigmes de la Sorgue, tandis qu'on pourra explorer le Grand Draioun, gouffre de 200 m ouvert dans la falaise de cap Canaille. Le **plateau d'Albion** (*voir Sault*) est également réputé.

Dans l'**aven d'Orgnac** (*voir ce nom*), les non-initiés pourront faire une agréable randonnée souterraine.

Fédération française de spéléologie – 28 r. Delandine - 69002 Lyon - ℘ 04 72 56 09 63 - www.ffspeleo.fr.

SPORTS AÉRIENS

Ah, la Provence vue du ciel ! Plusieurs sites sont propices à la pratique des sports aériens libres et à l'ULM.

🦪 Ça planera pour vous au-dessus des ocres du **Luberon** (*voir ce nom et Apt*) ou par-delà les oliveraies dans **les Alpilles** (*voir Salon-de-Provence*).

Pour obtenir la liste à jour des centres de vol libre et des lieux de pratique, contactez les fédérations :

Fédération française de vol libre (deltaplane et parapente) – 4 r. de Suisse - 06000 Nice - ℘ 04 97 03 82 82 - www.ffvl.fr

Fédération française de planeur ultraléger motorisé – 96 bis r. Marc-Sangnier - BP 341 - 94704 Maisons-Alfort Cedex - ℘ 01 49 81 74 43 - www.ffplum.com

🦪 Pour connaître le temps qui présidera à votre vol (ou celui qui le reportera !), consultez la **météo** pour l'aviation ultralégère (*voir p. 22*).

STAGES D'ARTISANAT

Ils abondent en Provence, notamment dans le domaine de la peinture (c'est bien connu, les couleurs et la lumière ici sont sources d'inspiration), cependant ils sont parfois coûteux.

🦪 Reportez-vous à notre petite sélection : initiation aux techniques de l'**ocre** à Roussillon (*voir ce nom*),

découverte de la pratique du **boutis** au sein des ateliers organisés par Souleïado à Tarascon (*voir ce nom*) et à la Maison du boutis située à Calvisson (*voir Nîmes*), stage de **meubles peints** à Uzès (*se renseigner à l'office de tourisme, voir ce nom*).

THALASSOTHÉRAPIE

À la différence du thermalisme, la thalassothérapie n'est pas considérée comme un soin médical (le séjour n'est pas remboursé par la Sécurité sociale), même si le patient a la possibilité d'être suivi par un médecin. L'eau de mer possède des propriétés qui sont utilisées lors de stages de remise en forme, de beauté, de séjours pour futures ou jeunes mamans, de forfaits spécial dos, antistress et antitabac.

🦪 Sur la côte provençale, des centres de thalassothérapie sont installés au **Grau-du-Roi**, à **Marseille** et aux **Saintes-Maries-de-la-Mer** (*voir ces noms*). Ces centres proposent des séjours d'une semaine ou plus, mais aussi des forfaits à la journée ou au week-end, avec ou sans logement.

Fédération de Thalassothérapie, Mer et Santé – 57 r. d'Amsterdam - 75008 Paris - ℘ 01 44 70 07 57 - www.thalassofederation.com

TOURISME INDUSTRIEL

Sous les plages, les industries ? D'un point de vue économique, la Provence compte parmi les régions les plus dynamiques de France. Certaines usines ouvrent leurs portes pour vous propulser dans les coulisses de fabrication.

🦪 Du côté des spécialités traditionnelles, vous pourrez visiter la distillerie du pastis Janot à **Aubagne**, la savonnerie Marius Fabre à **Salon**, la fabrique de calissons Léonard Parli à **Aix** ou une melonnière à **Cavaillon** (*voir ces noms*).

Plus pointues, les visites qui suivent dessineront le visage d'une Provence méconnue, loin des clichés : Provence minière au Pôle historique minier de **Gréasque** (*voir Aix-en-Provence*) et Provence nucléaire au Musée des déchets radioactifs de **Marcoule** (*voir Bagnols-sur-Cèze*).

TRUFFES

Le saviez-vous ? Le **Vaucluse** est le premier producteur national de truffes. Si vous êtes sur place entre mi-novembre et mi-mars, profitez-en pour aller aux **marchés aux truffes** de Carpentras et Richerenches, qui ont respectivement lieu le vendredi et le samedi matin (*voir « Nos idées de week-end »*, *p. 20*). Sachez que ces deux marchés de gros sont réservés aux professionnels, que les transactions se font toujours au comptant et le plus souvent en liquide ! À Richerenches, quelques étals proposent en parallèle des truffes aux particuliers.

Carpentras – De mi-novembre à mi-mars : vendredi 9h. C'est l'un des plus importants du Vaucluse. Il est réservé aux professionnels mais rien n'empêche de les observer.

Richerenches – Samedi à 10h. C'est le plus réputé.

Bon à savoir – L'office du tourisme de Carpentras (*voir ce nom*) et le Comité départemental du tourisme du Vaucluse vous fourniront les coordonnées de trufficulteurs organisant des visites.

VISITES GUIDÉES

La plupart des villes proposent des visites guidées. Elles sont organisées toute l'année dans les grandes villes ou seulement en saison dans les plus petites. Dans tous les cas, informez-vous du programme à l'office de tourisme et pensez à vous inscrire. En général, les visites ne sont pas assurées en deçà de quatre personnes et pendant la période estivale les listes sont rapidement complètes.

Reportez-vous aussi à l'**encadré pratique** des villes, dans la partie « Découvrir les sites », où nous mentionnons les visites guidées qui ont retenu notre attention sous la rubrique « Visite ».

Villes et Pays d'art et d'histoire

Sous ce label décerné par le ministère de la Culture et de la Communication sont regroupés quelque 130 villes et

/ Ministère de la Culture et de la Communication

pays qui œuvrent activement à la mise en valeur et à l'animation de leur architecture et de leur patrimoine. Dans ce réseau sont proposées des visites générales ou insolites (1h30 ou plus), conduites par des guides-conférenciers et des animateurs du patrimoine agréés par le ministère.

Renseignements auprès des offices de tourisme des villes ou sur le site **www.vpah.culture.fr**

Voir également le chapitre suivant, « La destination en famille » (*ci-après*).

Les Villes et Pays d'art et d'histoire cités dans **ce guide** sont : Aix-en-Provence, Arles, Avignon, Beaucaire, Carpentras et Comtat venaissin (Pays de), Marseille, Nîmes, Uzès, Vaison-la-Romaine, Villeneuve-lès-Avignon.

VOILE

Un grand centre ? C'est **Martigues**, qui porte le label « Station nautique », avec ses différents plans d'eau, et l'étang de Berre.

France Station voile nautisme et tourisme – 17 r. Henri-Bocquillon - 75015 Paris - ℘ 01 44 05 96 55 - www.france-nautisme.com. Ce réseau regroupe sous le nom de « stations nautiques » des villages côtiers, des stations touristiques ou des ports de plaisance qui s'engagent à offrir les meilleures conditions pour pratiquer l'ensemble des activités nautiques.

Pour le reste, la plupart des stations de bord de mer possèdent des écoles de voile proposant des stages et il est possible de louer, en saison, des bateaux (avec ou sans équipage).

Fédération française de voile – 17 r. Henri-Bocquillon - 75015 Paris - ℘ 01 40 60 37 00 - www.ffvoile.org

La destination en famille

Pour se faire pardonner quelques visites de musées « pour les grands » ou pour changer un peu de la plage, nous avons sélectionné pour vous un certain nombre de sites (*voir le tableau récapitulatif ci-contre*) qui intéresseront particulièrement votre progéniture.

Vous les repérerez dans la partie « Découvrir les sites » grâce au pictogramme.

Bon à savoir – Le site Internet **www.provence-enfamille.com** propose mille informations sur les activités et les sites susceptibles d'intéresser les enfants, en Vaucluse.

♙♙ SITES À VOIR OU ACTIVITÉS À FAIRE EN FAMILLE			
VILLES OU SITES	**NATURE**	**MUSÉES**	**LOISIRS**
Fontvieille (Alpilles)		Le moulin de Daudet	
Maussane-les-Alpilles (Alpilles)		Musée des Santons animés	
Paradou (Alpilles)		La Petite Provence (santons)	
Chaîne de l'Étoile (Aix-en-Provence)	Écomusée de la Forêt méditerranéenne (Gardanne)	Pôle historique minier (Gréasque)	
Apt		Musée de l'Aventure industrielle	Plan d'eau, base de loisirs nautiques
Gorges de l'Ardèche	Grotte de la Madeleine, grotte Saint-Marcel	Musée de la Vie	Plage de Pont d'Arc
Arles		Museon Arlaten	Petit train des Alpilles
Aubagne	Circuits de randonnée Marcel Pagnol	Le Petit monde de Marcel Pagnol (santons)	
Marcoule (Bagnols-sur-Cèze)		Viasiatome (énergie et radioactivité)	
Baux-de-Provence		Cathédrale d'images ; Château (ateliers l'été)	
Beaucaire	Le Vieux Mas		Les aigles de Beaucaire
Bonnieux (Luberon)		Musée de la Boulangerie	
Camargue	Marais de Vigueirat (La Crau, Arles), Parc ornithologique (Pont-de-Grau)		Domaine Paul Ricard (Méjanes)
Cassis	Visite en bateau des calanques, sentier du Petit Prince		Petit train
Étang de Berre			Parc aquatique de la Pyramide, Plan d'eau Miniport (balades en bateau ou voitures à pédales)
Mornas (Bollène)		Forteresse	Visites costumées
Mormoiron (Carpentras)		Moulin à musique	
Cavaillon		Musée de la Crèche provençale	
La Ciotat			Parc OK Corral ; sentier sous-marin parc du Mugel, cours de pétanque
Grotte de la Cocalière	Site		
Le Grau-du-Roi	Seaquarium et musée de la Mer		
Grottes de Thouzon (L'Isle-sur-la-Sorgue)	Site		
Massif du Garlaban		Musée d'art sacré (Allauch)	
Marseille	Plage des Catalans ; plage du Prophète ; plages Borély ; plage de la Pointe-Rouge ; îles du Frioul	Préau des Accoules ; Museum d'histoire naturelle ; stade Vélodrome ; château d'If	Petit train (Panier et N.-D.-de-la-Garde) ; bus à impériale « Le Grand Tour »
Nîmes		Arènes	

👥 SITES À VOIR OU ACTIVITÉS À FAIRE EN FAMILLE			
VILLES OU SITES	**NATURE**	**MUSÉES**	**LOISIRS**
Aven d'Orgnac	Site		
Pont du Gard	Site	Grande Expo, Ludo	
Roussillon		Conservatoire des ocres	
Saint-Rémy		Musée des Alpilles	
Salon-de-Provence	Zoo de la Barben	Musée de l'Empéri ; musée Grévin de Provence, Maison de Nostradamus	
Tarascon		Maison de Tartarin, château du Roi René	
Uzès		Musée du Bonbon Haribo ; moulin de Chalier	Parc aquatique de la Bouscarasse
Vallon-Pont-d'Arc		Exposition Grotte Chauvet	
Villeneuve-lès-Avignon		Parc d'astronomie ; musée du Vélo et de la Moto	Parc de loisirs Amazonia

LES LABELS

Villes et Pays d'art et d'histoire

Le réseau des Villes et Pays d'art et d'histoire (voir la rubrique « Visite guidée ») propose des visites-découvertes et ateliers du patrimoine aux enfants, les mercredis, samedis ou durant les vacances scolaires. Munis de livrets-jeux et d'outils pédagogiques adaptés à leur âge, ces derniers s'initient à l'histoire et à l'architecture et participent activement à la découverte de la ville. En atelier, ils s'expriment à partir de multiples supports (maquettes, gravures, vidéos) et au contact d'intervenants de tous horizons : architectes, tailleurs de pierre, conteurs, comédiens.

👁 **Bon à savoir** – En juillet-août, dans le cadre de l'opération « L'Été des 6-12 ans », ces activités sont également proposées pendant la visite des adultes.

Que rapporter

Les adresses de boutiques ou d'artisans que nous avons retenues se trouvent à la rubrique « Que rapporter » dans les **encadrés pratiques** de la partie « Découvrir les sites ».

POUR LA BONNE BOUCHE

C'est sur place, bien sûr, que vous apprécierez les **produits du terroir** (voir « Un déjeuner au soleil » p. 94), comme le melon de Cavaillon ou la fraise de Carpentras. Certaines denrées fraîches peuvent supporter le voyage et d'autres sont conditionnées (telles les tellines cuisinées, la ratatouille ou les terrines de taureau) pour être dégustées plus tard. Si vous ne souhaitez pas multiplier les lieux d'achats, sachez que certaines boutiques rassemblent divers produits régionaux comme à Arles, au Grau-du-Roi, à Marseille, à Aix, ou à Nyons.

Les spécialités

Huiles d'olive et **olives** aux Baux ou à Nyons (voir aussi Les Alpilles, Arles, Saint-Rémy-de-Provence et Salon-de-Provence), truffes et spécialités truffées à Carpentras et Richerenches, (voir les rubriques « Olives » et « Truffes » dans « Les activités et loisirs de A à Z »). Pour ramener un peu des vacances sur la table du retour, il est possible de trouver de la **tapenade** et de l'**anchoïade** en conserve dans les épiceries fines de la région comme à L'Isle-sur-la-Sorgue (voir ce nom)… même si rien ne vaut le frais !

Créé au 17e s., le **saucisson d'Arles** est encore fabriqué artisanalement chez Pierre-Milhau, tout comme la **brandade** est préparée selon la recette traditionnelle à Nîmes.

Quant au **riz camarguais**, il résiste à la concurrence des riz thaï ou basmati. Son grain peut être rond, long ou noir (s'il est sauvage). Il en existe même une variété… rouge !

Les gourmandises

Vous ne ferez qu'une bouchée des **papelines** d'Avignon ! Pour ne pas rester sur vos envies de confiseries, vous irez à Aix-en-Provence pour ses **calissons**, à Apt pour ses **fruits confits**, à Carpentras pour ses **berlingots**. En outre, vous pourrez assister à la fabrication de ces petites douceurs. Tout comme à Saint-Didier *(voir Carpentras)* vous apprendrez comment on fait le **nougat**, que l'on trouve par ailleurs à Allauch *(voir Aix-en-Provence)* et à Sault.

Qui dit nougat dit **miel** et à Saint-Saturnin-lès-Avignon *(voir Avignon)*, vous visiterez le rucher avant d'acheter ce produit que l'on trouve aussi dans Luberon et à Sault.

Côté pâtisseries, vous aurez le choix entre les **croquants** d'Arles ou de Nîmes, les **navettes** de Marseille (le traditionnel biscuit en forme de barque consommé à la Chandeleur) et les **fougasses** à la fleur d'oranger d'Aigues-Mortes. À Marseille, goûtez aussi les **pâtisseries orientales** dans les nombreuses échoppes spécialisées du quartier de Noailles, comme un souk à ciel ouvert.

Douceurs provençales.

Stéphane Sauvignier / MICHELIN

Les alcools

Le fameux élixir du révérend père Gaucher, le **pastis** *(voir p. 95)*, qu'on peut bien sûr se procurer un peu partout, du traditionnel et mondialement connu Ricard au pastis à l'ancienne, généralement commercialisé dans les

épiceries fines *(voir Aix-en-Provence, Marseille et Aubagne)*.

Les **appellations** sont nombreuses et pour certaines très réputées dans la région *(voir p. 95)*. Il est préférable d'acheter son vin dans les caves pour bénéficier de conseils avertis et déguster le produit *(voir p. 34)*.

POUR LA MAISON

Voici quelques idées qui n'ont d'autre ambition que de vous aider à faire votre choix en toute connaissance de cause… d'autant que les artisans pullulent en Provence, où le meilleur côtoie souvent le tout-venant. Notez que l'on peut parfois pousser la porte des ateliers pour assister à la fabrication des produits (par prudence, n'oubliez pas de téléphoner au préalable afin de réserver).

Céramiques et poteries

Aubagne demeure un grand centre céramiste : une vingtaine d'ateliers y perpétuent la tradition et développent les techniques des maîtres. Jarres, santons *(voir ci-dessous)* et autres poteries utilitaires côtoient des créations artistiques contemporaines. Chaque année impaire a lieu le Marché de la céramique, le plus grand de France, le 2e week-end d'août. Autre village renommé, le bien nommé **Saint-Quentin-la-Poterie** *(voir Uzès)*. Toute l'année, potiers et céramistes produisent des pièces décoratives ou utilitaires. Chaque année paire, le village organise la biennale de la poterie, « Terralha », le 3e week-end de juillet.

À **Apt**, on continue de fabriquer des carreaux, vous en trouverez aussi à Bonnieux.

Les tissus

Pour décorer sa maison aux couleurs provençales *(voir p. 88)*, rien de plus facile. On trouve en effet partout des tissus provençaux, plus particulièrement dans les boutiques **Souleïado** à Tarascon et Marseille, et **Les Olivades** à Nîmes. *Voir aussi Arles et Avignon.*

Les santons

À Noël *(voir « Noëls de Provence » p. 91)*, pour faire sa crèche ou la compléter, rendez-vous sur les **marchés et foires aux santons** à Saint-Maximin-la-Sainte-Baume, Marseille, Tarascon et Aubagne, où vous pourrez également visiter les ateliers des santonniers.

👁 **Bon à savoir** – Pour être certain de l'origine provençale de vos figurines, préférez l'achat direct chez l'**artisan** où vous pourrez voir l'atelier. Les grands centres santonniers sont Aubagne, Aix-en-Provence et Marseille, et dans une moindre mesure Saint-Rémy-de-Provence et Salon-de-Provence.

Figurines

Quels personnages choisir pour une belle crèche typiquement provençale ? Évidemment, les personnages religieux : la Sainte Famille, l'âne et le bœuf, les Rois mages. Mais aussi l'ange boufareu, le troubadour qui répand la bonne nouvelle, les bergers, que l'on appelle encore les pastres. Et puis, au choix parmi tous les santons, il faut représenter les métiers portant des offrandes : le meunier et son sac de farine, la marchande de poissons, la laitière, le joueur de tambourin, etc. Un personnage sympathique ; le « fada » (le garçon de ferme un peu simplet). Un personnage pathétique ou humble, l'aveugle ou le rémouleur. Vous pouvez encore, si cela vous amuse, faire des entorses à la tradition en ajoutant un chasseur, le feutre sur l'oreille, ou des personnages de Pagnol : Manon des Sources, César (sous les traits de Raimu), etc.

Les savons

Impossible de passer à **Marseille** sans revenir avec un savon ! On le trouve dans toute la Provence, notamment à **Gardanne** (voir Aix-en-Provence) et à **Salon-de-Provence**, où vous visiterez un petit musée qui lui est consacré.

Antiquités et brocante

Les amateurs de brocante chineront à **L'Isle-sur-la-Sorgue**, où pas moins de 300 antiquaires sont rassemblés chaque week-end dans les « villages des antiquaires ».

Moins emblématiques, moins organisées (et moins haut de gamme aussi), d'autres brocantes sont organisées en divers lieux de Provence, en général une fois par semaine, le week-end. Rendez-vous à Villeneuve-lès-Avignon, Nîmes ou Carpentras (voir la rubrique « Chiner » p. 37).

POUR LE PLAISIR

Les boules

Ah ! la pétanque (voir « L'art de vivre en Provence » p. 89)… Vous y avez pris goût après quelques leçons pour petits et grands à **La Ciotat** ? Vous pourrez

vous acheter des boules à **Marseille** pour continuer à vous exercer de retour à la maison.

Les pigments

Un ami peintre ? Procurez-vous des ocres mais aussi toutes sortes de pigments naturels à **Roussillon**, de préférence au Conservatoire des ocres et pigments appliqués.

Taureaux et chevaux

Vous laisserez ces animaux en paix dans leur Camargue, mais vous pourrez revenir avec la panoplie du parfait gardian achetée à **Aigues-Mortes** et vous plonger dans des livres sur la tauromachie trouvés dans une librairie spécialisée à **Arles**.

Événements

Autour des grands classiques (Avignon, Aix, Orange), les **festivals** ont tendance à se multiplier dès qu'apparaissent les beaux jours proposant des programmations le plus souvent de qualité : dans l'impossibilité de prétendre à l'exhaustivité, voici donc une sélection parmi les principaux festivals dont la pérennité semble assurée. Vous trouverez aussi ci-dessous les principales **fêtes votives** de village, **foires de terroir** (huile d'olive, fruits…) ou encore les plus grands **marchés de Noël**.

♿ Retrouvez ces manifestations plus en détails ainsi que d'autres de moindre importance dans la rubrique « Événement » de l'**encadré pratique** des villes ou sites.

Par ailleurs, ont été répertoriées ici certaines **ferias** traditionnelles impliquant l'organisation d'une ou plusieurs corridas ou novilladas. Outre ces cycles d'importance, de durée et de prestige variables, les aficionados en herbe ou confirmés pourront assister à d'autres spectacles taurins avec mises à mort organisés à diverses dates dans les arènes (voir la rubrique « Corrida et feria » p. 37 et « Traditions tauromachiques » p. 90).

👁 **Bon à savoir** – De nombreuses associations adhèrent à la Fédération française des fêtes et spectacles historiques. Un guide est disponible sur le site **www.loriflamme.com**

Janvier

Marseille – Pastorales en provençal (tout le mois) dans des théâtres.

Février

Marseille – Fête de la Chandeleur à la basilique Saint-Victor (le 2) : pélerinage à N.-D.-de-la-Garde et bénédiction des navettes.

Nyons – Alicoque (1er w.-end) : La fête de l'or vert de Provence : l'huile nouvelle.

Carry-le-Rouet (Côte Bleue) – Oursinades (trois 1ers dim.) : pour déguster les oursins sur de grandes tablées, sur le port.

Mars

La Ciotat – Salon nautique (1re quinz.) : une semaine dédiée aux bateaux et aux passionnés qui les achètent.

Avril

Villeneuve-lès-Avignon – Fête de la Saint-Marc (dernier w.-end) : autour de la vigne et du vin.

Pâques

L'Isle-sur-la-Sorgue – Foire à la brocante (la plus grande de Provence, avec celle d'août).

Arles – Feria pascale (du vend. au lun.) : dans les arènes, le rendez-vous qui ouvre la saison des aficionados.

Mai

Arles – Fête des gardians (le 1er) : grand rassemblement à cheval avec procession.

Les Saintes-Maries-de-la-Mer – Pèlerinage des gitans (le 24) et des Saintes (le 25).

Bouc-Bel-Air – Journées des plantes rares et méditerranéennes aux jardins d'Albertas (dernier w.-end).

Pentecôte

Nîmes – Feria (du jeu. au lun.) : un autre rendez-vous majeur des passionnés de la corrida.

Saint-Rémy-de-Provence – Fête de la transhumance (w.-end) : l'une des plus célèbres fêtes du Sud.

Juin

Salon-de-Provence – Les Nostradamiques (fin du mois) : reconstitution historique.

Tarascon – Fêtes de la Tarasque (dernier w.-end) : la plus emblématique des fêtes autour d'un monstre légendaire.

Juillet

Avignon – Festival de théâtre et de danse. Depuis 1947, le célèbre « In et Off » est devenu un événement théâtral européen majeur.

Orange – Chorégies : opéras et concerts symphoniques dans le théâtre antique. Un incontournable pour les amoureux du genre.

Aix-en-Provence – Festival international d'art lyrique, l'un des plus prestigieux de France.

Marseille – Festival de Marseille, ultra-contemporain (danse, musique…).

Martigues – Fêtes de la mer et de la Saint-Pierre (1er w.-end), avec bénédiction des bateaux.

Villeneuve-lès-Avignon – Rencontres d'été de la Chartreuse, haut lieu des écritures contemporaines.

Arles – Pegoulado (vend. précédant le 1er dim. du mois) : défilé nocturne en costumes traditionnels.

Festival « Off » en Avignon.

Arrivée des taureaux dans une feria.

Châteaurenard – La charrette de Saint-Éloi (du 1er dim. au mar.).

Grignan – Festival de la correspondance (déb. du mois).

Marseille – Mondial de pétanque au parc Borély (déb. du mois) : le plus populaire des concours du genre.

Cavaillon – Festival du Melon (w.-end av. le 14) : dégustation, animations : le melon dans tous ses états.

Saint-Quentin-la-Poterie – Festival européen des arts céramiques (3e w.-end, années paires).

Saint-Maximin-la-Sainte-Baume – Fêtes de sainte Marie-Madeleine (fin juil.) : processions et messes autour de la Sainte.

Graveson – Fête de la Saint-Éloi (dernier w.-end) : cavalcades et charrettes décorées pour fêter le patron des maréchaux-ferrants.

Beaucaire – Fêtes de la Madeleine (dix derniers jours) rappelant l'époque glorieuse des foires médiévales.

Juillet-août

Cabrières d'Avignon, L'Isle-sur-la-Sorgue, Goult, Roussillon et Silvacane – Festival international de quatuors à cordes du Luberon.

Pont du Gard – « Les plages du Pont du Gard » (de mi-juil. à mi août) : à l'instar de l'opération parisiennne, plages aménagées sur le Gardon.

La Roque-d'Anthéron, abbaye de Silvacane – Festival international de piano (dernière sem. de juil. et 3e sem. d'août) : des grands noms dans un écrin d'exception.

De début juillet à mi-septembre

Arles – Les Rencontres d'Arles : l'un des festivals photo les plus prestigieux de France.

Août

Châteauneuf-du-Pape – Fête de la véraison (1er w.-end.), dans une ambiance à la fois médiévale et vigneronne. Une institution.

Carpentras – Festival de musique juive (1re sem.) : rappel de l'épopée des Juifs du Pape, à la synagogue.

Salon-de-Provence - Festival de l'Empéri (1re quinz.), avec les solistes des plus grands orchestres.

Vaison-la-Romaine – Choralies internationales (1re quinz., tous les 3 ans, la prochaine en 2007).

Rasteau – Nuit des vins de Rasteau (w.-end du 15) : pour apprendre à connaître les crus provençaux.

L'Isle-sur-la-Sorgue – Foire à la brocante (w.-end du 15) : la plus grande de Provence, avec Pâques.

Sault – Fête de la lavande (le 15) : coupes à la main, marchés spécialisés, défilés parfumés.

Aubagne – Argilla (w.-end après le 15 août, années impaires) : fête de la céramique.

Aigues-Mortes – Fête de la Saint-Louis (fin du mois) : tournois, marchés et défilés en costumes médiévaux.

Septembre

Cassis – Fête des vins (1er dim.) : pour découvrir les blancs les plus célèbres de Provence.

Arles – Feria et Fêtes du riz (du vend. au dim., déb. du mois) : plongée au cœur des traditions camarguaises.

Nîmes – Feria des vendanges (3e w.-end) : la plus locale des ferias nîmoises.

Roquevaire – Festival international d'orgue (mi-sept.-déb. oct.), l'un des plus prestigieux du genre.

Octobre

Les Saintes-Maries-de-la-Mer – Pèlerinage des Saintes (w.-end autour du 22).

Marseille – La Fiesta des Suds, autour des musiques du monde, la plus courue de l'année à Marseille, dans des friches portuaires.

Novembre

Saint-Maximin-la-Sainte-Baume – Foire aux santons et à l'artisanat d'art (3e w.-end), au couvent royal.

Tarascon – Marché aux santons (dernier w.-end).

De fin novembre à fin décembre

Marseille – Foire aux santons : la plus importante de la région, avec tous les grands santonniers.

Arles – Salon international des santonniers dans le cloître Saint-Trophime (jusqu'à mi-janv.).

Décembre

Mouriès - Fête de l'huile nouvelle (1er w.-end), dans la plus grande commune oléicole de France.

Aubagne – Biennale de l'art santonnier (1er w.-end, années paires), dans l'un des fiefs du genre.

Istres – Fête des bergers (début du mois) : défilé des transhumants.

Aix – Marché des treize desserts (toute la semaine précédant Noël), pour les gourmandises traditionnelles.

Nyons – Fête de l'olive piquée (le sam. avant Noël), avec démonstration de piquage et visites de terroir.

24 décembre

Allauch – Messe de minuit avec descente des bergers.

Arles – Veillée calendale et messe de minuit (Saint-Trophime).

Les Baux-de-Provence – Fête des bergers et messe de minuit.

Séguret – Représentation de la pastorale *Li Bergié de Séguret*.

Saint-Michel-de-Frigolet – Messe de minuit avec pastrage.

Saint-Rémy-de-Provence – Messe de minuit avec pastrage.

Les Saintes-Maries-de-la-Mer – Messe de minuit avec offrande des bergers, gardians, riziculteurs et pêcheurs.

Tarascon – Messe de minuit avec pastrage.

Nos conseils de lecture

Voici notre sélection de beaux livres, documents, ouvrages pratiques ou romans, pour découvrir la région ou approfondir un thème.

OUVRAGES GÉNÉRAUX – TOURISME

Bouches-du-Rhône, portrait, J. Viard, Éditions de l'Aube, 2005. Le département raconté par un sociologue et un photographe.

La Provence, Encyclopédie Bonneton, 2002. Des traditions à l'économie, toute la Provence décryptée.

Les Plus Beaux Villages de Provence, M. Jacobs, Bibliothèque des Arts, 2001.

La Provence de Giono, P. Magnan, D. Faure, Chêne, 2000. Beau livre, promenade photo en compagnie de l'auteur manosquin.

Le Jardin classique en Provence méridionale, M. Nys, Édisud, 2000. Beau livre déclinant toute la magnificence de nobles jardins.

HISTOIRE – ART – TRADITIONS

Histoire de la Provence, M. Agulhon, N. Coulet, coll. « Que sais-je ? », P.U.F, 2001. Un petit ouvrage synthétique pour une longue histoire.

Marseille, J. Contrucci, R. Duchêne, Fayard, 1998. Un gros livre pour la longue histoire de la plus vieille ville française (2600 ans en 862 pages !).

Dictionnaire du marseillais, Académie des sciences et lettres de Marseille, Édisud, 2006. Un ouvrage incontournable pour qui veut faire bon usage de cet idiome.

Les Mots d'ici, P. Blanchet, édisud, 1995. Un voyage au pays de la langue provençale.

Une Provence si étrange, R. Gast, Ouest-France, 2003. Pour retrouver toutes les traditions d'une Provence disparue.

Les Fêtes provençales, J.-C. Clébert, J. Aoun, Aubanel, 2001. Précieux pour décrypter les nombreuses fêtes traditionnelles.

Promenades en Provence romane, J.-M. Rouquette, G. Barruo, Zodiaque, 2002. Un guide format poche des plus beaux sites romans de Provence.

La Merveilleuse Provence des peintres, A. Alauzen, éditions Auberon, 2001. Ce beau livre invite à découvrir la Provence des paysagistes.

L'Art de vivre en Provence, Dane McDowell, Flammarion, 2002. Ce beau livre vous convie dans les plus belles demeures privées de Provence.

Santons et Noël en Provence, C. Ferniot, C. Moirenc, Aubanel, 2004. Beau livre dédié aux santons et aux traditions pastorales.

L'Art du piquage en Provence, F. Nicolle, coll. « Ateliers de Provence », Édisud, 2002. Ouvrage pratique sur les techniques du piquage et du matelassage de Provence.

Ocres et peintures décoratives en Provence, V. Tripard, coll. « Ateliers de Provence », Édisud, 2000. Ouvrage complet et pratique sur les techniques de badigeon à la chaux.

Pierre Puget, L. Lagrange, éd. Jeanne Laffitte, 1999. La vie et l'œuvre du célèbre sculpteur du 17e s.

GASTRONOMIE

Cuisine provençale d'hier et d'aujourd'hui, C. Étienne, Ouest-France, 2003.

Les Meilleures Recettes de Provence, M. Biehn, Flammarion, 2002.

Desserts et douceurs de Provence, A. Maureau, Édisud, 2003.

La Cuisinière provençale, J.-B. Reboul, éd. Paul Tacussel, 2001.

La Cuisine provençale et niçoise, M. Roubaud, éd. Jeanne Laffitte, 1999. 350 recettes, présentées à l'ancienne.

Herbes de Provence, A. Gardiner, Ouest-France, 2002. Sept grands chefs livrent leurs secrets.

La Truffe, P. Sourzat, Aubanel, 2005. Pour connaître les bienfaits de la truffe et savoir la cuisiner.

Cuisine à l'huile d'olive, collectif, éditions Artémis, 2005. Un tour du monde des oliveraies et des meilleures recettes.

Vins de Provence, F. Millo, éditions Féret, 2003.

La Légende dorée du pastis, D. Armogathe, N. Leser, Aubanel, 2005. L'épopée du pastis, du berceau marseillais aux bars chic new-yorkais.

Table mise en Camargue, J. Rouré, coll. « Carrés Gourmands », Équinoxe, 1998.

BD – JEUNESSE

Léo Loden, Carrere/Arleston, éd. Soleil Productions. Les aventures BD d'un privé à Marseille. Déjà 15 tomes !

La Pastorale des santons de Provence, Y. Adouard, éd. Thierry Magnier, 2001. L'histoire de la naissance de Jésus à la provençale.

La Belle Histoire des santons de Provence, Giorda, Hatier, 2003. Un roman de Noël pour les 7/8 ans.

Copain de la Provence, S. Moirenc, coll. « Copains », Milan éditions, 2001. Un guide de découverte de la Provence, destiné aux enfants.

Engane, taureau de Camargue, F. Vincent, école des Loisirs, 2002. Un enfant sauve un petit veau tombé à l'eau (dès 7 ans).

Pour les marcheurs

Marseille à pied, topoguide de la Fédération française de randonnée pédestre, 2003. 11 itinéraires pédestres dans Marseille.
Les Bouches-du-Rhône à pied, topoguide de la Fédération française de randonnée pédestre, 2002. 42 itinéraires de randonnée tous niveaux.
Le Parc naturel régional du Luberon à pied, topoguide de la Fédération française de randonnée pédestre, 2002. 24 itinéraires de randonnée tous niveaux.

LITTÉRATURE

Le Mas Théotime ; *L'Enfant et la rivière* ; *Malicroix*, H. Bosco, coll. « Folio », Gallimard. Le Luberon sous la plume de l'écrivain, inhumé à Lourmarin.

Lettres de mon moulin ; *Contes du lundi* ; *Tartarin de Tarascon* ; *Port Tarascon*, A. Daudet, Pocket éditions. Retour aux classiques, avec l'un des auteurs majeurs de l'école occitane.

Le Voleur d'innocence, R. Fregni, coll. « Folio », Gallimard. L'épopée d'un minot de Marseille, par un auteur contemporain, tendre et noir à la fois.

Une enfance provençale, Marie Gasquet, Flammarion. Les souvenirs d'une auteur provençale méconnue, décédée en 1960.

Le Grand Troupeau ; *Le Chant du monde* ; *Le Hussard sur le toit* ; *Provence* ; *Colline* ; *Un de Baumugnes* ; *Regain*, J. Giono, coll. « Folio », Gallimard, ou Le Livre de Poche. Dans ses romans, l'écrivain manosquin a sublimé tous les charmes d'une Provence éternelle.

Une année en Provence ; *Provence toujours* ; *Hôtel Pastis* ; *Le Bonheur en Provence*, P. Mayle, coll. Points, Le Seuil. Les défauts et les charmes des Provençaux, vu par un Anglo-Saxon, exilé volontaire dans le Luberon.

La Splendeur d'Antonia, J.-P. Milovanoff, Pocket éditions. Un roman aussi tragique qu'éblouissant, l'histoire d'une Nîmoise du siècle dernier.

Marius ; *Fanny* ; *César* ; *Jean de Florette* ; *Manon des Sources* ; *Angèle* ; *Topaze* ; *La Gloire de mon père* ; *Le Château de ma mère* ; *Le Temps des secrets*, M. Pagnol, coll. « Fortunio », de Fallois, ou Le Livre de Poche. La Provence sous la plume d'un auteur, lié comme peu d'autres à la terre qui l'a vu naître.

Disparue dans la nuit, Y. Queffélec, Le Livre de Poche. Un roman touchant, la fugue de deux adolescents perdus.

La conquête de Plassans, E. Zola, Le Livre de Poche. Un regard acide sur la bourgeoisie de Plassans, un nom sous lequel se cache Aix, où Zola a passé son enfance.

L'Œuvre, E. Zola, Le Livre de Poche. Le peintre mis en scène serait Cézanne, d'où une longue brouille entre les deux amis d'enfance.

Total Khéops ; *Chourmo* ; *Solea*, J.-C. Izzo, coll. « Série noire », Gallimard. La célèbre et sombre trilogie du pionnier du roman noir marseillais.

Trois jours d'engatse, P. Carrese, Pocket éditions. Pour découvrir l'univers d'un des chefs de file du polar marseillais.

Les Écrivains et Marseille, J. Agostini, Y. Forno, éd. Jeanne Laffite, 1997. Une précieuse anthologie commentée de textes littéraires sur Marseille, du 5e s. av. J.-C. à nos jours.

Pour rester à la page des faits régionaux.

PRESSE

Les **quotidiens** couvrant la région Provence sont *La Provence*, né de la fusion entre le légendaire *Provençal* et le *Méridional* (diverses éditions dans les Bouches-du-Rhône), *Vaucluse Matin* (pour le Vaucluse), *La Marseillaise* (proche du parti communiste, éditions Marseille, Bouches-du-Rhône et Gard) et le *Midi-Libre* (éditions du Gard et de Camargue).

Hebdomadaire d'informations générales : *L'Hebdo* (politique, société, culture et art de vivre à Marseille et alentours), *La Semaine de Nîmes* (nombreuses informations concernant les manifestations culturelles, tauromachiques ou sportives du Gard).

Le bimestriel *Pays de Provence* propose des reportages de découverte du terroir, couvrant aussi l'actualité, la littérature et la culture régionale.

Ceux qui s'intéressent à la **tauromachie** consulteront avec profit la revue *Toros*, éditée à Nîmes depuis 1925 : articles de fond et de technique et commentaires sur la saison taurine, tant en France qu'en Espagne. *La Course camarguaise*, revue éditée par la fédération de cette spécialité, se trouvera dans la plupart des librairies de la région.

Santons artisanaux.

Stéphane Sauvignier /MICHELIN

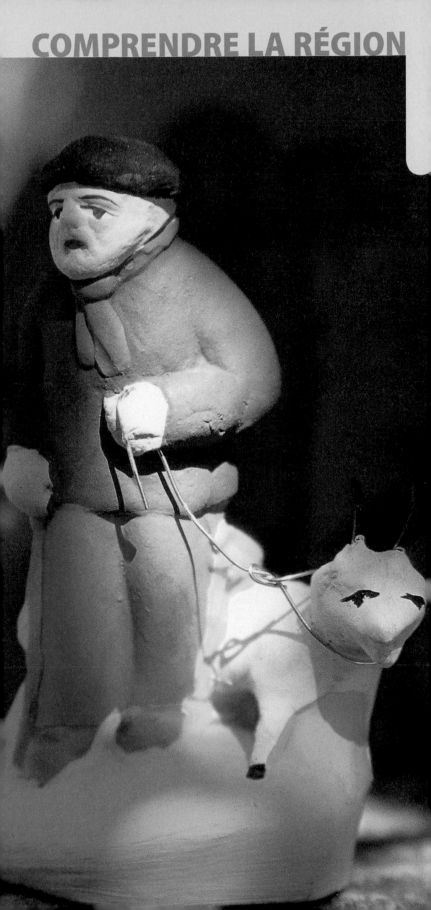

NATURE

Véritable balcon sur la Méditerranée, la Provence étage ses trésors entre les criques rocheuses du littoral et les hautes barres calcaires d'un arrière-pays irrigué par le Rhône et ses affluents. Exhalant le thym et le romarin, cette terre ensoleillée se pare de garrigue, d'oliviers et de pins, le refuge idéal des cigales qui stridulent tout l'été.

La calanque de Sormiou.

Gilles Magnin / MICHELIN

Entre mer et garrigue

Au fil des siècles, érosion, fluctuations marines et bouleversements tectoniques se sont conjugués pour façonner la Provence d'aujourd'hui, avec ses paysages vallonnés et ses massifs rocheux, étrangement sculptés par le temps, mais aussi sa mer – la Méditerranée – et ses rivages étonnants. Puis la nature a paré les lieux de sa robe bigarrée ; une nature qui fleure bon le soleil…

DES PAYSAGES ACCIDENTÉS

Plaines fertiles…

Nées des accumulations alluviales, les plaines s'étendent surtout de part et d'autre de la **vallée du Rhône**. Largement consacrées aux cultures maraîchères, ces riches terres sont quadrillées en petits champs réguliers, abrités du mistral par d'imposantes haies de cyprès, notamment dans le **comtat Venaissin** et la **Petite Crau**.

Sur la rive gauche du Rhône s'ouvre la **Grande Crau**, immense désert pierreux parsemé d'une maigre végétation (les « coussous »), où gambadent traditionnellement les grands troupeaux de moutons. Mais depuis l'extension de la zone industrielle de Fos et la fertilisation du sol, la valorisation des cultures (oliviers, amandiers, vignes) tend à supplanter le caractère pastoral qui faisait le charme des lieux.

De l'autre côté du fleuve, la **Camargue** occupe un vaste delta. Entre terre et mer, ses marécages sablonneux (sansouires) se déploient à l'infini, invitation à quelques chevauchées sauvages.

… et reliefs arides

À l'est du Rhône, l'imposant **massif du mont Ventoux** domine la plaine comtadine. Sur ses contreforts, les dentelles de Montmirail dressent leurs crêtes finement ciselées. Plus à l'est s'ouvre le **plateau de Vaucluse**, vaste étendue karstique creusée d'avens et entaillée par des gorges que parcourt un mystérieux réseau hydrographique souterrain. Dans les sites tourmentés de la longue **chaîne du Luberon** nichent des villages perchés au charme suranné. D'une beauté plus austère, la **chaîne des Alpilles** dresse ses escarpements décharnés et sa crête déchiquetée. Vers l'est, la silhouette de la **montagne Sainte-Victoire**, sculptée elle aussi de grottes et d'avens, semble veiller sur la ville d'Aix. Léchée par la mer, la chaîne de l'Estaque, ou **Côte Bleue,** s'avance quant à elle sur la côte, barrière naturelle entre l'étang de Berre et la baie de

Marseille, tandis qu'à l'horizon se profile la longue barre rocheuse de la **Sainte-Baume**. De l'autre côté du Rhône, les contreforts des Cévennes s'abaissent en pente douce vers les garrigues de Nîmes. Des causses désolés se succèdent en gradins, terres ingrates entrecoupées de canyons et d'avens.

Des cours d'eau capricieux

Dévalant des Cévennes à l'ouest (l'Ardèche et le Gard) et des Alpes à l'est (l'Aigues, l'Ouvèze et la Durance), plusieurs rivières se jettent dans le **Rhône**. Maigres ruisselets égarés dans un lit trop large aux périodes de sécheresse, ils se muent lors des orages en impressionnantes avalanches d'eau. On a ainsi vu l'Ardèche monter de 21 m en une journée, son débit passant de 2,5 m^3 par seconde à 7 500 m^3 ! Quant aux affluents alpins, presque asséchés les mois d'automne et d'hiver, leur volume explose subitement (dans une proportion de 1 à 180 pour la Durance) à la fonte des neiges. Depuis une quinzaine d'années, les crues à répétition incitent à repenser l'occupation des sols et à prendre davantage en compte le facteur risque.

Un littoral très échancré

De la côte languedocienne au golfe de Fos se déroule l'étonnant rivage de Camargue. Modelées par les courants marins, les alluvions charriées par le Rhône ont formé d'étroits cordons littoraux enserrant des **lagunes**, vastes étangs parsemés de bancs sableux où s'ébrouent les chevaux.

D'un contraste saisissant, les reliefs calcaires réapparaissent à partir de l'Estaque. De Marseille à La Ciotat, une kyrielle de petites baies découpe la côte, les plus profondes formant des **calanques**, falaises acérées déclinant au fil des heures toutes les nuances de bruns et orange rougeâtres.

Les eaux de la Méditerranée

Irradiée par les rayons du soleil, les eaux limpides de la Méditerranée font chanter les couleurs, du turquoise au bleu nuit en passant par l'émeraude. La mer affiche des températures de surface idéales pour la baignade en été (de 20 °C à 25 °C), pour fraîchir sensiblement en hiver, où elle ne dépasse guère 12-13 °C. Particulièrement salée en raison de son évaporation intense, elle n'est soumise

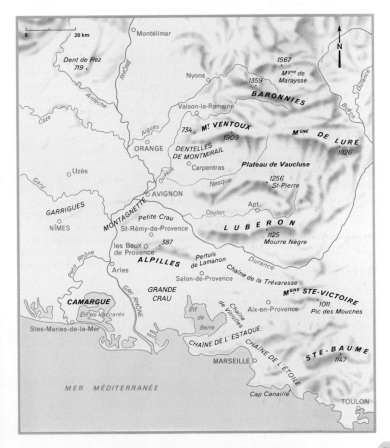

qu'à de faibles marées. Ses flots calmes peuvent aussi se déchaîner en quelques heures lorsque le **mistral** se lève.

DES LABYRINTHES DE CALCAIRE

Dans certaines contrées provençales, tel le plateau du bas Vivarais, se déroulent de vastes étendues désolées, pierreuses et grises. L'aridité de ces sols calcaires, très poreux, dissimule un monde souterrain en perpétuelle évolution.

Une érosion intense

En s'infiltrant dans le calcaire, les eaux de pluie produisent une action chimique qui dissout la roche. De petites dépressions circulaires se creusent alors : ce sont les **cloups** (ou sotchs), qui s'élargissent progressivement jusqu'à former des **dolines**, plus vastes et fermées. Lorsque le ruissellement fendille la carapace calcaire, l'eau pénètre plus profondément par les fissures et l'érosion façonne des puits, appelés **avens** ou igues. Peu à peu, ces abîmes naturels se prolongent et se ramifient jusqu'à communiquer entre eux, parfois reliés par des grottes.

De véritables rivières souterraines parcourent ce dédale de galeries. Leur débit s'accélère parfois jusqu'à se précipiter en cascades. Lorsqu'elles s'écoulent plus lentement, les eaux forment de petits lacs, retenus par des barrages naturels (comme les gours) nés de l'accumulation de dépôts calcaires.

Il arrive qu'au-dessus de ces nappes souterraines se poursuive la dissolution de la croûte rocheuse. Des blocs se détachent progressivement de la voûte, qui se rapproche de plus en plus de la surface du sol. C'est le cas de la gigantesque salle supérieure d'Orgnac, haute de 50 m et que quelques dizaines de mètres seulement séparent de la surface du causse. Elle devient parfois tellement mince qu'un éboulement finit par éventrer brusquement la cavité, laissant un gouffre béant.

Des sculptures naturelles

Au fil de son mystérieux cheminement souterrain, l'eau abandonne le calcaire dont elle s'est chargée en pénétrant dans le sol. Elle édifie ainsi des concrétions dont les formes fantastiques semblent défier les lois de l'équilibre, longs cierges effilés ou figures sinueuses. Ces étranges sculptures naissent du lent amoncellement (de l'ordre de 1 cm par siècle) des dépôts de calcite (carbonate de chaux issu de la dissolution du calcaire) laissés par le suintement des eaux. Ainsi se forment des pendeloques, des pyramides, des draperies, dont les représentations les plus connues sont les stalactites, les stalagmites et les excentriques.

Les **stalactites** « tombent » de la voûte de la grotte, où chaque gouttelette d'eau perlant au plafond a déposé, avant sa chute ou son évaporation, une partie de la calcite qu'elle contenait. De même nature, les **stalagmites** « montent » du sol, s'élevant là où le goutte-à-goutte s'est écoulé sans relâche. Lorsqu'une stalactite et une stalagmite se rencontrent, leurs extrémités se rejoignent en une **colonne**. Autres protubérances, les **excentriques** se forment dans les grottes par cristallisation, sans se soucier des lois de la pesanteur. Elles se développent dans tous les sens, dessinant de minces rayons ou de petits éventails translucides qui dépassent rarement 20 cm de longueur. Les plus étonnantes se cachent dans les avens d'Orgnac et de Marzal, ainsi que dans la grotte de la Madeleine.

Ce fascinant monde souterrain, dont l'exploration méthodique et scientifique a déjà permis de belles découvertes, recèle encore d'innombrables mystères…

LA FLORE

Frondaisons argentées…

Importé par les Grecs il y a 2 500 ans, l'**olivier** règne en maître sur les sols calcaires et siliceux de Provence. Prospérant sous la douceur du climat méditerranéen, on en dénombre plus de soixante variétés, dont les larges voûtes argentées s'étagent du littoral aux basses pentes, en passant par les vallées.

Les oliveraies cohabitent souvent avec des **figuiers**, aux effluves sucrés, et des **amandiers**, qui parent les terres provençales de leur somptueuse floraison dès l'aube des beaux jours.

Parmi les multiples variétés de **chênes** de la région, le chêne blanc ou pubescent (aux feuilles caduques, d'aspect cotonneux et blanchâtre) colonise volontiers les fonds des vallées et les versants humides. Il côtoie parfois l'érable, le sorbier et l'alisier. Les sous-bois dissimulent nombre d'arbrisseaux et de fleurs, notamment des orchidées.

Mais à l'évocation de la Provence se profile surtout la silhouette des **pins** : le pin maritime, dont le feuillage sombre et bleuté cache une écorce rouge violacé ; le pin parasol, dont la forme évocatrice jalonne le littoral méditerranéen, aux côtés du pin d'Alep, plus clair et moins touffu. Quant aux **cyprès**, ils détachent sur l'azur leurs formes sombres, fuseaux

Didier Pazery / MICHELIN

Paysage de garrigue.

effilés pointés en rangs serrés vers le ciel, pyramides ventrues, ou à branches étalées, selon les espèces. Enfin, **platanes** et **micocouliers** ombragent les cours et places des villages de leur imposante frondaison.

... et aride garrigue

Terrains pierreux et taillis arides couvrent ici ou là de petites collines à pentes douces, pour se déployer plus amplement au nord de Nîmes. Une maigre végétation s'accommode de ces landes calcaires. Chênes verts, cistes, buissons épineux de chardons et de genêts, ou encore minuscules chênes kermès hérissent ces sols désolés. La lavande, le thym et le romarin s'immiscent à travers la broussaille, où les troupeaux de moutons gambadent à la recherche d'une modeste pâture.

LA FAUNE

Habitants des terres

Insecte provençal par excellence, la **cigale** fait retentir de toutes parts son chant lancinant (chant nuptial du mâle pour attirer sa belle) dès que pointent les beaux jours, chauds et ensoleillés.
Amateur de chaleur lui aussi, le **lézard** paresse au soleil ou niche dans les anfractuosités rocheuses de la garrigue, tel le long lézard ocellé, ou son petit cousin le lézard vert. Ils y côtoient la couleuvre, les escargots (dont le « petit gris », très prisé des gourmets), la mante religieuse ou encore la belette.
Sur les pierrailles de la Crau gambadent les **moutons mérinos** d'Arles, conduits lors de la transhumance par les béliers *flouca*, parés d'amusantes touffes de laine bleue et rouge, les **chèvres du Rove**, aux étonnantes cornes torsadées, et des ânes gris.
Quant à la Camargue, connue pour ses manades de **taureaux** noirs et de majestueux **chevaux** blancs, elle accueille également le sanglier, le ragondin (rongeur), le renard roux et diverses grenouilles.

Des oiseaux par milliers

La **Camargue** reste surtout le fief incontesté d'une incroyable colonie d'oiseaux : hérons, aigrettes, sternes, mouettes et goélands, canards bigarrés et, à la place d'honneur, le flamant rose, élégant échassier à la silhouette longiligne. Plus loin, les falaises des **calanques** sont le refuge d'une riche avifaune maritime, dont le hibou, le merle bleu ou le martinet. Faucons et busards, mais aussi chouettes et huppes affectionnent plus particulièrement la plaine de la **Crau**, tandis que l'aigle et la fauvette planent au-dessus de la garrigue.

Un aquarium géant

La Méditerranée recèle aussi bien des fonds peu profonds, sableux ou vaseux, que rocheux et accidentés, plongeant à pic dans les abysses. Roi de ces mers, le **mérou** (protégé depuis 1980) passe les premières années de sa vie (il est alors femelle) dans les fonds rocheux du littoral, avant de se réfugier, lorsqu'il atteint l'âge adulte (et devient un mâle), dans des cavités beaucoup plus profondes.
Parmi les innombrables poissons pêchés au large des côtes, on recense loups, daurades, mulets, merlans, bancs de sardines et d'anchois, mais aussi merlus, grondins rouges, rascasses (plus solitaires), ou encore murènes au corps allongé, tapies sous les rochers.

Au grand dam des baigneurs, des **méduses** (souvent urticantes) envahissent épisodiquement le littoral.

LE FEU, ENNEMI NUMÉRO UN

L'engouement touristique pour la Méditerranée et la Provence, conjugué au développement industriel et urbain accéléré de la région, mettent sans cesse en péril son patrimoine naturel

La menace la plus grave vient des **incendies de forêt**. On ne compte plus les hectares qui s'envolent chaque année en fumée (2003 fut encore une année désastreuse avec 25 300 ha ravagés dans la région Provence-Alpes-Côte d'Azur, 4 200 ha en 2004, 7 000 ha en 2005), par négligence, imprudence ou malveillance humaine. En période de sécheresse, les broussailles des sous-bois et les aiguilles de pins offrent au feu un aliment de choix : à la moindre amorce, tout flambe. Certaines plantes dégagent même des essences très volatiles qui peuvent s'enflammer toutes seules. Et lorsque le vent s'en mêle, la catastrophe devient inéluctable… De véritables vagues de feu, qui peuvent se déployer sur 10 km de long et 30 m de haut, se propagent inexorablement, progressant de plusieurs kilomètres par heure. Bien souvent, cette course folle ne prend fin que lorsqu'elles rencontrent la mer, à moins que le vent ne tombe subitement, ou ne renverse sa direction. Vision apocalyptique, elles laissent derrière elles un paysage meurtri. Ainsi se modifie peu à peu l'équilibre écologique de la région. La forêt ne cesse de reculer, grignotée par des sols qui demeureront longtemps stériles avant de se régénérer.

Info pratique

EN SAVOIR PLUS

👁 **Sur les incendies** – Consultez le site Prométhée (www.promethee.com), une banque de données sur les incendies de forêts en région méditerranéenne.

👁 **Sur la qualité de l'air** – Consultez le site des associations chargées de sa surveillance : Airmaraix pour Aix, Marseille et Avignon (www.airmaraix. com); Airfobep pour l'étang de Berre (www.airfobep.org).

Les multiples moyens mis en œuvre pour combattre le feu ne suffisent pas à enrayer ce désastre. Seuls les actes de **prévention** (mise en place de coupe-feu, guet méthodique, nettoyage des sous-bois, débroussaillage autour des habitations, interdiction d'accès au massifs en période de risques, etc.) et la **sensibilisation** du public (notamment des touristes) laissent espérer des résultats significatifs.

AUTRES FLÉAUX

L'urbanisation et l'industrialisation accélérées ont sensiblement entaché la beauté de plusieurs sites. Le complexe industriel de **Fos-sur-Mer** dévore la Crau, défigurée aussi depuis le début du 20e s.par la décharge à ciel ouvert d'Entressen, la plus grande d'Europe, dont les institutions européennes ont exigé la fermeture fin 2006. Aucune solution alternative n'est pourtant en vue. L'**étang de Berre**, lui, souffre du rejet massif d'eau douce provenant d'usines hydroélectriques. Interdit à la pêche depuis 1957, il doit désormais faire l'objet d'un plan de sauvegarde, sous l'étroite surveillance de la Communauté européenne.

Quand elle se fait au mépris des contraintes naturelles, l'urbanisation galopante peut avoir des conséquences tragiques : chacun garde en tête les images chocs des **inondations** qui ont frappé Arles, Nîmes, Vaison-la-Romaine et d'autres zones du nord Vaucluse. Parfois meurtrières, toujours dévastatrices, ces crues torrentielles rappellent que la légendaire douceur du climat méridional est illusoire. Autre constat : les inondations ont moins frappé les centres historiques que les nouvelles zones urbanisées.

Quant à la fréquentation automobile croissante, elle a nécessité une extension constante des infrastructures routières, qui lacèrent le paysage et grignotent de plus en plus les espaces sauvages. Les effets combinés de la pollution automobile et de la chaleur ont propulsé la Provence dans le peloton de tête des zones européennes les plus polluées à l'**ozone**.

Heureusement, certains espaces naturels sont désormais protégés, que ce soit dans le cadre des Parcs naturels régionaux de Camargue et du Luberon, des réserves des calanques et de La Crau, ou des deux Parcs régionaux marins de la Côte Bleue et de La Ciotat. D'autres sites naturels exceptionnels font l'objet de réflexions en vue d'une future protection : les Alpilles, le mont Ventoux, les calanques, la montagne Sainte-Victoire et le massif de la Sainte-Baume.

HISTOIRE

La Provence fit ses premiers pas dans l'Histoire bien avant notre ère, comme en témoignent la découverte des grottes Cosquer et Chauvet. Ce territoire n'est pas né d'un découpage administratif mais d'une façon de vivre ensemble, dans une région carrefour enrichie par les Grecs, les Romains puis les comtes de Provence, autant de civilisations dont les Provençaux sont aujourd'hui les fiers héritiers.

Saint Louis s'embarquant pour la croisade au port d'Aigues-Mortes.

Influence et indépendance

À la croisée des civilisations française et italienne, la Provence fut le théâtre de guerres et d'annexions, mais aussi de relations culturelles et commerciales rayonnantes : Grecs et Romains laissèrent leur empreinte dans la région… comme en témoignent l'agriculture, l'art et l'architecture.

PRÉHISTOIRE ET ANTIQUITÉ

Avant J.-C.

● **Vers 6000** – Néolithique cardial (du mot *cardium*, coquillage utilisé dans la décoration des poteries) : sites de Châteauneuf-lès-Martigues et de Courthézon.

● **Vers 3500** – Chasséen : apparition de véritables éleveurs-agriculteurs vivant dans des villages.

● **1800-800** – Âge du bronze. Présence des Ligures.

● **8e-4e s.** – Installation progressive des Celtes.

● **Vers 600** – Fondation de **Massalia** (Marseille) par les Phocéens.

● **4e s.** – Apogée de Massalia ; voyages du navigateur massaliote Pythéas dans les mers du Nord.

● **125-122** – Conquête de la Gaule méridionale par les Romains. Destruction d'Entremont et fondation d'Aix.

● **102** – Victoire de Marius sur les Teutons.

● **58-51** – Conquête de la Gaule chevelue par **César**.

● **27** – Auguste organise la Narbonnaise.

Après J.-C.

● **284** – La Narbonnaise est divisée en deux provinces : Narbonnaise sur la rive droite du Rhône, Viennoise sur la rive gauche.

● **4e s.** – Apogée d'Arles. Mise en place des diocèses.

● **416** – Jean Cassien, venu d'Orient, fonde l'abbaye St-Victor de Marseille.

LE COMTÉ DE PROVENCE

● **471** – Prise d'Arles par les Wisigoths.

● **536** – Cession de la Provence aux Francs.

● **843** – Traité de Verdun : la Provence, la Bourgogne et la Lorraine reviennent à Lothaire.

● **855** – Création d'un royaume de Provence au profit de Charles, 3e fils de Lothaire.

● **2e moitié des 9e et 10e s.** – Incursions répétées des Sarrasins, des Normands et des Hongrois.

Franck Raux / RMN

La peste devant l'hôtel de ville à Marseille.

● **879** – Boson, beau-frère de Charles le Chauve, roi de Bourgogne et de Provence.

● **1032** – Rattachement de la Provence au Saint Empire romain germanique. Les comtes de Provence bénéficient, toutefois, d'une indépendance effective.

● **1125** – Partage de la Provence entre les comtes de Barcelone et de Toulouse. La Provence vit en union avec le Languedoc, pratiquant la même langue (d'oc) et des coutumes semblables.

La **croisade contre les Albigeois** entraîne l'union tardive des partis catalan et toulousain – qui se disputaient jusqu'alors la Provence – face aux « envahisseurs » du Nord, mais la défaite de Muret (1213) ruine tout espoir d'une Occitanie unie.

● **Vers 1135** – Les villes sont devenues des puissances locales depuis le début du 12ᵉ s. ; elles élisent des consuls dont le pouvoir s'est accru au détriment des seigneurs traditionnels (évêques, comtes et vicomtes). Au 13ᵉ s., elles gagnent progressivement leur indépendance.

● **1229** – L'expédition de Louis VIII (siège d'Avignon en 1226) et le **traité de Paris** (1229) aboutissent à la création de la sénéchaussée royale de Beaucaire ; la rive droite du Rhône est désormais terre royale. À l'est, le comte catalan Raimond-Bérenger V maintient son autorité et dote la Provence d'une organisation administrative ; lui-même réside souvent à Aix.

● **1246** – **Charles Iᵉʳ d'Anjou**, frère de Saint Louis, épouse Béatrice de Provence, fille du comte de Barcelone, et devient comte de Provence. Son gouvernement est apprécié : la sécurité est rétablie, une administration honnête gère les affaires publiques et la prospérité reprend.

● **1248** – Saint Louis s'embarque à Aigues-Mortes pour la 7ᵉ croisade.

● **1274** – Cédé par le roi de France à la papauté, le Comtat est dit « venaissin ». Durant la première moitié du 14ᵉ s., les successeurs de Charles Iᵉʳ, Charles II et Robert d'Anjou le Sage, poursuivent une politique d'ordre et de paix.

● **1316-1403** – Avignon devient la ville phare, où l'évêque Jacques Duèse, élu pape sous le nom de Jean XXII en 1316, décide de se fixer. Déjà, Clément V résidait depuis 1309 dans le Comtat et bénéficiait de la « protection » du roi de France ; aussi l'acte de Jean XXII fut confirmé par son successeur Benoît XII qui entreprit la construction d'une nouvelle résidence pontificale. Le séjour des **papes en Avignon** se traduit par un essor et un rayonnement extraordinaires de la ville pendant près d'un siècle.

● **1348** – Clément VI achète Avignon à la reine Jeanne Iʳᵉ d'Anjou. Épidémie de peste noire.

La Provence entre dans une phase difficile. Hormis la famine et la **peste**, les ravages des Grandes Compagnies (les routiers) et l'instabilité politique due à la faiblesse de la reine Jeanne (petite-fille du roi Robert, assassinée en 1382) affaiblissent gravement le pays. Après une violente querelle de succession, Louis II d'Anjou (neveu du roi de France Charles V) rétablit la situation en 1387. La pacification est provisoirement ralentie par les agissements d'un seigneur turbulent, le vicomte de Turenne, qui pille et rançonne le pays (1389-1399). La tranquillité ne revient définitivement qu'au début du 15ᵉ s.

● **1409** – Fondation de l'**université d'Aix**, qui est élevée au rang de capitale administrative avec un sénéchal et une Cour des maîtres rationaux (officiers chargés de la gestion des finances du comté).

● **1434-1480** – Règne du roi René Ier le Bon, oncle de Louis XI. Fils cadet de Louis II d'Anjou († 1417), il hérite de la Provence à la mort de son frère (1434). Son règne laissera un souvenir heureux, car il coïncide avec une période de restauration politique et économique qui se fait sentir dans toute la France. Poète et amateur d'art éclairé, il attire quantité d'artistes à Aix, qui prend en quelque sorte le relais de l'Avignon des papes.

● **1450** – Jacques Cœur installe ses comptoirs à Marseille.

● **1481** – Charles du Maine, neveu de René d'Anjou, laisse par testament la Provence à Louis XI.

LES ÉTATS DE PROVENCE

● **1486** – Les **états de Provence**, réunis à Aix, ratifient la réunion de la Provence à la France.

● **1501** – Institution du parlement d'Aix, cour souveraine de justice qui s'arroge des prérogatives politiques.

● **1524-1536** – Invasion de la Provence par les Impériaux (soldats de l'Empire germanique).

● **1539** – Édit de Villers-Cotterêts imposant l'usage du français pour les actes administratifs.

● **1545** – **Massacre des Vaudois** hérétiques du Luberon.

Dès 1530, la **Réforme** se propage dans le Midi, grâce aux colporteurs de bibles et aux marchands. Le protestantisme est stimulé par le rayonnement de l'Église vaudoise, implantée dans les communautés villageoises du Luberon.

L'hérésie vaudoise remonte au 12e s. : un certain **Vaudès** ou Valdès, riche marchand lyonnais, avait fondé en 1170 une secte prêchant la pauvreté et le retour à l'Évangile, refusant les sacrements et la hiérarchie ecclésiastique. Excommuniés en 1184, les Vaudois étaient, depuis ce temps, pourchassés comme hérétiques. En 1530, ils furent repérés par l'Inquisition et, en 1540, le parlement d'Aix (institué en 1501) lança contre dix-neuf d'entre eux l'« arrêt de Mérindol ». François Ier temporise et prescrit un sursis. Mais lorsqu'en 1544, des hérétiques saccagent l'abbaye de Sénanque, le président du parlement d'Aix, Meynier d'Oppède, obtient du roi l'autorisation d'appliquer l'« arrêt de Mérindol » et organise une expédition punitive. Du 15 au 20 avril 1545, une véritable folie sanguinaire s'abat sur les villages du Luberon dont certains sont incendiés et rasés : 3 000 personnes sont massacrées et 600 envoyées aux galères.

● **1555** – **Nostradamus**, né à St-Rémy, publie les *Centuries astrologiques*.

● **1558** – L'ingénieur salonnais Adam de Craponne fait creuser le canal qui porte son nom.

● **1567** – **Massacre de la Michelade** à Nîmes : 200 prêtres ou notables catholiques sont assassinés.

Le protestantisme continue à se répandre en dépit des massacres. Ses bastions se concentrent à l'ouest du Rhône (Vivarais, Cévennes, Nîmes et Uzès) et dans la principauté d'Orange. En 1560, l'affrontement devient inévitable : nombre d'églises et d'abbayes sont saccagées par les huguenots tandis que les catholiques ripostent. Dans le tumulte des représailles réciproques, deux camps se dessinent : la Provence adopte majoritairement le catholicisme tandis que le Languedoc-Cévennes, sous la houlette des marchands et des artisans du textile qui animent le mouvement réformé, adhère à la cause protestante, dont Nîmes est le flambeau. L'âpreté de ces guerres de Religion, qui se poursuivent encore au moment de l'insurrection des Camisards (1702-1704), restera à jamais gravée dans la mémoire de ces peuples.

● **1622** – Louis XIII visite Arles, Aix et Marseille.

● **1660** – Louis XIV entre solennellement dans Marseille.

● **1685** – Révocation de l'édit de Nantes.

● **1713** – La principauté d'Orange, possession de la famille de Nassau depuis

Onze dates clé

● **Vers 600** – Fondation de Massalia (Marseille) par les Phocéens.
● **58-51** – Conquête de la Gaule chevelue par **César**.
● **416** – Jean Cassien fonde l'abbaye Saint-Victor de Marseille.
● **536** – Cession de la Provence aux Francs.
● **855** – Création du premier royaume de Provence.
● **1032** – La Provence est rattachée au Saint Empire romain germanique.
● **1316-1403** – Avignon devient une ville phare, celles des Papes.
● **1434-1480** – Règne du roi René.
● **1486** – Réunion de la Provence à la France.
● **1791** – Avignon et le Comtat venaissin sont réunis à la France.
● **Août 1944** – Libération de Marseille par les troupes alliées.

1559, est acquise par la France au **traité d'Utrecht**.

● **1720** – La grande peste, partie de Marseille, décime les populations provençales.

● **1771** – Suppression du parlement d'Aix.

DE LA RÉVOLUTION À NOS JOURS

● **1790** – L'Assemblée constituante décide la création de trois départements dans le sud-est de la France : les Basses-Alpes (ch.-l. : Digne), les Bouches-du-Rhône (ch.-l. : Aix) et le Var (ch.-l. : Toulon).

● **1791** – Avignon et le Comtat venaissin sont réunis à la France.

● **1792** – 500 volontaires marseillais défilent dans Paris au chant de l'armée du Rhin, qui s'appellera *La Marseillaise*.

● **1815** – Chute de Napoléon. Assassinat du maréchal Brune à Avignon par des fanatiques royalistes (Terreur blanche).

● **1854** – Fondation du **Félibrige**, école littéraire provençale.

● **1859** – Frédéric Mistral publie le poème provençal *Mireille*.

● **1904** – Attribution du prix Nobel de littérature à Frédéric Mistral.

● **1933** – Création de la **Compagnie nationale du Rhône** pour l'aménagement du fleuve.

● **1942** – Invasion de la Provence par les troupes allemandes le 11 novembre.

● **1944** – Débarquement des armées alliées le 15 août sur la Côte d'Azur. Du 23 au 28 août, les troupes du **général de Montsabert**, aidées par les forces de la Résistance, libèrent Marseille de l'occupation allemande.

● **1962** – Mise en service des premières usines de l'aménagement hydroélectrique de la Durance.

● **1965** – Début de la construction de l'ensemble portuaire de Fos.

● **1970** – Marseille relié à Paris par les autoroutes A 6 et A 7. Création du Parc naturel régional de Camargue.

● **1977** – Mise en service à Marseille de la première ligne du métropolitain. Création du Parc naturel régional du Luberon.

● **1981** – Le TGV arrive à Marseille.

● **1991** – Découverte dans la calanque de Sormiou, au sud de Marseille, de la grotte ornée dite **grotte Cosquer**.

● **1993** – L'Olympique de Marseille est le premier club français à remporter une coupe européenne de football.

● **1994** – Découverte dans les gorges de l'Ardèche d'une grotte ornée aujourd'hui appelée **grotte Chauvet**.

● **1999** – Marseille fête ses 2 600 ans d'existence.

● **Juin 2001** – La nouvelle ligne TGV tracée au sud de Valence met Paris à 3h de Marseille, à 2h50 de Nîmes et à 2h40 de la nouvelle gare d'Avignon-TGV.

La Provence antique

Aucune autre région de France ne conserve de telles traces de son passé antique : cela tient bien sûr à l'empreinte romaine, plus profonde et durable que dans tout le reste de la Gaule, mais aussi à l'exceptionnel état de conservation des monuments. Hormis les Romains, les autochtones celto-ligures, avec leurs oppidums, les Étrusques et les Grecs, avec leurs comptoirs, ont marqué l'histoire.

NOS ANCÊTRES LES LIGURES

Aux Ligures qui peuplent la région dès l'âge du bronze (1800 à 800 av. J.-C.) viennent se mêler des Celtes au 7e s., puis surtout aux 5e et 4e s. De ce brassage naissent les **Celto-Ligures**, qui s'installent progressivement sur les hauteurs où ils édifient de véritables villes fortifiées : les oppidums. Ils y vivent dans des maisons très simples, en pierre et en brique crue, organisées selon un plan régulier à l'intérieur d'une enceinte, et se consacrent essentiellement à l'agriculture, à l'élevage et à la chasse.

Parmi les vestiges qu'ils nous ont laissés, leur statuaire qui célèbre volontiers les guerriers morts, héros protecteurs de la cité. Il était en outre du dernier chic d'incruster dans le linteau de sa porte les têtes des ennemis vaincus ou, à défaut, leur représentation sculptée.

La bosse du commerce

Si les Rhodaniens ne laissent guère que leur nom au grand fleuve provençal, Rodhanos, et si les Étrusques se limitent à quelques échanges commerciaux, les **Phocéens**, venus d'Asie Mineure (Ionie), sont les premiers à fonder une colonie permanente, vers 600 : Massalia, -l'actuelle Marseille.

Peu à peu, la civilisation hellénique se diffuse dans toute la région. Son influence accélère notamment l'évolution de l'économie (introduction de la monnaie) et de la société (techniques de construction). Mais au 2e s., les relations commencent à se gâter entre les autochtones et la cité phocéenne, et la **confédération salyenne** (qui regroupe les peuplades provençales) réagit à « l'impérialisme massaliote ».

ROME À LA RESCOUSSE

La cité phocéenne obtient en 154 la protection de Rome face aux menaces gauloises, et, dès 125, alors que la montée en puissance de l'empire arverne met en péril la sécurité du Midi de la Gaule, clé du trafic entre l'Italie et l'Espagne, les légions romaines ne se font pas prier pour répondre à l'appel des Massaliotes : elles soumettent facilement les Voconces de Vaison, puis les Salyens d'Entremont et, après avoir fondé le camp d'Aquae Sextiae (Aix) en 122, infligent une sanglante défaite aux Arvernes et aux Allobroges.

La Transalpine, une nouvelle province – bientôt nommée la **Narbonnaise**, en référence à la première colonie romaine (Narbonne) – définie en 118 par le consul Domitius Ahenobarbus, reçoit le statut de *Provincia Romana* : la Provence en tirera sans doute son nom et, pour l'heure, Massalia conserve son indépendance et son territoire.

Des chemins qui mènent à Rome

Sitôt installés en Provence, les Romains mettent en place des voies de communication terrestres dont le tracé suit celui de chemins antérieurs (sentiers tracés par les Gaulois, ou drailles empruntées par les troupeaux). Pavées à l'entrée des villes, elles sont en rase campagne couvertes d'un paletage très compact, et jalonnées de ponts de bois ou de pierre, de bornes milliaires et de relais.

Trois grandes voies romaines sillonnent ainsi la Provence : la **voie Aurélienne** (*via Aurelia*) relie Rome au Rhône, en longeant la côte par Antibes, Fréjus, Aix et Salon-de-Provence, pour rejoindre la voie Domitienne à Tarascon ; la **voie Domitienne** (*via Domitia*) relie l'Italie du Nord à l'Espagne, en passant par Briançon, Gap, Sisteron, Apt, Cavaillon, Tarascon, Nîmes, Béziers, Narbonne et Perpignan. Enfin, la **route d'Agrippa** part d'Arles et suit la rive gauche du Rhône en direction de Lyon, en passant par Avignon et Orange.

Marius et César : la Paix romaine

En 102 av. J.-C., Marius vainc près d'Aix les Cimbres et les Teutons. Un juste retour des choses, après la cuisante défaite infligée par ces derniers aux légions romaines, à Orange, trois ans auparavant.

Dès lors, la domination romaine s'étend de manière irréversible sur le pays, avec son lot d'abus et de spoliations. La Gaule transalpine s'intègre rapidement au monde romain et soutient **César** sans états d'âme pendant la guerre des Gaules (58 à 51).

Mais dans la lutte qui oppose ensuite le général victorieux à son rival, Pompée, Marseille mise sur le perdant : assiégée (49 av. J.-C.), puis envahie, elle perd son indépendance, à l'heure où des villes comme Narbonne, Nîmes, Arles et Fréjus prennent leur envol.

La civilisation gallo-romaine connaît son apogée entre les 1er et 3e s., sous l'impulsion de l'empereur **Auguste**, et plus tard, d'Antonin le Pieux, nîmois d'origine. L'agriculture demeure la première activité de la Provence, tandis que le commerce enrichit les villes (Arles en particulier, qui profite de la disgrâce de Marseille).

Mosaïque au musée de l'Arles et de la Provence Antiques, en Arles.

Stéphane Sauvignier / MICHELIN

Colonnes du théâtre antique de Glanum à Saint-Rémy-de-Provence.

LE CHANT DU CYGNE

Après les incertitudes du 3e s., les 4e et 5e s. apportent des transformations religieuses et politiques considérables.

Au cours du 3e s., la Provence doit faire face à une série d'invasions (Allamans et Vandales) qui mettent à mal sa prospérité et le bel ordonnancement de la Paix romaine : déclin des villes (comme Nîmes et Glanum, abandonnées par leurs habitants), appauvrissement des campagnes et insécurité entraînent une nouvelle occupation des sites de hauteur, abandonnés depuis trois siècles. Partout, des remparts s'élèvent.

Le christianisme (qui semble ne pas être apparu avant la fin du 2e s.) triomphe des autres religions après la conversion de **Constantin**. Ce dernier fait d'Arles sa ville favorite en Occident, la dotant notamment d'un palais impérial et de thermes. Véritable centre commercial où s'élaborent tissus, orfèvrerie, sarcophages, armes et navires, *Arelate* (qui faillit bien devenir *Constantina*, en hommage à son bienfaiteur) devient un important centre politique (préfecture des Gaules en 395), puis religieux, en accueillant dans ses murs 19 conciles. Cette prospérité se prolonge jusqu'en 471, date de la prise de la ville par les Wisigoths. Pendant ce temps, Marseille redevient un port actif et Aix un important centre administratif.

La fin de la civilisation gallo-romaine

La prise d'Arles par les Wisigoths marque la fin de la civilisation gallo-romaine, en dépit d'une tentative de « restau-ration » menée par les Ostrogoths, qui remettent en vigueur les institutions romaines entre 476 et 508.

La vie religieuse poursuit son essor : les conciles se multiplient dans les villes de Provence, prescrivant notamment la création d'une école par paroisse afin de parfaire l'évangélisation des campagnes.

L'évêque d'Arles, **Césaire**, jouit d'un immense prestige en Gaule. En 536, la Provence entre dans le royaume franc et subit le sort incertain des autres provinces, ballottées au gré des partages successoraux de la dynastie mérovingienne. La décadence s'accélère.

La première moitié du 8e s. n'est que confusion et tragédies : Arabes et Francs transforment la région en véritable champ de bataille et, entre 736 et 740, **Charles Martel** la soumet avec une brutalité inouïe.

Un royaume de Provence est érigé en 855, dont les contours correspondent à peu près au bassin rhodanien. Mais, affaibli par la menace des Sarrasins et des Normands, il ne tarde pas à échoir aux rois de Bourgogne. Leurs possessions (du Jura à la Méditerranée) sont placées sous la protection des empereurs germaniques, qui en héritent en 1032. Cette date capitale fait de la Provence une terre d'empire.

Les personnalités de la région

La beauté d'une région est-elle proportionnelle au nombre de stars qui en sont issues ? C'est à le croire tant il est difficile d'établir une liste exhaustive des enfants de Provence qui ont gravé leur nom au fronton de l'histoire, ancienne ou récente. En voilà un aperçu.

César Baldaccini – Né en 1921 à Marseille, décédé à Paris en 1998, ce sculpteur a connu la renommée sous le nom de César. À ne pas confondre avec les *Césars*, de petites compressions dorées créées par l'artiste pour la cérémonie qui porte depuis son nom, une remise de prix cinématographiques qui a lieu chaque année en février à Paris.

Fernandel – Né en 1903, le petit Fernand Contadin grandit à Marseille, connaît la gloire à Paris et réside après-guerre à Carry-le-Rouet. Marcel Pagnol et beaucoup d'autres le feront tourner. *Ugolin, Ali Baba, La Vache et le Prisonnier* et autres *Don Camillo* restent inoubliables. Fernandel meurt à Paris en 1971. Sa Provence natale se souvient, « *Félicie, ôssi* ».

Autres personnalités

René Barjavel – *Voir Nyons et p. 84.*
Henri Bosco – *Voir Le Luberon.*
Paul Cézanne – *Voir Aix-en-Provence et p. 82.*
Auguste Chabaud – *Voir Graveson.*
René Char – *Voir L'Isle-sur-la-Sorgue et p. 84.*
Alphone Daudet – *Voir Fontvieille, Nîmes et p. 84.*
Gaston Defferre – *Voir Marseille.*
Alexandre Dumas – *Voir Cavaillon et Marseille.*
André Gide – *Voir Uzès et p. 84.*
Jean-Claude Izzo – *Voir Les calanques, Marseille et p. 84.*
Louis Lumière – *Voir La Ciotat.*
Mirabeau – *Voir Aix-en-Provence.*
Frédéric Mistral – *Voir Arles, Maillane (Tarascon) et p. 84.*
Nostradamus – *Voir Salon-de-Provence et p. 16.*
Marcel Pagnol – *Voir Aubagne et p. 84.*
Pétrarque – *Voir Fontaine-de-Vaucluse et p. 83.*
Pierre Puget – *Voir Marseille et p. 16.*
Jean Racine – *Voir Uzès.*
Roi René – *Voir Aix-en-Provence et Tarascon.*
Marquis de Sade – *Voir Saumane (Fontaine-de-Vaucluse) et Lacoste (Luberon).*
Madame de Sévigné – *Voir Grignan.*
Vincent Scotto – *Voir Marseille.*
Vincent Van Gogh – *Voir p. 17 et 82.*
Félix Ziem – *Voir Martigues et p. 82.*
Émile Zola – *Voir p. 84.*

Jean Lacouture – Voilà 40 ans que le reporter-écrivain habite Roussillon. Après une carrière à *Combat*, au *Monde* et au *Nouvel Observateur*, il se consacre désormais à l'écriture.

Christian Lacroix – Né en 1951, l'Arlésien a démarré sur les chapeaux de roue, surprenant le monde de la haute couture en revisitant le costume de l'Arlésienne pour son premier défilé parisien.

Yves Montand – Né en 1921 en Italie, Ivo Livi grandit à Marseille, auprès de parents militants communistes. En 1939, il débute sous le nom d'Yves Montand comme chanteur à l'Alcazar, un célèbre cabaret marseillais. Marié en 1951 à Simone Signoret, il forme avec elle l'un des couples légendaires du cinéma. Trois ans avant sa mort en 1991, il revient en Provence pour le tournage de *Manon des Sources*, où il campe un Papet inoubliable.

Françoise Nyssen – En 1978, l'éditrice installe sa maison d'édition dans une ancienne bergerie des Alpilles. Depuis, Actes Sud compte 5200 titres. Commencée comme un conte provençal, la belle histoire a été couronnée du prix Goncourt 2004, obtenu par Laurent Gaudé pour *Le Soleil des Scorta*.

Pablo Picasso – Ce monstre sacré de la peinture (1881-1973) a été fortement influencé par la Provence. Aficionado célèbre, il fera don à Arles de 57 dessins, visibles au musée Réattu *(voir Arles)*. Il repose au château de Vauvenargues, près d'Aix-en-Provence.

Zinedine Zidane – Marseille a dressé son effigie sur une immense façade de la Corniche. S'il a grandi à Marseille, où il est né en 1972, « Zizou » est devenu l'un des meilleurs joueurs de foot au monde sans avoir jamais joué pour l'OM. À 16 ans, déjà, le jeune prodige avait été repéré par… Cannes !

ART ET CULTURE

Il est des beautés qui inspirent : de l'Antiquité à nos jours, la Provence se caractérise par une fécondité artistique exceptionnelle. Les trésors de pierre gallo-romains nichent au cœur des villes tandis que d'humbles chapelles romanes ornent les collines. Les paysages, aussi, ont séduit nombre de peintres emblématiques, attirés par la pureté de la lumière. La littérature fut prolixe. Aujourd'hui, la création contemporaine continue de foisonner tous azimuts. Suivez le guide.

Cloître Saint-Trophime en Arles.

L'architecture

Des oppidums aux bastides, en passant par les monuments antiques et romans, l'architecture est un miroir de l'histoire provençale. Rurale ou urbaine, elle est souvent remarquablement conservée.

LA VILLE DANS L'ANTIQUITÉ

Peu de villes sont créées *ex nihilo* par les Romains, la plupart succédant à un établissement indigène, plus ou moins hellénisé. La fondation d'une **ville romaine** suit des règles bien précises : on détermine tout d'abord le centre de la future cité, puis on trace deux axes majeurs, le *cardo maximus* (orienté nord-sud) et le *decumanus maximus* (est-ouest). À partir de ces axes perpendiculaires se définit un quadrillage régulier, dont les mailles forment théoriquement des carrés d'une centaine de mètres de côté. À de rares exceptions près (comme Nîmes, Arles et Orange, qui se voient octroyer le privilège honorifique de s'entourer de remparts), les villes restent ouvertes : à quoi bon des fortifications puisque la **pax romana** règne désormais sur la contrée ?

Le forum, cœur de la cité

Autour de la grande **place publique**, entourée de portiques, s'agencent les bâtiments publics : le temple du culte impérial, la basilique (où l'on traite des affaires judiciaires et commerciales), la curie (où siègent les magistrats municipaux) et, parfois, une prison. Bref, ce que l'on nommerait aujourd'hui une **cité administrative**.

Les trois ordres

Dérivés des ordres grecs, les trois ordres architecturaux romains s'en distinguent néanmoins par quelques détails. Employé à l'étage inférieur des monuments, le **dorique** romain (ou toscan), jugé trop sévère pour son aspect simple et massif, ne se rencontre que rarement. De même, les architectes ont souvent dédaigné l'**ionique**, très élégant (avec ses chapiteaux ornés de deux volutes latérales) mais pas assez pompeux à leur goût. Seul le **corinthien** semble avoir eu leur faveur, pour la richesse de son ornementation. On le reconnaît aux deux rangs de feuilles d'acanthe, entre lesquels s'élèvent des volutes, qui ornent ses chapiteaux. Quant à l'ordre **composite**, c'est une synthèse de l'ionique et du corinthien.

Des rues bien étudiées

Heureux temps où le piéton est roi ! Les promeneurs déambulent à l'ombre de **portiques**, qui les protègent également de la pluie. Bordée de caniveaux et revêtue de grandes dalles, la chaussée est en outre hérissée de **bornes plates**, de même hauteur que les trottoirs pour permettre aux piétons de traverser la rue sans effort, et séparées par un espace calculé pour laisser passer les chevaux et les roues des chars.

Demeures urbaines

Les fouilles de Vaison, de Glanum à Saint-Rémy ou du quartier de la Fontaine à Nîmes ont révélé divers types de maisons : petite maison bourgeoise, maison de rapport à étages ouverte sur une cour intérieure, boutiques. Mais la plus imposante reste sans conteste l'**habitation patricienne**, grande et luxueuse demeure dont la sobriété de façade (seules de rares fenêtres rompent la nudité des murs) dissimule un riche intérieur, orné de mosaïques, de peintures, de statues et de marbre.

Les arcs

Improprement appelés arcs « de triomphe », les arcs « municipaux » provençaux d'Orange, des Antiques (près de Saint-Rémy), de Carpentras et de Cavaillon commémorent la fondation des cités et les exploits des vétérans légionnaires.

De l'eau, de l'eau !

Afin d'acheminer l'eau dans les villes, les Romains édifient des aqueducs, parfois grandioses, comme le Pont du Gard.
Il s'agit notamment d'alimenter les **thermes**. Expression d'un art de vivre raffiné, ces établissements de bains sont avant tout un lieu de détente : on s'y retrouve entre amis pour pratiquer des exercices physiques, flâner, lire ou écouter des conférences.

En sous-sol, foyers et **hypocaustes** assurent le chauffage des salles et de l'eau : l'air chauffé par la combustion du bois circule dans les murs par un système de tubulures, tandis qu'un circuit de canalisations distribue l'eau dans les différents bains.

Lors d'une journée aux thermes, le baigneur commence par s'enduire le corps d'huile, pour se livrer à quelques exercices d'échauffement dans le *palestre* (gymnase), avant de passer dans le *tepidarium* (salle tiède). Là, il se nettoie la peau à l'aide de spatules métalliques *(strigiles)*. Dans le *caldarium* (salle chaude) l'attendent bain de vapeur, bain chaud collectif et massages. Ragaillardi par les bains glacés du *frigidarium* (salle froide), il ne lui reste plus qu'à se rhabiller pour aller s'adonner aux jeux de l'esprit dans les salles annexes.

Jeux du cirque et des arènes

Après une journée aux thermes, rien de tel qu'un bon spectacle. Au **cirque**, long espace rectangulaire arrondi aux extrémités, se déroulent les courses de chars et de chevaux.

Les sanglants combats de gladiateurs et de fauves ont lieu dans l'**amphithéâtre**. À l'extérieur se dessinent deux niveaux d'arcades surmontés d'un étage réduit, l'attique, où l'on amarre une immense voile *(velum)* pour abriter les spectateurs du soleil. À l'intérieur, un mur protège les spectateurs des premiers gradins contre les bonds des bêtes féroces lâchées sur la piste. Au-dessus s'élèvent les gradins *(cavea)*, attribués à chacun selon sa classe sociale : tout est conçu pour éviter qu'un

---

La maison romaine

Un large seuil donne accès au vestibule et au corridor.
De là, on entre dans l'*atrium* (1), grande salle dont la partie centrale, à ciel ouvert *(compluvium)*, est creusée d'un bassin *(impluvium)* alimenté par les eaux de pluie. Tout autour s'agencent une salle de réception (2), le laraire (oratoire privé) et le *tablinum* du chef de famille (cabinet de travail). On pénètre ensuite par un couloir dans le péristyle (3), cour verdoyante marquant le cœur de la partie strictement familiale de la maison. Sur ce havre de paix ouvrent les chambres, le *triclinium* (4) (la salle à manger) et l'*œcus* (grand salon).

Rodolphe Corbel / MICHELIN

L'art d'accommoder les restes

Les arènes d'**Arles** et de **Nîmes** sont aujourd'hui le théâtre des manifestations les plus diverses : corridas et courses camarguaises, spectacles de variétés, rencontres de coupe Davis, grandes représentations d'opéra…
Le théâtre d'Arles accueille aussi des concerts, celui d'**Orange** offre son cadre somptueux aux fameuses Chorégies.

notable ne se trouve nez à nez avec un esclave ou un affranchi.

Amphithéâtre ou arènes ? En utilisant indifféremment l'un ou l'autre terme, nombre d'entre nous renouent en fait avec une pratique antique. Les Romains eux-mêmes se servaient des deux termes comme des synonymes. En réalité, l'amphithéâtre désigne la structure dans son ensemble, tandis que le mot « arènes » (*arena* en latin) désigne spécifiquement les pistes, sablées pour absorber le sang et éviter que les bêtes ne glissent.

Au théâtre ce soir

Les gradins du théâtre romain s'étagent en demi-cercle autour de l'**orchestra**, espace réservé aux sièges des dignitaires. Au fond de la **scène** surélevée se dresse un mur percé de trois portes par lesquelles les acteurs font leur entrée ; richement décoré de colonnes, niches à statues (dont celle de l'empereur, au centre), revêtements de marbre et mosaïques, il constitue souvent la plus belle partie de l'édifice. Derrière s'alignent les loges des acteurs et les magasins d'accessoires, qui cachent un jardin où les spectateurs peuvent se promener à l'entracte.

Un ingénieux système permet de changer rapidement les décors en les faisant coulisser. Quant aux acteurs, ils peuvent disparaître de la scène ou surgir du sous-sol grâce à des trappes, ou encore descendre du ciel et monter aux nues. Les machinistes savent aussi produire des fumées, des éclairs et du tonnerre…

L'excellente acoustique est obtenue par divers moyens. Dans les masques des acteurs, la bouche forme porte-voix. Au-dessus de la scène, un grand toit incliné rabat les sons qui se diffusent harmonieusement sur la courbe des gradins, tandis que les colonnades rompent l'écho et que des vases résonateurs, répartis sous les gradins, font office de haut-parleurs. Enfin, les portes de la scène, creuses, forment d'efficaces caisses de résonance lorsque les acteurs s'y adossent.

LA PROVENCE ROMANE

À la croisée de l'Antiquité et du Moyen Âge, l'architecture romane provençale témoigne, autour du 12e s., d'un renouvellement original des formes. En cette période féconde, le nouveau regard porté sur les monuments romains, qui subsistaient en grand nombre, crée cette union parfaite du génie antique et de l'idéal spirituel du temps.

Chapelles rurales et grands sanctuaires

Jeux d'ombre et de lumière – En cette terre de soleil inondée par la lumière blanche du Midi, il fait bon pénétrer dans

Chapelle Saint-Sixte à Eygalières.

la pénombre apaisante d'une **église provençale**. Préservant une agréable fraîcheur, des murs épais soutiennent la voûte en berceau brisé de la nef. Les ouvertures se limitent généralement à quelques petites baies collatérales (les fenêtres hautes du vaisseau central, comme à Saint-Trophime, restent plutôt rares) qui éclairent la nef en un subtil clair-obscur. La lumière glisse le long des piliers pour suspendre son cours et mieux se dérober… La nef s'anime et mène doucement vers le chœur lumineux de l'église.

Une renaissance de l'antique – Avec une fidélité manifeste à la conception romaine de l'architecture, les **églises romanes** méridionales conservent des plans et des volumes simples. En entrant dans ces lieux, le promeneur longe en principe une nef unique, sans transept ni collatéraux, qui l'amène insensiblement vers une abside dépourvue de chapelles rayonnantes (celle de N.-D.-de-Montmajour constitue une exception, liée à un important culte de reliques). Les volumes extérieurs masquent volontiers les dispositions intérieures, comme aux abords de la chapelle Saint-Quenin de Vaison, où l'on ne perçoit qu'une masse triangulaire.

Les façades trahissent plus encore l'influence romaine. La chapelle Saint-Gabriel, près de Tarascon, prend pour modèle un étage de l'amphithéâtre de Nîmes. En Avignon, N.-D.-des-Doms emprunte à l'arc d'Orange la disposition de sa baie centrale, et même ses proportions.

De la modeste chapelle rurale au grand sanctuaire de pèlerinage, toutes ces constructions se distinguent par la qualité de leur pierre de taille, inspirée des techniques romaines. La beauté des assises, soulignée par la nudité des parois, porte en elle toute l'esthétique épurée d'une architecture au décor confiné. En entrant, on est saisi par l'austérité de la nef, dont l'ornementation se fond dans la pénombre.

Au cœur des **cloîtres**, les chapiteaux d'inspiration corinthienne, qui avaient connu dès le 11e s. de nombreuses variations figurées, continuent de faire florès : à Saint-Trophime comme à Saint-Paul-de-Mausole, des animaux fabuleux s'agitent dans les acanthes.

Sur le chemin de Saint-Jacques – En suivant les pas des pèlerins de Compostelle, on découvre à Saint-Trophime et à Saint-Gilles d'exceptionnels porches sculptés : ils concentrent à l'entrée de l'église toute l'ornementation de la façade en une prodigalité peu commune en Provence. À Saint-Gilles, les trois portails racontent de manière triomphale l'histoire de la Passion du Christ. On y trouve, placées dans des niches, de belles figures d'apôtres et d'archanges, très inspirées de l'antique.

Les moines bâtisseurs

À l'origine des plus belles constructions romanes du Midi se trouvent les communautés monastiques. L'exemple le plus majestueux de cette architecture, l'abbaye N.-D.-de-Montmajour, en réunit à elle seule toutes les qualités : des volumes simples, une épure décorative, une taille de la pierre inégalée… On y décèle, à travers les magnifiques chapiteaux du cloître, le même esprit fantastique qu'à Saint-Trophime.

Trois sœurs cisterciennes

L'architecture cistercienne a trouvé en Provence sa terre d'élection : les moines blancs de saint Bernard, dans leur souci de retourner aux sources de la vie monastique, ont reconnu dans l'épure des églises méridionales comme un écho de leur idéal architectural. Les abbayes de **Sénanque**, de **Silvacane** et du **Thoronet** mêlent à la fois l'austère et le sublime. Leur tracé rigoureux, leurs volumes parfaits et leur absolu dépouillement expriment l'essence même de la spiritualité cistercienne en quête de pureté.

Ces églises poussent à l'extrême la sobriété ornementale. Les chapiteaux à feuilles d'eau de Silvacane, pourtant si simples, constituent même une entrave au règlement, qui bannit toute sculpture : monstres et démons ne doivent en aucun cas distraire les moines de la prière. Lieux de recueillement et de silence, donc… Tout juste rompu par le chant des cigales et par les chœurs sacrés qui s'échappent parfois des voûtes de pierre…

GOTHIQUE, BAROQUE ET CLASSICISME

Avec l'installation des papes en Avignon, au début du 14e s., la « nouvelle Rome » se couvre d'églises gothiques. Des artistes originaires de toute l'Europe y affluent, faisant de cette ville un intense foyer de création… Puis, parallèlement au courant classique, le règne de Louis XIV voit en Provence l'épanouissement d'un art baroque d'une vitalité extraordinaire, sur le chemin entre Rome et Paris.

Entre défense et résidence

Au cours du 13e s., le Midi élève des enceintes urbaines considérables, comme à **Aigues-Mortes**, parangon de la fortification royale de la deuxième moitié du siècle. L'élément phare en est la tour de Constance, défensive et symbolique, édifiée sur le modèle de la tour circulaire du Louvre de Philippe Le Bel. Ouvrages de défense, les châteaux deviennent aussi de plus en plus des lieux de vie : ainsi, dans le château de **Tarascon** reconstruit au 15e s., la fonction résidentielle finit par supplanter la fonction défensive.

Le gothique des papes

Églises et chapelles – En Avignon, les papes ne se sont pas contentés de métamorphoser l'ancienne demeure épiscopale en un somptueux palais ; ils ont présidé à plusieurs chantiers d'envergure, telle la superbe chartreuse de Villeneuve-lès-Avignon.

À la fin du 14e s., les plans s'enrichissent, comme à l'église des Célestins. Les nefs s'illuminent, et plus encore les chœurs. À Saint-Martial, les fenêtres s'étirent entre les contreforts de l'abside : des flots de lumière se déversent sur un décor de fines dentelles, qui rendent plus sensible encore la légèreté de la structure.

Un goût pour le décor est déjà manifeste dans les tombeaux des papes Jean XXII, à N.-D.-des-Doms, et Innocent VI, à la chartreuse de Villeneuve, véritables joyaux de la sculpture gothique avignonnaise.

De Simone Martini à Nicolas Froment – Au 14e s., Avignon fait figure de « Nova Roma » : nombre d'artistes italiens affluent à l'appel des papes, tel Simone Martini qui laisse sur le paysage comtadin l'empreinte d'une beauté idéale. L'écho du faste de la cour des papes résonne dans le monde chatoyant peint par **Matteo Giovannetti**, qui ouvre la danse de la « peinture gothique internationale ».

Après le départ des papes, la vie picturale avignonnaise s'endort, bientôt relayée par Aix-en-Provence. Des artistes originaires du Nord ou des Flandres y découvrent le moyen d'unifier des compositions monumentales comme le triptyque de *L'Annonciation* dans l'église de la Madeleine à Aix. À la chartreuse de Villeneuve, le *Couronnement de la Vierge* d'Enguerrand Quarton marque le renouveau pictural avignonnais, tandis qu'à Aix, Nicolas Froment exécute pour la cathédrale le retable du *Buisson ardent*.

Baroque provençal

Un art de l'excès – Tel nous apparaît ce baroque provençal qui anime l'architecture en multipliant les fioritures. Statues et reliefs se déploient surtout dans le décor intérieur des chapelles de confréries, comme celle des Pénitents Noirs d'Avignon. Dans l'ancienne église marseillaise des Récollets, l'austérité extérieure rend plus saisissante encore l'exubérance de la nef. Cette faconde décorative, qui tire sa source d'un regard ébloui par la Rome du Bernin, prend toute sa splendeur dans la *Gloire* sculptée par **Jacques Bernus** dans le chœur de la cathédrale de Carpentras.

L'architecture entre en scène – Excellant dans l'agencement de l'espace, les architectes ménagent les effets de surprise. On découvre ainsi dans l'hôtel de ville d'Aix, conçu par **Pierre Pavillon**, l'un des plus anciens escaliers « à l'impériale » français. Cette plastique de l'espace culmine à la fin du 17e s. dans la chapelle de la Charité de **Pierre Puget**, à Marseille.

Le paysage urbain n'échappe pas à cet art de la mise en scène. À Aix, l'aménagement du quartier Mazarin conduit à la création d'un cours planté d'ormeaux, tout de pierre et d'eau, d'arbres et de lumière. Pour magnifier cette plastique monumentale, on élève de somptueux hôtels, aux façades colossales percées de portails à atlantes.

Longtemps célébré comme « le plus bel endroit du monde », le cours de Marseille s'inspire de celui d'Aix. Puget a par ailleurs entrepris d'unifier les propriétés d'un îlot entier, sous l'apparence d'un hôtel particulier aux proportions démesurées. Un haut lieu de l'art baroque, en grande partie disparu.

La tentation classique

À partir de la fin du 17e s., les architectes suivent une veine plus classique et s'inspirent de la Renaissance, en particulier dans leurs églises, où triomphent les modèles romains de la Contre-Réforme. Ils regardent aussi vers la capitale, dont les ouvrages influencent l'église Saint-Julien en Arles, ou encore celle des Chartreux à Marseille. Dès le milieu du 17e s., **Pierre Mignard** s'était fait l'apôtre d'un classicisme provençal en édifiant des hôtels d'un genre très parisien, particulièrement en vogue au siècle suivant.

Cabane de gardian en Camargue.

LES MAISONS TRADITIONNELLES

Adaptée au climat du pays, la **demeure provençale** est orientée nord-sud, avec une légère inclinaison vers l'est qui la préserve du mistral. Une haie de cyprès la protège des vents du nord, tandis que platanes ou micocouliers ombragent sa façade méridionale.

Enduits d'une épaisse couche de mortier aux couleurs chaudes, ses murs épais, aveugles au nord, sont percés sur les autres faces de petites fenêtres, qui laissent passer la lumière, mais pas la chaleur. Son toit à faible pente est couvert de tuiles romaines, que couronne une génoise, frise de tuiles superposées. À l'intérieur, des carreaux de terre cuite de forme hexagonale, appelés « tomettes », dallent le sol.

La bastide

Élégante demeure en pierre de taille, la bastide affiche de belles façades régulières aux ouvertures symétriques. Généralement de plan carré et coiffée d'un toit à quatre pans, elle se distingue par ses ornements soignés : balcons en fer forgé, escalier extérieur avec rampe et perron, le tout agrémenté de sculptures.

Le mas

Grosse bâtisse trapue en pierre apparente (moellons ou galets rehaussés de pierre de taille à l'encadrement des ouvertures), le mas regroupe sous un même toit le corps d'habitation et les dépendances.

La salle (cuisine) ouvre de plain-pied sur la cour. Pièce principale malgré sa taille modérée, elle comporte une pile (évier), une cheminée et un potager (fourneau), ainsi qu'un mobilier varié. Le rez-de-chaussée abrite aussi une cave, une bergerie et une écurie, un four à pain et une citerne, tandis que l'on conserve dans la remise les produits de la récolte et la charcuterie.

À l'étage s'agencent les chambres et le grenier, où se trouvent la magnanerie (pièce réservée à l'élevage des vers à soie), la grange et le pigeonnier. Toutefois, certaines de ces pièces peuvent se trouver dans des bâtiments annexes au corps de logis, et ce plan type varie selon l'importance du mas, la région et sa vocation agricole.

Ainsi, le mas du bas Vivarais possède souvent un étage de plus : du 1er étage, où le *couradou* (une terrasse, généralement couverte) dessert la cuisine, les chambres et la magnanerie, part un petit escalier en bois qui mène au grenier.

Demeure paysanne provençale par excellence, l'oustau s'organise comme le mas, avec des dimensions plus modestes.

La cabane de gardian

Typiquement camarguaise, cette petite bâtisse se divise en deux pièces exiguës (la salle à manger et la chambre) séparées par une cloison de roseaux. Ces roseaux des marais (les *sagnos*) coiffent harmonieusement le toit, tel un chapeau de paille posé sur les murs en pisé. Seule la façade avant, percée d'une porte, est bâtie en dur. Elle soutient en effet la poutre faîtière, maintenue à l'arrière par une autre pièce de bois, inclinée à 45°, qui dépasse du toit en dessinant une croix. Autre originalité, la cabane, rectangulaire à l'entrée, s'arrondit à l'autre extrémité pour résister au vent.

ABC d'architecture

Les dessins présentés dans les planches qui suivent offrent un aperçu visuel de l'histoire de l'architecture dans la région et de ses particularités. Les définitions des termes d'art permettent de se familiariser avec un vocabulaire spécifique et de profiter au mieux des visites des monuments religieux, militaires ou civils.

Architecture antique

ORANGE – Théâtre antique (début du 1er s. avant J.-C.)

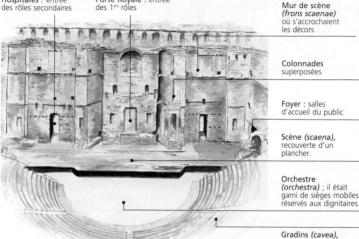

Hospitales : entrée des rôles secondaires

Porte Royale : entrée des 1ers rôles

Mur de scène *(frons scaenae)* où s'accrochaient les décors

Colonnades superposées

Foyer : salles d'accueil du public

Scène *(scaena),* recouverte d'un plancher.

Orchestre *(orchestra)* ; il était garni de sièges mobiles réservés aux dignitaires.

Gradins *(cavea),* divisés en **groupes de gradins** *(maeniae)*

NÎMES – Maison carrée (fin du 1er s. avant J.-C.)

La Maison carrée de Nîmes est un temple consacré au culte impérial ; il se compose d'un vestibule délimité par une colonnade et d'une chambre de la divinité, la *cella.*

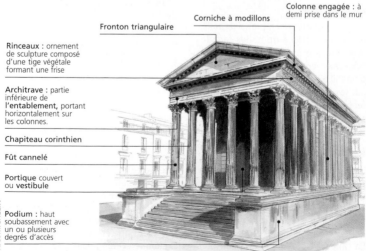

Colonne engagée : à demi prise dans le mur

Corniche à modillons

Fronton triangulaire

Rinceaux : ornement de sculpture composé d'une tige végétale formant une frise

Architrave : partie inférieure de l'**entablement,** portant horizontalement sur les colonnes.

Chapiteau corinthien

Fût cannelé

Portique couvert ou **vestibule**

Podium : haut soubassement avec un ou plusieurs degrés d'accès

R. Corbel/MICHELIN

Architecture religieuse

VAISON-LA-ROMAINE – Plan de l'ancienne cathédrale N.-D.-de-Nazareth (11ᵉ s.)

Cette cathédrale est de style typiquement provençal : son plan adopte celui des basiliques romaines, comportant une nef sans transept et se terminant sur une abside en hémicycle.

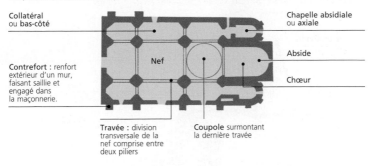

Collatéral ou **bas-côté**

Contrefort : renfort extérieur d'un mur, faisant saillie et engagé dans la maçonnerie.

Nef

Chapelle absidiale ou **axiale**

Abside

Chœur

Travée : division transversale de la nef comprise entre deux piliers

Coupole surmontant la dernière travée

Coupe en élévation d'une église romane provençale

Nous proposons deux variantes de l'église romane provençale telle qu'on la rencontre le plus souvent.

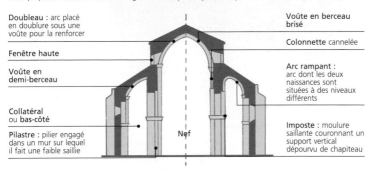

Doubleau : arc placé en doublure sous une voûte pour la renforcer

Fenêtre haute

Voûte en demi-berceau

Collatéral ou bas-côté

Pilastre : pilier engagé dans un mur sur lequel il fait une faible saillie

Nef

Voûte en berceau brisé

Colonnette cannelée

Arc rampant : arc dont les deux naissances sont situées à des niveaux différents

Imposte : moulure saillante couronnant un support vertical dépourvu de chapiteau

Abbaye de SILVACANE – Voûtes de la salle capitulaire (13ᵉ s.)

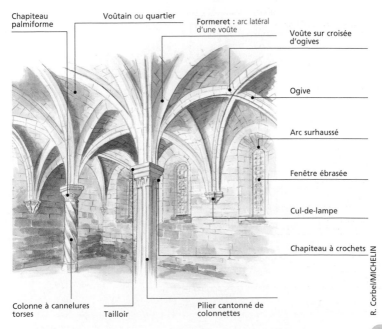

Chapiteau palmiforme

Voûtain ou **quartier**

Formeret : arc latéral d'une voûte

Voûte sur croisée d'ogives

Ogive

Arc surhaussé

Fenêtre ébrasée

Cul-de-lampe

Chapiteau à crochets

Colonne à cannelures torses

Tailloir

Pilier cantonné de colonnettes

Abbaye de MONTMAJOUR – Chapelle Ste-Croix (12e s.)

Le plan rayonnant en forme de quatre-feuilles de la chapelle Ste-Croix est typique de l'architecture de plusieurs édifices provençaux de la même époque.

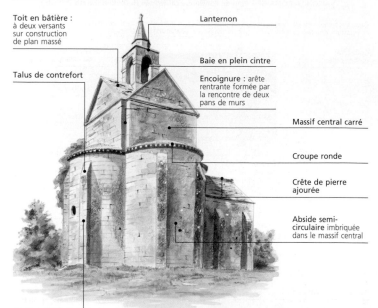

Toit en bâtière : à deux versants sur construction de plan massé

Lanternon

Baie en plein cintre

Talus de contrefort

Encoignure : arête rentrante formée par la rencontre de deux pans de murs

Massif central carré

Croupe ronde

Crête de pierre ajourée

Abside semi-circulaire imbriquée dans le massif central

Contrefort

CARPENTRAS – Portail Sud de l'ancienne cathédrale St-Siffrein (fin du 15e s.)

Le portail Sud, ou porte Juive, est de style gothique flamboyant, phase terminale du gothique ; on le reconnaît aux découpes sinueuses du remplage des fenêtres, qui évoquent des flammes.

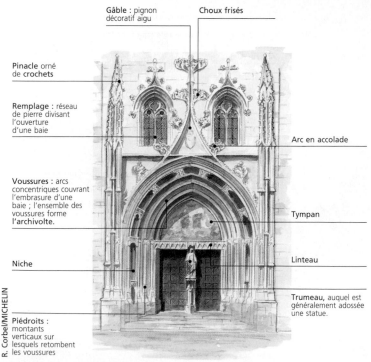

Gâble : pignon décoratif aigu

Choux frisés

Pinacle orné de **crochets**

Remplage : réseau de pierre divisant l'ouverture d'une baie

Arc en accolade

Voussures : arcs concentriques couvrant l'embrasure d'une baie ; l'ensemble des voussures forme l'**archivolte**.

Tympan

Niche

Linteau

Trumeau, auquel est généralement adossée une statue.

Piédroits : montants verticaux sur lesquels retombent les voussures

**Abbaye de ST-MICHEL-DE-FRIGOLET – Retable de la chapelle
N.-D.-du-Bon-Remède (17ᵉ s.)**

Cette chapelle, du 11ᵉ s., a été recouverte de boiseries de style baroque au 17ᵉ s. Un retable monumental en occupe le fond.

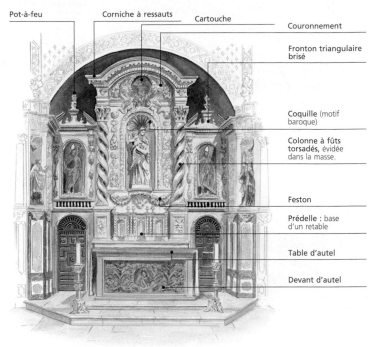

Pot-à-feu

Corniche à ressauts

Cartouche

Couronnement

Fronton triangulaire brisé

Coquille (motif baroque)

Colonne à fûts torsadés, évidée dans la masse.

Feston

Prédelle : base d'un retable

Table d'autel

Devant d'autel

UZÈS – Orgues de la cathédrale St-Théodorit (18ᵉ s.)

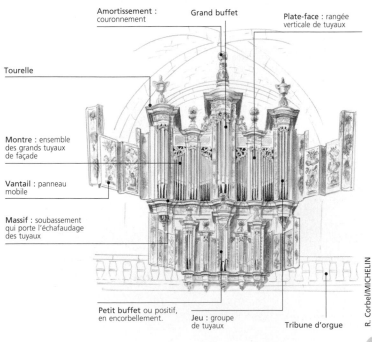

Amortissement : couronnement

Grand buffet

Plate-face : rangée verticale de tuyaux

Tourelle

Montre : ensemble des grands tuyaux de façade

Vantail : panneau mobile

Massif : soubassement qui porte l'échafaudage des tuyaux

Petit buffet ou positif, en encorbellement.

Jeu : groupe de tuyaux

Tribune d'orgue

R. Corbel/MICHELIN

Architecture militaire

TARASCON – Château fort (14e-15e s.)

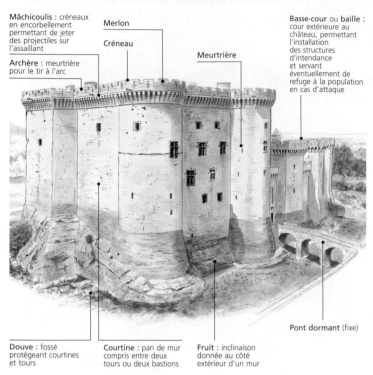

Mâchicoulis : créneaux en encorbellement permettant de jeter des projectiles sur l'assaillant

Merlon

Créneau

Archère : meurtrière pour le tir à l'arc

Meurtrière

Basse-cour ou **baille** : cour extérieure au château, permettant l'installation des structures d'intendance et servant éventuellement de refuge à la population en cas d'attaque

Pont dormant (fixe)

Douve : fossé protégeant courtines et tours

Courtine : pan de mur compris entre deux tours ou deux bastions

Fruit : inclinaison donnée au côté extérieur d'un mur

PORT-DE-BOUC – Fort (17e s.)

Ce fort fut construit par Vauban en 1664. Son système de défense supprime les angles morts et les secteurs sans feu en aménageant des angles saillants comme autant de bastions.

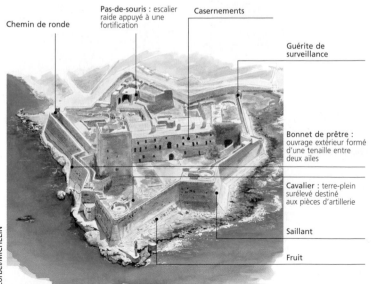

Chemin de ronde

Pas-de-souris : escalier raide appuyé à une fortification

Casernements

Guérite de surveillance

Bonnet de prêtre : ouvrage extérieur formé d'une tenaille entre deux ailes

Cavalier : terre-plein surélevé destiné aux pièces d'artillerie

Saillant

Fruit

R. Corbel/MICHELIN

Architecture civile

AIX-EN-PROVENCE – Pavillon Vendôme (17ᵉ-18ᵉ s.)

L'ordonnance de la façade est rythmée par la superposition des ordres dorique, ionique et corinthien, suivant le « grand ordre » prôné par Palladio dès la Renaissance.

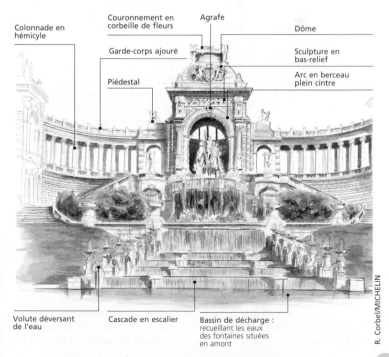

Frise de festons

Console : support, le plus souvent galbé en talon.

Chapiteau corinthien

Chapiteau ionique

Atlante (statue masculine servant de support) engainé

Rinceaux

Chapiteau dorique

Entablement : couronnement en saillie, constitué par l'architrave, la frise et la corniche.

Pilastre à fût lisse

Topiaire : arbuste isolé taillé

Feston

Agrafe : élément ornemental placé sur la clé d'une baie

MARSEILLE – Château d'eau du palais Longchamp (19ᵉ s.)

S'inspirant de la colonnade du Bernin à St-Pierre de Rome, l'architecte Espérandieu a élevé une fontaine monumentale dont la décoration utilise à profusion le thème aquatique.

Colonnade en hémicyle

Couronnement en corbeille de fleurs

Agrafe

Dôme

Garde-corps ajouré

Sculpture en bas-relief

Arc en berceau plein cintre

Piédestal

Volute déversant de l'eau

Cascade en escalier

Bassin de décharge : recueillant les eaux des fontaines situées en amont

R. Corbel/MICHELIN

H. Lewandowski / RMN

« L'Estaque » par Paul Cézanne.

De la lumière et des couleurs

Terre natale pour certains, d'adoption pour beaucoup, la Provence invite à la création. D'une pureté sans égal, sa lumière inonde généreusement la terre, l'eau, la roche, éclatante palette contrastant à l'infini. Une source d'inspiration intarissable…

À LA RECHERCHE DE LA LUMIÈRE

Dans le sillage de J.-A. Constantin (1756-1844) et de F.-M. Granet (1775-1849), les peintres du 19e s. travaillent sur la luminosité qui baigne la nature provençale. Autour d'Émile Loubon (1809-1863), l'**école paysagiste** regroupe des artistes comme Paul Guigou (1834-1871), qui annonce déjà l'impressionnisme, et Adolphe Monticelli (1824-1886), dont les représentations confinent parfois à l'abstraction.

Dans leur lignée s'imposent à partir de 1870 les **naturalistes**, tels Achille Emperaire (1829-1898) et Joseph Ravaisou (1865-1925) à Aix, Clément Brun (1868-1920) et Paul Saïn (1853-1908) en Avignon. À Marseille, les premiers artistes plantent leur chevalet sur les collines de l'Estaque : Joseph Garibaldi (1863-1941), Alphonse Moutte (1840-1913) – avec des scènes de pêcheurs très réalistes – et J.-B. Olive (1848-1936), bientôt suivis par **Félix Ziem** (1821-1911). Ce dernier ouvre une voie nouvelle, traitant la couleur en tant que telle, non plus seulement comme effet de lumière *(voir le musée Ziem, à Martigues).*

Van Gogh

Loin de sa Hollande natale, Van Gogh (1853-1890) s'installe en **Arles** *(voir ce nom)* en 1888, pour « voir une autre lumière ». De fait, il la restitue en peinture avec un génie fiévreux, presque halluciné, tant dans ses paysages *(Vue d'Arles aux iris, Les Alyscamps)* que dans ses portraits *(L'Arlésienne, Vieux paysan provençal).* Par leurs couleurs vives et leurs formes exacerbées, les œuvres de ces années provençales expriment les « terribles passions » et souffrances intérieures qui animent l'artiste. Interné à l'hospice de **Saint-Rémy** *(voir ce nom)* pendant près d'un an, il peint des toiles plus torturées, où la nature, qui se fait parfois menaçante, déploie à l'infini ses lignes sinueuses, accentuées par une touche tournoyante, comme dans *Les Blés jaunes au cyprès, Les Oliviers,* ainsi qu'une inquiétante série d'*Autoportraits…* Après deux années d'intense création, il quitte la Provence en 1890, et se suicide peu après.

🖝 Voir aussi « Sur les traces de » *(p. 17),* Saint-Rémy et Arles.

Cézanne

Originaire d'**Aix** *(voir ce nom),* Cézanne (1839-1906) côtoie à Paris les impressionnistes, avant de s'installer à l'Estaque en 1870. Comme eux, il cherche d'abord à traduire la vibration de la lumière et la subtile variation des teintes, le frémissement des reflets et des nuances. Mais dès 1879, qui ouvre sa période dite constructive, son style s'émancipe. Jouant davantage des volumes, il juxtapose les touches de couleur, déclinant les modules géo-métriques pour traiter (comme il l'écrit) « la nature par le cylindre, la sphère, le cône, le tout mis en perspective ». En quête de perfection, il consacre à la montagne Ste-Victoire une soixantaine de toiles… dont aucune ne le satisfait pleinement. Ses recherches, annonciatrices du cubisme, se poursuivront jusqu'à sa mort.

 Voir aussi « Sur les traces de » *(p. 16)* et Aix-en-Provence.

UNE TERRE D'ACCUEIL

Tout au long du 20e s., la Provence continue d'attirer une foule d'artistes, dont beaucoup bouleversent durablement la peinture.

Afin de mieux contenir le flot de lumière du Midi et de rendre le contraste simultané des couleurs, **Signac** (1863-1935) fait évoluer sa technique pointilliste. Devenue le rendez-vous privilégié de l'avant-garde, l'Estaque inspire dès 1908 les premières compositions cubistes de **Braque** et de **Picasso**. Quant aux fauves **Matisse**, **Dufy** et **Derain**, ils trouvent en Provence matière à exalter le pouvoir émotionnel de la couleur, généreusement déployée en aplats.

La génération qui émerge après-guerre explore à son tour des horizons nouveaux… Établi près d'Aix de 1947 à 1987, le père du « dessin automatique » surréaliste, **André Masson**, fait une série de *Paysages provençaux*. Dans un tout autre style, Nicolas de Staël séjourne lui aussi en Provence, tandis que **Vasarely** ouvre à Aix *(voir ce nom)* une fondation qui présente ses recherches optiques et cinétiques, et que le Nîmois **Claude Viallat** anime dans les années 1960 le mouvement Supports/Surfaces *(voir ses vitraux dans l'église N.-D.-des-Sablons, à Aigues-Mortes)*.

Aujourd'hui, la création continue de foisonner. Une pléiade de jeunes artistes, sortis pour certains de l'école d'art de Luminy, à Marseille, travaillent dans la région, où trois musées d'art contemporain se distinguent par l'audace de leurs choix : le MAC de **Marseille**, le Carré d'Art de **Nîmes** et, en **Avignon**, la collection du galeriste Yvon Lambert présentée dans un beau bâtiment du 18e s., l'hôtel de Caumont, dont le classicisme épuré s'accorde fort bien avec des œuvres contemporaines parfois déconcertantes…

La langue qui chante

Enfants du pays ou épris de cette terre de soleil, poètes et écrivains ont sans cesse puisé en Provence une inspiration féconde. Qu'ils chantent la nature, la vie quotidienne ou l'amour, beaucoup s'expriment en provençal, ce dialecte occitan dont l'accent mélodieux traduit si bien leurs sentiments…

L'ART DES TROUBADOURS

Langue romane, la langue d'oc (du Sud) se distingue de la langue d'oïl (du Nord), ainsi nommées d'après leurs façons respectives de dire « oui ». En outre, l'occitan s'avère pluriel, il compte différentes langues régionales, dont le **provençal**.

L'âge d'or de l'occitan

L'occitan doit sa fixation et son rayonnement au succès de la littérature courtoise au 12e s. De Bordeaux jusqu'à Nice, c'est l'Occitanie tout entière qui chante l'art des troubadours. Ses poètes, comme les Provençaux Raimbaut d'Orange, la comtesse de Die, Raimbaut de Vaqueiras ou Folquet de Marseille, sont appréciés jusque dans les cours étrangères. Source d'inspiration intarissable, l'amour (un amour courtois) se déclame avec patience et discrétion, longue suite de vers pleins d'inquiétude et d'espoir.

Au 13e s., les écrivains cultivent un autre genre, plus mordant bien que parfois élégiaque, le **sirventès** (poème satirique) et, en prose, les fameuses **vidas** (vies) des troubadours.

Pétrarque, amoureux transi

Exilé en Avignon, Pétrarque (1304-1374) s'éprend, en 1327, de la belle Laure de Noves. Cette brûlante passion lui inspire les sonnets de son **Canzoniere** *(Chansonnier)*, pathétique hymne d'amour en langue occitane, à la gloire de la beauté spirituelle et physique de sa dulcinée. Mais le poète, retiré à Fontaine-de-Vaucluse, a aussi décrit, dans ses lettres, la vie et la nature provençales ; il nous parle ainsi des bergers, des pêcheurs de la Sorgue ou encore de son ascension du mont Ventoux.

L'occitan occulté au fil du temps

En dépit de l'**édit de Villers-Cotterêts** (1539) qui impose dans l'administration l'usage du français, les langues occitanes continuent de primer à l'oral. Dans la vie quotidienne, seule une élite s'exprime en français, et l'on raconte que Racine, séjournant à Uzès en 1661, eut beaucoup de mal à se faire comprendre ! Dans la littérature, certains écrivains maintiennent le flambeau, tels **Nicolas Saboly**, au 17e s. ou, au siècle suivant, l'**abbé Fabre**. Cependant, le français prend le dessus avec l'exode rural et l'école obligatoire entraîne le déclin de l'occitan.

Buste de Frédéric Mistral.

Stéphane Sauvignier / MICHELIN

LE FÉLIBRIGE

La **langue provençale** connaît dans la seconde moitié du 19e s. un formidable renouveau. Amoureux de la Provence, sept jeunes poètes (Roumanille, Mistral, Aubanel, Mathieu, Tavan, Giéra et Brunet) fondent en 1854 le Félibrige. Ensemble, ils entendent restaurer leur langue et en codifier l'orthographe.

Figure de proue du groupe, **Frédéric Mistral** (1830-1914) connaît le succès dès 1859 avec *Mirèio* (Mireille), un poème épique qui chante les amours contrariées du Camarguais Vincent et de la belle Mireille, fille d'un riche fermier de la Crau. Cette œuvre, chaleureusement saluée par Lamartine, fut adaptée au théâtre lyrique par Gounod. En 1867, son *Calendau* (« Noël ») fait revivre le passé de son pays. Dès lors, la gloire ne le quitte plus jusqu'à son dernier recueil, *Les Olivades* (1912), hymne à la figure éternelle de la Provence. Prix Nobel de littérature en 1904, Mistral œuvre aussi pour restituer l'orthographe de la langue

d'oc, dans son monumental *Trésor du félibrige*, une référence immuable.

Forte de cette aura, l'école regroupe sous sa bannière des poètes et romanciers occitans aussi différents qu'**Alphonse Daudet** (*Lettres de mon moulin* ; *Tartarin de Tarascon*), Paul Arène, Jean-Henri Fabre, Folco de Baroncelli et Joseph d'Arbaud, ou encore Charles Maurras.

👌 Voir aussi le Museon Arlaten d'Arles, le musée des Alpilles de Saint-Rémy, le Museon Mistral de Maillane et le Palais du Roure d'Avignon (abritant un centre d'études provençales).

DE PAGNOL AU « POLAR BOUILLABAISSE »

Une littérature florissante

À la même époque, deux grands « Provençaux » illustrent la littérature française : **Émile Zola**, Aixois d'adoption, dont les *Rougon-Macquart* évoquent le cheminement d'une famille du Midi, et le Marseillais **Edmond Rostand**, qui émeut les foules avec son *Aiglon* avant de connaître gloire et fortune grâce au flamboyant *Cyrano de Bergerac*.

Nombre d'autres écrivains provençaux s'imposent à leur tour sur la scène littéraire, trouvant pour la plupart leur veine dans leur terre natale, tels **Henri Bosco** du Luberon (*Le Mas Théotime*), André Chamson de Nîmes (*Roux le Bandit*), **Marcel Pagnol** d'Aubagne (*Marius*), **René Barjavel** de Nyons, **André Gide** qui évoque ses attaches uzétiennes dans *Si le grain ne meurt*… Aussi différents soient-ils, tous expriment à leur manière une certaine vision de la nature et de l'amour, empreinte de sacralité.

Quant au poète sorgois **René Char**, au Marseillais **Antonin Artaud**, ou encore aux chefs de file du roman noir marseillais, **Philippe Carrèse** et **Jean-Claude Izzo**, ils explorent des contrées plus universelles.

Un nouvel élan pour le provençal ?

En dehors de la littérature, le provençal est quelque peu tombé en désuétude. Longtemps reléguées au second plan, les langues régionales d'oc font néanmoins leur apparition dans les programmes scolaires. En 2003, le conseil régional de Provence-Alpes-Côtes-d'Azur a voté la reconnaissance du provençal (et du niçois) et s'est engagé à généraliser l'enseignement de cette langue, véhicule d'une identité culturelle.

LA PROVENCE AUJOURD'HUI

Tout autant que ses paysages, son art de vivre et sa gastronomie sont célèbres dans le monde entier. Cette renommée a nourri le dynamisme de l'industrie touristique. Au point de vue économique, la Provence est une région qui compte, une belle vitalité qui ne doit pas masquer de fortes disparités.

Les activités économiques

Révolution agricole, industrialisation accélérée, développement d'un tourisme de masse, urbanisation galopante : l'économie provençale a subi depuis un demi-siècle des mutations considérables, sans renier pour autant son savoir-faire séculaire.

LE « JARDIN DE LA FRANCE »

L'agriculture spéculative moderne a largement supplanté la culture traditionnelle, l'élevage du mouton et la cueillette, qui assuraient jadis la subsistance des petits paysans provençaux. Les **cultures maraîchères et fruitières** prospèrent grâce à la douceur du climat. En tête : la courgette (plus de la moitié de la production nationale), les salades, le melon, les concombres, les asperges ou encore les fraises.

Les riches terres de Provence assurent d'abondantes récoltes de **blé** mais aussi de maïs et de colza. Le **riz**, lui, est cultivé en Camargue. Mais hélas, les vieux moulins chers à Daudet ont disparu, remplacés par des minoteries urbaines.

Quant à l'**élevage de moutons**, les producteurs l'ont résolument tourné vers la viande, plus rentable que la laine. Les troupeaux se contentent de la modeste pâture des garrigues ou de la Crau, qu'ils glanent en parcourant d'immenses territoires. L'été, ils trouvent refuge dans la fraîcheur du Larzac ou de la montagne lozérienne, certains gagnant même les Alpes ; une transhumance… aujourd'hui motorisée.

Le **vignoble** prospère lui aussi dans les plaines, où il produit quantité de vins ordinaires, peu comparables avec ceux des coteaux. Sous leur appellation commune, les côtes-du-rhône déclinent en effet des crus plus délicats *(voir plus loin « Un déjeuner au soleil »).*

Aux arômes des herbes de Provence qui poussent à l'état sauvage (thym, romarin, sarriette) ou font l'objet d'une culture minutieuse (basilic, marjolaine, estragon) se mêlent ceux, non moins subtils, des vergers de **tilleul**, dont les fleurs séchées font d'agréables infusions, et de l'**amandier**, qui se rencontre sur tout le littoral méditerranéen.

Enfin, sur les sols calcaires ensoleillés, le manteau mauve des champs de **lavande** ondule au gré du vent, exhalant leur senteur délicate. Après la récolte, l'été, on laisse les fleurs sécher, avant de les distiller à l'alambic. L'essence ainsi obtenue (1 litre seulement pour 100 kg de fleurs !) est utilisée en parfumerie.

Logiquement, la filière agro-alimentaire pèse lourd dans l'économie provençale.

GRAND PORT ET PETITS PÊCHEURS

Sous une forêt de grues, des monstres flottants s'alignent sur les quais, une chorégraphie rythmée par les arrivés et les départs des cargos du monde entier, des ferries venus de Corse, de Sardaigne ou d'Algérie, et, plus récemment, de luxueux bateaux de croisières. Impossible de manquer le **port autonome de Marseille,** 1er port de France et de Méditerranée, 3e port européen. Il déroule ses gigantesques installations sur près de 50 km entre Marseille et Fos-sur-Mer. Les hydrocarbures représentent près des deux tiers du trafic maritime et le site pétrochimique de l'étang de Berre traite annuellement près de 30 % de la production nationale de pétrole brut.

Beaucoup plus marginale d'un point de vue économique, la **pêche** souffre bien

Remaillage des filets.

souvent de la pollution des eaux. La flotte s'organise autour de deux types de pêche : les petits métiers (90 %) et les métiers du large (chalutiers, lamparos et thoniers). Chaque année, environ 4500 t. de sardines, d'anchois, de maquereaux et autres anguilles se déversent dans les ports provençaux. Sur les quais, animés par le va-et-vient des marins débarquant leurs cargaisons et faisant sécher leurs filets, les cris des vendeurs et des poissonniers se mêlent dans une ambiance digne des romans de Pagnol.

La conserverie, la salaison et la commercialisation des produits sont assurées par une quarantaine d'entreprises dans la région.

L'OR VERT DE PROVENCE

La production d'**huile d'olive** est le fleuron des industries séculaires de Provence, héritée des Grecs qui fondèrent *Massalia* (Marseille) et plantèrent les premiers oliviers. L'oléiculture fut pourtant longtemps abandonnée au profit de la vigne et des arbres fruitiers.

Les oliveraies renaissent depuis vingt ans : autour de Nîmes et Nyons, dans les Alpilles, les moulins sont rénovés, de nouvelles espèces d'oliviers sont plantées. Plus chère que les huiles de grande consommation vendues en grandes surfaces (avec des olives espagnoles, italiennes ou grecque), l'huile d'olive provençale est avant tout un plaisir de gourmets, avec ses appellations d'origine et ses grands crus.

👁 **Bon à savoir** – La production française représente moins de 0,2 % de la production mondiale et la France produit 4 % de sa production en huile d'olive. Pour plus d'informations, reportez vous au site de l'Afidol (www.afidol.org), l'association française interprofessionnelle de l'olive.

Comment ça marche ?

Généralement cueillies encore vertes pour les conserves, les **olives** ne sont récoltées qu'à maturité, lorsqu'elles prennent une couleur brun violacé, pour faire l'huile. Broyées entières, avec les noyaux, elles donnent une pâte, que l'on répartit sur une série de disques empilés placés sous le puissant piston d'une presse hydraulique. Le mélange d'huile et d'eau qui s'écoule est ensuite pompé vers des centrifugeuses, afin d'en séparer les deux composants. On obtient ainsi une huile vierge, par « première pression » à froid.

LA PROVENCE HIGH-TECH

Sous les fumées, la plage ? La Provence s'est hissée parmi les grandes régions industrielles de France. Les zones industrielles ont fleuri entre Marseille et Aix, autour de l'étang de Berre et du port de Fos, ainsi que dans les basses vallées du Rhône et de la Durance. Elles offrent une panoplie complète d'activités, les industries traditionnelles (construction navale, bâtiment, agroalimentaire, savonnerie, salins, ou encore confiserie et conserverie de fruits) côtoyant les secteurs les plus modernes (pétrole, aéronautique, sidérurgie, électronique, nucléaire, chimie).

Les **pôles de recherche** et développement se sont développés à Marseille (parc scientifique de Luminy, technopôle de Château-Gombert), Avignon (Agroparc) et Aix (Europôle de l'Arbois). Autres pôles d'excellence : **Eurocopter** à Marignane (premier fabricant mondial d'hélicoptères), **Comex** à Marseille (leader mondial de la pénétration sous-marine) et **Gemplus** à Gémenos (leader mondial de la carte à puce).

Le rayonnement de la Provence

La Provence est une marque qui fait vendre, en France comme à l'étranger. Les deux fleurons du genre restent le savon de Marseille et l'huile d'olive : mon premier est exporté dans le monde entier par des marques malignes qui ont su renouveler le genre (certaines privilégient les emballages design, d'autres soulignent avec force ses bienfaits supposés), mon deuxième se retrouve à la table des plus grands chefs, jusqu'à un country-club américain fréquenté par la famille Bush ! La truffe noire du Vaucluse a la cote au Japon. Quant à la production d'ocre, 60 % part à l'export. Le nec plus ultra, à Moscou ou Londres, c'est d'avoir des murs badigeonnés façon mas provençal. En vogue aussi, la gastronomie : à New York, une table branchée s'est baptisée « Pastis ». Dans un autre genre, le président chinois en personne est venu faire son shopping en 2006, commandant des hélicoptères à Eurocopter. Un peu moins lourdes, les boules de pétanque s'exportent bien, merci : on a vu récemment des « bobos » jouer sur les quais de Seine parisiens. Et on trouve des clubs et des exportateurs de boules jusqu'à Perth, en Australie. Comment traduit-on « cochonnet » dans le désert australien ? Mystère.

LA MANNE TOURISTIQUE

Le secteur a connu ces cinquante dernières années une croissance continue. Dans les **Bouches-du-Rhône**, le tourisme « pèse » désormais neuf millions de visiteurs par an. Dans le **Vaucluse**, le secteur tourisme affiche aussi une belle santé, 3,5 millions de visiteurs chaque année.

Bénéficiant depuis le début des années 2000 d'un retour en grâce, **Marseille** a le vent en poupe. Surprise : une partie de la nouvelle clientèle touristique est venue de la mer. En dix ans, le secteur croisières est passé de quelques dizaines de milliers de passagers à plus de 400 000, dans un port plus habitué aux transports des hydrocarbures qu'à celui des croisiéristes !

Pourtant, l'âge d'or est révolu. L'heure est à la concurrence des destinations émergentes et aux nouvelles pratiques touristiques (séjours plus courts, baisse des dépenses moyennes, choix de dernière minute). La Provence doit s'adapter. Agro-tourisme, tourisme durable, tourisme social… Ces pistes sont aujourd'hui soigneusement évoquées par les institutions en charge du secteur.

J.-P. Brazs / MICHELIN

Ocre

L'**ocre** d'Apt-Roussillon et du Vaucluse est réputée pour sa qualité par-delà les frontières. Après traitement du minerai brut, on obtient une poudre fine, constituée d'argile et d'oxyde de fer, qui sert de base aux peintures et badigeons. On peut encore la cuire pour en foncer la teinte et faire des ocres rouges, dites « calcinées ».

EN ROUTE VERS DEMAIN

Fleuron de la recherche nucléaire mondiale, le site de **Cadarache,** sur la commune de St-Paul-lez-Durance, a été choisi pour accueillir le réacteur à fusion nucléaire ITER, avec lequel les physiciens espèrent maîtriser l'énergie des étoiles.

Menace sur l'environnement pour les uns, défi technologique pour les autres, la région devrait en tous cas bénéficier à terme d'importantes retombées économiques, avec l'arrivée de nombreux chercheurs internationaux.

Créée en 1995 pour revitaliser le cœur de Marseille et sa façade maritime, **Euroméditerranée** est la plus grande opération française actuelle d'aménagement urbain. Remodelage de quartiers, création de nouveaux sites culturels, aménagement d'anciennes friches portuaires… Prévu jusqu'en 2015, ce projet, s'il tient ses objectifs de départ, pourrait être décisif pour l'avenir de la cité.

Mais tout n'est pas rose, loin de là, sous le soleil de Provence : secteur agricole en crise ; prix prohibitifs de l'immobilier ; forts taux de chômage à Marseille ; urbanisation galopante autour des grandes villes ; absence de solutions d'avenir dans le traitement des déchets ; pollution des eaux… Ces nuages noirs s'amoncellent dans le ciel provençal. Il faudra bien plus qu'un coup de mistral pour les balayer.

L'artisanat

LES MEUBLES

C'est au 18e s. et au début du 19e s. que la production artistique de mobilier provençal atteint sa maturité. Si la sobriété des lignes et des décors, inspirée par les styles Renaissance et Louis XIII, se maintient en haute Provence, ailleurs triomphe le style Louis XV.

Les **fustiers** (fabricants) travaillent essentiellement le noyer. Les meubles aux galbes tourmentés, aux cintrages prononcés et aux piétements enroulés s'ornent d'une mouluration abondante dont les motifs font appel au registre végétal : feuilles d'acanthe, corbeilles fleuries, branches d'olivier ou de chêne… Des « bobèches » (petites bobines chantournées) se dressent parfois aux angles et sommets des frontons ou des dossiers. Aux côtés du buffet à glissants, du **radassié**, grand canapé à l'assise paillée, ou des fauteuils « à capucine », foisonnent de petits éléments de rangement : le **paniero** (panetière) et le **manjadou** (garde-manger) ajourés par des fuseaux, le **veriau** (étagère réservée à la verrerie fine), le **saliero** (boîte à sel).

Cette période marque aussi l'épanouissement du **mobilier peint**. Fortement influencés par les Italiens, les artistes locaux n'hésitent pas à peindre noyer,

Panetière (Museon Arlaten, Arles).

hêtre, chêne et bois fruitiers dans des polychromies de gris-bleu ou de gris-vert, de rouge « sang de bœuf », de blanc et de jaune safran. Les détails de sculpture sont mis en valeur par le jeu des couleurs, les panneaux servent de support à des paysages, des compositions florales ou des médaillons dans le goût antique. Les **armoires d'Uzès**, en résineux ou en peuplier, constituent une production originale ; teintées en noir, ces armoires de mariage aux lignes rigides offrent des façades richement décorées de motifs peints.

LES FAÏENCES

La renommée des centres céramistes de cette région riche en argile fine date du règne de Louis XIV : les guerres vident alors les caisses du royaume, provoquent l'interdiction de faire usage de la vaisselle d'or et d'argent, et relancent l'intérêt pour la faïence. À Saint-Jean-du-Désert, entre Aubagne et Marseille, **Joseph Clérissy**, s'inspirant des premières porcelaines chinoises importées en France, décore ses pièces de motifs et de scènes en camaïeus bleus dits « à la Chine » ; cette production décline après la grande peste, mais de nouvelles fabriques prennent la relève et appliquent, à partir de 1730, la technique du « grand feu ». **Fauchier** imagine le décor « aux fleurs jetées » et introduit les fonds d'émail jaune. **Leroy** nimbe de motifs à « fleurs astéroïdes » ses compositions peuplées de personnages et d'animaux fantastiques. Des faïences blanches à émail stannifère ou polychromes voient le jour dans l'atelier de **Jérôme Bruny** à La Tour-d'Aigues. Les **manufactures d'Apt** créent une céramique sur fond souvent marbré de jaune et de marron, décorée d'arabesques ou de motifs végétaux en relief.

La deuxième moitié du 18e s. marque l'apogée de la production marseillaise. Pierrette Candellot, épouse du faïen-cier Claude Perrin et devenue la **Veuve Perrin**, oriente l'affaire familiale vers la technique du « petit feu » grâce à laquelle elle obtient des pièces d'une qualité exceptionnelle ; elle exploite en le transcendant tout le registre ornemental marseillais, donne ses lettres de noblesse au décor aux poissons, introduit les paysages marins, conçoit un insolite fond vert d'eau et fait évoluer les formes en puisant des idées nouvelles dans l'orfèvrerie... À sa suite, deux artistes apportent un raffinement ornemental jusque-là cantonné à la porcelaine. **Antoine Bonnefoy** dessine des médaillons d'une exquise facture, à motifs « à la bouillabaisse » ou représentant des scènes pastorales proches du style de Boucher. **Gaspard Robert** compose son fameux décor floral à papillon noir et bordé or ; ses plats à liseré bleu-blanc-rouge constituent les dernières grandes œuvres de la faïence de Marseille, qui périclite sous les coups conjugués de la concurrence porcelainière, de la Révolution et du blocus de la flotte anglaise.

LES TISSUS

Les « imprimés provençaux » d'aujourd'hui témoignent d'une longue évolution des procédés et des modes. Bien avant d'apprendre à imprimer le coton, les Provençaux tissent la laine et le chanvre, le lin et la soie, qu'ils savent aussi teindre. Dès la fin du 18e s., Avignon, Aix et Marseille se distinguent par leur étoffes de **soie** : taffetas chatoyants, satins et bourres moirées, ou encore brocarts et *lampas*.

Boutis et tissus imprimés de la maison Souleïdo à Tarascon.

Mais c'est avec les **indiennes** que les tissus provençaux gagnent leur titre de noblesse. En effet, grâce à ses relations commerciales, la région découvre les tissus orientaux. Probablement importées à Marseille dès le 16e s., les toiles colorées venues d'Inde (toutes sortes de mousselines que les Français baptisent cambrésines, toiles blanches et toiles peintes polychromes) mais aussi du Levant (toiles blanches – *demittes* et *escamittes* – ou bleu indigo d'Alep, *boucassins* de Smyrne et de Constantinople, et surtout, chafarcanis, ces fameuses indiennes d'Alep imprimées à la planche) se répandent dans la région avec une popularité sans cesse grandissante. Les procédés indiens d'illustration des étoffes inspirent à leur tour les Provençaux, qui s'approprient ces techniques de peinture (un travail au pinceau très délicat) ou d'impression (à l'aide de moules en bois gravés). Les ateliers de Marseille, notamment, sont passés maîtres dans l'art de l'impression sur tissus, déclinant une large gamme d'indiennes colorées, décorées de semis de motifs répétitifs de fleurs et de feuilles. Leur succès perdure, notamment grâce au savoir-faire traditionnel d'entreprises comme Souleïado, basée à Tarascon *(voir ce nom)*.

Les étoffes peuvent être brodées selon les méthodes du **matelassage** (dit aussi « piqué marseillais »), qui consiste à coudre ensemble trois épaisseurs de tissus, ou du piquage, appelé **boutis** *(voir La maison du boutis, à Calvisson)*.

Quant à la serge nîmoise, elle servit dans la marine avant de séduire les cow-boys outre-atlantique et de connaître un succès international sous le nom de **blue jean** *(voir « Comprendre », à Nîmes)* !

L'art de vivre en Provence

C'est l'été, l'air est saturé de soleil, les cigales chantent et le parfum suave des figuiers embaument. Là, sous la treille, une table est dressée : sur la nappe aux couleurs provençales, quelques olives et des verres de pastis perlés de gouttes de fraîcheur. Voilà qui vous met dans l'ambiance.

LES RYTHMES DE VIE

Tirer ou pointer

Mitan d'après-midi sur la place ombragée de platanes : les joueurs de **pétanque** (« pieds tanqués » : immobiles, *voir La Ciotat*) ou de **longue** (jeu provençal se déroulant à plus longue distance)

Jeu de pétanque.

entrent en lice dans un concert de paires de boules entrechoquées. Le jeu est simple : il faut lancer des boules en métal le plus près possible du « bouchon » ou cochonnet (une bille en buis) et déloger en les frappant celles de l'équipe adverse. Mais le goût méridional pour la palabre et la présence de spectateurs passionnés, prompts à la galéjade, le transforment en une moderne *commedia dell'arte* interprétée avec jubilation. Quant à l'appréciation des distances entre boules et cochonnet, elle suscite les plus vives controverses : chacun affirme avoir le compas dans l'œil, invoque la Bonne Mère, puis finit par s'incliner devant le verdict du mètre pliant…

Prendre ou passer

La partie de cartes est une tradition remontant au 14e s., à laquelle on doit en particulier le **tarot** dit « de Marseille ». On joue à la maison, au café, sur la plage, dans le train… Pour gagner, on étale tout son talent : visage impassible au moment de la donne, coups d'œil « voyeurs », remarques déstabilisatrices, signes et mimiques, tout est bon tant il est vrai que « si on ne peut plus tricher avec les amis, ce n'est plus la peine de jouer aux cartes » (Marcel Pagnol, *Marius*).

Faire la sieste

Moment sacré ! Tous, petits et grands, se plient au rituel du « pénéquet » (petit somme). Après le déjeuner, la chaleur accablante ou la lente digestion d'un aïoli incite à fermer les volets : dans le silence de la maison commence alors la sieste, bercée par le chant stridulant et répétitif des cigales.

UN FOLKLORE BIEN VIVANT

Dansons la farandole…

Les Provençaux semblent partager depuis des temps immémoriaux un goût prononcé pour la fête. Temps fort des festivités, les premières notes des musiciens qui ouvrent la **farandole**. Entraînés par un rythme à six temps, les danseurs évoluent main dans la main. Véritables virtuoses de la mélodie, les **tambourinaires** jouent de leur main gauche du galoubet, petite flûte très aiguë, tandis que, de la droite, ils battent le tambourin.

À chacun son costume

Difficile d'imaginer la diversité des costumes portés jadis aux quatre coins de la Provence : la poissonnière du Vieux Port de Marseille, avec sa coiffe à barbes flottant au vent, la bouquetière, la bastidane, la bugadière (lavandière), ou encore la paysanne, avec son jupon rayé, son grand tablier de toile indigo et son *capucho* ou *capelino* sur la tête, ont aujourd'hui adopté des tenues plus modernes. On ne voit plus guère ces vêtements traditionnels que dans les villages de santons *(voir La Petite Provence du Paradou, dans les Alpilles)* !

Certaines célébrations font néanmoins revivre les plus somptueuses de ces parures. Élégante parmi d'autres, avec son gracieux éventail, l'**Arlésienne** revêt une longue jupe et un corsage à manches serrées. Un grand fichu de dentelle blanche, ou assorti à la jupe, tombe sur un plastron de tulle au drapé complexe.

Plus sobres, les hommes portent une chemise blanche attachée au col par un fin cordon, parfois recouverte d'un gilet sombre. Un pantalon de toile, retenu par une large ceinture rouge ou noire, et un chapeau de feutre à larges bords complètent la tenue.

Traditions tauromachiques

Née en Camargue, la tauromachie provençale s'est enrichie des traditions venues d'Espagne. Profondément ancrée dans le pays, elle décline aujourd'hui toutes sortes de festivités. Nîmes, Arles ou Les Saintes-Maries rivalisent dans l'organisation des ferias. Corridas avec picadors et mises à mort, ou simples courses à la cocarde, elles attirent des foules passionnées, aficionados ou simples curieux. Un rendez-vous à ne pas manquer !

LES COURSES CAMARGUAISES

Fief des **manades** (troupeaux de taureaux noirs accompagnés de chevaux blancs), les « terres de bouvine » s'animent d'une joyeuse effervescence lors des courses taurines. Arles et Nîmes, capitales incontestées, mais aussi quantité d'autres localités affichent d'avril à octobre un calendrier bien rempli qui culmine en juillet avec la Cocarde d'or et se clôture, en octobre, avec la grande finale du Trophée des raseteurs.

Ponctuées de **ferrades** (les taureaux, terrassés, reçoivent au fer à chaud la marque du propriétaire) et de courses équestres entre gardians, les courses à la cocarde (également appelées courses camarguaises ou courses libres) marquent les temps forts de ces fêtes.

Tradition camarguaise, cette course taurine demeura longtemps l'apanage des garçons de ferme avant de se développer dans les villages. Chacun pouvait s'élancer sur la piste et défier le taureau, pour tenter d'attraper la cocarde fixée entre ses cornes. Codifiée au fil des ans, elle se déroule désormais dans les arènes, entre professionnels.

La course à la cocarde

Véritables héros de la course, six taureaux se succèdent dans l'arène, pour un affrontement d'un quart d'heure chacun. Vêtu de blanc, le **raseteur** entre en piste et, tandis que le « tourneur » détourne l'attention de la bête, il tente, par une course en arc de cercle (ou raset), d'approcher la bête pour attraper ses attributs à l'aide d'un crochet : la cocarde rouge (au milieu du frontal), les glands blancs (sous les cornes), et les ficelles les retenant. Un exercice qui requiert du style, mais aussi de la

---

Lexique tauromachique

Bannes : cornes.
Bravo : taureau qui se montre offensif.
Capelado : défilé des raseteurs au début de la course camarguaise.
Cocardier : taureaux, souvent castrés, appelé aussi « biou ».
Matador de toros : « tueur de taureaux », qui affronte le taureau lors d'une corrida.
Simbèu : bœuf dressé accompagnant le troupeau. À la fin de la course camarguaise, il entre en piste pour aider à ramener au toril les taureaux.
Tenues blanches : l'ensemble des raseteurs, aussi appelés les « as du crochet ».

Didier Pazery / MICHELIN

Ferrade en Camargue.

souplesse et du courage. Chargé par l'animal, le raseteur franchit parfois la barrière dans un envol spectaculaire. Les taureaux les plus appréciés se ruent alors à sa poursuite. Lorsqu'ils sautent par-dessus les planches, action d'éclat baptisée « coup de barrière », la foule se lève avec enthousiasme tandis qu'un vieux gramophone joue quelques mesures de l'air du toréador de *Carmen* en l'honneur du vaillant cocardier.

LES CORRIDAS ESPAGNOLES

Introduite à Nîmes en 1853, la corrida espagnole ne pouvait qu'y trouver un écho favorable. Aujourd'hui, l'aficionado (amateur de taureaux) provençal n'a guère le temps de souffler : **corridas** (avec mise à mort), **novilladas** (affrontement avec un taureau de moins de quatre ans, première étape de la carrière d'un torero) et **corridas de rejón** (à cheval) s'y succèdent d'avril à septembre.

Côté rue...

Les **ferias** rassemblent chaque année à Nîmes et en Arles des milliers de personnes. Plusieurs jours durant, les *peñas* (fanfares) animent les festivités de leurs airs gais et entraînants, tandis que dans les *bodegas* (bars), vin et pastis coulent à flots. On danse la sévillane dans les bals et, entre deux courses aux arènes, on joue à défier les taureaux lâchés dans les rues. Jadis, les taureaux galopaient jusqu'au village où se déroulait la course, encadrés par les gardians à cheval : le grand jeu consistait à les faire s'échapper par tous les moyens. Ils arrivent aujourd'hui en camion, mais la tradition se perpétue avec les tumultueux *abrivado* (arrivée),

bandido (départ) et *encierros* (lâchers de taureaux).

... et côté arène

Clou du spectacle, la corrida commence par un *paseo* (salut). Après une première série de passes, les picadors jouent de leur pique pour exciter la fougue du taureau, bientôt relayés par le torero, qui plante ses banderilles à l'encolure de la bête. Lorsque les clarines ont retenti, le torero entame les passes à la *muleta* (cape rouge), prélude majestueux à l'*estocade* (mise à mort). Les matadors les plus méritants se voient attribuer les oreilles ou, trophée suprême, la queue de leur victime.

La relève tricolore

Aux côtés des toreros espagnols et sud-américains les plus aguerris, quelques Français ont su se faire une place à l'affiche des ferias provençales : hormis Christian Montcouquiol, surnommé « El Nimeño II », qui fut longtemps le seul à se prévaloir d'une véritable carrière internationale, citons les Nîmois Denis Loré et Stéphane Fernández Meca, le Biterrois Sébastien Castella et l'Arlésien Juan Bautista, ainsi que, à cheval, les jeunes Camarguaises Patricia Pellen et Julie Calvière.

Noëls de Provence

Aussi éloigné soit-il de ses racines, tout Provençal renoue avec les traditions séculaires du pays à la période des fêtes calendales. De la Sainte-Barbe, le 4 décembre, à la Chandeleur, le 2 février, il vit au rythme des crèches colorées, du « blad de Calendo » (blé de Noël), du gros souper et des célébrations qui suivent la nuit du pastrage.

DES CRÈCHES COLORÉES

Crèches d'église...

Probablement importées d'Italie au 17e s., les crèches connurent un vif succès dans les églises de Provence. Au 18e s. apparaissent des figures de cire aux yeux de verre, dont la tête, les bras et les jambes s'articulent sur une armature métallique et sont parés de somptueux costumes bigarrés, de bijoux et d'une perruque. Puis les matériaux évoluent, avec l'éclosion de sujets en carton estampé ou moulé, en verre filé, en bois ou en mie de pain.

... et crèches parlantes

Également très en vogue au 18e s., les crèches parlantes mettaient en scène une ribambelle d'automates, capables de se mouvoir, mais aussi de parler et de chanter. Un spectacle haut en couleur où, suivant une imagination débridée, on n'hésite pas à malmener l'exactitude historique. On vit ainsi des rennes, des girafes et des hippopotames déambuler autour du Divin Enfant. Sous le Premier Empire, Napoléon et ses troupes devinrent les protagonistes d'une de ces crèches... au son des salves d'artillerie tirées par un navire de guerre ! Plus tard, dans une crèche installée près de la gare de Marseille, on vit encore les Rois mages descendre... d'un train à la locomotive fumante ! Les dernières de ces crèches ont disparu à la fin du 19e s.

Crèches de santons

Héritage imprévu de la Révolution de 1789, les santons naissent de la fermeture des églises, et avec elles, des crèches. Un figuriste de Marseille (un artisan qui moulait des statues pour les églises), **Jean-Louis Lagnel**, a l'idée de fabriquer de petites figurines de crèche à bon marché pour les vendre aux familles... qui se mettent à créer leurs propres crèches.

De facture naïve, façonnés dans l'argile crue, séchée, puis peinte à la détrempe, les santons font se côtoyer dans une débauche de couleurs figures bibliques et types provençaux traditionnels : la sainte Famille et les Rois mages, les bergers et leurs moutons rencontrent ainsi le tambourinaire, le rémouleur, le meunier, le ravi, les bohémiens, l'aveugle et son guide, la marchande de poissons, le couple de vieux, Bartoumieu... Chaque famille possède bientôt sa crèche, dont les préparatifs commencent le dimanche précédant Noël, jour tant attendu des petits comme des grands.

Santonnier décorant une de ses créations.

Dans un paysage miniature, souvent improvisé avec les moyens du bord, les santons se rendent en foule à l'étable de Bethléem pour y adorer l'Enfant Jésus (que l'on ne dépose que le 24 décembre à minuit) et lui faire don de leurs présents, où la morue et les oignons le disputent sans rougir à la myrrhe et à l'encens !

LA NUIT DU PASTRAGE

Les fêtes calendales (de Noël) débutent à la Sainte-Barbe, le 4 décembre, par la semence du *blad de Calendo* (blé de Noël) qui ornera la cheminée, la crèche, et la table de Noël.

Le gros souper

La soirée du 24 décembre commence par le **cacho-fio**, l'allumage de la bûche de Noël. Cette tâche revient au plus jeune enfant et à l'homme le plus âgé de l'assemblée. Ensemble, ils portent vers la cheminée une souche, qu'ils bénissent avec du vin cuit tout en répétant les paroles rituelles : *que l'an que vèn se sian pas mai, que siaguen pas mens* (« l'an prochain, si nous ne sommes pas plus, que nous ne soyons pas moins ! »), avant de la brûler. La famille passe alors à table pour le gros souper. Sur la table recouverte de trois nappes, on dispose trois chandeliers (symbolisant la Sainte-Trinité) et trois soucoupes contenant le blé de Noël, ainsi que treize pains. Au menu, sept plats, et leurs vins, préludent aux fameux treize desserts : les mendiants (noix et noisettes, figues, amandes et raisins secs), les fruits frais, la fougasse (parfois nommée « gibassier » ou « pompe à l'huile ») et les nougats, blanc et noir.

La messe de minuit

Nombre de villages perpétuent la tradition des crèches vivantes pour mettre en scène la Nativité. La messe de minuit débute avec **lou Pastrage** : tandis que le prêtre dépose le Divin Enfant sur la paille, les cloches appellent le cortège des bergers. Guidés par les anges et les tambourinaires, ces derniers apportent dans leur charrette illuminée un agneau qu'ils offrent à Jésus. Fifres et tambourins entonnent alors les airs de Noël, vieux chants provençaux repris en chœur par les fidèles.

DE L'AN NÒU À LA CHANDELEUR

Dès le lendemain de Noël commencent les **Pastorales**, qui illustrent le chemin parcouru par Joseph cherchant un toit pour la nuit.

Après l'*an nòu* (le Nouvel An), que chacun passe en famille le 31 décembre, vient la fête des Rois mages, le 1er dimanche de janvier. On mange à cette occasion le « gâteau des Rois », une couronne de brioche décorée de fruits confits cachant une fève grillée.

Le 2 février, soit 40 jours après la naissance de Jésus, la Chandeleur célèbre la purification de la Vierge et sa visite au Temple. Au programme, procession de cierges verts, bénédiction du feu et, à Marseille, dégustation de navettes, ces biscuits dont la forme de barque évoque l'arrivée des saintes Maries en Provence. Enfin, en ce jour de liesse qui clôt la période calendale, on démonte toutes les crèches… jusqu'à l'année suivante.

La gastronomie

La Provence est une gourmande. Son riche terroir est placé sous le signe du blé, de la vigne et de l'olivier, bien sûr, mais sa table se plaît aussi à mettre en valeur les fruits et légumes gorgés de soleil, les poissons et les crustacés tout frais pêchés et ces herbes aromatiques parfumées, cueillies dans la garrigue des collines. Il fera bon, tout à l'heure, y partir pour une promenade digestive. À moins que vous ne préfériez la sieste sous l'olivier ?

Légumes provençaux.

LES PRODUITS DU TERROIR

Véritable Provence en miniature, où les produits de la terre et de la mer le disputent parfois aux pièces d'artisanat et de tissus, les **marchés** animent la place du village, le port ou le cours ombragé de la ville. Chaque jour ou chaque semaine, parmi les étals rivalisant de couleurs et d'arômes, dans la faconde des marchands à l'accent chantant, on vient faire ses provisions, mais aussi prendre son temps, celui de discuter, d'échanger les dernières nouvelles…

Fruits et légumes

Au rythme des saisons, les marchés déclinent toutes les richesses de la terre : si l'oignon, l'ail et la pomme d'amour (tomate) occupent une place privilégiée, les cardons, le fenouil, les poivrons, les courgettes, les aubergines et les asperges ne sont pas en reste. La truffe se trouve dans le Vaucluse, premier producteur en France.

Aux quatre coins de la Provence, les paniers regorgent des fraises de Carpentras, pastèques et melons de Cavaillon, cerises de Remoulins, figues vertes de Marseille, pêches, poires et abricots de la vallée du Rhône, mais aussi de raisin de table muscat du Ventoux, tous sucrés et juteux à souhait.

Les olives

Dans les villages qui jalonnent la Route de l'olivier en Baronnies (autour de Nyons et de Buis-les-Baronnies) et celle de l'olivier des Alpilles et de la vallée des Baux (deux circuits jalonnés de moulins à huile et de savonneries), les marchés abondent en olives de toutes sortes. Vertes, brunes ou noires, tirant parfois sur le mauve ou sur le rouge : parmi les meilleures variétés, la **tanche** (ou olive de Nyons), délicieuse en saumure ; l'**aglandau**, pressée pour l'huile ; la **grossane**, une olive noire charnue, piquée au sel ; la **salonenque** (ou olive des Baux), une variété verte préparée en olives cassées ; ou encore la **picholine**, olive verte fine et allongée, conservée en saumure.

Achetez donc un petit pot de **tapenade** : ce mélange d'olives noires, d'anchois et de câpres (*tapèno*, en provençal) pilé au mortier avec un filet d'huile d'olive est délicieux à l'apéritif ou en hors-d'œuvre, tartiné sur des tranches de pain.

Les herbes de Provence

Cultivées ou poussant à l'état sauvage dans la garrigue, les herbes de Provence embaument les marchés de leurs fragrances subtiles. Elles constituent, avec l'ail

Jean Malburet / MICHELIN

et l'huile d'olive, l'un des fondements de la cuisine provençale : ainsi, la **sarriette** parfume certains fromages de chèvre et de brebis ; le **thym** (ou farigoule) et le **laurier** assaisonnent la ratatouille ou les grillades ; le **basilic**, délicieux dans la salade de tomates, est aussi pilé avec de l'ail, de l'huile d'olive et du parmesan pour préparer le pistou ; la **sauge**, bouillie avec de l'ail, puis enrichie d'huile d'olive et de pain, donne le traditionnel « aigo boulido » ; le **romarin** parfume les gratins de légumes, le poisson et, pris en infusion, facilite la digestion ; le **serpolet** relève le lapin, la soupe de légumes et les plats à la tomate ; le **genièvre** aromatise les pâtés et les gibiers ; la **marjolaine** agrémente les civets ; l'**estragon** relève les sauces blanches ; le goût anisé du **fenouil** se marie à merveille avec le poisson…

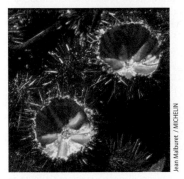

Violets.

Poissons et crustacés

Dès l'aube, les poissons fraîchement pêchés alignent leurs écailles moirées dans les caisses de glace des marchés et des criées. Effilés ou ventrus, plats ou charnus, s'ils ne finissent pas en bouillabaisse ou en bourride, ils atterriront sur le grill, généreusement saupoudrés d'herbes : mérous, loups, daurades, mulets, merlans, sardines, anchois, merlus, grondins, rascasses, congres, turbots, rougets… À leurs côtés sur les étalages, poulpes, langoustes et cigales de mer, mais aussi clovisses, **violets**, moules et

oursins (sur les ports de la Côte Bleue notamment), ou encore, palourdes et **tellines** (coquillages des sables de Camargue), délicieuses avec une sauce piquante. Sans oublier la **poutargue**, œufs de mulet (ou muge) récoltés à Martigues en juillet et août, à déguster fraîche ou séchée (attention, comptez 150 € le kilo !).

Les fromages

Pays des saveurs fortes, la Provence produit aussi quelques fromages de caractère, comme la **tomme de brebis** (région d'Arles) ou de chèvre (monts de Vaucluse), ou encore la **brousse**, fromage de chèvre frais au petit-lait (Arles) ou au lait entier (brousse du Rove, près de Marseille), que l'on déguste salée, avec des herbes et un filet d'huile d'olive, ou sucrée, avec des fruits.

UN DÉJEUNER AU SOLEIL

Rehaussée d'une pointe d'ail, cette « truffe de Provence » chantée par les poètes, et généreusement arrosée d'huile d'olive, la cuisine provençale fait rimer avec bonheur les couleurs et les saveurs du pays.

Quelques savoureuses spécialités

La bouillabaisse – Le secret de la réussite tient autant au choix des poissons qu'à l'assaisonnement. Aux indispensables « trois poissons » – rascasse, grondin et congre – peuvent s'ajouter loup, turbot, sole, rouget, lotte ou crustacés. Oignon, tomate, safran, ail, thym, laurier, sauge, fenouil, peau d'orange, parfois un verre de vin blanc ou de cognac aromatisent le bouillon, que l'on savourera sur des tranches de pain grillées. La rouille, une sauce à base de piments d'Espagne, apporte sa touche finale, colorée et… piquante !

L'aïoli – Cette mayonnaise à l'huile d'olive, généreusement relevée d'ail pilé, accompagne les hors-d'œuvre, les légumes et plus particulièrement la « bourride », une soupe de poissons.

Petites douceurs

On ne saurait parler des spécialités provençales sans mentionner toutes ces petites douceurs qui émoustillent les papilles : les melons confits et les **papalines** d'Avignon, les **calissons** d'Aix (petits fours à la pâte d'amande, délicatement parfumés à la fleur d'oranger et nappés de sucre glacé), les **berlingots** de Carpentras, le **chichi frégi** de l'Estaque (un long beignet torsadé saupoudré de sucre), les **navettes** de Marseille, les **caladons** (biscuits aux amandes) et le **croquant Villaret** de Nîmes, les **tartarinades** (bonbons au chocolat) de Tarascon, les **fruits confits** d'Apt, les **nougats** de Sault et d'Allauch, le **pain de Modane** (pain fendu aux fruits confits) de Nyons…

Les artichauts à la barigoule – Le mot *barigoule* (champignon) évoque la façon dont on coupe les artichauts pour ce plat de légumes arrosé de vin blanc, parfumé à l'ail, avec huile d'olive et lardons.

La soupe au pistou – Cette soupe d'été à base de légumes coupés en morceaux est parfumée d'une sauce à base de basilic, d'ail pilé et d'huile d'olive.

Autres plats typiques – La Méditerranée regorge de savoureuses créatures, comme le rouget ou le loup (nom local du bar), particulièrement délicieux lorsqu'on le grille au fenouil ou aux sarments de vigne. À Saint-Rémy, on prépare le « **catigau** », une fricassée d'anguilles du Rhône grillées ou fumées. Spécialité nîmoise, la **brandade de morue** est une onctueuse crème de morue à l'huile d'olive et au lait, assaisonnée d'ail et parfois de truffe.

On pourrait encore évoquer les **pieds-paquets** à la Marseillaise (pieds et tripes de mouton, farcis et mijotés), le **bœuf gardian** de Camargue (bœuf en daube, mijoté dans du vin rouge avec des aromates), ou encore les **saucissons d'Arles**, sans oublier les innombrables préparations à base de légumes : la ratatouille, bien sûr, mais aussi les gratins *(tian)* et les soupes, les beignets et les légumes farcis.

LES VINS

Ce sont surtout les vins rouges qui font la renommée et la diversité des vins de Provence. Francs et corsés, ou souples et délicats suivant leur provenance, leur qualité s'améliore sans cesse grâce à la sélection rigoureuse des cépages, mais également à leur association, parfois très complexe, au sein d'un même cru.

De côtes en costières

L'un des plus grands crus de l'appellation côtes-du-rhône, le **châteauneuf-du-pape**, d'un rouge sombre, dégage des notes fruitées, boisées et poivrées, et se bonifie en vieillissant. **Vacqueyras** produit des rouges charpentés et des blancs élégants. Le vignoble de **Séguret** fournit des vins capiteux et parfumés, celui de **Cairanne** des vins tanniques, qui demandent un certain vieillissement. Le **gigondas**, vieilli quelques années en fûts de chêne, s'apparente au châteauneuf-du-pape.

Sur l'autre rive du Rhône, **Lirac** et **Tavel** donnent des vins rosés réputés. Plus au Sud, les **costières de Nîmes** sont en train de se forger une belle réputation. La région d'Aigues-Mortes est le domaine des vins des sables, blancs ou rosés, dont le **listel** est le plus connu.

Les vins rouges des **côtes-du-luberon** sont légers et se boivent jeunes tandis que les blancs sont plus frais et fins. Les **côtes-du-ventoux** produisent des vins rouges tanniques et charpentés, lorsque les raisins ont mûri sur les versants bien exposés du mont Ventoux. Les plus légers sont consommés en primeur.

Les vins doux naturels, sucrés, s'obtiennent par adjonction d'alcool dans le moût (le jus de raisin) en cours de fermentation. Les plus savoureux sont le **rasteau**, ambré ou rouge, et le **muscat de Beaumes-de-Venise**, à la belle robe dorée et au bouquet riche en tonalités fleuries et fruitées.

Pastaga

Le **pastis** est l'apéritif provençal par excellence depuis les Années folles. Des marques renommées telles que *Ricard*, *Casanis* ou *Janot* ont fait de la belle boisson jaune la reine incontestée des terrasses de cafés. Produit de la macération de plantes (anis vert, anis étoilé, réglisse, etc.) dans l'alcool, le « pastaga » peut être plus ou moins coupé d'eau fraîche, suivant le goût de chacun. Certains préfèrent la « momie » servie dans un petit verre, d'autres le dégustent avec du sirop : orgeat pour la « mauresque », grenadine pour la « tomate » ou menthe pour le « perroquet ».

Les appellations de Provence

Sur les collines de basse Provence, **Cassis** se distingue par son vin blanc sec, riche en arômes fruités, mais aussi par son rouge, plus velouté.

Aux portes d'Aix-en-Provence, deux propriétaires se partagent le tout petit vignoble de **Palette** (dont le fameux Château Simone) qui produit un rouge suave et tannique, parfois qualifié de « bordeaux de la Provence ».

Les **coteaux d'Aix-en-Provence** donnent des rouges chaleureux, solides, et des rosés secs. Rouges, rosés ou blancs, les vins des **Baux-de-Provence** se boivent jeunes.

Sous l'appellation **côtes-de-provence** (autour du massif de la Sainte-Baume notamment) se décline une grande variété de vins rosés.

Enfin, parmi les innombrables vins de pays, ceux de la **Petite Crau** et de la principauté d'**Orange** se distinguent par leur qualité.

Gordes : un village perché époustouflant.
Stéphane Sauvignier /MICHELIN

Aigues-Mortes★★

6 012 AIGUES-MORTAIS
CARTE GÉNÉRALE A3 – CARTE MICHELIN LOCAL 339 K7 – GARD (30)

« Vaisseau de haut bord » (dixit Chateaubriand) échoué entre étangs, salines, marais et canaux, plus tout à fait camarguaise et pas totalement languedocienne, Aigues-Mortes apparaît tel un mirage, dressant ses longues murailles aux tons de miel, délicatement rosées par les rayons du couchant. Aujourd'hui, les marchands du temple ont pris d'assaut la cité, où les boutiques de souvenirs côtoient les galeries d'art, certaines intéressantes. Vous prendrez plaisir à vous balader dans ces rues en damier, caractéristiques des villes nouvelles du Moyen Âge.

▷ **Se repérer** – Que vous arriviez de Nîmes (41 km au nord) par la D 769 ou d'Arles (47 km à l'est) par la D 58, il vous faudra traverser une zone commerciale et artisanale, puis le canal du Rhône à Sète, avant de découvrir la vieille ville depuis le pont (attention au virage à angle droit…).

▣ **Se garer** – Plusieurs parkings payants au pied des remparts.

◉ **À ne pas manquer** – Une promenade dans les ruelles à l'abri des murailles ; l'église N.-D.-des-Sablons ; le tour des remparts par le chemin de ronde ; la tour de Constance.

◔ **Organiser son temps** – Comptez 1h pour une simple balade dans les ruelles, 2h si vous souhaitez grimper sur les fortifications *(accès payant)*. Préférez la fin d'après-midi pour la balade sur les remparts, « à la fraîche ».

♣ **Avec les enfants** – Le tour de la ville en train touristique (20mn), ou, aux alentours, une promenade en péniche *(voir l'encadré pratique)*.

♨ **Pour poursuivre la visite** – Voir aussi la Camargue, Le Grau-du-Roi et Arles.

> ◉ **Le saviez-vous ?**
>
> *Aquae mortae* : les eaux mortes. Les habitants du lieu trouvaient ce nom si lugubre qu'ils demandèrent en 1248 à Saint Louis d'adopter celui, plus optimiste, de *Bona per forsa* (« Bonne malgré tout », en latin de cuisine). Mais, pareille aux bras morts du Rhône, la requête se perdit dans les sables.

Comprendre

Au commencement était le sel – Exploitées dès l'Antiquité, les **salines** d'Aigues-Mortes attirèrent pêcheurs et sauniers dans ce lieu insalubre. Les moines bénédictins y établirent dès le 8e s. l'**abbaye de Psalmodi** afin d'exploiter cette denrée précieuse dans les étangs de Peccais. Les salines resteront très longtemps une des principales ressources de la ville. Mais grevé de taxes (dont la fameuse gabelle instituée en 1343), le sel suscita une telle **contrebande** que **Sully**, agacé (et toujours soucieux des deniers publics), voulut faire noyer en 1596 tous les salins provençaux.

Une histoire saumâtre – Pendant la guerre de Cent Ans, les Bourguignons s'emparent d'Aigues-Mortes. Les Armagnacs assiègent la ville et tentent de s'en rendre maîtres lorsqu'une poignée de partisans qu'ils comptent dans la place réussissent, par une nuit obscure, à massacrer la garnison d'une des portes et à faire entrer les assiégeants. Les Bourguignons qui tenaient la place sont passés au fil de l'épée. Mais les morts sont si nombreux, que l'on se demanda comment s'en débarrasser ? Traitons-les comme les poissons, se dirent les Armagnacs. Pour éviter la pourriture des cadavres, on les mit dans une tour en alternant une couche de sel, une couche de Bourguignons, et ainsi de suite. Si l'histoire reste sujette à caution, on avouera qu'elle ne manque pas de sel !

Une opération immobilière – Comme beaucoup de ses prédécesseurs, **Saint Louis** avait une idée fixe : libérer les lieux saints des « infidèles ». Mais, à cette époque, la France ne comptait aucun port sur la Méditerranée. C'est chose faite (ou presque) en 1240 : les moines de Psalmodi cèdent un lopin de terre au souverain… Il y fait aussitôt aménager un **port**, construire la tour de Constance et l'église Notre-Dame-des-Sablons. Attirer des habitants en ce lieu plutôt insalubre et éloigné de tout n'était pas chose facile : on accorda donc maints **privilèges** aux intrépides qui acceptèrent de s'y établir… Le 28 août 1248, Saint Louis embarqua pour la **septième croisade**. 1 500 navires appareillèrent pour Chypre, en empruntant un chenal, le canal vieil, pour atteindre la mer au Grau Louis, ouvert sur une vaste baie, l'anse du Repos, devenue depuis étang du Repausset. L'expédition, qui dura 8 ans, ne donna guère de résultats, si bien que le roi décida de repartir en 1270. Victime du typhus, il dut s'aliter à Tunis et mourut quelques jours plus tard. C'est son fils **Philippe le Hardi** qui, en 1272, commanda la construction des remparts à un entrepreneur génois, Guillaume Boccanegra.

La lutte contre le sable – Des heurs et malheurs de son grand roi, Aigues-Mortes tira malgré tout une prospérité certaine, grâce au développement de son port. Les villes italiennes comme Venise l'utilisaient et diverses ordonnances lui accordèrent le monopole du commerce français en Méditerranée. Cependant, cette opulence allait péricliter avec l'**ensablement du canal**, puis la fermeture et la transformation en étang de l'anse du Repos, au 16e s. Malgré des travaux continuels et le percement de l'actuel **chenal maritime** vers Le Grau-du-Roi, le destin d'Aigues-Mortes ne sera plus lié à la mer. L'annexion de la Provence en 1482 donne la prééminence au port de Marseille et la création du port de Sète, en 1666, portera le coup de grâce aux aspirations maritimes des Aigues-mortais.

Se promener

LE CENTRE-VILLE

La ville fut dessinée sur le modèle des **bastides**, selon un plan régulier de 550 sur 300 m quadrillé par des rues rectilignes. Protégée du vent salé par ses hautes murailles, Aigues-Mortes semble avoir aussi échappé à l'usure du temps. Vous y trouverez de nombreux cafés, échoppes d'artisans, magasins de souvenirs et galeries d'art autour de la **place Saint-Louis** et dans les rues principales. Les ruelles plus excentrées, à l'est de la ville, aux alentours des portes de la Reine et des Cordeliers, sont beaucoup moins animées, comme hors du temps.

Entrer par la porte de la Gardette que prolonge la Grand'Rue Jean-Jaurès et prendre à gauche la rue de la République.

Chapelle des Pénitents Blancs

 04 66 53 73 00 - visite guidée sur réservation à l'office de tourisme.
Cette chapelle baroque, rendue au culte tous les ans pour le dimanche des Rameaux, abrite ostensoirs, dais et lanternes, qui étaient utilisés lors des processions par cette confrérie instituée en 1622. Remarquez, derrière le chœur, l'immense *Pentecôte* de Xavier Sigalon.

Poursuivre tout droit par la rue Baudin, puis tourner à droite dans la rue Rouget-de-l'Isle et enfin à gauche dans la rue Paul-Bert.

Chapelle des Pénitents Gris

 04 66 53 73 00 - visite guidée sur réservation à l'office de tourisme.
Toujours dans le style baroque, cette charmante chapelle encadrée de cyprès fut élevée en 1607. Elle servit sous la Révolution d'entrepôt à fourrage : c'est sans doute ce qui a sauvé de la destruction le délirant retable baroque sculpté par Jean Sabatier.

Revenir sur ses pas et prendre en face la rue Pasteur jusqu'à la place Saint-Louis.

Les remparts de la cité au soleil couchant.

Didier Pazery / MICHELIN

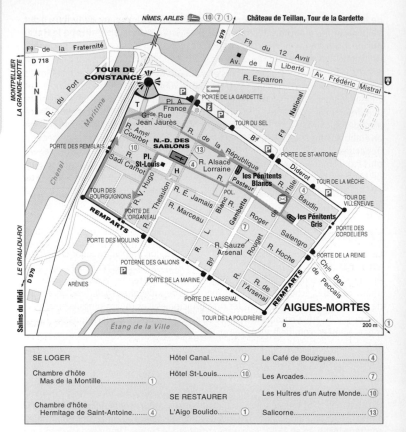

SE LOGER	Hôtel Canal............. ⑦	Le Café de Bouzigues................④
Chambre d'hôte Mas de la Montille....................①	Hôtel St-Louis.......... ⑩	Les Arcades.............................⑦
	SE RESTAURER	Les Huîtres d'un Autre Monde...⑩
Chambre d'hôte Hermitage de Saint-Antoine.......④	L'Aigo Boulido..........①	Salicorne...................................⑬

Église Notre-Dame-des-Sablons★

Édifiée sous Saint Louis, l'église gothique fut parfois pillée, souvent remaniée… et subit bien des avatars (elle servit même, un temps, d'entrepôt à sel). Une belle charpente et un décor dépouillé sont mis en lumière par les vitraux contemporains de **Claude Viallat**, l'apôtre nîmois du groupe Supports/Surfaces.

Place Saint-Louis

Jolie place ombragée de platanes, cœur animé de la cité. Au centre, juché sur son piédestal, Saint Louis (par Pradier, 1849) surveille d'un œil indulgent la foule qui, l'été, envahit les terrasses des cafés et des restaurants. La **chapelle des Capucins**, édifiée au 17e s. avec des pierres venant de l'ancien môle de la Peyrade, servit de halle couverte jusqu'à sa reconversion en lieu d'exposition.

Rejoindre les remparts à la porte de l'Organeau par la rue Victor-Hugo et suivre à droite le boulevard Intérieur sud puis le boulevard ouest, voies qui permettaient à la garnison de se déplacer rapidement. On rejoint ainsi la porte de la Gardette.

LES FORTIFICATIONS

Compter 45mn – accès par la place Anatole-France. ℰ *04 66 53 61 55 - www.monum.fr - ⬥ - mai-août : 10h-19h (dernière entrée 1h av. fermeture) ; sept.-avr. : 10h-17h30 - fermé 1er janv., 1er Mai, 1er et 11 Nov. et 25 déc. - 6,50 € (enfants accompagnés : gratuit).*

Tour de Constance★★

Ce puissant donjon circulaire de 40 m de hauteur (y compris la tourelle) fut édifié entre 1240 et 1249 ; le châtelet d'entrée et le pont qui le relie au rempart datent, eux, du 16e s. On y enferma des Templiers et quelques soudards accusés de trahison, mais c'est à partir de la révocation de l'édit de Nantes (1683) que la tour de Constance reçut ses pensionnaires les plus nombreux, les huguenots. En 1703, un chef camisard, **Abraham Mazel**, parvint à s'enfuir, avec seize de ses compagnons, en descellant une pierre de la pointe d'un couteau et en se glissant au pied des murs à l'aide d'une corde. En 1715, la tour de Constance fut choisie comme lieu de détention perpétuelle pour les femmes. Les dernières ne furent libérées qu'en

1768. Leur grande figure demeure la Vivaraise **Marie Durand**, incarcérée de 1730 à 1768, à qui l'on attribue le fameux « RÉSISTER », gravé dans la pierre de la margelle du puits central.

La salle de garnison, voûtée de belles ogives, a gardé son four à pain ; un oculus percé en son centre servait d'accès au cul-de-basse-fosse. Un escalier à vis mène à l'oratoire du roi, petite pièce ménagée dans le mur, puis à la salle haute, où furent emprisonnés maints huguenots. Du sommet de la tourelle de guet, que surmonte une cage en fer forgé (elle protégeait jadis une lanterne servant de phare), un immense **panorama★★** se découvre au-delà des remparts sur les salins, la Camargue, les pyramides de la Grande-Motte, Sète et la barre bleutée des Cévennes.

Les remparts★★

Un tour des remparts par le **chemin de ronde** permet de découvrir la ville, avec de belles perspectives sur le chenal maritime (aujourd'hui port de plaisance) et les salins d'Aigues-Mortes. Les plus imaginatifs se mettront sans peine dans la peau des soldats de la garnison chargés de défendre la cité, à ceci près que les douves qui protégeaient l'enceinte ont été comblées. Édifiées à partir de 1270, les murailles d'Aigues-Mortes (en pierre de Beaucaire et des Baux) nous sont parvenues intactes, ce qui en fait le meilleur exemple d'architecture militaire du 13e s. Elles dessinent un grand quadrilatère dont les murs, surmontés de chemins de ronde, sont flanqués de tours. Les plus fortes, placées aux angles et aux portes principales, sont couvertes de terrasses comprenant deux salles voûtées.

S'il n'y avait que deux portes côté nord, les quais d'embarquement du port de l'étang de la Ville (aujourd'hui asséché), côté sud, étaient desservis par cinq portes. La **porte de l'Organeau** doit son nom à l'organeau (anneau de fer) où les nefs venaient s'amarrer. Quant à la **porte des Galions**, elle rappelle que les galères venaient se ranger à cet endroit.

Aux alentours

Salins du Midi

3 km au sud par la route du Grau-du-Roi. Mars-oct. : visite guidée en petit train ou en bus panoramique au dép. des caves de Listel (route du Grau-du-Roi). Informations et réservation : ℘ 04 66 73 40 24/26. www.salins.fr

Voilà une visite qui ne manque pas de sel, d'autant qu'elle permet de comprendre le long cheminement du condiment, de la mer à l'assiette. Le sel a toujours été considéré comme une matière précieuse : les légionnaires romains étaient payés pour partie en sel, ce qui a donné en français le mot salaire. Techniquement parlant, vous découvrirez ici comment, pour parvenir aux « tables saunantes », l'eau pompée dans la mer parcourt plus de 70 km dans des **roubines** ; la concentration de chlorure de sodium y passe de 29 à plus de 260 g/l. Récolté mécaniquement, le sel est amoncelé en de scintillantes « camelles » avant d'être conditionné. Récolté à Aigues-Mortes par la compagnie des **Salins du Midi**, il est réservé à l'usage alimentaire.

Les camelles des Salins du Midi, collines de sel posées sur les étangs.

Gilles Magnin / MICHELIN

Tour Carbonnière

3 km au nord en direction de Saint-Laurent-d'Aigouze.

Tracée sur une digue parmi étangs et roseaux, la route, ancienne piste de sauniers, constituait autrefois le seul accès terrestre vers Aigues-Mortes. Rien d'étonnant à ce qu'on y ait édifié, au 14e s., cette tour afin de défendre la ville contre les visiteurs indésirables, avant d'y installer, en 1409, un poste de péage. La garnison vivait dans une salle au 1er étage (cheminée et four à pain). De la plate-forme, vue sur les étangs.

Le Grau-du-Roi

4 km au sud par la D 979 depuis Aigues-Mortes, par une jolie route longeant les salins et le canal. Voir ce nom.

Aigues-Mortes pratique

♿ Voir aussi les encadrés pratiques de la Camargue, du Grau-du-Roi et d'Arles.

Adresse utile

Office du tourisme d'Aigues-Mortes – *Pl. Saint-Louis - 30220 Aigues-Mortes -* ☎ *04 66 53 73 00 - www.ot-aiguesmortes.fr - juil.-août : 9h-20h, w.-end et j. fériés : 10h-20h ; reste de l'année : 9h-12h, 13h-18h, w.-end et j. fériés : 10h-12h, 14h-18h.*

Visites

Visites guidées de la ville – *Juil.-août sur réserv. à l'office de tourisme : merc., jeu. et vend., 10h30 à 12h. - 5 €* (enf. 2 €). Visite des chapelles des Pénitents Blancs, des Pénitents Gris, de l'église Notre-Dame des Sablons et de la place Saint-Louis.

🚶👤 **Tour de la ville en train touristique** – *SEPTAM -* ☎ *04 66 53 85 20 - avr.-sept. : 4 €* (enf. 2,50 €). Circuit de 20mn, dép. porte de la Gardette.

Se loger

☯⛶ **Hôtel Canal** – *440 rte de Nîmes -* ☎ *04 66 80 50 04 - www.hotelcanal.fr -* **P** - *25 ch. 60/125 € -* ▢ *10 €.* À l'entrée de la ville, face au canal, hôtel rénové dans un esprit contemporain. Les chambres, fonctionnelles et climatisées, bénéficient d'une bonne insonorisation. Piscine et solarium.

☯⛶ **Chambre d'hôte Hermitage de Saint-Antoine** – *9 bd Intérieur nord - face à la porte St-Antoine -* ☎ *06 03 04 34 05 - www.hermitagesa.com -* ◸ *- 3 ch. 55/60 € -* ▢ *7 €.* Au cœur de la vieille ville, cette petite maison ne déroge pas à la tradition des habitations aigues-mortaises. Malgré leurs dimensions réduites, les 3 chambres offrent un confort très cosy, avec un air de maison de poupée pas désagréable. Petits-déjeuners servis dans la courette, si le temps s'y prête.

☯⛶ **Chambre d'hôte Mas de la Montille** – *Rte des Saintes-Maries-de-la-Mer - 30220 St-Laurent-d'Aigouze - 4 km d'Aigues-Mortes par D 58 -* ☎ *04 66 35 59 43 - http://masdelamontille.free.fr -* ◸ *- 3 ch. + 1 suite 80/100 € -* ▢ *- repas 20 €.* Meubles et voilages orientaux (la propriétaire est syrienne) s'intègrent bien au cadre typiquement méridional de ce mas camarguais. Aménagées dans une annexe, les chambres bénéficient du même style décoratif. Piscine, jacuzzi et table d'hôte de qualité sur réservation. Accueil très chaleureux.

☯⛶ **Hôtel Saint-Louis** – *10 r. Am.-Courbet -* ☎ *04 66 53 72 68 - www.lesaintlouis.fr - fermé nov.-mars - 22 ch. 90/102 € -* ▢ *10 € - restaurant 25 €.* Intra-muros, à deux pas de la tour de Constance, cette charmante demeure du 17e s. abrite des chambres actuelles et colorées. En hiver, restaurant au décor provençal avec cheminée ; en été, jolie cour intérieure ombragée. Plats traditionnels.

Se restaurer

☖ **L'Aigo Boulido** – *Chemin Bas-de-Peccais - contourner les remparts et prendre la petite route face à la porte de la Reine ; après 1,5 km prendre à droite un chemin de terre -* ☎ *06 13 24 79 31 - fermé de mi-oct. à fin mars -* ◸ *- réserv. conseillée - 10/60 €.* L'aigo boulido est un bouillon à l'ail souverain pour les lendemains de fête, mais c'est aussi ce restaurant perdu dans les marais et les roseaux, face aux camelles de sel. L'endroit est divin lorsque la nuit tombe doucement sur les étangs. Cuisine régionale, gambas à la plancha, etc.

☖ **Les Huîtres d'un Autre Monde** – *Rte des Stes-Maries -* ☎ *04 66 01 63 97 ou 06 08 05 63 57 - ouv. w.-end et j. fériés, le soir en été - réserv. obligatoire de sept. à juin - 10/25 €.* Qu'elle vienne de Bretagne ou de Normandie, de Bouzigues ou d'Aigues-Mortes, l'huître est ici à l'honneur. Vente à emporter ou dégustation sur place avec un petit blanc du pays. Également, coquillages au détail ou en plateau.

☖ **Le Café de Bouzigues** – *7 r. Pasteur -* ☎ *04 66 53 93 95 - www.cafedebouzigues. com - fermé 3 janv.-3 fév. et 15 oct.-10 déc. - 17 € déj. - 14/31 €.* Eh non ! Vous ne mangerez pas de moules de Bouzigues dans ce café, mais une cuisine locale parfumée (la carte change tous les mois), dans une salle à manger colorée… À moins que vous ne préfériez la cour-terrasse, très originale avec sa collection de brocs et de cages à oiseaux.

☖ **Salicorne** – *9 r. Alsace-Lorraine -* ☎ *04 66 53 62 67 - www.la-salicorne.com -*

fermé 3 janv.-10 fév. - 17/55 €. Ce restaurant, niché dans une petite rue à l'écart de l'animation de la place, propose une cuisine qui sait s'inspirer des traditions provençales pour les revisiter avec finesse et originalité. Excellent choix de vins des Costières voisines. Agréable terrasse dressée sous une belle pergola.

Les Arcades – *23 bd Gambetta - ☎ 04 66 53 81 13 - info@les-arcades.fr - fermé 2-23 mars, 5-20 oct., mar. midi, jeu. midi et lun. sf le soir en juil.-août - 22 € déj. - 34/45 € - 9 ch. 100/110 € .* Cette demeure du 16e s. a du caractère avec sa série d'arcades bordant la rue. Dans la salle à manger aux jolies tomettes et pierres apparentes, vous goûterez une cuisine appétissante élaborée avec des produits frais. Quelques spacieuses chambres garnies de mobilier provençal.

Que rapporter

Marché traditionnel – Mercredi et dimanche matin av. Frédéric-Mistral.

Boulangerie-Pâtisserie Olmeda – *32 r. Émile-Jamais - ☎ 04 66 53 73 42 - tlj sf merc. 6h-13h, 16h-19h.* Avec sa façade ornementée d'une jolie mosaïque multicolore, cette boulangerie située à deux pas de la place Saint-Louis attire le regard. Mais sa renommée vient surtout de la grande **fougasse**, savoureuse spécialité souvent exposée en vitrine… À découvrir absolument.

Le Caveau les Sablons – *Rte d'Arles - ☎ 04 66 53 75 20 - tlj sf dim. hors sais.* À la sortie d'Aigues-Mortes, cette « maison du terroir des sables » propose un éventail complet de spécialités locales. Riz de Camargue, huile d'olive, tapenades ou encore gardiane de taureau. Une place de choix revient aux vins gris, blancs et rouges, parmi lesquels la cuvée prestige se pose en vedette.

La Bandido – *12 r. Pasteur - ☎ 04 66 53 72 31 - été : 9h30-13h, 15h-20h ; reste de l'année : 9h30-12h, 15h-19h - fermé nov.-fév., 25 déc. et 1er janv.* La Bandido propose une belle gamme de chemises imprimées, vestes en velours noir, pantalons et jupes cavalières en peau de taupe, chapeaux, bottes et *seden* (lasso)… pour jouer au gardian.

Sports & Loisirs

Pony Ranch – *Chemin de Vireventre - ☎ 04 66 53 86 89 - www.ponyranch-aiguesmortes.com.* Afin de répondre à l'attrait touristique de la région, ce centre équestre propose des balades en Camargue, à l'heure ou à la journée. À dos de cheval, ou de poney pour les plus jeunes, vous découvrirez le charme unique du site. Table d'hôte sur réservation, buvette et quelques emplacements pour camping-car.

Isles de Stel – *12 r. de l'Am.-Courbet - ☎ 04 66 53 60 70 ou 06 10 90 16 68 - www.isles-de-stel.fr - fermé de mi-nov. à mi-mars - 10 € (enf. 6 €).* Promenade en péniche sur la Petite Camargue, à la découverte de sa faune et de sa flore exceptionnelles. Arrêt dans une manade pour assister au travail des gardians à cheval.

Péniche Pescalune – *46 r. de la Pinède - ☎ 04 66 53 79 47 - avr.-sept. : tlj sf dim. mat. 10h30, 15h ; oct.-mars : sur réserv. - fermé janv.* Embarquez à bord de cette péniche pour découvrir, au fil de l'eau, la Petite Camargue, sa faune et sa flore. Croisière.

Course camarguaise.

Didier Pazery / MICHELIN

Événement

Fête votive – Deuxième semaine d'octobre. Sa particularité, ce sont les **courses camarguaises** qui se donnent au pied des remparts, dans le dernier « plan de théâtres » survivant : chaque famille possède son « théâtre », petit gradin de 2 m de large ; après avoir tiré au sort les emplacements, les théâtres sont montés côte à côte de façon à former une arène. Les courses sont précédées d'*abrivados* et suivies de *bandidos* particulièrement animés.

Aix-en-Provence★★

134 222 AIXOIS
CARTE GÉNÉRALE C3 – CARTE MICHELIN LOCAL 340 H4 – SCHÉMA P. 356 –
BOUCHES-DU-RHÔNE (13)

Ville d'eau et de fraîcheur, Aix est adossée à l'aride montagne Sainte-Victoire, dont Cézanne magnifia du bout de ses pinceaux toute la beauté âpre. L'ancienne capitale des comtes de Provence a gardé un patrimoine exceptionnel, qui s'affiche sur les nobles façades du cours Mirabeau et du vieil Aix. Le nez au vent, les yeux en l'air, laissez-vous gagner par l'art de vivre de cette cité classique des 17ᵉ et 18ᵉ s. avec ses avenues majestueuses, ses hôtels mordorés élégants, ses fontaines gracieuses, ses petites places discrètes. La ville du calisson est également une métropole étudiante aux brasseries et aux terrasses perpétuellement animées : une ville d'aujourd'hui, mais qui a su préserver un héritage culturel raffiné.

La petite place d'Albertas a un air de décor d'opéra.

▶ **Se repérer** – D'où que vous arriviez, vous suivrez fatalement la ceinture de boulevards qui enserre la vieille cité…

📱 **Se garer** – Les places de parking étant rares, un conseil : n'entrez pas dans la vieille cité, la circulation et le stationnement y sont quasi impossibles. Cherchez du côté du boulevard du Roi-René, au sud, ou sur le boulevard Aristide-Briand au nord. Si vous craignez pour la sécurité de votre voiture, préférez les parkings surveillés tout autour (Mignet, Bellegarde, Pasteur, etc.).

👁 **À ne pas manquer** – Le cours Mirabeau et le vieil Aix, en particulier la coquette place d'Albertas et la fontaine des Quatre-Dauphins ; la cathédrale Saint-Sauveur et son cloître ; le musée Granet rénové ; pour les amateurs d'art, les sites cézanniens ; pour les passionnés d'histoire antique, l'oppidum d'Entremont ; pour les mélomanes, le prestigieux Festival international d'art lyrique, en juillet.

🕐 **Organiser son temps** – Comptez une journée pour les essentiels, à savoir 1/2 journée pour le vieil Aix et 1/2 journée pour les sites Cézanne (hors du centre). Pour une visite plus approfondie (comprenant par exemple l'oppidum d'Entremont ou la fondation Vasarely, tous deux excentrés), prévoyez deux jours. Les marchés d'Aix vous raviront par leurs couleurs et leurs senteurs : marché traditionnel tous les matins place Richelme et marché aux fleurs mardi, jeudi et samedi place de l'Hôtel-de-Ville.

👥 **Avec les enfants** – Le Muséum d'histoire naturelle, avec ses œufs fossiles de dinosaures retrouvés sur les flancs de la Sainte-Victoire ; la visite d'une fabrique de calissons ; un atelier de santonniers, ou, en décembre, la foire aux santons.

🕯 **Pour poursuivre la visite** – Voir aussi la montagne Sainte-Victoire.

Comprendre

La capitale du roi René – Certes, Aix n'a pas attendu le « bon roi René » pour exister. Mais c'est avec lui que la petite cité romaine fondée sur les décombres de l'oppidum d'Entremont, et déjà siège d'une université depuis 1409, allait connaître sa période la plus brillante.

Mais qui était au juste ce **roi René** (1409-1480) ? Avant tout, un lettré : polyglotte, mélomane à ses heures, peintre d'enluminures à l'occasion, volontiers rimailleur, féru de mathématiques et de théologie, expert en astrologie, un homme on ne peut plus cultivé, et certainement pas austère, vu les fêtes somptueuses qu'il aimait organiser et le luxe dans lequel il vivait.

René est également **duc d'Anjou**, roi très théorique de Naples et de Sicile et **comte de Provence** de surcroît, ce qui l'oblige à jouer un rôle politique pour lequel il est peu fait. S'il encourage le commerce, se soucie de l'état sanitaire de la population, stimule l'agriculture, c'est au prix d'une fiscalité pesante et d'une dépréciation de sa monnaie, qui inspire assez peu confiance… C'est que la splendeur a un prix et le mécénat aussi : le roi s'est entouré d'artistes de valeur, des flamands comme Barthélemy d'Eyck (auteur du *Triptyque de l'Annonciation*), des bourguignons ou des locaux comme l'Uzétien Nicolas Froment (à qui l'on doit le fameux *Triptyque du Buisson ardent*). Veuf d'Isabelle de Lorraine, le roi René épouse, à 44 ans, une jeune femme de 21 ans, Jeanne de Laval, la « reine Jeanne », qui devient bientôt aussi populaire en Provence que son époux.

Les enfants et petits-enfants du « bon roi » étant morts avant lui, son neveu **Louis XI** met l'Anjou dans son escarcelle… René désigne alors comme héritier Charles du Maine. Celui-ci s'éteint sans descendance en 1481 : la Provence à son tour tombe dans le domaine royal, sans coup férir.

Les nouveaux visages d'Aix – Une fois la ville réunie à la France, le roi se fait représenter à Aix par un gouverneur ; Aix se trouve alors désignée comme siège du **Parlement**, institué en 1501. Elle va connaître une seconde période de splendeur au 17e s. avec l'émergence d'une catégorie sociale, les « gens de robe » ou « robins ». Ces magistrats et juristes fortunés se font construire de splendides hôtels particuliers, les remparts sont rasés et remplacés par un « cours à carrosses » (l'actuel cours Mirabeau) au-delà duquel surgissent des quartiers nouveaux, comme le quartier Mazarin. Toujours prospère, la ville continue de s'embellir au 18e s. avec de larges avenues, des places, des fontaines, de nouveaux bâtiments publics comme le palais de justice qui, signe des temps, prend la place du vieux palais comtal…

Après la Révolution, Aix va souffrir du développement de Marseille. Il lui faut attendre les années 1970 pour connaître un renouveau s'appuyant sur deux axes : industriel avec les entreprises du secteur high-tech (zone d'activité des Milles et technopole du plateau d'Arbois) ; culturel avec le rayonnement de son université et de son Festival d'art lyrique. Cet essor économique et démographique s'accompagne d'un grand projet d'urbanisme, dans le prolongement des cours Sextius et Mirabeau (la Cité du Livre en est la première réalisation), où prend naissance l'Aix du 21e s.

Découvrir

LA VILLE DE CÉZANNE

Fils d'un chapelier, **Paul Cézanne** est né à Aix en 1839. Après des études au collège de Bourbon où il se lie d'amitié avec Émile Zola, il fait son droit tout en commençant à peindre dans la campagne du Jas de Bouffan, demeure entourée d'un parc, aux portes d'Aix, achetée en 1859 par son père. À Paris, il fréquente les impressionnistes, mais ne rencontre aucun succès. De retour à Aix, malgré les louanges de Monet, Manet, Sisley et surtout Pissarro, il s'affranchit assez vite de la « technique » mise au point par ses amis, pour travailler sur les couleurs (il ose des rapports jamais employés avant lui) et les volumes. Après un séjour à l'**Estaque** *(voir La Côte Bleue)*, qui sera pour lui une révélation, il connaîtra la (très tardive) consécration parisienne au Salon d'automne de 1904.

Circuit Paul-Cézanne

Mis en place par l'office de tourisme *(demander le dépliant)*, il permet de repérer en ville les lieux fréquentés par le peintre (comme sa **Maison natale**, au n° 28 de la rue de l'Opéra) et, dans les environs, les lieux de la campagne aixoise qui l'ont inspiré, en particulier la montagne **Sainte-Victoire** *(voir ce nom)*.

Atelier Paul Cézanne

9 av. Paul-Cézanne, au nord de la ville, par l'av. Pasteur. Parking 300 m au-dessus, puis chemin fléché jusqu'à l'atelier. ☎ *04 42 21 06 53 - www.atelier-cezanne.com - juil.-août : 10h-18h; avr.-juin et sept. : 10h-12h, 14h-18h; oct.-mars : 10h-12h, 14h-17h (dernière entrée 20mn av. fermeture) - fermé 1er janv., 1er Mai et 25 déc. - 5,50 € (gratuit jusqu'à 16 ans).*
Cézanne avait fait construire en 1897 ce pavillon d'architecture traditionnelle, entouré d'un jardin, où se déroulent désormais les Nuits des Toiles, *(voir « Événements » dans l'encadré pratique)*, dont les frondaisons colorées montent à l'assaut du 1er étage. C'est là, dans l'atelier des « Lauves », qu'il créa notamment *Les Grandes Baigneuses* et vécut jusqu'à sa mort, en 1906. Quelques souvenirs du peintre sont exposés dans l'atelier conservé en l'état.

👁 **Bon à savoir** – En 2006, deux nouveaux sites cézanniens ont ouvert leurs portes : les **carrières de Bibémus** (où Cézanne aimait peindre les gros rochers ocre) et le **Jas de Bouffan** (la bastide familiale). Les passionnés passeront outre les difficultés (sites excentrés, visites guidées uniquement) et réserveront à l'avance leurs places à l'office du tourisme d'Aix.

Se promener

LE VIEIL AIX★★

Compter 1/2 journée. Partir de la Rotonde, où s'élève une fontaine monumentale.

Cours Mirabeau★★ (D/E2)

L'art de vivre aixois… Vous le goûterez en premier lieu sous les superbes platanes du cours, vaste tunnel de verdure ponctué de fontaines, d'hôtels aux balcons sculptés par Pierre Puget (17e s.) ou ses disciples, mais aussi aux terrasses des cafés.

Hôtel d'Isoard de Vauvenargues – *Au n° 10.* Édifié vers 1710. Beau balcon en fer forgé et linteau à cannelures, théâtre d'un sanglant fait divers lorsque le marquis d'Entrecasteaux, président du Parlement, y assassina sa femme, Angélique de Castellane.

Hôtel de Forbin – *Au n° 20.* Édifié en 1656. Balcon orné de belles ferronneries.

Fontaine des Neuf Canons (D²) – *Au centre du cours.* Elle date de 1691.

Fontaine d'eau thermale (D) – La fontaine moussue (alimentée en eau chaude), que l'on rencontre à hauteur de la rue Clemenceau, date de 1734.

Hôtel Maurel de Pontevès – *Au n° 38.* Une annexe de la cour d'appel est venue se loger là où fut reçue en 1660 la Grande Mademoiselle, Anne-Marie de Montpensier.

Fontaine du roi René – Œuvre de David d'Angers (19e s.) : elle se dresse à l'extrémité du cours. Le roi y est représenté tenant à la main une grappe de raisin muscat, variété qu'il avait introduite en Provence.

Hôtel du Poët – Au bout du cours, sa façade à trois étages décorée de mascarons (1730) ferme la perspective.

Prendre la rue à droite de l'hôtel.

Rue de l'Opéra (E2)

Au n° 18, hôtel de Lestang-Parade (1650), au n° 24, hôtel de Bonnecorse, du 18e s., et au n° 26, hôtel de Grimaldi, bâti, dit-on, sur des dessins de Puget.

Revenir vers le théâtre du Jeu de Paume, en prenant à droite puis à gauche dans la rue Émeric-David.

Hôtel de Panisse-Passis (G²)

Au n° 16. Élevé en 1739; admirez le superbe portail.

Un détour à droite conduit devant l'imposante façade de l'**ancienne chapelle des Jésuites** puis dans la rue Portalis.

Hôtel de Panisse-Passis.

Gilles Magnin / MICHELIN

Église Sainte-Marie-Madeleine (E2)
Pl. des Prêcheurs. 8h30-11h30, 15h-17h - fermé les apr.-midi d'été et le dim. apr.-midi.
L'édifice (17e s.) abrite quelques œuvres intéressantes, en particulier une belle **Vierge★** en marbre de Chastel (18e s.) et, surtout, le volet central du **Triptyque de l'Annonciation★**, datant de 1445, attribué à Barthélemy d'Eyck.

Fontaine des Prêcheurs (D4)
Sur la place du même nom (Sade y fut pendu en effigie), elle est également l'œuvre de Chastel.

Au n° 2, remarquez les atlantes qui ornent le portail de l'**hôtel d'Agut** avant d'emprunter la rue Thiers où se dresse, au n° 2, l'**hôtel de Roquesante (G4)**, du 17e s.

La rue Thiers conduit en haut du cours Mirabeau dont on emprunte le trottoir de droite. Au n° 55, se distingue encore l'enseigne d'une **chapellerie** fondée en 1825 par le père de Cézanne.

Prendre la rue Fabrot à droite.

On entre ici dans le vieil Aix proprement dit. La rue Fabrot, piétonne et commerçante, mène à la place Saint-Honoré.

Prendre la rue Espariat.

Hôtel Boyer d'Éguilles (D2)
Au n° 6. Le Muséum d'histoire naturelle *(voir « Visiter »)* y est installé. Que vous le visitiez ou non, entrez dans la cour d'honneur par le portail à carrosses pour découvrir la façade de l'hôtel édifié en 1675, très probablement par Pierre Puget.

Place d'Albertas★ (D2)
Ouverte en 1745, il en émane un charme prenant, tant elle paraît hors d'atteinte des siècles. On y donne des concerts chaque été. Au n° 10, l'**hôtel d'Albertas**, édifié en 1707, a été décoré par le sculpteur toulonnais Toro.

Prenez à droite dans la rue Aude où l'**hôtel Peyronetti** (n° 13), de style Renaissance italienne, date de 1620, avant de poursuivre par la rue du Mar.-Foch qui conduit à la place de l'Hôtel-de-Ville. Au passage, remarquez les beaux atlantes de l'**hôtel d'Arbaud** (n° 7). Traversez ensuite la **place Richelme** que borde la façade sud de l'ancienne halle aux grains : à voir le matin, lorsqu'elle accueille le marché aux primeurs.

Place de l'Hôtel-de-Ville★ (D2)
Elle prend tout son éclat le samedi matin lorsque s'y tient le marché aux fleurs. L'**hôtel de ville (H)**, édifié de 1655 à 1670 par un architecte parisien, Pierre Pavillon, se signale par un balcon orné d'une belle ferronnerie et une magnifique grille d'entrée. **Cour★** pavée de galets, entourée de bâtiments à pilastres.

Au sud de la place, sur la façade de l'**ancienne halle aux grains**, un fronton sculpté (œuvre de Chastel) représente le Rhône et la Durance. Dans l'angle nord-ouest de la place, la **tour de l'Horloge**, ancien beffroi de la ville (16e s.), supporte à son sommet une cloche dans sa cage de ferronnerie où différents personnages marquent le passage des saisons.

Prendre la rue Gaston-de-Saporta, où, au n° 17, se trouve le musée du Vieil Aix (voir « Visiter »).

Sur la place des Martyrs-de-la-Résistance s'élève, au fond, l'**ancien archevêché** du 17e s., dont la cour accueille le Festival d'art lyrique et les bâtiments, le **musée des Tapisseries★** *(voir « Visiter »).*

Cloître Saint-Sauveur★ (D1)
Visite guidée - mai-oct. : tlj sf pdt offices 9h30-12h, 14h30-17h30 ; nov.-avr. : tlj sf pdt offices 10h-12h, 14h30-17h30.
Une merveille d'art roman dont on admirera la légèreté et l'élégance, due en particulier aux colonnettes jumelées et aux chapiteaux à feuillages ou historiés.

Cathédrale Saint-Sauveur★ (D1)
☎ 04 42 23 45 65 - tlj : 8h-12h, 14h-18h - visites guidées : 10h-12h, 15h-18h.
Par le cloître, on entre dans la nef romane de la cathédrale Saint-Sauveur où voisinent tous les styles, du 5e au 17e s. Le **baptistère★** d'époque mérovingienne fut bâti sur le forum romain.

À l'intérieur, vous pourrez admirer le merveilleux **Triptyque du Buisson ardent★★** *(en restauration jusqu'en 2008)*, désormais attribué à Nicolas Froment après l'avoir longtemps été au roi René lui-même. Ce dernier et la reine Jeanne sont représentés

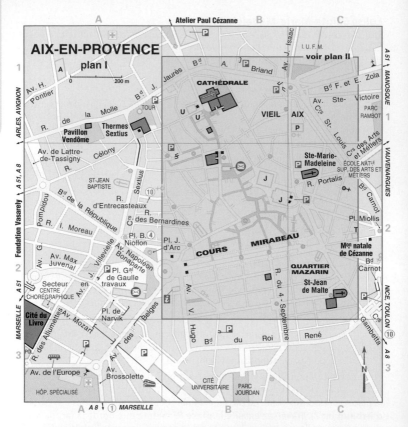

agenouillés de part et d'autre de la Vierge, qui, tenant l'Enfant, siège dans un buisson de feu : rappel de celui où Dieu apparut à Moïse, selon la Bible.

À noter également une peinture sur bois attribuée à l'atelier de Nicolas Froment, et les **vantaux★** en noyer sculptés de quatre prophètes et de douze sibylles païennes (masqués par de fausses portes) dus à Jean Guiramand.

En sortant, un coup d'œil sur la façade permet de voir un petit portail de style roman provençal *(à droite)*, une partie gothique flamboyante *(au centre)* et un clocher gothique *(à gauche)*.

Revenant à la place de l'Hôtel-de-Ville par les rues Vauvenargues, Méjanes, des Bagniers et Clemenceau, aussi étroites qu'animées, gagnez le cours Mirabeau où, au n° 19, l'**hôtel d'Arbaud-Jouques (E)** présente une façade finement décorée.

Après avoir traversé le cours, la rue Laroque puis, à gauche, la rue Mazarine donnent accès au **quartier Mazarin**, réalisé entre 1646 et 1651 par l'archevêque Michel Mazarin, frère du cardinal.

Quartier Mazarin★ (D/E2)

Hôtel de Marignane – *12 r. Mazarine.* Fin 17e s. Il fut le théâtre des douteux exploits du jeune **Mirabeau** : aussi désargenté que débauché, il séduit une riche héritière, Mlle de Marignane. Le mariage devient inévitable mais le beau-père coupe les vivres au jeune ménage. Mirabeau accumule les dettes chez les commerçants de la ville jusqu'à ce que ceux-ci le fassent interner au château d'If. Libéré, il séduit une femme mariée et s'enfuit avec elle. Convoqué à Aix en 1783 suite à la demande en séparation formulée par sa femme, il présente lui-même sa défense et sa prodigieuse éloquence lui fait gagner le procès en première instance !

Hôtel de Caumont – *3 r. Joseph-Cabassol.* Le conservatoire de musique et de danse Darius-Milhaud occupe une demeure de 1720, aux balcons et frontons superposés.

Fontaine des Quatre-Dauphins★ – Au centre d'une petite place carrée, cette œuvre charmante de J.-C. Ribaut (1667) est une des plus jolies fontaines d'Aix.

Église Saint-Jean-de-Malte – Au bout de la rue Cardinale, l'église St-Jean-de-Malte, élevée à la fin du 13e s., est le premier édifice gothique aixois. Si la façade offre un

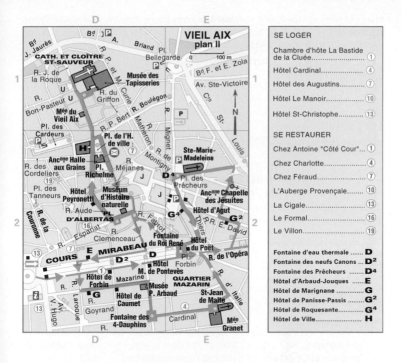

SE LOGER

Chambre d'hôte La Bastide de la Cluée........................ ①

Hôtel Cardinal.................... ④

Hôtel des Augustins............ ⑦

Hôtel Le Manoir................ ⑩

Hôtel St-Christophe........... ⑬

SE RESTAURER

Chez Antoine "Côté Cour".... ①

Chez Charlotte.................. ④

Chez Féraud.................... ⑦

L'Auberge Provençale........ ⑩

La Cigale...................... ⑬

Le Formal...................... ⑯

Le Villon...................... ⑲

Fontaine d'eau thermale ...... **D**
Fontaine des neufs Canons ... **D²**
Fontaine des Prêcheurs .... **D⁴**
Hôtel d'Arbaud-Jouques ......**E**
Hôtel de Marignane ....**G**
Hôtel de Panisse-Passis ....**G²**
Hôtel de Roquesante............**G⁴**
Hôtel de Ville.................. **H**

aspect sévère, à l'intérieur, la **nef★**, toute de simplicité et d'élégance, ne manque pas de charme. ℘ 04 42 38 25 70 - 9h-12h, 15h-19h.

L'ancien palais de Malte abrite le **musée Granet★** *(voir ci-dessous)*.

La rue d'Italie, sur la gauche, conduit au cours Mirabeau.

Visiter

Musée Granet★ (E2)

18 r. Roux-Alphéran - ℘ 04 42 52 87 80 - se renseigner pour les horaires.

Après avoir été fermé durant cinq ans pour rénovation, le musée Granet renaît. Le bâtiment du 17ᵉ s. a conservé son élégance intemporelle. À l'intérieur, les dernières techniques de muséographie ont été appliquées pour mettre en valeur la collection de peintures provenant de divers legs, dont celui du peintre aixois **François-Marius Granet** (1775-1849), et la section archéologique présentant les vestiges de l'époque romaine *(voir Oppidum d'Entremont dans « Circuits de découverte »)*.

On s'attardera devant les primitifs avignonnais (volets du *Triptyque de la reine Sanche*, de Matteo Giovanetti, le peintre du palais des Papes), italiens et flamands avant d'aborder les œuvres des grandes écoles européennes du 16ᵉ au 19ᵉ s. Pour l'école française, Philippe de Champaigne, Le Nain, Rigaud, Largillière, Greuze, Géricault, ainsi que des tableaux de l'école provençale avec en particulier Loubon, Achille Emperaire et **Cézanne**, dont on ne manquera pas la *Nature morte* (1865), *La Femme nue au miroir* (1872), ni *Les Baigneuses* (1895). Parmi les autres écoles, œuvres de Guerchin, Rubens et de l'école de Rembrandt. En 2000 est arrivée une collection de 71 pièces en dépôt de l'État, signées Giacometti, Picasso, Nicolas de Staël, Paul Klee ou Mondrian.

Musée des Tapisseries★ (D1)

24 pl. des Martyrs-de-la-Résistance. ℘ 04 42 21 05 78 - tlj sf mar., se renseigner pour les horaires- fermé 1ᵉʳ et 2 janv., 1ᵉʳ Mai, 25 et 26 déc. - 2,50 € (enf. gratuit).

Bel ensemble de 19 tapisseries exécutées à Beauvais aux 17ᵉ et 18ᵉ s., et les 9 célèbres panneaux de la vie de Don Quichotte d'après des cartons de Natoire.

Fondation Vasarely★

1 av. Marcel-Pagnol. ℘ 04 42 20 01 09 - www.fondationvasarely.fr - ♿ - tlj sf dim. et j. fériés 10h-18h (dernière entrée 30mn av. fermeture) - 7 € (enf. 4 €).

Située à 2,5 km à l'ouest, sur la colline du Jas de Bouffan, là où se trouvait la propriété de Cézanne que Vasarely admirait. Elle propose, dans une architecture résolument moderne (16 structures hexagonales dont les sobres façades sont décorées de cercles blancs et noirs alternés), une suite de 42 « intégrations monumentales » de Victor Vasarely (1906-1997), illustrant ses recherches sur les déviations linéaires (à partir de 1930) puis sur la lumière et l'illusion de mouvement (dès 1955).

Muséum d'histoire naturelle (D2)

6 r. Espariat. 𝄞 *04 42 27 91 27 - www.museum-aix-en-provence.org - tlj sf mar. 10h-12h, 13h-17h - vac. scolaires : tlj 10h-12h, 13h-17h - fermé 1er janv., 1er Mai et 25 déc. - 2,50 € (-25 ans gratuit).*

Belles portes du 17e s., peintures et sculptures offrent un cadre remarquable et valent à elles seules la visite de ces collections de paléontologie générale et provençale. 🚹🚹 Les **œufs fossiles** de dinosaures, retrouvés sur les flancs de la Sainte-Victoire, sont présentés ici.

Musée du Vieil Aix (D1)

17 r. Gaston-de-Saporta. 𝄞 *04 42 21 43 55 - avr.-oct. : tlj sf lun. 10h-12h, 14h30-18h ; nov.-mars : tlj sf lun. 10h-12h, 14h-17h - fermé j. fériés - 4 € (enf. - 14 ans gratuit).*

Les férus d'histoire locale apprécieront les marionnettes évoquant les « crèches parlantes » et les processions de la Fête-Dieu, la collection de faïences de Moustiers et de santons.

Musée bibliographique et archéologique Paul-Arbaud (D2)

2A r. du Quatre-Septembre - 𝄞 *04 42 38 38 95 - tlj sf dim., lun. et j. fériés 14h-17h - 3 € (enf. 1,50 €).*

Installé dans un hôtel de la fin du 18e s., il présente une collection de faïences régionales ainsi que des livres relatifs à la Provence.

Thermes Sextius (A1)

Même si vous n'avez pas réservé une journée de soins aux **thermes Sextius** *(voir l'encadré pratique),* vous pourrez jeter un œil dans le grand hall : vous y verrez les vestiges d'une piscine thermale datant de l'époque romaine.

Pavillon Vendôme (A1)

32 r. Célony/13 r. de la Molle - 𝄞 *04 42 21 05 78 - tlj sf mar., se renseigner pour les horaires - fermé 1er et 2 janv., 1er Mai, 25 et 26 déc. - 2,50 € (enf. gratuit).*

Maison de campagne construite en 1665 pour le cardinal de Vendôme par Pierre Pavillon et A. Matisse. Ce bel édifice abrite une collection de meubles et d'objets d'art provençaux. L'ensemble donne une idée de ce qu'était l'intérieur d'un hôtel aixois au 18e s. Le jardin à la française convie à une agréable promenade.

Circuits de découverte

LA SAINTE-VICTOIRE★★★

Circuit de 74 km. Voir ce nom.

VALLÉE DE L'ARC

56 km – environ 3h. Quitter Aix au sud en direction de Marseille, jusqu'aux Milles.

Site-mémorial des Milles

2 r. A.-Duberc. 𝄞 *04 42 24 33 02 - lun.-vend. 9h-12h, 12h45-17h - fermé j. fériés - gratuit.*

Cette ancienne tuilerie, grande bâtisse de brique rouge, a été le seul camp français à la fois d'internement, de transit et de déportation pendant la Seconde Guerre mondiale. Les artistes et intellectuels allemands réfugiés à Sanary-sur-Mer *(voir Le Guide Vert Côte d'Azur)* qui n'eurent pas la chance de s'enfuir au moment de l'armistice passèrent par là. Peintures murales et souvenirs des internés entretiennent la mémoire.

Rejoindre la D 7 en direction de Gardane, puis suivre la N 8 jusqu'à Bouc-Bel-Air.

Jardins d'Albertas★

Lieu-dit La Croix-d'Or. 𝄞 *04 42 22 29 77 - www.jardinsalbertas.com - juin-août : 15h-19h ; mai et sept.-oct. : w.-end et j. fériés 14h-18h - 3,50 € (enf. -7 ans gratuit)*

Ce jardin de 8 ha, aménagé en 1751 par le marquis d'Albertas, marie harmonieusement les traditions italienne (terrasses, statues dans le goût antique, grotte artificielle), française (parterres, canal et perspective) et provençale (rangée de platanes).

Au lieu-dit San Baquis, tourner à droite dans la D 60A.

Cabriès

Cabriès est un joli village en hauteur. On accède à son château par la porte de l'horloge et un lacis de ruelles tracées à l'intérieur de ce qui était autrefois l'enceinte du village. Le château abrite le **musée Edgar-Mélik** (1904-1976) consacré à ce peintre méconnu qui fréquenta les artistes de Montparnasse avant de venir s'installer ici dans les années 1940. Ses œuvres, parfois peintes à même les murs, dans des tons chaleureux de jaune, orange et rouge, se rapprochent de l'expressionnisme. Au sous-sol, quelques pièces archéologiques. *℘ 04 42 22 42 81 - www.musee-melik.com - tlj sf mar. 10h-12h, 14h-17h, dim. 14h-18h. - fermé janv., 1er Mai, 14 Juil. et 25 déc. - 4,60 € (- 18 ans gratuit).*

Par la D 8, rejoindre la D 543 et, à Calas, prendre à gauche la D 9B puis la D 9.

Après avoir longé le **réservoir du Réaltor**, belle nappe d'eau de 58 ha entourée d'une abondante végétation, prenez à droite la D 65D qui franchit le canal de Marseille.

Après la Mérindolle, tourner à gauche.

Aqueduc de Roquefavour★

Construit de 1842 à 1847 par l'ingénieur de Montricher pour permettre au canal de Marseille de franchir la vallée de l'Arc, cet aqueduc, long de 375 m et haut de 83 m (contre 275 m et 49 m pour le pont du Gard) s'étage sur trois niveaux : le dernier, qui porte la canalisation conduisant à Marseille les eaux de la Durance, est soutenu par 53 arceaux.

On peut, en suivant sur 2,1 km un chemin non revêtu à droite *(direction de Petit Rigouès)* puis, en prenant de nouveau à droite vers la maison du garde, s'avancer jusqu'à la crête de l'ouvrage, que la canalisation franchit à ciel ouvert.

Revenir sur la D 64 et tourner à droite.

Ventabren

Petit village aux ruelles pittoresques dominé par les ruines du château de la reine Jeanne. Du pied des ruines *(emprunter la rue du Cimetière)*, vue sur l'étang de Berre, Martigues et la trouée de Caronte, la chaîne de Vitrolles.

Par la D 64A, rejoindre la D 10 à droite, puis tourner à gauche dans la D 543.

Éguilles

Dominant la vallée de l'Arc, le village, semé de vieux lavoirs, est situé sur la voie Aurélienne, devenue la D 17. Bel hôtel de ville, ancienne demeure des Boyer d'Éguilles. Depuis l'esplanade, vue sur la chaîne de l'Étoile et la plaine aixoise où se faufile la ligne du TGV Méditerranée.

Quitter Éguilles au nord-est par la D 63, puis tourner à droite dans la D 14 et prendre à gauche le chemin qui conduit au plateau d'Entremont.

Les Salyens

Peuple celto-ligure, les Salyens occupaient au 3e s. av. J.-C. la basse Provence occidentale et avaient fixé leur capitale à l'oppidum d'Entremont. Si les fouilles révèlent une civilisation urbaine évoluée, cette urbanité n'allait pas sans une certaine rudesse : témoin, leur usage, rapporté par le naturaliste romain Strabon, de couper la tête de leurs ennemis et de la suspendre à l'encolure de leurs chevaux pour la rapporter chez eux et la clouer dans leur entrée en guise de trophée. Les Massaliotes, que ces rudes voisins gênaient dans leurs opérations commerciales, firent appel aux Romains en 124 av. J.-C. Sous la direction du consul Sextius, ceux-ci réduisirent les Salyens en esclavage, détruisirent la ville et fondèrent un camp non loin des sources thermales, Aquae Sextiae : Aix allait pouvoir naître.

Oppidum d'Entremont

℘ 04 42 21 97 33 - fév.-oct. : 9h-12h, 14h-17h30 ; nov.- janv. : 9h-12h, 14h-17h - fermé mar., 1er janv., 1er et 8 Mai, 1er et 11 Nov., 25 déc. - gratuit.

Cette ville forte des Salyens était protégée par des escarpements naturels et, au nord, par un rempart aux fortes courtines renforcées de tours. Entre deux tours du rempart s'élevait un portique où, suppose-t-on, les Salyens exposaient les crânes de leurs ennemis.

À l'intérieur, une première ville, la « ville haute » se trouvait elle-même isolée par une fortification. La « ville basse » semble avoir été un quartier artisanal, comme en témoignent des restes de fours et de pressoirs à huile.

Les **fouilles** ont permis de retrouver un abondant matériel attestant d'un niveau de développement assez élevé et des traces de sa destruction par les Romains, notamment des boulets de pierre. La statuaire d'Entremont est exposée au musée Granet *(voir « Visiter »).*

Aix-en-Provence pratique

Adresse utile

Office du tourisme d'Aix-en-Provence – *2 pl. du Gén.-de-Gaulle - 13100 Aix-en-Provence -* ✆ *04 42 16 11 61 - www.aixenprovencetourism.com - 8h30-19h, dim. 10h-13h, 14h-18h. Juil.-août : du lun. au sam. : 8h30-21h.*

Transport

En train – Aix-en-Provence est desservi par le TGV Méditerranée (2h50 depuis Paris). La gare TGV est éloignée du centre-ville (12 km au sud-ouest) mais des navettes circulent *(de 5h50 à 23h50)*. Le **TER** relie Marseille à Aix-en-Provence en 45mn.

Visites

Visites guidées de la ville – *Renseignements à l'office de tourisme ou sur www.aixenprovencetourism.com.* Aix, qui porte le label **Ville d'art et d'histoire**, propose des visites-découvertes (2h) animées par des guides-conférenciers agréés par le ministère de la Culture et de la Communication.

Circuits thématiques – *Renseignements à l'office de tourisme.* Circuit pédestre Cézanne *(de mi-mai à mi-oct. : jeu. 10h).* Circuit commenté des bastides et jardins du pays d'Aix *(mai-juil. : lun. 14h-19h),* dans les vallées de l'Arc et des Pinchinats.

Allo Visite – *Renseignements à l'office de tourisme.* Laissez votre téléphone mobile vous faire découvrir la ville ! Un circuit dans le vieil Aix, en 6 étapes et autant de commentaires de 3 à 4mn chacun. Une manière, certes un peu chère mais très pratique, de visiter à votre rythme, au moment où vous le désirez.

Visa pour Aix et le pays d'Aix – La carte Visa (2 €), vendue dans les musées et les différents offices de tourisme participant à l'opération, donne droit à des tarifs réduits pour de nombreuses prestations : bus, visites guidées, musées, etc.

Se loger

👁 **Bon à savoir** – Au sein de l'office de tourisme d'Aix, une centrale de réservation permet de retenir un hébergement (sans frais supplémentaires). ✆ *04 42 16 11 84/85 - resaix@aixenprovencetourism.com - www.aixenprovencetourism.com*

😊😊 **Hôtel Cardinal** – *24 r. Cardinale -* ✆ *04 42 38 32 30 - hotel.cardinal@ wanadoo.fr - 29 ch. 58/100 € -* ⌑ *8 €.* Dans un immeuble du 18e s., au calme en plein quartier Mazarin, aménagé avec goût, mariant l'élégance d'hier au confort d'aujourd'hui. Son emplacement est parfait pour découvrir la ville à pied et oublier sa voiture (parking Mignet : 7 €/j).

😊😊 **Hôtel Le Manoir** – *8 r. d'Entrecasteaux -* ✆ *04 42 26 27 20 - www.hotelmanoir.com - fermé 7-30 janv. -* 🅿 *- 40 ch. 75/85 € -* ⌑ *9 €.* Belle construction ancienne, naguère fabrique de chapeaux. Un élément de cloître du 14e s. y est annexé ; aménagé en terrasse d'été, il procure une atmosphère unique. Préférez les chambres rénovées, les autres offrent en effet un décor un tantinet désuet.

😊😊 **Chambre d'hôte La Bastide de la Cluée** – *Près du bourg - 13480 Cabriès - 8 km au SO d'Aix-en-Provence par N 8 -* ✆ *04 42 22 59 00 - bastide.cluee@ wanadoo.fr -* 🍽 *- 5 ch. 70/78 € -* ⌑ *- repas 22 €.* Parmi les plus anciennes du quartier résidentiel, cette maison du 19e s. abrite 4 chambres très personnalisées. L'indienne mise sur l'évasion, tandis que la provençale se cantonne à des atours plus locaux, mais tout aussi charmants. Terrasse ombragée et agréable piscine.

😊😊😊 **Hôtel St-Christophe** – *2 av. Victor-Hugo -* ✆ *04 42 26 01 24 - www.hotel-saintchristophe.com - 47 ch. 89/100 € -* ⌑ *9,50 €.* Une situation de choix pour cet hôtel aménagé en plein centre-ville, à deux pas du célèbre cours Mirabeau. Les chambres, de bon confort, présentent un cadre provençal ou de style années 1930.

😊😊😊 **Hôtel des Augustins** – *3 r. Masse -* ✆ *04 42 27 28 59 - www.hotel-augustins.com - 29 ch. 97/240 € -* ⌑ *10 €.* Voûtes de pierres et vitraux rappellent que cet hôtel situé à deux pas du cours Mirabeau a été aménagé dans un couvent du 15e s. Chambres de style moderne. Deux d'entre elles sont dotées d'une terrasse donnant sur les toits.

Se restaurer

⊖ **La Cigale** – *48 r. Espariat -* ✆ *04 42 26 20 62 - fermé 24 déc.-5 janv. et dim. sf en été - 12/21 €.* Outre la pizza maison préparée et cuite en salle dans le four à bois, la Cigale propose un choix intéressant de recettes classiques et d'inspiration méridionale. Le tout servi dans un cadre entièrement rénové, chaleureux grâce aux pigments de Roussillon dont sont peints les murs, ou en terrasse par beau temps. Prix calculés au plus juste et accueil des plus aimables.

⊖ **Chez Charlotte** – *32 r. des Bernardines -* ✆ *04 42 26 77 56 - fermé août, dim. et lun. -* 🍽 *- 13/16 €.* On entre par un salon intime que les photos de famille ont teinté de nostalgie. La salle principale est dédiée au cinéma. L'été, c'est dans la petite cour sous le figuier que l'on s'installe. Cuisine traditionnelle simple suivant les saisons. Le patron ne laisse pas indifférent.

Le Villon – *14 r. du Félibre-Gaut -
04 42 27 35 27 - fermé dim. - formule déj.
et dîner 12 € - 14/23 €.* Ne vous laissez pas
décourager par la devanture peu
engageante et la salle un brin sombre.
Au-delà, vous découvrirez un petit
restaurant très sympathique, proposant
des formules qui ravissent autant les
papilles que le porte-monnaie. Assiettes
copieuses et desserts incontournables.
Bon accueil.

Chez Féraud – *8 r. du Puits-Juif -
04 42 63 07 27 - marcferaud@cegetel.net -
fermé août, dim. et lun. - 22/26 €.* Dissimulée
dans une ruelle du vieil Aix, sympathique
adresse familiale recelant un puits du 12e s.
Cuisine provençale (pistou, daube) et
grillades préparées en salle.

L'Auberge Provençale – *N 7 -
Au Canet - 13590 Meyreuil - 04 42 58
68 54 - www.auberge-provencale.fr -
fermé 4-21 juil., 24-28 déc., mar. sf le midi
de sept. à juin et merc. - 23/46 €.* Étape
gourmande en bordure de la mythique
N 7 dans cet ex-relais de poste au plaisant
décor rustico-méridional et à la cuisine
inspirée du répertoire régional : fleurs
de courgettes farcies, pieds-paquets,
dessert au calisson d'Aix… Riche carte
des vins.

Le Formal – *32 r. Espariat -
04 42 27 08 31 - fermé 1er-9 janv.,
23 avr.-8 mai, 24 sept.-9 oct., sam. midi,
dim. et lun. - 21 € déj. - 29/44 €.* Ces caves
voûtées du 15e s., agrémentées d'une
collection de tableaux contemporains,
servent de cadre à une cuisine inventive
bien tournée. Accueil et service
attentionnés.

Chez Antoine « Côté Cour » –
*19 cours Mirabeau - 04 42 93 12 51 -
fermé 25 et 26 déc., lun. midi et dim. -
30/45 €.* En retrait du cours Mirabeau,
dans un patio-véranda lumineux
agrémenté de plantes vertes. Toutes
les saveurs provençales et italiennes
sont au rendez-vous. Goûtez aux
aubergines à la parmesane et aux
calamars farcis.

En soirée

Café des Deux Garçons – *53 cours
Mirabeau - 04 42 26 00 51 -
www.les2garcons.com - 7h-1h.* Cette
célèbre brasserie (Cézanne et Zola
fréquentèrent la maison) est une escale
touristique à elle seule tant il est vrai
que le décor du 18e s. tout en dorures,
frises et boiseries vaut le coup d'œil.
Terrasse très agréable et luxueux
piano-bar à l'étage.

Château de la Pioline – *260 r. Guillaume-
du-Vair, Les Milles - 04 42 52 27 27 -
www.chateaudelapioline.fr - 24h/24h ;
fermé w.-end de nov. à mars.* Le bar de cet
hôtel datant du 16e s. arbore de superbes
décors à l'image des salons Médicis et
Louis XVI. Aux beaux jours, profitez
de la large terrasse tournée vers un
jardin à la française de 4 ha.

Que rapporter

Marchés – Marché traditionnel tous les
matins pl. Richelme ; mardi, jeudi et
samedi pl. des Prêcheurs et pl. de la
Madeleine. Marché aux fleurs mardi, jeudi
et samedi pl. de l'Hôtel-de-Ville. Brocante
mardi, jeudi et samedi pl. Verdun.

Antiquités – Foires à la brocante, sur le
cours Mirabeau, à différentes périodes
de l'année et salon des antiquaires en
novembre.

Artisanat – Potiers, céramistes, tisserands,
vanniers et orfèvres s'installent sur le cours
Mirabeau : à la fin mars, mi-mai, mi-juin,
mi-octobre et mi-novembre.

Calissons du Roy René – *10 r. Clemenceau -
04 42 26 67 86 - www.calisson.com -
boutique : tlj sf dim. 8h-12h, 12h30-19h,
sam. 10h-12h, 14h-19h - fermé j. fériés.* Faites
provision des incontournables calissons
et autres douceurs provençales (nougats
blancs, noirs et aux fruits) dans cette jolie
boutique tenue par la même famille depuis
1920. Possibilité de visiter la fabrique
(sur rendez-vous).

Léonard Parli – *35 av. Victor-Hugo -
04 42 26 05 71 - www.leonard-parli.com -
tlj sf dim. 9h-12h30, 14h30-19h - fermé 1er
et 8 Mai.* Ne quittez pas Aix sans faire
un détour chez ce confiseur, véritable
ambassadeur gourmand de la ville depuis
1874. Léonard Parli n'est pas l'inventeur du
calisson, mais il a largement contribué à
son renouveau et continue à le fabriquer de
façon artisanale. Découvrez également ses
autres spécialités : fruits confits, pâtes de
fruits, pralines, nougats, sans oublier les
fameux biscotins.

Maison L. Béchard – *12 cours Mirabeau -
04 42 26 06 78 - bechard-aix@wanadoo.fr -
tlj sf lun. 9h-19h, w.-end 8h-19h - fermé 2 sem.
en fév. et 2 sem. en août.* Une institution à
Aix-en-Provence… Cette maison a fêté ses
100 ans en 2001 et n'a rien perdu de son
charme. Les serveuses portent toujours en
tablier blanc et les gourmandises exposées
sont très appétissantes. Deux spécialités : les
calissons et les biscotins (noisettes enrobées
d'une pâte fine). Également, rayon traiteur.

Fruidoraix – *295 r. Agate, pôle
d'activité les Valades - 13510 Éguilles -
04 42 52 51 80 - www.fruidoraix.com -
tlj sf w.-end. 8h-13h, 14h-17h.* Les enfants
adorent cette boutique. Et pour cause !
Les sucettes en sucre cuit à l'ancienne
fascinent : multicolores, elles prennent la
forme d'une fleur, d'un papillon… Créée
en 1880 et tenue par la même famille
depuis quatre générations, la maison est
aussi connue pour ses nougats, calissons
et Chocorines (pâte de noisettes grillées
enrobées de chocolat).

Château de la Gaude – *Rte des
Pinchinats - 04 42 21 64 19 - tlj sf dim.
9h-12h, 15h-18h (avr.-sept. : 19h) - fermé
j. fériés.* Pour flâner dans les jardins du
château 18e s. et goûter un vin classé AOC
coteaux-d'aix.

Liquoristerie de Provence – *36 av. de la Grande-Bégude - Aix-en-Provence, prendre dir. Gap / Sisteron, puis la sortie n° 13 Venelles - 13770 Venelles - ☎ 04 42 54 94 65 - www.versinthe.net - tlj sf dim. 9h-12h45, 14h-18h, sam. 9h-13h, 14h30-18h30 - fermé j. fériés.* Adresse précieuse que cette boutique dédiée aux apéritifs et liqueurs de Provence. La liquoristerie s'est illustrée dès son ouverture, en 1999, par la réintroduction de l'absinthe qu'elle a rebaptisé Versinthe. Visite et dégustations gratuites.

Santons Fouque – *65 cours Gambetta - A 8, sortie Aix 3 Sautets - ☎ 04 42 26 33 38 - www.santons-fouque.com - tlj sf dim. 9h-12h, 14h-18h - fermé dim. sf en déc. et j. fériés.* Depuis quatre générations, la famille Fouque perpétue son savoir-faire et réalise toujours artisanalement ses santons. Cette maison a donné naissance à près de 1 800 modèles dont le fameux Coup de Mistral, berger plié sous la bourrasque. Visite gratuite de l'atelier et du jardin (crèche en plein air).

Cité du Livre – *8-10 r. des Allumettes - ☎ 04 42 91 98 88 - www.citedulivre-aix.com - tlj sf dim. et lun. 12h-18h (merc., sam. 10h).* Cette cité propose un ensemble de services qui ne peuvent que réjouir les littéraires dont la superbe bibliothèque Méjanes, installée dans une ancienne fabrique d'allumettes de la fin du 19e s. Nombreuses manifestations culturelles.

Sports & Loisirs

Golf – *CD 9 - ☎ 04 42 24 20 41.* Parcours de 18 trous sur la zone d'activité des Milles.

Thermes Sextius – *55 av. des Thermes - ☎ 04 42 23 81 82 - www.thermes-sextius.com - tlj sf dim. 8h30-19h30, sam. 8h30-13h30, 14h30-18h30 - fermé 25 déc.* Les Thermes utilisent les eaux minérales chaudes d'Aix (36 °C) pour divers soins : bain hydromassant, application de boue, douche au jet, soins esthétiques, etc. Forfaits à l'heure, à la demi-journée ou à la journée. Espace « forme et détente » avec sauna, hammam, jacuzzi, piscine d'été, cardio-training et gymnastique.

Événements

Foire aux santons – Décembre sur le parking av. Victor-Hugo.

Festival d'art lyrique et de musique – *Rens. et rés. : r. Gaston-de-Saporta - 13100 Aix-en-Provence - ☎ 04 42 17 34 34 - www.festival-aix.com.* Créé en 1948 par Gabriel Dussurget, ce prestigieux festival se tient chaque été en juillet dans la cour de l'archevêché transformée en théâtre, au théâtre du jeu de Paume, au Grand St-Jean et à l'hôtel Maynier-d'Oppède. Le programme, axé sur les grandes œuvres lyriques, avec une coloration très mozartienne, fait aussi la part belle à l'opéra baroque et à la musique contemporaine.

Nuit des Toiles – Parcours nocturne en images, son et lumière dans les jardins de l'atelier Cézanne en juillet-août.

Festival des Vins et Coteaux d'Aix – Dernier dim. de juil., cours Mirabeau.

Journées des Plantes rares et méditerranéennes – Dernier week-end de mai, dans les jardins d'Albertas à Bouc-Bel-Air.

CHAÎNE DE L'ÉTOILE

55 km au départ d'Aix – environ 2h.

On la nomme ainsi à Marseille parce qu'à la tombée du jour, l'étoile du Berger semble suspendue au-dessus du sommet de la tête du Grand Puech… mais c'est par analogie avec le mot *estèu* qui, en provençal, désigne une pointe rocheuse. La chaîne de l'Étoile appartient aux « petites Alpes de Provence », appellation qui paraîtra sans doute bien présomptueuse aux alpinistes confirmés. Bien que son altitude ne soit pas très élevée, la chaîne de l'Étoile, qui sépare le bassin de l'Arc au nord et celui de l'Huveaune à l'est, prolongement de la chaîne de l'Estaque, offre des vues spectaculaires sur la plaine de Marseille.

👁 **Bon à savoir** – Si vous suivez nos escales, une demi-journée suffira à peine à explorer ce coin méconnu de Provence, commodément situé entre Marseille et Aix.

Quitter Aix par le sud-est (D 58ᴴ), puis poursuivre sur la D 58 en direction de Gardanne.

Gardanne

Cézanne a peint cette bourgade dominée par trois moulins du 16e s., avant qu'elle ne devienne, à la fin du 19e s., une cité minière (charbonnages et traitement de la bauxite). Aujourd'hui, la mine a rendu son dernier souffle et la ville est en pleine mutation. Venez vous mêler à l'animation des jours de marché (vendredi et dimanche), lorsque les étals envahissent le **cours Forbin** et **le cours de la République**, formant l'un des marchés les plus courus de la région, l'un des rares organisé le dimanche. Partez ensuite à la découverte du centre ancien en flânant au petit bonheur dans les ruelles ou en suivant le parcours Cézanne *(mis en place par l'office de tourisme, compter 1h30).*

Écomusée de la Forêt méditerranéenne – *Chemin de Roman (au nord-ouest de Gardanne, sur la D 7 en direction d'Aix et de Valabre).* ☏ 04 42 65 42 10 - www.institut-foret.com - & - *juil.-août : 10h-13h, 13h30-18h45 ; sept.-juin : 9h-12h30, 13h-17h45 - fermé sam., 15 août-5 sept., 1er janv. et 25 déc. - 5,30 € (enf. 3 €).*

👥 Il a pour vocation de présenter les mesures de protection et de valorisation de la forêt méditerranéenne. Espace interactif, on y découvre les plantes et les animaux de Provence, ainsi que les vieux métiers et le travail du bois. Dix salles thématiques, des expositions et, à l'extérieur, 13 ha de forêt aménagés en sentiers de découverte, parcours botaniques et aires de jeux.

🚶 *3h. Du parking de l'Écomusée par le sentier du* **mur de Gueydan** *(informations à l'office de tourisme).*

Toujours sur la D 7, après l'écomusée de la Forêt, on pourra voir le **pavillon de chasse du roi René** : une bastide carrée flanquée de quatre tours rondes et construite au 16e s… et qui n'a donc jamais accueilli le bon roi !

Revenir au centre-ville de Gardanne et suivre la direction de Gréasque, par la D 46A.

Pôle historique minier de Gréasque

Parking à l'entrée. ☏ 04 42 69 77 00 - www.poleminier.com - & - *visites guidées uniquement (env. 1h30) : 9h45, 10h45, 14h15, 15h15, 16h15, 17h - fermé mar., 20 déc.-15 janv., 1er Mai - 4,60 €.*

👥 Installé sur une ancienne mine de charbon, ce musée inhabituel révèle un visage méconnu de la Provence : son bassin minier, qui a compté 51 puits à son apogée. Celui-ci a été restauré, coiffé d'un imposant chevalement rappelant qu'ici ont travaillé jusqu'à 300 mineurs, entre 1922 et 1960. Des reconstitutions restituent le quotidien du mineur provençal et les évolutions de son métier à travers les époques.

Continuer vers le sud sur la D 46A ; 4 km plus loin, prendre à droite vers la Valentine pour rejoindre la D 8. Tourner à droite en direction de Gardanne, puis à gauche après 3 km.

Mimet

Avec son vieux centre perché à 500 m d'altitude, Mimet est le plus « haut » village des Bouches-du-Rhône. Le quartier ancien mérite le coup d'œil, pour ses agréables ruelles et sa terrasse, d'où la **vue**★ s'étend sur la vallée de la Luynes, Gardanne et ses hauts fourneaux.

Revenir sur la D 8 et suivre la D 7 (direction Gardanne) pour rejoindre ensuite la N 8 qui ramène à Aix.

Chaîne de l'Étoile pratique

Adresse utile

Office du tourisme de Gardanne – *31 bd Carnot - 13120 Gardanne - ☏ 04 42 51 02 73 - www.ville-gardanne.fr - tlj sf dim. et lun. 9h30-12h, 14h-18h ; juil.-août : 9h30-12h, 14h30-18h30.*

Se restaurer

🍴 **La Grignote** – *22 r. Mignet - 13120 Gardanne - ☏ 04 42 58 30 25 - lagrignote2@wanadoo.fr - fermé 1er- 15 août - 13 €.* Ce restaurant situé à deux pas du cours Forbin vous propose une cuisine traditionnelle. Salle à manger climatisée et terrasse d'été ombragée.

🍴 **La Table de Muriel** – *42 r. Jean-Jaurès - 13120 Gardanne - près des gares SNCF et routière - ☏ 04 42 58 14 60 - fermé août, sam. midi, dim. et lun. - 13 € déj. - 18,50/25 €.* Derrière une façade sans attrait particulier se cache un restaurant qui, jusque dans sa décoration, semble rendre hommage à la Provence et à la Méditerranée. En cuisine, les spécialités locales se teintent de saveurs

arméniennes, pour le plus grand bonheur des habitués.

🍴🍴 **Hostellerie du Puech** – *8 r. St-Sébastien - 13105 Mimet - ☏ 04 42 58 91 06 - fermé dim. soir et lun. - 19,50/30 €.* Ce restaurant situé au cœur du vieux village de Mimet sert des spécialités… florentines ! Beau choix de pâtes sur la carte. L'une des salles à manger ménage une vue imprenable sur le Pilon du Roi.

Que rapporter

Savonnerie du Pilon du Roi – *62 av. de Nice - 13120 Gardanne - ☏ 04 42 58 36 64 - ouv. merc.-sam. 9h-12h, 14h30-18h30.* Des savons, des parfums, des huiles essentielles, le tout au naturel !

Sports & Loisirs

Sentiers balisés – Vous croiserez de nombreux randonneurs dans les villages de Mimet, Simiane-Collongue (7 km à l'Ouest) et Cadolive (5 km à l'Est), principaux points de départs des randonnées dans la chaîne de l'Étoile.

Les Alpilles★★

CARTE GÉNÉRALE B3 – CARTE MICHELIN LOCAL 340 D3-E3 – BOUCHES-DU-RHÔNE (13)

Entre Arles et Avignon, des crêtes d'une incroyable blancheur se découpent sur un ciel d'un bleu intense. S'y mêlent les verts sombres des pins et des cyprès, délavés, des garrigues brûlées par le soleil, argentés, des feuilles d'oliviers. Les villages ont des senteurs de thym, de romarin et de lavande. Entre les vignes et les moulins à huile, les marchés colorés exhalent tous les parfums de Provence. Au delà de l'art de vivre apparaît une terre pétrie d'histoire, où Frédéric Mistral voyait un « véritable belvédère de gloire et de légendes ».

« La chaîne des Alpilles ceinturée d'oliviers comme un massif de roches grecques (F. Mistral) ».

▷ **Se repérer** – Cette chaîne calcaire est le prolongement géologique du Luberon. Elle se divise en Alpilles des Baux à l'ouest, et Alpilles d'Eygalières à l'est ; en son centre, elle domine Saint-Rémy-de-Provence.

👁 **À ne pas manquer** – Le moulin de Fontvieille, rendu célèbre par A. Daudet ; le tour des moulins d'huile d'olive, producteurs de la fameuse AOC « Vallée des Baux » ; en décembre, les marchés de Noël de Mouriès, Maussane et Eyguières.

🕐 **Organiser son temps** – L'idéal serait de consacrer deux à trois jours à la découverte de cette micro région, en particulier à la période de Noël. Si vous n'avez qu'une journée, flânez dans deux ou trois villages. Savourer l'art de vivre est ici sans doute plus important que de tout voir.

👫 **Avec les enfants** – La Petite Provence du Paradou, où les santons illustrent le quotidien d'antan ; le musée des Santons animés à Maussane-les-Alpilles ; le train des Alpilles, qui musarde entre Arles et Fontvieille *(voir l'encadré pratique)*.

👣 **Pour poursuivre la visite** – Voir aussi Les Baux-de-Provence et Saint-Rémy-de-Provence ; pour approfondir vos connaissances sur l'huile d'olive, voir aussi Nyons.

Circuits de découverte

LES ALPILLES DES BAUX★★ 1

40 km - environ 4h. Circuit au départ de Saint-Rémy-de-Provence.

Saint-Rémy-de-Provence★ *(voir ce nom)*

Quitter Saint-Rémy sur le côté gauche de la place de la République par le chemin de la Combette qui devient, après un virage à droite, le Vieux Chemin d'Arles. Après 3,8 km (à un stop), tourner à gauche dans la D 27 (signalisée « Les Baux »).

Juste avant le haut de la côte, sur la gauche, une route revêtue tracée en corniche permet d'aller contempler le **panorama★★★** des Baux (table d'orientation).
De retour sur la D 27, on serpente dans le **Val d'Enfer** *(voir Les Baux-de-Provence)*.

Les Baux-de-Provence★★★
(voir ce nom)

Suivre la D 27, puis prendre à droite avant Maussane-les-Alpilles pour rejoindre Paradou par la D 17.

Paradou

C'est la petite patrie du poète provençal **Charloun Rieu** (1846-1924), qui repose au cimetière du village dans un très curieux tombeau… Outre ses *Chants du terroir*, le poète-paysan n'a pas hésité à traduire *L'Odyssée* en provençal.

La Petite Provence du Paradou – *75 av. de la Vallée des Baux (à la sortie du village, en direction de Fontvieille (D 17), sur la droite de la route).* 04 90 54 35 75 - *www.lapetiteprovence.com -* &. *- janv.-mai, oct.-déc. : 10h-18h30 ; juin-sept. : 10h-19h - 4,50 € (enf. 2,50 €).*

Dans un décor évoquant la Provence (mas, bories, port, moulin de Daudet) évoluent plus de 400 santons, parfois animés, habillés de costumes traditionnels. Les scènes évoquent la Provence d'autrefois : métiers (pêcheur, meunier, berger de la Crau), festivités (farandole), vie quotidienne (marché, lavoir… et l'inévitable partie de cartes au café).

Revenir au village et prendre, sur la droite, la D 78^E qui court parmi les olivettes.

Aqueducs et meunerie romains de Barbegal

15mn à partir du sentier signalisé « aqueduc romain ». Ruines de deux aqueducs gallo-romains jumelés. L'un alimentait Arles en eau d'Eygalières. L'autre actionnait une vaste meunerie hydraulique construite sur le flanc sud de la colline *(maquette au musée de l'Arles et de la Provence Antiques, voir Arles).* Il constitue un des rares exemples de bâtiments industriels romains qui nous soient parvenus.

Prendre à droite la D 33.

Fontvieille

Ce bourg typiquement provençal est un centre d'extraction d'une roche calcaire, la pierre d'Arles.

Mais Fontvieille est surtout connu grâce au **moulin de Daudet**. Eh non, l'écrivain ne vivait pas dans ce moulin qui fonctionna jusqu'en 1914. Lorsqu'il venait à Fontvieille, il préférait le confort du château de Montauban, au pied de la colline. Et les fameuses *Lettres de mon moulin* ont été écrites à Paris. Mais il aimait venir flâner sur la colline d'où l'on embrasse le cadre de son œuvre provençale. Quant aux récits du meunier, peut-être s'en inspira-t-il ?

La salle du 1er étage présente le système de meules utilisé pour moudre le grain ; remarquez, à hauteur du toit, les noms des vents locaux, inscrits en fonction de leur provenance. Au sous-sol, le petit musée réunit quelques souvenirs de l'écrivain : manuscrits, portraits, photos, éditions rares. Du moulin, on a une **vue★** remarquable sur les Alpilles, les châteaux de Beaucaire et de Tarascon, la vallée du Rhône et l'abbaye toute proche de Montmajour. 04 90 54 60 78 - *juin-sept. : 9h-19h ; avr.-mai : 9h-18h ; fév.-mars et oct.-déc. : 10h-12h, 14h-17h - 2,50 € (enf. 1,50 €).*

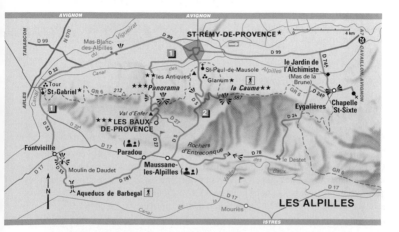

🏃 *2h.* Le parcours Daudet est une partie de l'itinéraire de découverte du village qui compte 30 stations. Vous arriverez ainsi au **château de Montauban**. Au rez-de-chaussée, hommage à Daudet mais aussi à **Léo Lelée** (1872-1947), qui peignit des Arlésiennes et contribua à faire connaître leur costume. Enfin, une salle abrite une crèche provençale. Le 1er étage présente une exposition sur les traditions de Font-vieille. *Pour les horaires, contacter l'office de tourisme. Billet combiné avec le moulin.*

Parmi olivettes, pinèdes et champs de primeurs, la D 33 remonte vers le nord.

Le moulin de Daudet.

Chapelle Saint Gabriel★

📞 *04 90 91 03 52 - se renseigner à l'office du tourisme de Tarascon - clé disponible sur demande.*

Cette chapelle du 12e s. présente une remarquable façade sculptée. À l'intérieur, bel exemple, très dépouillé, d'architecture romane.

Prendre la D 32 pour regagner Saint-Rémy.

LES ALPILLES D'EYGALIÈRES★★ 2

42 km – environ 3h. Circuit au départ de Saint-Rémy-de-Provence.

Quitter Saint-Rémy par la D 5 en direction de Maussane.

La route passe devant le monastère de Saint-Paul-de-Mausole et le plateau des Antiques *(voir Saint-Rémy-de-Provence)* avant de partir à l'assaut de la chaîne des Alpilles, dans un paysage où dominent les pins.

Après 4 km d'ascension, laisser sa voiture sur le parking en bordure de la route pour emprunter à pied un chemin en montée.

Panorama de la Caume★★

Accès interdit 1er juil.-15 sept.

👁 **Bon à savoir** – L'aigle de Bonelli, le vautour percnoptère et le hibou grand duc ont leurs habitudes à la Caume. Aussi, pour ne pas troubler ces espèces fragiles, on s'abstiendra de sortir des chemins balisés.

🏃 Alt. 387 m. Vaste panorama depuis le rebord sud du plateau, au-delà de l'enceinte du relais de télévision, sur la chaîne des Alpilles, la plaine de la Crau et la Camargue, tandis que le rebord nord révèle la plaine rhodanienne, le Guidon du Bouquet avec sa silhouette en forme de bec, le Ventoux et la vallée de la Durance.

Revenir sur la D 5.

Après avoir traversé de petites gorges, on aperçoit sur la gauche d'anciennes carrières de bauxite, les **rochers d'Entreconque**, à la couleur rougeâtre très particulière. Puis apparaissent des vergers où abondent oliviers, abricotiers, amandiers et cerisiers.

Maussane-les-Alpilles

👥 À l'entrée de Maussane-les-Alpilles, sur la gauche de la route, un **musée des Santons animés** fait évoluer ses petits personnages au pied d'une fresque représentant des paysages provençaux. 📞 *04 90 54 39 00 -* ♿ *- avr.-sept. : 10h-20h ; oct.-mars : tlj sf mar. 13h30-19h - fermé janv. - 3,80 € (enf. 2 €).*

Prendre à gauche la D 17, puis immédiatement à gauche la D 78.

Longeant le massif au milieu des olivettes, la route s'élève doucement vers un col qui ménage une belle vue sur les Opiès, petit mont que surmonte une tour.

Au hameau du Destet, prendre à gauche la D 24 en montée (à la gauche la crête de la Caume), qui traverse une belle pinède. Après 7,5 km, prendre la D 24B sur la droite.

Eygalières

Au pied d'un vieux donjon juché sur une colline, Eygalières (l'ancienne *Aquileria*, où les Romains puisaient l'eau qui alimentait Arles) étire ses rues tortueuses et colorées. Du sommet du village, aujourd'hui peuplé d'antiquaires et d'artisans d'art, belle vue sur la montagne de la Caume et la vallée de la Durance.

Poursuivre sur la D 24B en direction d'Orgon.

Chapelle Saint-Sixte

Sur un tertre rocailleux, à l'emplacement d'un temple païen dédié aux eaux, cette chapelle possède une belle abside séparée de la nef par un arc reposant sur des consoles ornées de têtes de sanglier.

Revenir à Eygalières et, dans le village, prendre sur la gauche la petite route portant l'indication « Mas de la Brune ».

Le jardin de l'Alchimiste

℘ 04 90 90 67 67 - www.jardin-alchimiste.com - mai-oct. : 10h-19h - 6 € (enf. 1 €).
Autour du **Mas de la Brune**, belle demeure de campagne édifiée en 1572 et aujourd'hui transformée en hôtel de charme, le « **jardin magique** » vous apprend les vertus tant médicinales que symboliques des plantes méditerranéennes, en particulier celles des Alpilles. Le « **jardin alchimique** », où se mêlent pierres, eau et plantes, a été composé et mis en scène en s'inspirant de la quête de la pierre philosophale par les alchimistes… Dessiné avec soin, talent et originalité, le lieu est empreint d'un charme indéniable, un peu étrange, propice à l'abandon comme à la rêverie.

La D 74ᴬ conduit à la D 99 que l'on prendra sur la gauche pour rentrer à Saint-Rémy.

Les Alpilles pratique

❖ Voir aussi les encadrés pratiques de Saint-Rémy-de-Provence et des Baux-de-Provence.

Adresse utile

Office du tourisme de Fontvieille – *5 r. Marcel-Honorat - 13990 Fontvieille - ℘ 04 90 54 67 49 - www.fontvieille-provence.com - 15 juin-15 sept. : 9h-12h30, 14h-18h30 ; dim. et j. fériés : 9h-12h30 - reste de l'année : 9h-12h, 14h-18h, fermé dim. et j. fériés.*

Visites

Bon à savoir – *Du 1ᵉʳ juillet au 9 septembre, l'accès aux massifs boisés des Alpilles est interdit en raison des risques d'incendie. Il en va de même tout au long de l'année lorsque le mistral souffle à plus de 40 km/h.*

Visite guidée de la Caume – *Lun. 14h, sur demande à l'office du tourisme de Saint-Rémy-de-Provence - ℘ 04 90 92 05 22. Visite guidée « nature ».*

Agence publique du massif des Alpilles – *Pl. Henri-Giraud - 13520 Maussane-les-Alpilles - ℘ 04 90 54 24 10.* Porteuse du projet de création d'un parc naturel régional, l'agence, qui regroupe 16 communes des Alpilles, organise des promenades-découvertes autour de cinq thèmes : faune, flore, agriculture, patrimoine, homme et environnement. Balades-contes, ateliers, conférences et randonnées de niveaux de difficulté divers au programme. Le livret-calendrier est disponible au CDT des Bouches-du-Rhône à Marseille et dans les offices de tourisme des Alpilles.

Le Train des Alpilles – *℘ 04 90 18 81 32- locotracteur, dép. les merc. et jeu. du 7 juin au 14 sept., sf j. fériés - dép. d'Arles (17 bis av. de Hongrie, derrière la « vraie » gare, après le passage de chemin de fer sur la route de Montmajour, puis à gauche) : 10h, 13h45 et 15h30 - dép. de Fontvieille : 10h50, 14h30 et 16h20 (pas de retour)- 9 €*

(4-12 ans 6 €). Ce train saisonnier vous conduit d'Arles à Fontvieille en musardant agréablement.

Se loger

Hostellerie de la Tour – *Rte d'Arles - 13990 Fontvieille - 9 km à l'O des Baux par D 78ᶠ puis D 17 - ℘ 04 90 54 72 21 - www.hotel-delatour.com - fermé de déb. nov. à mi-mars - 10 ch. 56/68 € - 9 € - restaurant 25 €.* Un accueil chaleureux et attentionné vous sera réservé dans cette modeste auberge plébiscitée par les habitués pour sa bonne tenue. Les chambres, petites et sans fioriture, sont néanmoins confortables. Cuisine familiale mitonnée par la patronne. Agréable piscine.

Hôtel Daudet – *7 av. de Montmajour - 13990 Fontvieille - ℘ 04 90 54 76 06 - www.hotelledaudet.com - fermé de fin oct. à fin mars - 14 ch. 66 € - 8 €.* Chambres donnant de plain-pied sur le patio, murs blancs, volets bleu lavande, meubles en fer forgé, terrain de pétanque, lauriers roses : le bonheur à la Daudet !

Se restaurer

La Pitchoune – *21 pl. de l'Église - 13520 Maussane-les-Alpilles - ℘ 04 90 54 34 84 - fermé de mi-nov. à mi-janv., vend. midi et lun. - 14/28 €.* Cette demeure bourgeoise du 19ᵉ s. jouxtant l'église renferme de mignonnes salles à manger dotées de sols à petits carreaux imitant la mosaïque. Terrasse ombragée de pins. Cuisine familiale.

L'Ami Provençal – *35 pl. de l'Église - 13990 Fontvieille - ℘ 04 90 54 68 32 - fermé merc. hors sais. et le soir du 15 sept. à fin mars - 15/25 €.* Cette saladerie se trouve à deux pas de l'église et de la maison où vécut Léo Lelée, le « peintre des Arlésiennes ». Appétissantes recettes associant produits du marché et saveurs d'autrefois et possibilité de prendre un petit-déjeuner sur place. Accueil familial.

⊜⊜ **Table du Meunier** – *42 cours Hyacinthe-Bellon - 13990 Fontvieille - ℘ 04 90 54 61 05 - fermé de mi-janv. à mi-mars, vac. de Toussaint, 20-28 déc., mar. sf juil.-août et merc. - réserv. conseillée - 25/32 €.* La patronne de ce restaurant réussit la prouesse d'être à la fois au four et au moulin : elle sélectionne elle-même chaque jour de bons produits régionaux puis mitonne de délicieux plats gorgés de soleil. Salle à manger rustique et jolie terrasse recelant un véritable trésor, un poulailler de 1765. Réservation conseillée.

⊜⊜⊜⊜ **Bistrot d'Eygalières** « **Chez Bru** » – *R. de la République - 13810 Eygalières - 12 km au SE de St-Rémy par D 99 et D 24B - ℘ 04 90 90 60 34 - sbru@club-internet.fr - fermé 12 janv.- 15 mars, 7-12 août, dim. soir d'oct. à mai, mar. midi de juin à sept. et lun. - réserv. obligatoire - 85/100 €.* Le charme provençal est au rendez-vous dans ce bistrot chic aménagé dans deux maisons villageoises : tons crème et chocolat, meubles peints, poutres apparentes, savoureuse cuisine au goût du jour et superbe carte de vins régionaux. Chambres joliment décorées.

Huile d'olive, coopérative de Mouriès.

Faire une pause

La Maison Sucrée – *R. de la République - 13810 Eygalières - ℘ 04 90 95 94 15 - ouv. tlj juil.-août ; sept.-oct. : lun., mar. midi et jeu.-dim. 11-21h30 ; fév.-mai : vend., sam. et dim. - fermé nov.- janv.* Glacier (délicieux sorbets à la mandarine ou au fruit de la passion !), crêperie et salon de thé au cœur d'Eygalières.

Que rapporter

Moulin du Mas des Barres – *Petite route de Mouriès - Quartier de Gréoux - 13520 Maussane-les-Alpilles - ℘ 04 90 54 44 32 - 9h-12h, 14h-18h.* Mas agréablement situé au milieu des oliviers, au pied des Alpilles. Ce moulin reçoit chaque année la récolte de 500 oléiculteurs locaux et, à partir de cinq variétés d'olives, produit une huile AOC aux saveurs de noisette, d'artichaut, de pomme verte ou encore d'herbe fraîche. La boutique propose tapenade, pistou, purée d'olives et bien sûr la fameuse huile, en bouteille ou en bidon.

Moulin Saint-Michel – *Cours Paul-Revoil - En plein cœur du village sur le cours - 13890 Mouriès - ℘ 04 90 47 50 40 - www.moulinsaintmichel.com - tlj sf dim. 9h-12h, 14h-18h - fermé j. fériés et 3e sem. d'août.* Ce moulin, superbement restauré, tourne depuis 1744 pour broyer les

principales variétés d'olives de la vallée des Baux-de-Provence et en tirer des huiles A O C estampillées « Site remarquable du goût ». Visite instructive et boutique proposant des produits du terroir.

Coopérative oléicole de la Vallée des Baux – *R. Charloun-Rieu - 13520 Maussane-les-Alpilles - ℘ 04 90 54 32 37 - www.moulin-cornille.com - tlj sf dim. 9h-18h ; j. fériés 11h-18h - fermé , 25-26 déc., 1er janv. et 1er Mai.* Cette coopérative installée dans un moulin du 18e s. utilise encore des broyeurs à meules et des presses à scourtins. Production artisanale et traditionnelle d'huile extra-vierge à partir de cinq variétés d'olives récoltées dans la vallée des Baux. Vente sur place.

Sports & Loisirs

Randonnée pédestre – *À Eygalières.* Parcours de 15 km sur les crêtes des Alpilles, de Glanum à Eygalières, par le Val Saint-Clerg que suit le **GR 6**. Autres circuits pédestres de 1h à 3h.

Aéroclub de Romanin – *Ancienne voie Aurélia - 13210 St-Rémy-de-Provence - ℘ 04 90 92 08 43 ou 06 03 47 02 98 - 9h-12h, 13h30-18h - fermé 1er janv - vol d'initiation : 60 €/30mn.* Débutants ou confirmés, laissez-vous porter par le mistral au-dessus du célèbre moulin de Daudet.

Golf de Servanes – *Rte de Servanes - 13890 Mouriès - ℘ 04 90 47 59 95 - www.opengolfclub.com - 8h30-19h - fermé 25 déc. et 1er janv. - 30 à 57 €.* Parcours de 18 trous dans les Alpilles

Événement

Fête de l'huile nouvelle – *1er week-end de décembre à* **Mouriès**. Dégustations et vente de produits oléicoles des neuf moulins des Alpilles, avec groupes folkloriques et animations.

Ansouis

1 033 ANSOUISIENS
CARTE GÉNÉRALE C3 – CARTE MICHELIN LOCAL 332 F11 – SCHÉMAS P. 259 ET 385 –
VAUCLUSE (84)

Entre Durance et Luberon, le village perché d'Ansouis se dore paresseusement
au soleil, à l'ombre protectrice du prestigieux château des Sabran-Pontevès,
l'une des nobles lignées du Luberon depuis le 13ᵉ s. Le charme méditerranéen
des ruelles du bourg sauront aussi vous retenir, à moins que ce ne soient les
vignes alentour.

- ▶ **Se repérer** – Sur les contreforts sud du Grand Luberon, entre Lourmarin (8 km à
  l'ouest) et La Tour-d'Aigues (8 km à l'est).
- ▣ **Se garer** – Parking à l'entrée du village.
- ◉ **À ne pas manquer** – Le château (attention, fermé en période hivernale).
- ◔ **Organiser son temps** – Comptez 1h pour visiter le château, autant pour flâner
  ensuite dans le village. Programmez 1/2 journée si vous souhaitez également
  visiter le musée extraordinaire et le musée de la Vigne et du Vin, aux alentours.
- ◔ **Pour poursuivre la visite** – Voir aussi le Luberon, Apt, La Tour-d'Aigues, Bonnieux,
  Ménerbes, Roussillon et Gordes.

Visiter

Château★

*♪ 04 90 09 82 70 - visite guidée (1h) juil.-sept. : 14h30-18h (dernière entrée 30mn av.
fermeture) ; des vac. de Pâques à fin juin et oct. : tlj sf mar. 14h30-18h (dernière entrée 1h
av. fermeture) - 6 € (enf. 3 €).*

Demeure de la lignée des **Sabran-Pontevès**, dont chaque génération s'est plu, au
cours des siècles, à embellir le patrimoine, c'est à la fois une forteresse (ce qu'elle
fut à l'origine, au 12ᵉ s., lorsque les barons d'Ansouis l'ont élevée) et une habitation
de plaisance, depuis les remaniements effectués aux 17ᵉ et 18ᵉ s., en particulier dans
la partie sud. Une vaste esplanade plantée de marronniers conduit à la façade de
pierres dorées, aussi monumentale qu'harmonieuse. Des « pointes de diamants »
agrémentent le portail d'entrée que surmontent les armes des Sabran. Par l'escalier
d'honneur (au risque de rater une marche, jetez un coup d'œil sur la voûte), on
accède à la salle des Gardes et ses armures ; un étroit couloir mène à la chapelle, puis
à la salle à manger décorée de tapisseries flamandes. Un luxueux salon Charles X
permet d'accéder à la chambre de saint Elzéar et sainte Delphine de Sabran où
sont rassemblés des souvenirs de ces deux bienheureux. Enfin, dans la cuisine, les
cuivres étincellent.

Depuis la terrasse, on a une belle vue sur les **jardins suspendus**, décorés de buis et
d'arbres au feuillage sombre : un cadre idéal pour les âmes romantiques.

Église

Elle a été édifiée au 13ᵉ s. sur la première enceinte fortifiée du château : d'où les
meurtrières étroites du mur sud.

Musée extraordinaire

*R. du Vieux-Moulin - visite env. 45mn - ♪ 04 90 09 82 64 - avr.-sept. : 14h-19h ; mars et
oct.-déc. : 14h-18h - fermé mar., janv.-fév., 1ᵉʳ janv. et 25 déc. - 3,50 € (-16 ans 1,50 €).*

Le monde sous-marin sur les contreforts du Luberon ? Pourquoi pas puisque, dans
des temps (très) reculés, la mer recouvrait la région… Dans les caves voûtées de cette
ancienne bâtisse, une « grotte marine », baignée d'une lumière bleutée et éclairée de
vitraux, a été aménagée : c'est la **grotte bleue aux coraux**, point d'orgue de la visite.
À voir également : tableaux et céramiques de **Georges Mazoyer**, peintre, céramiste
et créateur de vitraux, que sa passion pour la plongée sous-marine a conduit à réunir
cette étrange collection.

Aux alentours

Château Turcan - musée de la Vigne et du Vin

*Quitter Ansouis en direction de La Tour-d'Aigues, puis prendre à droite la D 56 (direction
de Pertuis). Après 2 km, tourner à gauche (fléchage) dans un chemin empierré bordé de
cyprès. ♪ 04 90 09 83 33 - ᶳ - avr.-sept. : 9h30-12h, 14h30-18h30 (dim. sur demande) ;
reste de l'année : 9h30-12h, 14h30-18h (dim. sur demande) - dernière entrée 1h av.
fermeture - fermé 1ᵉʳ janv., 1ᵉʳ Mai, 1ᵉʳ et 11 Nov., 25 déc. - 3 € (-12 ans gratuit).*

Cette propriété viticole abrite un agréable musée où sont exposés plus de trois mille objets et outils du 16ᵉ s. à nos jours, souvent fort beaux, parfois inattendus, tous relatifs à la viticulture, à la vinification et aux activités annexes (comme la tonnellerie, présentée dans un atelier 1900 reconstitué). Une fois sorti du musée, vous voilà au fait de l'art de la vigne et aptes à vous adonner à une dégustation des produits de la propriété… et pourquoi pas, à quelques emplettes !

Le Luberon★★★ *(voir ce nom)*

Ansouis pratique

Voir aussi les encadrés pratiques du Luberon, La Tour-d'Aigues et Apt.

Adresse utile

Office du tourisme d'Ansouis – *Pl. du Château - 84240 Ansouis - ℘ 04 90 09 86 98 - www.ansouis.fr - Se renseigner pour les horaires.*

Se loger

Chambre d'hôte Un Patio en Luberon – *R. du Grand-Four - ℘ 04 90 09 94 25 - - 5 ch. 55/60 € - repas 18 €.* En plein cœur du village médiéval, cette auberge du 16ᵉ s. a conservé son charme originel bien mis en valeur par une rénovation soignée. Chaque chambre bénéficie d'une décoration personnalisée, harmonieux équilibre des styles moderne et ancien. Salle à manger voûtée et délicieux patio où murmure une fontaine.

Apt

11 172 APTÉSIENS
CARTE GÉNÉRALE C2 – CARTE MICHELIN LOCAL 332 F10 – SCHÉMA P. 259 – VAUCLUSE (84)

La Colonia Julia Apta fut une prospère colonie romaine établie sur la voie Domitienne au début de notre ère. Devenue capitale du fruit confit et de l'ocre (elle conserve la seule usine encore en exploitation), la sympathique cité vous réserve bien d'autres surprises, tout aussi singulières : à l'écart des chemins trop fréquentés, le charme paisible de ses ruelles ou l'animation de son grand marché vous retiendront peut-être plus longtemps que prévu.

- **Se repérer** – Apt ne se laisse pas aborder sans peine : lorsqu'on arrive de l'ouest (Cavaillon est à 31 km, Avignon à 52 km) par la N 100, il faut en effet traverser de longs faubourgs avant de franchir le Calavon, pour soudain se retrouver sur la place de la Bouquerie, âme de la petite cité.

- **Se garer** – Parkings payants aménagés sur les quais, gratuits sous les berges. Le samedi matin, au moment du fameux marché, navette gratuite en été *(ttes les 30mn, dès 9h, départ des parkings de Viton et de la gare SNCF)*.

- **À ne pas manquer** – Découvrir Apt un samedi matin lorsque la ville s'anime pour le grand marché ; la maison du Parc naturel régional du Luberon ; aux alentours, le magnifique circuit de l'ocre.

- **Organiser son temps** – Comptez 1h environ pour se promener dans la ville, 2h ou plus les jours de marché. Prévoir 1/2 journée pour le circuit de l'ocre.

- **Avec les enfants** – Les étranges paysages du Colorado de Rustrel ; le musée de l'Aventure industrielle ; la base de loisirs du plan d'eau d'Apt *(voir l'encadré pratique)*.

- **Pour poursuivre la visite** – Voir aussi le Luberon et le circuit de l'ocre à Roussillon *(voir ce nom)*.

Comprendre

Histoire sucrée – Auzias Maseta fut intronisé en 1348 par le pape Clément VI, « écuyer en confiture », preuve que le **fruit confit d'Apt** (naguère appelé « confiture sèche ») était déjà apprécié en très haut lieu. **Mme de Sévigné** appelait Apt « Un chaudron de confiture ».

Les fruits furent d'abord confits dans du miel avant que le sucre ne soit introduit à l'époque des Croisades. Depuis lors, l'élaboration du fruit confit n'a pas changé : il s'agit de conserver le fruit en remplaçant son eau par du sucre. Pour cela, une seule méthode : le plonger dans des sirops portés à ébullition et répéter l'opération entre 5 et 12 fois en l'espace d'un mois.

Se promener

Environ 1h. Prendre, depuis la place de la Bouquerie, la rue de la République jusqu'à la place du Septier, ornée de beaux hôtels particuliers, puis la place Carnot, et, sur la droite, la rue de la Cathédrale.

Cathédrale Sainte-Anne (B)

04 90 04 85 44 - www.apt-cathedrale. com - tlj 8h-12h, 14h-18h sf pendant les offices.

Élevée entre le 11e et le 12e s. mais très remaniée depuis, s'y mêlent allègrement styles roman (bas-côté droit) et gothique (bas-côté gauche) tandis que la nef date du 18e s. La coupole sur trompes, soutenant le clocher roman, est semblable

Le marché attire les foules.

à celle de N.-D.-des-Doms à Avignon. Un remarquable vitrail du 15e s., au fond de l'abside, représente sainte Anne tenant dans ses bras la Vierge et l'Enfant.

Dans la **chapelle Sainte-Anne**, achevée en 1664 après qu'Anne d'Autriche fut venue à Apt en pèlerinage, reliquaire de la sainte et groupe sculpté (sainte Anne et la Vierge Marie enfant), œuvre en marbre de Carrare due à Benzoni ; reliques de saint Elzéar de Sabran *(voir Ansouis)* et de saint Castor, évêque du lieu, mort en 422.

Un pèlerinage très suivi a lieu chaque année le dernier dimanche de juillet. Sainte Anne est connue pour rendre les femmes fécondes ; Anne d'Autriche, qui lui devait la naissance de Louis XIV, vint en pèlerinage à Apt en 1660.

Dans la salle du **Trésor**, châsses en émaux de Limoges (12e s.), coffrets en bois doré florentins (14e s.), manuscrits liturgiques et un étendard arabe tissé en 1097 à Damiette.

04 90 74 36 60 - juil.-août : visite guidée (15mn) 11h-12h30, 17h-18h30 ; reste de l'année : sam. 11h-12h30, ou sur réserv. pendant la sem. - gratuit.

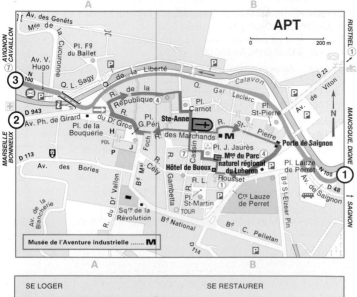

SE LOGER		SE RESTAURER	
Chambre d'hôte Le Couvent	①	Auberge de Rustréou	①
Hôtel L'Aptois	④	L'Intramuros	④
Hôtel Le Pétunia	⑦	La Manade	⑦

Crypte sur deux étages : le niveau supérieur, roman, conçu comme une minuscule église, contient un autel du 5ᵉ s. ; l'étage inférieur est d'époque carolingienne.

Par la rue des Marchands, passant sous le clocher-porte, aller jusqu'à la pl. du Postel.

Passant devant le musée de l'Aventure industrielle *(voir « Visiter »)*, poursuivez dans la rue Saint-Pierre jusqu'à la **porte de Saignon**, vestige de l'enceinte de la cité.

Suivre à droite le cours Lauze-de-Perret, longeant l'incontournable boulodrome provençal, jusqu'à la rue Louis-Rousset, par laquelle on entre à nouveau dans la cité.

Au coin de la rue P.-Achard, notez à gauche la façade classique de la **Chapelle des Récollets** (17ᵉ s.), avant de poursuivre dans la rue P.-Achard. La Maison du Parc naturel régional du Luberon *(voir « Visiter »)* est installée dans un ancien hôtel particulier de la place Jean-Jaurès.

Gagner, sur la droite, la place du Postel et remonter, à gauche, la rue des Marchands.

Sur la **place Gabriel-Péri**, belle façade classique de la sous-préfecture flanquée de deux fontaines à dauphins.

Par la rue du Dr-Gros, rejoindre la place de la Bouquerie.

Visiter

Maison du Parc naturel régional du Luberon (B)

℘ 04 90 04 42 00 - www.parcduluberon.fr - 8h30-12h, 13h30-18h - fermé sam. apr.-midi, dim. et j. fériés - gratuit.

Excellente introduction pour une première approche du Parc du Luberon. **Indispensable** avant de partir à la découverte de la région : bornes interactives, panneaux lumineux, fresques animées, diaporamas… présentent différents aspects, tant géographiques qu'humains, du Luberon. Au sous-sol, l'accent est mis sur la géologie et l'évolution des espèces vivantes. Au rez-de-chaussée, les grands milieux naturels, l'habitat et les villages perchés. Et voilà, vous savez tout… ou presque, sur le Luberon.

Musée de l'Aventure industrielle (M)

14 pl. du Postel - ℘ 04 90 74 95 30 - ⛱ - juin-sept. : tlj sf mar. 10h-12h, 15h-18h30, dim. 15h-19h ; oct.-mai : tlj sf dim. et mar. 10h-12h, 14h-17h30 - fermé j. fériés, janv.-fév. - 4 € (-12 ans gratuit).

Installé dans une ancienne usine de fruits confits, ce musée présente les trois activités industrielles d'Apt et leur évolution du 19ᵉ s. à nos jours : la fabrication des **fruits confits** (machines et outillage) et leur conditionnement (collection d'étiquettes), l'exploitation de l'**ocre** (maquette sur l'extraction, reconstitution d'une scène d'affinage) et la **faïencerie** (exposition de faïences 17ᵉ-20ᵉ s. et de céramiques architecturales).

Circuit de découverte

CIRCUIT DE L'OCRE★★

49 km – environ 4h. Quitter Apt par la N 100 en direction de Cavaillon. Prendre à droite sur la D 149 en direction de Bonnieux.

Pont-Julien

Ce pont de l'antique voie Domitienne a été jeté sur le Coulon (ou Calavon) en 3 av. J.-C. Remarquez les ouvertures pratiquées dans les piles de façon que les eaux s'écoulent rapidement en cas de fortes crues.

Reprendre la D 149 en sens inverse et poursuivre au-delà de la N 100.

Roussillon★★ *(voir ce nom)*

Quitter le village par la D 227 (belles vues à droite sur les falaises d'ocre et le Luberon, à gauche sur le plateau de Vaucluse), puis prendre à droite la D 2 et, tout de suite à droite, la D 101.

Dans un champ à droite, une vingtaine de bassins de décantation ont été creusés pour le traitement de l'ocre, que l'on extrait des carrières voisines.

Prendre sur la gauche, à l'entrée de Gargas, la D 83, puis à nouveau à gauche la D 943.

Gargas

On y extrait encore l'ocre de nos jours. Autres villages ocriers : **Gignac** *(accès par la D 22)* et **Villars** *(au sud de la D 179, entre Saint-Saturnin et Rustrel)*, où l'ocre était extraite de galeries souterraines.

Saint-Saturnin-lès-Apt

Ce village perché, adossé aux premiers contreforts du plateau de Vaucluse, est dominé par les vestiges des **murailles** du château qui semblent nées de la falaise. Sa chapelle romane et son moulin à vent offrent un tableau d'un charme tout provençal. Tout en haut, la **porte Ayguier** (15ᵉ s.) a conservé une partie de son système de défense. Les ruelles étroites et sinueuses, les maisons aux murs de pierre sèche et la tranquillité de ce village en font une agréable base pour randonneurs : près de 250 km de sentiers sont balisés sur les anciens chemins de transhumance des alentours, vous permettant d'apercevoir au passage *aiguiers (voir Sault)* et vestiges de bories *(voir Le Luberon)*.

Poursuivre par la D 179, puis la D 30 jusqu'à Rustrel.

Colorado de Rustrel★★

Depuis le centre du village, prendre la route de Sault (D 30ᴬ) puis, immédiatement à droite, le bd du Colorado que l'on suit sur 500 m. Les parkings (payants) sont indiqués. Guides et plans sont disponibles à la Maison du Colorado : ✆ 04 90 04 96 07 et à la mairie de Rustrel : ✆ 04 90 04 97 43/98 49.

Plusieurs circuits vous permettront de découvrir les **cheminées des fées**, le Sahara, le cirque de Barriès, les cascades, la rivière de sable et le tunnel, émouvants résultats de l'œuvre conjointe de l'activité humaine (arrêtée en 1956) et de l'érosion. Ces étranges paysages sont hélas appelés à disparaître dans un avenir plus ou moins proche, la nature reprenant ses droits

Environ 2h AR. Pour les randonneurs aguerris. Suivre le balisage jaune. Laissez à droite l'ancienne usine de fer de Rustrel avant de découvrir les roches vermillon au cours de la descente dans le vallon de Lèbre. Remontez jusqu'aux « terres vertes », anciennes carrières de phosphate puis, après avoir traversé un paysage de pinèdes et de bruyères, vous déboucherez sur l'ancienne carrière d'Istrane. Le retour s'effectue par l'ancien chemin de Rustrel à Caseneuve et une petite route rurale. Faites un tour dans l'agréable village de **Rustrel**, dominé par le clocher-peigne de son église et la silhouette d'un manoir.

1h15. Départ du cimetière de Rustrel, balisage jaune. Des charbonniers étaient venus d'Italie, au milieu du 18ᵉ s., pour fabriquer le charbon de bois nécessaire au fonctionnement des usines de fer établies sur la commune de Rustrel. Un itinéraire rappelle leur mémoire.

Revenir à Apt par la D 22.

Cheminée des fées.

Apt pratique

♿ Voir aussi l'encadré pratique du Luberon.

Adresse utile

Office du tourisme du pays d'Apt – *20 av. Philippe-de-Girard - 84400 Apt - ℘ 04 90 74 03 18 - www.luberon-apt.fr. - juil.-août : lun.-sam. 9h-19h, dim. et j. fériés 9h30-12h30 ; mai-juin et sept. : lun.-sam. 9h-12h, 14h-18h, dim. et j. fériés 9h30-12h30 ; reste de l'année : lun.-sam. 9h-12h, 14h-18h.* Vous trouverez aussi ici des informations sur 12 communes voisines.

Se loger

⊖ **Hôtel Le Pétunia** – *785 av. Victor-Hugo - ℘ 04 90 04 74 60 - www.le-petunia.com - 15 ch. 44/48 € - ☟ 7 € - restaurant 15/23 €.* À 10mn du centre-ville à pied, un petit établissement agréable à prix modiques, offrant des chambres très confortables.

⊖⊖ **Hôtel L'Aptois** – *289 cours Lauze-de-Perret - ℘ 04 90 74 02 02 - www.aptois.fr.st - 20 ch. 46/68 € - ☟ 7 €.* En plein centre-ville, cet hôtel associe décoration simple et fonctionnalité. On aura une préférence pour les chambres fraîchement rénovées, plus confortables et modernes. Parmi ces dernières, les familiales restent un choix idéal avec 2 ou 3 enfants.

⊖⊖ **Chambre d'hôte Le Couvent** – *36 r. Louis-Rousset - ℘ 04 90 04 55 36 - www.loucouvent.com - 5 ch. 75/120 € ☟.* Dans les murs de cet ancien couvent (17e s.), vous oublierez que vous êtes en plein centre ville. Chambres pleines de cachet, ouvrant sur le jardin. Petit-déjeuner sous les voûtes du réfectoire.

Se restaurer

⊖⊖ **La Manade** – *8 r. René-Cassin - ℘ 04 90 04 79 06 - fermé 16 déc.-10 janv., mar. soir et merc. - 22/32 €.* Ce restaurant récemment repris par des jeunes gens aussi accueillants que dynamiques comporte deux salles rustiques et une petite terrasse où est proposé un choix de recettes régionales selon les saisons.

⊖⊖ **Auberge de Rustréou** – *3 pl. de la Fête - 84400 Rustrel - ℘ 04 90 04 90 90 - 20/27 € - 7 ch. 40/50 € - ☟ 6 €.* Une salle climatisée aux tonalités chaudes, un village tranquille aux portes du colorado provençal, une cuisine soignée : l'auberge de Rustréou s'est fait depuis longtemps une réputation de qualité.

⊖⊖ **L'Intramuros** – *120-124 r. de la République - ℘ 04 90 06 18 87 - fermé dim. et lun., le soir du mar. au jeu. - 14 € déj. - 27 €.* Même si on sait que (hormis le plat du jour à midi) l'addition sera un peu salée, on sera ravi de déguster ici d'authentiques recettes provençales, réalisées à base de produits du marché. Charmant intérieur aux airs de boutique d'antiquaire. Vente à emporter.

Que rapporter

Marché – Marché traditionnel samedi et marché paysan mardi.

Confiserie Le Coulon – *24 quai de la Liberté - ℘ 04 90 74 21 90 - tlj sf dim. et lun. 9h-12h, 15h-19h - fermé 2 sem. en janv. et 2 sem. en juin.* Élaboration artisanale des fruits confits avec les produits de la région et sans colorant ni conservateur. Dans la jolie boutique colorée et cossue, vous découvrirez, entre autres, les deux fabrications vedettes de la maison : l'abricot et la mandarine.

Confiserie Aptunion – *N 100 - À Salignan - ℘ 04 90 76 31 43 - www.kerryaptunion.com - visite guidée de l'usine sur demande préalable - fermé dim. sf nov. et déc.* Impossible de manquer cette fabrique de fruits confits : une jolie boutique a été aménagée à l'entrée. Cerise bigarreau (produit vedette), cassis, melon, poire… y sont vendus glacés ou en purée, présentés en corbeille ou en composition. Visite de l'atelier sur rendez-vous.

Château de Mille – *Rte de Bonnieux - 4 km d'Apt sur la D 3, s'engager à droite sur un chemin de terre - ℘ 04 90 74 11 94 - 8h-12h, 14h-18h.* Les vins du domaine bénéficient de l'AOC côtes-du-luberon et ont été maintes fois récompensés par des médailles d'or. Lors de votre venue, prolongez la visite jusqu'à la cuve taillée à même la roche !

Sports & Loisirs

Randonnées à vélo – Deux grands itinéraires ont été balisés, à suivre en partie ou en totalité, avec sur le parcours des prestataires spécialisés dans l'accueil des cyclotouristes : « **Autour du Luberon** » (235 km, boucle au départ de Cavaillon, via Apt, Forcalquier, Manosque, Lourmarin) et « **Les ocres à vélo** » (via Apt, Rustrel et Roussillon).

🧗 **Base de loisirs, plan d'eau d'Apt** – *Rte de St-Saturnin-lès-Apt - ℘ 04 90 04 85 41 - été : 8h30-12h, 13h30-19h ; hiver : 8h30-11h30, 13h30-16h30 - fermé de fin nov. à mi-mars.* Elle propose de nombreuses activités : voile, planche à voile, kayak, tir à l'arc, VTT, escalade, école de voile (FFV). Bon à savoir : la baignade n'est pas autorisée sur ce plan d'eau.

🧗 **Colorado Aventures** – *Le Château - 84400 Rustrel - ℘ 06 78 26 68 91 - www.forestcity.fr - fermé sept.-mars.* Place à l'aventure avec ces parcours acrobatiques aménagés en pleine forêt. Ponts de singes et tyroliennes accessibles à partir de 6 ans. Snack et aire de pique-nique.

École Rustr'Aile Colorado – *Le Stade - 84400 Rustrel - ℘ 04 90 04 96 53 - www.parapente.biz - 9h-19h - fermé nov.-mars.* École de parapente : survol des falaises d'ocre du Colorado de Rustrel.

Gorges de l'**Ardèche** ★★★

CARTE GÉNÉRALE A1 – CARTE MICHELIN LOCAL 331 I7, J8 – ARDÈCHE (07)

On ne présente plus le célèbre Pont d'Arc, monumentale arche naturelle qui offre une entrée grandiose à l'une des plus imposantes curiosités naturelles du midi de la France. La majeure partie des gorges a été constituée en réserve naturelle en 1980 et l'ensemble érigé en Grand Site d'intérêt national en 1993. La route touristique hardiment tracée sur la rive gauche s'élance à l'assaut de la corniche et ses nombreux belvédères dévoilent des panoramas à vous couper le souffle !

Le Pont d'Arc formé par l'érosion.

J. Damase / MICHELIN

- **Se repérer** – La D 290 suit le tracé des gorges de l'Ardèche, entre Vallon-Pont-d'Arc et Saint-Martin-d'Ardèche, soit 38 km au total.

- **À ne pas manquer** – La route panoramique, bien sûr, avec ses nombreux belvédères qui offrent des points de vue fantastiques, notamment dans la partie appelée Haute Corniche, le Pont d'Arc, les grottes et avens ; la descente d'une partie au moins de ces gorges en kayak.

- **Organiser son temps** – Comptez une journée pour effectuer l'ensemble du circuit, baignade à Pont d'Arc et visite des grottes comprises. Prudence à l'approche des belvédères : l'affluence automobile peut provoquer des mini-embouteillages à la sortie et à l'entrée des espaces de stationnement aménagés. Soyez aussi prudents sur les rives de l'Ardèche : la présence de barrages et d'usines hydroélectriques peut entraîner de brusques montées des eaux. Ne vous aventurez pas dans le lit de la rivière.

- **Avec les enfants** – La rivière en canoë si les eaux sont calmes ; l'impressionnante visite d'une grotte.

- **Pour poursuivre la visite** – Voir aussi Vallon-Pont-d'Arc et l'aven d'Orgnac, le Tricastin, Ruoms, Bourg-Saint-Andéol et Les Vans *(voir* Le Guide Vert Lyon-Drôme-Ardèche*).*

Comprendre

Le mot Ardèche vient d'*ardica* (ou *adrica*), bas latin que l'on rattache à une racine italique *atr-* signifiant « noir » ou « sombre ».

À la sortie du bassin de Vallon, l'Ardèche creuse ses gorges dans le plateau calcaire du Bas-Vivarais. De part et d'autre s'étendent le plateau des Gras (sur la gauche) et le plateau d'Orgnac (sur la droite), truffés de grottes et plantés d'un fouillis de chênes verts. La D 290, **route panoramique**, domine l'entaille du plateau côté rive gauche.

Les caprices de l'Ardèche

Prenant sa source à 1 467 m d'altitude dans le massif de Mazan, l'Ardèche se jette dans le Rhône, après 119 km de course, 1 km en amont de Pont-St-Esprit. Si la pente est surtout très forte dans la haute vallée, c'est dans le bas pays que l'on rencontre les exemples d'érosion les plus étonnants : ici, la rivière a dû se frayer un passage dans les assises calcaires du plateau, déjà attaqué par les eaux souterraines. Ses affluents, qui dévalent brutalement de la montagne, accentuent son régime irrégulier : maximum en automne, faible débit hivernal, crues au printemps et basses eaux en été. Le débit de l'Ardèche peut passer de 2,5 m^3/s à plus de 7 000 lors des fameux et redoutables « coups de l'Ardèche » : c'est un véritable mur d'eau qui avance à la vitesse de 15 ou 20 km/h au point de repousser le flot du Rhône. La décrue est tout aussi soudaine.

Circuits de découverte

ROUTE PANORAMIQUE ①

38 km au départ de Vallon-Pont-d'Arc (voir ce nom) – comptez 1h de route sans les arrêts. Quittez Vallon vers le sud en direction du Pont d'Arc.

Ce circuit permet de découvrir les gorges de l'Ardèche par la D 290, route panoramique qui domine la rivière puis, après avoir franchi l'Ardèche à Saint-Martin-d'Ardèche, de rentrer à Vallon par le plateau d'Orgnac. Il est vivement conseillé de suivre la route panoramique dans le sens Vallon-Pont-d'Arc/Saint-Martin-d'Ardèche pour accéder facilement aux parkings des nombreux belvédères. Mystère du fléchage local, les panneaux indiquant les lieux-dits ne sont pas toujours disposés dans les deux sens de circulation ! Munissez-vous donc d'une bonne vieille carte d'état-major si vous ne voulez pas rater un seul belvédère.

Après être passée au pied du château du vieux Vallon, la route franchit l'Ibie avant de rejoindre l'Ardèche. Sur la gauche s'ouvrent la **grotte des Tunnels** (une rivière souterraine y coulait autrefois), puis la **grotte des Huguenots** (exposition sur la spéléologie, la préhistoire et l'histoire des huguenots du sud Vivarais). *♐ 04 75 88 06 71 - juil. -août : 10h-19h - 3,50 € (5,50 € billet jumelé avec la grotte des Tunnels).*

Pont d'Arc★★

Laissez la voiture sur le grand parking aménagé à gauche de la route. Un sentier s'amorçant de l'autre côté de la route permet d'accéder à la plage (surfréquentée l'été) située au pied du Pont d'Arc. ⌕ 200 m. Cette impressionnante arche naturelle, haute de 34 m, large de 59 m, enjambe l'Ardèche qui contournait autrefois ce promontoire. Sous l'arche ne se déversait autrefois qu'un simple cours d'eau souterrain. On suppose que l'Ardèche, à la faveur d'une forte crue, aurait abandonné son ancien cours pour se glisser à travers l'orifice qu'elle a peu à peu agrandi, donnant naissance au Pont d'Arc.

👪 La **plage** est un site de baignade très fréquenté par les familles avec enfants, ce qui ne dispense pas de surveiller étroitement les petits nageurs.

Le paysage, à partir du Pont d'Arc, devient grandiose. Au fond d'une gorge déserte, longue de 30 km, cernée par des falaises dont certaines atteignent 300 m de hauteur, les eaux vertes de la rivière dessinent d'harmonieux méandres entrecoupés de rapides. Après Chames, la route effectue un long crochet au fond de l'imposant **cirque★** rocheux du **vallon de Tiourre**, avant de gagner, en corniche, le rebord du plateau.

Belvédère du Serre de Tourre★★

Il est établi à la verticale de l'Ardèche qu'il surplombe d'une hauteur de 200 m. De là, la vue sur le méandre du **Pas du Mousse** est superbe. Seules traces d'occupation humaine, les ruines du château d'Ebbo (16e s.), vissées sur l'échine rocheuse, s'ajoutent à la grandeur du lieu.

Tourner à gauche sur la D 490, direction Saint-Remèze.

Musée-distillerie de la lavande

À 4 km des gorges sur la route de Saint-Remèze. ♐ 04 75 04 37 26 - avr.-sept. : 10h-19h (env. 1h de visite guidée).

Les curieux qui feront ce détour ne le regretteront pas. Installée dans un mas sur le plateau des Gras, entourée de champs de lavande et de lavandin, cette distillerie se double d'un intéressant petit musée. Film, collection d'anciens alambics et de vieux outils, démonstration de distillation, espace boutique et aire de pique-nique.

Revenir sur vos pas via la D 490. Reprendre la D 290 pour poursuivre le long des gorges.

Largement tracée dans le taillis de chênes verts des bois Bouchas puis Malbosc, la route épouse le relief tourmenté des falaises. Depuis les **belvédères de Gaud**★★, on découvre la partie amont du méandre de Gaud et les tourelles de son petit château (19e s.).

Belvédères d'Autridge★

Une boucle en déviation permet d'y accéder. Vues sur l'aiguille de Morsanne, semblable à la proue d'un navire.

500 m après la majestueuse combe d'Agrimont, du rebord de la route se développent de belles **perspectives**★★ sur la courbe de l'Ardèche que domine l'aiguille de Morsanne.

Belvédères de Gournier★★

À 200 m au-dessus de l'Ardèche, les belvédères de Gournier voient la rivière se frayer un passage parmi les rochers de la Toupine de Gournier.

Gagner l'aven de Marzal par la route qui court sur le plateau des Gras (D 590, face à la route d'accès au belvédère de la Madeleine).

Aven de Marzal★

Température intérieure : 14 °C. ℘ 04 75 04 12 45 - avr.-sept. : visite guidée (1h), se renseigner pour les horaires - fermé oct.-mars - entrée aven : 8,20 € (enf. 5,40 €) ; entrée combinée avec le zoo préhistorique : 14 € (6-13 ans : 8,70 €).

S'enfonçant sous le plateau des Gras, cet aven est riche en concrétions de calcite, que colorient divers oxydes allant de l'ocre brun au blanc neigeux.

On accède aux grottes par un escalier métallique *(parcours assez pénible)* qui emprunte l'orifice naturel et débouche dans la Grande Salle, ou salle du Tombeau. Tout près, remarquer les ossements d'animaux tombés dans la grotte (ours, cerfs, bisons). La **salle du Chien**, dont une coulée de draperies blanches surmonte l'entrée, contient des concrétions très variées : orgues de couleurs vives, formations excentriques, en disques et en grappes de raisins. Par la richesse de ses coloris, la **salle de la Pomme de pin** est un enchantement. Terme de la visite, la **salle des Diamants** (130 m au-dessous du sol) scintille de milliers de cristaux, en une féerie de reflets et de couleurs.

À la sortie de l'aven, un **musée du Monde souterrain** évoque les grandes étapes de la spéléologie en France : équipements ayant appartenu ou ayant été mis au point par les pionniers de cette spécialité tels que Édouard-Alfred Martel, Robert de Joly, Élisabeth et Norbert Casteret ou Guy de Lavaur. *℘ 04 75 04 12 45 - & - avr.-sept. : se renseigner pour les horaires - fermé oct.-mars - gratuit.*

Un garde forestier bien tatillon

En occitan, **marzal** désigne une graminée sauvage. Ce fut le sobriquet dont on affubla le garde forestier de St-Remèze, Dechame, qui avait infligé une amende à sa propre femme, coupable d'avoir cueilli cette plante dans le champ d'un voisin pour nourrir ses lapins. Or peu après, Marzal fut tué par un habitant de la commune qui, pour se débarrasser du corps, le jeta dans un aven dit « Trou de la Barthe ». Le crime découvert, le trou prit le nom de la victime. L'aven ne fut cependant véritablement connu qu'en 1892 lorsque le spéléologue **Édouard-Alfred Martel** (1859-1938) en fit la première exploration. Mais on oublia sa situation exacte et il ne fut redécouvert qu'en 1949.

On peut compléter la visite par un parcours ombragé de 800 m, aménagé en « **zoo préhistorique** », qui présente des reproductions, plus ou moins crédibles, de quelques spécimens de la faune locale d'autrefois. Dimétrodon, stégosaure, brachiosaure, tyrannosaure et mammouth… bref, de quoi réjouir les fans de *Jurassic Park*. *℘ 04 75 04 12 45 - & - avr.-sept. : se renseigner pour les horaires - fermé oct.-mars - entrée zoo : 8,20 € (enf. 5,40 €) ; entrée combinée avec l'aven : 14 € (6-13 ans : 8,70 €).*

Poursuivre sur le plateau des Gras par la pittoresque D 201.

Bidon

C'est un minuscule village aux maisons traditionnelles de pierres sèches, où la vie semble s'écouler paisiblement depuis des siècles.

Le **musée de la Vie** retrace le prodigieux cheminement suivi par l'univers depuis le fameux Big-Bang jusqu'à nos jours. *℘ 04 75 04 08 79 - & - de déb. avr. à mi-nov. : 10h-18h - possibilité de visite guidée (1h15) 6 € (6-14 ans 3 €) - fermé de mi-nov. à fin mars.*

Revenir aux gorges par la D 590 jusqu'au grand carrefour de la Madeleine.

Vous voici sur la **Haute Corniche**★★★, partie la plus spectaculaire du parcours, où les belvédères offrent des vues parfois saisissantes sur les gorges.

Belvédère de la Madeleine★

Accès au parking en voiture à partir d'avril, lorsque la barrière est ouverte, par une route goudronnée. Beau point de vue sur le « fort » de la Madeleine barrant vers l'aval l'enfilade des gorges. On peut faire une petite visite à la **Maison de la réserve** *(entrée libre)*, où des panneaux explicatifs, des maquettes et un quiz amusant vous permettent d'améliorer vos connaissances sur la réserve naturelle.

🐾 Du parking, un sentier des plus cailouteux, parfois raide et assez peu balisé à travers l'épaisse végétation, permet aux plus courageux de rejoindre, à pied, le belvédère de la Cathédrale *(ci-dessous).*

Grotte de la Madeleine★

☎ *04 75 04 22 20 - www.grotte-madeleine.com - visite guidée (1h, dernière visite 1h av. fermeture), juil.-août : 9h-19h ; avr.-juin et sept. : 10h-18h ; oct. : 10h-17h - 7 € (enf. 4,50 €).*

👥 Découverte en 1887, la grotte a été forée par un ancien cours d'eau souterrain qui drainait jadis une partie du plateau des Gras.

On y pénètre par la Grotte Obscure, puis un tunnel taillé dans le roc *(escalier assez raide)* permet d'atteindre la salle du Chaos. Une magnifique coulée blanche entre deux amas rouges de draperies évoque une cascade par sa fluidité et ses concrétions en forme de rose des sables. Les parois de la salle sont couvertes de petites cristallisations semblables à des coraux.

Belvédère de la Cathédrale★★

🐾 *15mn depuis le point d'accès au belvédère de la Madeleine, à gauche, sous les petits bosquets, sur un chemin parfois rocailleux (soyez prudents !).* Point de vue imprenable sur un immense rocher ruiniforme : la « Cathédrale », qui dresse ses flèches de pierre en amont de la rivière.

Balcon des Templiers

Il doit son nom aux ruines d'une maladrerie de Templiers posée en contrebas sur un éperon. Vues saisissantes sur le méandre resserré de la rivière, dominé par les magnifiques parois du cirque.

Belvédère de la Maladrerie

Il permet d'apercevoir la « Cathédrale » sous un autre angle ; le belvédère de la **Rouvière** donne sur les « remparts » du Garn.

Belvédère de la Coutelle

Plus vertigineux, ce belvédère est situé à pic sur la rivière qui coule 180 m plus bas ; à gauche, on aperçoit les rochers de Castelviel et les rapides de la Fève et de la Cadière.

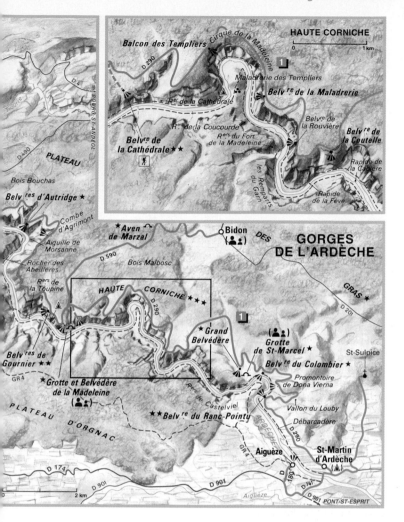

Grand Belvédère★

Il donne sur la sortie des gorges et le dernier méandre de l'Ardèche.

À 200 m en aval du Grand Belvédère, sur la gauche de la D 290.

Grotte de Saint-Marcel★

☎ 04 75 04 38 07 - visite guidée (1h), dernière entrée 1h av. la fermeture - juil.-août : 10h-19h ; de mi-mars à fin juin et sept. : 10h-18h ; de déb. oct. à mi-nov. : 10h-17h - 7,70 € (6-14 ans : 4,50 €).

Découverte en 1835 par un chasseur d'Aiguèze, cette grotte, creusée par une rivière souterraine, s'ouvre naturellement par un abri sous roche au flanc des gorges. Aujourd'hui, une partie des galeries (dont le total atteint près de 40 km) est ouverte aux visiteurs. Un tunnel donne accès à d'impressionnants couloirs où abondent stalactites, stalagmites, draperies, fistuleuses et autres excentriques, l'intérêt principal de la grotte résidant toutefois dans ses **cascades de gours**. On rencontre la salle de la Fontaine de la Vierge, la galerie des Peintres striée de bandes blanches (calcite), rouges (oxyde de fer) et noires (manganèse), la salle des Rois, la Cathédrale.

Un sentier pédestre tracé autour du site fait découvrir la flore locale (chênes verts, buis, cistes, etc.) et deux monuments mégalithiques *(dépliant remis à la caisse)*.

Reprenez la D 290.

Belvédère du Colombier★

On découvre un méandre aux berges entièrement rocheuses.

La route décrit ensuite un crochet au fond d'une vallée sèche, puis, après le promontoire de Dona Vierna, fait un long détour au fond du vallon du Louby.

Les gorges de l'Ardèche depuis le belvédère du Ranc-Pointu.

Belvédère du Ranc-Pointu★★
Il permet de distinguer stries, marmites, grottes, différents phénomènes dus à l'érosion. Une vallée cultivée largement ouverte vers le Rhône succède brusquement au paysage tourmenté des gorges. Sur la droite, on aperçoit Aiguèze, agrippé à une crête rocheuse dominant l'Ardèche.

Plage de Sauze
À l'entrée de Saint-Martin-d'Ardèche, prendre à gauche la voie C 20, direction « Sauze ». Laisser sa voiture au parking aménagé, payant (horodateurs). À la sortie des gorges, cette petite plage de galets est une base d'arrivée pour de nombreux kayaks, mais aussi un endroit sympathique pour se reposer de la journée, les pieds dans l'eau.

Saint-Martin-d'Ardèche
Située au débouché des gorges, cette sympathique bourgade a su aujourd'hui se lier d'amitié avec la rivière dont les facéties fréquentes avaient, par le passé, fait surnommer ses habitants les « trempe-culs ». La cité, où Max Ernst séjourna de 1937 à 1940, accueille aujourd'hui aux beaux jours nombre d'adeptes de la baignade ou de la pêche, randonneurs et canoéistes.

Par une petite route à gauche de Saint-Martin-d'Ardèche *(direction Trignan)*, on accède, au milieu des vignes, à la chapelle romane de **Saint-Sulpice**.

De Saint-Martin, franchir l'Ardèche sur le pont suspendu (des plus étroits !), puis prendre à droite la D 901 et tout de suite à droite la D 180.

Aiguèze
Stationner dans le parking aménagé à l'entrée. Ce village médiéval aux rues pavées couronne les dernières falaises des gorges. On pénètre dans l'ancienne forteresse du 14e s. par un arc taillé dans le rocher : depuis le chemin de ronde, **coup d'œil★** sur la sortie du canyon, les tours en ruine et, en contrebas, le pont suspendu que l'on vient de franchir.

PLATEAU D'ORGNAC ②
Circuit de 45 km au départ d'Orgnac-l'Aven. Voir aven d'Orgnac.

Découvrir

La **descente des gorges ★★★**, de Vallon-Pont-d'Arc à Saint-Martin-d'Ardèche, est une expérience inoubliable *(voir l'encadré pratique pour les recommandations)*.

En barque ou en canoë
Après un calme plan d'eau, l'Ardèche pénètre en méandre dans les gorges. L'impressionnant rapide du Charlemagne, que domine le monumental rocher du même nom, précède le passage sous le porche naturel du Pont d'Arc. Sur la gauche se déploie le cirque d'Estre où s'ouvre la grotte Chauvet ; puis, peu après, on aperçoit sur la droite l'entrée de la grotte ornée d'Ebbo, avant l'étroit Pas du Mousse qui donne accès au plateau. Sur la gauche se détache le rocher de l'Aiguille.

Après les falaises de Saleyron, quelques battements de cœur au passage du rapide de la Dent Noire… Puis, retour au calme dans le méandre du cirque de Gaud. Les rapides alternent alors avec de magnifiques plans d'eau, surplombés par d'impressionnantes parois : aiguille de Morsanne à gauche et, à droite, les arrachements rouges et noirs des Abeillères. Après les rochers et les trous de la Toupine de Gournier (le fond peut y atteindre 18 m), on aperçoit au loin, après environ 4h de navigation, la majestueuse « Cathédrale » et, sur la gauche, une des entrées naturelles de la grotte de la Madeleine. Peu après la « Cathédrale », on contourne la presqu'île des Templiers qui ont cédé aujourd'hui le terrain aux naturistes.

Au pied d'énormes falaises, le cirque de la Madeleine est l'un des plus beaux passages des gorges. Détroits, rapides et plans d'eau irisés se succèdent tandis que les chênes verts contrastent avec les parois dénudées. Le singulier rocher de la Coucourde (de *cogorda*, mot désignant en provençal une « courge » et, donc, un crâne !) et le surplomb de Castelvieil précèdent l'entrée de la grotte St-Marcel. Puis, après le promontoire de Dona Vierna et le belvédère du Ranc-Pointu, les falaises s'abaissent à l'entrée de la percée finale. Sur la droite, la tour d'Aiguèze domine la vallée, désormais élargie.

À pied

🥾 *Randonnée de 2 jours avec étape au bivouac de Gournier (réserver).* Les premières heures de la matinée sont un vrai bonheur et le moment idéal pour découvrir, avant l'arrivée des canoéistes, la vie dans les gorges. Parmi les occupants permanents des lieux, les moins discrets sont les sangliers qui labourent régulièrement les abords du sentier et quelques chèvres sauvages qui jouent les acrobates ; la présence de castors est également très visible sur les arbres et arbustes abattus, ou par leurs traces sur le sable. Avec beaucoup de chance et de bonnes jumelles, vous pourrez peut-être observer le très rare aigle de Bonelli qui règne sur les gorges. Dans ce milieu pourtant difficile se développe une flore très variée : genévriers, genêts, sariettes, chênes blancs et verts… Repérez les très vieux **genévriers de Phénicie**, véritables bonsaïs naturels accrochés aux hautes falaises calcaires, qui font actuellement l'objet d'une étude.

Gorges de l'Ardèche pratique

♿ Voir aussi les encadrés pratiques de l'aven d'Orgnac et Vallon-Pont-d'Arc.

Se loger

🛏 **Chambre d'hôte Les Clapas** – *Le Village - 07120 Chauzon - ℰ 04 75 39 79 67 - www.lesclapas.com - fermé vac. de Toussaint et 25 déc.-1ᵉʳ janv. - 🖨 - 5 ch. 36/46 € 🖵.* Les propriétaires de cette ancienne ferme ont aménagé des chambres d'hôte dans une partie indépendante de la propriété. Celles-ci sont à la fois simples, fonctionnelles et décorées avec goût. Possibilité d'accéder à la piscine sur le terrain mitoyen.

🛏 **Chambre d'hôte Le Mas St-Michel** – *Quartier St-Michel (La Roche) - 07120 Ruoms - ℰ 04 75 39 73 33 - www.le-mas-saint-michel.com - 🖨 - 4 ch. 40/55 € 🖵.* C'est dans l'une des chambres de l'ancienne magnanerie que vous pourrez poser vos bagages et profiter du calme des lieux. Vue imprenable sur le confluent de la Beaume et de l'Ardèche. S'il fait trop chaud, vous pourrez toujours aller barboter dans la piscine. Confitures et pâtisseries maison au petit-déjeuner.

🛏 **Chambre d'hôte La Martinade** – *Rte de Gras - 07700 St-Remèze - 1,5 km par D 362 - ℰ 04 75 98 89 42 -* www.chambres-hotes-la-martinade.fr/ - 🖨 - 4 ch. 42/50 € 🖵 - repas 18 €. Entre champs de lavande et chênes truffiers, cette ferme deux fois centenaire ne fait pas son âge tant il est agréable d'y vivre. On se prélasse avec bonheur près de la cheminée du salon, en attendant de se régaler de bon petits plats provençaux, puis de rejoindre l'une des jolies chambres logées dans les dépendances.

🛏🛏 **Hôtel Le Clos des Bruyères** – *Rte des Gorges - 07150 Vallon-Pont-d'Arc - ℰ 04 75 37 18 85 - www.closdesbruyeres.fr - fermé oct.-mars - 🅿 - 32 ch. 52/59 €.* La route des gorges de l'Ardèche est magnifique, mais fatigante avec ses virages ! Faites étape dans cette maison de style régional, dont les arcades ouvrent sur la piscine d'été. Chambres avec balcon ou en rez-de-jardin. Cuisine de la mer au restaurant doté d'une terrasse.

🛏🛏 **Hôtel La Bastide d'Iris** – *07150 Vagnas - ℰ 04 75 88 44 77 - www.labastidediris.com - fermé janv. - 🅿 - 12 ch. 75/105 € - 🖵 9 €.* Murs joliment colorés, tissus assortis, tomettes, meubles en fer forgé et salles de bains gaies caractérisent les chambres de cette charmante bastide flambant neuve.

Se restaurer

🍴 **Le Charabanc** – *Rte Nationale - 07150 Salavas* - 📞 *04 75 88 14 38 - mnmcreiche@9online.fr - fermé 1 sem. en juin et 4 sem. fin déc.-déb. janv. - 12/27 €.* Ce sympathique petit restaurant, bâti au bord de la route mais doté d'une terrasse ombragée, vous permettra de souffler un peu après la cohue estivale de Vallon-Pont-d'Arc. Service impeccable et cuisine provençale à base de produits frais prouvant que l'on peut faire simple et bon en même temps. Prix très doux.

🍴🍴 **L'Auberge Sarrasine** – *R. de la Fontaine - 30760 Aiguèze -* 📞 *04 66 50 94 20 - fermé janv. - 20/50 €.* En vous promenant dans les ruelles anciennes du village, vous découvrirez ce petit restaurant installé dans trois salles voûtées datant du 11e s. et agrémentées de belles cheminées. Le chef marie avec bonheur saveurs et couleurs.

Sports & Loisirs

👁 **Bon à savoir** – La Réserve naturelle des gorges de l'Ardèche (zone comprise entre Charmes et Sauze) fait l'objet de mesures de protection : on s'abstiendra donc d'y faire du feu, d'y abandonner des détritus, d'arracher les plantes ou d'ébrancher les arbres et de s'écarter des sentiers. Campings et bivouacs interdits en dehors des aires autorisées.

DESCENTE À PIED

Conseils – De nombreux passages nécessitent un sens exercé de la reconnaissance de terrain : vires étroites et glissantes, traversées de grottes et de gués. **Équipement** de randonnée performant recommandé.
Le **Plan-guide** édité par l'association Tourena donne de précieux renseignements sur les parcours à pied dans les gorges.

Prudence – Si l'on entreprend la promenade à partir de la rive gauche, il est prudent de se renseigner auparavant sur le **niveau des eaux** auprès des gendarmeries locales ou du Service départemental d'alerte des crues (📞 04 75 64 54 55). Les gués « des Champs » et « de Guitard » sont en effet inévitables.

DESCENTE EN BARQUE OU EN CANOË

Conseils – Elle peut s'effectuer toute l'année. En période froide (oct.-avr.), se munir d'une **combinaison** étanche et isotherme. Privilégier les mois de mai, juin (à l'exclusion des w.-ends, très chargés) et septembre (tous les jours). La descente complète représente **30 km** en partant avant le Pont d'Arc, mais il est possible de commencer vers Chames (derniers loueurs) pour réduire la descente

à 24 km. Prévoir **2 jours** pour profiter au maximum de la descente sans se soucier de l'heure d'arrivée.
Ceux qui veulent profiter des gorges sans effort physique peuvent demander les services de la **Confrérie des bateliers** de l'Ardèche *(renseignements et réservations à l'office du tourisme de Vallon-Pont-d'Arc).*

Prudence - Selon la saison et la hauteur des eaux, prévoir de **6h à 9h** pour la descente (dép. interdit après 18h). Quelques passages difficiles nécessitent un minimum d'initiation (et expérience confirmée en zone orange) à demander avant votre départ auprès de votre loueur de canoës.
Il est impératif de savoir nager. **Gilet de sauvetage** désormais exigé, sous peine de lourdes amendes.
Un règlement de la navigation est consultable chez tous les loueurs de canoës, dans les mairies, les offices de tourisme et les gendarmeries.

Bivouacs – Pour séjourner sur les aires de bivouac de la Réserve naturelle (aires de Gaud et de Gournier), il est nécessaire de réserver sa place à l'avance auprès de la Centrale de réservation (📞 04 75 88 00 41).

Locations - Une soixantaine de loueurs implantés à Vallon-Pont-d'Arc, Salavas, Ruoms, Saint-Martin et Saint-Remèze proposent la descente des gorges, soit en location libre soit en location accompagnée de 1 à 2 j., pour un forfait moyen de 26 € (1 j.) ou 36 € par personne (2 j. sans hébergement, bivouac obligatoire 5 € et 7 € sous tente collective).
La **liste des loueurs** est disponible auprès de l'office du tourisme des gorges de l'Ardèche et de Vallon-Pont-d'Arc *(le village - 07150 Vallon-Pont-d'Arc -* 📞 *04 75 88 04 01 ;* l'office du tourisme du pays Ruomsois *(rue Alphonse-Daudet - 07120 Ruoms -* 📞 *04 75 93 91 90)* et l'office du tourisme de Saint-Martin-d'Ardèche (📞 *04 75 98 70 91).*

AUTRE ACTIVITÉ

👥 **Indy Parc** – *Le Riousset - 2 km au N de Vagnas par D 579 - 07150 Vagnas -* 📞 *04 66 83 38 28 et 06 09 57 57 46 - www.indy-parc.com - juil.-août : 8h30-19h (dernier dép. 15h30) ; sept.-juin : sur réserv - 20 € (enf. 11 €).* Tremblez de joie et d'émotion dans ce parc aventure aménagé au milieu des bois. Le défi « top audace » : un parcours original sans harnais, mais avec un filet de 600 m² qui assure la sécurité en cas de chute ; les jeux arrosés ; un parcours sanglier pédagogique de découverte de la nature. De quoi distraire toute la famille.

Arles★★★

50 513 ARLÉSIENS OU ARLATENS (EN PROVENÇAL)
CARTE GÉNÉRALE A3 – CARTE MICHELIN LOCAL 340 C3 – SCHÉMA P. 203 –
BOUCHES-DU-RHÔNE (13)

D'où vient cette magie arlésienne ? De cette lumière particulière qui éblouit jadis Van Gogh ? De ce ciel pur, presque transparent à force d'être balayé par le mistral ? De ces impressionnants vestiges architecturaux laissés par les générations successives, celtes, romaines ou contemporaines ? Ou bien de son mélange de cultures ? Camarguaise et provençale, Arles a assimilé sans peine les Espagnols, les Gitans et les Marocains. Aujourd'hui, tous ces Arlésiens coexistent dans ce « carrefour des Sud ». Car, plus qu'une ville, Arles est un état d'esprit.

Le clocher de l'église Saint-Trophime se distingue depuis les bords du Rhône.

- **Se repérer** – Sitôt quitté la voie rapide, vous vous retrouvez sur le boulevard des Lices, centre nerveux de la ville, qui longe le tracé des anciens remparts.

- **Se garer** – Sous les platanes du boulevard Georges-Clemenceau, à la sortie de la voie rapide, aux abords du Rhône. À moins d'être arlésien depuis plusieurs générations, n'essayez pas de vous glisser en voiture dans le dédale de ruelles du centre historique.

- **À ne pas manquer** – Le centre monumental, avec le théâtre antique et l'amphithéâtre (les arènes) ; les Alyscamps ; le cloître Saint-Trophime ; le musée de l'Arles et de la Provence Antiques ; le Museon Arlaten.

- **Organiser son temps** – Comptez une journée au minimum pour les seuls sites antiques. Pour les autres musées et monuments, prévoyez une journée supplémentaire. Le grand marché du samedi matin, sur le boulevard des Lices, saura aussi vous retenir. En saison, assistez à une corrida ou à une course camarguaise dans les arènes. En cas de mistral, une petite laine ne sera jamais superflue.

- **Avec les enfants** – Le Museon Arlaten ; une course camarguaise dans les arènes (pas de mise à mort) ; en route pour la Camargue, une halte au marais du Vigueirat, pour observer les oiseaux.

- **Pour poursuivre la visite** – Pour les passionnés de nature, voir aussi la Camargue et les Saintes-Maries-de-la-Mer. Pour les passionnés d'histoire antique, voir aussi Nîmes, Orange, le Pont du Gard, Saint-Rémy et Vaison-la-Romaine (se reporter à la partie « La Provence antique » p. 66).

Comprendre

De main en main – Les Celto-Ligures établirent à cet endroit leur oppidum, Théliné, que les Grecs de Marseille colonisèrent dès le 6e s. av. J.-C. Bientôt rebaptisée Arelate, la ville prit son essor lorsque le consul Marius la fit relier, en 104 av. J.-C., au golfe de Fos par un canal, ce qui facilita la navigation. Après la prise de Marseille par César en 49 av. J.-C., Arelate devient une colonie romaine prospère : carrefour de plusieurs routes (sept au total), grand port maritime et fluvial.

Une colonie romaine – Colonie des vétérans de la 6e légion, la ville reçoit le privilège de ceinturer les 40 ha de la cité officielle d'un rempart. Un forum, des temples, une basilique, des thermes et un théâtre sont édifiés ; un aqueduc amène à la ville l'eau pure des Alpilles. La ville se développe au 1er s. : amphithéâtre, chantiers navals au sud, quartier résidentiel à l'est. Sur la rive opposée du Rhône, à Trinquetaille, mariniers, bateliers et marchands entretiennent l'animation et un pont de bateaux est lancé sur le fleuve.

Un siècle d'or – Arles est un centre industriel actif : on y fabrique des tissus, de l'orfèvrerie, des navires, des sarcophages, des armes. Un atelier impérial bat monnaie. On exporte le blé, la charcuterie, l'huile d'olive et le vin noir et épais des coteaux du Rhône : que l'on appelait alors **« vin de poix ».**

Prospère, Arles voit accroître son pouvoir politique : **Constantin** s'y installe. L'extension d'Arles atteint alors son maximum : l'empereur fait remodeler le quartier nord-ouest où il édifie un palais impérial et les thermes de la Trouille. En 395, la cité devient préfecture des Gaules (Espagne, Gaule proprement dite, Bretagne). Dans ses murs se tiennent dix-neuf conciles, grâce au rayonnement de ses évêques (comme saint Césaire), qui en font une importante métropole religieuse.

Le déclin – Francs et Sarrasins se disputent au 8e s. le pays, avec les ravages qu'on imagine… et au 9e s., la ville n'est plus que l'ombre d'elle-même lorsqu'elle devient la capitale du royaume d'Arles, comprenant la Bourgogne et une partie de la Provence. Il faudra attendre le 12e s. pour voir l'amorce d'un renouveau : l'empereur **Frédéric Barberousse** vient se faire couronner roi d'Arles en 1178 dans la toute nouvelle cathédrale Saint-Trophime. En 1239, les bourgeois arlésiens se rallient au comte de Provence et dès lors, la ville suit les destinées de sa province. Aix la détrône dans le domaine politique, Marseille prend sa revanche dans l'ordre économique. Le Rhône assure néanmoins une certaine prospérité, d'autant que le pays est mis en valeur par l'irrigation de la Crau et la bonification des marais. Mais l'avènement du chemin de fer, détruisant le rôle commercial du fleuve, lui porte un coup fatal. Arles n'est plus alors que le marché agricole de la Camargue, de la Crau et des Alpilles.

Se promener

CENTRE MONUMENTAL (plan II)

Compter une journée.

Quel plaisir de se promener sur le **boulevard des Lices**, avec ses grands platanes, ses terrasses de cafés et son animation, particulièrement le samedi matin, jour de marché. Par l'agréable jardin d'Été, puis la **rue Porte-de-Laure** jalonnée de restaurants, vous accédez à l'Arles antique, débouchant devant la masse majestueuse de l'amphithéâtre, tandis que sur la gauche, parmi pins et mélèzes, se dressent les colonnes du théâtre antique. Dans le quartier silencieux et serein qui s'élève entre la rue Porte-de-Laure et les remparts, des demeures souvent restaurées réservent bien des surprises : ici une gargouille, là une fenêtre géminée, ailleurs une colonne cannelée encastrée dans une façade…

Théâtre antique★★

*℘ 04 90 49 36 74 - 2 mai-30 sept. : 9h-18h ; mars-avr. et oct. : 9h-11h30, 14h-17h30 ; 2 nov.-28 fév. : 10h-11h30, 14h-16h30 - fermé 1er janv., 1er Mai, 1er nov. et 25 déc. - 3 €
(–12 ans gratuit).*

Construit vers 27-25 av. J.-C., il a subi les assauts du temps mais il est en cours de restauration (dans le cadre du Plan patrimoine antique) et sera à terme doté d'un équipement moderne pour continuer à accueillir des spectacles.

Carrière au Moyen Âge, réduit fortifié ensuite, il disparut complètement sous les habitations et ne fut dégagé qu'à partir de 1827. D'un diamètre de 102 m, l'édifice s'appuyait non pas sur une colline (comme celui d'Orange) mais sur un portique extérieur de 27 arches dont une travée a subsisté. Ne restent du mur de scène que deux admirables colonnes, composant avec la végétation un paysage on ne peut plus romantique. La scène, la fosse du rideau, l'orchestre et une partie des gradins sont encore visibles.

En prenant sur la droite des arènes, on accède au parvis de la collégiale romane **Notre-Dame-de-la-Major**, l'un des hauts lieux de la confrérie des Gardians. Une terrasse permet d'apprécier la vue, au premier plan sur les toits de tuiles romaines aux

Gilles Magnin / MICHELIN

L'amphithéâtre pouvait recevoir plus de 20 000 spectateurs.

teintes rose orangé, au second plan sur l'abbaye de Montmajour, la Montagnette et les Alpilles et, au loin, sur les Cévennes délicatement bleutées (table d'orientation).

Amphithéâtre (arènes) ★★

☎ 0 891 70 03 70 (0,25 €/mn)- juin-août : 9h-18h (merc. 13h) ; mai et sept. : 9h-18h ; mars-avr. et oct. : 9h-17h30 ; nov.-fév. : 10h-16h30 - fermé du jeu. saint au lun. de Pâques, 2ᵉ w.-end de sept., 1ᵉʳ janv., 1ᵉʳ Mai, 1ᵉʳ nov. et 25 déc. - 5,50 € (–12 ans gratuit).

L'amphithéâtre date vraisemblablement de la fin du 1ᵉʳ s. et mesure 136 m sur 107 m. L'arène, de 69 m sur 40 m, était séparée des gradins par un mur de protection et recouverte d'un plancher : sous ce dernier se trouvaient les machineries, les cages aux fauves et les coulisses.

Les arènes devinrent **une ville dans la ville** au Moyen Âge. Sous les arcades bouchées, sur les gradins et sur la piste s'élevaient plus de 200 maisons et 2 chapelles, construites avec des pierres prélevées sur l'édifice. Mutilé mais préservé de la destruction par cette utilisation continue, le monument fut dégagé, puis restauré à partir de 1825. Une campagne de restauration est actuellement en cours et doit se poursuivre sur plusieurs années.

Remontez le long des arènes jusqu'au **palais de Luppé**, édifice du 18ᵉ s. qui abrite la fondation Vincent-Van-Gogh *(voir « Visiter »)*.

En sortant, prendre à gauche la rue des Arènes puis la troisième rue à droite. Au bout, prendre à gauche vers le musée Réattu (fléché).

On passe devant l'ancien grand **prieuré des chevaliers de Malte**, bel édifice des 15ᵉ et 17ᵉ s. qui abrite aujourd'hui le musée Réattu *(voir « Visiter »)*. En face, n'hésitez pas à jeter un coup d'œil dans la cour de la **commanderie de Sainte-Luce (D)**, si toutefois vous avez la chance que la grille soit ouverte.

Palais Constantin★ (thermes de la Trouille)

Accès par la rue du Grand-Prieuré. ☎ 04 90 49 31 32 - mai-sept. : 9h-11h30, 14h-17h30 ; mars-avr. et oct. : 9h-11h30, 14h-17h30 ; nov.-fév. : 10h-11h30, 14h-16h30 - fermé 1ᵉʳ janv., 1ᵉʳ Mai, 1ᵉʳ nov. et 25 déc. - 5,50 € (–12 ans gratuit).

Ces thermes, dont seule une partie a été dégagée, datent du règne de Constantin (4ᵉ s.). Ce sont les plus vastes qui subsistent en Provence (98 m sur 45 m). On y pénètre par la salle tiède, le *tepidarium*, avant d'accéder à la salle chaude, le *caldarium*, qui a conservé son hypocauste, fourneau souterrain permettant de transformer la salle en étuve.

👣 **Petit détour** – En contournant les thermes et la place Constantin, on rencontre l'église des Dominicains, puis, accédant au quai Marx-Dormoy, la **place Nina-Berberova**, haut lieu culturel de la ville avec les éditions Actes Sud.

Remonter par la rue Maïsto, à gauche, et poursuivre, à droite, par la place et la rue du Sauvage.

Belles demeures dont l'ancien palais des comtes d'Arlatan de Beaumont (15ᵉ s.) abritant aujourd'hui l'hôtel d'Arlatan.

Continuer jusqu'à la place du Forum.

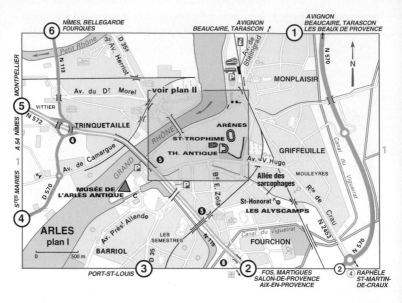

Place du Forum

« Place des hommes » : tel était le nom de cette place où les journaliers se regroupaient chaque matin pour se louer aux propriétaires terriens venus embaucher leur personnel temporaire. Animée par des terrasses de cafés, présidée par la statue de Mistral où aiment à se percher des pigeons peu respectueux des valeurs du Félibrige, cette place, malgré son nouveau nom, n'est pas située à l'emplacement du forum de la ville romaine, qui s'étendait plus au sud. Remarquez, incluses dans la façade du légendaire hôtel Nord-Pinus, deux colonnes corinthiennes, restes de la façade d'un temple du 2ᵉ s.

Par la rue du Palais, on accède au Plan de la Cour, placette bordée de bâtiments anciens dont le **palais des Podestats** (12ᵉ-15ᵉ s.) et l'hôtel de ville.

Hôtel de ville

Lorsqu'il le réédifia en 1675 sur des plans de Hardouin Mansart, l'Arlésien Peytret conserva de l'édifice précédent la tour de l'Horloge (16ᵉ s.), inspirée du mausolée du plateau des Antiques. On remarquera dans le vestibule *(ouvert au public en journée)* la **voûte**★ presque plate, chef-d'œuvre qui faisait l'admiration des compagnons du Tour de France.

En sortant de l'Hôtel de ville (côté Plan de la Cour), remonter sur la gauche jusqu'à la rue Balze, permettant d'accéder à la chapelle des Jésuites dans laquelle s'ouvrent les cryptoportiques.

Cryptoportiques★

℘ 04 90 49 36 74 - fermé pour raisons de sécurité pendant une durée indéterminée.
Cette double galerie souterraine en fer à cheval date de la fin du 1ᵉʳ s. av. J.-C. Les deux couloirs voûtés sont séparés par un alignement de piliers massifs et des soupiraux diffusent la lumière du jour. On ignore si ces substructions du forum antique avaient une autre fonction que celle d'en assurer la stabilité, comme celle de grenier à blé.

De retour au Plan de la Cour, traversant le vestibule de l'hôtel de ville, on débouche sur la place de la République, où un bel **obélisque** provenant du cirque romain d'Arles complète le décor composé par la façade classique de l'hôtel de ville et le somptueux portail de Saint-Trophime.

Église Saint-Trophime★

12 r. du Cloître - tlj sf dim. apr.-midi 8h30-12h, 14h-18h30.
Cette église, vouée à celui qui fut sans doute le premier évêque d'Arles, au début du 3ᵉ s., a été bâtie à l'emplacement d'un sanctuaire antérieur, d'époque carolingienne (partie de la façade en petits moellons), puis reconstruite au 11ᵉ s. (transept) et dans la première moitié du 12ᵉ s. (nef).

C'est vers 1180 qu'elle s'est embellie d'un magnifique **portail sculpté**★★, parfait exemple du roman méridional tardif. Il affecte la forme d'un arc de triomphe, influence

ARLES
plan II — TRINQUETAILLE

SE LOGER		SE RESTAURER	
Hôtel Calendal.................. ①	Hôtel Régence............... ⑯	Corazón............................... ①
Hôtel d'Arlatan.................. ④	Hôtel Mireille................. ⑲	Ferme-Auberge de Barbegal.... ④
Hôtel Acacias.................... ⑦	Hôtel Muette.................. ㉒	La Gueule du Loup............... ⑦
Hôtel du Musée................. ⑩		Le Criquet.......................... ⑩
Hôtel le Relais de Poste..... ⑬		Le Jardin de Manon.............. ⑬
		Lou Calèu............................ ⑯

courante en Provence de l'art antique sur les bâtisseurs romans. Inscrit par l'Unesco sur la liste du Patrimoine mondial, le portail de Saint-Trophime a été restauré selon des procédés sophistiqués, alors que, rongé par les vents, la pluie et la pollution, il était menacé de disparition.

À l'intérieur, on sera surpris par la hauteur du vaisseau et l'étroitesse des bas-côtés, ainsi que par la sobriété romane de la nef qui contraste avec les nervures et les moulures du chœur gothique. Parmi les œuvres d'art, on remarquera des sarcophages du 4e s. (dont celui représentant le Passage de la mer Rouge, servant d'autel à la chapelle de Grignan), et une très belle *Annonciation* de Finsonius, dans le transept gauche.

Cloître Saint-Trophime★★

Mai-sept. : 9h-18h, mars-avr. et oct. : 9h-17h30, nov.-fév. : 10h-16h30 - fermé 1er janv., 1er Mai, 1er nov. et 25 déc. - 3,50 € (–12 ans gratuit).

C'est le plus célèbre de Provence par l'élégance et la finesse de sa décoration sculptée, peut-être due à certains artistes de Saint-Gilles. Remarquez en particulier les sculptures sur les chapiteaux et les magnifiques piliers d'angle de la galerie nord (*à gauche en entrant*). Ne manquez pas sur le pilier nord-est, une statue de saint Paul aux plis profondément incisés, très longs sous les coudes, œuvre d'un artiste qui, visiblement, connaissait le portail central de **Saint-Gilles** *(voir ce nom)*. Les chapiteaux et les piliers de la galerie est évoquent la vie du Christ, ceux de la galerie sud celle de saint Trophime ; quant à la galerie ouest, elle est consacrée à des thèmes provençaux, comme sainte Marthe et la tarasque. Depuis la galerie sud, on découvre le cloître, les anciens locaux du chapitre, la nef de l'église et, dominant le tout, son robuste clocher. Bordant la galerie est, le réfectoire et le cloître accueillent des expositions temporaires, dont le fameux **Salon des santonniers** *(de fin nov. à mi-janv.).*

Au fond de la place, prendre à droite la rue de la République, puis la rue du Prés.-Wilson qui conduit à l'ancien Hôtel-Dieu (Espace Van-Gogh, voir « Visiter »).

LES ALYSCAMPS★★★ (plan I)

Compter 30mn - mai-sept. : 9h-18h ; mars-avr. et oct. : 9h-11h30, 14h-17h30 ; nov.-fév. : 10h-11h30, 14h-16h - fermé 1er janv., 1er Mai, 1er nov. et 25 déc. - 3,50 € (–12 ans gratuit).

Les Alyscamps (« Champs Élysées ») ont été, de l'époque gallo-romaine jusqu'à la fin du Moyen Âge, une des plus prestigieuses nécropoles d'Occident. Le voyageur antique, arrivant à Arles par la **voie Aurélienne**, était accompagné, ici comme dans la plupart des villes du monde romain, par un long cortège de tombeaux et de mausolées gravés d'inscriptions. Mais le grand essor des Alyscamps est venu lors de la christianisation de la nécropole, autour des reliques de saint Trophime et du tombeau de saint Genès, fonctionnaire romain qui, ayant refusé de transcrire un édit de persécution contre les chrétiens, fut décapité en 250. Le déclin allait survenir, après le transfert des reliques de saint Trophime à la cathédrale en 1152. La nécropole, bientôt jugée démodée, sera petit à petit dépecée par les seigneurs et édiles qui offraient en souvenir à leurs hôtes de marque des sarcophages choisis parmi les mieux sculptés, tandis que les moines puisaient dans les pierres tombales pour bâtir des couvents ou enclore leurs jardins. Par bonheur, quelques pièces admirables ont pu être sauvées et recueillies au musée de l'Arles Antique et de la Provence.

Prendre la rue Émile-Gassin jusqu'à l'allée des Sarcophages.

Allée des Sarcophages

Offrir au défunt, comme marque d'affection, une tombe aux Alyscamps était chose courante : il suffisait d'expédier au fil du Rhône son cercueil muni d'une obole pour les fossoyeurs qui, interceptant le colis au pont de Trinquetaille, se chargeaient de l'inhumation.

Passez sous le porche du 12e s. (vestige de l'abbaye Saint-Césaire). Remarquez que bon nombre de sarcophages sont de type grec (toit à double pente et quatre coins relevés), les autres (à couvercle plat) de type romain. Sur certains sont sculptés un fil à plomb et un niveau de maçon, symbolisant l'égalité des hommes devant la mort, tandis qu'une sorte de hache, la doloire, était censée protéger le sarcophage contre les voleurs.

Église Saint-Honorat

Reconstruite au 12e s. par les moines de Saint-Victor de Marseille, gardiens de la nécropole, elle est dominée par un puissant clocher ou tour-lanterne à deux étages percés de huit baies en plein cintre. Outre le clocher, ne subsistent que le chœur, plusieurs chapelles et un portail sculpté.

Visiter

Musée de l'Arles et de la Provence Antiques★★

Compter 1h30 - accès par le bd Georges-Clemenceau que l'on suit jusqu'au Rhône, avant de passer à gauche sous la voie rapide - ℘ 04 90 18 88 88 - www.arles-antique.cg13.fr - ⚒ - avr.-oct. : 9h-19h ; nov.-mars : 10h-17h - fermé 1er janv., 1er Mai, 1er nov. et 25 déc. - 5,50 € (–18 ans gratuit), 1er dim. du mois gratuit.

En bordure du Rhône, cet audacieux bâtiment bleu de forme triangulaire, conçu par Henri Ciriani, abrite les riches collections arlésiennes d'archéologie, jusqu'alors disséminées en divers lieux de la ville.

Accueilli par le lion de l'Accoule (1er s.), le visiteur découvre la grande statuaire : statues de danseuses, autels dédiés à Apollon, moulage de la fameuse **Vénus d'Arles** hellénistique (l'original est au Louvre) et grand **bouclier votif d'Auguste** (26 av. J.-C.) témoignent de la romanisation rapide d'Arles.

Des **maquettes** illustrent la civilisation romaine à l'époque impériale. Les plans d'urbanisme qui jalonnent l'édification des grands monuments d'époques augustéenne (forum, théâtre), flavienne (amphithéâtre), antonine (cirque) et constantine (thermes) permettent de suivre l'évolution d'Arelate. La **vie quotidienne** des Arlésiens (équipement domestique, parures, soins médicaux) est présentée en parallèle avec leurs activités traditionnelles (agriculture, élevage, artisanat, industrie) par des objets ou des bas-reliefs provenant de sarcophages. Quant à l'**économie** arlésienne, elle est évoquée par le réseau routier (bornes milliaires) et le commerce terrestre ou maritime (amphores et *dolia*). Une aire est consacrée aux cultes : petit faune en bronze (1er s. av. J.-C.), torse de Sarapis (2e s.) autour duquel s'enroule un serpent.

Du haut d'une passerelle, on découvre les motifs et les coloris de somptueuses **mosaïques** provenant des riches villas de Trinquetaille, témoignages des fastes de l'époque impériale : décors géométriques ou à thème illustrant l'enlèvement d'Europe, Orphée ou les quatre saisons. Dans le médaillon central de la mosaïque de l'Aiôn, le dieu du temps tient à la main l'inexorable roue du zodiaque.

Mais on s'attachera surtout à l'éblouissante **série de sarcophages★★**, païens ou chrétiens : ces œuvres magnifiques, généralement taillées dans le marbre aux 3ᵉ et 4ᵉ s. par les sculpteurs arlésiens, proviennent en partie des Alyscamps. Remarquez le sarcophage de Phèdre et Hippolyte, celui de La Trinité ou encore celui des Époux. Le parcours se termine sur l'Antiquité tardive avec la boucle en

Bas-relief de stèle funéraire, musée de l'Arles et de la Provence Antiques.

Stéphane Sauvignier / MICHELIN

ivoire de saint Césaire (6ᵉ s.) représentant les soldats endormis devant le tombeau du Christ.

Museon Arlaten★

29 r. de la République - ☏ 04 90 52 52 31 - juin-août : 9h30-13h, 14h-18h30 ; avr.-mai et sept. : 9h30-12h30, 14h-18h ; oct.-mars : 9h30-12h30, 14h-17h (dernière entrée 1h av. fermeture) - fermé lun. (oct.-juin), 1ᵉʳ janv., 1ᵉʳ Mai, 1ᵉʳ nov. et 25 déc. - 4 € (–18 ans gratuit), gratuit 1ᵉʳ dim. et dernier merc. du mois - audioguide (2 €).

C'est avec l'argent du prix Nobel de littérature, obtenu en 1904, que **Frédéric Mistral** a pu aménager entre 1906 et 1909 dans l'hôtel de Laval-Castellane (16ᵉ s.) ce passionnant musée ethnographique. Inquiet du sensible recul de l'identité provençale, Mistral a collectionné ces objets, témoins d'un monde en voie de disparition…

La visite est indispensable à tous ceux qui souhaitent mieux connaître les traditions de la Provence rhodanienne. Quant au côté désuet de la présentation, avec ses étiquettes soigneusement calligraphiées de la main de **Mistral**, il ne fait que renforcer le charme de l'endroit… D'innombrables objets sont exposés dans une trentaine de salles, gardées par une Arlésienne revêtue de son inévitable (et magnifique) costume. Meubles, costumes, objets, céramiques, documents, reconstitutions d'intérieurs (voir la « veillée de Noël » dans la salle à manger du mas) évoquent la vie quotidienne, les métiers traditionnels, la batellerie du Rhône, l'habitat, les rites religieux, la musique et les fêtes d'autrefois en pays d'Arles. L'ensemble fait de ce musée ethnographique, aménagé avec ferveur, le plus complet de Provence.

Dans la cour, vestiges d'un petit forum qui donnait accès à une basilique du 2ᵉ s.

Musée Réattu★

10 r. du Grand-Prieuré - ☏ 04 90 49 37 58 - juil.-sept. : 10h-19h ; mars-juin et oct. : 10h-12h30, 14h-18h30 ; nov.-fév. : 13h-18h (dernière entrée 30mn av. fermeture) - fermé 1ᵉʳ janv., 1ᵉʳ Mai, 1ᵉʳ nov. et 25 déc. - 4 € (–12 ans gratuit).

Il doit son nom au peintre arlésien **Jacques Réattu** (1760-1833) qui habita les lieux et dont les œuvres occupent douze salles du musée. Outre des peintures italiennes, françaises, hollandaises ou provençales du 16ᵉ au 18ᵉ s., le musée présente une collection de sculptures contemporaines (César, Richier, Bourdelle, Zadkine), des peintures modernes de Dufy, Vlaminck, Sarthou, Prassinos et Alechinsky et surtout la **donation Picasso★**, comprenant 57 dessins et une toile exécutés en 1971.

Les œuvres de l'important **fonds photographique★** (plus de 4 000 clichés), né de dons du photographe arlésien **Lucien Clergue**, sans cesse enrichi par des acquisitions et des donations d'artistes invités aux Rencontres internationales de la photographie, sont exposées par roulement.

Espace Van-Gogh
☎ 04 90 49 38 05 - 7h30-19h30 - gratuit.
C'est dans l'ancien Hôtel-Dieu, à la cour bordée d'arcades, que Van Gogh se fit soigner en 1889. Le lieu abrite aujourd'hui diverses librairies, la médiathèque, les archives de la ville et le collège des traducteurs littéraires, qui tiennent leurs assises à Arles chaque année.

Fondation Vincent-Van-Gogh-Arles
24 bis rond-point des Arènes - ☎ 04 90 49 94 04 - juil.-sept. : 10h-19h ; avr.-juin : 10h-18h ; oct.-mars : tlj sf lun. 11h-17h - fermé 1ᵉʳ janv. et 25 déc. - 7 € (–12 ans gratuit).
C'est un bel hôtel du 18ᵉ s., le palais de Luppé, qui abrite cette collection d'œuvres créées en hommage à Van Gogh. Tableaux (Bacon, Hockney, Botero, Debré), sculptures (Appel, César), photos (Doisneau, Clergue), œuvres littéraires (Tournier, Forrester), musicales (Dutilleux) et créations de mode (Lacroix) revisitent l'œuvre du peintre hollandais. Expositions temporaires consacrées à l'un des donateurs, chaque année, lorsque la collection permanente voyage sous d'autres cieux.

Vincent en Arles

Le 21 février 1888, Vincent Van Gogh descend du train en gare d'Arles. Là, il découvre la lumière extraordinaire des paysages provençaux. Son style s'écarte alors de l'impressionnisme et il peint sans cesse. Tout l'inspire : la nature, les travaux des champs, la ville, les personnages familiers. En tout, il réalise plus de 200 toiles et 100 dessins. *La Maison de Vincent, Les Alyscamps, L'Arlésienne, La Crau, Le Pont de Langlois* sont quelques-unes des œuvres les plus saisissantes de sa période arlésienne. Mais les « crises » reprennent et se multiplient et, après la rupture brutale avec Gauguin (24 décembre 1888), le peintre se mutile l'oreille gauche. Il est interné à la maison de santé où il se sent abandonné : son ami le facteur Roulin vient d'être muté à Marseille ; en février 1889, une pétition réclame l'enfermement de ce fou. Il est temps de quitter la ville : le 3 mai 1889, à sa propre demande, Vincent Van Gogh est interné à l'asile de **Saint-Paul-de-Mausole**, près de Saint-Rémy *(voir ce nom)*.

Aux alentours

Abbaye de Montmajour★
À 2 km au nord d'Arles, en direction de Fontvieille. Voir ce nom.

Circuits de découverte

LA CRAU
Cette vaste plaine de galets et de graviers, accumulés en certains points sur 15 m d'épaisseur, s'étend sur 50 000 ha entre le Rhône, les Alpilles, les hauteurs de St-Mitre et la mer.

Des cultures sur des cailloux – Deux zones fertilisées se développent simultanément au nord. L'une, partant d'Arles, dépasse Saint-Martin-de-Crau ; l'autre fait tache d'huile à l'ouest de Salon. Ces deux zones, couvertes de prairies, de cultures maraîchères et fruitières abritées par des haies de peupliers et de cyprès, tendent à se rejoindre, si bien qu'en parcourant la N 113, d'Arles à Salon, on n'a qu'une très faible idée de l'aspect désertique de la Crau non irriguée, ou Grande Crau.

On récolte chaque année près de 100 000 t de l'excellent **foin de Crau** (AOC), fort réputé, en trois coupes. La 4ᵉ est vendue sur pied aux éleveurs des quelque 100 000 moutons qui peuplent la Crau d'octobre à début juin.

Le royaume du mérinos – La Grande Crau est une immense steppe vouée à l'élevage très extensif des moutons, les mérinos d'Arles. Certains éleveurs s'installent chaque printemps en location sur les *coussouls* qui comprennent, outre les espaces de parcours, une « jasse » (de *jaç* : « bergerie ») et un puits constitué d'une couronne de pierre des Alpilles taillée d'un seul bloc. Il subsiste

Moutons de la Crau.

Gilles Magnin / MICHELIN

une quarantaine de jasses, toutes construites entre 1830 et 1880 selon un plan identique : bâtiment rectangulaire de 40 m sur 10 m, bâti en pierre de Fontvieille ou en galets disposés en arêtes de poisson, ouvert aux deux extrémités.

La transhumance – Le départ pour l'alpage a lieu début juin, quand l'herbe disparaît et l'eau se raréfie. Jadis, la transhumance vers la Savoie et le Briançonnais se faisait par les **drailles**, chemins coutumiers le long desquels s'égrenait le cortège des brebis, des chèvres, des chiens et des ânes lourdement chargés, guidé par le bayle-berger assisté de ses pâtres. Il fallait environ douze jours de marche pour arriver dans les Alpes, après avoir traversé maints villages qui attendaient à date fixe le sympathique défilé. Le retour, aux premières neiges, se faisait dans la même ambiance et ce n'était pas sans joie que l'on retrouvait la douceur de la Crau…

Aujourd'hui, le transport se fait par bétaillères et l'élevage, pourtant bien intégré à l'économie rurale locale, rencontre de nombreux problèmes : le mérinos d'Arles n'est pas suffisamment rentable, les bergers se font rares et la superficie des territoires de parcours diminue.

Circuit de 93 km – compter 1h30 de route. Quitter Arles par la N 453.

Saint-Martin-de-Crau

Le bourg mérite un arrêt pour son **écomusée de la Crau** qui instruit sur les spécificités de cette région originale. Des visites accompagnées dans le **domaine de Peau** de Meau permettent de découvrir le milieu naturel. *Bd de Provence -* ℘ *04 90 47 02 01- 9h-12h, 14h-18h - fermé dim. - gratuit.*

Prendre la D 24 au sud jusqu'à la N 568 quel'on suit en direction de Martigues.

La Grande Crau

Le paysage verdoyant se dégrade progressivement vers le sud jusqu'à devenir désertique. On ne rencontre ni hameau, ni mas, ni cultures, mais seulement de loin en loin quelques-unes de ces bergeries basses qui témoignent des activités pastorales en déclin. Le développement de la zone portuaire de Fos a fermé l'horizon cher à Mistral. Les cultures et les aérodromes colonisent petit à petit le « désert provençal ».

À la Fossette, prendre à droite la N 268 jusqu'à Port-St-Louis-du-Rhône, puis encore à droite la D 35, et tourner dans la D 24 jusqu'au Mas-Thibert.

La Coustière de Crau

On accède à la Crau humide, ou Coustière de Crau, région marécageuse en bordure du Grand Rhône où subsistent de nombreux élevages de taureaux de combat, race espagnole destinée aux *novilladas* de la région.

Marais du Vigueirat★

Schéma p. 203 - 13104 Mas Thibert - ℘ *04 90 98 70 91 - www.marais-vigueirat.reserves-naturelles.org - visite thématique : avr.-août (2h) tlj sf lun. et vend. 1 dép. par j., pour les horaires se renseigner - 7 € (6-17 ans 3,50 €) - randonnée nature : se renseigner pour les départs, 1 par j. en haute saison (5h, prévoir de bonnes chaussures et un pique-nique) - fermé déc.-janv.- 10 € (6-17 ans 5 €) - visite guidée en calèche : juil.-août : tlj dép. 10h et 15h ; avr.-juin et sept. : tlj sf lun. dép. 10h et 15h ; oct.-nov. : w.-end et j. fériés dép. 14h30 fermé déc.-janv. -* ♿ *- 13 € (6-17 ans 6,50 €) - visite de la Palunette : avr.-août : tlj sf lun. 10h-16h - 5 € (6-17 ans 1 €) - sentiers de l'Étourneau : tlj 10h-17h -* ♿ *- gratuit (4 € pour une visite guidée d'1h, sur réserv.).*

👥 La visite libre du sentier de l'Étourneau est animée de jeux et manipulations interactives.

Ce domaine (propriété du Conservatoire du littoral), qui s'étend entre le Grand Rhône et la plaine de Crau, entre le canal d'Arles à Bouc, creusé en 1827, et le canal du Vigueirat (1642), est l'œuvre d'un ingénieur hollandais, témoignage émouvant de la lutte séculaire de l'homme contre les éléments. Grâce à des roubines (canaux) et à des pompes, le niveau des eaux et leur salinité sont contrôlés, permettant de maintenir les différents écosystèmes camarguais.

La visite permet d'observer de nombreux oiseaux tels que hérons pourpres et cendrés, colverts, vanneaux huppés, échasses blanches ou encore percnoptères d'Égypte et luscinioles à moustache.

Revenir vers Arles par la D 35. Prendre une petite route à droite (signalée).

Pont de Langlois (dit Van Gogh)

L'original, dont Van Gogh fit un tableau fameux, a été détruit en 1926. Identique à celui du tableau, ce pont à bascule a été démonté et réédifié ici, sur le canal reliant Arles à Fos, à quelques dizaines de mètres de son emplacement d'origine.

AUTOUR DU VACCARÈS

Circuit de 160 km au départ d'Arles. Voir la Camargue.

Arles pratique

Adresse utile

Office du tourisme d'Arles –
*Espl. Charles-de-Gaulle - Bd des Lices -
13200 Arles - ℘ 04 90 18 41 20 -
www.tourisme.ville-arles.fr - 3 avr.-1er oct. :
tlj 9h-18h45 ; 2 oct.-5 nov. et 25-31 déc. :
lun.-sam. 9h-17h45, dim. 10h-12h45 ; 2 janv.-
2 avr. et 6 nov.-24 déc. : lun.-sam. 9h-16h45,
dim. 10h-12h45.*

Transport

Le **TER** relie Arles à Avignon (20mn) et
Marseille (50mn).

Visites

Sites et musées arlésiens – Il existe un
« **Pass monuments** » *(13,50 €)* donnant
accès à tous les monuments et musées de
la ville : on peut se le procurer à l'entrée
du premier d'entre eux (à l'exception du
Museon Arlaten) et à l'office de tourisme.
Il existe également un billet « **Circuit
Romain** » *(9 €)* qui permet de visiter
les monuments de l'Antiquité. Un billet
couplé a été mis en place pour
l'Amphithéâtre et les Thermes de
Constantin *(5,50 €)*.

Visites guidées de la ville – *Se renseigner
pour les horaires. ℘ 04 90 18 41 20.
www.tourisme.ville-arles.fr.* Arles, qui porte
le label **Ville et Pays d'art et d'histoire**,
propose des visites-découvertes (1h30)
animées par des guides-conférenciers
agréés par le ministère de la Culture et
de la Communication.

Allovisit – *Carte Allovisit disponible
gratuitement à l'office de tourisme
(communication : 0,34 €/mn).* Parcours
dans la ville en 7 étapes, audioguidé
depuis votre téléphone portable.

♣ **Le Train des Alpilles** – *Voir
Les Alpilles.*

Se loger

⌂ **Hôtel Le Relais de Poste** –
*2 r. Molière - ℘ 04 90 52 05 76 -
www.hotelrelaisdeposte.com - fermé janv.-
15 jan. 31/62 € - ☲ 6 € - restaurant 12/25 €.*
À deux pas du boulevard des Lices et de
l'espace Van-Gogh, un authentique relais
de poste du 18e s. poursuit sa vocation
hôtelière. Salle de restaurant avec poutres
et peintures murales évoquant l'ancienne
affectation du lieu, chambres simples
(certaines climatisées) parées de tissus
provençaux.

⌂ **Hôtel Régence** – *5 r. Marius-
Jouveau - ℘ 04 90 96 39 85 - contact@
hotel-regence.com - fermé 16 nov.-14 mars -
16 ch. 40/47 € - ☲ 5 €.* Les petits budgets
trouveront ici un hébergement simple,
rajeuni et fonctionnel, profitant d'une
belle situation face au Rhône et aux
anciens remparts d'Arles.

⌂☞ **Hôtel Acacias** – *2 r. de la Cavalerie -
℘ 04 90 96 37 88 - www.hotel-acacias.com -
fermé 23 oct.-13 mars - 33 ch. 46/55 € - ☲*
6 €. Pimpante façade rose au pied de la
porte de la Cavalerie. Chambres colorées
et meublées avec simplicité. Salle des
petits-déjeuners décorée d'une fresque.

⌂☞ **Hôtel du Musée** – *11 r. du
Grand-Prieuré - ℘ 04 90 93 88 88 -
www.hoteldumusee.com.fr - fermé 5 janv.-
10 fév. - 28 ch. 46/65 € - ☲ 7 €.* Face
au musée Réattu, un ancien hôtel
particulier du 17e s. : un dédale de cours
agréablement verdoyantes, teintes
chaudes aux murs et aux sols, bon accueil :
un charme fou !

⌂☞ **Hôtel Muette** – *15 r. des Suisses -
℘ 04 90 96 15 39 - www.hotel-muette.com -
fermé vac. de fév. - 18 ch. 54/58 € - ☲ 8 €.*
Belle façade du 12e s. donnant sur une
placette de la vieille ville. Pierres
apparentes dans les chambres, sagement
provençales. Salle des petits-déjeuners
égayée de photos tauromachiques.

⌂☞ **Hôtel Calendal** – *5 r. Porte-de-Laure -
℘ 04 90 96 11 89 - www.lecalendal.com -
fermé janv. - 35 ch. 69/99 € - ☲ 8 €.*
Cet hôtel a la coquetterie des maisons
provençales, avec sa façade colorée,
son joli jardin intérieur ombragé et son
salon cosy. À l'intérieur, le jaune et le bleu
parent meubles, étoffes et faïences. Petit
salon de thé.

⌂☞ **Hôtel Mireille** – *2 pl. St-Pierre,
à Trinquetaille - ℘ 04 90 93 70 74 -
contact@hotel-mireille.com - fermé 4 nov.-
14 mars - 34 ch. 69/170 € - ☲ 12 € -
restaurant 24/35 €.* C'est au calme que
vous plongerez dans la piscine de cet
hôtel un peu excentré, oubliant son
environnement urbain. Chambres
spacieuses aux couleurs gaies, garnies de
meubles provençaux. Lumineuse salle à
manger rehaussée d'étoffes chatoyantes.

⌂☞☞ **Hôtel d'Arlatan** – *26 r. Sauvage,
près pl. du Forum - ℘ 04 90 93 56 66 -
www.hotel-arlatan.fr - fermé 5 janv.-8 fév. -
41 ch. 93/153 € - ☲ 12 €.* Vous tomberez
sous le charme de cet ancien hôtel
particulier du 15e s. voisin de la place du
Forum, ne serait-ce qu'en admirant les
vestiges romains à travers le sol de verre
du bar et du salon. Chambres meublées à
l'ancienne et jolis tissus. Petite cour arborée
où le petit-déjeuner est servi en été.

Se restaurer

⌂ **La Gueule du Loup** – *39 r. des Arènes -
℘ 04 90 96 96 69 - 13 € déj. - 19/26 €.* Allez
vite vous jeter dans cette Gueule du Loup !
Son appétissante cuisine provençale
regorge de tentations : filets de taureau en
chemise avec sauce aux baies de genièvre
et vanille, rôti de lotte au lard et à l'ail
ou… loup grillé à l'infusion de
coquillages. Une petite salle à manger
tournée sur la cuisine, une autre, plus
grande, à l'étage, toutes les deux dotées
de murs aux pierres apparentes.

Le Criquet – *21 r. Porte-de-Laure -* 🕿 *04 90 96 80 51 - fermé de fin déc. à fin fév. et merc. - 16/19 €.* Préférez la salle à manger de ce petit restaurant voisin des arènes : avec ses pierres apparentes et ses poutres, elle a davantage de charme que la terrasse. Tranquillement attablé, vous pourrez y savourer la bourride du jeune chef et autres spécialités.

Lou Calèu – *27 r. Porte-de-Laure - montée Vauban -* 🕿 *04 90 49 71 77 - fermé 5 janv.-15 fév. - 19/29 €.* Petit pâté provençal tiède aux herbes et son mesclun, filet de loup gratiné sur sa compotée de tomates, ravioles aux truffes blanches et son velouté de champignons… ce n'est qu'un aperçu des délices que vous réserve cette maison arlésienne traditionnelle. Excellente carte de vins. Une adresse pour fins gourmets.

Le Jardin de Manon – *14 av. des Alyscamps -* 🕿 *04 90 93 38 68 - fermé 4-24 fév. et 21 oct.-10 nov. - 16 € déj. - 20/42 €.* Ce restaurant situé à l'écart du centre-ville porte bien son nom. Sa cour-terrasse intérieure, arborée et fleurie, séduira les amateurs de dîners à la belle étoile. Deux accueillantes salles à manger habillées de boiseries. Cuisine régionale d'un bon rapport qualité-prix, préparée avec les produits du marché.

Corazón – *1 bis r. Réattu, face à l'entrée du musée Réattu -* 🕿 *04 90 96 32 53 - fermé dim. midi et lun. - 25/28 €.* Galerie d'art, boutique déco, restaurant ? Un peu tout ça et plus encore : on peut y déjeuner ou dîner dans le patio. Et vous comprendrez notre coup de cœur pour ce corazón-là !

Ferme-Auberge de Barbegal – *D 33 - 13280 Raphèle-les-Arles -* 🕿 *04 90 54 63 69 - www.barbegal.fr - fermé dim. soir et lun. - 🍴 - réserv. obligatoire - 18 € - 5 ch. 64 € ⛾.* Les propriétaires de cette ferme tricentenaire superbement restaurée élèvent moutons et volailles, cultivent un potager et exploitent une oliveraie. Ils proposent également une cuisine du terroir bien sûr élaborée avec les produits maison. L'affaire marche bien, aussi pensez à réserver.

En soirée

👁 **Bon à savoir** – Loin de s'être figée dans son passé, Arles est une ville très vivante, sachant conjuguer traditions et modernité. Entre les corridas et le Festival International de la Photographie, son grand marché d'artisanat et de produits régionaux et ses programmations musicales, prenez le temps de vous poser sur les terrasses de ces grands cafés que Van Gogh avait su si bien peindre.

Le Café, la nuit (Café Van Gogh) – *11 pl. du Forum -* 🕿 *04 90 96 44 56 - juil.-août : 9h-2h ; hors sais. : 9h-0h.* Ce café et sa grande terrasse sur la place du Forum doivent leur célébrité à Vincent Van Gogh qui en a fait le sujet de l'une de ses toiles en 1888 : « Voilà un tableau de nuit sans

Le Café Van Gogh.

Gilles Magnin / MICHELIN

noir, rien qu'avec du beau bleu et du violet et du vert et, dans cet entourage, la place illuminée se colore de soufre pâle, de citron vert. Cela m'amuse énormément de peindre la nuit sur la place… » (extrait d'une lettre de Van Gogh à sa sœur Wilhelmine, datée de septembre 1888).

Bar de l'hôtel Nord-Pinus – *Pl. du Forum -* 🕿 *04 90 93 44 44 - www.nord-pinus.com - 10h-1h.* L'hôtel Nord-Pinus, bâti au 17e s., abrite un bar à l'atmosphère plaisante : lustres surmontés de maquettes de bateaux, fauteuils crapauds, musique flamenco et « traje de luces ». De nombreuses personnalités ont été séduites : Picasso, Jean Cocteau, Yves Montand, Nimeno 2, Ruiz Miguel, Jean Giono…

L'Entrevue – *23 quai Marx-Dormoy -* 🕿 *04 90 93 37 28 - 8h30-0h ; juin-sept. : 8h30-2h - fermé 25 déc., 1er janv., dim. soir en hiver et dim. midi en été.* Ce lieu insolite créé par les **éditions Actes Sud** abrite à la fois un café-restaurant à thème, une librairie, un hammam et un cinéma d'art et essai.

Le Méjan - Association du Méjan – *Pl. Nina-Berberova -* 🕿 *04 90 49 56 78 - mejan@actes-sud.fr - concerts : 7 à 18 € ; expositions gratuites.* Créée en 1984 à l'initiative des éditions Actes Sud, cette association organise tout au long de l'année, dans la chapelle de Saint-Martin-du-Méjan, des soirées et matinées musicales, concerts de jazz, lectures, conférences et expositions.

Que rapporter

Marchés – Marché traditionnel merc. matin bd Émile-Combes, sam. matin bd des Lices, bd Émile-Combes et bd Clemenceau. Brocante le 1er merc. du mois. Marché aux potiers en mai, bd des Lices. Marché de Noël fin nov.

Pâtisserie De Moro – *R. du Prés.-Wilson -* 🕿 *04 90 93 14 43 - tlj sf dim. apr.-midi et lun. 7h30-19h - fermé 1er Mai.* Les connaisseurs disent que cette adresse fabrique les meilleurs **croquants** du pays d'Arles. Les gourmands, eux, fondent à la vue des pâtes d'amande, des fruits confits, de la Framboisine, du Bayadère… et de l'Alexandrin, la spécialité maison tout chocolat! Sans oublier les chocolats, les pains à l'ancienne, les fougasses ou encore les viennoiseries.

Fad'oli & Fad'ola – *46 r. des Arènes et pl. du Forum - ℘ 04 90 49 70 73 - www.fadoli.com - tlj sf dim. 10h-19h, dim. en juil.-août - fermé 25 déc.-2 janv.* Dans cette petite boutique, vous découvrirez une sélection d'huiles d'olive de Provence et du pourtour de la Méditerranée, des tapenades et des olives confites. Sur place ou à emporter, ne manquez pas de déguster les sandwiches « fadolis » à l'huile d'olive bien sûr, salades, sushis, tapas… accompagnés de vin de pays, bières de Provence ou thé vert du Japon.

Henri Vezolles Santonnier – *14 rd-pt des Arènes - ℘ 04 90 93 48 80 - mai-sept. : tlj sf dim. 9h-19h ; hors sais. : 9h-12h30, 14h-19h - fermé janv.* Cet artisan façonne ses santons à partir de deux, trois ou quatre terres naturelles différentes. Il les décore ensuite à la barbotine. Vente directe exclusivement dans son atelier.

Les Étoffes de Romane – *10 bd des Lices - ℘ 04 90 93 53 70 - nov.-mai : mar.-vend. 9h30-13h, 14h-19h, sam. 9h30-13h30, 15h30-19h.* Tissus provençaux (habillement et ameublement).

La Boutique des Passionnés – *14 r. Réattu - centre ville, zone piétonne - ℘ 04 90 96 59 93 - www.passion-toros. com - tlj sf dim. 9h-19h, lun. 14h-19h, dim. en déc. - fermé j. fériés.* À la fois librairie et magasin de disques, cette adresse indépendant est une mine d'or pour les passionnés de **tauromachie** et de musiques du sud. Elle est à l'initiative du festival « Convivència » qui réunit, chaque année au mois de juillet : musiciens, auteurs, danseurs, artistes, suscitant rencontres et témoignages dans une ambiance… conviviale.

Librairie Actes Sud – *Pl. Nina-Berberova, Le Mejan - ℘ 04 90 49 56 77 - tlj sf dim. 9h30-19h30, lun. 14h-19h30 - fermé j. fériés.* Pour acheter les dernières parutions de la célèbre maison d'édition arlésienne.

Sports & Loisirs

Arles V.A.E – *65 bd Émile-Combes - ℘ 04 90 43 33 14 - www.arles-vae.com* Visitez la région en **vélo**… et sans effort ! Grâce à une assistance électrique d'une autonomie de 80 km maximum, vous pourrez vous laisser porter dans les ruelles d'Arles mais aussi à travers la Camargue, pour découvrir faune et paysages sans faire de bruit. Location à l'heure, à la journée ou à la semaine.

Événements

TAUROMACHIE

Si une visite des arènes permet d'en apprécier l'architecture, rien de tel que d'y pénétrer un jour de corrida ou de course camarguaise pour y trouver une ambiance, sans doute guère éloignée de ce qu'elle était durant l'Antiquité. En dehors des spectacles isolés, les corridas se donnent lors des **ferias de Pâques** (w.-end de Pâques) et **du Riz** (2e w.-end de sept.), qui réunissent le gotha de la tauromachie.

De grandes courses camarguaises ont lieu au début du printemps (dim. des Rameaux), mais les grands rendez-vous sont les **fêtes d'Arles** (1er w.-end de juil.) avec les Cocardes d'or et d'argent ; et un an sur deux, en octobre, en alternance avec Nîmes, la finale du Trophée des As.

Billeterie – *Réservations au bureau des arènes (à droite de l'entrée principale) : ℘ 0 891 70 03 70 (0,25 €/mn) - www.arenes-arles.com (réservation en ligne)* Préférez les tribunes (le must, c'est la tribune centrale, environ 89 €) ou les 1re et 2e séries (40 et 30 €). Sachez que les corridas commencent toujours à l'heure annoncée et que les retardataires doivent attendre dans les couloirs que le premier taureau soit estoqué pour pouvoir gagner leur place.

AUTRES ÉVÉNEMENTS

Fête des Gardians – Chaque 1er Mai, rassemblement des gardians et des membres de la Nacioun Gardiano pour la procession de la statue de saint Georges jusqu'à l'église de la Major. Après la bénédiction, remise des pains bénits aux autorités de la ville, grand-messe chantée en provençal. L'après-midi, grand spectacle provençal aux arènes. Tous les trois ans, élection de la reine d'Arles.

Les Rencontres d'Arles – *℘ 04 90 96 76 06 - 10 rd-pt des Arènes - www.rencontres-arles.com - de déb. juil. à mi-sept.* Rencontres internationales de la photographie ; soirées au théâtre antique, expositions, stages et colloques un peu partout en ville.

Festival Les Suds – *℘ 04 90 96 06 27 - www.suds-arles.com.* À la mi-juillet, festival des musiques du monde.

Provence Prestige – *www.provenceprestige.com.* Fin novembre, salon de l'art de vivre.

Salon international des santonniers – De fin novembre à début janvier, dans le cloître Saint-Trophime.

Messe et veillée provençale traditionnelle – 24 décembre à Saint-Trophime.

Festival de la Camargue et du delta du Rhône – *Renseignements à l'office de tourisme - www.festival-camargue-deltadurhone.camargue.fr.* Pour les amoureux des oiseaux, six jours de sorties nature accompagnées (cinquantaine au choix) d'expositions sur la Camargue, de conférences et de projections. 👥 Également des animations pour les enfants.

Aubagne

42 638 AUBAGNAIS
CARTE GÉNÉRALE C4 – CARTE MICHELIN LOCAL 340 I6 – BOUCHES-DU-RHÔNE (13)

Dans la vallée de l'Huveaune, aujourd'hui fortement industrialisée, Aubagne doit à ses carrières d'argile une tradition potière, déjà reconnue à l'époque gallo-romaine. Cette vocation a retrouvé un nouveau souffle avec les santonniers qui attirent dans la ville nombre de visiteurs.

▶ **Se repérer** – On accède à Aubagne par l'autoroute Marseille-Toulon. La ville, dominée par le massif du Garlaban, est désormais une banlieue de Marseille.

🅿 **Se garer** – Sur les grands cours ombragés du centre, les places de parking sont rares. À défaut, parking public payant : accès à environ 300 m de la mairie.

👁 **À ne pas manquer** – Un pèlerinage sur les traces de Marcel Pagnol.

🕐 **Organiser son temps** – Comptez 1/2 journée sur le thème de Pagnol (une journée si vous décidez de randonner autour du Garlaban) ; 1 ou 2h supplémentaires vous permettront de faire vos achats chez les santonniers et potiers qui ont façonné la réputation d'Aubagne.

👪 **Avec les enfants** – Le petit monde de Marcel Pagnol ; le parc d'attractions OK Corral, aux alentours.

👣 **Pour poursuivre la visite** – Voir aussi le massif du Garlaban.

Comprendre

L'enfant du pays – Le plus connu est… bien sûr **Marcel Pagnol** (1895-1974 – sa maison natale se trouve 16 cours Barthélemy), écrivain, dramaturge et cinéaste. Sa renommée n'a fait que s'amplifier avec la réalisation des films que Claude Berri (*Jean de Florette* et *Manon des Sources*, 1986) et Yves Robert (*La Gloire de mon père*, *Le Château de ma mère*, 1990) ont tiré de son œuvre. Comment oublier Yves Montand dans le rôle du « Papet » ? Créateur de personnages inoubliables, de scènes mémorables, de reparties inénarrables, Marcel Pagnol a su jouer de plusieurs registres : le comique, la critique sociale mordante *(Topaze)* ou l'émotion *(Merlusse)*. Mais ce sont ses trois volumes autobiographiques *(La Gloire de mon père, Le Château de ma mère* et *Le Temps des secrets)* qui resteront l'œuvre maîtresse de cet écrivain, lié comme peu d'autres à la terre qui l'a vu naître *(voir Le massif du Garlaban)*.

Découvrir

SANTONNIERS ET CÉRAMISTES

Ici, l'argile est reine : à l'époque gallo-romaine, on y fabriquait amphores et céramiques ; au Moyen Âge, Aubagne était un grand centre de production de tuiles ; enfin, au 19e s., l'apparition des crèches domestiques a permis l'essor des santonniers qui perpétuent cet art dans une vingtaine d'ateliers. Qu'on les aime ou non, elles sont partout : elles, ce sont ces cigales en céramique qu'on trouve sur les façades des maisons, ou en applique dans les couloirs… et, sous forme de copies plus ou moins réussies, dans la plupart des magasins de souvenirs. Le responsable ? Un céramiste d'Aubagne, **Louis Sicard**, qui conçut cet objet décoratif en 1895 *(voir l'encadré pratique)*.

On pourra les découvrir dans le petit centre historique qui occupe l'ancienne cité fortifiée, dont seule subsiste la **porte Gachiou** (14e s.). De boutiques en ateliers, on apercevra au passage le curieux clocher triangulaire de la **chapelle de l'Observance** (fin 17e s.), le campanile en fer forgé qui coiffe la **tour de l'Horloge** ou la façade baroque de la chapelle des Pénitents Noirs *(chemin de Saint-Michel)*.

Maison natale de Marcel Pagnol

16 cours Barthélemy. 𝄕 04 42 03 49 98 - ♿ - juil.-août : 9h-18h ; avr.-juin : 9h-12h30, 14h30-18h ; sept.-mars : tlj sf lun. 9h-12h30, 14h30-17h30 - fermé 1er Mai - 3 €.
Dans cette belle demeure bourgeoise de trois étages aux balcons de fer forgé, a été reconstitué l'appartement de l'instituteur (père de l'auteur). Un espace muséographique présente l'enfance de Pagnol, photographies, lettres et objets à l'appui.

Le Petit Monde de Marcel Pagnol

Espl. Charles-de-Gaulle - 𝄕 04 42 03 49 98 - 9h-12h30, 14h30-18h - fermé 1re quinz. de fév., 2e quinz. de nov. et 1er Mai - gratuit.
👪 On y retrouve les personnages les plus connus de l'œuvre pagnolesque sous forme de santons.

Ateliers Thérèse Neveu

☎ 04 42 03 43 10 - ♿- avr.-sept. : tlj 10h-12h, 14h-18h30 ; oct.-mars : tlj sf lun. 10h-12h, 14h-18h - fermé 1er Mai - gratuit.

Vaste salle installée à l'emplacement des ateliers de cette ancienne santonnière. Dans ce lieu voué aux arts de la terre, exposition permanente consacrée à l'histoire de la céramique à Aubagne et expositions temporaires de poterie et de santons.

Aux alentours

Musée de la Légion étrangère

Accès par la D 2 en direction de Marseille, puis la D 44E (route de la Thuilière) à droite. ☎ 04 42 18 12 41 - juin-sept. : tlj sf lun. et jeu. 10h-12h, 15h-19h ; oct.-mai : merc., w.-end et j. fériés 10h-12h, 14h-18h - fermé du 26 déc. au 1er janv. - gratuit.

Indispensable pour les admirateurs de ce corps de durs à cuire : souvenirs des chefs qui ont marqué l'histoire de la Légion, crypte renfermant la liste des légionnaires morts au combat et musée où documents, uniformes, armes et photographies retracent les grandes heures du légendaire régiment qui fit vibrer le cœur des midinettes. Les plus nostalgiques ne manqueront pas la reconstitution, dans la cour d'honneur, de la « Voie sacrée » du quartier Viénot de Sidi-Bel-Abbès, aboutissant au monument aux Morts de la Légion, rapatriés d'Algérie. Et surtout, ce souvenir du 30 avril 1863. À Camerone (Mexique), 64 légionnaires résistent pendant 9h aux assauts de 2 000 Mexicains. Fait d'armes désespéré, mais qui restera dans la légende. Depuis lors, chaque 30 avril, le plus jeune des officiers lit le récit de ce combat homérique devant les soldats au garde-à-vous. *Annexe du musée au domaine du Capitaine Danjou (voir La Sainte-Victoire).*

Chapelle Saint-Jean-de-Garguier

5,5 km au nord-est par la D 2 en direction de Gémenos, la N 396 à gauche, puis la D 43D à droite.

Vouée à saint Jean-Baptiste, cette chapelle du 17e s., lieu d'un pèlerinage le 24 juin, émeut par ses ex-voto peints sur bois, sur toile ou sur zinc. Il y en a plus de 300, datant pour la plupart des 18e et 19e s., naïves et touchantes expressions de la piété populaire.

Parc d'attractions OK Corral

16 km à l'est par la N 8. Voir La Ciotat.

Aubagne pratique

♿ Voir aussi l'encadré pratique du massif du Garlaban.

Adresse utile

Office du tourisme intercommunal du pays d'Aubagne – *Av. Antide-Boyer - 13400 Aubagne - ☎ 04 42 03 49 98 - www.aubagne.com - juil.-août : lun.-vend. 9h-18h, sam. 9h-12h, 14h-18h ; reste de l'année : 9h-12h, 14h-18h - fermé dim. et j. fériés.*

Transport

Le **TER** relie Marseille à Aubagne en 15mn.

Visites

DANS LES PAS DE MARCEL PAGNOL

L'office de tourisme a mis en place plusieurs circuits permettant de retrouver les paysages des œuvres de Pagnol.

Balades théâtrales – *En été, prévoir de bonnes chaussures et un pique-nique - 18 € (−12 ans 13 €).* Particulièrement originales, elles sont ponctuées de scènes extraites des œuvres de l'écrivain.

Les collines de Marcel Pagnol – *Sept.-juin : dernier dim. du mois - dép. 9h30 au Petit Monde de Marcel Pagnol - 17 € (visite de la maison de Pagnol incluse).* Randonnée pédestre commentée (1 journée) de 9 km. Prévoir un pique-nique. À faire de préférence le dimanche qui précède ou suit le jour anniversaire de la mort de Pagnol (18 avr.), lors de la sortie annuelle des fans de Pagnol.

Voyage avec mon âne au pays de Pagnol – *Sept.-juin : dim. - dép. 9h du lieu dit Puits de Raimu, à Aubagne - 32 €.* Randonnée commentée (1 journée) de 9 km dans les pas de Pagnol, avec un âne. Prévoir un pique-nique.

Mini-circuit Pagnol – *Juil.-août : merc. et sam. - dép. 15h du Petit Monde de Marcel Pagnol - 10 € (enf. 6 €)* Circuit commenté (2h30) en bus climatisé.

Une journée d'été au pays de Pagnol – *De déb. juil. à mi-sept. : merc. et sam. - dép. 9h30 du Petit Monde de Marcel Pagnol - 30 €.* Circuit commenté (1 journée) en bus. Déjeuner terroir inclus.

Randonnées libres – Les offices du tourisme d'Aubagne et d'Allauch, le Comité du tourisme des Bouches-du-Rhône proposent gratuitement la brochure « Sept balades dans les collines de Pagnol », un précieux outil avec ses cartes et ses parcours très précis.

AUTRE VISITE

Visite guidée – *Sam. 10h-12h30 sur inscription auprès de l'office de tourisme -* 📞 *04 42 62 85 18 - 5 € (gratuit - 12 ans).* Visite guidée (2h30) du centre historique.

Se loger

🛏 **Chambre d'hôte Mme Anderegg** – *Chemin des Arnauds -* 📞 *04 42 84 94 43 - www.fleurs-soleil.tm.fr - fermé janv. - 🚭 - 3 ch. et 2 suites 50/65 € ⌾.* Dans la campagne aubagnaise, au pied du Garlaban, trois chambres et deux suites dans une véritable maison provençale entourée d'un grand jardin.

🛏🛏 **Hôtel-restaurant de l'Étoile** – *RN 396 – Pont de l'Étoile - 4 km à l'E d'Aubagne -* 📞 *04 42 04 55 54 -* 🅿 *- 39 ch. 52/79 € - ⌾ 7,50 € - restaurant 15/45 €.* Une adresse incontournable pour qui veut se loger sans soucis à Aubagne. Excellent rapport qualité-prix, pour un établissement familial qui a fait ses preuves depuis longtemps. Goûteuses spécialités locales et barbecue au bord de la piscine.

Se restaurer

🍴 **Café des Arts** – *10 r. du Jeune-Anacharsis -* 📞 *04 42 03 12 36 - 7,50/8,50 €.* Une des plus sympathiques « brasseries » qui bordent le cours du Mar.-Foch. Ambiance jeune, très animée à l'heure du déjeuner. Grande terrasse sur la place et belle salle intérieur. Plats du jour, visiblement appréciés par la clientèle locale. Le dimanche à midi, on y sert les plats du restaurant L'Art des Pâtes, appartenant à la même « maison »

🍴 **La Cardeline** – *4 r. Torte -* 📞 *04 42 84 02 99 - www.lacardeline.com - fermé dim. soir et lun. - 10,50/30 €.* Ce restaurant situé dans une ruelle de la vieille ville a tout pour plaire : son cadre à dominante de tons blancs est agréable et sa cuisine sait mettre à profit les richesses des marchés provençaux. Aux beaux jours, la terrasse dressée sur une placette est très vite prise d'assaut.

🍴🍴 **Ferme-auberge Le Vieux Pressoir** – *St-Pierre-lès-Aubagne - 3 km au N d'Aubagne -* 📞 *04 42 04 04 30 - ouv. dim. midi sur réserv. - 🚭 - 20/23 €.* Sur la D 43ᶜ, au niveau de l'entrée d'autoroute. Quasiment la dernière ferme-auberge officielle du département ! Dans une ancienne cave à vins, une cuisine provençale authentique, issue des produits de la ferme. Bon accueil.

🍴🍴🍴 **La Ferme** – *La Font de Mai, chemin Ruissatel -* 📞 *04 42 03 29 67 - www.aubergelaferme.com - fermé août, les soirs sf vend. et sam., sam. midi et lun. - 50 €.* Maison de pays postée face au mont Garlaban, cher à Marcel Pagnol. On y sert une copieuse cuisine de marché, à l'ombre du chêne vert ou entre les murs ornés d'assiettes.

Atelier de santons.

Didier Pazery / MICHELIN

Que rapporter

SANTONS

👁 **Bon à savoir** – Vous pourrez découvrir une vingtaine d'ateliers de santonniers et de céramistes dans le centre-ville. Demandez la liste des adresses à l'office de tourisme. *Voir aussi « Événements ».*

Atelier d'art Maison Sicard – *2 bd Émile-Combes -* 📞 *04 42 70 12 92 - www.santons-sylvette-amy.com - ouv. tlj sf dim. 9h-12h, 14h-18h30 (sam. 15h-18h) - fermé 1 sem. en août, 1 sem. à Noël et j. fériés.* Un des plus emblématiques représentants de la tradition santonnière et céramiste d'Aubagne. Créateur de la cigale en céramique en 1895.

Poterie Ravel – *Av. des Goums -* 📞 *04 42 82 42 00 - www.poterie-ravel.com - tlj sf dim. 9h-12h15, 14h-19h.* Entrée libre. Poteries de jardin et vaisselle.

AUTRES ACHATS

Marché – Marché traditionnel mardi, jeudi et week-end sur le cours Voltaire. Brocante le dernier dim. du mois, à la Tourelle.

Distillerie Janot – *Av. du Pastre - Les Paluds -* 📞 *04 42 82 29 57 - www.distillerie-janot.com - tlj sf w.-end 9h-12h, 14h-17h - fermé j. fériés.* Un incontournable de la tradition provençale, depuis 1928. La boutique vous donnera la possibilité d'acheter toute la gamme des spiritueux maison : le fameux pastis Janot, le marc du Garlaban, la liqueur de la Sainte-Baume...

Événements

Foire aux santons et à la céramique – En juillet-août et en décembre, sur le cours Foch.

Argilla – Fête de la céramique, mi-août, années impaires.

Cavalcade provençale – Attelages de chevaux, défilé haut en couleur, le 3ᵉ dimanche d'août les années paires.

Biennale de l'art santonnier – Le 1ᵉʳ week-end de décembre, les années paires, sur le cours du Mar.-Foch.

Avignon ★★★

85 935 AVIGNONNAIS
CARTE GÉNÉRALE B2 – CARTE MICHELIN LOCAL 332 B10-C10 – VAUCLUSE (84)

Cité des papes et du théâtre, ville d'art à l'origine d'une véritable explosion culturelle, Avignon affiche une richesse exceptionnelle qui lui valut, en 1995, l'inscription au patrimoine mondial de l'Unesco du palais des Papes et du pont Saint-Bénézet. Son étincelante beauté illumine le Rhône : remparts, clochers et toits de tuiles roses s'y reflètent, surplombés par la Vierge dorée de la cathédrale et le majestueux palais.

Derrière les remparts aux tours impressionnantes se dresse le palais des Papes.

◗ **Se repérer** – Il faut approcher Avignon le soir, par Villeneuve-lès-Avignon, pour admirer la ville dans toute sa splendeur. Passé le pont puis les remparts, gagnez sans hésiter le parking souterrain (payant) du palais des Papes.

🅿 **Se garer** – N'entrez pas en voiture dans la vieille ville : les parkings payants (ou non) qui ceinturent les remparts sont suffisant pour vous épargner un petit calvaire. En période d'affluence, garez-vous sur l'île Piot (parking gratuit, de l'autre côté du Rhône), puis prenez la navette gratuite jusqu'à la porte de l'Oulle.

👁 **À ne pas manquer** – Le palais des Papes ; le pont St-Bénézet ; flâner dans les rues de la vieille ville ; le Petit Palais pour ses toiles italiennes du 13e au 16e s. ; pour les passionnés d'art contemporain, la Collection Lambert.

🕐 **Organiser son temps** – Vous n'aurez pas le temps de vous ennuyer en deux ou trois jours ; pour aller à l'essentiel, comptez 1 à 2h pour la visite du palais des Papes et 1/2 journée pour découvrir la vieille ville ; sachez enfin qu'après le Festival du mois de juillet, Avignon prend des airs de ville morte : deux boutiques sur trois sont fermées. Pendant le festival, c'est la folie de la foule. Pour résumer, il ne reste plus qu'à venir avant juillet ou à partir de septembre.

👫 **Avec les enfants** – Une promenade sur le Rhône en bateau ; la visite guidée de la ville en petit train touristique *(voir l'encadré pratique)*.

👣 **Pour poursuivre la visite** – Voir aussi Villeneuve-lès-Avignon.

Comprendre

Ombres et lumières – Il ne reste que de rares vestiges des monuments de la florissante **Avenio**, cité gallo-romaine. Après les invasions barbares, le renouveau vient aux 11e et 12e s. : profitant alors des rivalités entre Toulouse et Barcelone, qui se disputaient la Provence, Avignon constitue une petite république municipale. Mais son engagement en faveur des **Albigeois** lui attire des représailles et, en 1226, Louis VIII s'empare de la cité, l'obligeant à raser ses fortifications. Toutefois, la ville se relève bien vite et connaît à nouveau la prospérité sous la suzeraineté de la maison d'Anjou.

Quand le destin bascule – À Rome, les sempiternelles querelles de partis rendent aux papes la vie impossible. Élu en 1305 sous le nom de **Clément V**, le Français Bertrand de Got, lassé, choisit de se fixer dans ses terres du Comtat venaissin, propriété papale depuis 1274. Mais si Clément V entre solennellement le 9 mars 1309 en Avignon, il n'y réside pas, préférant le calme du prieuré du Groseau, près de Malaucène, ou du château de Monteux, près de Carpentras. C'est Jacques Duèse, élu pape sous le nom de **Jean XXII**, qui installe durablement la papauté en Avignon où, de 1309 à 1377, sept papes, tous français, se succèdent. Parmi eux, **Benoît XII** fait édifier le palais et **Clément VI** achète la cité à la reine Jeanne en 1348.

Des pontifes fort édifiants – Avignon devient alors un immense chantier : partout s'édifient des couvents, des églises, des chapelles, de splendides « livrées » cardinalices, tandis que le palais pontifical s'agrandit et s'embellit sans cesse. L'**université** (fondée en 1303) compte des milliers d'étudiants. Le pape se veut le plus puissant des princes de ce monde. Si sa richesse éblouit, elle ne va pas sans susciter quelques convoitises à une époque où les « routiers » pullulent dans le pays. Ces soldats licenciés vivent

Les livrées

C'était le nom que l'on donnait aux vêtements arborant les armes et les couleurs des courtisans des cardinaux. Par extension, il désigna ces courtisans eux-mêmes, puis les luxueux palais que les princes de l'Église firent édifier dans Avignon ou sur l'autre rive du Rhône, à Villeneuve.

de pillages et de rapines, et le pape doit se protéger en faisant de son palais une forteresse et en élevant des remparts pour défendre la ville.

Liberté, tolérance et prospérité, rien d'étonnant à ce que la cité pontificale attire du monde : sa population passe rapidement de 5 000 à 40 000 habitants. Terre d'asile, elle accueille des proscrits politiques (comme le poète Pétrarque), mais aussi des condamnés en fuite, des aventuriers, des contrebandiers, des faux-monnayeurs et des aigrefins en tous genres. Tripots et maisons de plaisir se multiplient, scandalisant les Italiens qui réclament le retour de la papauté à Rome et appellent ces années d'exil « la seconde captivité de Babylone ». **Urbain V** part en 1367 pour la Ville éternelle. Mais les troubles qui secouent l'Italie l'obligent à revenir au bout de trois ans. **Grégoire XI** quitte Avignon en septembre 1376 et meurt en 1378.

Papes, antipapes et légats – Les réformes du nouveau pape **Urbain VI**, un Italien, irritent les cardinaux (en majorité languedociens) du Sacré Collège ; en représailles, ils élisent un autre pape, **Clément VII** (1378-1394), qui retourne en Avignon : c'est le **Grand Schisme**, qui divise la chrétienté. La France, Naples et l'Espagne prennent parti pour Avignon contre Rome. Papes et antipapes s'excommunient allègrement. Successeur de Clément VII, **Benoît XIII** n'a plus le soutien du roi de France. Il s'enfuit d'Avignon en 1403, mais ses partisans résistent dans le palais jusqu'en 1411. Le Grand Schisme prend officiellement fin en 1417 avec l'élection de **Martin V**. Dès lors et jusqu'à la Révolution, Avignon sera gouverné par un légat, puis un vice-légat du pape. Les brimades envers la communauté juive se multiplient : installés dans un quartier à part, la « carrière », dont on verrouille chaque soir les portes, les Juifs doivent porter un chapeau jaune, verser une redevance,

L'esplanade du palais des Papes particulièrement animée durant le Festival.

écouter des sermons obligatoires, ne pas fréquenter de chrétiens et n'exercer que certaines activités (tailleur, fripier, usurier, commerçant). Quant aux tensions sociales entre riches et pauvres, elles s'exacerbent, et de durs affrontements les opposent entre 1652 et 1659. Pendant la Révolution, l'Assemblée constituante vote la réunion du Comtat venaissin à la France.

Avignon en scène – Difficile, pour le profane, d'imaginer Avignon pendant le Festival : une foule énorme envahit la cité, investissant les terrasses des cafés, les restaurants, éphémères ou non ;

Tradition théâtrale

Le Sétois **Jean Vilar** (1912-1971), directeur du TNP jusqu'en 1963, fonda en 1947 le Festival d'Avignon. Mais on pourrait faire remonter la tradition festivalière d'Avignon aux « Mystères » de la Pentecôte de 1 400. Gigantesques tableaux vivants accompagnés de défilés, ils mettaient en scène, pendant trois jours, une grandiose Passion du Christ, réunissant un nombre considérable d'acteurs et un public estimé à 12 000 spectateurs.

hôtels, pensions, chambres d'hôte, campings s'emplissent des lieues à la ronde, alors qu'au petit matin des silhouettes ébouriffées émergent de sacs de couchage sur les pelouses des squares. Dans la cité des Papes, devenue un immense théâtre, chacun mène sa vie : on dîne tranquillement en attendant l'heure du « jingle », qui invite les spectateurs à prendre place, ou on se laisse aller à l'inspiration du moment, explorant salles de fortune, garages ou entrepôts. La clé du succès ? La nouveauté du concept (cadre grandiose de la cour d'honneur, spectacles commençant à l'heure dite) y fut pour beaucoup ; de grandes mises en scène qui ont fait date (Gérard Philipe dans le rôle de Rodrigue a marqué toutes les mémoires), de prestigieux invités, l'explosion du « off » à partir de 1968 ont peu à peu transformé le festival des pionniers en une immense foire théâtrale où quelque 500 spectacles différents sont proposés chaque année.

Découvrir

LE PALAIS DES PAPES★★★ (E1)

Compter entre 1 et 2h. Visite audioguidée. ✆ 04 90 27 50 00 - www.palais-des-papes. com - pendant le Festival, en juil. : 9h-21h ; août-sept. : 9h-20h ; 15 mars-juin et oct. : 9h-19h ; nov.-14 mars : 9h30-17h45 (dernière entrée 1h av. fermeture) - saison 9,50 €, basse sais. (nov.-14 mars) 7,50 € (−8 ans 7,50 €/6 €).

Cette résidence de 15 000 m² se compose de deux édifices distincts, le Palais Vieux et le Palais Neuf, dont la construction dura au total une trentaine d'années.

Benoît XII, après avoir rasé l'ancien palais épiscopal, confia en 1334 à son compatriote Pierre Poisson, de Mirepoix, l'exécution du **Palais Vieux** : forteresse d'architecture austère, ses quatre ailes ordonnées autour d'un cloître sont flanquées de tours dont, au nord, la tour de Trouillas, à la fois donjon et prison.

Clément VI, grand prince d'Église, artiste et prodigue, dut trouver le nid bien sévère : il commanda en 1342 à Jean de Louvres, architecte d'Île-de-France, un nouveau palais, le **Palais Neuf**. La tour de la Garde-Robe et deux nouveaux corps de bâtiments vinrent fermer la cour d'honneur, jusqu'alors place publique. Si l'aspect extérieur ne changeait guère, l'intérieur fut transformé par une équipe d'artistes, dirigée par Simone Martini, puis par Matteo Giovanetti qui en décora somptueusement les différentes pièces. Les travaux se poursuivirent jusqu'en 1363, avec quelques ajouts ultérieurs.

Quelque peu détérioré après les deux sièges de 1398 et de 1410-1411, le palais fut, après le départ des papes, affecté aux légats, mais, bien que restauré en 1516, il continua à se dégrader. En piteux état lors de la Révolution, il fut livré au pillage : mobilier dispersé, statues et sculptures brisées. Après quelques épisodes sanglants en 1791, le palais dut sa survie à sa transformation en prison et en caserne, même s'il fut encore mis à rude épreuve. Nul ne songerait à vanter les qualités artistiques du badigeon réglementaire des casernes. Du moins a-t-il ici permis de protéger les chefs-d'œuvre qu'il recouvrait. Un regret ? Que cette sauvegarde toute militaire ait été tardive : des soldats, soucieux d'arrondir leur solde, avaient eu le temps de découper l'enduit des fresques et d'en vendre les morceaux.

Un **musée de l'Œuvre** a été mis en place en 2005 : éclaté dans sept salles du Palais, il explicite les tribulations de la construction, puis celles de la sauvegarde. Aussi longue que complexe, l'histoire de l'édifice est désormais illustrée fort pédagogiquement, à l'aide de « totems » illustrés, lutrins interactifs et autres maquettes.

Rez-de-chaussée

Entrez par la porte de Champeaux et prenez à droite dans la salle des Gardes *(accueil et billetterie)* que décorent des fresques du début du 17e s. **(1)**.

Après la **Petite Audience (2)**, décorée de peintures en grisaille représentant des trophées, franchir à nouveau la porte de Champeaux.

Cour d'honneur

Bordée sur la gauche par l'aile du Conclave, actuel palais des Congrès, et sur la droite par une façade gothique percée d'ouvertures irrégulières (à l'étage, fenêtre de l'Indulgence **(15)**, d'où le pape donnait sa triple bénédiction). C'est ici que sont aujourd'hui données les représentations du Festival.

Trésor Bas et Grande Trésorerie

Creusée au pied de la tour des Anges, la salle voûtée du **Trésor Bas** constituait en quelque sorte le coffre-fort du palais. Là, dans des caches ménagées sous le dallage, les richesses étaient mises à l'abri tandis que les armoires fixées aux murs renfermaient livres comptables et archives. La **Grande Trésorerie**, dont la remarquable cheminée occupe tout un mur, est contiguë. Par sa partie haute, accès à la salle de Jésus *(escalier)*, autrefois vestibule des appartements privés.

Chambre du Camérier

Au 3e niveau de la tour des Anges, cette salle **(3)**, située juste en dessous de la chambre du pape, possède un magnifique plafond à poutres peintes datant du 14e s. Des caches, aménagées dans le dallage, permettaient de protéger objets et documents précieux : sacs d'or et d'argent, pièces d'orfèvrerie, vaisselle d'or (celle de Clément VI pesait près de 200 kg !), la richesse des papes était considérable. Rien d'étonnant donc si le principal dignitaire de la cour était le camérier, seul habilité, avec le trésorier et le pape lui-même, à accéder au Trésor Bas.

Au 2e niveau de la tour de l'Étude, le **Revestiaire pontifical (4)**, où le pape endossait ses vêtements consistoriaux, fut transformé au 17e s. en chapelle par les vice-légats. Les murs sont recouverts de boiseries du 18e s.

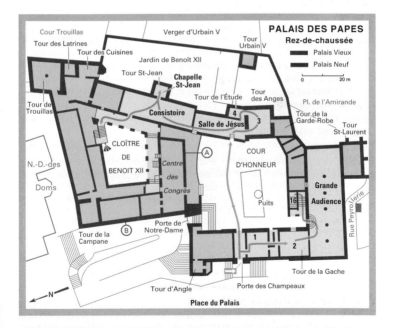

Consistoire

Dans cette vaste salle, rez-de-chaussée de l'aile est du cloître de Benoît XII, se réunissait le consistoire, assemblée des cardinaux chargée de délibérer, sous la présidence du pape, des affaires, religieuses ou politiques, de l'Église : procès en canonisation, audiences des souverains ; des ambassadeurs s'y tenaient également. C'est ici que sont exposées les **fresques de Simone Martini** qui ornaient autrefois le tympan de Notre-Dame-des-Doms.

Chapelle Saint-Jean (ou du Consistoire)

Elle est ornée de fresques peintes entre 1346 et 1348 par **Matteo Giovanetti**, peintre officiel de Clément VI.

En suivant la galerie inférieure du cloître Benoît XII, on emprunte l'escalier qui mène au Grand Tinel. Belle vue sur l'**aile des Familiers (B)**, où étaient logés les officiers (personnages chargés des divers offices) et les principaux serviteurs, sur la tour de la Campane et la chapelle de Benoît XII.

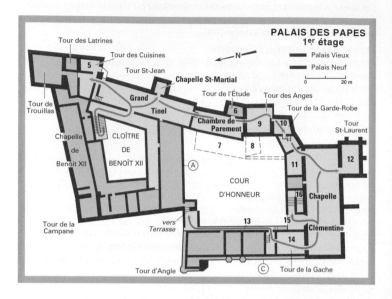

1er étage

À parcourir ce dédale de salles vides, il est bien difficile de se faire une idée du palais des Papes de jadis. Alors fermez les yeux un instant et imaginez, dans un cadre somptueusement décoré et richement meublé, les allées et venues feutrées des prélats et des serviteurs, la parade des gardes en grand uniforme, le mouvement incessant de toute une cour de cardinaux, de princes et d'ambassadeurs, les intrigues et les chuchotements, les pèlerins massés dans la cour pour recevoir la bénédiction du pape ou le voir sortir, juché sur sa mule blanche, la foule des plaideurs et des avocats qui s'agite autour des tribunaux pontificaux…

Tour des Latrines

Dite aussi tour de la Glacière au 17e s., elle fut le théâtre en 1791 d'un de ces épisodes dont la Révolution avait le secret : 60 contre-révolutionnaires y furent massacrés et leurs corps précipités au fond de la tour.

Grand Tinel (ou salle des Festins)

Dans cette salle où se déroulaient les banquets, une des plus vastes du palais (48 m de long sur 10,25 m de large), une immense voûte lambrissée en carène figure la voûte céleste. Aux murs, trois tapisseries des Gobelins.

La visite se poursuit par la **cuisine haute (5)**, avec son immense cheminée en forme de pyramide octogonale, aménagée au dernier étage de la tour des Cuisines. La tour était aussi affectée au garde-manger et au magasin à vivres.

Chapelle du Tinel (ou Saint-Martial)

En cours de restauration. Superposé à la chapelle Saint-Jean, cet oratoire doit son nom aux fresques peintes entre 1344 et 1345 par Matteo Giovanetti qui retracent en 35 épisodes la vie de saint Martial, apôtre du Limousin, patrie du pape Clément VI : dans une belle unité chromatique de bleus, gris et bruns, faux-semblants et trompe-l'œil composent un paysage urbain fantasmagorique où évolue une foule de personnages peints avec minutie.

Chambre de parement

Antichambre du pape, attenante à sa chambre à coucher, il y recevait ceux qui avaient obtenu une audience particulière et y tenait les consistoires secrets.

Aux murs, trois tapisseries des Gobelins (18e s.). À côté, dans la tour de l'Étude, se trouve le **Studium** ou cabinet particulier de Benoît XII **(6)**, dont on a remis au jour le carrelage d'origine. Accolée au mur occidental de la chambre de parement, se trouvait la salle à manger particulière du pape **(7)** ou Petit Tinel, et, contiguë à celle-ci, la cuisine secrète **(8)** ; cette partie des appartements a été entièrement détruite en 1810.

Chambre du Pape (9)

Cette pièce est remarquable pour les décorations sur fond bleu qui ornent les murs : oiseaux, écureuils, sarments de vigne et branches de chêne s'y enchevêtrent. Volières peintes sur les ébrasements des fenêtres.

Chambre du Cerf (10)

Dans ce cabinet de travail de Clément VI, d'élégantes **fresques**, exécutées sans doute par des artistes italiens, représentent des sujets profanes sur fond de verdure. Scènes de chasse (dont celle au cerf qui a donné son nom à la pièce), de pêche, de cueillette et de bain servent de décor au cabinet de travail de Clément VI ; le plafond de mélèze s'orne lui aussi d'une décoration fouillée.

De cette « chambre » intime et gaie, une fenêtre donne sur Avignon, l'autre sur les jardins.

Pour gagner la Grande Chapelle, on traverse la **sacristie du nord (11)**, abritant des moulages de personnages ayant compté dans l'histoire de la papauté avignonnaise. Dans la travée orientale aboutissait le pont bâti par Innocent VI, reliant le Petit Tinel à la Grande Chapelle.

Grande Chapelle (ou chapelle Clémentine)

À droite de l'autel, une baie donne accès au **revestiaire des Cardinaux (12)**, situé dans la tour Saint-Laurent et où le pape changeait d'ornements au cours des cérémonies. Il contient les moulages des gisants des papes Clément V, Clément VI, Innocent VI et Urbain V.

Dans cette chapelle, les cardinaux du conclave venaient entendre la messe ; ils regagnaient l'aile du Conclave **(A)** par un étroit passage, la **galerie du Conclave (13)**, dont la voûte est un chef-d'œuvre d'élégance.

La **chambre neuve du Camérier (14)** occupe l'extrémité sud de l'aile des Grands Dignitaires **(C)**, qui abrite également la **chambre des Notaires** et l'appartement du Trésorier.

Sous clé

Le **conclave** (qui signifie « sous clé ») se réunissait dix jours après la mort du pape pour élire son successeur. On utilisait le 1er étage du Palais Vieux et, pour isoler du monde le Sacré Collège, les portes se refermaient sur lui et ne se rouvraient plus avant qu'il n'ait désigné un pape à la majorité des deux tiers.

Terrasse des Grands Dignitaires

Au 2e étage de l'aile des Grands Dignitaires. Ample **vue★★** sur les parties hautes du palais des Papes, la tour de l'Horloge, la coupole de Notre-Dame-des-Doms, le Petit Palais et, dans une perspective plus lointaine, sur le pont Saint-Bénezet et Villeneuve-lès-Avignon. En retournant sur vos pas, vous découvrirez la fenêtre de la loggia, parvis de la Grande Chapelle. De son balcon, le pape bénissait les fidèles massés dans la cour d'honneur, d'où son nom de fenêtre de l'Indulgence **(15)**.

Palais Neuf (rez-de-chaussée)

Descendez par le **Grand Escalier (16)**, dont la rampe droite, nouveauté pour l'époque, conduit vers la Grande Audience.

Grande Audience

Magnifique salle divisée en deux nefs par une colonnade. Cette salle s'appelle aussi « palais des grandes causes ». Là se tenaient les treize juges ecclésiastiques formant le tribunal de la « rote », nom provenant du banc circulaire (*rota*, « roue ») sur lequel ils siégeaient et qui se trouve placé dans la dernière travée est de la salle. Autour du tribunal se groupaient les gens de loi et les fonctionnaires de la cour. Le reste de la salle servait au public : des sièges étaient adossés aux murs sur tout le pourtour. Sur la voûte, remarquable **fresque des Prophètes**, peinte en 1352 par Matteo Giovanetti sur un fond bleu nuit parsemé d'étoiles.

Traverser la salle de la Petite Audience **(2)** *et la salle des Gardes, pour sortir.*

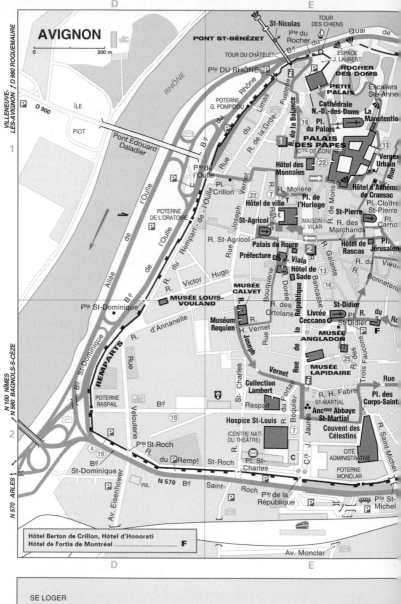

AVIGNON

0 — 200 m

SE LOGER

Chambre d'hôte La Prévoté............................①	Hôtel De Blauvac..............................⑬
Etap Hôtel..................................④	Hôtel Garlande................................⑯
Hôtel Cloître St-Louis....................⑦	Hôtel Ibis Pont de l'Europe...............⑲
Hôtel d'Angleterre.........................⑩	Hôtel Le Provençal..........................㉒

Se promener

PLACE DU PALAIS ET QUARTIER DE LA BALANCE ①

Circuit autour de la place du Palais – compter 1/2 journée.

👁 **Bon à savoir** – La ville a mis en place 4 circuits jalonnés de panneaux explicatifs et un marquage au sol, afin d'aider les visiteurs à découvrir le patrimoine historique d'Avignon (*plan et guide disponibles à l'office de tourisme*).

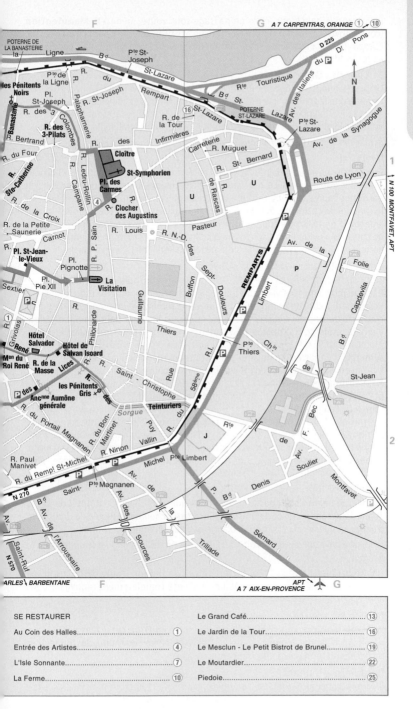

SE RESTAURER		Le Grand Café	(13)
Au Coin des Halles	(1)	Le Jardin de la Tour	(16)
Entrée des Artistes	(4)	Le Mesclun - Le Petit Bistrot de Brunel	(19)
L'Isle Sonnante	(7)	Le Moutardier	(22)
La Ferme	(10)	Piedoie	(25)

« Promenade des papes »

Contournant le palais, elle permet d'en apprécier, de l'extérieur, les monumentales proportions.

Depuis la place, face au Palais, empruntez l'étroite rue Peyrollerie qui s'amorce à droite, contre les murailles du palais, pour passer sous l'énorme contrefort étayant la chapelle Clémentine, avant de déboucher sur la place de la Mirande bordée d'un très bel hôtel particulier du 17ᵉ s. Par la rue du Vice-Légat, sur la gauche, traversez le verger d'Urbain V qui, après un passage sous voûte, mène à **la Manutention** (cour Trouillas), petit îlot culturel et branché avec son célèbre cinéma d'art et essai, l'*Utopia*. Les escaliers Sainte-Anne, offrant de nouvelles vues sur le palais, conduisent au rocher des Doms.

Rocher des Doms★★

Un beau jardin aux essences variées a été aménagé sur le rocher des Doms. Au gré des terrasses, belles **vues**★★ sur le Rhône et le pont St-Bénezet, Villeneuve-lès-Avignon avec la tour Philippe-le-Bel et le fort St-André, les dentelles de Montmirail, le mont Ventoux, le plateau de Vaucluse, le Luberon et les Alpilles (table d'orientation).

Redescendre le jardin en direction du Palais.

Petit Palais

Cette ancienne livrée du cardinal Arnaud de Via fut achetée par le pape en 1335 pour y installer l'évêché. L'édifice, qui a subi des dégradations lors des sièges successifs du palais des Papes, a dû être restauré et transformé à la fin du 15e s., notamment par le cardinal de La Rovère, devenu par la suite le pape Jules II. César Borgia en 1498, François Ier en 1533, puis Anne d'Autriche et le duc d'Orléans en 1660 (lors de la visite de Louis XIV à Avignon) ont couché au Petit Palais. Et si les murs pouvaient parler… Il accueille aujourd'hui les peintures du musée du Petit Palais *(voir « Visiter »)*.

Cathédrale Notre-Dame-des-Doms

℘ 04 90 86 81 01 - Pâques à déb. déc. : tlj 7h-19h ; reste de l'année : tlj 9h-17h30.

Bâtie au milieu du 12e s., la cathédrale, maintes fois endommagée et saccagée à la Révolution, a subi de nombreux et importants remaniements. Au 15e s., le grand clocher fut reconstruit à partir du 1er étage et, depuis 1859, une imposante statue de la Vierge le surmonte. Une discrète tour-lanterne couronne la travée précédant le chœur. Ajouté à la fin du 12e s., le porche abrite deux tympans superposés (un semi-circulaire surmonté d'un autre, triangulaire), jadis peints des magnifiques fresques de Simone Martini que l'on peut maintenant admirer dans le palais des Papes.

À l'intérieur, l'adjonction de chapelles latérales (14e-17e s.), la reconstruction de l'abside et l'édification de tribunes baroques au 17e s. ont quelque peu altéré le caractère roman de l'édifice. Reste la **coupole**★ romane, remarquable, qui couvre la croisée du transept. Dans la chapelle attenante à la sacristie s'élève le tombeau gothique flamboyant du pape Jean XXII dont le gisant, perdu pendant la Révolution, a été remplacé par celui d'un évêque. Et ne manquez pas, à l'entrée du chœur, sur la gauche, un beau siège épiscopal du 12e s. en marbre blanc, orné sur les côtés d'un lion et d'un bœuf symbolisant saint Marc et saint Luc.

Hôtel des Monnaies

En face du palais des Papes, arrêtez-vous un instant devant cet hôtel du 17e s., aujourd'hui conservatoire de musique. **Façade**★ richement sculptée de dragons et d'aigles, emblèmes des Borghèse, d'angelots, de guirlandes de fruits.

Par la rue qui s'ouvre sur la droite de l'hôtel des Monnaies, gagner le quartier de la Balance.

Habité par les Gitans au 19e s., le **quartier de la Balance**, qui s'étend jusqu'aux remparts et au célèbre « pont d'Avignon », a été complètement rénové dans les années 1970.

Rue de la Balance

Principale rue du quartier auquel elle a donné son nom. D'un côté se dressent de vieux hôtels aux belles façades ornées de fenêtres à meneaux ; de l'autre, des immeubles modernes aux lignes « méditerranéennes ».

Pont Saint-Bénezet★★

R. Ferruce (entrée face au Rhône - visite audioguidée - ℘ 04 90 27 50 00 - www.palais-des-papes.com - ⚓ - pendant le Festival, en juil. : 9h-21h ; août-sept. : 9h-20h ; 15 mars-juin et oct. : 9h-19h ; nov.-14 mars : 9h30-17h45 (dernière entrée 30mn av. fermeture) - haute saison 4 €, basse saison (oct.-14 mars) 3,50 €, (- 8 ans 3,30 €/3 €).

N'en déplaise à la chanson, le pont était bien trop étroit pour qu'« on y danse tous en rond… ». C'était au-dessous des arches, dans l'île de la Barthelasse, que les Avignonnais des temps anciens entraînaient les belles dames à « faire comme ça »…

Ce célèbre pont, avec ses 900 m de long et ses 22 arches, aboutissait à **Villeneuve-lès-Avignon**, au pied de la tour Philippe-le-Bel. Selon la légende, un jeune pâtre, Bénezet, entendit en 1177 des voix lui ordonnant de construire un pont sur le Rhône : un ange le conduisit à l'endroit où il devrait s'élever. Traité de fou par les autorités, Bénezet convainquit le peuple de sa mission en déplaçant des pierres énormes. Des

À la vue du pont Bénezet, on entonne la chanson.

volontaires se joignirent à lui et formèrent la confrérie de l'Œuvre. En huit ans, le pont fut édifié. Reconstruit en 1237, restauré, il fut définitivement brisé par les crues du Rhône au milieu du 17ᵉ s.

Sur une des piles se dresse la **chapelle Saint-Nicolas** qui comprend deux sanctuaires superposés, l'un voué à saint Nicolas, patron des bateliers, l'autre *(accès par des marches)* au pâtre saint Bénezet.

La visite se complète par une petite exposition consacrée à l'histoire et à l'iconographie de ce pont emblématique, ainsi que d'un espace dédié à la célèbre comptine, où l'on peut enregistrer son propre vidéo-clip !

Remparts★

Longue de 4,3 km, l'enceinte (14ᵉ s.) n'avait guère de valeur sur le plan militaire : les papes avaient simplement voulu dresser un premier obstacle en avant de leur palais. On en découvre la section la plus intéressante de la rue du Rempart-du-Rhône jusqu'à l'agréable **place Crillon**, qui fut le théâtre de l'assassinat du maréchal Brune, le 2 août 1815.

Rejoindre la place de l'Horloge par la rue Folco-de-Baroncelli, puis, à gauche, la rue Saint-Étienne que bordent des hôtels particuliers, la rue Racine à droite et la rue Molière à gauche.

LE VIEIL AVIGNON ⌑2⌑

Circuit au départ de la place de l'Horloge – compter 1/2 journée.

Cette promenade dans la vieille ville permet de découvrir les églises, musées et hôtels particuliers de la partie d'Avignon qui s'étend au sud et à l'est du palais des Papes, mais aussi de mieux faire connaissance avec une cité pleine de contrastes, jeune et vénérable.

Place de l'Horloge

C'est là, sur cette vaste place ombragée de platanes et en partie investie par les terrasses des cafés que bat le cœur d'Avignon.

Dans les petites rues avoisinantes, les fenêtres peintes d'effigies de comédiens célèbres rappellent que chaque été, l'espace d'un mois, la cité devient capitale mondiale du théâtre. Construit au 19ᵉ s., l'**hôtel de ville** englobe la **tour de l'Horloge** (14ᵉ-15ᵉ s.), ancien beffroi qui abrite une horloge à jaquemart.

Emprunter, à gauche de l'hôtel de ville, la rue Félicien-David et contourner le chevet de l'église Saint-Agricol. Au passage, on aperçoit les vestiges d'un rempart gallo-romain.

Église Saint-Agricol

Seulement le samedi avant la messe de 17h.

Un large escalier conduit au parvis : belle façade sculptée du 15ᵉ s. À l'intérieur, nombreuses œuvres d'art : un bénitier en marbre blanc du milieu du 15ᵉ s., des tableaux de Nicolas Mignard et Pierre Parrocel et, sur le bas-côté droit, près de la porte de la sacristie, le retable des Doni, œuvre en pierre de Boachon (1525) représentant l'Annonciation.

Prendre à gauche la rue Agricol, puis à droite la rue Bouquerie.

La **rue Jean-Viala**, qui s'ouvre sur la gauche, est bordée de deux hôtels du 18e s. en vis-à-vis (bureaux préfectoraux et conseil général) : au nord, l'**hôtel de Forbin de Sainte-Croix**, ancien collège du Roure et, en face, l'**hôtel Desmarez de Montdevergues**. Sur la gauche de la préfecture, la rue du Collège-du-Roure abrite (au n° 3) le **palais du Roure**, ancien hôtel de Baroncelli-Javon et foyer du Félibrige *(voir p. 84)*. L'édifice est aujourd'hui occupé par la fondation de Flandreysy-Espérandieu, centre d'études provençales. 📞 *04 90 80 80 88 - visite guidée (1h) mar. 15h ou sur demande (2 sem. av.) - fermé août - 4,60 €.*

Revenez sur vos pas (rue Viala) pour rejoindre en face la rue Dorée où se dresse, au n° 5, l'**hôtel de Sade** aux gracieuses fenêtres à meneaux. Dans la cour, belle tourelle d'escalier.

Poursuivre jusqu'à la rue Bouquerie, prendre à gauche, puis à droite la rue Horace-Vernet pour gagner la rue Joseph-Vernet.

Rue Joseph-Vernet

Sur la droite, deux hôtels abritent l'un le musée Calvet, l'autre le muséum Requien *(voir « Visiter »)*.

Prendre sur la gauche la rue Joseph-Vernet.

Rue de la République

Très animée, cette artère rectiligne prolongée par le cours Jean-Jaurès, reliant ainsi la place de l'Horloge aux remparts (en face de la gare), est le véritable axe de la cité.

Par le cours Jean-Jaurès, sur la droite (remarquez dans le square les arcades, seuls vestiges de l'ancienne abbaye Saint-Martial), puis, à gauche, la rue Agricol-Perdiguier, vous arrivez au **couvent des Célestins**, construit dans le style gothique nordique. L'église, qui présente un beau chevet, et le cloître (devenu un haut lieu du Festival) ont été restaurés.

Remonter au nord vers la rue des Lices (2e à droite).

Comme son nom l'indique, la rue des Lices correspond au tracé de l'enceinte du 13e s. Sur la gauche, l'école des Beaux-Arts (étages de galeries en façade) est installée dans l'ancienne Aumône générale (18e s.).

Au bout de la rue des Lices, sur la droite, la **rue des Teinturiers**, pavée de galets et bordée de platanes, longe la Sorgue, ici à ciel ouvert. Quelques-unes des grandes **roues à aubes** qui actionnaient jusqu'à la fin du 19e s. les fabriques d'indiennes ont été préservées dans la rue des Teinturiers et font de cette artère un des lieux les plus pittoresques de la ville.

Sur la droite, se dresse le clocher des Cordeliers, restes d'un couvent dans lequel aurait été enterrée la Laure si longtemps pleurée par Pétrarque. Plus loin, un ponceau jeté sur la rivière donne accès à la **chapelle des Pénitents Gris** (au n° 8), qui abrite des tableaux de Mignard et Parrocel et, au-dessus de l'autel, une belle gloire dorée de Péru (17e s.). 📞 *04 90 86 58 80 - dim. matin pendant l'office.*

Continuez pour le plaisir de la flânerie et pour voir les grandes roues.

Revenir sur ses pas et poursuivre jusqu'à la rue de la Masse, à gauche.

Beaux hôtels dont celui de **Salvan Isoard** (au n° 36) du 17e s., avec ses fenêtres encadrées de moulures, et celui de **Salvador** (au n° 19), vaste demeure en équerre du 18e s.

Rue du Roi-René

La **maison du roi René** subsiste à l'angle de la rue Grivolas : le souverain y habitait lors de ses séjours en Avignon. Plus loin, quatre hôtels forment un remarquable **ensemble★ (F)** des 17e et 18e s. : les hôtels d'Honorati et de Jonquerettes (n°s 10 et 12) avec leurs façades simples ornées de frontons triangulaires ou en anse de panier ; l'hôtel Berton de Crillon

Roue à aubes, rue des Teinturiers.

Stéphane Sauvignier / MICHELIN

Les pénitents d'Avignon

Apparues dès le 13e s., les confréries de pénitents, sociétés à la fois d'entraide et « à but humanitaire », ont connu leur apogée aux 16e et 17e s. Si le phénomène a touché nombre de cités provençales, comme Aigues-Mortes, Avignon en fut particulièrement riche, avec des confréries de pénitents gris, blancs, bleus, noirs, violets et rouges, nommées selon la couleur du sac de toile dont se revêtaient leurs membres, qui, lors des processions, souvent nocturnes, défilaient coiffés d'une cagoule à la lueur des torches, portant reliquaires et emblèmes. Chacune possédait une chapelle et, si la Révolution porta un coup à leur activité, plusieurs ont néanmoins survécu.

(n° 7) avec son imposante façade ornée de médaillons à personnages, de masques, de guirlandes de fleurs et d'un gracieux balcon en fer forgé, sans oublier son très bel escalier à balustres de pierre dans la cour ; en face, l'hôtel Fortia de Montréal (n° 8), dont les frontons reposent sur des visages grimaçants.

Église Saint-Didier

Du plus pur style provençal, cette église contient un dramatique **retable★** du Portement de la Croix (15e s.), que l'on surnomme parfois Notre-Dame-du-Spasme tant la douleur vécue par les personnages s'exprime de manière saisissante dans cette œuvre de Francesco Laurana. Un ensemble de fresques, attribuées à des artistes de l'école de Sienne, décorent la chapelle des fonts baptismaux.

Livrée Ceccano

Au sud de l'église s'élève la tour de l'hôtel (ou livrée) du cardinal de Ceccano, englobée plus tard dans le collège des Jésuites, qui abrite aujourd'hui la médiathèque (accès par la rue des Laboureurs).

De la place Saint-Didier, prendre à gauche la rue des Fourbisseurs jusqu'à la place Carnot.

À l'angle de la rue des Marchands et de la rue des Fourbisseurs, belle demeure à encorbellement du 15e s., l'**hôtel de Rascas**.

De la place Carnot, prenez à droite vers la petite place Jérusalem où s'ouvre la synagogue, autrefois au cœur du ghetto, ou « carrière ». Ensuite, rejoignez la **place Saint-Jean-le-Vieux** : la haute tour carrée que l'on aperçoit à un de ses angles est le seul vestige de la commanderie Saint-Jean-de-Jérusalem.

Continuer jusqu'à la place Pignotte.

Remarquez la façade délicatement sculptée de l'**église de la Visitation** avant de prendre à gauche dans la rue P.-Saïn, et de remonter jusqu'à la rue Carreterie, qui conduit à la place des Carmes.

Place des Carmes

Au sud de la place, le **clocher des Augustins** se dresse, coiffé depuis le 16e s. d'un campanile en fer forgé, seul vestige d'un couvent fondé en 1261. L'**église Saint-Symphorien** (ou des Carmes) mérite une visite pour les trois belles statues en bois peint du 16e s. exposées dans la première chapelle, à gauche. Dans des chapelles suivantes, tableaux de Pierre Parrocel, Nicolas Mignard et Guillaume Grève. Sur la gauche de l'église, une grille permet d'apercevoir le **cloître** du 14e s.

Emprunter, au nord de la place, la rue des Infirmières (à gauche), puis la rue des Trois-Colombes (2e à droite).

Chapelle des Pénitents Noirs

57 r. de la Banasterie. ☎ 06 08 06 36 73 - avr.-sept. : vend. et sam. 14h-17h ; oct.-mars : sam. 14h-17h.

Ornant l'exubérante façade, la tête de saint Jean-Baptiste rappelle que la confrérie fut fondée sous l'emblème de la Décollation. L'intérieur baroque présente un bel ensemble de boiseries et de marbres, ainsi que des peintures de Levieux, Nicolas Mignard et Pierre Parrocel.

Rue de la Banasterie

Elle doit son nom à la corporation des vanniers (banasta en provençal désigne un panier d'osier). Au n° 13, **hôtel de Madon de Châteaublanc** (17e s.), à la façade ornée de guirlandes de fruits, d'aigles et de masques.

Place Manguin, prendre à droite l'étroite rue de Taulignan.

Hôtel d'Adhémar de Cransac

Nº 11. ℰ 04 90 86 13 28 ou 01 30 59 42 71 - visite guidée (1h) sur réserv., 14h-18h - 8 €

Ce petit hôtel particulier du 17e s. (demeure privée) fut redécoré au 18e s. : salons tendus de soieries, cheminées à trumeaux avec décors peints ; seules deux pièces ont conservé leur plafond à la française. Il fait partie de l'ancienne livrée cardinalice de Saint-Martial. C'est ici que vécut Amélie Palun, comtesse René d'Adhémar de Cransac (1873-1955), qui, avec ses amis poètes et gardians camarguais, consacra sa vie à l'essor du folklore provençal. Ainsi pourrez-vous découvrir des objets et documents évoquant Frédéric Mistral, Joseph Roumanille et le marquis de Baroncelli-Javon, ainsi que deux crèches avec des santons des 18e et 19e s.

Continuer tout droit jusqu'à la place Saint-Pierre.

Église Saint-Pierre

En façade, beaux **vantaux★** Renaissance. Traitées en perspective, les sculptures exécutées en 1551 par Antoine Valard représentent, à droite, la Vierge et l'ange de l'Annonciation, à gauche, saint Michel et saint Jérôme. Dans le chœur, élégantes boiseries du 17e s. encadrant des panneaux peints et belle chaire de la fin du 15e s.

Par la place Carnot et, à gauche, la rue des Marchands, rejoindre la place de l'Horloge.

Visiter

Petit Palais★★ (E1)

Pl. du Palais-des-Papes. ℰ 04 90 86 44 58 - juin-sept. : 10h-13h, 14h-18h ; oct.-mai : 9h30-13h, 14h-17h30 - fermé mar., 1er janv., 1er Mai, 14 Juil., 1er nov. et 25 déc. - 6 €.

La **collection Campana**, ensemble de toiles italiennes du 13e au 16e s., constitue le trésor de ce musée. La présentation des œuvres, par école et par période, permet au long de cette promenade d'apprécier l'évolution des styles en Italie : on s'attardera notamment devant les œuvres du 13e s. influencées par l'art byzantin, l'école siennoise représentée par Simone Martini et Taddeo di Bartolo, le style gothique international (Lorenzo Monaco, Gherardo Starnina), la peinture florentine et la finesse du tracé, particulièrement chez Bartolomeo della Gatta (*L'Annonciation*), et la redécouverte de l'Antiquité (autour de 1500). Arrêtez-vous donc un instant devant *La Vierge et l'Enfant*, chef-d'œuvre de jeunesse de Botticelli, le grand maître florentin.

Dans la section de **sculptures romanes et gothiques**, remarquez le « transi » qui formait la base du tombeau du cardinal de Lagrange (fin du 14e s.) : le réalisme du cadavre décharné anticipe sur les représentations macabres des 15e et 16e s.

À noter également les **peintures** et **sculptures avignonnaises**, sorte de synthèse entre le réalisme flamand et la stylisation italienne. *Le Retable Requin* (1450-1455), dû à **Enguerrand Quarton**, est l'une des pièces maîtresses. Les sculptures de Jean de la Huerta et d'Antoine le Moiturier (*Anges*), qui travaillèrent tous deux pour les ducs de Bourgogne, font pendant à une remarquable *Vierge de Pitié* datée de 1457.

Musée Calvet★ (E2)

65 r. Joseph-Vernet. ℰ 04 90 86 33 84 - tlj sf mar. 9h-13h, 14h-18h - fermé 1er janv., 1er Mai et 25 déc. - 6 € (–12 ans gratuit).

Cet illustre musée doit son nom au médecin **Esprit Calvet**, créateur de la fondation qui rassemble dans des salles aujourd'hui rénovées de nombreuses œuvres d'art. Ses points forts ? Une collection très hétéroclite de sculptures, une belle collection de pièces d'orfèvrerie et de faïences (donation Puech) et des peintures françaises, italiennes et flamandes du 16e au 19e s. Remarquez notamment une pathétique *Mort de Joseph Bara* par David, le *Matin à la mer* et le *Soir à la mer* de Joseph Vernet : mer étale, lumière diffuse et grands voiliers, par le maître du genre, des œuvres de Nicolas Mignard (*Les Quatre Saisons*), Élisabeth Vigée-Lebrun, Victor Leydet, Corot et, bien sûr, de grandes marines du peintre avignonnais Joseph Vernet (1714-1780).

Musée Angladon★ (E2)

5 r. du Laboureur (face à la médiathèque). ℰ 04 90 82 29 03 - www.angladon.com - 16 avr.-31 oct. : tlj sf lun 13h-18h, dim. 15h-18h ; 1er nov.-15 avr. : tlj sf lun. et mar. 13h-18h, dim. 15h-18h - 6 € (7-14 ans 1,50 €).

Cet hôtel particulier du 18e s. fut acquis en 1977 par un couple de peintres avignonnais, **Jean Angladon-Dubrujaud** (1906-1979) et **Paulette Martin** (1905-1988) afin d'y exposer leurs deux collections. Celle d'**art moderne**, qui leur fut léguée par le couturier parisien Jacques Doucet, exposée au rez-de-chaussée où l'on a tenté de reconstituer l'ambiance de son « studio » cubiste de Neuilly, comprend quelques peintures remarquables de Cézanne (*Nature morte au pot de grès*), Sisley, Manet, Derain, Picasso, Modigliani et Foujita. Les *Wagons de chemin de fer*, de Van Gogh, peints lors de son séjour arlésien, n'est sûrement pas la plus grande œuvre de Vincent… mais c'est le seul tableau de l'artiste en Provence.

À l'étage, la collection rassemblée par le maître de céans présente, entre mobilier et tableaux, un condensé de l'art du Moyen Âge à nos jours : salle à manger Renaissance, bibliothèque 18e s. avec une toile de Joseph Vernet, salon chinois fameux pour sa collection de porcelaines de l'époque Kangxi (fin du 17e s.) et atelier où sont exposés les travaux du couple, tous deux paysagistes, de styles fort différents : tenté par l'expressionnisme (Paulette Martin) ou flirtant avec le surréalisme (Jean Angladon).

« La Blouse rose » de Modigliani (musée Angladon).

Fondation Angladon-Dubrujeaud

Musée lapidaire★ (E2)

27 r. de la République. ☏ 04 90 85 75 38 ou 04 90 86 33 84 - ♿ - tlj sf mar. 9h-13h, 14h-18h - fermé 1er janv., 1er Mai et 25 déc. - 6 € (–12 ans gratuit).

Installé dans l'ancienne chapelle du collège des Jésuites (superbe façade baroque), dont la nef unique est flanquée de tribunes latérales, il présente les vestiges des civilisations qui se sont succédé dans la région : bestiaire de tradition celtique, en particulier la « Tarasque » de Noves, statues grecques, gréco-romaines (remarquable copie de l'*Apollon Sauroctone* de Praxitèle) et régionales (guerriers gaulois de Vachères et de Mondragon). Plusieurs portraits d'empereurs (Tibère, Marc Aurèle) ou de simples quidams, bas-reliefs (remarquez celui, trouvé à Cabrières-d'Aigues, qui représente une scène de halage), sarcophages et un remarquable ensemble de masques provenant de Vaison-la-Romaine complètent cette collection remarquable.

Musée Louis-Vouland★ (D1/2)

17 r. Victor-Hugo. ☏ 04 90 86 03 79 - www.vouland.com - mai-oct. : tlj sf lun. 10h-12h, 14h-18h, dim. et j. fériés 14h-18h ; nov.-avr. : tlj sf lun. 14h-18h - fermé 1er janv., 1er Mai et 25 déc. - 4 € (–12 ans gratuit).

Les arts décoratifs sont à l'honneur dans cet hôtel particulier. Important ensemble de **mobilier** (surtout 18e s.) : une commode signée Migeon, un bureau de changeur de monnaie et un amusant service de voyage aux armes de la comtesse du Barry retiennent l'attention. Belle collection de porcelaines et de **faïences** (Moustiers et Marseille), **tapisseries** des Flandres, d'Aubusson ou des Gobelins *(Le Retour de chasse de Diane)*, et, pour les orientalistes, vases, plats chinois et statuaires d'ivoire polychrome. Deux salles présentent des peintures provençales. Sans omettre de se délecter, avec gourmandise et une pointe de jalousie, un petit tableau de l'école de Joos Van Cleve : *Enfant mangeant des cerises.*

Muséum Requien (E2)

67 r. Joseph-Vernet. ☏ 04 90 82 43 51 - tlj sf dim. et lun. 9h-12h, 14h-18h - fermé j. fériés - gratuit.

Botanistes amateurs ou… en herbe, ne manquez sous aucun prétexte la visite de ce musée d'histoire naturelle : véritable éden, son herbier contient 200 000 échantillons du monde entier !

Collection Lambert (E2)

Hôtel de Caumont, 5 r. Violette. ☏ 04 90 16 56 20 - www.collectionlambert.com - ♿ - juil.-août : 11h-19h ; sept.-juin : tlj sf lun. 11h-18h - fermé 1er janv., 1er Mai et 25 déc. - 5,50 € (–12 ans 2 €) - visites guidées tous les vend. et sam. à 16h.

Ce bel hôtel du 18e s., ancien collège, a été rénové pour accueillir la collection d'**art contemporain** d'Yvon Lambert. La plupart des courants de l'avant-garde artistique défendus par ce collectionneur (art conceptuel, Land Art, art minimal, nouvelle figuration) sont représentés par un ensemble d'œuvres, parfois créées pour le lieu, où l'on retrouve les noms de Cy Twombly, Christian Boltanski, Nan Goldin, Sol LeWitt,

Anselm Kiefer, Daniel Buren, Robert Combas ou Bertrand Lavier, présentées par roulement selon des accrochages historiques ou thématiques.

Aux alentours

Villeneuve-lès-Avignon★
Sur la rive droite du Rhône. Quitter Avignon par le pont Édouard-Daladier, N 100 direction Nîmes. Voir ce nom.

Château de Barbentane★★
9,5 km au sud-ouest par la N 570, puis à droite par la D 35. Voir ce nom.

Montfavet
6 km à l'est par la N 100 et la N 7^F à droite.
Imposante **église**, reste d'un monastère construit au 14e s. par le cardinal Bertrand de Montfavet. Des sculptures intéressantes ornent le linteau du portail ; nef très sobre, soutenue par de belles voûtes gothiques.

Circuit de découverte

ENTRE ALPILLES ET DURANCE
Compter 2h. Quitter Avignon par la D 571.

Châteaurenard
Cette petite cité de 13 500 habitants s'est établie en contrebas du château situé sur la colline du Griffon. Elle cultive une tradition agricole (elle accueille un Marché d'Intérêt National) : venez donc le dimanche matin, jour de marché.
Flânez dans le centre ancien, réhabilité, où se trouve le petit **musée des Outils agraires**. *℘ 04 90 24 25 50 - mai-sept. : tlj sf dim. et lun. 10h-12h, 14h30-18h30 - 2 € (-12 ans gratuit), billet combiné avec le château féodal 5 €.*
Montez à pied dans le jardin des Tours *(escalier à droite de l'église)*, pour accéder au **château féodal** des comtes de Provence. De l'ancien fief du seigneur Reynard (13e-15e s.) ne subsistent que quatre tours, dont une seulement est encore entière. À l'intérieur, cinq salles se visitent, dont l'une consacrée au pape **Benoît XIII**. *℘ 04 90 24 25 50 - mai-sept. : visite guidée uniquement (30mn) tlj sf lun. 10h-12h, 14h30-18h30, dim. et j. fériés 14h30-18h30 ; oct.-avr. : tlj sf vend. 15h-17h - 4 € (–12 ans gratuit), billet combiné avec le château féodal 5 €.*
Poursuivre vers l'est par la D 28.

Les charrettes ramées

Tirées par des chevaux de trait, somptueusement décorées de végétation et de produits du terroir, les charrettes défilent dans les rues de Châteaurenard trois dimanches matin dans l'année : pour la Saint-Éloi (déb. juil.), elles sont garnies de blé ; pour la sainte Madeleine (déb. août), elles se parent de glaïeuls, fruits et légumes ; pour la Saint-Omer (mi-sep.), elles sont garnies de buis, cannes, fleurs et surmontées d'une enclume.

Noves
Le village a conservé deux portes, vestiges de son **enceinte médiévale**. Sur les bases d'un premier édifice religieux du 10e s., que les évêques d'Avignon jugeaient indigne, l'**église** a été édifiée au 12e s., puis remaniée au fil du temps, d'où sa forme composite.

Quitter Noves par la N 7 en direction d'Avignon puis, après avoir franchi l'autoroute, prendre à droite vers Cavaillon. La chartreuse de Bonpas est bientôt signalée sur la gauche de la route.

Chartreuse de Bonpas
℘ 04 90 23 09 59 - avr.-oct. : 9h-18h30 ; nov.-mars : 9h-17h30 - visite avec circuit audio-guidé - 7 €.
Couvent créé par les Hospitaliers au 13e s., la chartreuse connut la prospérité au 17e s., époque à laquelle fut élevée la salle capitulaire. Les bâtiments très bien restaurés abritent aujourd'hui une exploitation agricole (côtes-du-rhône fort apprécié) où l'on fera quelques emplettes après avoir parcouru les jardins à la française, d'où la vue peut faire méditer sur la faculté de l'homme à bouleverser son environnement.
Le retour vers Avignon peut s'effectuer par la N 7.

Avignon pratique

Voir aussi l'encadré pratique de Villeneuve-lès-Avignon.

Adresse utile

Office du tourisme d'Avignon – *41 cours Jean-Jaurès - 84000 Avignon -* ℘ *04 32 74 32 74 - www.avignon-tourisme.com - avr.-oct. : lun.-sam. 9h-18h, dim. et j. fériés 10h-17h ; pendant le Festival, en juil. : lun.-sam. 9h-19h, dim. et j. fériés 10h-17h ; nov.-mars : lun.-vend. 9h 18h, sam. 9h-17h, dim. et j. fériés 10h-12h - fermé 25 déc. et 1er janv.*

Transport

Train – La **gare TGV** ouverte en 2001 a mis Avignon à 2h40 de Paris. Elle est excentrée mais des navettes *(ttes les 10-15mn)* la relie au centre-ville. Sachez qu'Avignon est aussi à 20mn d'Arles en **TER** et à 30mn de Marseille en TGV.

Visites

Carte Pass – *Renseignements aux offices du tourisme d'Avignon et de Villeneuve-lès-Avignon.* Elle permet de visiter Avignon et Villeneuve-lès-Avignon avec d'intéressantes réductions de tarif pendant 15 jours (musées et monuments, visites guidées de la ville, promenades en bateau, excursions en autocar).

Visite guidée de la ville – *Renseignements à l'office de tourisme et www.avignon-tourisme.com.* Avignon, qui porte le label **Ville d'art et d'histoire**, propose des visites-thématiques et des visites-découvertes (2h) animées par des guides-conférenciers agréés par le ministère de la Culture et de la Communication.

Allovisit – *Carte Allovisit disponible gratuitement à l'office de tourisme (communication : 0,34 €/mn).* Parcours dans la ville en 7 étapes, audioguidé depuis votre téléphone portable.

Petit train touristique – ℘ *06 11 35 06 66 - www.petittrainavignon.fr - juil.-août : 10h-20h - du 15 mars au 30 juin et sept.-oct. : 10h-19h ; 7 € (4-10 ans 4 €).* Visite guidée (45mn) au départ de la place du palais des Papes.

Place de l'Horloge.

Gilles Magnin / MICHELIN

Avignon en bateau – ℘ *04 32 74 32 74 - avr.-sept., 2 à 5 dép. l'apr.-midi (se renseigner pour les horaires) - 8 €.* Visite (45mn) du pont Saint-Bénezet avec audioguide et promenade en bateau sur le Rhône.

Les Grands Bateaux de Provence – *Allée de l'Oulle - ℘ 04 90 85 62 25 - tte l'année - promenade 7,5 € (– 8 ans gratuit) - croisière déjeuner 44 €.* La compagnie organise des promenades sur le Rhône en bateau-bus (1h) et des « croisières » comprenant déjeuner ou dîner, avec un spectacle.

Se loger

Hôtel Le Provençal – *13 r. Joseph-Vernet - ℘ 04 90 85 25 24 - www.hotelleprovencal.com - 11 ch. 35/62 € - 5 €.* Le Provençal présente l'avantage d'être en plein centre et de ne pas être trop cher, ce qui est rare en Avignon. Aussi ne faut-il pas avoir trop d'attentes : l'adresse est simple et le confort des chambres, honnête.

Etap Hôtel – *8 bd St-Dominique - ℘ 0 892 68 07 24 - www.etaphotel.com - réserv. obligatoire - 95 ch. 44/48 € - 4 €.* En plein centre-ville, face à la porte St-Roch, cet hôtel de chaîne économique (standard et sans charme particulier) bénéficie néanmoins d'arguments convaincants : des prix abordables même en pleine saison, de nombreux restaurants aux alentours et un confort sanitaire complet.

Hôtel Ibis Pont de l'Europe – *12 bd St-Dominique - ℘ 04 90 82 00 00 - www.ibis-avignon-ctre-pont.com - 74 ch. 50/78 € - 6,50 €.* Au pied des remparts, structure récente offrant des chambres un peu exiguës, mais rénovées et bien tenues. Petit-déjeuner servi sous forme de buffet.

Hôtel D'Angleterre – *29 bd Raspail - ℘ 04 90 86 34 31 - www.hoteldangleterre.fr - fermé 22 déc.-22 janv. - P - 40 ch. 55/80 € - 8 €.* Cet immeuble centenaire abritait autrefois une fabrique de pâtes. Les chambres, rajeunies par étapes, sont simples, correctement équipées et bien tenues. Parking pratique.

Hôtel De Blauvac – *11 r. de la Bancasse - ℘ 04 90 86 34 11 - www.hotel-blauvac.com - 16 ch. 65/77 € - 7 €.* L'hôtel particulier du marquis de Tonduly, seigneur de Blauvac au 17e s., constitue certainement l'un des meilleurs rapports qualité-prix des hôtels d'Avignon. Les chambres confortables ont du caractère, et la chance d'être au cœur de la ville.

Chambre d'hôte La Prévôté – *354 chemin d'Exploitation - 84210 Althen-des-Paluds - 17 km au NE d'Avignon dir. Carpentras - ℘ 04 90 62 17 06 -*

www.la-prevote.com - fermé nov.-1er mars -
🛏 *- 5 ch. 55/80 € - ⊡ 5 €.* Après une nuit paisible passée dans l'une des chambres spacieuses et colorées de ce mas ancien, vous apprécierez le petit-déjeuner servi à l'ombre de la treille ou sous le marronnier. Une fois sustenté, laissez courir votre regard sur les pommiers ou faites un plongeon dans la piscine.

Hôtel Garlande – *20 r. Galante - ☎ 04 90 80 08 85 - www.hoteldegarlande. com - fermé janv. - 10 ch. 89/115 € - ⊡ 7 €.* Petit hôtel familial bordant une rue tranquille, à deux pas de l'église St-Didier. La réunion de deux maisons anciennes rénovées a créé cette distribution sinueuse mais pittoresque. Les chambres, personnalisées dans un discret esprit provençal, sont égayées de tissus fleuris.

Hôtel Cloître St-Louis – *20 r. du Portail-Boquier - ☎ 04 90 27 55 55 - www.cloitre-saint-louis.com - 🅿 - 74 ch. 100/220 € - ⊡ 16 € - restaurant 30/33 €.* Décor contemporain de verre et d'acier dans un cloître du 16e s. et son annexe récente. Chambres au design monacal. Cuisine classico-provençale servie dans les salles voûtées et les galeries. Piscine, solarium sur le toit et jardin aménagé dans la cour intérieure. Messe dominicale dans la chapelle, au cœur de l'hôtel.

Se restaurer

Au Coin des Halles – *4 r. Grivolas - ☎ 04 90 82 93 49 - www.aucoindeshalles. com - fermé dim. et j. fériés - 11/25 €.* Ce restaurant fréquenté par les Avignonnais abrite deux petites salles de style bistrot et un espace lecture. Sur la carte : des plats simples, une délicieuse tarte au reblochon, une salade landaise, de la soupe de potiron… L'endroit fait également bar à vins et propose des apéritifs dînatoires.

Le Mesclun - Le Petit Bistrot de Brunel – *46 r. de la Balance - ☎ 04 90 86 14 60 - fermé le soir, dim. et lun. - 11,50/20 €.* Le Mesclun est en quelque sorte l'annexe du restaurant Brunel. Vous y dégusterez (uniquement à l'heure du déjeuner) une cuisine simple aux accents provençaux, proposée sous la forme d'un plat du jour et de suggestions du chef. Intérieur d'esprit bistrot et agréable terrasse d'été.

Le Grand Café – *Cours Maria-Casarès, la Manutention - ☎ 04 90 86 86 77 - fermé janv., dim. et lun. sf juil.-août - réserv. conseillée - 18/33 €.* Cette ancienne caserne adossée aux contreforts du palais des Papes est devenue un lieu incontournable de la vie locale. Avignonnais et touristes s'y retrouvent pour découvrir une cuisine inventive aux accents provençaux. Agréable terrasse, calme et fraîche en été.

Le Jardin de la Tour – *9 r. de la Tour - ☎ 04 90 85 66 50 - www.jardindelatour.fr - fermé 2 sem. en août, dim. et lun. - 18/49 €.* Ce restaurant niché près des remparts a du cachet avec son jardin, ses tonnelles et

l'architecture de l'ancienne ferronnerie qu'il fut jadis. Le chef fait s'harmoniser des saveurs opposées et redonne droit de table à des produits provençaux disparus (aloses, alouettes sans tête…).

Entrée des Artistes – *1 pl. des Carmes - ☎ 04 90 82 46 90 - fermé 23 déc.- 3 janv., 19 août-5 sept., sam. midi et dim. - 20/25 €.* Dans un décor de bistrot parisien où se mêlent affiches, objets de cinéma et vieilles publicités, vous mangerez au coude à coude une cuisine traditionnelle. L'accueil est convivial, et dans l'air flotte un parfum de Méditerranée.

La Ferme – *110 chemin des Bois, île de la Barthelasse - ☎ 04 90 82 57 53 - www.hotel-laferme.com - fermé 1er nov.- 15 mars - 23/38 €.* Un havre de paix proche du centre-ville. Belle ferme restaurée offrant des chambres spacieuses et fraîches garnies d'un mobilier rustique simple. Salle à manger campagnarde avec poutres apparentes, cheminée et vieilles pierres. Terrasse ombragée.

L'Isle Sonnante – *7 r. Racine - ☎ 04 90 82 56 01 - fermé 25 fév.-8 mars, 16-31 août, dim. et lun. - 24/36 €.* Ce restaurant (non-fumeurs) proche de la mairie porte fièrement son enseigne rabelaisienne. Intérieur cosy mariant style rustique et tons chauds. Plats actuels inspirés par la région.

Piedoie – *26 r. des Trois-Faucons - ☎ 04 90 86 51 53 - fermé 18-28 août, 17-27 nov., vac. de fév., lun. midi et merc. - 18 € déj. - 24/52 €.* Poutres, parquets et murs blancs agrémentés de tableaux contemporains côté décor, plats du marché volontiers créatifs côté cuisine. Ambiance familiale.

Le Moutardier – *15 pl. du Palais-des-Papes - ☎ 04 90 85 34 76 - www.lemoutardier.com - fermé 6-25 janv., 24 nov.-19 déc. et merc. d'oct. à mars - 27/39 €.* Cette bâtisse du 18e s. offre un cadre exceptionnel à des repas simples et frais. Ambiance sympathique dans sa salle à manger dont les fresques relatent l'histoire du « moutardier du Pape », et sur sa terrasse dressée face au Palais Neuf. Vins en bouteille, en carafe ou au verre.

En soirée

Café In & Off – *Pl. du Palais-des-Papes - ☎ 04 90 85 48 95 - www.cafeinoff.com - été : 7h30-22h, jusqu'à 3h pdt le festival ; reste de l'année : 7h30-20h - fermé de mi-nov. à fin fév.* S'attabler à la terrasse de ce café est un régal pour l'œil : le palais des Papes est juste en face ! L'intérieur est assez plaisant avec ses murs colorés égayés par de nombreux tableaux. Petite restauration.

Que rapporter

Marchés – Marché paysan dimanche après-midi (de mai à octobre) île de la Barthelasse. Marché aux fleurs samedi matin pl. des Carmes. Marché aux puces dimanche matin pl. des Carmes. Brocante professionnelle mardi et jeudi matin pl. Pie-XII.

Les Halles Centrales – *Pl. Pie - tlj sf lun. 6h-13h30.* De l'extérieur, elles n'attirent pas le regard mais les commerces installés ici méritent un détour.

Terre è Provence – *26 r. de la République - ℰ 04 90 85 56 45 - tlj sf dim. 10h-13h30, 14h-19h ; juin-août : 10h-19h.* Boutique avenante tenue par la même famille depuis plusieurs générations et entièrement dédiée à la Provence : arts de la table, nappes aux imprimés provençaux, boutis en fil d'indienne, poteries… De belles idées de décoration pour votre intérieur.

Distillerie de la liqueur de Saint-Michel-de-Frigolet – *26 r. Voltaire - ℰ 04 90 94 11 08 - www. frigoletliqueur.com - tlj sf w.-end 9h-12h, 14h-18h.* Cette distillerie détient la recette du Frigolet, encore appelé élixir du père Gaucher, son créateur. On y produit aussi de l'eau-de-vie de poire Williams, du marc de Provence ou des confiseries à la liqueur Frigolet. La **visite** des lieux est très intéressante : découverte du « secret » de fabrication de l'élixir (composé de 30 plantes) et petit **musée de l'Alambic**.

👥 Miellerie des Butineuses – *189 r. de la Source - 84450 St-Saturnin-lès-Avignon - ℰ 04 90 22 47 52 - www.miellerie.fr - tlj sf dim. 10h-12h, 14h-18h - fermé j. fériés.* Pour tout savoir sur la vie des abeilles et l'apiculture, rendez-vous dans ce rucher fort bien aménagé. La **visite** des installations (diaporama, observation d'une vraie ruche vitrée, exposition de vieux matériels) est très instructive. Dégustation gratuite à la boutique qui regorge de produits à base de miel de Provence : gelée royale, pollen, hydromel, confiseries, pain d'épice, cosmétiques, polenia, etc.

Sports & Loisirs

Golf Grand Avignon – *Chemin Banastière - 84270 Vedène - ℰ 04 90 31 49 94 - www.golfgrandavignon.com - été : 7h30-19h30 ; hiver : 8h30-17h30.* Parcours de 18 trous dans les environs immédiats d'Avignon ; hôtel et restaurant sur place.

Événements

FESTIVAL D'AVIGNON

Depuis 1947, le Festival d'Avignon s'est imposé comme l'événement théâtral européen majeur. Sa vocation est de promouvoir la création française et étrangère en matière de théâtre, danse, lectures, en offrant chaque année

une quarantaine de spectacles. Les représentations sont données dans une vingtaine de lieux non conventionnels de la ville d'Avignon, des cloîtres, des églises, le célèbre palais des Papes et aussi dans la périphérie de la ville comme à Villeneuve-lès-Avignon, Châteaublanc où à la carrière Boulbon.

Réservations du Festival – *Bureau du Festival d'Avignon - Cloître Saint-Louis - 20 r. du Portail-Boquier - 84000 Avignon - renseignements ℰ 04 90 27 66 50 - réservations ℰ 04 90 14 14 14.* Les locations, ouvertes dès la 1re quinzaine de juin, peuvent également être faites par Internet *(www.festival-avignon.com),* aux bureaux de location FNAC ou au bureau d'accueil à l'Espace Saint-Louis.

Réservations du Festival Off – *ℰ 04 90 25 24 30 - www.avignon-off.org* Programme du Festival Off disponible par courrier à partir de mi-juin (envoyer un chèque de 5 € avec votre adresse à Avignon Festival Off, 45 cours Jean-Jaurès, 84000 Avignon).

Affiches de spectacles du Festival d'Avignon.

AUTRES ÉVÉNEMENTS

Cheval Passion – *ℰ 04 90 84 02 04. www.cheval-passion.com.* C'est à la mi-janvier que les amateurs d'équitation se donnent rendez-vous en Avignon pour une manifestation consacrée à ce noble équidé : dressage, monte de haute-école, concours, démonstrations et spectacles, le tout au Parc des Expositions.

Les Hivernales d'Avignon – *ℰ 04 90 82 33 12 - www.hivernales-avignon.com* En février, festival consacré à la danse contemporaine, qui allie la création à la formation (spectacles et stages). Les Hivernales proposent également des programmations estivales, au mois de juillet, dans le cadre des festival In et Off.

Bagnols-sur-Cèze

18 103 BAGNOLAIS
CARTE GÉNÉRALE A2 – CARTE MICHELIN LOCAL 339 M4 – GARD (30)

Le vieux Bagnols se révèle charmant avec sa ceinture de boulevards, ses demeures anciennes, son musée d'Art moderne figuratif. Quant aux amoureux de la nature, ils trouveront leur bonheur tout au long de la paisible vallée de la Cèze.

- **Se repérer** – Au sud des gorges de l'Ardèche (25 km) et au nord du Pont du Gard (32 km), on y accède par la N 86. Bagnols offre une bonne base de départ pour sillonner le bas Vivarais, à l'ouest.

- **Organiser son temps** – Dans le vieux Bagnols, si vous suivez le circuit fléché et ponctué de panneaux explicatifs (plan disponible à l'office de tourisme), comptez 45mn ou 1h30.

- **À ne pas manquer** – Le musée d'art moderne Albert-André ; le circuit du bas Vivarais, avec surtout le Guidon du Bouquet et les Concluses.

- **Avec les enfants** – Le Visiatome de Marcoule ; une mini descente en canoë-kayak sur la Cèze, si les eaux sont calmes *(voir l'encadré pratique)*.

- **Pour poursuivre la visite** – Voir aussi Orange.

Visiter

Musée d'art moderne Albert-André★
Pl. Auguste-Mallet, 2e étage de l'hôtel de ville. ℘ *04 66 50 50 56 - tlj sf lun. 10h-12h, 14h-18h - fermé fév. et j. fériés - 4,40 € (enf. 2,20 €), gratuit 1er dim. du mois (oct.-juin).*
Ce bel édifice du 17e s. contient des collections figuratives d'art moderne réunies par le peintre Albert André, conservateur de 1918 à 1954. Des peintres amis tels que Monet, Marquet, Signac, Bonnard et surtout Renoir enrichirent cette collection que compléta la donation Besson, fort bel ensemble de peintures, aquarelles, dessins et sculptures signés Renoir, Valadon, Matisse ou Van Dongen.

Les pompiers au service de l'art

Si les pompiers bagnolais n'avaient pas trop arrosé la Sainte-Barbe en 1923, Bagnols n'aurait peut-être pas aujourd'hui de musée d'Art moderne. Mais voilà : ils firent tant et si bien qu'ils… mirent le feu au musée Léon-Alègre qui présentait dans un agréable désordre peintures, animaux empaillés, pièces archéologiques et outils agricoles. Albert André, à la tête d'un musée sans collection, fit alors appel à ses amis peintres (parmi lesquels Auguste Renoir)… et les dons affluèrent, permettant de constituer la collection du premier musée d'Art moderne de province.

Musée d'archéologie Léon-Alègre
Maison Jourdan, 24 av. Paul-Langevin. ℘ *04 66 89 74 00 - & - merc., sam. et dim. 10h-12h, 14h-18h - fermé fév. et j. fériés - 4,40 € (enf. 2,20 €) gratuit 1er dim. du mois (oct.-juin).*
Collections d'origine rhodanienne illustrant différentes périodes de l'Antiquité : la civilisation celto-ligure et ses liens avec les Grecs de Marseille (6e au 1er s. av. J.-C.) évoquée par des poteries et des objets en bronze, la civilisation gallo-romaine avec des céramiques, amphores, verrerie et objets usuels, et une évocation de la naissance du vignoble local. Une salle est consacrée à l'oppidum de St-Vincent-de-Gaujac avec une reconstitution d'un angle de la salle chaude des thermes.

Circuits de découverte

LE BAS VIVARAIS

130 km – compter 1 journée. Quitter Bagnols à l'ouest par la D 6, puis tourner à gauche dans la D 166.

Sabran
Charmant village perché… Du pied de la statue colossale de la Vierge, au milieu des vestiges du château fort, vaste **panorama★**.
Revenir sur la D 6 que l'on traverse pour suivre la D 166.

Sur une crête empanachée de vieux cyprès se dresse le village de **La Roque-sur-Cèze**, couronné d'une chapelle romane, dans un **site★** d'une sereine beauté. Un pont ancien à plusieurs arches et avant-becs pointus franchit la Cèze.

Suivre le chemin sur la rive gauche, sans franchir le pont.

Cascade du Sautadet★

Le site est accessible mais dangereux : suivre les consignes de sécurité indiquées sur les panneaux.

Cette chute est surtout curieuse par son profil en creux dans le lit de la rivière et par le réseau complexe de crevasses où s'enfonce la Cèze. De l'extrémité sud de la chute, jolie vue.

Revenir sur la D 166 et continuer jusqu'à la D 980 que l'on prend à gauche. Après 3 km, prendre à droite.

Cascade du Sautadet : les eaux de la Cèze ont profondément fissuré un large banc calcaire.

Cornillon

Cet ancien site fortifié offre une agréable promenade sous ses remparts. Depuis la cour du château, **panorama★** sur la vallée de la Cèze (table d'orientation).

Poursuivre sur la D 298. Après Saint-André-de-Roquepertuis, tourner à gauche dans la D 167 qui court à travers un plateau d'une farouche solitude. Prendre la D 16 en direction de Rochegude, puis la D 7 jusqu'à Brouzet-les-Alès.

Guidon du Bouquet★★

Point culminant de la serre du Bouquet, avec sa silhouette en forme de bec, il domine un vaste horizon entre le Gard et l'Ardèche. L'accès se fait par une route en forte montée au cours de laquelle on apercevra, parmi les taillis de chênes verts, les ruines du château du Bouquet. Du sommet, le **panorama★★** s'étend sur les causses cévenols, l'enchevêtrement des serres du bas Vivarais, le Ventoux et les Alpilles. Depuis la statue de la Madone, à-pic vertigineux dominant la garrigue de l'Uzège. À l'arrière du relais de télévision, jolie vue sur la serre du Bouquet.

De retour à Brouzet, revenir sur la D 7. Après 8 km, tourner à droite dans la D 37.

Le parcours offre à la montée une vue sur les **ruines★** du château d'**Allègre**, avant de se poursuivre à travers la garrigue jusqu'au site de **Lussan**, juché en acropole.

Prendre la D 143 puis, à gauche, la D 643 qui mène aux gorges de l'Aiguillon, appelées Concluses. Laisser la voiture au bout de la route, de préférence au second parking : aménagé sur un terre-plein, en contre-haut, il forme un belvédère sur la partie amont des gorges ; de là, on distingue nettement les marmites de géant qui parsèment le lit du torrent.

Les Concluses★★

🚶 *1h AR.* Le torrent de l'Aiguillon, à sec en été, seul moment de l'année où la promenade est possible, a eu beaucoup de mal à se frayer un passage dans le plateau calcaire, d'où son tracé sinueux. C'est à cause des cuvettes et des conques, les *conclusas* en occitan, que les gorges de l'Aiguillon ont fini par s'appeler Concluses.

Emprunter à droite le sentier signalé vers le Portail.

Observez en descendant les cavités ouvertes dans les parois de la rive opposée, notamment la Baume de Biou (grotte des Bœufs). Un promontoire rocheux marque l'entrée du plan de Beauquier, élargissement boisé encadré d'escarpements magnifiques : au flanc de la falaise, trois nids d'aigles abandonnés.

Au bas du sentier, on atteint le **Portail**. Les parois des gorges se referment à leur sommet ; leur base s'arrondit en forme de goulet, par où l'Aiguillon s'écoule en période de crue. Passant sous le Portail, on pénètre dans les détroits rocheux et on suit le lit du torrent sur 200 m environ : une profonde impression de solitude s'empare du visiteur…

De retour sur la D 143, gagner Goudargues.

Goudargues

On l'appelle, avec une emphase toute méridionale, « la petite Venise gardoise » De canaux en petits ponts, c'est en tout cas une halte pleine de charme et de fraîcheur. Entouré de platanes gigantesques, le bourg est dominé par son église, ancienne abbatiale dont la haute abside romane s'orne intérieurement d'un double étage d'arcatures.

Tourner à droite dans la D 298 et rentrer à Bagnols.

LA CÔTE DU RHÔNE GARDOISE

50 km – environ 3h. Quitter Bagnols par la N 86 au sud (direction Remoulins) jusqu'à Gaujac ; prendre à droite la D 310 qui passe en contrebas du village, puis un chemin de terre (fléchage) peu carrossable en montée.

Oppidum de Saint-Vincent-de-Gaujac

Ce site de hauteur en pleine forêt a été occupé par intermittence du 5e s. av. J.-C. au 6e s. de notre ère, puis entre le 10e s. et le 14e s. À l'époque romaine, ce fut un sanctuaire rural avec temples et thermes. Une porte fortifiée (vestige d'une enceinte) donne accès aux ruines de l'essart médiéval avec sa citerne, puis aux fouilles gallo-romaines, ensemble du Haut-Empire (1er-3e s.) : en haut, un *fanum*, petit temple indigène romanisé ; en contrebas, les thermes (restes de canalisations). Le sanctuaire fut abandonné au 3e s. pour une raison inconnue.

Reprendre la N 86 puis, après Pouzilhac, tourner à gauche dans la D 101.

La route, étroite et sinueuse, traverse un paysage caractéristique de garrigues et de forêt. Peu avant Saint-Victor se dressent les ruines d'un imposant château féodal, **le Castella**, démantelé lors de la croisade contre les Albigeois.

Saint-Victor-la-Coste

À la limite de la garrigue et des vignobles, le vieux village de pierres sèches se blottit au pied des ruines de son château.

Saint-Laurent-des-Arbres

Autrefois propriété des évêques d'Avignon, le village conserve quelques vestiges médiévaux dont une **église romane**, fortifiée au 14e s. : les murs ont été surélevés et munis d'un parapet crénelé ; à l'intérieur, coupoles ornées des symboles des évangélistes. Près de l'église, **donjon** rectangulaire de l'ancien château : la partie inférieure, surhaussée au 14e s. d'un étage en retrait, remonterait à la fin du 12e s. Toute proche, une **tour romane**, dite tour Ribas, abrite l'office de tourisme.

Au carrefour avec la N 580, prendre à gauche. À l'Ardoise, prendre à gauche la D 9.

Laudun

Le village est dominé par son imposante église gothique (14e s.), d'où vous pourrez gagner, en empruntant le GR 42 en direction d'Orsan, le plateau du **Camp de César** offrant une belle vue sur la vallée du Rhône. Jules César n'est sûrement jamais allé à Laudun – en tout cas, il n'a pas jugé bon de mentionner sa visite dans ses écrits ; le Camp de César est un important oppidum occupé du 5e s. av. J.-C. au 6e s. apr. J.-C., où l'on a mis au jour les vestiges d'un forum et d'une basilique. *℘ 04 66 50 55 79 - site public, accessible gratuitement tte l'année - visite guidée sur demande (1 sem. av.) - 3,05 € (inclut la visite de la salle d'exposition permanente à la mairie).*

Le matériel recueilli sur place est exposé à la **mairie** de Laudun (rez-de-chaussée). *℘ 04 66 50 55 79 - juin-sept. : mar.-vend. 9h-12h, 15h-18h, sam. 9h-12h, dim. 10h-13h ; oct.-mai : se renseigner - fermé j. fériés - 1,83 €.*

De Laudun, gagner Orsan par la D 121 au nord, puis prendre à droite pour traverser la N 580.

Visiatiome de Marcoule

CEA Marcoule - BP 64172 - 30207 Bagnols-sur-Cèze - ☎ 04 66 39 78 78 - www.visiatome.fr - lun. et sam. : 13h-18h ; mar.-vend., dim. et j. fériés : 10h-18h ; fermé trois semaines en janv. - visite guidée sur réserv. (env. 1h30), ateliers enfants sur réserv. - 3 €, gratuit pdt le Festival « Faites de la Science » (mi-oct.).

Ouvert en avril 2005, à côté du centre de recherche sur les déchets nucléaires de Marcoule, ce vaste bâtiment en pierre du Gard et en bois accueille une exposition sur le thème de l'énergie en général et sur la radioactivité en particulier. Un espace est dédié aux seuls déchets radioactifs. La scénographie dernier cri (écrans animés, jeux interactifs, etc.) rend la visite plutôt ludique.

Retour sur Bagnols par Chusclan, puis la N 580, à droite.

Surplombant la commune de Chusclan, le **château de Gicon**, qui a fait l'objet d'une restauration, se voit de loin. Passé la chapelle romane, on arrive à la porte d'entrée qui débouche sur une calade et des constructions de diverses époques (maison forte, donjon, tour de guet, bergerie, etc.). *Accès libre. Possibilité de visite guidée :* ☎ *04 66 90 14 04/03 15.*

Bagnols-sur-Cèze pratique

Adresse utile

Office du tourisme de Bagnols-sur-Cèze *– Espace St-Gilles - av. Léon-Blum - 30200 Bagnols-sur-Cèze -* ☎ *04 66 89 54 61 - www.tourisme-bagnolssurceze.com - juil.-août : lun.-vend. 9h-19h, sam. 9h-18h, dim. 10h-13h ; juin et sept. : lun.-vend. 9h-19h, sam. 10h-13h ; oct.-mai : lun.-vend. 9h-12h, 13h30-18h, sam. 10h-13h.*

Se loger

Camping Domaine des Fumades *– À proximité de l'établissement thermal - 30500 Allègre-les-Fumades - 17 km au NE d'Alès par D 16 puis D 241 -* ☎ *04 66 24 80 78 - www.domaine.des.fumades.com - 15 avr.-3 sept. - réserv. obligatoire - 230 empl. 31 € - restauration.* Au bord de l'Alauzène, un camping installé autour d'une belle bâtisse et de son magnifique patio. Dans une nature bien préservée, trois piscines, des restaurants et des commerces contribuent au confort des vacanciers… Miniclub pour les enfants.

Chambre d'hôte La Tonnelle *– Pl. des Marronniers - 30200 La Roque-sur-Cèze - 10 km au NO de Bagnols-sur-Cèze par N 86 puis D 298 dir. Barjac et D 166 -* ☎ *04 66 82 79 37 - latonnelle30@aol.com - 6 ch. 72 €* ⬜*.* Maison ancienne entourée d'un jardinet et d'une parcelle de vigne. Chaque chambre a emprunté son nom à une fleur. Vous savourerez, en même temps que votre petit-déjeuner sous la tonnelle, la vue en contre-plongée sur le village et la « roque » couronnée de cyprès.

Se restaurer

Paul Itier *– 30300 Connaux - 13 km au S de Bagnols-sur-Cèze par N 86 -* ☎ *04 66 82 00 24 - imbert30@aol.com - fermé vac. de fév. - 13 € déj. - 18/29 €.* Petit restaurant situé en léger retrait de la route nationale. Sobre salle à manger campagnarde prolongée d'une terrasse d'été coiffée d'un auvent. Cuisine classique.

Que rapporter

Bon à savoir *–* Au sud de Saint-Laurent-des-Arbres (par la D 26), se trouve **Lirac** (vins rouges ou rosés assez corsés) et **Tavel** (fameux pour son rosé), occasion sans doute de quelques achats.

Sports & Loisirs

Cap Canoë *– Rte de Barjac - 30500 St-Ambroix -* ☎ *04 66 24 25 16 - www.canœ-france.com - 9h-19h - fermé oct.-mars - 13 à 20 €.* Ce loueur de canoës et de kayaks propose des balades, accessibles à tous les niveaux, sur les méandres tranquilles de la Cèze. Les circuits sont élaborés à la carte : mini-descente pour les enfants, journée ou randonnée de deux jours avec bivouac. À vos pagaies !

Barbentane

3 645 BARBENTANAIS
CARTE GÉNÉRALE B2 – CARTE MICHELIN LOCAL 340 D2 – BOUCHES-DU-RHÔNE (13)

Posté au pied de la tour Anglica, le vieux village a conservé quelques vestiges de l'époque médiévale. Ce village va vous surprendre : au milieu des bouquets de thym et de romarin de la Montagnette voisine, le voilà qui dévoile un château semblant tout droit sortir des jardins d'Île-de-France.

▷ **Se repérer** – À 14,5 km au nord de Tarascon par la D 35. Barbentane est adossé au versant nord de la Montagnette, au-dessus de la plaine maraîchère située près du confluent du Rhône et de la Durance.

👁 **À ne pas manquer** – Le château.

🕐 **Organiser son temps** – Comptez environ 1 h pour la visite du château et autant pour flâner dans les belles ruelles du village. Si vous randonnez sur les sentiers de la Montagnette voisine, sachez qu'en été, les sentiers sont fermés en raison des risques d'incendie (ils ferment aussi en cas de fort mistral, toute l'année).

👪 **Avec les enfants** – Une courte promenade jusqu'au moulin de Bretoule, l'un des derniers de la région.

👣 **Pour poursuivre la visite** – La Montagnette (voir Tarascon).

Apparition inattendue d'un château classique sur les versants de la Montagnette.

Visiter

Château★★

☎ 04 90 95 51 07 - 🚻 - de Pâques à Toussaint : visite guidée (45mn) 10h-12h, 14h-18h - fermé merc. (sf juil.-août et sept.) - 6 € (enf. 4,50 €).

Au 18ᵉ s., **Joseph-Pierre Balthazar de Puget**, ambassadeur à Florence, ancêtre du marquis actuel, contribua à donner au château son style italianisant.

Façade classique (17ᵉ s.), terrasses, balustrades en pierre décorées de lions ou de corbeilles de fleurs s'ouvrent sur une pièce d'eau et un parc à l'italienne. L'intérieur de ce château, édifié par **Louis-François de Valfenière**, présente une riche décoration du 18ᵉ s. d'inspiration très italienne. Les plafonds de voûtes plates, utilisant une technique de taille des pierres très particulière, les gypseries, les médaillons peints, les marbres de couleur, les meubles Louis XV et Louis XVI, les porcelaines de Chine, les faïences de Moustiers confèrent à l'ensemble un charme indéniable.

Se promener

Vieux village

Il a conservé de son enceinte fortifiée la porte Calendale et la porte Séquier. La **maison des Chevaliers**, du 12ᵉ s., possède une belle façade Renaissance composée d'une tourelle et de deux grandes arcades surmontées d'une galerie à colonnes. En face, l'église du 12e s. a été souvent remaniée. La **tour Anglica**, donjon du château féodal disparu, domine le village. Une courte promenade dans la pinède mène au **moulin de Bretoule** (18e s.), dernier des nombreux moulins de la région : jolie vue sur la plaine rhodanienne.

Barbentane pratique

& Voir aussi les encadrés pratiques d'Avignon et de Tarascon.

Adresse utile

Office du tourisme de Barbentane – *Le Cours - 13570 Barbentane - ℘ 04 90 90 85 86 - lun.-vend. 8h-12h, 13h30-17h30 (16h30 vend.) - fermé j. fériés.*

Visite

Visite contée – *Sur réserv. à l'office de tourisme.* Elle se déroule autour des principaux monuments, avec des anecdotes racontées par des natifs du village.

Se loger

⊜⊜ **Castel Mouisson** – *Quartier Castel-Mouisson - 2 km de Barbentane par rte de Rognonas - ℘ 04 90 95 51 17 -* www.hotel-castelmouisson.com - *fermé 16 oct.-14 mars -* P *- 17 ch. 58/69 € -* � *8 €.* Bien qu'excentrée, sur la route de Rognonas, c'est l'une de nos adresses préférées. Les chambres (murs blancs et tissus provençaux) donnent sur un petit parc arboré avec piscine. Accueil attentif sans être envahissant.

Événement

Feux de la Saint-Jean – Des bûchers sont dressés dans tous les villages de Provence. La fête patronale de Barbentane est réputée, avec ses courses de taureaux, concours de boules, groupes folkloriques du village. Vêpres et feu sur la place de l'église.

Les Baux-de-Provence★★★

434 BAUSSENCS
CARTE GÉNÉRALE B3 – CARTE MICHELIN LOCAL 340 D3 – SCHÉMA P. 117 –
BOUCHES-DU-RHÔNE (13)

Un éperon dénudé (900 m de long sur 200 m de large) qui se détache des Alpilles, bordé de deux ravins à pic, un château fort détruit et des vieilles maisons constituent l'extraordinaire site minéral du village des Baux, fier héritier d'un passé glorieux. Attirant chaque année 1,5 million de visiteurs, ce site offre le meilleur de lui-même au printemps et à l'automne, loin des foules.

▷ **Se repérer** – Arrivant par la D 78^F, depuis Fontvieille, on aperçoit soudain, dans un lacet, les premières maisons perchées du vieux village.

▣ **Se garer** – Laissez votre voiture sur l'un des parkings. Les plus proches du village proposent un stationnement illimité *(tarif unique : 4 €)*. Les autres, un peu en contrebas, possèdent des horodateurs. À la belle saison, compte tenu de l'affluence, il sera sûrement nécessaire de vous garer au bord de la route pour ensuite gagner le village à pied.

👁 **À ne pas manquer** – Une promenade dans les ruelles du village ; le château ; le panorama sur le village depuis l'avancée rocheuse située sur la D 27.

🕐 **Organiser son temps** – Comptez au moins 2h pour la visite des ruelles et du village. Selon les photographes, il faut venir en mai ou en novembre pour profiter des plus belles luminosités. De novembre à mars, beaucoup d'hôtels et restaurants sont fermés. Mieux vaut appeler avant de venir.

👫 **Avec les enfants** – La visite du château et les stages d'archéologie *(en juillet)* ; la Cathédrale d'Images.

🚶 **Pour poursuivre la visite** – Voir aussi les Alpilles et Saint-Rémy-de-Provence, à proximité. Les amateurs d'architecture médiévale ne manqueront pas non plus Aigues-Mortes, au sud-ouest.

Le site des Baux : où finit la roche, où commence le château ?

Comprendre

Au hasard Balthazar – Telle était la fière devise des seigneurs des Baux qui affirmaient descendre du Roi mage Balthazar… Mistral les décrivait comme une « race d'aiglons jamais vassale ». Dès le 11ᵉ s., ils comptent parmi les plus puissants féodaux du Midi. De 1145 à 1162, ils entrent en guerre contre la maison de Barcelone, dont ils contestent les droits sur la Provence ; appuyés un moment par l'empereur allemand, ils devront finalement se soumettre après avoir subi un siège dans leur fief. Les uns deviennent alors princes d'Orange, d'autres vicomtes de Marseille, d'autres encore, ayant suivi en Italie du Sud l'expédition des princes d'Anjou, sont faits comtes d'Avellino, puis

Le saviez-vous ?

👁 Du provençal *bàus* qui désigne un rocher escarpé, devenu par un pluriel abusif les Baux, la cité allait plus tard donner son nom à la **bauxite**, un minerai d'aluminium découvert sur la commune en 1822. Son extraction s'est arrêtée en 1990.

👁 Des fouilles menées en 1992 ont permis de déterminer trois temps forts dans l'occupation de l'éperon rocheux avant l'époque moderne : les 2e et 1er s. av. J.-C., les 5e et 6e s. (construction d'un rempart et d'un habitat disséminé) et l'époque médiévale (élévation du donjon).

ducs d'Andria. L'un d'eux épouse Marie d'Anjou, sœur de **Jeanne Ire**, reine de Sicile et comtesse de Provence, la première reine Jeanne. Très belle, très aimée des Provençaux, celle-ci connaîtra un destin tragique : trois fois veuve, elle meurt en 1382, étouffée par un ambitieux et fort oppressant cousin.

Un charmant garçon ! – « Le fléau de la Provence », tel était l'affectueux sobriquet du vicomte **Raymond de Turenne**. Devenu en 1372 tuteur de sa nièce, Alix des Baux, ses ambitions déchaînent une terrible guerre civile. La distraction favorite de cet agréable personnage est d'obliger les prisonniers à se précipiter dans le vide du haut du château des Baux : leurs hésitations et leur angoisse l'amusent énormément. Le pape et le souverain de Provence recrutent des mercenaires pour se défaire de ce fâcheux dont le sens de l'humour leur échappe totalement. Mais les « routiers » engagés ne font guère de distinction entre territoires amis ou ennemis ; il faut les licencier et les éloigner, prime à l'appui. Bien entendu, la lutte renaît bientôt. Le roi de France se joint aux adversaires du vicomte qui, en 1399, finit par être cerné dans son repaire des Baux d'où il parvient à s'échapper et à fuir en France.

Une terre turbulente – Alix est la dernière princesse des Baux. À sa mort, en 1426, la seigneurie, incorporée à la Provence, n'est plus que simple baronnie. Le roi René la donne à sa femme **Jeanne de Laval**, la seconde reine Jeanne. Réunie à la couronne de France avec la Provence, la baronnie se révolte en 1483 : Louis XI fait alors démanteler la forteresse. À partir de 1528, le connétable **Anne de Montmorency**, qui en est titulaire, entreprend d'importantes restaurations et la ville connaît à nouveau une période faste. Les Baux deviennent un foyer de protestantisme sous la famille de Manville, qui administre la baronnie pour la couronne. Mais en 1632, **Richelieu**, fatigué de ce fief turbulent et indocile, fait démolir le château et les remparts. Non seulement les habitants voient leur fief réduit à l'état de ruines, mais ils doivent encore payer une amende de 100 000 livres et les frais… de démolition ! C'est la fin des Baux.

Se promener

LE VILLAGE★★★

Compter 1h. Une promenade dans les ruelles des Baux constitue un véritable enchantement, du moins quand elles ne sont pas trop envahies par la foule et les étals des vendeurs de bibelots…

On pénètre dans le village par la porte Mage, pour prendre la rue à droite vers la place Louis-Jou.

L'ancien **hôtel de ville**, chapelle désaffectée, a conservé trois salles voûtées où se niche un **musée des Santons** *(entrée libre)*.

Une ruelle à droite permet d'atteindre la porte Eyguières, jadis seule entrée de la ville.

Revenir sur ses pas. Au bout de la rue de la Calade, prendre à droite la rue de l'Église.

De la **place Saint-Vincent★**, jolie vue sur le vallon de la Fontaine et le val d'Enfer. Au coin de la place, l'**hôtel de Porcelet** abrite aujourd'hui le musée Yves-Brayer *(voir la description dans « Visiter »).* Le peintre a décoré de scènes pastorales (paysages des Alpilles et du val d'Enfer) les murs de la **chapelle des Pénitents Blancs**, bâtie au 17e s., et un vitrail a été réalisé selon un dessin de l'artiste.

Flanquée sur le côté gauche d'une gracieuse « lanterne des morts », l'**église Saint-Vincent★**, en partie creusée dans le rocher, émeut par sa simplicité lumineuse (vitraux de Max Ingrand).

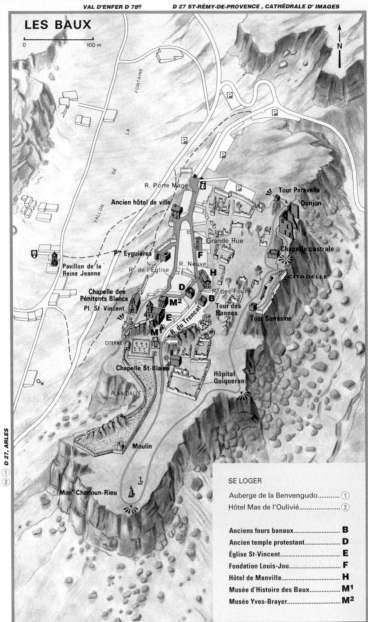

LES BAUX

0   100 m

N

R. Porte Mage

Ancien hôtel de ville

Tour Paravelle

Donjon

Grande Rue

Chapelle castrale

P¹⁰ Eyguières

R. de l'Église

R. Neuve

F

H

CITADELLE

Pavillon de la
Reine Jeanne

D

R. des Fours

Chapelle des
Pénitents Blancs
Pl. St-Vincent

M²

B

E

Tour des
Bannes

Tour Sarrasine

M¹

R. du Trencat

CITERNE

Chapelle St-Blaise

Hôpital
Quiqueran

PLAN DALLÉ

Moulin

Mon¹ Charloun-Rieu

SE LOGER

Auberge de la Benvengudo............ ①
Hôtel Mas de l'Oulivié..................... ②

Anciens fours banaux....................... **B**
Ancien temple protestant.................. **D**
Église St-Vincent............................ **E**
Fondation Louis-Jou......................... **F**
Hôtel de Manville............................. **H**
Musée d'Histoire des Baux................ **M¹**
Musée Yves-Brayer........................... **M²**

Remontant par la rue de l'Église, puis celle des Fours, prenez à gauche la rue du Château, pour passer devant l'ancien **temple protestant**, vestige d'un logis de 1571. Au linteau d'une des fenêtres du temple, on peut lire la devise calviniste : *Post tenebras lux* (« Aux ténèbres succède la lumière »).

En face, l'**hôtel de Manville** (belle façade ornée de fenêtres à meneaux) abrite la mairie.

En remontant la **Grande Rue**, vous passez devant les fours banaux où les habitants venaient cuire leur pain. La rue du Trencat, creusée dans la roche, mène au château *(voir la description dans « Visiter »)*.

En redescendant la Grande Rue, remarquez la **maison Renaissance** Jean de Brion : ce fut celle de Louis Jou (1881-1968), graveur, éditeur et imprimeur qui a consacré sa vie à l'art du livre. La **fondation Louis-Jou** renferme incunables, reliures anciennes, gravures de Dürer et de Goya, admirables suites de bois gravés et d'ouvrages édités *par Louis Jou. ☏ 04 90 69 88 03 ou 04 90 54 34 17 - visite guidée mars-déc. : tlj sf mar. et merc. 11h-13h, 14h-18h ; janv.-fév. : 13h-17h - 3 €, gratuit 1er dim. du mois d'oct. à avr. 14h-17h.*

Rejoindre la porte Mage.

Visiter

Château★

À l'extrémité de la rue du Trencat. Visite : 1h30 mini. Audioguides gratuits. Livrets-jeux gratuits (7-12 ans). L'été, animations médiévales. ☏ 04 90 54 55 56 - www.chateau-baux-provence.com - 21 juin-22 sept. : 9h-19h30 ; 20 mars-20 juin : 9h-18h30 ; 23 sept.-21 déc. : 9h-18h - 7,50 € (enf. 5 €). En juillet, stages d'archéologie (une matinée) pour les enfants, dès 8 ans. Réservation à l'office de tourisme.

👥 À l'entrée, attardez-vous devant les deux maquettes de la forteresse aux 13e et 16e s. Elles permettent de mieux comprendre l'évolution du site. Une fois sur le site lui-même, en plein air, quelques panneaux explicatifs rappellent les grandes lignes historiques. Pour un éclairage plus fouillé, il faut prendre l'audioguide.

Vous grimpez ensuite à l'assaut du vaste terre-plein, où sont installées les reconstitutions de **machines de guerre médiévales** : baliste, bélier, trébuchet, arbalète à tour et quintaine. Après le moulin à vent (chaque fois qu'on l'utilisait, le seigneur des Baux percevait une taxe), qui borde un plan dallé destiné à recueillir les eaux de pluie conduites dans une citerne creusée dans le roc, vous arrivez à l'extrémité du plateau. De là, **vue★** très étendue sur l'abbaye de Montmajour, Arles, la Crau, la Camargue (par temps clair, on distingue les Saintes-Maries-de-la-Mer et Aigues-Mortes) et la plaine jusqu'à l'étang de Berre.

Remarquez le **Monument Charloun-Rieu** à la mémoire du poète du Paradou *(voir les Alpilles),* avant de vous diriger vers la **citadelle,** l'ancienne demeure de la puissante famille de la Tour du Brau. Ses ruines imposantes longent le flanc Est de l'éperon rocheux. Au Sud subsistent la **tour Sarrasine** et la **tour des Bannes**, dominant un groupe d'habitations du 16e s. La **chapelle castrale** (12e-16e s.) conserve une belle travée d'ogives. Un escalier assez difficile *(visiteurs sujets au vertige s'abstenir)* permet d'accéder au sommet du donjon qui ouvre sur magnifique **panorama★★**. Adossée au rempart Nord, la tour Paravelle offre une jolie **vue★** sur le village des Baux et le val d'Enfer. Au pied de la tour Paravelle, dans la seule salle couverte du site, vous pourrez admirer la plus haute voûte semi-rupestre de Provence, récemment restaurée.

En vous dirigeant vers la sortie, ne manquez pas, dans la **Chapelle Saint-Blaise**, siège de la confrérie des cardeurs de laine et des tisserands (12e s.), de visionner le film en 3D *(5mn)*, consacré à l'**hôpital Quiqueran**, édifié au

Escalier menant au donjon de la citadelle.

16e s. par Jehanne de Quiqueran dans l'enceinte du château et dont il ne reste plus aujourd'hui que quelques vestiges. En alternance, un autre film est projeté, sur le thème de « Van Gogh, Gauguin, Cézanne au pays de l'olivier » *(5mn)*.

Musée Yves-Brayer★

Pl. François-de-Hénain - ☏ 04 90 54 36 99 - www.yvesbrayer.com - avr.-sept. : 10h-12h30, 14h-18h30 ; oct.-déc. et de mi-fév. à fin mars : tlj sf mar. 10h-12h30, 14h-17h30 - 4 € (enf. 2,50 €).

Très attaché aux Baux, le peintre figuratif **Yves Brayer** (1907-1990) y repose aujourd'hui. Dans le musée, toiles consacrées à l'Espagne, à l'Italie et au Maroc avec des tons contrastés de noir, de rouge et d'ocre ; scènes tauromachiques, aquarelles de voyage… Mais c'est sans doute la lumière des paysages provençaux qui lui a inspiré ses tableaux les plus réussis : sa palette s'éclaircit alors dans des œuvres telles que *Les Baux,* ou *Le Champ d'amandiers.*

Aux alentours

Cathédrale d'Images★

Au bord de la D 27, à 300 m au nord du village, dans les carrières de pierre des Baux.
☏ 04 90 54 38 65 - www.cathedrale-images.com - 10h-18h - fermé de mi-janv. à mi-fév. - 7,50 € (enf. 3,50 €).

Ce décor colossal, oublié pendant plus d'un siècle, a été « inventé » par **Albert Plécy** (1914-1977), qui a trouvé là un espace pour sa recherche de « l'image totale© ». Dans la pénombre, les parois calcaires immaculées des hautes salles et des piliers servent d'écrans à trois dimensions pour une projection audiovisuelle géante, où le spectateur devient un lilliputien au pays des images. Ce spectacle de 30mn change de thème chaque année. Eté comme hiver, il fait frisquet dans ces anciennes carrières, alors amenez votre petite laine !

Panorama★★★

Poursuivre la D 27 sur environ 1 km et prendre à droite une route en montée (signalisation, parking).

De cette avancée rocheuse (table d'orientation), vous pourrez contempler le village des Baux dans son étrange cadre minéral. La vue porte loin et de tous les côtés : vers Arles et la Camargue, la vallée du Rhône et les Cévennes, le pays d'Aix, le Luberon et le mont Ventoux.

Val d'Enfer

Accès à partir de la D 27 par la D 78^G.

15mn AR. À l'entrée du val d'Enfer, un sentier permet de parcourir cette curieuse gorge au relief tourmenté, dont les grottes ont servi d'habitations. De nombreuses légendes ont fait de ce lieu un univers de sorcières, de fées, de lutins et autres créatures merveilleuses.

Pavillon de la reine Jeanne

Sur la D 78^G. Un sentier permet d'y accéder directement du village par la porte Eyguières.
À l'entrée du **vallon de la Fontaine**, ce joli petit édifice Renaissance est un kiosque de jardin construit par Jeanne des Baux vers 1581. **Mistral** en a fait exécuter une copie pour son tombeau de Maillane.

Depuis le donjon, la **vue** est imprenable ! Elle embrasse le pays d'Aix et la Sainte-Victoire, le Luberon, le mont Ventoux et les Cévennes, ou, plus proches, les formes tourmentées du val d'Enfer au Nord, contrastant avec le riant vallon de la Fontaine, à l'ouest.

Les Baux-de-Provence pratique

Voir aussi les encadrés pratiques d'Arles, des Alpilles et de Saint-Rémy.

Adresse utile

Office du tourisme des Baux – *Maison du Roy - R. Porte-Mage - 13520 Les Baux-de-Provence - ☏ 04 90 54 34 39 - www.lesbauxdeprovence.com - se renseigner pour les horaires.*

Visites

Pass « Les Baux jours » – Ce forfait (13,50 €) donne accès au château des Baux, au musée Yves-Brayer et à la Cathédrale d'Images. En vente dans les billetteries des trois sites concernés.

Vignoble des Baux – *Possibilité de visite guidée des domaines viticoles ; s'adresser aux offices du tourisme des Baux-de-Provence, Saint-Rémy, Maussane-les-Alpilles, Mouriès et Saint-Étienne-du-Grès.* Il s'étend autour du village, dans l'aire d'appellation « Les Baux de Provence ». Grâce au micro-climat dont il bénéficie et à la nature du sol, ce vignoble, déjà connu dans l'Antiquité, mais amélioré depuis, donne des vins de caractère et d'excellente qualité. L'encépagement est à dominante de rouge et de rosé. Produits en plus faible quantité, les blancs demeurent de bon niveau.

Se loger

Auberge de la Benvengudo – *2 km au SO des Baux sur D 27 - ☏ 04 90 54 32 54 - contact@benvengudo.com - fermé 15 nov.-20 déc. - ▣ - 23 ch. 110/189 € - ⊐ 11 € - restaurant 40/45 €.* Charmante bastide tapissée de vigne vierge au pied de la citadelle. Chambres rénovées ou un brin mûrissantes, toutes ouvertes sur un joli jardin fleuri. Menu unique composé selon le marché et servi dans une salle à manger provençale ou en terrasse au bord de la piscine.

Hôtel Mas de l'Oulivié – *2,5 km au SO des Baux sur D 27 - ☏ 04 90 54 35 78 - www.masdeloulivie.com - fermé 15 nov.-18 mars - ▣ - 25 ch. 120/245 € - ⊐ 11 €.* Ce joli mas niché au cœur d'une oliveraie séduira les amateurs de farniente. Étonnante piscine à débordement. Accueil personnalisé, décor provençal, tons vert amande et magnifique jardin.

Se restaurer

👁 **Bon à savoir -** Le village des Baux est un haut lieu touristique, mais il n'y existe guère d'adresse pour budget modeste en matière de restauration. Mieux vaut donc prévoir un détour par les villages voisins, pour ne pas être pris au dépourvu si la faim commence à se faire sentir.

Que rapporter

Mas de la Dame – RD 5 - ☎ 04 90 54 32 24 - masdeladame@masdeladame.com - 8h30-19h - fermé 25 déc. et 1er janv. Cette propriété du 16e s. immortalisée en 1889 par Van Gogh est une des rares exploitations à produire du vin (rouge et rosé sous l'appellation « Les Baux-de-Provence », deux vins blancs AOC coteaux-d'aix-en-provence) et de l'huile d'olive d'origine contrôlée Vallée des Baux.

Castelas – Rte de St-Rémy - au pied du château des Baux-de-Provence - ☎ 04 90 54 50 86 - www.castelas.com - 9h-18h - fermé j. fériés hors sais. Ce moulin produit chaque année entre 20 000 et 30 000 litres d'huile d'olive AOC de la Vallée des Baux. Sa qualité est telle que la famille Hugues a remporté de nombreuses médailles d'or au Concours Général Agricole. Vous trouverez également à la boutique de la tapenade, de la pâte d'olives et des olives vendues en vrac.

Boutique « tout en un ».

Sports & Loisirs

Golf – Domaine Manville - ☎ 04 90 54 40 20 - www.golfbauxdeprovence.com - 7h-20h en été ; 9h-17h en hiver - de 34 à 48 €. Ce très beau parcours 9 trous offre une vue exceptionnelle sur le château des Baux et les Alpilles.

Événement

Noël aux Baux – Ne manquez pas la messe de minuit dans l'église Saint-Vincent, où est installée une crèche vivante : les bergers drapés dans leurs grands manteaux et précédés par des joueurs de tambourins et de galoubets font l'offrande d'un agneau nouveau-né placé dans une petite charrette tirée par un bélier (cérémonie du pastrage).

Beaucaire ★

13 748 BEAUCAIROIS
CARTE GÉNÉRALE A3 – CARTE MICHELIN LOCAL 339 M6 – GARD (30)

L'antique Ugernum a été peu à peu supplanté par le nom de Castrum Bellicadri, qui en occitan donna naturellement bèu caire, le caire désignant une pierre de taille (et, donc, le château qui domine la ville). Fièrement dressée face à Tarascon l'impériale, et fameuse dans toute l'Europe pour sa foire qui des siècles durant draina les foules, la citadelle des comtes de Toulouse a aujourd'hui tout d'une belle endormie. Il ne tient qu'à vous d'aller la réveiller…

- 🔵 **Se repérer** – Quel'on arrive de Tarascon en traversant le Rhône, de Nîmes par la D 999, d'Arles (14 km au sud) par la D 15, ou d'Avignon (24 km au nord) par la D 2, on aboutit le long du canal du Rhône à Sète où a été aménagé un port de plaisance.

- 🅿 **Se garer** – Parking sur les deux rives du canal. En été, on préférera l'ombre des platanes sur le cours Gambetta.

- 👁 **À ne pas manquer** – Le château ; le vieux Beaucaire.

- 🕐 **Organiser son temps** – Compter 1h pour la visite du château, au moins autant pour flâner dans les ruelles, et sans doute plus longtemps si vous venez un jeudi ou un dimanche, jours de marché traditionnel. Les vendredis d'été, un marché nocturne, musical et artisanal, se déroule sur les quais du port.

- 👫 **Avec les enfants** – Les Aigles de Beaucaire (spectacle de fauconnerie) ; le Vieux Mas (reconstitution d'une ferme à l'ancienne).

- 🕯 **Pour poursuivre la visite** – Voir aussi Tarascon.

Comprendre

La foire de Beaucaire – On a peine aujourd'hui à imaginer ce que représentait, à son apogée (18e s.), la foire de Beaucaire : durant tout un mois, 300 000 visiteurs se retrouvaient dans la cité pour vendre, acheter et se distraire. Son prestige était tel que les prix alors négociés devenaient la référence pour tout le royaume. Chaque rue était spécialisée : rues du Beaujolais (vins), des Bijoutiers, des Marseillais (huiles, savons) en témoignent aujourd'hui ; ici, on vendait laine, soie, draps, indiennes, dentelles, rouennerie, là, vêtements, armes ou quincaillerie, plus loin, cordages, sellerie, bourrellerie. Sur les quais, poissons en saumure, sucre, cacao, café, cannelle, vanille, citrons, oranges, dattes. Au champ de foire, jouets, bagues, pipes, parfumerie, chapeaux, chaussures, faïences, porcelaines, paniers, bouchons et outils ; chevaux, ânes et mulets étaient également marchandés. On s'amusait aux parades des saltimbanques, des bateleurs, des acrobates ou des comédiens. Femmes à barbe, nains, géants le disputaient aux singes et aux chiens savants, aux lions, aux ours, aux éléphants. Au travers des lentilles

Gilles Magnin / MICHELIN

👁 Le saviez-vous ?

Il existe à Beaucaire une association fort active, le Cercle des amis de Goya, qui commanda une statue de taureau. Redoutable « cocardier », Goya, car tel était son nom, fit en effet régner la terreur dans les arènes entre 1967 et 1980.

grossissantes, on s'émerveillait devant les panoramas de Constantinople, de Paris et, plus tard, de Versailles. Ribaudes et larrons fendaient la foule à la recherche de bourses bien remplies.

D'où vient ce succès ? Sans doute la position de Beaucaire, au carrefour de voies commerciales, terrestres et fluviales, y fut-elle pour beaucoup, aidée par le décret de **Louis XI** faisant de la cité un « port franc ». Le déclin vint au 19e s., avec la révolution industrielle et l'avènement du chemin de fer qui modifièrent profondément les courants d'échange. De nos jours, la foire ne vit plus que dans les « Estivales » de Beaucaire qui, depuis quelques années, drainent une foule, plus modeste, vers des activités placées sous le signe de la fête. L'artisanat, lui, demeure, grâce aux nombreux artistes installés dans le centre ancien.

Le drac – Tarascon a la tarasque. Beaucaire, lui, a le redoutable **drac**, monstre surgissant du fond des eaux pour dévorer ses proies. Un jour, le monstre s'empare d'une jeune lavandière et l'entraîne dans sa grotte. Mais, alors que la malheureuse s'attend au pire, le drac lui explique ce qu'il attend d'elle : il cherche une nourrice pour son fils, le draconnet. Et c'est ainsi que la lavandière beaucairoise nourrit pendant sept ans le petit monstre avant d'être relâchée. Mais un jour de foire, le drac vient faire son marché, en prenant une apparence humaine… La lavandière reconnaît son geôlier et amente la foule. Furieux d'être ainsi démasqué, le drac crève les yeux de la pauvre lavandière qui, affirme Gervais de Tilbury, auteur en 1214 de ce conte, resta « aveugle jusqu'à la fin de ses jours ». Pour assister à la **fête du Drac**, venez le 3e week-end de juin.

Se promener

LE VIEUX BEAUCAIRE★

Prendre, à droite du cours Gambetta, la rue de l'Hôtel-de-Ville qui conduit à la place Georges-Clemenceau.

Hôtel de ville

Ce bel édifice classique, édifié à la fin du 17e s. sur des plans de Mansart, ne manque pas de noblesse. Outre sa façade (des guirlandes de fleurs encadrent les fenêtres), la cour, avec son double portique à colonnes précédant le grand escalier, mérite un coup d'œil.

Église Notre-Dame-des-Pommiers

Façade incurvée, caractéristique du style « jésuite » en vogue au 18e s. ; à l'intérieur, majestueuse coupole sur pendentif s'élevant à la croisée du transept.

En empruntant la rue Charlier, on aperçoit une frise, encastrée dans la partie supérieure du mur, seul vestige de l'église romane à laquelle l'édifice actuel a succédé. Elle représente la Cène, le Baiser de Judas, la Flagellation, le Portement de la croix et la Résurrection.

Un arceau donne accès à la rue de la République que l'on prend sur la droite.

Façade classique de l'**hôtel des Clausonnettes** (18e s.) adossé au château *(entrer si possible dans la cour)* et, attenant, au n° 23, l'**hôtel des Margailliers**, avec sa belle façade sculptée qui lui a valu son surnom de « maison des cariatides ». Quelques mètres plus loin, en face, l'**hôtel de Roys de Saint-Michel (F)**, du 18e s., a lui aussi belle allure.

La rue débouche sur la sympathique **place de la République** avec ses arceaux abritant de nombreux artisans. Au centre, effigie du « drac » sur qui, hélas, le temps ne passe pas en vain.

Revenir sur ses pas rue de la République et prendre à droite la montée du Château.

Château★

🕿 04 66 59 71 34 - visites guidées uniquement, sur réserv. à la maison du tourisme - 2 avr.-29 oct. : dim. à 10h ; 15 nov.-15 fév. : dim. à 14h - fermé j. fériés - 4,10 €.

Bâti au 11e s. à l'emplacement d'un castrum romain, remanié au 13e s. (à la suite du siège mémorable de 1216 au cours duquel le jeune Raymond VII obtint la capitulation de la garnison française), le château fut démantelé par Richelieu. Il se dressait sur le sommet de la colline, protégé par une enceinte, ombragée de pins, de cyprès, fleurie d'iris et de genêts d'Espagne, que l'on peut suivre, découvrant au passage la curieuse **tour polygonale** (dite aussi tour triangulaire), de plan très rare, posée sur un éperon rocheux, les **courtines** dominant l'à-pic et la belle **tour ronde** d'angle. La petite **chapelle** romane possède un charmant tympan sculpté *(la partie haute du château, comprenant la tour et la chapelle, n'est plus accessible à la visite en raison du spectacle privé des rapaces en vol libre, voir les Aigles de Beaucaire dans l'encadré pratique).*

Rejoindre le cours Gambetta par la place Raimond-VII, puis par la rue du Château et, dans le prolongement, la rue Denfert-Rochereau.

Visiter

Musée Auguste-Jacquet

Au château. 🕿 04 66 59 47 61 - juil.-août : 10h-12h, 14h-19h15 ; avr.-juin : 10h-12h, 14h15-18h15 ; sept.-oct. : 10h-12h, 14h-18h ; nov.-mars : 10h-12h, 14h-17h15 - fermé mar., j. fériés et 25 déc.-2 janv. - 4,40 € (enf. 1,25 €) - gratuit le 1er dim. du mois.

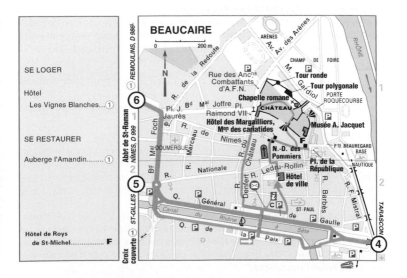

Installé dans l'enceinte du château, il abrite une section archéologique regroupant des pièces allant de la préhistoire à la période gallo-romaine. Il présente aussi une évocation intéressante du Beaucaire d'autrefois : reconstitution d'un intérieur bourgeois, costumes, coiffes, ustensiles, céramiques de Saint-Quentin-la-Poterie *(voir Uzès)* et documents concernant la foire.

Aux alentours

Abbaye de Saint-Roman★

5 km au nord-ouest par la route de Nîmes. Laisser la voiture au parc de stationnement (gratuit et surveillé). 04 66 59 19 72 - www.abbaye-saint-roman.com - *juil.-août : 10h-18h30 ; avr.-juin et sept. : 10h-18h ; oct.-mars : vac. scolaires 14h-17h - fermé le 25 déc. - 5 € (–12 ans gratuit).*

30mn AR. Un agréable chemin d'accès s'élève dans un paysage de garrigue jusqu'à l'entrée du site. Au sommet d'un piton calcaire dominant la vallée du Rhône, au confluent du Gardon, cet étonnant monastère troglodytique, qui dépendait de l'abbaye de Psalmody, fut abandonné au 16e s. Une forteresse, bâtie en partie avec les pierres de l'abbaye, lui succéda. Elle fut démantelée en 1850 et seuls quelques vestiges des fortifications sont encore visibles.

Un circuit balisé mène à la chapelle taillée dans le roc, qui abrite le tombeau de saint Roman. Depuis la terrasse, belle **vue★** sur le Rhône, Avignon, le mont Ventoux, le Luberon, les Alpilles et, au premier plan, Tarascon et son château. On découvre en redescendant une vaste salle (elle comptait à l'origine trois niveaux) et les cellules des moines : également rupestres, elles viennent compléter cet ensemble, d'une envoûtante simplicité.

Mas gallo-romain des Tourelles

4 km à l'ouest. Quitter Beaucaire par la rocade, puis prendre la D 38 (direction Saint-Gilles). À 4 km, prendre à droite vers le mas des Tourelles. 04 66 59 19 72 - www.tourelles. com - &. - *juil.-août : 10h-12h, 14h-19h, dim. 14h-19h ; avr.-juin et sept.-oct. : 14h-18h ; nov.-mars : sam. 14h-18h - fermé 25 déc.- 1er fév. - 4,80 €.*

Autour d'une jolie cour fleurie s'ordonnent les bâtiments de cette ferme, établie au 17e s. à l'emplacement d'une villa gallo-romaine qui comprenait une exploitation agricole et un atelier de poterie. La bergerie, la cave et la maison du fermier abritent du matériel archéologique trouvé sur place et des informations sur la fabrication du vin à l'époque gallo-romaine. Dans la *cella vinaria*, cave romaine reconstituée, un fouloir *(calcatarium)*, un cuvon *(lacus)*,

> ## Curiosité gustative
>
> Pourquoi ne pas compléter cette visite par une dégustation de **vins** « **archéologiques** » produits par le mas ? Un *Mulsum*, au goût de miel renforcé d'épices, un *Turriculae*, vin blanc élaboré selon les préceptes édictés par un agronome du 1er s., Columelle, ou un *Carenum*, vin doux dont le moult fermente avec du *defrutum* (jus de raisin) ?

un pressoir *(torcula)* et des jarres *(dolia)* permettent de se faire une idée du travail des vignerons d'antan *(journée des vendanges le 2e dim. de sept.)*. Une promenade à travers le vignoble romain mène au site archéologique en cours de fouille.

Croix Couverte

1,5 km au sud, à l'angle de la D 15 (route de Fourques) et d'une petite route vicinale à droite.

Il s'agit d'un petit oratoire du début du 15e s. que surmonte une fine balustrade ajourée.

Le Vieux Mas

6,5 km au sud par la D 15 (route de Fourques), puis une petite route à droite vers le mas Taraud que l'on suit sur 2 km jusqu'au mas de Végère. 04 66 59 60 13 - www.vieux-mas.com - &. - *juil.-août : 10h-19h ; avr.-juin et sept. : 10h-18h (dernière entrée 1h av. fermeture) ; oct.-mars : merc., w.-end, j. fériés et vac. scol. 13h30-18h - fermé janv. et 25 déc. - 5,50 € (enf. 4,50 €).*

Dindons, oies, canards, vaches… évoluent dans ce mas (18e s.) où la vie semble être revenue quelque 100 ans en arrière. Les outils utilisés par des personnages en costume d'époque permettent de faire revivre les métiers, comme les savoir-faire, aujourd'hui disparus. Une douce nostalgie règne en ce lieu, celle d'un pays rural vivant au rythme des saisons.

Beaucaire pratique

♾ Voir aussi l'encadré pratique de Tarascon.

Adresse utile

Maison du tourisme de Beaucaire – *24 cours Gambetta - 30300 Beaucaire - ☎ 04 66 59 26 57 - www.ot-beaucaire.fr - mai-sept. : lun.-sam. 8h45-12h15, 14h-18h (dim. matin en juil.) ; oct.-avr. : lun.-vend. 8h45-12h15, 14h-18h.*

Visite

Visite guidée – *Renseignements à la Maison du tourisme ou sur www.ot-beaucaire.fr - 4,10 €.* Beaucaire, qui porte le label **Ville d'art et d'histoire**, propose des visites-découvertes thématiques (env. 1h30) animées par des guides-conférenciers agréés par le ministère de la Culture et de la Communication : le château, les hôtels particuliers, au temps de la foire de la Madeleine…

Se loger

♾♾ **Hôtel Les Vignes Blanches** – *67 rte de Nîmes - ☎ 04 66 59 13 12 - www.lesvignesblanches.com - fermé 7-30 janv. - ⓣ - 57 ch. 55/83 € - ⓚ 9 €.* Cet hôtel bordant un axe passant a bénéficié d'une rénovation complète : hall original, chambres (plus calmes sur l'arrière) joliment colorées et dotées d'une literie neuve. Espace bistrot ou salle à manger traditionnelle ; cuisine du marché.

Se restaurer

♾♾ **Auberge l'Amandin** – *Quartier St-Joseph - 3 km au S du centre-ville de Beaucaire par D 15 dir. Fourques puis ZI Sud Domitia - ☎ 04 66 59 55 07 - www.auberge-amandin.com - fermé 15-30 août, dim. soir et lun. - 16/25,50 €.* Meubles rustiques et tableaux président au cadre provençal de cette petite salle à manger aménagée dans les anciennes écuries d'un authentique mas. La carte propose une cuisine concoctée selon le marché et des grillades. Terrasse face au jardin.

Que rapporter

Marché – Marché traditionnel jeudi et dimanche. Marché artisanal et musical « **les Beaux Quais** » le vendredi en juillet-août (17h30-0h).

Loisirs

👪 **Les Aigles de Beaucaire** – *Château de Beaucaire - ☎ 04 66 59 26 72 - www.aigles-de-beaucaire.com - juil.-août 15h, 16h, 17h, 18h ; avr.-juin sf j. fériés 14h, 15h, 16h30 ; mars et sept.-nov. 14h30, 15h30, 16h30 - 9 € (enf. 6 €).* Sur l'esplanade du château, de fin mars à début novembre. Les fauconniers en costume font évoluer, sur un fond musical et sur un thème renouvelé chaque année, milans, buses, aigles et autres vautours. À la fin du spectacle, rendez-vous à la volière, au pied de la tour polygonale, pour apercevoir de plus près les « artistes ».

Événements

Les Fêtes de la Madeleine – Les 10 derniers jours de juillet, les **Fêtes de la Madeleine** rappellent l'époque glorieuse de la foire de Beaucaire. Programme varié, placé sous le signe de la bouvine : *abrivados* dans les rues, courses camarguaises aux arènes (les raseteurs s'y disputent le prestigieux trophée de la Palme d'or), novillada et corrida le dernier week-end de juillet, fête foraine, bals, feux d'artifice, *bodegas*. Se déroulent également **Les Rencontres méditerranéennes de l'art équestre et des cultures latines**, concours équestres et soirées musicales.

Étang de **Berre**

CARTE GÉNÉRALE B3/4 – CARTE MICHELIN LOCAL 340 F5 – BOUCHES-DU-RHÔNE (13)

Une industrialisation intensive a profondément transformé le paysage. Si de nuit les raffineries et leurs torchères offrent un spectacle scintillant, il n'en reste pas moins une ombre au tableau : elles ont provoqué une pollution alarmante. Pourquoi venir alors ? Parce que l'étang de Berre conserve quelques écrins qui ont su par miracle se protéger des impacts nocifs, tout au moins visuellement. Depuis des temps immémoriaux, les rives de cet immense plan d'eau salée, naguère royaume des pêcheurs, ont attiré les hommes. Aujourd'hui, les époques s'y télescopent : l'espace d'un instant dans la nature, il suffit d'un virage pour vous retrouver face aux raffineries. Une zone aussi attachante que déconcertante.

▶ **Se repérer** – Avec leurs 15 530 km^2 et leur circonférence de 75 km, les eaux de l'étang (dont la profondeur n'excède pas 9 m) sont adoucies par les apports de la Touloubre, de l'Arc et du canal d'EDF. Elles communiquent avec la mer par le canal de Caronte et le canal du Rove, effondré en 1963, qui pourrait être remis en service. Enchâssé dans des montagnes d'altitude modeste (la chaîne de Lançon au nord, celle de Vitrolles à l'est, celle de l'Estaque au sud, les hauteurs de Saint-Mitre à l'ouest), l'étang de Berre est désormais scindé en deux parties : le sud et le sud-est ont beaucoup sacrifié à l'industrialisation, tandis que le nord et l'ouest ont conservé un aspect plus sauvage.

👁 **À ne pas manquer** – Miramas-le-Vieux, le vieil Istres et Saint-Chamas, de surprenants îlots d'authenticité provençale dans un environnement industriel.

🕐 **Organiser son temps** – Prévoyez une journée pour suivre notre circuit de découverte. Si le mistral souffle le jour de votre visite, prévoyez un bon coupevent.

👪 **Avec les enfants** – Miniport de l'Olivier et le parc aquatique à Istres *(voir l'encadré pratique).*

🎫 **Pour poursuivre la visite** – Voir aussi la Côte Bleue, le golfe de Fos et Martigues.

Comprendre

Des avions... – Vaste plan d'eau et grande plaine déserte de la Crau, tel était le cadre idéal qui attira les aviateurs dans la région. Berre fut longtemps une importante **base d'hydravions**. Marignane accueille aujourd'hui l'aéroport international de Marseille-Provence, 2e de France en terme de trafic passager.

... et du pétrole – À l'issue de la guerre de 1914-1918, l'**accord de San Remo** attribuait à la France une bonne part de la production du pétrole brut d'Irak... et l'étang de Berre apparut comme le lieu idéal pour implanter des **raffineries**. C'est ainsi que, successivement, la société française des pétroles BP (à Lavera), Shell-Berre (à la pointe de Berre), la Compagnie française de raffinage (à la Mède) et Esso (à Fos) s'installèrent, entre 1922 et 1965, à proximité de l'étang. L'immense **port pétrolier de Lavera** fut quant à lui réalisé au lendemain de la Seconde Guerre mondiale afin de remplacer les installations privées devenues obsolètes, tandis qu'en 1962 entrait en service à Fos le pipeline Sud européen qui alimente en pétrole brut une douzaine de raffineries européennes. Le choc pétrolier de 1973 entraîna cependant une sensible réduction des capacités des raffineries, obligées de s'adapter à la baisse de la consommation. Autour du pétrole proprement dit, l'industrie pétrochimique n'a cessé de se développer, achevant la transformation du paysage de la région.

Drôles de pèlerins

Pour se débarrasser des innombrables volatiles qui entrent en collision avec les avions, la base aérienne d'Istres a dressé **faucons** et **vautours** : régime alimentaire régulé afin que la faim les pousse à chasser (phase du « réclame »), familiarisation à l'homme (phase de « l'affaitage ») et exercice à la voix. Bref, trois mois de dressage plusieurs heures par jour, mais le jeu en vaut la chandelle : le nombre des accidents sur la base a diminué de 70 %.

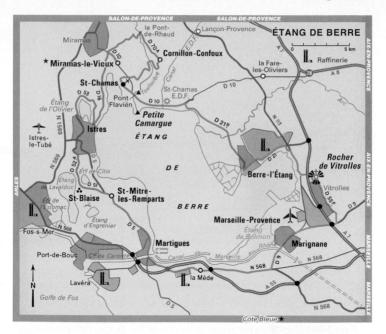

Circuit de découverte

113 km – compter 2h de route sans les arrêts.

Martigues *(voir ce nom)*

Quitter Martigues par la D 5, puis la D 50 jusqu'à Saint-Mitre. Suivre « centre-ville » et se garer sur le parking (gratuit) situé à l'entrée du village, à côté de la mairie, face à l'école.

Saint-Mitre-les-Remparts

Un peu à l'écart de la route, comme recroquevillée sur une colline, la vieille ville a conservé ses remparts du 15ᵉ s., percés de deux portes. Juste après la mairie, la rue Joseph descend vers la maison de **Louis Brauquier** (1900-1976) : le poète-voyageur y passa une partie de son enfance et y vécut ses dernières années. Le lacis d'étroites ruelles mène à l'église Saint-Blaise et Saint-Mitre, coiffée d'un clocher du 17ᵉ s. Montez au parvis pour profiter d'une belle vue sur l'**étang du Pourra**, un des six lacs résiduels, vestiges de l'époque où étang de Berre et mer ne faisaient qu'un. Sous le balcon se trouve la fontaine des Trois-Canons, alimentée par une source qui coule sous l'église. Elle fut aménagée en 1654 et est à l'origine du développement du village. Beau lavoir à côté. À l'extérieur des remparts, ne manquez pas le moulin à vent du 18ᵉ s. *(2mn à pied par la rue Irénée-Sabatier).*

Marin-poète

À la fois Marseillais et Saint-Mitréen, **Louis Brauquier** a sillonné le monde comme employé des Messageries maritimes, à bord des grands paquebots. Il reste connu comme l'un des grands poètes français du 20ᵉ s. Pour découvrir son œuvre (comprenant des passages somptueux sur Marseille), lisez son plus célèbre recueil, *Je connais des îles lointaines*, aux éditions La Table Ronde.

À la sortie de Saint-Mitre, prendre la D 50 direction Istres, puis, au 1ᵉʳ rond-point, la direction Saint-Blaise, via la D 51, agréablement champêtre.

Après avoir longé l'**étang de Citis**, on passe au pied de la colline qui porte la chapelle Saint-Blaise, dont on devine le chevet entre les pins.

Site archéologique de Saint-Blaise *(voir ce nom)*

Reprendre la D 51 sur la gauche, puis la D 52ᴬ vers Istres. Un dédale de rond-points et de zones commerciales finissent par aboutir au vieil Istres.

Stéphane Sauvignier / MICHELIN

Raffineries et pipelines bordant l'étang de Berre.

Istres

Le spectaculaire développement de cette commune, comptant aujourd'hui près de 40 000 habitants, s'est fait au prix d'une forte urbanisation, qui ne laisse pas imaginer l'écrin caché en son sein : le **vieux village** d'Istres *(départ derrière l'office de tourisme)*. En effet, il a gardé son cachet provençal que vous apprécierez en déambulant à travers un maillage de ruelles étroites enroulées autour de l'église N.-D. de Beauvoir.

Au passage, vous pourrez visiter le petit **musée archéologique intercommunal**, présentant des collections provenant de la région : paléontologie, zoologie, préhistoire, archéologie sous-marine (belle collection d'amphores). Une section est consacrée au complexe portuaire de Fos et à la vie industrielle de l'étang de Berre. *Place J.-Coto.* 🖝 *04 42 55 50 08 - 14h-18h - fermé j. fériés - 2,30 € (enf. 1,50 €).*

Au nord de la ville, un chemin revêtu mène à la pointe d'une avancée rocheuse qui domine l'étang. C'était le siège d'un **oppidum**, dit « du Castellan ».

Faites le tour de l'**étang de l'Olivier** en suivant la D 53.

Prendre la D 16, direction Miramas, qui longe l'étang de Berre.

Légèrement en corniche au-dessus de l'étang de Berre, cette très jolie route rappelle étonnamment la Côte d'Azur. Soyez d'une grande prudence en conduisant : il n'y a pas de belvédères aménagés pour admirer le paysage.

La D 16 aboutit à la D 10, qu'il faut prendre à droite en direction de Miramas-le-Vieux. À droite, la D 10^B grimpe ensuite vers le village. Parking (gratuit) au sommet.

Miramas-le-Vieux★

Voilà un incontournable de l'étang de Berre ! Bâti sur une table rocheuse, il a conservé son enceinte et les ruines d'un château du 13ᵉ s. Dotée d'une très belle unité architecturale, cette micro-cité est aussi un magnifique belvédère au-dessus de la partie la plus sauvage de l'étang. Aux beaux jours, le village est envahi par les habitants de la région, qui viennent s'y restaurer ou déguster une glace à l'une des terrasses.

Revenir sur la D 10 pour prendre en face la D 16, puis la D 70^D. À Pont-de-Rhaud, tourner à droite dans la D 70^A qui s'élève en surplomb de la vallée de la Touloubre.

Cornillon-Confoux

De l'église au clocher à peigne de style roman, éclairée par des vitraux modernes de Frédérique Duran, part une promenade qui contourne le bourg. Du haut de ce petit village perché, belles **vues★** sur l'étang et les hauteurs de Saint-Mitre, Saint-Chamas, le pays salonnais et, au loin, le Luberon et le mont Ventoux.

Par la D 70 puis, à droite, une route touristique, gagner Saint-Chamas.

Saint-Chamas

Si à Miramas-le-Vieux et Cornillon-Confoux, vous tutoyiez « les cimes », ici, vous êtes les pieds dans l'eau. Pour rejoindre le port, il vous faudra passer sous un petit aqueduc et traverser ce charmant village. Saint-Chamas est le dernier port de pêche (hormis Martigues) de l'étang de Berre. Quelques barques témoignent d'une activité jadis florissante, aujourd'hui limitée à deux ou trois familles, occupées à remonter muges et anguilles. Ensuite, levez les yeux vers la falaise pour observer d'exceptionnelles maisons troglodytiques *(privées)*.

À la sortie du village se trouve le **pont Flavien** (1er s.) qui franchit la Touloubre d'une seule arche *(espace de stationnement aménagé)*.

Revenir vers la D 10 qui longe l'étang. Après la centrale de Saint-Chamas, aménagement final du canal d'EDF, tourner à gauche dans la D 21.

Là encore, l'industrialisation a épargné les paysages, tissés d'oliveraies argentées, de vieilles fermes et de troupeaux de moutons. Les petits chemins s'enfoncent dans les roselières. Bientôt, les haies de cyprès laissent la place aux torchères.

Berre-l'Étang

Voilà un étrange paradoxe : cette ville « réputée » pour ses gigantesques installations pétrochimiques, polluantes à souhait, abrite aussi la plus importante zone française de production maraîchère sous serres (1 500 ha !). Les plus curieux flâneront dans l'ancien port de pêche devenu ville industrielle. Dans la chapelle Notre-Dame-de-Caderot, retable en bois polychrome du 16e s., et dans une petite niche, un vase romain en cristal passe pour avoir contenu les cheveux de la Vierge.

Quittant Berre en direction de Vitrolles, la D 21 longe à gauche les installations industrielles d'une raffinerie, odeurs et couleurs garanties. À droite, sur la rive opposée de l'étang, on aperçoit l'aéroport Marseille-Provence, sur la commune de Marignane. Tourner à droite sur la N 113, direction Vitrolles. Postée en balcon au-dessus de l'étang, la D55^F grimpe ensuite vers le vieux village.

Rocher de Vitrolles

Continuer tout au bout de la voie sans issue, puis laisser la voiture devant la porte principale du vieux cimetière ; il vous faudra ensuite gravir un escalier de 75 marches (site fermé jusqu'à nouvel ordre, le temps d'effectuer des travaux de consolidation). C'est à ce curieux rocher ruiniforme que Vitrolles, aujourd'hui dissimulé par une vaste zone industrielle et des lotissements, doit le meilleur de sa notoriété. Du sommet où se dressent une tour sarrasine du 11e s. et une chapelle dédiée à Notre-Dame-de-Vie, patronne des aviateurs, **panorama★** étendu sur l'étang. Les amateurs d'architecture industrielle seront comblés : installations pétrolières de Lavéra, port de Fos, raffinerie de la Mède.

Après avoir quitté Vitrolles par la D 55^F, au carrefour avec la N 113, prendre en face la D 9, qui longe l'aéroport de Marseille-Provence. Suivre la direction « centre-ville » et se garer sur le parking situé entre la mairie et l'office de tourisme (bd Mistral).

Marignane

En bordure de l'**étang de Bolmont** (un étroit cordon sableux, la plage de Jai, le sépare de l'étang de Berre), la ville, érigée en marquisat au 17e s., a conservé de cette époque le **château des Covet**, du nom de la famille de négociants qui transforma et embellit la forteresse fondée au 13e s. par Guillaume des Baux. Derrière une belle façade classique, le bâtiment abrite aujourd'hui la mairie. Faute de personnel, l'office de tourisme a dû cesser les visites du lieu. Il faut désormais attendre une union pour admirer les magnifiques plafonds peints de l'ancienne chambre à coucher de Jean-Baptiste Colvet, transformée… en salle des mariages ! Dans un couloir adjacent, une salle de bains Louis XVI abrite quant à elle le bureau d'un élu municipal *(ne se visite pas)* !

À côté, un petit **musée des Arts et Traditions populaires** ressuscite la vie d'autrefois sur les rives de l'étang de Berre. Délicieusement désuet, en cours

Ma ville en l'air

Sur la commune de Marignane se trouvent l'aéroport international Marseille-Provence, la base de bombardiers d'eau et le premier fabricant mondial d'hélicoptères Eurocopter. L'alliance entre Marignane et l'aéronautique a été scellée bien plus tôt, en 1910, quand l'ingénieur **Henri Fabre** effectua le premier vol en hydravion sur les eaux de l'étang de Berre.

de rénovation sous la houlette d'un jeune conservateur dynamique, il propose notamment la reconstitution d'une cabane de pêcheur et une évocation de la chasse à la foulque macreuse. 📞 *04 42 88 95 36 - lun.-vend. : 14h-17h ; sam. : 9h-12h - gratuit.*

Quant à l'**église Saint-Nicolas**, on pourra jeter un coup d'œil sur son intéressante nef du 11e s.

La N 568 ramène à Martigues en longeant le canal de Marseille au Rhône.

Belles vues à droite sur l'étang et les étranges rochers qui marquent l'entrée du port de la **Mède**.

Étang de Berre pratique

♿ Voir aussi l'encadré pratique de Martigues.

Adresses utiles

Office du tourisme d'Istres – *30 allée Jean-Jaurès - 13800 Istres -* 🕿 *04 42 55 51 15 - www.istres.fr - 15 juin-31 août : lun.-sam. 9h-12h, 14h-18h, dim. 10h-13h ; 1er sept.-14 juin : lun.-sam. 9h-12h 14h-18h.*

Office du tourisme de Marignane – *4 bd Frédéric-Mistral -* 🕿 *04 42 77 04 90 - 13721 Marignane - juin-sept. : lun.-vend. 8h30-12h, 13h30-18h, w.-end 9h-12h ; oct.- mai : lun.-vend. 8h30-12h, 13h30-17h30, sam. 9h-12h.*

Se loger

◉ **Village Vacances L'Hippocampe** – *Rte de la Tramontaine, à Carro - 13500 Martigues -* 🕿 *04 42 80 73 46 - camping.hippocampe@wanadoo.fr - 60 chalets 450 €/sem. pour 4 pers.* Rompant complètement avec son passé de camping municipal, cette structure se lance dans la location de chalets en bois (4 à 8 pers.). Ces constructions artisanales agréables vous attendent au milieu de pins centenaires. Des petites habitations toutes neuves, à 5 minutes de la plage.

◉ **Hôtel Le Cigalon** – *37 bd du 14-Juillet - 13500 Martigues -* 🕿 *04 42 80 49 16 -* 🅿 *- 21 ch. 42,50/75 € -* 🍽 *6 €.* L'œil est attiré par la façade colorée de cet hôtel familial sis à quelques minutes du centre de la Venise provençale. Les chambres sont simples, mais bien tenues et climatisées.

◉◉ **Hôtel Castellan** – *Pl. Ste-Catherine - 13800 Istres -* 🕿 *04 42 55 13 09 -* 🅿 *- 17 ch. 56/58 € -* 🍽 *6,50 €.* Établissement moderne à deux pas de l'étang de l'Olivier. Cadre neutre compensé par de vastes chambres personnalisées et un accueil irréprochable.

◉◉🛏 **Chambre d'hôte La Magnanerie** – *Imp. de la Glacière - 13450 Grans - 6 km au N de Miramas-le-Vieux -* 🕿 *04 90 55 98 96 - www.lamagnanerie-grans. com -* 🍽 *- 3 ch. 90/130 €* 🍽 *- repas 30 €.* Au centre du bourg, cette imposante bastide du 18e s. abrite un vaste salon et 3 chambres personnalisées. Boiseries patinées, meubles ou objets chinés à travers le monde et design cohabitent harmonieusement, conférant aux lieux une atmosphère insolite qui rendra votre séjour inoubliable.

Se restaurer

◉ **Le Saint-Martin** – *Au Port des Heures-Claires - 13800 Istres - 3 km au SE du centre-ville -* 🕿 *04 42 56 07 12 - restaurant-le-saint-martin@voila.fr - fermé mar. soir et merc. sf de juin à sept. - 15 € déj. 22/28 €.* Ce sympathique restaurant familial domine agréablement l'étang de Berre et le port de plaisance. Séduit par cette perspective, il ne vous reste plus qu'à

pousser la porte pour découvrir une salle accueillante agrémentée de meubles anciens. Terrasse sur le toit.

◉🍽 **La Galinette** – *R. Mireille - 13140 Miramas-le-Vieux -* 🕿 *04 90 58 29 02 - fermé merc. soir et jeu. - 16/36 €.* Ce charmant petit restaurant se trouve au pied des ruines du château. Vous y dégusterez une cuisine mi-traditionnelle, mi-régionale, dans un joli cadre provençal.

◉🍽 **La Bergerie** – *Le Guéby Sud - rte de Marseille - 13250 St-Chamas -* 🕿 *04 90 50 82 29 ou 06 60 50 82 29 - www.restaurant-la-bergerie.info - fermé 2-7 janv. et 14 Juil.-7 août - 22/42 €.* Le chef de ce restaurant, aménagé dans une belle bâtisse en pierre, réalise une appétissante cuisine provençale. Agréable salle à manger rustique et terrasse intimiste.

◉◉🍽 **Les Deux Toques** – *7 av. Hélène-Boucher - 13800 Istres -* 🕿 *04 42 55 16 01 - www.deuxtoques.com - fermé 16-31 août, 23 déc.-6 janv., dim. et lun. - 28/65 €.* Deux espaces : salle rustique à poutres et pierres apparentes ou courette-terrasse à l'ombre des platanes. Cuisine régionale évoluant au fil des saisons.

Faire une pause

Glacier Le Quillé – *Pl. du Château - 13140 Miramas-le-Vieux -* 🕿 *04 90 50 18 18 - pâques-15 sept. : 14h30-0h30 ; oct.-nov. : w.-end 14h30-0h30 - fermé de fin nov. à fin fév.* Une référence absolue dans la région en matière de glaces. Les coupes sont superbes et bien présentées. Aux beaux jours, profitez de la magnifique terrasse dressée face aux ruines du château, avec l'étang de Berre en toile de fond.

Sports & Loisirs

👁 **Bon à savoir** – Le Pass nautique, créé par l'office du tourisme de Martigues et disponible gratuitement auprès de cet organisme, offre des réductions sur diverses activités nautiques ou sportives.

🏊 **Parc aquatique de la Pyramide** – *Pl. Champollion - 13800 Istres -* 🕿 *04 42 56 99 99 - regiepyramide@wanadoo.fr - 10h-21h, w.-end 10h-20h.* Pour les petits et les grands, il comprend des bassins intérieurs et extérieurs, trois toboggans, un jacuzzi, un hammam, un sauna, deux salles de squash, un club de remise en forme et, juste réconfort, des chaises longues !

🏊 **Miniport de l'Olivier** – *Sur l'étang de l'Olivier - 13800 Istres -* 🕿 *04 42 55 50 93 ou 04 42 55 51 15 - 10h-12h, 14h-19h suivant les conditions météorologiques - fermé oct.-mai.* Possibilité de balades en bateau électrique ou en pédalo sur ce plan d'eau de 200 ha, à la découverte des oiseaux et des roselières. Location à l'heure ou à la demi-heure.

Bollène

14 130 BOLLÉNOIS
CARTE GÉNÉRALE B1 – CARTE MICHELIN LOCAL 332 B8 – VAUCLUSE (84)

Postée au nord d'Orange, l'ancienne possession papale cultive un charme bien provençal. Avec ses rues étroites, les grands platanes de ses boulevards et ses importants marchés de primeurs, Bollène constitue une halte calme et authentique, tranchant agréablement sur d'autres sites provençaux plus fréquentés.

- **Se repérer** – Construit à flanc de coteau et dominant le Rhône, Bollène n'est qu'à quelques kilomètres de l'autoroute du Soleil *(sortie 19)*, à 23 km au nord d'Orange.

- **Se garer** – Un vaste parking le long du Lez, au nord-est de la ville, permet d'aborder la cité par le boulevard Victor-Hugo.

- **À ne pas manquer** – Une promenade dans les ruelles ; des cours d'œnologie à l'université du vin de Suze-la-Rousse.

- **Organiser son temps** – Comptez 1h pour une balade dans la ville en montant à la collégiale ; si les hébergements d'Orange affichent complets, ou si vous ne trouvez pas à vous loger dans les gorges de l'Ardèche bondées en été, Bollène constitue une alternative pratique et agréable.

- **Avec les enfants** – Une visite guidée avec « Les amis de Mornas », pour un voyage temporel vers le Moyen Âge.

- **Pour poursuivre la visite** – Voir aussi les gorges de l'Ardèche, Orange.

Se promener

De l'office de tourisme, continuer tout droit, prendre à droite la rue de la Paix, puis à gauche la rue du Puy et encore à gauche pour monter à la collégiale.

Aujourd'hui lieu d'expositions, l'ancienne **collégiale Saint-Martin** possède un portail Renaissance. L'intérieur est surtout remarquable par l'ampleur de la nef unique couverte d'une charpente en bâtière (à deux pentes). *Tlj de juil. à sept., entrée libre.*

Depuis le petit jardin attenant, vue sur les toits de la ville.

Aller jusqu'au cours J.-Jaurès, tourner à droite, puis traverser la rue un peu plus loin.

> ### ◉ Le saviez-vous ?
>
> **Louis Pasteur** séjourna à Bollène en 1882 et y découvrit le vaccin du rouget de porc, maladie contagieuse qui, lorsqu'elle était décelée, entraînait l'abattage de l'animal.

C'est depuis le **belvédère Pasteur**, petit jardin public aménagé autour de l'ancienne chapelle romane des Trois-Croix, que vous aurez le panorama le plus étendu : au loin, sur les montagnes de l'Ardèche et du bas Vivarais ; au premier plan, sur l'usine hydroélectrique de Bollène et le vaste complexe nucléaire du Tricastin.

Retraverser le cours pour redescendre vers le centre-ville par la rue du Puy.

Aux alentours

Site du Barry
5 km au nord de Bollène par la D 26.

Dépliant des trois circuits de promenade (1,5 à 7 km) disponible à l'office du tourisme de Bollène. Le village troglodytique, comprenant une quarantaine d'habitations toutes sur le même modèle (une pièce principale entourée d'alcôves, qui communique avec des pièces secondaires), a été restauré par une association. En effet, aménagés au 16e s., les lieux furent abandonnés à la fin du 19e s. La remontée dans le temps se poursuit au-dessus, où se trouvait un village médiéval dont seul le système défensif du château, détruit au 14e s., reste bien visible.

Mornas
17 km au Sud par la D 26 qui traverse Mondragon, dominé par les ruines de son château, pour rejoindre ensuite la N 7.

Portes fortifiées, vieilles maisons accrochées au pied d'une vertigineuse falaise (137 m d'à-pic), vestiges d'une puissante forteresse : le village de Mornas a conservé un aspect médiéval. On y accède par une ruelle en forte pente *(parking)*, puis par un sentier.

Stéphane Sauvignier / MICHELIN

👥 Préférez la **visite animée** par des comédiens en costumes du 12ᵉ s. La **forteresse** se compose d'une vaste enceinte de 2 km, flanquée de tours semi-circulaires ou carrées et, à son point culminant, des vestiges du donjon et d'une chapelle. Elle doit sa célébrité à un terrible épisode des guerres de Religion : tenue par les catholiques, elle tomba aux mains du baron des Adrets qui ordonna de précipiter du haut de la falaise tous les habitants du lieu. 📞 04 90 37 01 26 - *visite guidée (1h15) : mars-juin et sept. : lun.-vend. 11h-17h - 5 € (enf. 4 €)- visite animée (1h15) : juil.-août : 11h-17h ; mars-juin et sept. : sam., dim. et j. fériés, 11h-17h - 7 € (enf. 5 €).*

Suze-la-Rousse
7 km à l'est par la D 994.

👁 **Bon à savoir** – L'office de tourisme propose une brochure sur le village et

Château de Suze-la-Rousse et son vignoble.

les environs. Un plan de Suze se trouve à la halle aux grains du 17ᵉ s.

Principale ville du Tricastin au Moyen Âge, Suze étage ses ruelles sur la rive gauche du Lez. Le bourg, enserré dans des murailles (le « Barri » dont subsistent quelques tronçons), compte de belles demeures Renaissance, une église romane massive et une ancienne mairie à la jolie façade 15ᵉ-16ᵉ s.

Un imposant **château** domine la colline de la Garenne comprenant un parc de 23 ha. Si l'ensemble de l'édifice (14ᵉ s.) est un bel exemple d'architecture militaire médiévale, l'intérieur a été réaménagé pendant la Renaissance comme en témoignent les façades de la cour d'honneur et l'escalier monumental à double révolution, qui donne accès au 1ᵉʳ étage où sont présentées des exposition temporaires. Vous apprécierez le salon bleu ou des « quatre saisons » décoré de stucs, et le salon octogonal qui occupe une des tours d'angle, avec vue sur le mont Ventoux, la montagne de Lance et les préalpes du Dauphiné. Dans l'autre aile, la salle des gardes précède la salle des Armes qui conserve un plafond à la française. 📞 04 75 04 81 44 - *juil.-août visite guidée (45mn) 9h30-12h, 14h-18h ; sept.-juin : 9h30-12h, 14h-17h (nov.-mars : tlj sf mar.) - fermé 25 déc. et 1ᵉʳ janv. - 3,50 € (11-18 ans 2,50 €).*

👁 **Bon à savoir** – Le château abrite l'**université du vin** qui dispose d'un centre de documentation, d'un laboratoire, d'une salle de dégustation et d'un jardin ampélographique. Outre les formations continues, elle propose des stages d'œnologie. 📞 04 75 97 21 30 - *www.universite-du-vin.com*

Bollène pratique

♿ Voir aussi l'encadré pratique d'Orange.

Adresses utiles

Office du tourisme de Bollène – *Pl. Henry-Reynaud-de-la-Gardette - 84500 Bollène -* 📞 *04 90 40 51 45 - www.bollenetourisme.com - juil.-août : tlj sf dim. 8h30-12h30, 14h-19h ; reste de l'année : tlj sf dim. 8h30-12h, 14h-17h30-fermé j. fériés.*

Office du tourisme de Suze-la-Rousse – *Av. des Côtes-du-Rhône - 26790 Suze-la-Rousse -* 📞 *04 75 04 81 41 - juil.-août : tlf sf dim. 9h-12h, 14h30-18h30, sam. 9h-12h, 14h-16h ; reste de l'année : tlj sf dim. 9h-12h, 14h30-18h, sam. 9h-12h - fermé sem. de Noël et j. fériés.*

Se loger

👁 **Bon à savoir** – En sortant de l'autoroute, en direction de Bollène, vous trouverez 5 hôtels et hôtels-restaurants, pour la plupart des **établissements de chaîne**. Des adresses utiles si le centre-ville de Bollène a été pris d'assaut par une grande vague de touristes.

Sports & Loisirs

👥 **Centre équestre la Simioune** – *Rte de Suze-la-Rousse -* 📞 *04 90 30 44 62 - www.la-simioune.fr. Au cœur d'une pinède, ce centre propose un choix complet de balades et de randonnées à dos de cheval ou de poney Shetland pour les plus jeunes. Camping à proximité.*

Bonnieux★

CARTE GÉNÉRALE B3 – CARTE MICHELIN LOCAL 332 E11 – SCHÉMAS P. 258 ET 385 – VAUCLUSE (84)

Juché sur une colline qu'il semble escalader, ce village perché domine la vallée dont il commande l'accès par le sud. Cette position à la croisée du Petit et du Grand Luberon en fait une base idéale pour sillonner la région. En poursuivant jusqu'à la forêt de cèdres, il y aura soudain comme un petit parfum de Liban en Luberon.

▶ **Se repérer** – Ce bourg, l'un des grands villages perchés du Luberon, s'adosse à un promontoire surplombant la vallée du Calavon. Arrivant d'Apt (15 km au nord par la D 3) ou de Lacoste *(voir Le Luberon)*, prenez la direction de Cadenet pour accéder au haut Bonnieux. Les principaux commerces (et le boulodrome) sont dans le bas Bonnieux.

🅿 **Se garer** – Laissez votre voiture dans le bas du village, où se situent les principaux parkings. Un autre, plus petit, se trouve dans le haut Bonnieux, sur la droite en arrivant de Lourmarin.

👁 **À ne pas manquer** – Le village ; le sentier botanique de la forêt de cèdres, de vénérables ancêtres importés du Liban en 1862.

🕐 **Organiser son temps** – Si vous êtes de passage dans le village et que vous n'en faites pas votre base de séjour, comptez une bonne heure pour le découvrir. L'été, attention à ne pas entreprendre l'ascension des ruelles escarpées au plus fort des chaleurs. Comme nous, vous préférerez sans doute l'arrière-saison, quand l'atmosphère villageoise redevient paisible.

👪 **Avec les enfants** – Le musée de la Boulangerie, dont les outillages anciens amuseront les petits marmitons *(attention : fermé de novembre à mars).*

🕑 **Pour poursuivre la visite** – Voir aussi le Luberon, Apt, Ansouis, Gordes, Ménerbes et La Tour-d'Aigues.

Bonnieux pratique

🕑 Voir aussi les encadrés pratiques du Luberon, d'Apt et de Ménerbes.

Adresse utile

Office du tourisme de Bonnieux – *Pl. Carnot - 84480 Bonnieux -* 📞 *04 90 75 91 90 - 9h30-12h30, 14h-18h - fermé dim. et j. fériés.*

Se loger

⊜⊜🍴 **Chambre d'hôte Le Clos du Buis** – *R. Victor-Hugo -* 📞 *04 90 75 88 48 - www.leclosdubuis.com - fermé de mi-janv. à mi-fév. et de mi-nov. à mi-déc. - 6 ch. 84/112 € - ⊿ - repas 25 €.* Cette demeure située tout près de l'église occupe une ancienne épicerie-boulangerie : pas étonnant qu'un four à pain orne son petit salon ! Les chambres, au sol en terre cuite, sont climatisées, lumineuses et élégantes. Très agréable jardin doté d'une piscine et jolie vue sur la région.

Se restaurer

⊜⊜🍴 **La Flambée** – *Pl. du 4-Septembre -* 📞 *04 90 75 82 20 - fermé janv. - 16,50/23 € - 5 ch. 30/40 € - ⊿ - 5 €.* Pizzas au feu de bois et autres spécialités (daube provençale, pain de chèvre, truffes,

gibier) sont servies dans ce restaurant familial qui n'a pas cédé aux sirènes de la mode. Salle à manger rustique et terrasse avec vue sur la vallée du Calavon et le mont Ventoux. Prix raisonnables.

⊜⊜🍴 **Le Fournil** – *Pl. Carnot -* 📞 *04 90 75 83 62 - fermé 28 nov.-3 fév., sam. midi, mar. sf le soir d'avr. à sept. et lun. - réserv. obligatoire - 27 € déj. - 37/44 €.* Cette maison adossée à la colline abrite une originale salle à manger troglodytique, meublée dans un esprit bistrot contemporain et bénéficiant d'une fraîcheur certaine. Pour les inconditionnels du soleil, terrasse installée en été sur la place ombragée de platanes. Carte à tendance régionale.

Que rapporter

Établissement Vernin – *RN 100 - quartier du Pont-Julien -* 📞 *04 90 04 63 04 - www.carreaux-d-apt.com - tlj sf dim. 9h-12h, 14h-18h.* Fabrication artisanale de **carreaux d'Apt** en terre cuite ou en faïence émaillée et peints à la main. Vous trouverez des reproductions de motifs anciens ainsi que d'originales créations contemporaines.

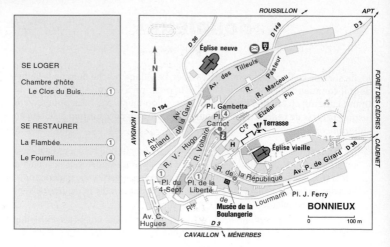

Se promener

Il ne faudra compter ni les marches ni les efforts pour explorer les recoins de ce village perché. Votre récompense : le charme fou de ces ruelles entortillées, avec leurs escaliers pierreux où poussent les touffes d'herbe.

Depuis la place de la Liberté, rejoignez le **haut Bonnieux** par la rue de la Mairie (passage sous voûte), en forte montée, pour atteindre la terrasse située en contrebas de l'église vieille.

Depuis la terrasse, jolie **vue★** sur la vallée du Calavon, tout à fait à gauche, sur le village perché de Lacoste, plus à droite, sur le bord du plateau de Vaucluse où Gordes *(voir ce nom)*, puis Roussillon *(voir ce nom)* s'accrochent et se confondent avec les falaises rouges. Un escalier mène à l'**église vieille** *(ne se visite pas, hormis les visites guidées l'été, assurées par des bénévoles, se renseigner à l'office de tourisme)* qu'entourent de très beaux cèdres.

De retour place de la Liberté, prenez sur votre gauche la rue de la République, pour aller visiter l'intéressant **musée de la Boulangerie** (n° 12) qui évoque l'histoire du pain et le travail du boulanger à travers son outillage et les documents se référant à son métier. ✆ *04 90 75 88 34 - juil.-août : 10h-13h, 15h-18h30 ; avr.-juin et sept.-oct. : 10h-12h30, 14h30-18h - fermé mar., nov.- mars, 1er Mai et 25 déc. - 3,50 € (–12 ans gratuit).*

Aux alentours

Forêt de cèdres

À 5 km sur la route de Lourmarin. Parking payant.

2h. Importés de l'Atlas marocain, les cèdres ont été plantés sur le plateau, au-dessus de Bonnieux, en 1862. Un **sentier botanique**, ponctué de 8 stations d'information sur les espèces végétales typiques du Luberon, y a été aménagé.

Le Luberon★★★ *(voir ce nom)*

Les calanques ★★

CARTE GÉNÉRALE C4 – CARTE MICHELIN LOCAL 340 H6-I6 – BOUCHES-DU-RHÔNE (13)

Paysage calcaire d'une blancheur éclatante, hérissé de roches ruiniformes, le massif des Calanques attire les amateurs de nature par sa beauté sauvage. Mais son originalité, son charme exceptionnel tiennent avant tout aux étroites et profondes échancrures qui cisèlent ses côtes, les calanques, majestueuse union du ciel, de la mer et de la roche. Attention, ce site présente des risques et demande quelques précautions d'accès.

▶ **Se repérer** – Le massif des Calanques, qui culmine à 565 m au **mont Puget**, s'étend sur près de 20 km entre Marseille et Cassis. Si certaines calanques, proches de Marseille et de Cassis, sont facilement accessibles, la plupart ne pourront être atteintes qu'à pied, par des sentiers parfois très escarpés, voire dangereux. Le massif des Calanques est un espace naturel sauvage qui peut présenter des risques (incendie, éboulement, chutes d'arbres…). Bien se renseigner avant de partir. Nous décrivons ci-dessous quelques itinéraires à la portée de tous, en respectant les consignes de prudence, bien entendu (se reporter au symbole ☞ dans la description des calanques).

👁 **À ne pas manquer** – Un déjeuner au soleil dans l'une des guinguettes du hameau de pêcheurs des Goudes ; les cabanons des petits ports de Sormiou et Morgiou ; la calanque de Sugiton et sa minuscule crique, embouteillée les week-ends ensoleillés tant elle plaît aux Marseillais ; la spectaculaire calanque d'En-Vau (voir Cassis).

Port naturel de Port-Miou : un petit paradis…

🕐 **Organiser son temps** – La circulation dans le massif des Calanques, que ce soit à pied ou en voiture, est strictement réglementée du 1er juillet au 2e samedi de septembre inclus (se renseigner auprès des offices de tourisme ou sur le serveur vocal : ☏ 0811 20 13 13). Ils sont fermés les jours de violent mistral le reste de l'année. Le camping et le bivouac sont totalement interdits. Les restaurants de Morgiou et Sormiou bénéficient de laissez-passer pour leurs clients automobilistes, qui seront contrôlés au pied des routes d'accès au massif.

👪 **Avec les enfants** – Prudence ! Les sentiers de randonnée qui grimpent au cœur des calanques peuvent être dangereux pour les plus petits. Avec eux, privilégiez deux criques faciles d'accès, aux Goudes (accès en voiture toute l'année) et à Sormiou (accès en voiture autorisé sauf l'été et les jours de violent mistral). Vos petits pirates apprécieront aussi de découvrir les calanques par bateau, à l'occasion d'une croisière au départ de Marseille, Cassis ou La Ciotat.

🕯 **Pour poursuivre la visite** – Voir aussi Cassis et La Ciotat.

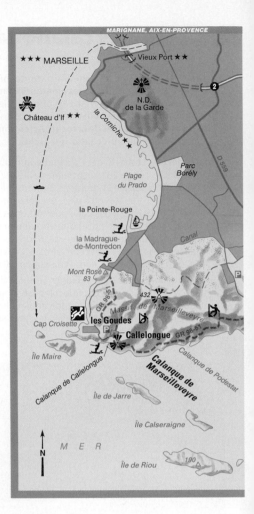

Comprendre

La formation géologique – Le mot « **calanque** » désigne une étroite vallée littorale aux flancs abrupts creusée dans la roche dure par une rivière, guidée généralement par une faille au cours de périodes de retrait de la mer, puis submergée par les flots lorsque le niveau de la mer montait. La dernière remontée des eaux, d'une amplitude moyenne de 100 m, s'est effectuée il y a 10 000 ans, noyant des grottes fréquentées par les hommes de la préhistoire, telle la fameuse **grotte Cosquer**. Ces variations du niveau marin sont dues à l'alternance, pendant les deux derniers millions d'années, de périodes de glaciation et de déglaciation à la surface de la terre. Les calanques, dont la longueur n'excède pas 1,5 km, se prolongent vers le large par d'importantes vallées sous-marines ; si elles peuvent être rapprochées des abers bretons, elles n'ont, malgré les apparences, rien à voir avec les fjords, façonnés, eux, par des glaciers.

Les calanques en danger – La perméabilité du calcaire, l'abondance des failles et la faible pluviosité expliquent l'absence d'écoulements de surface et la sécheresse du lieu. La régulation thermique marine, la réverbération du soleil sur les hautes murailles dénudées et une exposition à l'abri du mistral créent un **microclimat** exceptionnellement chaud sur le versant sud du massif. Des espèces végétales tropicales ont pu s'y maintenir malgré les refroidissements de l'ère quaternaire, constituant de nos

👁 Le saviez-vous ?

Certains, comme le Marseillais **Gaston Rebuffat** ou **Isabelle Patissier**, qui ont effectué leurs premières ascensions dans les calanques, sont devenus depuis des alpinistes renommés.

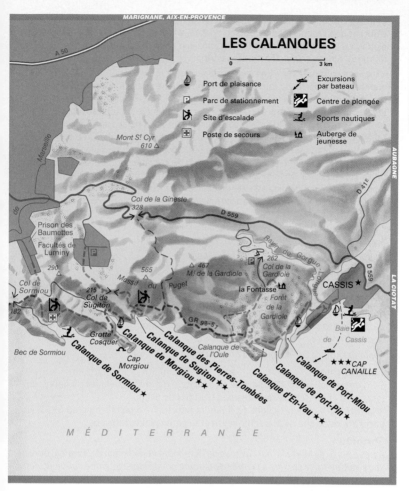

LES CALANQUES

jours une réserve botanique d'un grand intérêt. Mais l'état de la végétation est hélas extrêmement dégradé. Les responsables ? La sécheresse, l'abattage d'arbres pour les fours à chaux, le pâturage excessif et, surtout, les feux répétés : de l'incendie ordonné par Jules César en 49 av. J.-C. au catastrophique embrasement du 21 août 1990, la forêt du massif des Calanques a souffert un véritable martyre. Si l'espoir de sauver les calanques demeure, pour certains écosystèmes le mal est fait et la menace plane tout au long des mois d'été sur les espaces encore épargnés.

Certains jours d'hiver, la température sur le versant sud du massif est supérieure de près de 10 degrés à celle du versant nord. Les habitués des calanques, le sachant parfaitement, viennent s'y mouiller les orteils ou entretenir leur hâle, tandis qu'à deux pas, rue Paradis ou avenue du Prado, Marseille grelotte sous les terribles rafales du mistral.

La belle-mère, la couleuvre et le gourmand – Dans cette ambiance semi-aride, s'imposent le plus souvent la garrigue pierreuse à chêne kermès ou la garrigue à romarin et bruyère. La **forêt** consiste en taillis ou fourrés de chênes verts, viornes, oliviers sauvages, myrtes et lentisques que viennent çà et là égayer quelques bosquets de pins d'Alep. En bordure du littoral s'accrochent cristes-marines et lavandes de mer, relayées en hauteur par une association de plantes en coussinet comme la rare astragale de Marseille, à qui ses redoutables épines ont valu le nom de « coussin de belle-mère ».

Le plus grand lézard et le plus long serpent d'Europe ont élu domicile dans les calanques : la taille du lézard ocellé peut atteindre ici 60 cm, celle de la couleuvre de Montpellier, 2 m. Les oiseaux nichent surtout sur les falaises côtières et dans les îles. Le plus commun est le goéland leucophée ou « gabian ». Ce gourmand, particulièrement friand des ordures rejetées par l'agglomération marseillaise, est en pleine expansion, d'autant que l'espèce, qui ne possède pas de prédateur naturel, est protégée. Et n'oublions pas l'**aigle de Bonelli** (une quinzaine de couples) qui est un beau rapace diurne au plumage brun foncé, blanc et gris.

« Un petit cabanon… » – Une journée au « cabanon », un véritable art de vivre ! C'est au retour de la pêche ou tout bonnement du marché que la maisonnée s'assemble sous les ombrages de la terrasse pour « siroter » un pastis glacé ; ce moment s'avère idéal pour faire fuser blagues et galéjades. Le somptueux aïoli servi au repas de midi possède l'inégalable vertu de faire sombrer tout un chacun dans une « petite sieste » réparatrice bercée par le chant des cigales. Mais il faudra être sur pied avant l'angélus, pour ne pas manquer la rituelle partie de pétanque, qui connaîtra inévitablement quelques débordements passionnels ponctués de « té peuchère ! » et de « oh coquin de sort ! ». Au dîner, on aura sagement décidé de « manger léger », autrement dit de renoncer à une seconde assiette de délicieux « pistou », afin de disputer dans sa meilleure forme, « à la fresche », le tournoi de belote, ultime occasion de truculentes controverses.

Circuit de découverte

Quitter Marseille par la promenade de la Plage.

Les Goudes

Cet ancien village de pêcheurs s'inscrit dans un décor minéral grandiose. Vous y trouverez une plage minuscule (idéale en famille mais bondée l'été) et de nombreuses guinguettes où les Marseillais aiment venir se rafraîchir. Le policier désabusé des romans de Jean-Claude Izzo, Fabio Montale, venait s'y réfugier : une référence…

Continuer jusqu'à Callelongue où s'arrête la route goudronnée.

Callelongue

Dans un très joli site, cette calanque en miniature regroupe quelques cabanons, un restaurant et une flottille de bateaux. Il n'y a pas de plage.

🐾 *1h30 AR*. Pour une baignade, il faudra poursuivre à pied le long du GR98-51 jusqu'à la **calanque de Marseilleveyre** et sa petite plage de galets.

Sormiou★

Accès à partir de Marseille par l'avenue de Hambourg et le chemin de Sormiou. Garer votre voiture sur le parking à l'entrée de la route goudronnée interdite aux véhicules (l'été).

🐾 *45mn*. De nombreux cabanons autour d'un petit port desservi par une époustouflante route en lacets, une petite plage de sable et deux restaurants : c'est, pour les Marseillais, « LA » calanque.

Sormiou est séparée de la calanque voisine de Morgiou par le **cap Morgiou**, belvédère qui offre des vues magnifiques sur les deux calanques et la côte orientale du massif. À ses pieds s'ouvre, par 37 m de fond, la grotte Cosquer *(ne se visite pas)*.

Les calanques invitent à la baignade mais aussi à la promenade (ici, le cap Croisette).

Stéphane Sauvignier / MICHELIN

Devenez un vrai pêcheur des calanques…

… en commençant par vous initier au langage des *pescadous*, encore fortement imprégné de provençal. Voici quelques termes courants désignant les prises (à prononcer, bien entendu, *avé l'assen*) :
Arapède : patelle, coquillage en forme de chapeau chinois accroché aux rochers… D'où l'expression « collant comme une arapède » qui, appliquée à un humain, n'a rien d'élogieux ! *Esquinade* : araignée de mer. *Favouille* : petit crabe. *Fielas* : congre. *Galinette* : rouget grondin. *Pourpre* : poulpe. *Supion* : calmar. *Totène* : seiche. *Violet* : ascidie (délicieux fruit de mer en forme de pomme de terre).

Rodolphe Corbel / MICHELIN

Le « pourpre ».

Morgiou★★

Accès depuis Marseille par le même itinéraire initial que Sormiou, puis tourner à gauche et suivre la signalisation (on longe la fameuse prison des Baumettes) avant de garer la voiture à l'entrée de la route goudronnée. 1h. Cadre sauvage et présence humaine discrète à Morgiou : minuscules criques pour la baignade, cabanons regroupés au fond du vallon, restaurant, petit port… Indispensable !

Sugiton★★

Accès à partir de Marseille : rejoindre Luminy par le boulevard Michelet : parking des Facultés. Continuer à pied sur la route forestière. 45mn. Petite calanque aux eaux turquoise, très abritée grâce à son encadrement de hautes murailles ; les naturistes l'ont adoptée, on les comprend… Attention aux chutes de pierre, qui causent régulièrement des accidents. Ne rentrez pas dans les grottes.

En-Vau★★ *(voir Cassis)*

Port-Pin★ *(voir Cassis)*

Les calanques pratique

♿ Voir aussi les encadrés pratiques de Marseille, de Cassis, de La Ciotat et de la Côte Bleue.

Mode d'emploi

👁 **Bon à savoir** – Le **printemps** est probablement la meilleure époque pour découvrir les calanques.

Règlementation – Il est bien entendu interdit de cueillir des végétaux, de quitter les chemins et sentiers, de fumer ou d'allumer un feu.

La **circulation dans le massif**, à pied aussi bien qu'en voiture, est réglementée toute l'année, avec des particularités estivales : se renseigner auprès des offices de tourisme. L'accès peut être interdit en période de risque majeur d'incendie.

Conseils – Il n'existe pas d'accès direct aux calanques en voiture à l'exception des Goudes et de Callelongue (hors période estivale, on peut accéder aux calanques de Morgiou et Sormiou en voiture (parking payant). Le seul moyen d'atteindre les autres est la marche à pied.

Se munir de la carte IGN *Les Calanques de Marseille à Cassis* (1/15 000).
Emporter des boissons, car il n'y a pas de point d'eau ; s'équiper de chaussures de marche ; se protéger des coups de soleil et des insolations.

Transports

🚢 Le bateau est un moyen astucieux de découvrir les calanques en été. Il permet en même temps d'approcher les îles de l'**archipel de Riou** : île Maire à laquelle les chèvres n'ont pas laissé un poil sur le caillou, îles de Jarre et Jarron, sites de relégation des navires pestiférés d'où partit la terrible épidémie de peste de 1720, et île de Riou, la plus escarpée, où nichent toujours d'importantes colonies d'oiseaux.

Au départ de Marseille – *Se renseigner auprès de l'office du tourisme de Marseille pour une éventuelle reprise -* ☎ 04 91 13 89 00. Les visites en bateau des calanques de l'unique compagnie qui les assurait ont été suspendues.

Au départ de La Ciotat : Les Amis des Calanques – *Embarquement quai Ganteaume -* 📞 *06 09 35 25 68 ou 06 09 33 54 98 - juil.-août : dép. 10h30, 14h, 14h30, 15h30, 17h30 et 18h ; avr.-juin et sept.-oct. : dép. 10h30 et 15h. - 14 €, 17 €, 20 € ou 23 € selon le parcours - réserv. conseillée en été.* Visite des calanques de La Ciotat, Cassis et Marseille en bateau de type catamaran à vision sous-marine.

Au départ de Cassis : Les bateliers de Cassis – 📞 *04 42 01 90 83 ou 0892 259 892 (office municipal de tourisme) - www.calanques-cassis.com* Visite en bateau des calanques de Port-Miou, Port-Pin et En-Vau sans escale *(45mn, 12 €).* Autres excursions : 5 calanques *(1h05, 14 €)* ou 8 calanques *(1h30, 17 €).* Vision sous-marine nocturne de mi-juil. à mi-août.

Bateau de croisière.

Se Loger

👁 **Bon à savoir** – Il est interdit de camper et il n'y a pas d'hébergement dans les calanques proprement dites.

🛏 Reportez-vous aux encadrés pratiques de Marseille, Cassis, La Ciotat, la Côte Bleue pour trouver un point de chute.

Se restaurer

😊😊😊 **Château de Sormiou** – *13009 Calanque de Sormiou -* 📞 *04 91 25 08 69 - ouv. d'avr. à fin sept. (attention, accès voiture réglementé) -* 🍴 *- 35/53 €.* Une situation privilégiée face aux eaux turquoise de la calanque de Sormiou, très fréquentée par les Marseillais. Cet ancien cabanon familial s'est transformé au fil du temps en restaurant proposant une honnête cuisine de la mer : soupe de poisson, zarzuela et bouillabaisse sur commande, etc.

😊😊😊 **Le Lunch** – *13009 Calanque de Sormiou -* 📞 *04 91 25 05 37 - fermé de mi-oct. à mi-mars -* 🍴 *- réserv. obligatoire - 45 €.* Si vous avez envie de déjeuner « les pieds dans l'eau » dans un site sauvage, c'est ici qu'il faut venir. Les produits de la mer y sont à l'honneur et leur fraîcheur est garantie. En été, l'accès à la calanque est réglementé : seuls ceux qui ont réservé au restaurant peuvent y descendre en voiture.

Sports & Loisirs

Randonnée pédestre – Le GR 98-51, de Marseille à Cassis, longe d'immenses falaises et permet d'apercevoir les calanques les plus secrètes. Cependant, vous ne pourrez faire cette incomparable randonnée de 28 km que par tronçon car camping et bivouac sont interdits.

Plongée sous-marine – Il y a seulement 30 ans, les fonds marins des calanques comptaient parmi les plus extraordinaires de la Méditerranée occidentale. Perturbés désormais par les rejets polluants, les abus de la chasse sous-marine qui menacent particulièrement l'emblématique mérou noir et la prédation d'épaves d'un grand intérêt archéologique, ils conservent beaucoup d'attraits pour les plongeurs qui y rencontreront poissons multicolores, gorgones, éponges, oursins violets, langoustes, nacres, rougets…

🛏 Voir les encadrés pratiques de Cassis, La Ciotat et la Côte Bleue pour choisir un prestataire.

Escalade – Aiguilles aux flancs vertigineux et parois rocheuses parfois en surplomb sur la mer composent de magnifiques voies d'escalade, accessibles pour les unes aux seuls chevronnés, propices pour d'autres à l'initiation.

Sorties organisées avec le **Club alpin français Marseille-Provence** – *12 r. Fort-Notre-Dame - 13007 Marseille -* 📞 *04 91 54 36 94.*

La Camargue★★★

CARTE GÉNÉRALE AB3/4 – CARTES MICHELIN LOCAL 340 ET 339 – BOUCHES-DU-RHÔNE (13)

Vastes étendues où le ciel célèbre chaque jour ses noces avec la mer, manades de taureaux noirs dressant fièrement leurs cornes en lyre, graciles silhouettes des flamants roses prenant soudain leur envol, chevaux blancs au galop, gerbes d'écume : unique au monde, monde à part, la Camargue forme un univers à elle seule. Dessinée à la demande de Folco de Baroncelli, la croix camarguaise se compose d'une ancre que surmonte une croix dont chaque extrémité se termine en trident. Ainsi sont symbolisés les Saintes-Maries, les pêcheurs et les gardians.

▶ **Se repérer** – Accès par Arles et la D 570, une route très fréquentée menant aux Saintes-Maries-de-la-Mer (27 km au sud) ; par Saint-Gilles et la D 37, vous rejoindrez aussi la route des Saintes. Par Aigues-Mortes et le pont de Sylveréal (via la D 58), ou le **bac du Sauvage** *(gratuit)* ; ou bien par Port-St-Louis-du-Rhône et le **bac de Barcarin** *(payant)* qui traverse le Grand Rhône à hauteur de Salin-de-Giraud. Au centre de la Camargue s'étend le vaste étang de Vaccarès, séparé de la mer par un étroit cordon littoral que protège la **digue à la mer**, interdite aux véhicules motorisés, mais autorisée aux piétons et aux cyclistes.

👁 **À ne pas manquer** – Le Musée Camarguais pour tout savoir des traditions d'une terre aussi belle que rude ; la maison du Parc naturel régional et son voisin, le parc ornithologique du Pont-de-Gau, pour s'initier au milieu naturel et observer des oiseaux (des vrais !) ; les plages de Piémanson et Beauduc, tellement immenses que l'on trouve toujours où bronzer tranquille, même en été (il faudra juste marcher un peu !).

> **👁 Le saviez-vous ?**
>
> Cette terre singulière inspira de nombreux films dans les années 1920, à l'instigation d'un pittoresque personnage, Joë Hamann, cow-boy émérite et (presque) authentique, ou du frère du *marquès*, **Jacques de Baroncelli**, réalisateur de cinéma. Si ses œuvres n'ont guère laissé de souvenirs, on notera que durant cette période, un jeune inconnu, Charles Vanel, faisait ses débuts dans un film tourné en 1921, *La Fille de Camargue*.

🕐 **Organiser son temps** – Il faut absolument éviter l'été, lorsque la Camargue est envahie par une foule peu compatible avec la découverte de cette terre secrète. Le printemps, le début de l'automne, certaines de ces belles journées d'hiver dont la région garde jalousement le secret seront les périodes idéales, d'autant que la faune y est abondante et que les manades de taureaux, revenues des « prés » du bas Languedoc, y paissent dans les étangs. La Camargue est une grande timide, les visiteurs trop pressés seront déçus. Si vous n'avez qu'une journée, ciblez soigneusement vos sites, en ménageant une halte à la Maison du parc naturel régional de Camargue, qui vous livrera quelques clés d'accès à cette terre secrète. Plusieurs lieux proposent des sentiers aménagés pour l'observation des oiseaux : une belle récompense que de voir une aigrette blanche prendre soudain son envol au-dessus d'une roselière.

👪 **Avec les enfants** – Le parc ornithologique du Pont-de-Gau ; les plages de Piémanson et Beauduc pour jouer dans le sable sans gêner les voisins de serviette (ils sont à 100 m !) ; le domaine Paul-Ricard à Méjanes *(voir l'encadré pratique)*.

🎔 **Pour poursuivre la visite** – Voir aussi Les Saintes-Maries-de-la-Mer, Arles ; Le Grau-du-Roi et Aigues-Mortes pour ceux qui mettent le cap à l'ouest.

Comprendre

Un pays difficile à domestiquer – Immense **plaine alluvionnaire**, la Camargue est le produit de l'action conjuguée du Rhône, de la Méditerranée et des vents. À la fin de l'ère tertiaire et au début de l'ère quaternaire, alors que la mer recule, des cours d'eau charrient d'immenses quantités de galets qui s'empilent sur les dizaines de mètres d'épaisseur. Sur cette base caillouteuse se déposent ensuite des couches de sédiments marins : la mer s'étend alors jusqu'à la rive nord de l'étang de Vaccarès. Mais le paysage ne va cesser de se modifier : le Rhône, qui divague pendant des siècles, transporte d'énormes masses d'alluvions ; des bourrelets se

Un parc pour sauver la Camargue

La création en 1927 de la Réserve nationale, puis en 1970 du Parc naturel régional, a permis de préserver le milieu naturel camarguais. Le Parc naturel régional occupe une superficie de 86 300 ha. Ses objectifs : sauvegarder l'écosystème camarguais, permettre aux habitants de vivre dans leur cadre naturel tout en favorisant le maintien des exploitations agricoles ; enfin, contrôler l'équilibre hydraulique, ainsi que l'afflux touristique...

Parc
naturel
régional
de Camargue

forment et isolent des marais ; des cordons littoraux modelés par les courants côtiers apparaissent et ferment des lagunes. Chaque année, le **Grand Rhône** (9/10e du débit total) apporte à la Méditerranée environ 20 millions de m³ de gravier, de sable et de limon ! La construction de la **digue à la mer** et l'endiguement du Rhône sous le Second Empire a permis de maîtriser partiellement ces phénomènes. Cependant, l'**avancée du littoral** (10 à 50 m par an) continue en plusieurs endroits (pointe de l'Espiguette, *voir Le Grau-du-Roi*). Inversement, la mer progresse sur d'autres points. Les Saintes-Maries-de-la-Mer *(voir ce nom)*, jadis à plusieurs kilomètres de la côte, doivent aujourd'hui être protégées par des digues. Enfin, les tempêtes ont successivement démoli les saillants du Vieux Rhône et du Petit Rhône, puis le **phare de Faraman** qui, construit à 700 m à l'intérieur des terres, a été englouti en 1917.

Les trois Camargue – Dans le nord du delta et le long de son double tracé, le Rhône a construit des levées de fines alluvions qui portent les meilleures terres. Cette **haute Camargue**, sèche et utile, a commencé à être bonifiée au Moyen Âge. L'homme a dû lutter contre l'eau et la salinité des sols, accrue par une intense évaporation estivale. Depuis 1945, de grands travaux de drainage et d'irrigation ont permis d'accroître considérablement la superficie agricole où domine la grande exploitation. Le blé, la vigne, les cultures fruitières et maraîchères, le maïs, le colza et les plantes fourragères occupent des superficies variables suivant les années. Mais c'est surtout pour le **riz** que la Camargue est connue, même si les superficies allouées à cette culture ont fortement diminué (la céréale est aujourd'hui menacée par la concurrence des riz étrangers parfumés, basmati et autre thaï, très à la mode ces dernières années). Çà et là émergent de petites forêts de chênes blancs, de frênes, d'ormes, de peupliers, de robiniers et de saules.

La **zone des salins**, qui s'étend près de Salin-de-Giraud (13 000 ha) et d'Aigues-Mortes (10 000 ha), présente un quadrillage de bassins d'évaporation et de montagnes de sel, les « camelles ». L'eau prélevée en mer de mars à septembre circule par pompage sur les surfaces préparatoires ou « tables », vastes étendues préservées par des digues et cloisonnées, où la hauteur d'eau ne dépasse guère 35 cm. Pour

Paisible paysage de Camargue.

les amener à saturation en chlorure de sodium, les eaux parcourent ainsi environ 50 km avant d'être dirigées vers les surfaces saunantes, ou « cristallisoirs », séparées par des levées de terre appelées « cairels ». La récolte du sel se fait de fin août à début octobre. Le sel est d'abord assemblé le long des surfaces saunantes, puis lavé et stocké, formant une colline de 21 m de haut dont la longueur varie suivant la récolte. À nouveau lavé, essoré, séché, le sel est distribué pour la consommation domestique et l'alimentation du bétail, le déneigement des routes, ou encore utilisé dans la production de composés chimiques. La récolte du sel est assurée par la Compagnie des Salins du Midi (ex-Péchiney). Basée depuis la fin du 19e s. à Salin-de-Giraud, l'entreprise connaît des difficultés économiques et a annoncé la prochaine suspension des récoltes. Cette perspective soulève bien des inquiétudes quant au devenir des 13 000 hectares de salins.

La **zone naturelle** occupe le sud du delta. C'est une plaine stérile, trouée d'étangs et de lagunes qui communiquent avec la mer par de nombreuses passes (les « graus »), véritable désert de sable et de marécages bordés de petites dunes sur le littoral. La Camargue est sillonnée d'un lacis de minuscules canaux, les « roubines ». Pêcheurs, chasseurs et *sagniers* les parcourent juchés sur des barques à fond plat qu'ils propulsent à l'aide d'une longue perche. Des routes et des pistes permettent également de la sillonner, mais pour l'apprécier pleinement, mieux vaut effectuer les parcours pédestres. Ces plates étendues, craquelées par la sécheresse et blanchies par le sel, sont couvertes d'une maigre végétation, la « **sansouire** ». Des plantes halophiles (aimant le sel) – saladelles et salicornes, vertes au printemps, grises l'été et rouges l'hiver – s'y développent et servent de nourriture aux troupeaux de taureaux, parmi de maigres tamaris. Les roseaux fournissent la *sanha* (« sagne »), avec laquelle on confectionne les canisses pour protéger les cultures, et dont les gardians recouvrent leurs cabanes. Dans les **îlots des Rièges**, au sud de l'étang de Vaccarès, s'épanouit une flore exubérante, merveilleusement colorée au printemps : chardons bleus, tamaris, marguerites, iris jaunes, genévriers de Phénicie, lentisques, asphodèles, narcisses…

Une faune exceptionnelle – Avec les ragondins, les loutres et les castors, les oiseaux règnent sur cet immense domaine marécageux. On en dénombre plus de 400 espèces différentes, dont environ 160 migratrices. L'avifaune change au fil des saisons : migrateurs venant d'Europe du Nord (depuis la Finlande et la Sibérie) pour hiverner, comme les sarcelles, ou faisant escale au printemps et à l'automne, comme les hérons pourpres. Souvent perché sur l'échine d'un taureau ou d'un cheval, le héron garde-bœuf, aussi surnommé pique-bœuf, raffole des insectes qui fourmillent sur le dos des mammifères. Également : l'élégante aigrette, le héron cendré, le canard plongeur, l'échasse blanche, le gravelot, sans oublier les habitants traditionnels du littoral, mouettes rieuses au caractère agressif, « gabians », goélands argentés, et grands cormorans, multitude de passereaux, un rapace, le busard des roseaux et, enfin, incontestable vedette, le **flamant rose**. Il est reconnaissable à son plumage blanc rosé et à son long cou terminé par un gros bec coudé. Il vit en colonies de plusieurs milliers

Le ragondin, ennemi public numéro un

Il n'y a pas de crocodiles en Camargue. Aussi le ragondin, charmant rongeur apparenté au castor et qui peuple depuis environ 30 ans les roubines camarguaises, a une fâcheuse tendance à proliférer (on en compterait 100 000) en l'absence d'autre prédateur que les automobiles, auxquelles il paie cependant un lourd tribut. Voilà donc ce pauvre ragondin, apprécié pour sa chair (on le nomme lièvre des marais) comme pour sa fourrure, accusé de tous les maux : ses terriers et galeries fragilisent les digues et, qui plus est, il a l'outrecuidance d'adorer le riz. L'état d'urgence a donc été décrété afin de « réguler » la population.

d'individus et se nourrit de crustacés et de coquillages. L'eau est poissonneuse : sandres, carpes, brèmes et surtout anguilles, abondantes dans les roubines d'eau douce, que l'on pêche à l'aide de « trabaques », sortes de longs filets composés de trois poches séparées entre elles par des goulets qui vont en se rétrécissant. La cistude des marais (petite tortue aquatique) et les couleuvres hantent également ces zones humides.

Taureaux et chevaux – Héros des courses camarguaises, *abrivados* et autres *bandidos*, les **taureaux camarguais**, noirs, agiles, aux cornes en lyre, vivaient jadis à l'état sauvage avant d'être peu à peu rassemblés en « manades », mot

désignant un troupeau, souvent d'environ 200 têtes. Ils occupent de grandes propriétés, dirigées par le bayle-gardian, régisseur du manadier. De grands moments
ponctuent la vie de la manade : au printemps, c'est la **ferrade** qui consiste à
marquer au fer rouge les « anoubles », ou taureaux d'un an. Ces derniers sont
écartés du troupeau par les gardians qui les poursuivent à toute allure vers le
lieu de marquage. Là, des jeunes gens les saisissent, les renversent sur le flanc et
leur imposent sur la cuisse gauche le fer rouge à la marque de l'éleveur tout en
pratiquant l'« escoussure », découpe de l'oreille caractéristique de la manade, tout
cela dans une ambiance de fête baignant dans l'odeur du poil et du cuir brûlés.
Au début de l'été, c'est la **transhumance** vers les « prés » de Petite Camargue, où
les villages multiplient les fêtes votives. En hiver, après le retour au mas, c'est le
« bistournage », qui consiste à castrer les taureaux qui seront destinés à la course
et qui deviennent ainsi des *bious*.

Reconnu depuis 1977 par les haras nationaux, le **cheval camarguais** est un cheval
de travail remarquable par son endurance, sa sûreté de pied et sa maniabilité. Les
poulains naissent avec un poil sombre qui ne prend que progressivement la couleur
blanche au bout de quatre ou cinq ans. Sa petite taille et son caractère débonnaire
en font un excellent cheval de promenade.

Le gardian de Camargue – C'est l'âme de la manade, celui qui surveille les bêtes
malades, prodigue les soins, trie les taureaux choisis pour les courses, les accompagne
et conduit les *abrivados* avant de retourner dans son humble cabane au sol de terre
battue… Si la cabane devient résidence secondaire et le costume de plus en plus
réservé aux jours de cérémonies, le cheval reste l'inséparable compagnon du gardian.
Parmi ses outils, le trident (ou *ferri*) et le lasso en crin de cheval (*seden*). De nos jours, la
plupart des manades n'emploient qu'un bayle-gardian, assisté de gardians amateurs,
bénévoles passionnés qui viennent aider aux travaux dès qu'ils en ont le loisir, en
échange d'un gîte pour leur cheval. Fondée en 1512, la confrérie de Saint-Georges a
établi les premiers statuts du métier.

Circuit de découverte

AUTOUR DU VACCARÈS

*Circuit de 160 km au départ d'Arles. Quitter Arles au sud-ouest (D 570) en direction des
Saintes-Maries. Prudence sur cette deux-voies très fréquentée : entre les rares aires de
stationnement, les conducteurs ne devront pas se laisser distraire par le paysage.*

Musée camarguais★

℘ 04 90 97 10 82 - RD 570 Mas du Pont-de-Rousty - 13200 Arles - musee@parc-camargue.fr
- www.parc-camargue.fr - parking, toilettes et aire de pique-nique - avr.-sept. : tlj 9h30-18h ;
oct.-mars : tlj sf mar. 10h-17h - fermé 1er janv., 1er Mai et 25 déc. - 5 € (enf. 2,50 €).
Installé dans l'ancienne bergerie du mas du Pont de Rousty, ce musée passionnant
constitue une excellente introduction à la découverte de la Camargue. Panneaux,
dioramas et objets présentent le cadre naturel (formation du delta), l'histoire et,
surtout, la vie quotidienne traditionnelle au 19e s. Une maquette reflète l'organisation sociale fort hiérarchisée du mas traditionnel, avec le bayle (régisseur)
en bout de table servi par la *tanto*, les gardians et, en bas de l'échelle, les *ràfis*,
ouvriers agricoles. Loin d'un folklore souvent rebattu et largement idéalisé, c'est
la véritable Camargue qui se dévoile avec les travaux et les peines d'une vie qui
n'était pas toujours rose…

🚶 3,5 km - 2h Tracé parmi les canaux d'irrigation, un sentier fait découvrir cultures,
pâturages et marais composant les terres d'un mas camarguais.
Reprendre la D 570 en direction des Saintes-Maries-de-la-Mer.

Albaron

Autrefois place forte (il en subsiste une tour), ce petit hameau est désormais recro-
quevillé autour de son église. Il abrite aujourd'hui une station de pompage pour le
dessalement des terres.
Poursuivre sur la D 570 en direction des Saintes-Maries-de-la-Mer.

Château d'Avignon

℘ 04 90 97 58 60 - visite guidée (1h) avr.-oct. : tlj sf mar. 10h-17h - fermé 1er Mai - 3 €.
Vaste demeure classique, réaménagée à la fin du 19e s. par l'industriel marseillais
Louis Prat. Pièces lambrissées et meublées (tapisseries d'Aubusson ou des Gobelins)
témoignent du goût bourgeois de l'époque.

Un **sentier botanique** de 500 m tracé dans le parc permet d'en découvrir les essences.

Continuer sur la D 570.

Maison du Parc naturel régional de Camargue
Grand parking devant l'entrée, toilettes - avr.-sept. : 10h-18h ; oct.-mars : tlj sf vend. 9h30-17h - fermé 1ᵉʳ janv., 1ᵉʳ Mai et 25 déc. - gratuit.

Situé au **Pont-de-Gau**, en bordure de l'**étang de Ginès**, le centre a pour mission de sensibiliser les visiteurs à la fragilité de l'écosystème camarguais. Des bornes présentent à l'aide de photos le milieu naturel, les activités traditionnelles ainsi que la faune et la flore ; de larges baies vitrées donnant sur l'étang permettent d'apercevoir quelques spécimens de l'avifaune locale. Deux vidéos présentent en alternance le monde des flamants roses *(15mn)* et la gestion de l'eau en Camargue *(50mn)*. La Maison du Parc organise également des expositions temporaires sur la Camargue que complètent des animations.

Aller à pied au parc ornithologique du Pont-de-Gau (200 m).

Parc ornithologique du Pont-de-Gau
Grand parking devant l'entrée - ☎ 04 90 97 82 62 - ♿ - avr.-sept. : de 9h au coucher du soleil ; oct.-mars : de 10h au coucher du soleil - fermé 25 déc. - 6,50 € (enf. 4 €).

Mitoyen avec la Maison du Parc, il offre la possibilité, à travers un parcours de panneaux explicatifs et de postes d'observation, de découvrir dans leur milieu naturel un certain nombre d'espèces d'oiseaux vivant en Camargue, ou seulement de passage. Indispensable pour être certain de reconnaître du premier coup d'œil un huîtrier-pie ou une avocette.

Reprendre la D 570 en direction des Saintes-Maries-de-la-Mer. En sortant du parking, la visibilité est réduite : prudence !

Les Saintes-Maries-de-la-Mer★ *(voir ce nom)*
Depuis les arènes, suivre la D 38. À 1 km sur la gauche, prendre un chemin revêtu.

Sur la gauche, **tombeau du marquis de Baroncelli-Javon**, édifié à l'emplacement de son mas du Simbèu, détruit en 1944.

Revenir aux Saintes-Maries et prendre au Nord la D 85ᴬ. À Pioch-Badet, prendre à droite la D 570 en direction d'Arles puis, à l'entrée d'Albaron, encore à droite la D 37. Possibilité de faire un détour par Méjanes (voir « Sports et loisirs » dans l'encadré pratique).

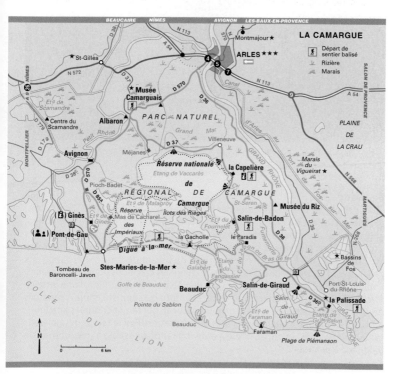

On traverse une vaste étendue semée de rares touffes d'arbres, de roseaux et de quelques mas isolés. Sur la droite, un petit **belvédère** permet d'apercevoir le Vaccarès et, au loin, les **îlots des Rièges**.

Prendre ensuite la petite route qui, à Villeneuve, porte l'indication « étang de Vaccarès ».

Après un petit bois, la route longe le Vaccarès, dégageant de très belles **vues★** sur la Camargue dans toute sa splendeur sauvage et solitaire.

La Capelière

℘ 04 90 97 00 97 - www.reserve-camargue.org - avr.-sept. : 9h-13h, 14h-18h ; oct.-mars : tlj sf mar. 9h-13h, 14h-17h - fermé 1ᵉʳ janv. et 25 déc. - 3 € (–12 ans gratuit).

Centre d'information de la **Réserve nationale de Camargue**. La Réserve s'étend sur 13 000 ha au cœur du delta, autour de l'étang de Vaccarès. Les espèces animales et végétales y sont protégées. Le centre propose à ses visiteurs une petite exposition, des sentiers pédestres *(1,5 km, à éviter les jours de forte affluence)*. En période plus calme, trois observatoires permettent de guetter les oiseaux.

On apercevra sur la gauche, dans le **marais de Saint-Seren**, une cabane de gardian, avant de longer l'**étang du Fournelet**.

Salin-de-Badon

℘ 04 90 97 00 97 - 3 observatoires ouverts du lever au coucher du soleil. Autorisation à retirer à La Capelière (centre d'information de la Réserve nationale de Camargue) - 3 € (enf. 1,50 €).

Des sentiers pédestres, agrémentés de panneaux didactiques et d'observatoires, ont été aménagés par la Réserve nationale sur cette ancienne saline royale où nombre d'oiseaux ont élu domicile.

Après Le Paradis, emprunter la D 36ᶜ. Après La Bélugue, prendre à droite le chemin de Beauduc (chemin, plus ou moins carrossable, tracé sur une digue entre les étangs).

L'exploitation des salins remonte à l'Antiquité (Salin-de-Giraud).

Beauduc

L'une des plages les plus célèbres des Bouches-du-Rhône n'est plus. En tous cas, plus sous l'aspect qu'on lui connaissait depuis plusieurs décennies, celui d'un « village » de cabanons de fortune, posés au bord d'une immense plage. Jusqu'alors « tolérés », bien qu'illégaux sur cette portion de littoral protégé, les cabanons ont été rasés en 2005. Certaines constructions de bric et de broc ont échappé aux pelleteuses. D'autres habitués résistent, troquant les cabanons pour des caravanes. L'opération n'a pas manqué de provoquer un débat sur la disparition d'une certaine forme de civilisation méditerranéenne, exempte de sophistication… mais pas de convivialité ! En outre, le petit restaurant local, qui faisait courir les amateurs, parfois de fort loin, a aussi fait les frais de l'opération. Fini le temps des poissons grillés : désormais, le pique-nique est devenu indispensable à une journée de baignade à Beauduc.

Revenir sur ses pas et poursuivre jusqu'à Faraman, puis vers Salin-de-Giraud.

Salin-de-Giraud

Pays du sel, cette petite localité posée en bordure du Grand Rhône s'est développée sous l'impulsion de deux sociétés : Pechiney, qui exploitait les salines pour son usine de Salindres, et la société belge Solvay qui, à partir du chlorure de sodium, fabriquait la soude caustique nécessaire à la fabrication du savon de Marseille.

L'arrivée sur Salin, avec ses maisons de briques roses et ses jardins ouvriers, donnerait un instant l'étrange impression de s'être aventuré par quelque coup de baguette magique en Flandres... sans les platanes, les catalpas et les acacias qui ombragent les rues perpendiculaires, et, bien sûr, les arènes. Inattendue ici, l'église grecque orthodoxe qui a été édifiée à l'attention des travailleurs des salins, dont beaucoup avaient été recrutés en Grèce.

Suivre la route qui longe le Grand Rhône en direction des « Plages d'Arles ».

Point de vue sur le salin

Aménagé près d'une montagne de sel, il procure une belle vue sur l'ensemble du salin de Giraud. Venez le soir, au couchant : avec le soleil qui teinte les marais de longues lueurs fauves ou mordorées, vous vivrez un moment magique.

Domaine de La Palissade★

Compter 1h30 à 4h de visite selon les circuits. ✆ 04 42 86 81 28 - de mi-juin à mi-sept. : 9h-18h ; de mi-sept. à mi-juin : 9h-17h (dernière entrée 45mn av. fermeture) - fermé lun. et mar., de mi-nov. à fin fév., 1ᵉʳ janv., 1ᵉʳ Mai, 11 Nov. et 25 déc. - 3 € (−12 ans gratuit) - découverte du site à cheval : du 1ᵉʳ avr. au 31 oct., promenades à l'heure ou à la journée, tous les jours de 9 h à 17h (dernier dép.) - ✆ 06 87 84 33 72.

Propriété du Conservatoire du littoral, ce domaine de 702 ha est le seul du delta à ne pas avoir été endigué. On y découvre les paysages d'origine de la basse Camargue : bourrelets d'alluvions, ripisylve ou « bois des rives », « montilles » (dunes), sansouires et prairies à saladelles, roselières.

Trois **sentiers de découverte** ont été aménagés : un sentier d'interprétation de 1,5 km destiné au grand public et muni de panneaux explicatifs, deux autres sentiers, de 3 km et de 7,5 km, moins aménagés mais permettant véritablement d'« entrer » dans la Camargue et de découvrir, au gré du hasard et des saisons, faune, flore et activités traditionnelles des « paluniers », les gens qui vivent du marais.

Superbe, la route passe sur une digue entre les étangs, permettant d'aller piquer une tête dans la Méditerranée sur l'immense **plage de Piémanson** (25 km de sable fin).

Prendre la direction d'Arles par Salin-de-Giraud.

Musée du Riz

Env. 1h - ✆ 04 90 97 29 44 - ♿ - 10h-17h30 - visite commentée uniquement - 4 €.

Pour tout connaître sur la culture du riz en Camargue, la visite de ce petit musée créé par la famille Bon (riziers depuis trois générations) s'impose. Exposition de maquettes et ustensiles, présentation des différentes variétés de riz (complet, rond, blanc, etc.), de la faune et de la flore régionales. Petite boutique contiguë ; accueil des plus charmants assuré par un cultivateur passionné.

Par la D 36 puis la D 570 sur la droite, regagner Arles.

Randonnée

Digue à la mer

La digue à la mer est interdite aux véhicules à moteur. Entre le parking de la Comtesse et Les Saintes-Maries-de-la-Mer : 20 km de sentier pédestre et cyclable. Centre d'information au phare de la Gacholle durant les week-ends et les vacances scolaires : exposition sur le littoral, observatoire, aire de pique-nique - gratuit.

20 km. Depuis la sortie est des Saintes-Maries-de-la-Mer, empruntez cette digue, exclusivement réservée aux piétons et aux VTT, pour rejoindre le **phare de la Gacholle** où se trouve un centre d'information avec observatoire (longue-vue) et exposition sur le littoral.

En chemin, on découvre de nombreux oiseaux (dont des flamants) et des paysages typiquement camarguais, à condition que le temps soit au sec...

Arrivé au Pertuis de la Comtesse, continuez vers le sud : la digue sépare l'**étang de Galabert** de celui du **Fangassier** : l'îlot de Galabert est le seul lieu de nidification en France du flamant rose. Environ 8 000 poussins noirs y naissent chaque année... Il faudra 3 ou 4 ans à ces petits « becaruts » pour devenir aussi roses que leurs parents...

La Camargue pratique

♿ Voir aussi les encadrés pratiques des Saintes-Maries-de-la-Mer, d'Arles, du Grau-du-Roi, d'Aigues-Mortes et de Saint-Gilles.

Adresse utile

Maison du Parc naturel régional de Camargue – *Voir le « Circuit de découverte ».*

Se loger

⌣ **Chambre d'hôte Péniche Farniente** – *Port de Plaisance - 30127 Bellegarde -* ☎ *04 66 01 45 52 - http://penichefarniente. free.fr - fermé vac. de Noël -* ⊟ *- 3 ch. 50/60 €* ⌣. Construite en 1923, cette péniche s'offre désormais une retraite paisible dans le port de plaisance de Bellegarde. Joliment rénovée avec ses intérieurs tout en bois, les 3 cabines assez spacieuses sont confortables. Petits-déjeuners servis sur le pont transformé en terrasse. Accueil convivial.

⌣⌣ **Hôtel Le Président** – *Av. du Félibrige - 30127 Bellegarde -* ☎ *04 66 01 67 12 - http://hotel-lepresident.com -* 🅿 *- 29 ch. 67/73 €* - ⌣ *6,50 €*. Si on essuie encore un peu les plâtres de cet hôtel de plain-pied en cours de finition, l'aspect général laisse déjà présager une petite réussite. Bénéficiant d'une décoration contemporaine déclinée en 3 styles (verre, bois ou fer), les chambres gardent néanmoins une certaine simplicité. Literie confortable.

⌣⌣ **Chambre d'hôte Au Mas du Ruisseau** – *Rte de Nîmes, N 113 - 30127 Bellegarde - 14 km au SO de Beaucaire par D 38 et N 113 puis chemin à droite -* ☎ *04 66 01 19 93 - www.masduruisseau. com -* ⊟ *- réserv. conseillée - 2 ch. et 2 gîtes 62 €* ⌣ *- repas 18 €*. Cette ancienne ferme n'a pas complètement arrêté son activité initiale. On y élève encore un peu de volaille et le verger donne de beaux fruits dont on fait de la confiture. Bien sûr tous ces produits mettent en valeur la table d'hôte, savoureuse. Chambres et gîtes simples et sans chichi, avec terrasses privatives.

⌣⌣⌣⌣ **Hôtel Le Mas de Peint** – *13200 Le Sambuc - 24 km au SE d'Arles par D 570 puis D 36 -* ☎ *04 90 97 20 62 - hotel@masdepeint.net - fermé 9 janv.- 17 mars et 15 nov.-23 déc. -* 🅿 *- 11 ch. 205/335 €* - ⌣ *20 € - restaurant 39/50 €*. Taureaux, chevaux blancs et gardians parcourent le domaine de 500 ha où se niche cette exceptionnelle demeure du 17ᵉ s. à l'ambiance « guesthouse ». Dans la cuisine-salle à manger, le chef prépare devant vous d'appétissantes recettes composées selon la cueillette du potager. Petite restauration autour de la piscine.

Se restaurer

👁 **Bon à savoir** – Outre les tellines *(voir Le Grau-du-Roi)* et le saucisson de taureau, la **« gardiane »** de taureau est omniprésente : c'est une marinade à base de vin rouge, d'herbes et d'épices (thym, laurier, persil, cayenne, clous de girofle…), de zestes d'orange et d'ail dans laquelle trempent des morceaux de taureau de Camargue (viande classée AOC depuis 1996) ; elle se déguste avec du riz blanc et un bon vin rouge de la région.

La fameuse « gardiane ».

⌣ **Le Flamant Rose** – *Rte de St-Gilles - 13123 L'Albaron -* ☎ *04 90 97 10 18 - www.leflamantrose.camargue.fr - fermé merc. sf juil.-août - 12 € déj. - 17,50/28 € - 17 ch. 41/43 €* - ⌣ *6 €*. Une adresse d'hébergement à prix doux au cœur de la Camargue. Restaurant de spécialités régionales servies dans une salle au décor camarguais (un peu surchargé) ou, à l'ombre, dans le jardin. Accueil charmant.

⌣ **Restaurant Chez Juju** – *Rte de Vaccarès, D 36ᶜ - 13129 Salin-de-Giraud - 6 km au NE par D 36 et D 36ᶜ -* ☎ *04 42 86 83 86 - www.resto-chezjuju.com - fermé merc. soir et jeu. ; hors sais. sur réserv. - 10 €*. Les habitués ne viennent pas ici pour le décor, très simple, mais pour l'assiette. Loup, sole ou pageot, on s'intéresse avant tout au poisson. Dès que l'on a choisi sa pièce, celle-ci est pesée, grillée (flambée à la table sur demande) et servie avec un plat de riz, à la bonne franquette.

⌣⌣ **Domaine de la Tour de Cazeau** – *13200 Le Sambuc - 24 km au SE d'Arles par D 570 puis D 36 -* ☎ *04 90 97 21 69 - fermé 1ᵉʳ-15 fév., sem. de Noël et merc. -* ⊟ *- réserv. obligatoire - 16/45 € - 2 ch. 38/45 €* - ⌣ *6,10 €*. Cette ferme camarguaise du 18ᵉ s. se niche au milieu des rizières, des taureaux et des chevaux… De sa tour, on surveillait autrefois les bateaux sur le Grand Rhône. Plats typiquement régionaux, dans l'ancienne écurie. Deux chambres.

⊖☺ **Le Mas Saint-Bertrand** – *Rte de Vaccarès, D 36ᶜ - 13129 Salin-de-Giraud - Près de Salin-de-Giraud, D 36ᶜ, rte de Vaccarès - ℘ 04 42 48 80 69 - fermé nov.-fév. - ⊠ - 20/25 € - 3 ch. + 2 gîtes 4 pers. 35/65 € - ☐ 5 €.* Les Giran ont transformé ce mas en un lieu magique où les anciens engins agricoles, dispersés parmi les lauriers roses, prennent des allures d'animaux chimériques. On y déguste assiettes camarguaises, charcuteries, tellines, gardianes et côtes de taureau. Vente de produits à emporter, promenades à cheval et location de vélos.

Sports & Loisirs

👁 **Bon à savoir** – Prévoir une lotion contre les **moustiques** qui sont très nombreux et agressifs d'avril à novembre ; de l'eau potable car il n'y en a pas en dehors des villages (Le Sambuc, Gageron et Salin-de-Giraud) ; des jumelles.

Randonnée pédestre – L'idéal pour observer la faune et la flore, c'est de marcher : chose possible sur le GR 653, la digue à la mer et les sentiers de découverte du domaine de La Palissade, de La Capelière et de Salin-de-Badon.

Observation des oiseaux – Pour bien voir les oiseaux, il faut partir tôt le matin (tout se passe avant 10h) ou au crépuscule, entre mars et octobre. On prendra soin de rester immobile, d'être silencieux, car les oiseaux détestent la conversation, et de se munir d'une paire de jumelles (louées sur certains sites). Sites d'observation des oiseaux : sentiers de découverte de la Capelière et du domaine de la Palissade, digue à la mer et parc ornithologique du Pont-de-Gau.

VTT – *Renseignements aux offices du tourisme d'Arles et des Saintes-Maries-de-la-Mer.* Nombreuses propositions de circuits de découverte en fonction du niveau des pratiquants. Cinq grands circuits : la digue à la mer (16 km dont une partie dans le sable), la route du Vaccarès (46 km autour de Villeneuve et Gageron), la route du Sel et des Flamants (29 km autour de Salin-de-Giraud), la route du

Cheval camargue et du Riz (29 km autour du Sambuc), la route des Taureaux et de la Vigne (31 km autour de Gimeaux).

Baignade – Immenses plages, zone de baignade et de naturisme sur les plages des Saintes-Maries et de Piémanson, au sud de Salin-de-Giraud.

DÉCOUVERTE À CHEVAL

👁 **Bon à savoir** – Attention aux nombreuses promenades à cheval qui consistent à faire le tour d'un étang asséché sur une monture désabusée. Pour ne pas vous laisser piéger, renseignez-vous à l'**Association camarguaise de tourisme équestre** (℘ 04 90 97 10 40).

Randonnée équestre en Camargue – *13460 Stes-Maries-de-la-Mer - ℘ 04 90 59 49 36 - www.visitprovence.com - tlj sf w.-end 9h-12h30, 13h30-18h - fermé j. fériés.* En Camargue, pays du cheval par excellence, on s'adressera au service Loisirs-Accueil des Bouches-du-Rhône qui propose une découverte approfondie de cette région de la meilleure façon possible : en selle sur un petit cheval camarguais, pour un week-end ou une semaine, avec hébergement en gîte et dîner en table d'hôte…

Ⓒ Voir aussi les encadrés pratiques du Grau-du-Roi et des Saintes-Maries.

Événements

Spectacles taurins – Aux Saintes-Maries, en Arles, à Salin-de-Giraud et à Méjanes : corridas et novilladas, corridas de *rejon* (à cheval), corridas portugaises (à cheval mais sans mise à mort et avec l'intervention des *forcados* qui arrêtent les bêtes à mains nues). Nombreuses courses camarguaises.

Festival de la Camargue et du delta du Rhône – *Port-Saint-Louis-du-Rhône, Saintes-Maries-de-la-Mer, Arles, Saint-Martin-de-Crau. Renseignements dans les offices de tourisme - www.festival-camargue-deltadurhone.camargue.fr* Début mai, pour les amoureux des oiseaux, six jours de sorties nature accompagnées (une cinquantaine au choix), d'expositions sur la Camargue, de conférences et de projections. 🙎👶 également des animations pour les enfants.

Carpentras★

26 090 CARPENTRASSIENS
CARTE GÉNÉRALE B2 – CARTE MICHELIN LOCAL 332 D9 – VAUCLUSE (84)

Cité d'art, capitale du Comtat et ville gourmande. Carpentras, capitale du fameux berlingot, se dresse sur une plaine maraîchère qui produit aussi fruits et légumes réputés, dont la fameuse fraise… de Carpentras ! Il fait bon vivre et flâner dans les rues animées du centre ancien, en cours de réhabilitation. Si les demeures et les monuments pouvaient parler, ils nous conteraient (entre autres) l'épopée des Juifs du Pape. Ce que vos oreilles n'entendront pas, vos yeux le verront. Neuf siècles plus tard, toujours figée dans la pierre, leur histoire affleure.

▶ **Se repérer** – C'est en venant d'Orange (24 km au nord-ouest), par la D 950, que l'arrivée sur Carpentras est la plus belle : la porte d'Orange se dresse dans l'axe de la route, avant de traverser la vallée verdoyante de l'Auzon pour emprunter les boulevards, à l'ombre des platanes.

> ### Le saviez-vous ?
>
> 👁 La ville a vu naître **François-Vincent Raspail** (1794-1878), qui mena de front une vie scientifique et politique, et **Édouard Daladier** (1884-1970), illustre député plusieurs fois ministre.

▢ **Se garer** – Sur l'allée des Platanes précisément, vaste parking gratuit, d'où vous pourrez partir à la découverte de la cité.

👁 **À ne pas manquer** – Une promenade dans le vieux Carpentras ; la synagogue, ultime vestige du quartier juif ; le marché aux truffes d'hiver (voir « Nos idées week-end » et « Loisirs de A à Z » dans la partie « Organiser son voyage »).

🕓 **Organiser son temps** – Comptez 1h pour la visite du vieux Carpentras et autant pour la synagogue. Prévoyez plus de temps si vous passez un vendredi matin, jour du grand marché, l'un des plus courus de la région.

👪 **Avec les enfants** – L'écomusée des appeaux à Saint-Didier (essayez donc d'imiter le cri d'une grive ou d'un sanglier !) ; la collection d'instruments de musique mécanique du Moulin à musique à Mormoiron.

🕯 **Pour poursuivre la visite** – Pour prendre de la hauteur, voir aussi le mont Ventoux et les dentelles de Montmirail. Pour mieux comprendre l'histoire des Juifs du Pape, cap sur Cavaillon et Avignon.

Comprendre

Une cité papale – La mère de l'empereur Constantin aurait fait forger un mors pour le cheval de son fils avec un clou de la croix du Christ. Conservé à Sainte-Sophie de Constantinople, le saint mors disparut lors du pillage de la ville par les croisés en 1204… pour réapparaître dès 1260 à Carpentras, dont il devint l'emblème. Carpentras connaît sa période la plus brillante lorsque le pape **Clément V** décide de s'établir dans ses terres provençales et s'installe, en 1313, à Carpentras. Lorsqu'il meurt en 1314, son successeur donne sa préférence à Avignon. Cependant, **capitale du Comtat venaissin** en 1320, la ville profite de la munificence pontificale : administrée par l'évêque et un recteur, Carpentras s'agrandit et s'entoure d'une seconde enceinte de remparts, dont il ne reste aujourd'hui que quelques tronçons et la tour de la porte d'Orange. Au cours des siècles suivants, la cité connaît de belles réalisations : nouveau palais épiscopal (17e s.), nombreuses fontaines liées au nouvel aqueduc, Hôtel-Dieu et bibliothèque Inguimbertine (18e s.) fondés sur l'initiative de l'évêque Malachie d'Inguimbert.

Les Juifs du Pape – Chassés de France à plusieurs reprises du 12e au 14e s., les Juifs se réfugièrent en terres papales, où ils étaient en sécurité et bénéficiaient de la liberté de culte. Avec Avignon, Cavaillon et L'Isle-sur-la-Sorgue, Carpentras abrita une importante communauté juive dans un quartier qui ne devint **ghetto** qu'à la fin du 16e s. : la « carrière », rue de 80 m de longueur que l'on fermait chaque soir et où vivaient plus de 1 500 personnes astreintes au port d'un chapeau jaune. À dater de cette époque, les Juifs ne furent plus autorisés qu'à exercer certains métiers tels que l'usure ou la friperie. Ce ghetto ne fut aboli qu'à la Révolution. Aujourd'hui, la synagogue est le dernier vestige du quartier juif de Carpentras. Les traces de la communauté juive comtadine ont également disparu à L'Isle-sur-la-Sorgue.

Le marché retrouvé – Avec la réunion à la France (1791), Carpentras retrouve la prospérité grâce à l'essor de la **garance**, introduite en 1768, et surtout lorsque la garrigue se transforme en jardin de primeurs après le creusement en 1860 d'un canal dérivé de la Durance qui permet de l'irriguer. Carpentras redevient ville de marché et, de nos jours, cette activité a conservé sa place première dans l'économie de la cité.

Se promener

LE CŒUR DE LA CITÉ

Compter 3h. Au départ de la place A.-Briand.

Hôtel-Dieu

Ce bâtiment majestueux du milieu du 18e s. a été édifié à la demande de Mgr d'Inguimbert. Il fut construit en dehors des remparts, au sud, afin d'éviter aux malades les miasmes de la cité. Remarquez le fronton triangulaire surmonté de pots à feu baroques et la statue du bienfaiteur dressée sur la place.

Une gracieuse rampe en fer forgé borde l'escalier d'honneur. Remarquez sur les murs du couloir de nombreux donatifs (petites peintures sur toiles). L'**apothicairerie**★ a conservé son état d'origine : singes apothicaires et paysages décorent les panneaux et placards qui contiennent une remarquable collection de pots à pharmacie en faïence (canons et chevrettes) et en verre. *Visite libre (apothicairerie uniquement) : juil.-août tlj sf dim. 9h30-12h30, 14h30-18h30, juin et sept. mar.-vend. 9h30-12h30, sam. 9h30-12h30, 14h30-17h - Visite guidée (Hôtel-Dieu et apothicairerie), d'avr. à oct. avec un guide conférencier, visite payante (se renseigner à l'office de tourisme).*

Apothicairerie de l'Hôtel-Dieu.

Traverser la place du 25-Août-1944 et pénétrer dans la cité par la rue de la République (piétonnière).

De la place Sainte-Marthe, admirez, à droite, les **belles demeures classiques** des 17e et 18e s. de la rue Moricelly, puis, à gauche, la **chapelle du collège**. Élevée au 17e s. dans le style jésuite, elle mérite un coup d'œil, ne serait-ce que pour ses expositions d'art contemporain.

Poursuivre la rue de la République qui débouche sur la place du Gén.-de-Gaulle.

Ancienne cathédrale Saint-Siffrein★

L'édifice constitue un bon exemple de gothique méridional. Commencée en 1404 sur l'ordre du pape Benoît XIII, la cathédrale ne fut achevée qu'au début du 16e s. Le mur de façade, laissé brut, fut revêtu au début du 17e s. d'une façade dans le goût italien.

Dans les chapelles, tableaux de Mignard et de Parrocel, ainsi que du peintre local Duplessis. Dans le chœur, plusieurs œuvres du sculpteur provençal Bernus, dont une gloire en bois doré qui doit beaucoup au Bernin ; à gauche, retable de la fin du 15e s. représentant un Couronnement de la Vierge.

Une ville en sucre

C'est le maître-queux du pape Clément V qui aurait eu la bonne idée d'inventer le **berlingot**. Le petit tétraèdre strié de blanc fut rouge et mentholé à ses débuts, puis s'est vite laissé tenter par d'autres saveurs : anis, orange, citron ou café. Autre star, le **fruit confit**, qui connut ici son apogée aux 18ᵉ et 19ᵉ s. La fabrication artisanale a peu à peu cédé au procédé industriel, mais quelques confiseurs perpétuent la tradition : dix à douze cuissons successives, étalées sur deux ou trois mois selon les fruits ! Les douceurs naturelles sont représentées par la **fraise de Carpentras** (déclinée en quatre variétés : Pajaro, Ciflorette, Garriguette et Cigoulette), une marque déposée depuis 1987. Avec 5 000 tonnes commercialisées, le Comtat venaissin représente toujours la plus importante production de Provence.

Berlingots de Carpentras.

Palais de justice

Attenant, l'ancien palais épiscopal abrite le **palais de justice**, du 17ᵉ s. L'ancienne chambre d'apparat des évêques de Carpentras et l'ancienne salle de réunion des états du Comtat venaissin sont ornées de plafonds à la française et de frise de toiles peintes du 17ᵉ s. *℘ 04 90 63 00 78 - 2 visites guidées (1h30) par mois de déb. avr. à déb. sept. - se renseigner - 4 €.*

Prendre à droite et longer le flanc méridional de la cathédrale.

Au passage, attardez-vous sur le portail flamboyant (fin 15ᵉ s.) de la cathédrale, appelé « **porte juive** »★, souvenir des juifs convertis qui l'empruntaient pour recevoir le baptême.

Contourner le chevet par la rue de la Poste afin de gagner la place d'Inguimbert.

Près du chevet de l'église actuelle, découvrez les **vestiges** de la première cathédrale romane surmontée d'une coupole (de la grille, en levant la tête, remarquez une colonne torse surmontée d'un chapiteau historié). En face se dresse l'**arc de triomphe**. Contemporain de celui d'Orange (début 1ᵉʳ s.), il a conservé une partie de son décor : deux captifs vêtus l'un d'une tunique, l'autre d'une peau de bête, sont enchaînés à un trophée d'armes.

Prendre à gauche la rue d'Inguimbert, passer la place du Col.-Mouret, puis tourner à droite dans la rue Raspail. Le tracé de cette rue perpétue le souvenir des anciens remparts. 50 m plus loin, tourner à gauche dans la rue des Frères-Laurens.

Après avoir longé la chapelle des Visitandines (16ᵉ s.), la rue débouche sur des escaliers, du haut desquels vous pouvez admirer la **vallée de l'Auzon** et distinguer, au loin, les **dentelles de Montmirail** *(voir ce nom).*

En bas des escaliers, prendre à droite le boulevard Leclerc.

Porte d'Orange

Située au nord de la cité, elle constituait l'une des quatre portes fortifiées permettant l'accès à Carpentras. Haute de 26 m, c'est l'unique témoignage d'un ensemble défensif, murailles jalonnées de 32 tours, construit à la fin du 14ᵉ s.

Reprendre la rue de Porte-Orange, puis tourner à gauche dans la rue des Halles.

Rue des Halles

Bordée de couverts où s'abritent de nombreuses boutiques, elle est idéale pour venir se rafraîchir lors des chaleurs d'été. Remarquez sur la droite, à l'entrée de la rue, un beffroi, ou **tour de l'Horloge**, vestige de la première maison communale (15ᵉ s.). Plus loin, le **passage Boyer** s'ouvre sur la droite ; couvert par une haute verrière (d'où son nom local de « rue Vitrée »), il fut édifié par les chômeurs des Ateliers nationaux en 1848.

Au bout du passage Boyer, tourner à gauche, rue d'Inguimbert.

On débouche sur la place Maurice-Charretier, percée sur l'emplacement d'une partie de l'ancien ghetto.

Synagogue★

℘ 04 90 63 39 97 - tlj sf w.-end 10h-12h, 15h-17h (vend. 16h) - fermé j. fériés et j. de fêtes juives - 4 € (enf. 2,50 €).

Édifiée en 1367, elle fut reconstruite au 18ᵉ s. Salle de culte au 1ᵉʳ étage, à la fois très simple et richement décorée : une forte émotion se dégage du lieu, qui dépasse le point de vue strictement artistique. Au rez-de-chaussée et en sous-sol, le Mikvé, piscine du 14ᵉ s., et les boulangeries où l'on fabriquait le pain azyme jusqu'au début du 20ᵉ s. Le mikvé, bassin, de 13 à 15 m² de superficie et profond de plus de 2 m, devait être approvisionné par une eau naturelle, lien direct avec les eaux d'Éden. Chaque mois, après leur menstruation, les femmes venaient s'y immerger.

Rejoindre la rue des Halles et contourner la mairie pour emprunter la rue Bidauld.

La rue descend vers la **chapelle des Pénitents Blancs** (17ᵉ s.) percée d'une porte à fronton triangulaire, puis la rue Cottier longe le bâtiment de la **Charité**, édifié en 1669 pour accueillir les nécessiteux, abritant aujourd'hui des expositions dans ses caves *(accès r. Vigne).*

De la place des Maréchaux, prendre à droite pour rejoindre la rue des Marins.

Cette rue est bordée de beaux hôtels, dont celui de Bassompierre, repérable à ses cariatides.

Prendre à gauche la rue Gaudibert-Barret que prolonge la rue Barjavel. Traverser l'avenue Jean-Jaurès pour rejoindre l'allée des Platanes et l'Hôtel-Dieu.

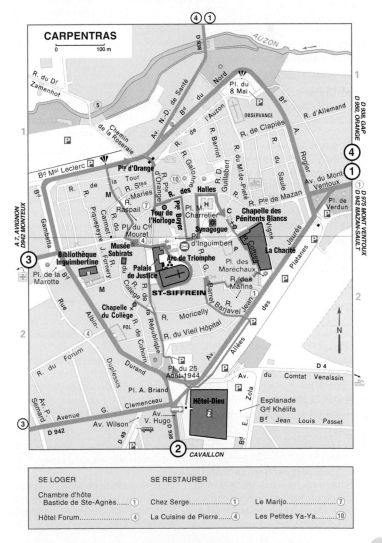

SE LOGER	SE RESTAURER	
Chambre d'hôte Bastide de Ste-Agnès......①	Chez Serge..................①	Le Marijo.....................⑦
Hôtel Forum......................④	La Cuisine de Pierre......④	Les Petites Ya-Ya.........⑩

Visiter

Musée Sobirats

℘ 04 90 63 04 92 - tlj sf mar. 10h-12h, 14h-18h (oct.-mars : 16h) - fermé j. fériés - 2 € (–12 ans gratuit)- gratuit 1ᵉʳ dim. du mois.

Reconstitution d'un hôtel particulier du 18ᵉ s. : meubles, faïences et tapisseries.

Musée Comtadin-Duplessis

Mêmes conditions de visite que le musée Sobirats.

Au rez-de-chaussée sont rassemblés différents souvenirs évoquant les traditions populaires et les savoir-faire régionaux : sonnailles, coiffes, monnaies, ex-voto… À l'étage, collection de peintures (16ᵉ-20ᵉ s.) : Parrocel, Rigaud et les artistes carpentrassiens Duplessis et Laurens.

Circuit de découverte

INCURSION DANS L'EST DU COMTAT

Circuit de 50 km – environ 1/2 journée. Quitter Carpentras au sud-ouest, direction Monteux.

Monteux

Cette petite ville maraîchère est la patrie de saint Gens *(pèlerinage le 16 mai)*, qui avait le pouvoir de provoquer la pluie : on comprend que les agriculteurs provençaux en aient fait leur patron… Dans le bourg, la **tour Clémentine** est le seul vestige du château où le pape Clément V aimait venir se reposer. Deux portes des anciens remparts du 14ᵉ s. ont également survécu.

Quitter Monteux par le nord et prendre à droite la D 87.

Pernes-les-Fontaines★ *(voir ce nom)*

Quitter Pernes à l'est, par la D 28.

Saint-Didier

Naguère destinés à la chasse, les appeaux, petits instruments siffleurs, ont trouvé un second souffle avec l'apparition d'une nouvelle génération d'amoureux de la nature. C'est dans les collines du Ventoux, au milieu du 19ᵉ s., que Théodore Raymond développa ses prototypes ; aujourd'hui, 80 modèles sont fabriqués dans l'atelier de Bernard, l'arrière-petit-fils. 👥 Dans son **écomusée des Appeaux**, il vous fera une **démonstration★** de reproduction de cris d'animaux (de la grive au sanglier) en faisant vibrer dans sa bouche experte une quarantaine d'appeaux ! ℘ 04 90 66 13 13 - www.appeaux-raymond.com - ♿ - visite guidée (1h15) juil.-août : tlj sf w.-end 9h-12h, 15h-18h ; fév.-juin et sept.-oct : du mar. au vend. 9h-12h, 15h-18h, w.-end et j. fériés 15h-18h - fermé nov.-janv. - 4,50 € (–10 ans gratuit)

Poursuivre sur la D 28.

Venasque★ *(voir ce nom)*

Suivre la D 4 vers le nord, puis prendre à droite la D 77 jusqu'à la D 942, que l'on prend à droite.

Mormoiron

👥 Route de Carpentras *(sur la droite avant le fléchage du centre-ville)*, ne manquez pas le **Moulin à musique** qui rassemble une collection d'instruments de musique mécanique. Petit historique, explications techniques (les plus curieux jetteront un œil dans l'atelier de restauration) et, surtout, démonstrations. Vous pourrez entendre jouer une serinette datant de 1740, un grand orchestrion de 1900 (9 instruments), un orgue de manège, et tourner vous-même la manivelle des orgues de Barbarie. ℘ 04 90 61 75 91 - visite guidée (1h) chaque merc. à 15h - 5 €.

Reprendre la D 942 en direction de Carpentras.

Mazan

Petite localité de la vallée de l'Auzon connue pour son gypse exploité près de Mormoiron, dans le plus important gisement d'Europe, elle est aussi le pays natal du sculpteur **Jacques Bernus** (1650-1728).

Le **château**, qui fut le théâtre de quelques frasques du marquis de Sade, coseigneur du lieu, s'est reconverti en hôtel-restaurant. Installé dans la chapelle des Pénitents Blancs, le **Musée communal** évoque la vie locale (mobilier, costumes, outils agricoles). Une sculpture de Bernus et, surtout, des vestiges de l'âge de la pierre trouvés lors des fouilles sur la face sud du mont Ventoux complètent la visite. Dans la cour, four banal du 14ᵉ s. *℘ 04 90 69 74 27 - de mi-juin à mi-sept. : tlj sf mar. 14h-19h ; reste de l'année sur demande - gratuit.*

Le **cimetière** *(aller pl. du 8-Mai, avant la sortie du village dir. Villes-sur-Auzon, et suivre la montée)* est clôturé par 66 sarcophages gallo-romains qui jalonnaient l'ancienne voie romaine de Carpentras à Sault ; chapelle mi-souterraine de N.-D.-de-Pareloup (12ᵉ s). Belle **vue★** sur les dentelles de Montmirail, le mont Ventoux et la montagne de Lure.

Poursuivre sur la D 942 qui ramène à Carpentras.

Carpentras pratique

Adresse utile

Office du tourisme de Carpentras – *Hôtel-Dieu - pl. A.-Briand - 84200 Carpentras - ℘ 04 90 63 00 78 - www.ville-carpentras.fr - juil.-août : lun.-sam. 9h-19h, dim. et j. fériés 9h30-13h ; reste de l'année : lun.-sam. 9h30-12h30, 14h-18h, j. fériés 9h30-13h.*

Visites

👁 **Bon à savoir** – Si vous dormez à Carpentras (à l'hôtel ou chez des amis), vous avez droit à la **Carte Berlingot**, offrant des réductions sur les activités culturelles. Valable du 1ᵉʳ juin au 30 sept. ; elle se retire à l'office de tourisme.

Pour obtenir le dépliant permettant de suivre le **circuit découverte** du patrimoine balisé par des berlingots, s'adresser à l'office de tourisme.

Visite guidée – *Tlj avr.-sept. - 4 € - renseignements à l'office de tourisme ou sur www.cc-ventoux-comtat-venaissin.fr* La communauté d'agglomération Ventoux-Comtat venaissin, qui porte le label **Pays d'art et d'histoire**, propose des visites-découvertes (1h30) de Carpentras, de ses monuments et des villages, animées par des guides-conférenciers agréés par le ministère de la Culture et de la Communication.

Se loger

⊖⊖ **Hôtel Forum** – *24 r. du Forum - ℘ 04 90 60 57 00 - www.hotel-forum.com -* 🅿 *- 28 ch. 54/61 € - ☕ 7 €.* La façade sans charme de cet hôtel situé dans une rue calme dissimule des chambres spacieuses à la fois modernes et cosy, disposant d'une bonne literie. Celles du dernier étage et le solarium offrent une belle vue sur le vieux Carpentras et le mont Ventoux. Patio avec olivier quinquacentenaire.

⊖⊖ **Chambre d'hôte Bastide de Ste-Agnès** – *1043 chemin de la Fourtrouse - 3 km au NE par D 974 dir. Bédoin et D 13 dir. Caromb - ℘ 04 90 60 03 01 - www.sainte-agnes.com - 5 ch. + 1 appartement 70/115 € ☕.* La pierre sèche est à l'honneur dans cette vieille bastide. Ses chambres aux couleurs ocre, ses carrelages anciens, la douceur de son jardin aux senteurs provençales et son

atmosphère sereine vous séduiront sans aucun doute. Belle piscine dans l'ancienne citerne à eau.

Se restaurer

⊖ **Les Petites Ya-Ya** – *41 r. Galonne - ℘ 04 90 63 24 11 - BBrunet84@hotmail.com - fermé dim. et lun. - 9,50/25 €.* Sur une charmante placette du centre-ville, à l'écart du bruit, bistrot ancien dont l'avenante terrasse est dressée près de la fontaine de pierre. Vous profiterez de son atmosphère paisible en prenant un repas simple fleurant bon l'anchoïade et le pistou.

⊖ **La Cuisine de Pierre** – *13 pl. du Col.-Mouret - ℘ 04 90 60 77 83 - kinderc@wanadoo.fr - fermé 1 sem. en fév., merc. et dim. - 12/40 €.* Ce restaurant abrite au rez-de-chaussée une **boutique traiteur** et quelques tables. À l'étage, petite salle à manger décorée de quelques peintures sur le thème de la Provence. Cuisine traditionnelle et agréable terrasse bercée par le murmure d'une fontaine.

⊖ **Le Marijo** – *73 r. Raspail - ℘ 04 90 60 42 65 - le-marijo@wanadoo.fr - fermé 10 j. en janv., 1 sem. en fév. et 10 j. en nov. - 12/28,50 €.* Ce restaurant niché dans une ruelle du vieux Carpentras propose d'appétisantes recettes traditionnelles et provençales. Le confit de légumes et ses tuiles au parmesan ou le râble de lapin farci à la tapenade comptent parmi les spécialités maison. Accueil sympathique.

⊖⊖ **Chez Serge** – *90 r. Cottier - ℘ 04 90 63 21 24 - www.chez-serge.com - fermé dim. - 15/45 €.* Ici, le décor, comme l'assiette, oscille entre le contemporain branché (acier, zinc et verre) et le provençal rustique (osier, bois patiné et terrasse ombragée). Le menu ne déçoit pas, avec d'honnêtes plats du jour à midi, et des plats plus élaborés le soir.

Faire une pause

L'Épicurien – *36 pl. Maurice-Charretier et 48 passage Boyer - ℘ 04 90 60 38 28.* Quelques tables posées sous la verrière d'un passage couvert du milieu du 19ᵉ s. composent l'atmosphère surannée de ce salon de thé. Vous trouverez d'autres tables à l'intérieur, dans une boutique à deux entrées, l'une bouquiniste (passage Boyer), l'autre caviste (pl. Charretier).

Que rapporter

Marché – Le vendredi matin, le marché de Carpentras (un peu partout au cœur de la vieille ville) propose des produits d'une qualité remarquable, qui lui valurent d'être élu « marché exceptionnel » en 1996. De plus, il y règne une ambiance haute en couleur, propice aux meilleures affaires.

Marché aux truffes – *Pl. Aristide-Briand – de mi-nov. à mi-mars : vend. 9h.* C'est l'un des plus importants du Vaucluse. Le vendredi précédant le 27 novembre, pour l'ouverture, défilé de confréries bacchiques et de la truffe, puis l'Amicale truffe passion offre à tous la brouillade truffée.

Confiserie Bono – *280 allée Jean-Jaurès - ℘ 04 90 63 04 99 - www.confiseriebono.fr - tlj sf dim. 9h-12h30, 14h15-18h - fermé juin et j. fériés.* Cette maison créée en 1925 perpétue la tradition des maîtres confiseurs de Provence. Outre les fruits confits, fabriqués artisanalement, vous trouverez un grand choix de confitures dont une, délicieuse, au citron. Belle présentation des produits : coffrets, vanneries, poteries…

Fruits confits de la confiserie Bono.

⛱⛱ Confiserie du Mont-Ventoux – *288 av. N.-D.-de-Santé - ℘ 04 90 63 05 25 - www.berlingots.net - tlj sf dim. 8h-12h, 14h-18h45 - fermé 1 sem. en fév., 1 sem.*

en juin, 1 sem. en oct. et j. fériés. Le **berlingot** de Carpentras, friandise parfumée à la menthe, reste la vedette de cette vénérable maison, rescapée des entreprises de confiserie qui firent la renommée de la ville. Pour les passionnés, **visite** possible de la fabrique, le matin et sur rendez-vous.

Clavel – *30 r. Porte-d'Orange - ℘ 04 90 63 07 59 - tlj sf dim. apr.-midi et lun. mat. 9h30-19h - fermé 3 sem. en janv. et 1 sem. en nov. et apr.-midi des j. fériés.* Adresse gourmande incontournable ! Vous pourrez déguster (entre autres) berlingots à la menthe, à la fraise ou au melon, rocailles de Provence, truffes à la lavande, sujets en pâte d'amandes… René Clavel, le maître des lieux, détient le record du plus gros berlingot du monde (56,7 kg !).

⛱⛱ Nougats Silvain – *Rte de Venasque - 84210 St-Didier - ℘ 04 90 66 09 57 - infos@nougat-silvain-freres.fr - 9h-12h, 15h-19h - fermé janv.* Face à l'écomusée des Appeaux, les frères Silvain vous font partager leur passion en ouvrant leurs ateliers à la **visite** (diaporama et dégustation). Ils se définissent volontiers comme « paysans-nougatiers » puisqu'ils cultivent les amandes et récoltent leur miel.

Événements

Corso de nuit – *Renseignements : ℘ 04 90 60 33 33.* Autour du 14 Juillet, dans le centre-ville.

Estivales – *Renseignements : 64 r. Vigne - ℘ 04 90 60 46 01.* Ce festival pluridisciplinaire (musique, danse, théâtre, expositions) a lieu durant la 2e quinzaine de juillet.

Festival de Musique juive – *Renseignements : ℘ 04 90 63 39 97/00 78.* Début août, en alternance à la synagogue et dans la cour d'honneur de l'Hôtel-Dieu de Carpentras.

Foire Saint-Siffrein – Foire agricole et artisanale, commerciale et industrielle, durant 4 jours fin novembre.

Fête de la truffe et du vin – Sous le patronage de la confrérie de l'Ordre de la truffe, concours de truffes, recettes à base de truffe, ateliers de cuisine, démonstration de cavage, stands de dégustation-vente, le 1er dimanche de février.

Cassis ★

8 001 CASSIDAINS
CARTE GÉNÉRALE A4 – CARTE MICHELIN LOCAL 340 I6 – SCHÉMA P. 195 –
BOUCHES-DU-RHÔNE (13)

« Qui a vist Paris, se noun a vist Cassis a ren vist ! », s'écriait Calendal, le héros de Mistral.(« Qui a vu Paris, s'il n'a pas vu Cassis, n'a rien vu ! »). L'affirmation peut paraître un tantinet excessive, il n'en reste pas moins que Cassis niche dans un décor naturel exceptionnel. L'amphithéâtre rocheux est posté entre le cap Canaille et les calanques, baigné d'une lumière qui inspira Derain, Vlaminck, Matisse et Dufy. Cet ancien port de pêche s'est mué en une agréable station estivale où baigneurs, plongeurs et plaisanciers se retrouvent à la belle saison.

Le port de Cassis, idéal pour déguster la pêche du jour avec un blanc du terroir.

Stéphane Sauvignier / MICHELIN

Se repérer – À l'extrémité d'un vallonnement débouchant au fond d'une baie entre les hauteurs arides du massif du Puget, à l'ouest, et les escarpements boisés du cap Canaille, à l'est, Cassis occupe un très joli site. Depuis l'A 50, on y accède, en provenance de Marseille *(25 km sortie 6)*, puis par la D 41^E. En provenance de Toulon, suiez la direction Cassis *(sortie 7)* et prenez la D 559.

Se garer – En saison, ne vous aventurez pas en voiture dans le centre-ville, tant il est difficile de s'y garer. Privilégiez le parking extérieur gratuit *(aux Gorguettes, 2 km au nord)*, d'où des bus-navettes *(0,50 €)* rejoignent les différents quartiers. Tous les autres parkings sont à horodateurs (il faut donc revenir régulièrement mettre de l'argent) à l'exception du parking de la Viguerie, où l'on paie en partant. Le TER relie Marseille à Cassis en environ 20mn *(jusqu'à 30 départs par jour ; navette de bus payante entre la gare et le centre de Cassis, du lundi au samedi midi)*. Dernière option : les navettes de bus depuis Marseille *(env. 40mn)*.

À ne pas manquer – Explorer les calanques à pied ou en bateau, celle d'En-Vau étant certainement l'une des plus spectaculaires ; suivre en voiture la route des Crêtes et s'arrêter pour profiter de ses panoramas exceptionnels, notamment depuis le cap Canaille.

Organiser son temps – Idéal pour un séjour balnéaire, Cassis vaut aussi le détour si l'on n'y loge pas. Prévoyez alors au minimum 1/2 journée pour explorer le massif des Calanques (en bateau ou à pied). Les domaines viticoles produisant l'AOC Cassis, réputée pour son vin blanc, sauront sans doute vous retenir un peu plus longtemps. À moins que ce ne soient les restaurants du port, où déguster poissons grillés ou coquillages en terrasse (attention aux attrape-touristes !).

Avec les enfants – Les petits mousses apprécieront une promenade en bateau à la découverte des calanques ; le tour de Cassis en petit train touristique ; le sentier de découverte du Petit Prince.

Pour poursuivre la visite – Voir aussi Les Calanques et La Ciotat.

Comprendre

Un plongeur maintenant célèbre –
Henri Cosquer explorait depuis 1985 une
grotte sous-marine qu'il avait découverte
dans les falaises du cap Morgiou *(voir Les
Calanques)*. Soudain, le 3 septembre 1991,
la lumière de sa torche éclaira une paroi
où il discerna l'image d'une « main néga-
tive » datant de 27 000 ans av. J.-C. Des
dessins d'animaux antérieurs d'un à deux

<table>
<tr><td>

👁 **Le saviez-vous ?**

Kar et *sit*, désignant l'un comme l'autre
la pierre, se sont unis pour donner
Carsitis. La prononciation locale a fait
le reste pour en arriver à Cassis dont on
se gardera bien, sous peine de passer
pour un « Parisien », de prononcer la
consonne terminale !
</td></tr>
</table>

millénaires à ceux de Lascaux et des représentations inhabituelles de faune marine
(phoques, pingouins, poissons) finirent par faire de cette découverte l'une des plus
importantes dans l'art pariétal *(ne se visite pas)*.

Séjourner

Plages

Deux petites **plages** *(surveillées le week-end à partir du 6 mai, tlj du 1ᵉʳ juin à
mi-septembre)* entourées de rochers : l'une de sable et gravier, Grande Mer, et
l'autre de galets, Bestouan. Elles attirent la foule des baigneurs, qui se retrouvent
volontiers le soir sur les quais du port pour déguster poissons, crustacés et fruits
de mer dont la qualité est réputée.

Village

Un séjour cassidain ne se conçoit pas sans promenade en bateau permettant de
découvrir les calanques ou d'explorer les fonds marins. Mais ne repartez pas non
plus sans avoir flâné dans les ruelles dominées par le **château**, une ancienne place
fortifiée médiévale devenue fort militaire du 17ᵉ au 19ᵉ s. Vendu par l'État en 1881,
il fut acheté par un buraliste varois, à un prix, paraît-il, fort modeste. Après avoir
changé plusieurs fois de propriétaire, le château a récemment été transformé en
maison d'hôtes de luxe. Entre le port et l'église St-Michel, les vieilles maisons basses
rénovées racontent l'histoire d'un village de pêcheurs qui s'est progressivement
tourné vers le tourisme au cours du 20ᵉ s., jusqu'à en faire son activité principale. Il
ne reste plus aujourd'hui à Cassis que trois artisans pêcheurs, qui vendent en fin de
matinée le fruit de leur travail sur les quais. Avec 13 domaines et un AOC réputé, la
viticulture est l'autre poumon économique cassidain.

Circuit de découverte

LA ROUTE DES CRÊTES★★

De Cassis à La Ciotat – 19 km - compter 30mn, sans les arrêts.

Sur cette courte portion de littoral, les montagnes du massif du cap Canaille sur-
plombent la mer en d'impressionnantes falaises, les plus hautes de France : 363 m
au cap Canaille, 394 m à la Grande Tête. Une très belle route touristique, parsemée
de belvédères aménagés, permet de de découvrir les vertigineux à-pics.

*Quitter Cassis à l'est par la route de Toulon (D 559) et, dans la montée, prendre sur la droite
la D 141, signalée « Route des Crêtes ». Au pas de la Colle, tourner à gauche et emprunter
la D 141ᴬ jusqu'au parking aménagé au sommet, au pied de l'émetteur.*

Mont de la Saoupe

De la plate-forme qui supporte l'émetteur de télévision, beau **panorama**★★, à l'ouest,
sur Cassis, l'île de Riou, le massif de Marseilleveyre et la chaîne de Saint-Cyr ; au nord,
sur la chaîne de l'Étoile, le Garlaban et le massif de la Sainte-Baume ; au sud-est, sur
La Ciotat, les caps de l'Aigle et Sicié.

Revenir au pas de la Colle pour emprunter la route en montée.

Au hasard des lacets et des belvédères, belles vues sur Cassis et La Ciotat.

Cap Canaille★★★

Canaille ? C'est ce que pourrait laisser injustement croire son appellation actuelle
qui dérive tout simplement du latin *Canalis mons*, « la montagne des eaux », car les
Romains y avaient construit des aqueducs pour canaliser ses eaux douces.

Depuis le garde-fou, remarquable **vue**★★★ sur l'abrupt impressionnant de la falaise,
le massif de Puget et les calanques, le massif de Marseilleveyre et les îles.

*Après la Grande Tête, que la route contourne, prendre à droite la D 141ᴮ vers le sémaphore
de la marine nationale. Se garer sur le parking aménagé.*

Sémaphore

Vue★★★ plongeante sur La Ciotat et les chantiers navals, le rocher de l'Aigle, les îles des Embiez et le cap Sicié, le cap Canaille *(table d'orientation)*.

Revenir à la route de corniche pour tourner à droite et gagner La Ciotat.

Au cours de la descente, on rencontre d'importantes carrières de pierre et des plantations de résineux sur les versants. Remarquez aussi le « pont naturel », arche de calcaire reposant sur un socle de poudingue.

Une sculpture de Bernus et, surtout, des vestiges de l'âge de la pierre trouvés lors des fouilles sur la face sud du mont Ventoux complètent la visite. Dans la cour, four banal du 14e s. $\mathscr{C}$ *04 90 69 74 27 - de mi-juin à mi-sept. : tlj sf mar. 14h-19h ; reste de l'année sur demande - gratuit.*

Le **cimetière** *(aller pl. du 8-Mai, avant la sortie du village en direction Villes-sur-Auzon, et suivre la montée)* est clôturé par 66 sarcophages gallo-romains qui jalonnaient l'ancienne voie romaine de Carpentras à Sault ; chapelle mi-souterraine de N.-D.-de-Pareloup (12e s). Belle **vue**★ sur les dentelles de Montmirail, le mont Ventoux et la montagne de Lure.

Poursuivre sur la D 942 qui ramène à Carpentras.

Visiter

Musée municipal méditerranéen d'Arts et Traditions populaires

$\mathscr{C}$ *04 42 01 88 66 - avr.-sept. : 10h30-12h30, 15h30-18h30 ; oct.-mars : 10h30-12h30, 14h30-17h30 - fermé lun., mar., dim. et j. fériés - gratuit.*

Installé dans un ancien presbytère du début du 18e s., ce petit musée contient des pièces archéologiques trouvées dans la région et dans la mer (cippe du 1er s., monnaies romaines et grecques, poteries, amphores), des manuscrits relatifs à la cité, des tableaux et des sculptures d'artistes régionaux.

Randonnées

À CASSIS

Sentier du Petit Prince – 🐾 *2h. Se garer au parking de la Presqu'île (4 €), à l'ouest du centre-ville (accès fléché). Prendre le sentier sur la droite, balisé en bleu (au départ : panneau représentant les 11 stations du sentier).*

👁 **Bon à savoir** – L'été, et certains week-ends d'avant saison, l'accès au quartier de la Presqu'île est réglementé : accès en navette-bus au départ du parking des Gorguettes *(voir la rubrique « Se garer »)* ; pour se rendre dans un hôtel ou un restaurant, il faut réserver en communiquant le numéro d'immatriculation.

👥 Situé sur la presqu'île de Cassis, juste avant Port-Miou, ce joli sentier récemment balisé ne présente pas de difficulté particulière. Jalonné de 11 panneaux explicatifs décryptant le milieu des calanques (faune, flore, géographie…), il est particulièrement adapté aux familles, même s'il faut rester vigilant sur les rochers qui peuvent s'avérer glissants.

Le cap Canaille, un incontournable sur la route des Crêtes.

Stéphane Sauvignier / MICHELIN

DANS LES CALANQUES

👁 **Bon à savoir** – La circulation dans le massif, à pied aussi bien qu'en voiture, est réglementée du 1er juillet au 2e samedi de septembre inclus *(se renseigner auprès des offices de tourisme ou appeler le serveur vocal : 🖉 0811 20 13 13)*. L'accès peut être interdit en période de risque majeur d'incendie.

Le massif des Calanques *(voir ce nom)* est un espace naturel sauvage qui peut présenter des risques (incendie, éboulement, chutes d'arbres…). De grâce, ne faites pas comme ces imprudents que l'on croise l'été en tongs. De bonnes chaussures sont indispensables. Pensez à vous protéger de la réverbération, particulièrement forte sur le calcaire blanc : un chapeau et une ration d'eau sont nécessaires. Enfin, n'oubliez pas de vous procurer une carte de randonnée, bien pratique quand le balisage est manquant.

Port-Miou – 🥾 *15mn. Parking du Bestouan ou de la presqu'île puis chemin balisé en vert.* La plus longue des calanques provençales, qu'une ancienne carrière de pierre de Cassis dénature. On y exploita longtemps une pierre de taille blanche et dure qui servit à la construction du tunnel du Rove, de certains quais du canal de Suez, de plusieurs portes du Campo Santo de Gênes et de la statue de Calendal, que l'on peut voir sur le port. L'abri est aujourd'hui apprécié par les plaisanciers, comme hier par les Romains qui l'avaient baptisée Portus Melius.

Port-Pin★ – 🥾 *Accès par Cassis en longeant la calanque de Port-Miou : 45mn, ou par le col de la Gardiole (route Gaston-Rebuffat débutant en face du camp militaire de Carpiagne ; laisser la voiture au parking de la Gardiole, interdit en été) : 1h30.* Assez spacieuse, flancs moins abrupts que ceux d'En-Vau et plage (non surveillée) de sable et de galets entourée de pinèdes : idéale pour se baigner en famille.

En-Vau★★ – 🥾 *Accès par Cassis en passant par Port-Miou puis Port-Pin : 1h, ou le col de la Gardiole (voir ci-dessus) : 1h15. Attention : extrêmement abrupte et vertigineuse, la descente est dangereuse.* Avec ses parois verticales et ses eaux couleur émeraude, c'est la plus pittoresque et la plus célèbre des calanques, cernée d'une forêt de pinacles que commande le « Doigt de Dieu ». Plage (non surveillée) de galets et de sable.

Cassis pratique

♿ Voir aussi l'encadré pratique des calanques et de La Ciotat.

Adresse utile

Office du tourisme de Cassis – *Quai des Moulins - 13260 Cassis -* 🖉 *0892 259 892 - www.cassis.fr - juil.-août : lun.-vend. 9h-19h ; sam., dim. et j. fériés 9h30-12h30, 15h-18h - mars-juin, sept. et oct. : lun.-vend. 9h-12h30, 14h-18h ; sam. 9h30-12h30, 14h-17h30 ; dim. et j. fériés : 10h-12h30 - nov.-fév. : lun.-vend. 9h30-12h30, 14h-17h30 ; sam. 10h-12h30, 14h-17h ; dim. et j. fériés : 10h-12h30.*

Visites

👫 **Cassis en petit train** – *Du 1er avr. au 15 nov. : dép. ttes les heures de 14h15 à 18h15 -* ♿ *- 5 € (enf. 2,50 €).* Promenade (40mn, commentaire audio) du port de Cassis jusqu'à la calanque de Port-Miou.

👫 **Visite des calanques en bateau : Les bateliers de Cassis** – *Voir l'encadré pratique des calanques.*

Se loger

🏨 **Clos des Arômes** – *10 r. Paul-Mouton -* 🖉 *04 42 01 71 84 - www.hotelclosdesaromes.com - fermé 4 janv.-fin fév., mar. midi, merc. midi et lun. - 14 ch. 48/75 € -* 🍴 *9 € - restaurant 25/39 €.* Au centre du village, bâtisse

Embarquement pour les calanques.

ancienne possédant le charme d'une maison de maître. Vous y apprécierez sa cuisine aux accents provençaux, servie sur la terrasse fleurie en été. Ses chambres, plutôt petites, sont colorées et intimes. Ambiance méditerranéenne.

🏨 **Cassitel** – *Pl. Georges-Clemenceau -* 🖉 *04 42 01 83 44 - www.hotel-cassis.com - 31 ch. 55/90 € -* 🍴 *7 €.* Hospitalité et convivialité vous attendent dans cet hôtel situé près du port. Chambres confortables et décorées dans un style provençal sobre ; certaines profitent de la vue sur la mer, mais celles qui donnent sur le village sont plus au calme.

Hôtel Laurence – 8 r. de l'Arène - ☎ 04 42 01 88 78 - www.cassis-hotel-laurence.com - fermé nov.-janv. - 🚭 - 15 ch. 59/84 € ⊟. Idéalement situé, au centre de Cassis et à deux pas du port, cet hôtel dispose d'un charmant petit salon d'accueil dans une pièce voûtée. En dépit de leurs dimensions modestes, les chambres restent confortables et offrent pour la plupart de jolies vues sur les toits de la ville et le château. Une adresse sympathique.

Hôtel du Grand Jardin – 2 r. Pierre-Eydin - ☎ 04 42 01 70 10 - 🅿 - 26 ch. 64/73 € - ⊟ 8 €. Bon d'accord, le jardin que vous apercevez n'est pas celui de l'hôtel mais celui jouxtant la Poste et la mairie, en face. Reste que cette adresse chaleureuse et familiale n'est qu'à 2mn du port. Les chambres sont confortables, la salle à manger est grande et lumineuse, et la terrasse, fleurie.

Hôtel Les Jardins de Cassis – R. Auguste-Favier - ☎ 04 42 01 84 85 - www.lesjardinsdecassis.com - 🅿 - 35 ch. 64/115 € - ⊟ 13 €. Ce joli mas provençal s'ordonne autour d'un patio et d'une piscine. Entouré de verdure, de pins et de palmiers, il propose des chambres douillettes à l'écart du centre-ville.

Hôtel Le Golfe – 3 pl. Grand-Carnot - 24 mars-3 nov. - ☎ 04 42 01 00 21 - www.hotel-le-golfe-cassis.com - 30 ch. 75/90 € - ⊟ 10 €. Ravissante villégiature située face au port, au dessus d'un bar-glacier. Toutes les chambres sont pratiques et colorées, mais préférez celles dont le balcon ouvre côté mer.

Chambre d'hôte La Garrigue – 22 imp. des Brayes - 800 m après Super-U - ☎ 04 42 01 17 98 - www.captainprod.com/valerie - 🚭 - 3 ch. + 1 gîte 65/90 € ⊟ - repas 25 €. Offrant une vue privilégiée sur la garrigue, splendide aux alentours, cette maison des hauteurs de Cassis compte 3 chambres décorées avec beaucoup de recherche. Couleurs chaudes et meubles chinés trouvent leur place dans un savant mélange d'ancien et de moderne. Table d'hôte selon les disponibilités.

Se restaurer

Le Bonaparte – 14 r. du Gén.-Bonaparte - ☎ 04 42 01 80 84 - fermé nov., déc. dim. soir et lun. - réserv. obligatoire - 12 € déj. - 15/22 €. On vient ici pour déguster des recettes à base de poisson, comme la bouillabaisse (à commander la veille). À l'intérieur, les couleurs des nappes et des serviettes, respectivement bleu, blanc et rouge, sont un clin d'œil aux uniformes des soldats impériaux. Ambiance familiale et clientèle plutôt locale.

La Vieille Auberge – 14 quai Jean-Jacques-Barthélemy - ☎ 04 42 01 73 54 - fermé fév. et merc. - réserv. conseillée - 22/30 €. Agréable auberge où l'on se transmet, de père en fils, les recettes à la fois traditionnelles et provençales. Intérieur d'esprit marin, véranda tournée vers le port et terrasse d'été.

Fleurs de Thym – 5 r. La Martine - ☎ 04 42 01 23 03 - fermé 1er-20 janv. - 28/41 €. Une salle intime avec cheminée l'hiver et une petite terrasse devant la façade fleurie l'été. Rien n'est laissé au hasard : nappes Souleiado, vaisselle de Moustiers et verres en cristal. La cuisine est raffinée. Goûtez le braisé de Saint-Jacques ou le filet de loup. Cave des vins de Cassis et Bandol.

Nino – Port de Cassis - ☎ 04 42 01 74 32 - fermé janv., dim. soir hors sais. et lun. - 33/52 €. Cette maison daterait de 1432. Plaisant décor nautique ; la terrasse surplombant le port est très prisée en saison. Produits de la mer (bouillabaisse) et vins régionaux.

En soirée

Bar de la Marine – 5 quai des Baux - ☎ 04 42 01 76 09 - 7h-2h - fermé de mi-janv. à mi-fév. L'enseigne annonce la couleur : ce bar est installé sur le port. De sa terrasse très prisée, vous pourrez contempler le ballet des embarcations, mais aussi celui des Cassidains et des touristes qui déambulent sur les quais. Atmosphère simple et conviviale malgré la présence de quelques artistes et comédiens fréquentant la maison.

Casino de Cassis – Av. du Prof.-Leriche - ☎ 04 42 01 78 32 - juil.-août : 10h-4h ; hors sais. : 10h-3h, w.-end et veilles de j. fériés jusqu'à 4h. Ce casino compte 250 machines à sous, 14 tables de jeux (boule, roulettes française et anglaise, stud poker, black-jack, etc.) et abrite deux bars et deux restaurants.

Que rapporter

La Maison des Vins - La Maison des Coquillages – Rte de Marseille - ☎ 04 42 01 15 61 - www.maisondesvinscassis.com - tlj sf dim. 9h-12h30, 14h30-19h30, dim. 9h-12h30 - fermé j. fériés en hiver. Bénéficiant de l'AOC depuis 1936, le vignoble de Cassis couvre environ 170 ha et se compose de 13 domaines où prime le blanc (80 % de la production). La Maison des Vins vend les bouteilles de 11 d'entre eux, ainsi qu'une sélection de crus hexagonaux. De septembre à juin, vente de coquillages et plateaux de fruits de mer à la boutique voisine (Maison des Coquillages).

Le Mas de l'Olivier – 2 r. de La Ciotat - ☎ 04 42 01 92 41 - fév.-mars : lun.-merc. 14h30-18h, jeu.-dim. 10h30-12h30, 15h-18h30 ; avr.-déc. : tlj 10h30-12h30, 15h-18h30, lun. 15h-18h30 ; janv. : vend.-dim. 10h30-12h30, 14h30-18h. Cette petite boutique située dans une ruelle du centre-ville propose des herbes de

Provence, des huiles d'olive soigneusement sélectionnées, plusieurs variétés d'olives, de l'anchoïade, de la tapenade et un joli rayon de friandises. Savons, tissus colorés, poteries, bois d'olivier et huiles essentielles complètent l'offre.

Sports & Loisirs

Équipement des plages – Plage de la Grande Mer : douches, WC, consignes, location de pédalos, de kayaks, planches à voile et matelas, restauration. Plage du Bestouan : douche, WC, restauration.

Cassis Services Plongée - Henri Cosquer – *3 r. Michel-Arnaud - ℘ 04 42 01 89 16 - www.cassis-services-plongee.fr - de mi-mars à mi-nov. : tlj sur RV dép. 9h et 15h ; de mi-juin à mi-sept. : sortie de nuit dép. 21h.* Localisée sur le port, l'équipe d'Henri Cosquer (le découvreur de la fameuse grotte aux peintures rupestres) vous propose une gamme complète de prestations : baptêmes, passage de brevets ou tout simplement sorties en mer pour tous les niveaux. Une façon insolite de découvrir les calanques.

Navigation de plaisance – *Capitainerie du port - ℘ 04 42 01 96 24 - www.cassis.fr* 30 places sont réservées aux visiteurs dans le port de Cassis. Une autre zone d'escale est aussi à la disposition des plaisanciers à Port-Miou.

Événement

👁 **Bon à savoir** – Le **Ban des vendanges** des vins de Cassis et la **fête de la Saint-Éloi** (défilé d'attelages et de personnages en costume) ont lieu le 1er dimanche de septembre : voilà l'occasion de déguster et d'acheter d'excellents vins (blancs en particulier) issus d'un terroir que se partagent 12 viticulteurs.

Cavaillon

24 563 CAVAILLONNAIS
CARTE GÉNÉRALE B2 – CARTE MICHELIN LOCAL 332 D10 – SCHÉMA P. 258 – VAUCLUSE (84)

L'emblème qui figure sur les armoiries de Cavaillon ? Non pas le melon, mais la colline Saint-Jacques dominant la ville, où était posté l'antique oppidum Cabellio. Autre chapitre marquant de l'histoire de Cavaillon : l'épopée des Juifs du Pape, dont vous suivrez les rebondissements au Musée juif comtadin. Mais n'oublions pas le fameux melon, indissociable de Cavaillon, puisque la cité est devenue la plus emblématique zone de production française de cette cucurbitacée. En outre, la production de fruits et légumes cultivés aux alentours fait du marché des primeurs de Cavaillon (réservé aux professionnels) le plus important de France.

- ▶ **Se repérer** – Bien des visiteurs ne garderont de Cavaillon qu'une image ingrate : celle de la zone artisanale et commerciale en bordure du boulevard périphérique, qu'ils empruntent pour gagner la montagne du Luberon. Pour accéder au centre, de larges avenues conduisent aux abords de la place Gambetta.

- 🅿 **Se garer** – Tentez de vous garer à proximité de la place Gambetta ou bien sur les parkings de la place François-Tourel.

- 👁 **À ne pas manquer** – La synagogue et le Musée juif comtadin, ultimes témoignages de l'épopée des Juifs du Pape.

- 🕐 **Organiser son temps** – Prévoyez 2 à 3h pour visiter la ville basse, synagogue incluse ; moins fréquentée que le Luberon voisin, Cavaillon constitue une agréable base de séjour alternative (et moins chère).

- 👪 **Avec les enfants** – Le musée du Santon en Provence ; un pique-nique au sommet de la colline Saint-Jacques, avec vue sur toute la plaine maraîchère ; la visite d'une melonnière *(voir l'encadré pratique)*.

- 🕯 **Pour poursuivre la visite** – Voir aussi le Luberon. Pour approfondir l'histoire des Juifs comtadins, voir Carpentras et Avignon.

Comprendre

Une savoureuse distinction – La ville compte près de 300 citoyens d'honneur, les grands chevaliers de l'Ordre du melon de Cavaillon, personnalités des arts, de la littérature et de la vie économique qui marchent sur les traces d'**Alexandre Dumas** : l'auteur des *Trois Mousquetaires* avait en effet fait don en 1864 à la bibliothèque de la ville de la totalité de son œuvre publiée, en échange d'une rente viagère de douze melons par an. Le conseil municipal prit un arrêté en ce sens et la rente fut servie au romancier jusqu'à sa mort en 1870.

Se promener

LA VILLE BASSE

Depuis la place Tourel, gagnez la place du Clos, contiguë, qui fut longtemps le principal lieu du marché aux melons. Les vestiges d'un petit **arc romain** y ont été placés en 1880.

Prendre le cours Sadi-Carnot, puis, à droite, la rue Diderot.

Cathédrale Saint-Véran

Elle honore le patron des bergers qui fut évêque de Cavaillon au 6e s. Édifice roman à l'origine, elle a été très remaniée, en particulier au 18e s. On y accède par le flanc droit, en traversant un charmant petit cloître. À l'intérieur, on peut voir des tableaux de Mignard et Parrocel.

Prendre la Grand'Rue qui traverse le vieux Cavaillon.

Vous passez alors devant la façade du **Grand Couvent** avant de franchir la **porte d'Avignon**, vestige des fortifications de la ville.

Prendre à droite le cours Gambetta jusqu'à la place du même nom, puis encore à droite la rue de la République, piétonne et commerçante.

> ### Le saint et la bête
>
> Originaire de Fontaine-de-Vaucluse (bien que les Cavaillonnais le revendiquent comme un des leurs), **saint Véran**, nous apprend la légende, aurait débarrassé le pays du Couloubre, un terrible dragon. Enchaînée par le saint homme, la bête se serait envolée et aurait atterri dans les Hautes-Alpes, là où se trouve aujourd'hui le plus haut village d'Europe, Saint-Véran.

Vous entrez dans la « carrière », ancien ghetto juif. À droite s'ouvre la **rue Hébraïque**, au-dessus de laquelle est construite la synagogue *(voir « Visiter »)*.

Retourner place Tourel par la rue Raspail et, à droite, le cours Bournissac.

CAVAILLON

SE LOGER

Etap Hôtel..............................①

Chambre d'hôte
   Domaine de Saint-Véran....④

SE RESTAURER

Côté Jardin.........................①

Fin de Siècle......................④

Les Gérardies....................⑦

Restaurant de la Colline.......⑩

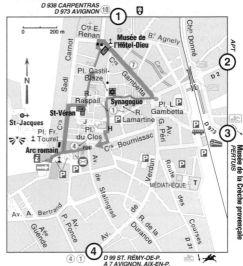

LA COLLINE SAINT-JACQUES

Possibilité d'y monter à pied, depuis l'arc romain, par le sentier de découverte (fléché) émaillé de panneaux thématiques (compter 45mn). Les moins vaillants pourront l'atteindre en voiture par la D 938 (direction Carpentras), puis par une route à gauche après un grand carrefour.

Cyprès, pins et amandiers récompenseront les courageux ascensionnistes de leurs fraîches frondaisons… Depuis la table d'orientation, **vue étendue**★ sur la ville et la plaine maraîchère, la vallée de la Durance, le mont Ventoux et les Alpilles. La **chapelle Saint-Jacques**, romane à l'origine, se dresse dans un joli jardin.

Un mauvais quart d'heure

Tel est celui qu'a vécu **Napoléon** le 25 avril 1814, alors qu'il fuyait vers l'île d'Elbe. Parti d'Avignon, l'empereur déchu eut la malencontreuse idée de s'arrêter à l'**hostellerie d'Orgon**. Bientôt prévenue, une foule hostile immobilisa la berline et pendit puis brûla un mannequin à l'effigie de l'empereur aux cris de « Meurs, tyran ! ». Il fallut que le maire d'Orgon et un commissaire russe s'interposent pour que Napoléon ne connût pas le même sort et pût reprendre sa route. Prudent, il préféra endosser le costume de son courrier afin de passer inaperçu et c'est dans cette tenue qu'il arriva à l'auberge de la Calade (située sur la N 7) près d'Aix.

Visiter

Musée de l'Hôtel-Dieu

📞 04 90 76 00 34 - juin-sept. : tlj sf mar. 9h30-12h30, 14h30-16h30 ; oct. : tlj sf mar. 9h-12h, 14h-17h - 3 € (enf. gratuit).

Section lapidaire dans la chapelle, histoire de l'Hôtel-Dieu (pots à onguent en faïence et en verre) et, à l'étage, **collection archéologique★** d'objets découverts sur la colline St-Jacques : céramiques, monnaies et urnes funéraires.

Synagogue et Musée juif comtadin

📞 04 90 76 00 34 - mai-sept. : tlj sf mar. 9h30-12h30, 14h30-18h30 ; oct. : tlj sf mar. 9h-12h, 14h-17h ; nov.-avr. : tlj sf mar. et dim. 9h-12h, 14h-17h - fermé 1er janv., 1er Mai et 25 déc. - 3 € (billet donnant également accès à l'Hôtel-Dieu), enf. gratuit.

Reconstruite entre 1772 et 1774, c'est, avec celle de Carpentras *(voir ce nom)*, le dernier exemple de synagogue de style baroque provençal du Comtat. Seule la tourelle extérieure (15e s.) atteste d'un bâtiment antérieur au même emplacement. Les lois papales imposant aux édifices cultuels juifs de rester invisibles dans le paysage urbain, toute la magnificence se concentrait à l'intérieur. La salle de prière renferme des boiseries de couleurs, des stucs représentant des rameaux d'olivier et des corbeilles de fleurs, des ferronneries et des colonnes cannelées.

Les parties basses ont été transformées en **musée**, où sont rassemblés divers objets de la liturgie juive, des manuscrits, des livres de prières et une carte du Comtat venaissin.

Musée du Santon en Provence

1713 rte de Robion. 📞 04 90 78 34 55 - ♿ - fév.-oct. : tlj sf dim. 9h-12h, 14h30-18h ; nov.-janv. : 9h-12h, 14h30-18h, dim. 14h30-18h - fermé dim. en fév., mars et oct., j. fériés sf 25 déc. - 4 € (enf. 2,50 €).

👥 Les santons, habillés en costumes traditionnels, y évoluent dans des paysages de la région : vous reconnaîtrez le moulin de Daudet, les chapelles Saint-Sixte d'Eygalières et Saint-Jacques de Cavaillon, Fontaine-de-Vaucluse…

Aux alentours

Orgon

5 km au sud de Cavaillon par la D 99, direction Saint-Rémy et Tarascon, puis, sitôt après avoir franchi la Durance et l'autoroute, la D 26 à gauche.

Dans la plaine de la Durance, commandant le seuil qui sépare les Alpilles *(voir ce nom)* du Luberon *(voir ce nom)*, Orgon, où Napoléon Ier faillit bien terminer prématurément sa carrière, possède une intéressante **église** du 14e s. (beaux panneaux peints dans la nef à gauche).

Depuis la **chapelle Notre-Dame-de-Beauregard**, couronnant la colline qui domine le bourg *(route réglementée)*, belle vue sur la vallée de la Durance et le Luberon.

Les Taillades

5 km à l'est par la D 143. Au rond-point, suivre l'indication « Vieux village ». Laisser la voiture sur la place de la mairie. Voir le schéma p. 258.

Posé à l'extrême pointe du petit Luberon, voici un village étonnant et qui ne manquera pas de vous charmer ! Rien de naturel dans l'étrange topographie des Taillades : elle est due aux nombreux carriers qui découpèrent littéralement les assises des maisons de leur village pour en extraire la molasse, grès tendre fort prisé pour la construction. Les bâtisses reposent donc sur des sortes d'immenses stalagmites de pierre, composant un **site★** aussi saisissant qu'empli de sérénité.

Suivez la rue de l'église qui s'élève en colimaçon et passez devant la **tour**, vestige probable d'un ancien donjon : remarquez à gauche une curieuse sculpture (le

« Morvellous », représentant, selon la tradition, saint Véran). En face de l'église Sainte-Luce, un petit enclos, ancien cimetière, domine le village : vieilles demeures, toits de tuiles moussues, constructions troglodytiques, et, partout, parois verticales découpées dans le roc par ces tailleurs de pierre décidément infatigables !

Rebrousser chemin et prendre à droite la rue des Carrières.

Une arche voûtée donne accès à cette carrière creusée au cœur même du village. Ses parois rocheuses taillées verticalement forment un espace à peu près circulaire, le **théâtre des carrières**, cadre saisissant pour les spectacles qui y sont donnés l'été, sous la voûte étoilée du ciel du Luberon *(voir l'encadré pratique)*.

En continuant par la D 143, au carrefour vers Cavaillon, le **moulin Saint-Pierre**, sur le canal de Carpentras, a conservé sa grande roue à aubes. Il fut utilisé pour le broyage de la **garance**, avant de devenir un moulin à farine, rôle qu'il assura jusqu'en 1870.

Combe de Vidauque

5 km au sud-est. Sortir de Cavaillon par la D 973 et bifurquer à gauche en direction de Vidauque. Circulation à sens unique ; vitesse limitée à 30 km/h, route fermée mi-juin-mi-sept.

Très raide et en lacets, la route qui longe la combe sauvage de Vidauque offre de magnifiques **vues★★** plongeantes : au nord, la pointe du plateau de Vaucluse et la vallée du Calavon, au sud et à l'ouest, les Alpilles, la vallée de la Durance et, en contrebas, la plaine de Cavaillon.

La descente par la route du Trou-du-Rat mène à la D 973. Prendre à droite, vers Cheval-Blanc, pour revenir à Cavaillon.

Saint-Andiol

10 km à l'ouest. Quitter Cavaillon par la D 99, direction St-Rémy puis, à Plan-d'Orgon, tourner à droite dans la N 7, direction Avignon.

Fondé par les moines défricheurs de Montmajour, ce gros bourg agricole sans charme particulier, d'où était originaire Jean Moulin, mérite un arrêt pour son **église Saint-Vincent**. Fortifiée au 14e s., elle est couronnée de créneaux et de mâchicoulis qui lui donnent un aspect imposant de forteresse. De l'époque romane, elle a conservé sa nef unique à trois travées et son abside en cul-de-four. À l'intérieur, ciborium de style gothique flamboyant (15e s.).

Le Luberon★★★ *(voir ce nom)*

Cavaillon pratique

🦯 Voir aussi l'encadré pratique du Luberon.

Adresses utiles

Office du tourisme de Cavaillon – *79 pl. François-Tourel - 84300 Cavaillon -* 📞 *04 90 71 32 01 - www.cavaillon-luberon.com - avr.-sept. : 9h-12h30, 14h-18h30 ; oct.-mars : 9h-12h, 14h-18h, sam. 10h-12h - fermé. dim.*

Autres points d'accueil – *466 av. de la Canebière -* 📞 *04 90 04 52 90 ; les Taillades (pl. de la Mairie -* 📞 *04 90 75 09 26) ; Mérindol (r. des Écoles -* 📞 *04 90 72 88 50).*

Transports

En train – Le **TER** relie Cavaillon à Avignon en environ 40mn.

Visites

👁 **Bon à savoir** – L'office de tourisme organise des visites guidées de la ville et propose également des circuits thématiques : « Autour du melon et de l'irrigation » et « Huile d'olive dans le village de Mérindol ». N'hésitez pas à vous renseigner.

Se loger

🛏 **Etap Hôtel** – *175 av. du Pont -* 📞 *0 892 68 07 91 -* 🅿 *- 47 ch. 42/48 € -* ☕ *4 €. Facile à trouver depuis la sortie d'autoroute, cet hôtel de chaîne « économique » pourra rendre service, que l'on soit de passage dans la région ou que l'on veuille rester à l'écart du centre-ville. Chambres au confort standard, sans grand charme, mais équipées de façon pratique. À retenir aussi pour ses prix corrects.*

🛏🍴 **Chambre d'hôte Domaine de Saint-Véran** – *13660 Orgon -* 📞 *04 90 73 32 86 - www.avignon-et-provence.com/bb/saint-veran - fermé janv. et fév. -* 🚭 *-* 🅿 *- 4 ch. 70/100 €* ☕*. Belle maison nichée dans un vaste parc planté de pins parasols et de cyprès. Intérieur décoré avec goût par la propriétaire, chambres personnalisées, salon cosy, piscine…*

Se restaurer

🛏 **Fin de Siècle** – *46 pl. du Clos (1er étage) -* 📞 *04 90 71 12 27 - fermé 16 août-4 sept. - 13 € déj. - 10/28,50 €. Le décor de ce restaurant installé dans une maison* datant de 1899 s'inspire du style Empire et vaut vraiment le coup d'œil : chaises en velours, lustres de cristal, cadres à l'effigie de Napoléon III, verres ciselés, couverts en argent… Cuisine traditionnelle et service efficace. Patio-terrasse à l'étage.

➾ **Côté Jardin** – *49 r. Lamartine - ℘ 04 90 71 33 58 - fermé mar. soir en hiver, lun. soir et dim. - formule déj. 12,50 € - 22/27 €.* Vous serez ravi de découvrir ce pimpant restaurant de poche à façade ocre et aux murs égayés de frises. L'été, les tables sont dressées dans la jolie cour-jardin, autour d'une petite fontaine. Cuisine ensoleillée.

➾➾ **Restaurant de la Colline** – *Ermitage St-Jacques - 4 km de Cavaillon, dir. Avignon-Carpentras, suivre dir. St-Jacques et St-Baldou, puis fléché - ℘ 04 90 71 44 99 - fermé janv., lun. d'oct. à juin et mar. - 15/30 €.* Ce restaurant, situé sur les hauteurs de la colline St-Jacques, bénéficie d'un environnement paisible. Vous y dégusterez des plats honnêtes rehaussés d'une pointe d'exotisme (*chop suey* de crevettes à la citronnelle ou magret de canard crème de cébettes), accompagnés de vins locaux, mais également étrangers.

➾➾ **Les Gérardies** – *140 cours Gambetta - ℘ 04 90 71 35 55 - www.lesgerardies.com - fermé jeu. midi et merc. - 16/45 €.* Malgré sa situation, sur un boulevard très passant, l'adresse est au calme, grâce au patio intérieur. Un jeune chef et son épouse revisitent, au rythme des saisons, les classiques de la cuisine provençale (agneau bio à l'ail et aux fèves, minestrone de fruits frais), avec une touche de raffinement plus ou moins bien maîtrisée selon les plats.

Faire une pause

Auzet – *61 cours Bournissac - ℘ 04 90 78 06 54 - tlj sf mar. 7h-19h30 - fermé 1 sem. en fév.* Les habitants de Cavaillon s'approvisionnent dans cette belle boulangerie depuis cinq générations. L'actuel patron perpétue la tradition du bon pain fabriqué et cuit à l'ancienne et en propose 30 différents : à l'ail, aux noix, au roquefort, au vin rouge, aux olives, au chèvre, etc. Petit salon de thé ouvert toute la journée.

Que rapporter

⊚ **Bon à savoir** – Comment choisir son melon ? Pour éviter de tomber sur une « coucourde », deux méthodes : celle, empirique, consistant à se fier à sa bonne

Melons de Cavaillon.

étoile, ou bien la scientifique : le melon doit être lourd. Le pécou (pédoncule) est prêt à se détacher ? C'est sûr, vous allez vous régaler !

Marché – Marché traditionnel lundi matin.

Patissier-chocolatier Étoile du Délice – *57 pl. Castel-Blaze - ℘ 04 90 78 07 51 - www.etoile-delice.fr.* Melon encore, cette fois enrobé de chocolat et baptisé « melonettes ». Le sorbet au melon (en saison uniquement) est très parfumé (téléphoner à l'avance pour la préparation de portions individuelles).

Espace Tourisme Création et Terroir – *466 av. de la Canebière - 84460 Cheval-Blanc - ℘ 04 90 04 52 94 - juil.-août : tlj sf dim. et lun. 9h-12h30 ; reste de l'année 9h-12h, 14h-18h.* Installé dans les locaux de l'office de tourisme, cet espace permet aux artisans des environs de présenter le fruit de leur travail. On y trouve des meubles, des poteries et des tissus mais aussi de l'huile d'olive ou du vin. Une autre salle expose des œuvres d'artistes régionaux.

Événements

Melon en Fêtes – Le week-end précédent le 14 Juillet, **Melon en fêtes** : expositions, dégustations, vente de livres, défilé de charrettes fleuries, reconstitution d'un marché ancien, spectacles. Et comme à Cavaillon on n'est pas sectaire, des confréries venues d'ailleurs sont invitées : celle du muscat de Beaumes-de-Venise, par exemple, ainsi qu'une délégation italienne de Langhirano (et son jambon).

Les Estivales des Taillades – ℘ 04 90 71 09 98. Juillet. Concerts classiques et de jazz au théâtre des carrières et dans la cour du Moulin Saint-Pierre.

La Ciotat

31 630 CIOTADENS
CARTE GÉNÉRALE C4 – CARTE MICHELIN LOCAL 340 I6 – BOUCHES-DU-RHÔNE (13)

Connue pour ses chantiers navals depuis le 16ᵉ s., La Ciotat est, depuis quelques années, à la recherche d'une reconversion. Le tourisme est devenu son atout majeur. Avec ses plages et son petit port de pêche, mais aussi ses falaises et ses fonds marins, elle attire toute l'année, d'autant plus qu'elle met astucieusement en avant son rôle de marraine dans deux épisodes majeurs de l'histoire mondiale : la naissance du 7ᵉ art et… de la pétanque !

▶ **Se repérer** – Après avoir quitté l'autoroute Marseille-Toulon *(sortie 9)*, suivre la D 559 puis l'avenue Émile-Bodin. Le centre-ville et le Port Vieux sont sur votre gauche, les plages sont à droite, le long de l'avenue Franklin-Roosevelt et du boulevard Beaurivage. Le TER relie Marseille à La Ciotat en environ 30mn *(navette de bus pour rejoindre le centre-ville)*.

▪ **Se garer** – N'hésitez pas à vous garer dès la première place rencontrée, surtout en été… Vous trouverez des places de stationnement (et des horodateurs !) sur les boulevards longeant les plages ; côté centre-ville, vous aurez le choix entre les parkings Bérouard, de la Tasse, du Port Vieux *(gratuit)* et du Nouveau Port.

👁 **À ne pas manquer** – Une promenade le long des quais du port ; un après-midi de baignade à l'Île Verte.

🕐 **Organiser son temps** – Agréable station balnéaire, La Ciotat constitue une base de séjour idéale, surtout pour les familles. L'été, la foule envahit les plages et le port. Privilégiez, si vous le pouvez, les soleils d'avant et d'arrière-saison. Et prenez le temps de faire une partie de pétanque sur l'avenue du même nom, pour pouvoir au moins une fois dans votre vie vous exclamer : « Oh ! Tu tires ou tu pointes ? ».

👥 **Avec les enfants** – Le parc OK Corral ; initiation à la plongée ou cours de pétanque *(voir l'encadré pratique)*.

🌿 **Pour poursuivre la visite** – Voir aussi les calanques et Cassis.

Comprendre

Petite histoire – À l'origine prospérait une **colonie massaliote** du nom de Citharista… mais l'occupation romaine puis les invasions barbares obligèrent les habitants à se réfugier à Ceyreste (qui a conservé son nom d'origine). À la fin du Moyen Âge, elle a pris le nom tout simple de la *Ciutat*, la « cité » en occitan.

Deux grandes personnalités – Montrer sur un écran des images animées ? Jouer aux boules alors que notre état nous interdit de nous déplacer ? Ces deux casse-tête peuvent paraître sans rapport aucun. Ils taraudaient pourtant deux Ciotadens. Le premier à résoudre le sien fut le jeune **Louis Lumière** : en 1895, dans sa villa, les notables locaux étaient conviés à la première mondiale de son film, *L'Entrée d'un train*

D'un côté la station balnéaire, de l'autre les chantiers navals.

Gilles Magnin / MICHELIN

en gare de La Ciotat, qui allait donner naissance au 7ᵉ Art. Le second ne fut résolu qu'en 1910 par **Jules Lenoir**, joueur de *longue* affecté de rhumatismes : il suffisait de rester les pieds « tanqués » dans le sol. Les deux découvertes sont immortalisées, l'une par un monument aux frères Lumière, l'autre par une plaque apposée sur le terrain de la « Boule étoilée », où naquit la **pétanque**.

Séjourner

Plages

La station balnéaire s'étend au-delà du port de plaisance. C'est le **clos des plages**, où hôtels, villas, restaurants et guinguettes se succèdent, en bordure de six plages, trois de sable fin (Capucins, Grande Plage et Lumière) et trois de galets (St-Jean, Fonsainte et Arène Cros). Leur faible déclivité les rend idéales pour une baignade en famille, tandis que de paisibles retraités musardent au soleil le long de la promenade.

Suivez la route en direction des Lecques : des chemins moyennement escarpés vous mèneront à la **plage de Liouquet** (galets et falaises rougeâtres coiffées de pinèdes).

Calanques de La Ciotat

Quitter La Ciotat par le quai de Roumanie, l'avenue des Calanques et prendre à gauche l'avenue du Mugel (1,5 km).

Surplombée par le rocher du cap de l'Aigle, la **calanque du Mugel** offre une belle vue sur l'île Verte.

🚶 **15mn AR.** Par un verdoyant vallon, un sentier conduit à la belle **calanque de Figuerolles★**. Ses eaux claires, la découpe parfois bizarre de ses rochers (comme le Capucin, isolé en avant et à droite), les falaises percées d'alvéoles aux arêtes vives confèrent à cette calanque une indéniable personnalité.

Île Verte★

En bateau (depuis le Port Vieux). 📞 *06 63 59 16 35 ou 06 16 40 83 50 - mai-sept. : tlj ; avr. : w.-end, en fonction du temps - s'adresser aux compagnies à l'embarcadère - 8 € AR (enf. 4 € AR).*

C'est de l'ancien fortin de l'île que vous distinguerez le mieux la silhouette découpée du rocher du cap de l'Aigle, sur la rive en face. Baignade, pique-nique, pêche ou repas au restaurant compléteront agréablement la traversée.

Port Vieux

Bien entendu, une fois séché et rhabillé, tout le monde se retrouve au Port Vieux dont les quais, avec leurs façades aux teintes chaudes et leurs restaurants animés, ont conservé le charme et l'authenticité d'un port de pêche provençal.

Parc du Mugel

Accès par le quai de Roumanie. 📞 *06 23 79 55 92 - avr.-sept. : 8h-20h ; oct.-mars : 9h-18h, visite commentée sur demande - gratuit - parking (payant de mai à sept. inclus).*

Ce parc de près de 7 ha, aménagé sous le massif du **cap de l'Aigle**, ravira les botanistes amateurs. En effet, cet écrin, s'intégrant dans un site classé, recèle de merveilleuses richesses paysagères et botaniques avec une flore riche et des plantes tropicales rares (érythrines ou camphres). On y trouve même une forêt de bambous, une collection de cactées, des palmiers, un jardin de plantes aromatiques, des chênes verts et des chataîgniers, à quelque 50 m pourtant de la mer !

Un chemin conduit au sommet, où un belvédère (alt. 85 m) offre une **vue★** imprenable sur La Ciotat et ses environs.

Visiter

Église Notre-Dame-du-Port

Sa belle façade baroque aux tons rosés évoque l'Italie ! Depuis les escaliers, observez l'animation du Port Vieux.

L'intérieur, moderne, a été décoré par des peintres locaux : une fresque de 22 m de Gilbert Ganteaume, illustrant des scènes de l'Évangile et, au fond de la nef, des peintures de Toni Roux. À voir aussi une belle *Descente de Croix* de l'artiste lyonnais André Gaudion (1616).

Musée ciotaden

📞 *04 42 71 40 99 - juil.-août : 16h-19h ; sept.-juin : 15h-18h - fermé mar. et certains j. fériés - 3,20 € (–12 ans gratuit).*

Installé dans l'ancien hôtel de ville, il retrace l'histoire locale et le passé maritime de La Ciotat. Une salle est consacrée au cinéma et aux frères Lumière.

Chapelle Notre-Dame-de-la-Garde

Par le chemin de la Garde, en voiture jusqu'à un lotissement (2,5 km).

15mn AR. Une promenade digestive ? Le sentier de 85 marches taillées dans le roc mène à une plate-forme rocheuse dominant la chapelle. Votre récompense : une **vue★★** sur toute la baie de La Ciotat. Quant à la chapelle, elle est décorée d'innombrables ex-voto à la Vierge de la Garde.

Aux alentours

Parc OK Corral

19 km au nord-ouest par la D 3 puis la N 8 à gauche. ℰ 04 42 73 80 05 - www.okcorral.fr - & - à partir de 10h, tlj de mi-juin à déb. sept. - déb. mai-mi-juin et d'oct. aux vac. Toussaint, se renseigner pour les j. d'ouv. qui fluctuent en fonction des vac. scolaires et des w.-ends - fermé nov.-fév. - 16,80 € (enf. 14,50 €).

En contrebas de la N 8, au cœur d'une immense clairière, dans une pinède que dominent les falaises calcaires de la Sainte-Baume, s'étend un parc aux attractions remarquables. Les « double-huit », « Titanic », « tokaïdo express » et montagnes russes, préludes à un voyage tête en bas dans les voitures du « looping star » : les amateurs de sensations fortes sont gâtés ! Des jeux paisibles pour tous les âges sont également proposés dans cet espace ludique où l'on se déplace rapidement à bord d'un télésiège et d'un petit train, tandis que snacks, crêperies, buvettes et coins pique-nique permettent aux visiteurs de se restaurer.

Circuit de découverte

LA ROUTE DES CRÊTES★★

19 km – compter 30mn. Suivre en sens inverse le circuit décrit à Cassis (voir ce nom).

La Ciotat pratique

& Voir aussi les encadrés pratiques de Cassis et des calanques.

Adresse utile

Office du tourisme de la Ciotat – *Bd Anatole-France - 13600 La Ciotat, ℰ 04 42 08 61 32. www.tourisme-laciotat.com - été : 9h-20h, dim. 10h-13h ; hiver : tlj sf dim. 9h-12h, 14h-18h.*

Visites

Sur les pas des frères Lumière – L'office du tourisme de La Ciotat propose un circuit permettant de partir à la découverte des lieux et monuments rendus célèbres par les frères Lumière.

Visite des calanques en bateau – *Voir l'encadré pratique des calanques.*

Se loger

⊖ **Résidence Motel Camping St-Jean** – *30 av. de St-Jean - ℰ 04 42 83 13 01 - www. asther.com/stjean - fermé 28 sept.-31 mars - ▣ - 32 ch. 44/65 € - ☲ 6 €.* Une adresse pratique en bord de mer, vous donnant le choix entre l'hébergement classique en hôtel, des studios avec kitchenette loués à la semaine et un terrain de camping de 80 emplacements ombragés, disposant d'un accès direct à la plage.

⊖⊖ **Hôtel La Closeraie** – *8 av. Bellon - ℰ 04 42 71 32 80 - http://hotelcloseraie.com - 17 ch. 60/68 € - ☲ 7 €.* Ce petit hôtel tout neuf se trouve à 6mn à pied de la plage et à 2mn du port St-Jean. Chambres, climatisées, manquant un peu d'ampleur, mais quartier calme.

Se restaurer

⊖⊖ **La Fresque** – *18 r. des Combattants - ℰ 04 42 08 00 60 - lafresque@aol.com - fermé 15 déc.-10 fév., dim. soir et lun. - 18/35 €.* La plaisante terrasse ombragée de cette ancienne pharmacie domine le pittoresque Port Vieux. À l'intérieur, certains éléments du décor d'origine ont été conservés, telle la jolie fresque qui orne le plafond de la salle à manger et les meubles d'apothicaire du 19e s.

Que rapporter

Marchés – Marché mardi, pl. Évariste-Gras et dimanche, sur le Port Vieux. Marché artisanal en juillet-août, tous les soirs (20h-0h), sur le Port Vieux.

Sports & Loisirs

Centre permanent d'initiatives pour l'environnement de la côte provençale – *Parc du Mugel - ℰ 04 42 08 07 67 - www.atelierbleu.fr - tlj sf dim. 9h-18h.* Allez à la découverte du milieu marin et de son environnement grâce aux activités subaquatiques qu'il vous propose : stages de plongée (débutants ou confirmés), balades aquatiques…

Pétanque – *Av. de la Pétanque - ℰ 04 42 08 08 88 - tlj 11h-21h ; jusqu'à 3h du mat. du 1er juin au 31 août.* La Ciotat étant le berceau de la pétanque, le boulodrome Jules-Lenoir propose des cours gratuits, pour petits et grands : merc. et sam. 9h-12h. Se renseigner à l'accueil.

Grotte de la **Cocalière** ★

CARTE GÉNÉRALE A1 – CARTE MICHELIN LOCAL 339 J3-K3 – GARD (30)

La Cocalière tient son nom de l'occitan *caucala*, qui désigne la corneille. Sans petit train ni aménagements touristiques, nos ancêtres préhistoriques appréciaient déjà Cocalière puisque le site a révélé une occupation très dense allant du paléolithique (40 000 av. J.-C.) à l'âge du fer (400 av. J.-C.). Avec sa galerie horizontale de 1 200 m, elle est sans doute l'une des grottes les plus faciles à visiter. Ce qui n'enlève rien à sa beauté.

◖ **Se repérer** – Lorsque l'on vient de Saint-Ambroix (à 19 km au sud-ouest de Barjac par la D 979, puis la D 51), on accède à la grotte par la D 904, en direction d'Aubenas, puis par une petite route à droite, après l'embranchement vers Courry.

◷ **Organiser son temps** – La visite guidée dure 1h. La grotte ferme de novembre à mi-mars.

✎ **Pour poursuivre la visite** – Voir aussi l'aven d'Orgnac et les gorges de l'Ardèche.

Visiter

Température : 14 °C. ℘ *04 66 24 34 74 - www.grotte-cocaliere.com - visite guidée (1h) juil.-août : 10h-19h ; mars-juin et sept.-nov. : 10h-12h, 14h-18h - 7,50 € (enf. 5,40 €).*

La grotte se distingue par la richesse et la variété des concrétions qui se réfléchissent de part et d'autre de la piste dans des plans d'eau ou des petits bassins alimentés par des cascatelles. De nombreux disques (concrétions rares aux diamètres impressionnants) sont suspendus ou rattachés à la paroi en porte-à-faux. Certaines voûtes présentent un cloisonnement géométrique de fines stalactites, blanches s'il s'agit de calcite pure, ou colorées par des oxydes métalliques.

Peu avant le Camp des spéléologues, vous observerez la formation in situ d'une **perle de caverne** et les *niphargus* (petits crustacés cavernicoles) se déplaçant sous l'eau. Après la salle du Chaos, on pénètre sous des voûtes tourmentées par l'érosion, dans le domaine des draperies et des excentriques. On surplombe une imposante cascade de gours aux mille scintillements, ainsi que des puits reliés aux étages inférieurs et à leurs rivières. Le retour au hall d'accueil s'effectue en petit train.

🐾 *20mn.* À l'extérieur, suivez le sentier de découverte pour voir un dolmen, des tumuli (amas de terre ou de pierres élevés au-dessus des tombes), des capitelles, des abris préhistoriques et différents phénomènes karstiques (avens, lapiés, failles).

Grotte de la Cocalière pratique

Se loger

🛏 **Chambre d'hôte Les Muriers** – *07460 St-André-de-Cruzières* - ℘ *04 75 39 02 02 -* 🍴 *- 4 ch. 42 € □.* L'ancienne magnanerie de cette bâtisse provençale abrite maintenant 4 chambres indépendantes. La salle à manger, mignonne et pleine de caractère, accueille les petits-déjeuners si le temps ne permet pas un service en terrasse. Table d'hôte mettant à l'honneur les légumes du potager et les viandes des producteurs locaux.

🛏 **Chambre d'hôte La Picholine** – *Courry - 30500 St-Ambroix* - ℘ *04 66 24 13 30 - www.lapicholine.fr.st - 5 ch. 62/82 € □ - repas 20 €.* Retrouvez le charme des vieilles pierres dans ce mas, parfaitement restauré, situé en bordure du village. Ses 5 chambres parées de

mobilier ancien vous accueillent pour des séjours à thème mêlant activités physiques et séances de relaxation.

Se restaurer

🍽 **La Bastide des Senteurs** – *30500 St-Victor-de-Malcap - 8 km de la grotte de la Cocalière par D 904 et D 51ᶜ* - ℘ *04 66 60 24 45 - www.bastide-senteurs.com - fermé nov.-mars, le midi en juil.-août sf dim. et j. fériés - 36/100 € - 9 ch. 75 € -* □ *8,50 €.* De cette bastide à l'abandon, les jeunes propriétaires ont fait une étape de charme. Vous y apprécierez sa cuisine inventive, la sobriété élégante du décor et l'accueil chaleureux : ici, tout chante les saveurs et les couleurs du Sud ! Jolies chambres personnalisées, piscine et belle terrasse.

La **Côte Bleue**★

CARTE GÉNÉRALE B4 – CARTE MICHELIN LOCAL 340 F5-G5 – BOUCHES-DU-RHÔNE (13)

Rivages escarpés, découpés en profondes calanques où se nichent de minuscules ports, teintes cobalt ou saphir de la mer étincelante : c'est la Côte Bleue, tant appréciée des Marseillais, superbe façade maritime d'une chaîne calcaire presque désertique, séparant la Méditerranée des industrieux rivages de l'étang de Berre. Elle est en partie propriété du Conservatoire du littoral qui a acquis 3 308 ha (englobant 10 km de littoral) pour la préserver d'importants projets d'urbanisation. La Côte Bleue compte aussi deux zones marines protégées : Carry-le-Rouet (85 ha) et cap Couronne (210 ha).

▶ **Se repérer** – Située à 74 km à l'ouest de Marseille, la Côte Bleue occupe le massif de la **chaîne de l'Estaque**, une chaîne calcaire posée entre Marseille, à l'est, le golfe de Fos, à l'ouest et l'étang de Berre, au nord. Son littoral est desservi par une départementale qui longe le bord de mer, entre Carry-le-Rouet et Sausset-les-Pins ; la plupart des autres ports ne sont accessibles que par des routes en cul-de-sac.

🕐 **Organiser son temps** – Hôtels familiaux, meublés et campings font de la Côte Bleue un lieu de séjour apprécié des familles. C'est aussi une balade de week-end favorite des Marseillais. L'été, il y a foule et l'accès en voiture à certaines calanques est réglementé. L'hiver, de nombreux restaurants et hôtels sont fermés, mais vous pourrez vous régaler en participant aux oursinades, à Sausset-les-Pins et Carry-le-Rouet !

👪 **Avec les enfants** – Les quatre plages surveillées (mais non ombragées) de Sausset ; les plages de sable surveillées du Verdon et de Staine-Croix ; le « train bleu » et son vertigineux tracé à flanc de falaise entre Marseille et Port-de-Bouc.

⏲ **Pour poursuivre la visite** – Voir aussi Martigues, le golfe de Fos et l'étang de Berre.

Les calanques de Méjean avec le viaduc en toile de fond.

Circuit de découverte

50 km de Niolon à Martigues – environ 4h avec les arrêts, beaucoup plus si vous souhaitez lézarder sur les plages.

Niolon★

Parking gratuit à l'entrée du hameau, dont les ruelles escarpées et très étroites sont interdites à la circulation automobile du 1er Mai au 30 sept., les week-ends et jours fériés. Il faut ensuite marcher, les premières maisons apparaissent 800 m plus bas.

Tapi au fond de la calanque qui porte son nom, enjambé par le **viaduc** du chemin de fer, ce minuscule port, avec ses eaux d'un bleu intense, et l'à-pic impressionnant sur lequel ses maisons sont accrochées, a su conserver un parfum d'authenticité.

Centre réputé de **plongée sous-marine**, le hameau attire aussi les baigneurs, nombreux aux beaux jours sur les rochers du port, profitant d'une belle vue sur la rade marseillaise.

Revenir sur la D 5, que l'on reprend sur la gauche, pour rejoindre Ensuès à travers un paysage aride. À l'entrée du village, prendre sur la gauche la D 48ᴰ.

La Madrague-de-Gignac
Se garer sur le parking à l'entrée du hameau, que l'on rejoint à pied, 800 m plus bas.
Au fond d'une petite calanque, dans un joli site, de petites villas s'abritent sous les pins. Depuis le minuscule port, belle vue sur la rade de Marseille.

De retour à Ensuès, reprendre à gauche la D 5 qui descend le long du vallon de l'Aigle, ombragé de pins et de chênes verts, en direction de Carry.

Le Rouet-Plage
Parking payant les w.-ends, j. fériés et vac. scolaires.
Cette jolie crique, bordée d'élégantes demeures disséminées dans la pinède, s'étire en une agréable anse de gros galets.

Reprendre la D 5, direction « Carry centre ».

Carry-le-Rouet
L'ancien port de pêche s'est transformé en une station balnéaire familiale, ourlé d'un joli port de plaisance. Une haute tour moderne pointe au centre du village, tandis que de belles villas sont éparpillées sur les flancs boisés de l'anse. Sur le port, de nombreux établissements où vous ne ne manquerez pas, de novembre à mars, de déguster quelques **oursins**. Rendue célèbre par Fernandel *(voir p. 68)* qui appréciait y résider l'été, la station est aujourd'hui courue pour ses **criques** et ses **plages**.

Poursuivre sur la D 5.

Sausset-les-Pins
Dominée par le **château** de la famille Charles-Roux (1855), cette station balnéaire à l'ambiance familiale a longtemps vécu de la pêche, notamment de la **seinche au thon**. Cette extraordinaire partie de pêche rassemblait chaque année tous les hommes du village, qui encerclaient les bancs de thon avec leurs bateaux pour les canaliser dans un filet rond. Cette impressionnante prise annuelle a été immortalisée par de nombreux peintres. Sausset est aujourd'hui plus réputée pour ses **criques** et ses **plages**, en partie situées le long de l'agréable promenade de la Corniche et de l'avenue Général-Leclerc.

Quittant la grève, la D 49 serpente dans le massif montagneux. Après avoir gagné La Couronne, la D 49ᴮ conduit à Carro. En chemin, faites une halte sur la grande plage du Verdon (parking payant en saison, 400 places).

Plage du Verdon
Joliment coiffée à l'est par le **cap Couronne**, surmonté d'un phare, la plus vaste plage de sable de la Côte Bleue est très populaire, voire bondée l'été. Elle attire en particulier les familles (eaux peu profondes, plage surveillée et équipée l'été) et les jeunes, qui apprécient les nombreux bars, restaurants et glaciers, les terrains de beach volley.

Reprendre la D 49ᴮ en direction de Carro.

Carro
Bien abrité dans une anse rocheuse, ce coquet petit port est le dernier bastion de la pêche sur la Côte Bleue. Quarante-cinq familles vivent toujours autour d'une flottille de vingt embarcations. C'est le 2ᵉ port de Méditerranée occidentale pour la capture du thon selon la méthode artisanale. Chaque matin, sur le port, a lieu le marché aux poissons. La longue **plage** bordée de rochers attire les véliplanchistes et les surfeurs ; venez profiter du spectacle, les jours de mistral, au bout du port de Carro.

Quitter Carro par la D 49 jusqu'aux Ventrons.

Depuis une **tour d'observation**, haute de 120 m, la vue permet d'apercevoir l'ensemble portuaire de Lavéra, Port-de-Bouc et Fos.

Aux Ventrons, prendre sur la droite la D 5.

Saint-Julien-lès-Martigues
À la sortie du bourg, un chemin à gauche mène à une **chapelle**. Sur le flanc gauche, scellé dans le mur, un bas-relief gallo-romain (1ᵉʳ s.) représente une scène funéraire composée de huit personnages.

De retour aux Ventrons, prendre à droite la D 5 en direction de Martigues.

Martigues *(voir ce nom)*

La Côte Bleue pratique

♿ Voir aussi les encadrés pratiques de l'étang de Berre, du golfe de Fos et de Martigues.

Adresse utile

Maison du tourisme de Carry-le-Rouet – *Espace Fernandel - av. A.-Briand - 13620 Carry-le-Rouet - ℰ 04 42 13 20 36 - www.carry-lerouet.com - juil.-août : lun.-sam. 9h-12h, 15h-18h, dim. 10h-12h ; sept.-juin : mar.-sam. 10h-12h, 14h-17h.*

Transports

En voiture – Les week-ends d'été, l'accès aux calanques de Niolon ou de la Redonne est interdit aux véhicules, afin de prévenir les risques d'incendie d'un écosystème particulièrement fragile.

🚶‍♀️ En train – Au départ de Marseille, un TER (dit « **train bleu** ») dessert La Redonne-Ensuès, Carry-le-Rouet, Sausset-les-Pins et La Couronne. Le parcours est pittoresque : tunnels, échappées superbes sur la mer et force coups de sifflets pour prévenir les imprudents qui n'hésitent pas à randonner sur la voie malgré l'interdiction formelle ! Renseignez-vous bien sur les départs : le train bleu peut se faire rare en hiver !

Se loger

🛏 **Auberge du Mérou** – *Calanque de Niolon - 13740 Le Rove - 5 km de la commune du Rove, par rte de Niolon - ℰ 04 91 46 98 69 - www.aubergedumerou.com - fermé dim. soir et lun. soir hors sais. - 5 ch. 39/43 € - 🍴 6 € - restaurant 27/33 €.* Coup de cœur pour les 5 chambres de cette auberge (aussi réputée pour ses spécialités de poisson). Décorées comme des cabines de bateau (hublots, lambris, bois vernis), ces chambres impeccables dominent le port de Niolon en contrebas.

🛏🛏 **Modern' Hôtel** – *Pl. Camille-Pelletan - 13620 Carry-le-Rouet - ℰ 04 42 45 00 12 - contact@modernhotel.fr - fermé 15 déc.-1er janv. - 🅿 - 19 ch. 58/76 € - 🍽 6 €.* On aime son élégante façade et ses chambres rénovées, toutes climatisées. On apprécie moins les tarifs, qui se sont emballés ces dernières années comme dans beaucoup d'autres établissements de la zone. Reste que les chambres sont impeccables et tout confort.

Se restaurer

🍴 **L'Hippocampe** – *151 plage de l'Estaque - 13016 Marseille - ℰ 04 91 03 83 78 - hipporesto@aol.com - fermé dim. soir et lun. - 9/30 €.* Vu de l'extérieur, ce restaurant ne paie pas de mine, mais la salle à manger donnant sur le vieux port et la terrasse les pieds dans l'eau valent le détour. Salades composées et brochettes de bœuf ou spécialités provençales. Un chanteur s'y produit les vendredi et samedi soir et le dimanche midi.

🍴🍴 **Le Mange-tout** – *8 chemin Tire-Cul - 13820 Ensuès-la-Redonne - ℰ 04 42 45 91 68 - ouv. le midi sf merc. en mars-avr. et oct. ; midi et soir de mai au 15 sept. ; fermé le reste de l'année - 18/32 €.* Il est vraiment mignon ce cabanon aux volets bleus, planté sur le port de la calanque de Méjean. Les Marseillais viennent chaque week-end se régaler en terrasse : fritures de mange-tout (petits poissons), girelles et calamars, poissons à la provençale.

🍴🍴🍴 **Les Girelles** – *3 av. Adolphe-Fouque - 13960 Sausset-les-Pins - ℰ 04 42 45 26 16 - restaurant-les-girelles@wanadoo.fr - fermé 2-24 janv., dim. soir hors sais., lun. midi, mar. midi de juin à août et merc. sf soir en sais. - 28/38 €.* Les gens d'ici aiment bien la terrasse de ce restaurant en bordure de plage. À l'intérieur, belle maquette de bateau et grandes baies vitrées pour profiter du spectacle balnéaire. Assiettes joliment présentées.

🍴🍴🍴 **Le Madrigal** – *4 av. Gérard-Montus - 13620 Carry-le-Rouet - ℰ 04 42 44 58 63 - fermé 12 nov.-10 janv., dim. soir et lun. - 28/35 €.* Les larges baies vitrées des deux salles à manger sobrement décorées s'ouvrent sur une grande terrasse panoramique. À cet environnement enchanteur s'ajoute la bonne qualité d'une cuisine qui propose un bel éventail de plats gourmands : poissons frais, recettes provençales…

Faire une pause

L'Amiral – *15 quai Émile-Vayssière - 13620 Carry-le-Rouet - ℰ 04 42 45 13 51 - tlj sf lun. 8h30-1h.* Ce glacier-brasserie se distingue de ses voisins par sa belle décoration placée sous le signe des bateaux et sa terrasse confortable. Glaces, jus de fruits frais, cocktails et, pour les petites faims, salades, plat du jour, spécialités de moules et pâtisseries maison.

Mich' de Pain – *42 Estaque-Plage - 13016 Marseille - bus 35 - ℰ 04 91 46 25 71 - 6h-20h - fermé mar. sf juil.-août.* Pour une

Rouet-Plage.

Stéphane Sauvignier / MICHELIN

pause sorbet maison, à emporter, servi dans une petite coupelle dorée.

Que rapporter

MARCHÉS

Carry-le-Rouet – Mardi et vendredi matin sur la pl. Alfred-Martin (dans l'av. du Colombier, perpendiculaire au port). Rien le week-end…

Port de Carro – Marché aux poissons tous les matins pl. Joseph-Fascida.

Sausset-les-Pins – Jeudi matin (quai du Port), dimanche matin (bd Armand-Audibert, perpendiculaire à la corniche). Marché aux poissons quotidien à partir de 9h sur le quai du Port.

AUTRE ADRESSE

Gaec Gouiran – *17 r. Adrien-Isnardon - 13740 Le Rove - ℰ 04 91 09 92 33 - fév.-oct. : 8h-12h30, 17h-20h.* Pour déguster un fromage bien frais, rendez-vous chez M. et Mme Gouiran. Ils élèvent des chèvres du Rove et produisent ensuite différentes variétés de fromages (de l'extra-frais au très sec) dont les **« Véritables Brousses du Rove pur chèvre »** (marque déposée), délicates et parfumées, qui font l'unanimité chez les Marseillais.

Sports & Loisirs

Centre UCPA de Niolon – *18 chemin de la Batterie - Le Rove - 13740 Niolon - ℰ 04 91 46 90 16 - niolon@ucpa.asso.fr - 9h-12h, 16h-18h - fermé de mi-nov. à fin fév., mar. apr.-midi et merc.* C'est le plus grand centre de formation de **plongée**

sous-marine de France. Stages et formations pour tous niveaux (jusqu'au monitorat) et possibilité d'hébergement sur place.

Club subaquatique de Sausset-les-Pins – *Les Terrasses du Port n° 5 - 13960 Sausset-les-Pins - ℰ 04 42 44 56 92 - www.clubsubsausset.com - 7h-19h - plongée 20 €.* Ouvert toute l'année, ce club accueille les amateurs de tous niveaux, avec location possible de matériel. Plongées à la carte, stages d'exploration ou stages de formation aux brevets.

Aqua-Évasion – *31 av. Jean-Bart - 13620 Carry-le-Rouet - ℰ 04 42 45 61 89 - xaviertrubert@aqua-evasion.com - 9h-19h.* Sur la plage du Rouet, ce centre de plongée propose une vaste palette de formations et de stages de tous niveaux. Possibilité d'hébergement sur place. Location de kayaks de mer et de bateaux à moteur.

Navigation de plaisance – *Port de Carry-le-Rouet - 13620 Carry-le-Rouet - ℰ 04 42 45 25 13.*

Événement

👁 **Bon à savoir** – Rien de tel qu'un beau week-end d'hiver (ils ne manquent pas !) pour aller sacrifier au rite de l'**oursinade**, qui a lieu les trois premiers dimanches de janvier à Sausset et les trois premiers dimanches de février à Carry. Ces jours-là, les rues et les abords des ports sont envahis de tables à tréteaux où l'on s'installe pour déguster oursins et autres fruits de mer, accompagnés de vin blanc. Ambiance et convivialité garanties !

Fontaine-de-Vaucluse

610 VAUCLUSIENS
CARTE GÉNÉRALE B2 – CARTE MICHELIN LOCAL 332 D10 – VAUCLUSE (84)

En hiver ou au printemps, lorsque le niveau de l'eau atteint le figuier accroché à la paroi rocheuse et que la Sorgue, d'un profond vert émeraude, se déverse par-dessus le talus en une masse tumultueuse et bondissante, écume et vapeurs éclaboussant les rochers, le spectacle, à lui seul, justifie amplement une visite à Fontaine-de-Vaucluse.

- ▶ **Se repérer** – On arrive à Fontaine depuis L'Isle-sur-la-Sorgue (7 km à l'ouest) par la D 25, en longeant la rivière. Vallis Clausa, la vallée close, a donné en provençal *vaù clusa*, francisé en « Vaucluse », devenu plus tard le nom du département.

- 🅿 **Se garer** – Nombreux parkings (payants) aménagés : vue l'affluence, en particulier les week-ends, mieux vaut y laisser votre voiture dès qu'une possibilité de stationnement se présentera.

- 👁 **À ne pas manquer** – La fontaine qui a donné son nom au village.

- 🕐 **Organiser son temps** – Prévoyez 1h pour découvrir la fontaine. Les passionnés de littérature garderont une heure de plus pour le musée-bibliothèque Pétrarque. Dans un autre genre, à Saumane-de-Vaucluse, ils pourront rendre hommage au marquis de Sade, dont le château natal coiffe le village (*ne se visite pas*).

- 🍴 **Pour poursuivre la visite** – Voir aussi L'Isle-sur-la-Sorgue.

Stéphane Sauvignier / MICHELIN

Quand la Sorgue jaillit soudain du rocher.

Découvrir

La fontaine de Vaucluse★★

Depuis la place de la Colonne, gagnez les bords de la Sorgue et suivez le chemin qui s'élève, en pente relativement douce, vers la fontaine.

Au fond d'un cirque rocheux aux parois impressionnantes, derrière un talus de pierres et de rochers où les eaux s'infiltrent habituellement, la fontaine apparaît soudain : bassin d'eau verte, d'apparence paisible et propice à la rêverie. Il en émane un halo de mystère et de vieilles légendes qui reviennent confusément en mémoire, comme c'est souvent le cas devant un gouffre. Car cette claire fontaine en est un ; de quelle profondeur ? Nul ne le sait exactement : le dernier record, 308 m, a été établi le 2 août 1985, à l'aide d'un petit sous-marin téléguidé équipé de moyens vidéo.

Est-ce une source ? Non, car il s'agit en fait d'une **résurgence**, c'est-à-dire le débouché d'un fleuve souterrain qu'alimentent les pluies tombées sur le plateau de Vaucluse à travers ses nombreux avens. Cependant, les recherches menées par les spéléologues sont restées vaines : à ce jour, la Sorgue souterraine garde tout son mystère. Seule certitude : le site est un lieu d'offrande ancien, comme en témoignent les pièces de monnaie antiques et médiévales, régulièrement remontées à la surface depuis 1998 par les plongeurs de la Société spéléologique de Fontaine-de-Vaucluse.

Visiter

Église Saint-Véran★

Petit édifice roman à nef unique couverte d'une voûte en plein cintre et d'une abside en cul-de-four. La crypte abrite le sarcophage de saint Véran, vainqueur du Coulobre, un terrible dragon.

En face, demeure provençale aux vieilles pierres rose orangé, décorées de grappes de raisins.

Musée-bibliothèque Pétrarque

☎ 04 90 20 37 20 - juin-sept. : 10h-12h30, 13h30-18h ; avr.-mai et 1re quinz. oct. : 10h-12h, 14h-18h ; du 16 oct. au 1er nov. : 10h-12h, 14h-17h - fermé mar., du 2 nov. au 31 mars et 1er Mai - 3,50 € (12-16 ans 1,50 €).

Installé dans une maison bâtie, pense-t-on, à l'emplacement de celle qu'habitait le poète, ce musée expose des dessins et des estampes consacrés au thème de Pétrarque et Laure ainsi que des éditions anciennes des œuvres de l'auteur du *Canzoniere* et de ses successeurs. Remarquable sélection, au rez-de-chaussée, d'œuvres d'artistes majeurs liés au site, en particulier des écrits de René Char illustrés par Zao Wou-ki, Braque ou Vieira da Silva.

Le monde souterrain

☎ 04 90 20 34 13 - & - visite guidée uniquement (45mn) de déb. fév. à fin déc. : 9h30-12h30, 14h-18h (18h30 en avr.-mai et oct., 19h30 en juin-août, 19h en sept.) - fermé en janv. - dernière entrée 1h av. fermeture) - 5,50 € (enf. 4 €).

Les infortunes de la vertu

Francesco Petrarca dit **Pétrarque** (1304-1374) fut un immense poète et le premier des grands humanistes. Né à Arezzo en 1304, il fréquentait en Avignon la cour pontificale lorsque son chemin croisa en avril 1327 celui de la belle **Laure de Noves**. Le coup de foudre fut immédiat, mais non réciproque. La flamme du poète était vouée à demeurer idéale : Laure était mariée et vertueuse. Pétrarque rédigea son *Canzoniere*, sans doute le premier des grands poèmes lyriques, pendant son séjour en Vaucluse, où il s'était retiré afin de trouver l'apaisement. Comble d'infortune, en 1348, Laure meurt de la peste en Avignon. Pétrarque s'éteindra, en 1374, à Arquà Petrarca, près de Padoue.

Frontispice de l'édition de « Il Petrarca sonetti e canzoni » de 1547.

Ce musée est lui-même souterrain, ce qui est la moindre des choses, il présente la **collection Casteret★** : les plus belles concrétions calcaires (calcite, gypse, aragonite) recueillies par le spéléologue en cinquante ans d'explorations. En complément, le visiteur chemine parmi une reconstitution de sites : grottes à stalactites et stalagmites, avens, rivières, cascades, gours… en font le précis du parfait petit spéléologue.

Musée d'Histoire 1939-1945

Sur la gauche, à hauteur du centre artisanal Vallis Clausa. 📞 *04 90 20 24 00 -* ♿ *- juin-sept. : 10h-18h ; avr.-mai et 1re quinz. oct. : 10h-12h, 14h-18h ; du 16 au 31 oct. et vac. de Toussaint : 10h-12h, 14h-17h ; nov.-déc. : w.-end 10h-12h, 14h-17h ; mars : w.-end 10h-12h, 14h-18h - fermé mar., 1er Mai et 25 déc. - 3,50 € (12-16 ans 1,50 €).*

Dans un bâtiment sobre et fonctionnel, il propose une approche historique, littéraire et artistique des années 1939-1945 : une première partie est consacrée à la vie quotidienne sous l'Occupation ; la seconde aborde le thème de la Résistance dans le Vaucluse, retracée par des acteurs et témoins de cette épopée, tandis qu'un support audiovisuel aide à situer ces événements dans le contexte national. L'espace « La liberté de l'esprit » évoque les créateurs, écrivains et artistes engagés comme René Char ou Matisse, et invite à une réflexion sur les idéaux de la Résistance.

Aux alentours

Saumane-de-Vaucluse

4 km au nord. Quitter Fontaine par la D 25 puis prendre à droite la D 57.

Taillée à flanc de coteaux sur les pentes calcaires des monts de Vaucluse, la route aboutit à ce village perché au-dessus de la vallée de la Sorgue, et à l'ancien château (15e s.) des **marquis de Sade**. C'est ici que le petit Donatien Alphonse François, qui allait devenir le divin marquis, passa son enfance. L'église St-Trophime, élevée au 12e s., mais largement remaniée depuis, est couronnée par un clocher-arcade. Depuis la place, vue sur la vallée de la Sorgue, le Luberon et les Alpilles.

Cabrières-d'Avignon

5 km au sud par la D 100ᴬ. Laisser la voiture au parking de la mairie, cours Jean-Giono. Le château des Adhémar, construit au 11e s. et en partie refait au 17e s. dans un style Renaissance plus aimable *(on ne visite pas)* fut le théâtre des tragiques événements des 20 et 21 avril 1545, lorsque les Vaudois, qui

Halte à la contagion !

Un mur de six pieds (1,90 m environ) fut élevé en toute hâte entre mars et juillet 1721, sur une longueur de 25 km environ, entre Cabrières et Monnieux. Équipé de guérites et de bastions, il était gardé jour et nuit par un millier de gardes qui avaient ordre de tirer sur quiconque tenterait de le franchir. Il n'empêcha cependant pas la terrible maladie d'atteindre le Comtat venaissin à peine un mois après l'achèvement de la muraille.

s'y étaient retranchés sous la direction du Cabriérois **Eustache Marron**, y furent massacrés par l'armée levée par Meynier d'Oppède. Le tour du château *(par la rue du Vieux-Four, puis, à gauche, le chemin Eustache-Marron qui court en lisière de la campagne)* vous permettra de détailler les remparts reliant les cinq tours, vestiges de la forteresse des origines.

Mur de la peste – *1h AR. Accès sur la gauche du château par le chemin des Muscadelles, puis un sentier rocailleux balisé qui part à l'assaut d'une colline.*

Arrivé sur la crête (petit monument commémoratif), redescendre droit devant soi (borne) puis prendre à droite. Bien restauré, le mur de pierres sèches, édifié pour protéger le Comtat de la peste arrivée à Marseille en 1720, épouse les ondulations du terrain, parmi une dense végétation d'oliviers sauvages et de pins, et d'inextricables buissons de cade.

Les plus endurants pourront suivre le tronçon restauré du mur, le long d'un chemin quelque peu rocailleux (GR 6) qui leur ménagera de jolies vues sur Gordes, et retourner à Cabrières par le chemin de Vaucluse.

Les autres reviendront sur leurs pas jusqu'au village.

Fontaine-de-Vaucluse pratique

Voir aussi l'encadré pratique de L'Isle-sur-la-Sorgue.

Adresse utile

Office du tourisme de Fontaine-de-Vaucluse – *Chemin de la Fontaine - 84800 Fontaine-de-Vaucluse - 04 90 20 32 22 - juin-sept. : 9h30-13h, 13h30-18h ; reste de l'année : mar.-sam. 9h30-12h30, 13h30-17h30 - fermé j. fériés hors saison.*

Se loger

Chambre d'hôte La Pastorale – *Rte de Fontaine-de-Vaucluse sur D 24 - 84800 Lagnes - 04 90 20 25 18 - 4 ch. 76 €. Si, dans la région, le soleil veut que l'on vive dehors, on appréciera néanmoins les intérieurs de cette ancienne ferme et la grande simplicité de leur agencement. Murs blancs, pleins de sobriété, jusque dans les chambres, pour un calme à peine troublé par le chant des cigales. Jolie pelouse à l'ombre du platane.*

Se restaurer

Philip – *Au pied des cascades - 04 90 20 31 81 - fermé 1er oct.-31 mars et le soir sf juil.-août - 24/34 €. La cuisine est simple et fraîche et l'établissement, qui date des années 1920, fonctionne dans une ambiance familiale, mais surtout, quel site ! Sur le chemin de la Fontaine, au pied des cascades, parmi les rochers, au cœur d'une végétation luxuriante… Bar-glacier sur l'avant, pour prendre un verre.*

Que rapporter

Centre Artisanal Vallis Clausa – *Chemin de la Fontaine - 04 90 20 34 14 - www.vallis-clausa.com. Dans le prolongement du musée Casteret, ce centre permet de visiter un* **moulin à papier**, *alimenté par les eaux de la Sorgue, où l'on voit fabriquer du papier chiffon à la main suivant les procédés utilisés au 16e s.*

Sports & Loisirs

Kayak Vert – *Quartier de la Baume - 04 90 20 35 44 - www.canoefrance.com - 9h-19h. Se renseigner sur les départs - fermé de fin oct. au 15 avr. Descente en canoë-kayak de la Sorgue, de Fontaine-de-Vaucluse à L'Isle-sur-la-Sorgue (8 km). Débutants ou confirmés, en famille ou en groupe, chacun choisit la formule qui lui convient : parcours seul ou encadré (accompagnateurs diplômés).*

Golf – *Domaine du Goult - 84800 Saumane-de-Vaucluse - 04 90 20 20 65 - golf.provence@wanadoo.fr - 8h-17h30 - fermé 1er janv. et 25 déc. - de 50 à 60 €. Parcours 18 trous près de Fontaine-de-Vaucluse.*

Événement

Musidances – *04 90 20 33 10. L'Association Musidances propose des concerts l'après-midi, un dimanche chaque mois (fév.-mai et oct.-nov.), au château de* **Saumane-de-Vaucluse.**

Golfe de Fos

CARTE GÉNÉRALE B4 – CARTE MICHELIN LOCAL 340 E5 – SCHÉMA P. 185 –
BOUCHES-DU-RHÔNE (13)

Dans les manuels d'histoire-géographie, le golfe de Fos-sur-Mer est d'abord devenu le symbole de l'industrialisation à tout crin. Première surprise, le village de Fos-sur-Mer, campé sur son rocher et dominé par les ruines de son château, évoque plus le village provençal tel qu'on l'idéalise dans les crèches que l'immense zone portuaire avec laquelle il doit désormais partager son nom et son territoire. Autres surprises, les petites villes industrieuses de Port-Saint-Louis-du-Rhône et Port-de-Bouc n'ont pas oublié de cultiver l'art de vivre, à quelques encablures de plages où parasols et supertankers sont réunis dans un même paysage.

▶ **Se repérer** – Chassant les élevages de taureaux et les troupeaux de moutons qui régnaient en maîtres sur les « coussouls », l'immense port industriel, énergétique et commercial, ainsi que le complexe industriel ont apporté à la région, sinon la prospérité, du moins une certaine notoriété. Mais pour qui circule sur la voie rapide, Port-de-Bouc, Fos-sur-Mer et Port-Saint-Louis-du-Rhône passent à peu de chose près inaperçu.

🕐 **Organiser son temps** – Prévoir trois heures pour suivre notre circuit, beaucoup plus pour profiter des plages.

👣 **Pour poursuivre la visite** – Voir aussi l'étang de Berre et Martigues. Férus d'installations portuaires ? Poussez jusqu'à Marseille, l'autre extrémité du plus grand port de Méditerranée, 70 km à l'est.

Circuit de découverte

28 km de Port-de-Bouc à Port-Saint-Louis-du-Rhône – compter 40mn sans les arrêts.

Port-de-Bouc

Enserrée par le complexe portuaire Fos-Lavéra auquel son destin est intimement lié, cette ville côtière ravira les amateurs d'atmosphères insolites, où l'ancien port de pêche traditionnel et son cœur provençal cohabitent désormais avec des banlieues champignons, des installations industrielles et des pétroliers géants. Pour vous en imprégner, commencez par flâner sous les platanes et les micocouliers du cours Landrivon, très animé les jours de marché. Belle vue sur le **fort de Bouc** (17ᵉ s.) posté à l'entrée du canal de Caronte, reliant l'étang de Berre à la Méditerranée. Étrange vestige historique sur fond d'installations pétrochimiques, sa tour du 12ᵉ s. a été transformée en phare. Au bout du cours se dresse la **Halle à marée**, siège de l'actuelle criée informatisée. D'un côté, les artisans pêcheurs s'activent sur le **port sardinier** près des chalutiers amarrés, de l'autre, les agréables arcades des quais du port Renaissance (né en 1985 à l'emplacement de l'ancien chantier naval) réservé à la plaisance.

Rejoindre l'avenue du Golfe.

C'est le début du front de mer, une incroyable promenade bétonnée sur fond de supertankers croisant au large du golfe de Fos. L'avenue se prolonge jusqu'aux petites **plages** de sable et galets qui ourlent le littoral ouest de Port-de-Bouc.

Poursuivre au nord-ouest sur la N 568.

Fos-sur-Mer

Aggrippé à un rocher de 32 m de haut, le **village★** conserve à son sommet des vestiges du **château** du 14ᵉ s., propriété des vicomtes de Marseille, ainsi qu'une **église** à nef romane. Des belvédères et

L'église du village de Fos-sur-Mer.

Didier Pazery / MICHELIN

une terrasse aménagés dans le jardin des remparts offrent une vue étendue, du golfe de Fos à la plaine de la Crau.

Au sud du village, relativement épargnées par l'industrialisation(tout au moins visuellement), **six plages de sable** s'étirent sur 6 km de littoral. Bien que proches de la voie rapide (dont elles sont séparées par le canal de Caronte), elles sont très fréquentées en été. En saison, elles sont surveillées, équipées et accessibles en voiture *(parkings gratuits)*. De l'une des plus prisées par les baigneurs, la **plage de Cavaou**, on aperçoit au loin les grues d'un grand chantier, celui d'un nouveau terminal méthanier. Sa mise en opération, prévue début 2008, pourrait entraîner la fermeture d'une partie de la plage au public.

Continuer vers le sud-ouest par la N 568 puis la N 268.

Port-Saint-Louis-du-Rhône

Première porte de la Camargue, la ville et le port se sont développés à l'embouchure du Grand Rhône, dans l'ombre de la **tour Saint-Louis**, élevée au 18e s., un ancien poste de surveillance du fleuve. Elle abrite désormais l'office de tourisme ainsi qu'une collection ornithologique dédiée à la Camargue *(voir l'encadré pratique)*. Depuis la terrasse, belle **vue** sur la Camargue, le canal Saint-Louis, les marais salants et les éoliennes, qui fournissent désormais en électricité une partie des habitants et des industries de la région *(visite de la tour 3 €)*.

Au sud de Port-Saint-Louis, la petite D 36D traverse un beau paysage d'étangs et de roselières. Réaménagée en 2006, elle comprend désormais une **piste cyclable** et mène à la grande **plage Napoléon** *(surveillée du dernier w.-end de juin au 31 août - parking payant : 3 €)*, 10 km de sable fin préfigurant les plages voisines de la Camargue *(voir ce nom)*.

De Port-Saint-Louis-du-Rhône, vous pourrez rejoindre **Arles** *(voir ce nom)* en suivant une partie du circuit de découverte de la Crau.

> #### 👁 Le saviez-vous ?
>
> Rattaché au port autonome de Marseille, le bassin de Port-Saint-Louis, créé en 1863, reçoit aussi bien les navires de mer que les barges empruntant le Rhône. Grâce à son écluse et au canal grand gabarit Fos-Rhône, il est le point clé des trafics fluvial et fluvio-maritime entre l'Europe et la Méditerranée, accueillant hydrocarbures, produits chimiques liquides, bois et vins.

Golfe de Fos pratique

👁 Voir aussi les encadrés pratiques de l'étang de Berre et de Martigues.

Adresses utiles

Office du tourisme de Fos-sur-Mer – *Pl. de-l'Hôtel-de-Ville - 13270 Fos-sur-Mer - ℘ 04 42 47 71 96 - www.fos-tourisme.com - 8h30-12h, 13h30-17h.* Une antenne ouvre sur la Grande Plage en juil.-août.

Office du tourisme de Port-de-Bouc – *Cours Landrivon - 13110 Port-de-Bouc, ℘ 04 42 06 27 28 - lun.-vend. 9h-12h, 14h30-18h, sam. 10h-12h.* Très dynamique, l'équipe propose l'été des visites « techniques » : la Criée informatisée, le bateau-pompe des marins pompiers (le plus grand d'Europe), la tour vigie du Port autonome... Une antenne estivale de l'office de tourisme ouvre en juil.-août sur le port de plaisance.

Office du tourisme de Port-Saint-Louis-du-Rhône – *Tour Saint-Louis - 13230 Port-Saint-Louis-du-Rhône - ℘ 04 42 86 01 21 - juil.-août : 9h-12h, 14h-18h, w.-end et j. fériés 10h-13h ; reste de l'année : lun.-vend.*

9h-12h, 13h30-17h30. L'équipe propose des visites guidées (stations d'épuration de coquillages, conserveries de poissons...).

Transports

En train – Un TER (dit « **train bleu** ») relie Port-de-Bouc à Marseille, via les stations de la Côte Bleue *(voir Côte Bleue pratique)*. La gare est en centre-ville.

Événement

Sardinades de Port-de-Bouc – Au port de plaisance, tous les soirs dès 19h, de fin juin à fin août, plusieurs centaines de personnes se réunissent pour une sardinade géante. Orchestres du jeudi au dimanche

Massif du **Garlaban**

CARTE GÉNÉRALE C4 – CARTE MICHELIN LOCAL 340 I6 –
BOUCHES-DU-RHÔNE (13)

Étincelant sous le soleil, l'immense désert rocailleux est un oasis pour les randonnneurs, qui viennent s'y ressourcer sur les traces de Marcel Pagnol. Après avoir passé ses étés d'enfance dans la bastide familiale, sous les sommets du Taoumé et du Garlaban, l'écrivain-cinéaste y planta le décor de nombreux films et romans, dont le célèbre « Manon des Sources ». Disparu en en 1974, l'artiste fait aujourd'hui encore tellement partie du paysage que vous entendrez souvent parler des « collines de Marcel Pagnol ».

▷ **Se repérer** – Posé à 15 km à l'est de Marseille, le massif s'étend sur 8 000 ha, répartis sur quatre communes : Allauch, Aubagne, Marseille et Roquevaire.

⏱ **Organiser son temps** – Comptez environ 3h pour explorer les hameaux et les petites villes du massif, beaucoup plus si vous comptez randonner, sur les traces de Pagnol bien entendu ! Attention, comme tous les espaces nautrel sensibles des Bouches-du-Rhône, l'accès au massif est strictement réglementé du 1er juil. au 2e sam. de sept. Ouverts au public de 6h à 11h du martin, les espaces ferment en cas de risque d'incendie. Renseignez-vous avant le départ (☎ 0 811 20 13 13). Le reste de l'année, la même précaution vaut pour les jours de vent violent.

> ### Dis-moi quel est ton nom
>
> Pour respecter les susceptiblités locales, sachez que ce bout de Provence a plusieurs appellations. Les Aubagnais l'appellent « massif du Garlaban ». Les Allaudiens le surnomment « massif d'Allauch ». Tous les autres, les « estrangers » en priorité, font volontiers référence aux « collines de Pagnol » !

👥**Avec les enfants** – Le musée d'Allauch dont la muséographie réussit à rendre l'art sacré accessible dès 8 ans.

🕯 **Pour poursuivre la visite** – Voir aussi Aubagne.

Comprendre

L'enfant du pays – Le plus connu est… bien sûr **Marcel Pagnol**. Né à Aubagne en 1895, l'écrivain et cinéaste passa ses vacances d'enfant au cœur de ces collines parfumées. Il le raconte dans trois volumes autobiographiques (*La Gloire de mon père*, *Le Château de ma mère* et *Le Temps des secrets*). Ne venez pas ici sans relire ces textes, qui restent l'œuvre maîtresse de Pagnol (*voir aussi Aubagne*).

Le massif du Garlaban où Marcel Pagnol aimait se promener.

Circuit de découverte

35 km au départ d'Aubagne – environ 45mn sans les arrêts.

Aubagne *(voir ce nom)*

Quitter Aubagne au nord-ouest par la D 4 en direction des Camoins. Traverser le village puis prendre à droite jusqu'au Treille.

La Treille

Attention : se garer dans les étroites ruelles relève de l'utopie le week-end. Laisser la voiture à l'entrée du village et poursuivre à pied jusqu'au chemin des Bellons (fléché).

Une fois dans les ruelles de cet adorable hameau, difficile de croire que l'on est dans le 11ᵉ arrondissement marseillais ! C'est pourtant bien vrai. Enfant, Marcel Pagnol venait avec son frère Paul et ses parents passer ses étés à la Bastide-Neuve, des vacances enchantées qu'il raconte dans sa trilogie de souvenirs d'enfance. La maison existe toujours *(privée, plaque sur le mur d'entrée)*, s'élevant tout au bout du chemin des Bellons. Le chemin grimpe ensuite vers les collines, où des sentiers balisés emmènent les randonneurs vers le Pic du Taoumé, la Grotte du Grosibou ou le sommet du Garlaban, chers à Pagnol. Après avoir rêvé de bartavelles sur les sentiers rocailleux, les fans ne manqueront pas au retour de se recueillir sur la tombe de l'écrivain, au **cimetière**, à l'entrée du hameau.

Revenir sur la D 4ᴬ et prendre à droite.

Allauch★

Suivre « le village » pour vous garer au plus près des ruelles du vieil Allauch.

Entouré par la chaîne de l'Etoile et le massif du Garlaban, Allauch (prononcez « Allau ») se situe dans la grande banlieue de Marseille. Malgré cette proximité, le vieil Allauch dégage tout le charme d'un authentique village provençal, étageant ses maisons pastel, ses moulins et sa crèche sur les contreforts calcaires. Depuis la **place des Moulins** (cinq moulins à vent s'y dressent), belle **vue★** sur la ville de Marseille.

Un des cinq moulins d'Allauch.

Gilles Magnin / MICHELIN

👥 Le **musée d'Allauch** – ✆ 04 91 10 49 00 - http://musee.allauch.com - ♿ - tlj sf lun. 9h-12h, 14h-18h - fermé j. fériés sf w.-end - visites guidées sam. et dim. sur réserv. - 3 €. Installé dans l'ancien hôtel de ville, il est dévolu à l'art sacré. Dirigé par une équipe dynamique, le lieu bénéficie d'une muséographie moderne et adaptée au jeune public, qui le rend particulièrement intéressant. Vous ne vous ennuierez pas en découvrant les fondements de la culture chrétienne occidentale à travers trois espaces (religions, sanctuaires, sacrements). Pièce maîtresse du musée : une vierge romane en bois du 14ᵉ s. Une salle est consacrée à l'histoire d'Allauch.

Des fourmis dans les jambes ? 30mn à pied suffisent pour atteindre la **chapelle Notre-Dame-du-Château** qui offre un panorama sur Marseille et les massifs environnants. Plusieurs sentiers de randonnée partent vers les collines chères à Pagnol *(circuits disponibles à l'office de tourisme, voir l'encadré pratique).*

Sortir du village au sud en direction des Trois-Lucs. Après 4 km, prendre à gauche la petite route jusqu'à « La Valentine ».

Château de la Buzine

Parking devant les grilles. Petit parc avec une table de pique-nique à droite.

La belle façade de cette fière bastide Second Empire attirera les passionnés de Pagnol : l'écrivain-cinéaste l'a achetée en 1941, après l'avoir reconnue comme « Le château de ma mère » de son enfance. L'artiste projetait d'y créer une « Cité du cinéma », projet qui n'a jamais abouti. Très endommagé, le château ne se visite pas. Il est aujourd'hui la propriété de la ville de Marseille. Des travaux sont en cours pour la création, en 2008, d'une institution consacrée au cinéma, en particulier régional, comprenant une cinémathèque et une médiathèque.

Sortir de la Valentine pour rejoindre la D 2 qui ramène à Aubagne.

Massif du Garlaban pratique

&. Voir aussi l'encadré pratique d'Aubagne.

Adresse utile

Maison du tourisme d'Allauch – *Esplanade Frédéric-Mistral (pl. des Moulins) - 13718 Allauch Cedex - ℘ 04 91 10 49 20 - www.allauch.com - juin-sept. : tlj 9h-12h30, 14h-18h ; oct.-mai : tlj 9h-12h, 13h30-18h - fermé 25 déc. et 1er janv.* Hormis la documentation traditionnelle, l'équipe a conçu de très intéressants livrets thématiques gratuits (Pagnol, les premiers habitants d'Allauch, Noël…)

Se loger

⊖ **L'Eau des Collines** – *45 rte de La Treille à Camoins-les-Bains - 13011 Marseille - ℘ 04 91 43 06 00 - www.eau-des-collines.com - 14 ch. 45/48 € - ⊑ 5 €.* Sur la route de La Treille, cet établissement familial bénéficie du calme de la campagne environnante. L'atmosphère reste un brin surannée, mais la réception vient de faire l'objet d'une rénovation. Chambres simples. Accueil courtois.

⊖⊖ **Les Cigales** – *Rte Enco-de-Botte - 13190 Allauch - ℘ 04 91 68 17 07 - www.hotel-lescigales.fr -* **P** *- réserv. conseillée - 6 ch. + 1 suite 70/95 € - ⊑ 7 € - restauration 20 €.* Entre Marseille et Allauch, chambres tranquilles, dans un cadre familial. Jardin avec piscine. Établissement récent.

Se restaurer

⊖⊖ **Le Relais de Passe-Temps** – *Vallon de Passe-Temps - 13190 Allauch - 5 km d'Allauch dans les collines, village de la Treille - ℘ 04 91 43 07 78 - www.lepassetemps.com - fermé dim. soir, lun. et mar. - 20/38 €.* Aux Bellons, dans le prolongement du village de La Treille, une adresse rare. Cuisine extrêmement soignée, servie avec un tact remarquable. Superbe terrasse ombragée et piscine, dans un vallon perdu au pied du Garlaban. Notre coup de cœur !

Faire une pause

Le Salon Provençal – *Pl. Benjamin-Chappe - 13190 Allauch - ℘ 04 91 68 39 92 - tlj sf jeu. 9h-18h30, w.-end 9h-21h30 - 6,60/15 €.* Sur une adorable petite place du vieil Allauch, un sympathique salon de thé-glacier, qui propose aussi des formules repas à prix doux. Une terrasse et trois petites salles, pour manger au calme. Borne wi-fi à disposition.

Que rapporter

Au Moulin Bleu – *7 cours du 11-Novembre - 13190 Allauch - ℘ 04 91 68 19 06 - tlj sf lun. mat. 8h30-12h30, 14h30-19h.* Voici l'unique et dernier fabriquant des fameux **suce-miel** qui enchantaient les enfants autrefois. Outre cette spécialité, vous trouverez également d'autres gourmandises locales : nougats, croquants, casse-dents, etc. Salon de thé au fond de l'immense espace de vente. Le week-end, le personnel est habillé en costume provençal.

Santons de Provence Gilbert Orsini – *Pl. de la Mairie - 13190 Allauch - ℘ 04 91 07 46 11 - www.santonsdeprovence. allauch.com - 9h-12h, 15h-19h.* Tous les personnages de la tradition santonnière sont ici représentés. C'est lui qui crée tous les ans à Noël la crèche de 500 santons exposée au Vieux Bassin.

Randonner

Dans les collines de Pagnol – Les offices du tourisme d'Allauch et Aubagne, le comité du tourisme des Bouches-du-Rhône proposent gratuitement la brochure *Sept balades dans les collines de Pagnol*, un précieux outil avec ses cartes et ses parcours très précis.

Événements

Fête de la Saint-Jean – Autour du 24 juin à Allauch : feux, groupes folkloriques, défilé de chars.

Noël à Allauch – De décembre à janvier *(pour les dates exactes, contacter la Maison du tourisme)*, crèche, pastorales, veillée calendale et marché de Noël.

Gordes★★

2 092 GORDIENS
CARTE GÉNÉRALE B2 – CARTE MICHELIN LOCAL 332 E10 – SCHÉMA P. 258 – VAUCLUSE (84)

Il y a fort lontemps, avant de devenir « le village des villages » le plus fréquenté du Luberon au 21ᵉ s., Gordes était habité par une tribu celto-ligure, les Vordenses. Vorda (qui signifiait « village perché ») se prononçait à peu près « gworda », d'où l'évolution du nom en Gorda. Toujours planté sur sa falaise à l'extrémité du plateau de Vaucluse qui domine les vallées de l'Imergue et du Calavon, face au Luberon, Gordes offre au soleil ses pierres dorées par le temps, ses calades où il fait bon se perdre, ses maisons et son château mêlés à une végétation méditerranéenne. Pas étonnant qu'il soit classé parmi les « plus beaux villages de France ».

- **Se repérer** – Il faut aborder Gordes depuis Cavaillon (17 km au sud-ouest) par la D 15, afin de découvrir ce superbe site perché dont les maisons en pierres sèches s'étagent et se pressent jusqu'aux contreforts du château.

- **Se garer** – Vous n'aurez pas le choix : d'avril à novembre, vous devrez stationner sur l'un des parkings payants obligatoires aménagés près du village *(3 € par véhicule)*. Pour un séjour supérieur à une journée, le macaron semble tout indiqué *(5 €, valable un an !)*.

- **À ne pas manquer** – Les calades du village ; l'abbaye de Sénanque ; le village des Bories.

- **Organiser son temps** – Envahi à la belle saison, le village redevient au printemps et à l'automne tout ce qu'il a toujours été : magique ! Moyennant une petite laine (et un bon anorak, et une bonne écharpe, et un gros bonnet !), découvrez le bonheur d'y être au cœur de l'hiver, quand le mistral balaie le ciel transparent.

- **Avec les enfants** – Le village des Bories, transformé en musée de l'Habitat rural.

- **Pour poursuivre la visite** – Voir aussi le Luberon, Apt, Ansouis, Bonnieux, Ménerbes, Roussillon et La Tour-d'Aigues.

Se promener

Le village★

Les **calades**, ces ruelles pavées bordées de caniveaux à deux rangées de pierres, s'achèvent parfois en escalier ou, enjambées par des passages voûtés, se faufilent entre de vieilles et hautes maisons qui prennent appui sur les vestiges des fortifications. Çà et là, on découvre une échappée sur la garrigue écrasée de soleil en contrebas, tandis que les foules se pressent dans les échoppes d'artisans et les boutiques de souvenirs. En effet, littéralement envahi à la belle saison, Gordes est victime de son succès.

Stéphane Sauvignier / MICHELIN

Les maisons se serrent autour du château.

Visiter

Château

Bâti à la Renaissance par **Bertrand de Simiane** sur l'emplacement d'une forteresse médiévale, sa silhouette monumentale présente une allure austère que contredit l'intérieur, délicatement orné : ainsi, la porte Renaissance de la cour, la splendide **cheminée★** de la grande salle du 1ᵉʳ étage, ornée de frontons, coquilles, décor floral et pilastres. Ses trois étages abritent aujourd'hui un **musée** consacré au peintre flamand **Pol Mara** (1920-1998), au style souvent assez lourdement symbolique. *☎ 04 90 72 02 75 - 10h-12h, 14h-18h - fermé 1ᵉʳ janv. et 25 déc. - 4 €.*

Le village des Bories : une forme originale d'habitat.

Caves du palais Saint-Firmin

Accès depuis la place Genty-Pantaly par la petite rue de l'Église, puis la rue du Bel-védère, en direction du « point de vue ». 📞 *04 90 72 02 75 - juil.-août : 10h30-19h ; avr.-juin et sept.-oct. : tlj sf mar. 11h-18h -animation de 25mn, démarrant toutes les 30mn - 4 €.*

Une animation son et lumière vous accompagne dans les souterrains de ce « palais » (en fait, une grande maison de village), mettant au jour un aspect méconnu du Gordes d'autrefois : l'activité artisanale troglodytique, dont témoignent des citernes, des escaliers et les vestiges d'un très ancien moulin à huile, datant probablement du 15ᵉ s.

Aux alentours

Abbaye de Sénanque★★ *(voir ce nom)*

Village des Bories★★

3 km au sud par la D 15 en direction de Cavaillon. Peu après l'embranchement de la D 2, prendre à droite le chemin goudronné qui, entre des murettes de pierres sèches, conduit après 2 km environ, au parking aménagé. 📞 *04 90 72 03 48 - tlj de 9h au coucher du soleil - fermé 1ᵉʳ janv. et 25 déc. - 5,50 € (enf. 3 €).*

Ce hameau d'une vingtaine de bories restaurées, vieilles de 2 à cinq siècles, est organisé en musée de l'Habitat rural. Une vingtaine de bâtiments, habitations, bergeries ou granges de formes variées, bâties avec les matériaux trouvés sur place (pour l'essentiel des lauzes, feuilles de calcaire se détachant du rocher et assemblées sans mortier ni eau), s'ordonnent autour d'un four à pain. Si l'on sait qu'elles ont été occupées jusqu'au début du 19ᵉ s., de nombreuses questions se posent quant à leur origine, et, surtout, leur utilisation : habitat permanent ou saisonnier ? Lieu de refuge au cours d'époques troublées ? Le mystère demeure. En tous les cas, on éprouve à parcourir ce hameau (du moins, lorsque l'affluence n'y est pas trop importante), l'étrange impression de se retrouver hors du temps.

Les gorges de Véroncle

4 km à l'est. Suivre la D 102 (direction Joucas), passer l'embranchement de la D 156 vers Goult, puis un peu plus loin prendre à gauche un chemin de terre (fléché).

🚶 *Environ 1h AR. Niveau moyen (quelques à-pics et passages en échelle).* Une boucle (1,5 km) balisée en jaune permet de remonter jusqu'au moulin Cabrier, avec retour par le ruisseau de Véroncle.

Du 16ᵉ au 19ᵉ s., plusieurs moulins ont fonctionné dans les gorges de Véroncle pour produire de la farine. Construits dans des conditions extrêmement délicates, dans un site où l'eau était rare, l'ingéniosité des hommes aura permis de capter le précieux liquide et de pouvoir améliorer l'ordinaire. Le moulin Cabrier, lieu empreint d'ombre et de mystère, permet de jauger le talent de ces bâtisseurs : resclause (bassin), canal d'amenée, puits venaient alimenter en eau la roue, ici horizontale. Cabrier était un des seuls moulins habités des gorges, avec grenier, écurie et poulailler.

Musée du Moulin des Bouillons

5 km au sud par la D 15 (direction Cavaillon), la D 2 puis la D 103, à gauche, vers les Beaumettes. Tourner encore à gauche dans la D 148 vers Saint-Pantaléon ; la suivre sur 100 m jusqu'au « Moulin des Bouillons ». 📞 *04 90 72 22 11 -* ♿ *- avr.-oct. : tlj sf mar. 10h-12h, 14h-18h - 4,50 € ; 7 € billet combiné avec le musée du Vitrail et de l'Histoire du verre.*

Cette bastide des 16ᵉ et 17ᵉ s. a été transformée en petit musée de l'huile d'olive : les passionnés viendront admirer la collection de lampes à huile, d'outils nécessaires à la culture de l'olivier, et surtout, l'impressionnant **pressoir★** à olives fait d'une seule pièce de chêne de 10 m de long et pesant 7 t !

À proximité, un bâtiment vitré semi-enterré abrite le **musée du Vitrail et de l'Histoire du verre**. Mi-musée, mi galerie d'art (les œuvres de la propriétaire sont exposées), ce site retiendra les curieux qui s'intéressent à l'histoire du verre : son invention en Syrie voilà 7 000 ans et ses utilisations dans la technique du vitrail. *Mêmes conditions de visite que le moulin.*

Saint-Pantaléon

7 km au sud-est par la D 104, puis à droite la D 148.

Minuscule **église romane** construite à même le roc. Des tombes l'entourent, également creusées dans la roche ; beaucoup ont la taille d'un enfant : s'agissait-il d'un de ces « sanctuaires de répit » dont on trouve quelques exemples en Provence ? On y amenait les enfants morts avant le baptême : ils ressuscitaient le temps d'une messe au cours de laquelle on les baptisait, avant d'être inhumés sur place.

Gordes pratique

♿ Voir aussi les encadrés pratiques de Cavaillon et du Luberon.

Adresse utile

Office du tourisme de Gordes – *Pl. du Château - 84220 Gordes -* 📞 *04 90 72 02 75 - www.gordes-village.com - été : 9h-12h30, 14h-18h30 ; hiver : 9h-12h, 14h-18h.*

Se loger

🛏️ **Chambre d'hôte La Badelle** – *7 km au S de Gordes par D 104 dir. St-Pantaléon et Goult -* 📞 *04 90 72 33 19 - www.la-badelle.com - réserv. obligatoire en hiver - 5 ch. 70/94 € -* 🍽️ *5 €.* Les chambres sont aménagées dans les anciennes remises de cette ferme ancestrale. Leur sobre décor et leur carrelage de terre cuite mettent en valeur le mobilier ancien. Pratique, une cuisine est disponible en été.

🛏️ **Chambre d'hôte Mas Val-Chênaie** – *Les Sauvestres - 7 km au SE de Gordes par D 2 et D 156 -* 📞 *04 90 72 13 30 - www.mas-val-chenaie.com - fermé janv.-fév. -* 🍽️ *- 4 ch. 75/110 €* 🍽️. Ce superbe mas niché dans une chênaie abrite 4 grandes chambres, toutes décorées en fonction d'une unité de couleur. Poutres lasurées et douches à l'italienne viennent parfaire le tableau. Cuisine d'été à disposition, près de la jolie piscine entourée d'arbres… Un vrai petit paradis en plein cœur du Luberon.

🛏️ **Chambre d'hôte Le Mas de la Beaume** – 📞 *04 90 72 02 96 - www.labeaume.com -* 🍽️ *- 5 ch. 115/165 €* 🍽️ *- repas (soir seul.) 30 €.* La tranquillité, la vue sur le village de Gordes et le chant des cigales… Voilà bien de quoi séduire plus d'un citadin ! Ce joli mas provençal niché dans un jardin où poussent l'olivier, l'amandier et la lavande, abrite de spacieuses chambres aux tonalités provençales. Piscine et jacuzzi.

Se restaurer

🍴 **L'Artegal** – *Pl. du Château -* 📞 *04 90 72 02 54 - 14/32 €.* Ce restaurant qui propose de délicieux plats du jour et de copieuses salades fait aussi salon de thé l'après-midi. Pâtisseries maison à savourer en terrasse, au pied du château, si le temps le permet. Plaisant intérieur façon bistrot rehaussé de touches design.

🍴 **La Farigoule** – *Les Imberts (D 2, entre Gordes et Cabrières-d'Avignon) - 4 km de Gordes -* 📞 *04 90 76 92 76 - lafarigoule@wanadoo.fr - fermé merc. soir et jeu. - 13/26 €.* Ce restaurant propose une savoureuse cuisine provençale dans une sympathique salle à manger méridionale. Agréable terrasse couverte et prix raisonnables pour la région. Il est préférable de réserver.

Que rapporter

Marché des Tisserands – Le week-end de Pâques, dans la salle des fêtes.

Annie Sotinel – *Rte de Goult, hameau des Pourquiers - D 156 ; derrière la ferme de la Huppe -* 📞 *04 90 72 05 71 - anniesotinel@free.fr - visite tous les apr.-midi 15h-20h (18h l'hiver), sur RV en hiver - fermé de mi-janv. à mi-fév.* Création textile et tissage à la main à découvrir dans l'**atelier** de cette artiste travaillant la soie, le cachemire, le mohair et l'alpaga.

Événement

Festival Soirées d'été de Gordes – 1ʳᵉ quinzaine d'août, au théâtre des Terrasses.

Le Grau-du-Roi

5 875 GRAULENS
CARTE GÉNÉRALE A3 – CARTE MICHELIN LOCAL 339 J7 – GARD (30)

Entre mer et marais, où seuls vivaient quelques pêcheurs, souvent d'origine italienne, établis dans d'humbles cabanes, Le Grau-du-Roi, au milieu du 19ᵉ s., ne présentait pas grand attrait avant que la vogue des bains de mer n'en fasse la plage des Nîmois. Construite de part et d'autre d'un grau (brèche dans le cordon littoral ouverte naturellement vers 1570, au lieu-dit Gagne-Petit), entre l'embouchure du Vidourle et celle du Rhône, cette station offre 18 km de plages de sable fin aux adeptes des bains de mer. Quant aux plaisanciers, ils disposent avec Port-Camargue de marinas leur permettant d'accéder directement à leur bateau.

Le Grau-du-Roi est, après Sète, le deuxième port de pêche de la Méditerranée.

◗ **Se repérer** – Deux façons d'arriver au Grau : par la D 62ᴬ qui traverse l'**étang du Repausset**, vous permettant d'admirer flamants et aigrettes ou, peut-être, d'apercevoir une manade de taureaux ; ou bien par la D 979 depuis Aigues-Mortes, en longeant les salins et le chenal. Le Grau-du-Roi s'ordonne en trois parties distinctes : du nord au sud, vous trouverez d'abord le port de pêche et le village, puis le port de plaisance de Port-Camargue, et enfin le site préservée de l'Espiguette, avec son phare et sa longue plage.

◉ **À ne pas manquer** – Les plages ; le paysage camarguais de la route du phare de l'Espiguette.

◷ **Organiser son temps** – Le Grau-du-Roi est une base de séjour idéale pour des vacances en famille. Vous avez la chance de pouvoir venir hors vacances scolaires ? Félicitations, vous pourrez jouer les Robinson Crusoé, seuls (ou presque) tout au long des 18 km de plages de sable fin. En hiver, à vous les longues promenades sur le sable.

👪 **Avec les enfants** – Le Seaquarium.

👣 **Pour poursuivre la visite** – Voir aussi Aigues-Mortes et la Camargue.

Séjourner

Village

C'est un quadrillage de rues bordées de maisons basses, envahies en saison par des boutiques d'artisanat et d'innombrables restaurants, et dont le centre névralgique reste le canal, avec son pont tournant, ses pontons et le vieux fanal coiffé de son campanile, symbole de la cité. Des bateaux de pêche sont amarrés le long des quais, par ailleurs bordés de restaurants. Depuis le bout de la jetée, vue sur le golfe d'Aigues-Mortes, avec, à gauche, la pointe de l'Espiguette (et Port-Camargue), à droite, La Grande-Motte que semble surplomber le pic Saint-Loup, la montagne de La Gardiole et le mont Saint-Clair qui domine Sète.

Plages

S'il est des sites essentiellement fréquentés pour leurs plages, alors Le Grau-du-Roi est de ceux-là, avec un littoral déroulant 18 km de sable. Du nord au sud, vous trouverez la plage du Boucanet, qui s'étend des quartiers résidentiels jusqu'au centre commerçant. Passé le canal, vient ensuite la plage nord, que l'on peut longer en empruntant la promenade piétonne, qui s'étire jusqu'à Port-Camargue. Le port de plaisance, lui, compte la plage sud. Passé le chenal sud commence la longue plage de l'Espiguette, la plus sauvage *(voir ci-après)*.

> ### Les « tellinaïres »
>
> Armés de leur tellinier (trois manches en bois, une lame et un filet à mailles serrées, la couffe), ils raclent les fonds sableux à la recherche des tellines, ces petits coquillages au goût délicat *(ainsi nommés du grec tellinos, « bout de sein »),* fort appréciés entre Le Grau et Beauduc.

Seaquarium et musée de la Mer

Sur la route de Port-Camargue (accès fléché, suivre « Palais de la Mer »), grand parking gratuit près de l'entrée - ☎ 04 66 51 57 57 - www.seaquarium.fr - ♿ - juil.-août : 10h-minuit (dernière entrée 1h av. fermeture) ; mai-juin et sept. : 10h-20h ; oct.-avr. : 10h-19h - 9,80 € (5-15 ans 6,50 €).

👥 Requins, méduses, phoques, otaries et poissons de Méditerranée amuseront ou impressionneront petits et grands. Même si certains bassins ne sont plus de prime jeunesse, des écrans interactifs remplacent désormais les panneaux d'informations sur les poissons, mollusques et autres crustacés. Le « parcours enfants » propose des jeux destinés à découvrir le monde sous-marin. Le petit musée mérite une visite : maquettes de navires (« nacelles » et « mourres de porcs »), types de pêche abandonnées (au globe, la « seinche ») et histoire de la cité maritime.

Port-Camargue

Accès par la D 62[B], au sud-est.

Entre Le Grau et l'Espiguette, la station a été créée en 1969 autour d'un port de 170 ha, pouvant abriter 4 860 bateaux : bassins d'escale et d'hivernage sont entourés par la capitainerie, le chantier naval, les services nautiques et les marinas conçues par l'architecte Jean Balladur.

Phare et plages de l'Espiguette

6 km au sud par la route partant du rond-point marquant l'entrée de Port-Camargue. Parking payant du 31 mars au 24 sept. : 7h30-18h - 4,50 € par véhicule.

Pour rejoindre cette immense plage de sable (900 m de large et 9 km de long !), il faut suivre une charmante route tracée entre plages et étangs, permettant de découvrir un paysage camarguais et d'apercevoir quelques oiseaux. En bordure de l'**étang des Baronnets**, face à la maison méditerranéenne des vins, de l'olive et des produits régionaux *(voir l'encadré pratique)*, ne manquez pas la **cabane camarguaise** qui sert d'observatoire. Autre curiosité à explorer entre deux baignades : le **phare**, posé à l'origine à 150 m de la mer, se dresse aujourd'hui à 1,5 km du rivage au milieu de dunes où poussent tamaris, chardons, roquettes de mer et cakiles. Sur cette immense plage, le port du maillot relève (parfois) de l'excentricité.

Le Grau-du-Roi pratique

♿ Voir aussi les encadrés pratiques d'Aigues-Mortes et de la Camargue.

Adresse utile

Office du tourisme du Grau-du-Roi – *30 r. Michel-Rédarès - 30240 Le Grau-du-Roi - ☎ 04 66 51 67 70 - www.legrauduroi-portcamargue-tourisme.info - juil.-août : 9h-21h ; mai-juin et sept. : 9h-19h ; oct.-avr. : 9h-12h15, 14h-18h - fermé 25 déc. et 1er janv.*

Transport

Autorail – *☎ 04 66 51 67 70.* Pour ceux qui n'ont pas de voiture, le sympathique autorail mène, depuis Nîmes, parmi les étangs, jusqu'à la gare du Grau-du-Roi.

Se loger

⌂ **Camping Le Boucanet –** *Rte de la Grande-Motte - 1 km au NO du Grau-du-Roi - ☎ 04 66 51 41 48 - contact@campingboucanet.fr - ouv. 16 avr. au 24 sept. - réserv. conseillée - 458 empl. 38 € - restauration.* Pour qui aime avoir les pieds dans l'eau, certains emplacements sont à 5 m de la mer ! La piscine a aussi son charme. Détente assurée pour petits et grands : tennis, planche à voile, club enfants... Location de bungalows toilés et mobile homes.

🛏️🍽️ **Oustau Camarguen** – *3 rte des Marines* - 30240 Port-Camargue - *3 km au S du Grau-du-Roi par D 62*^B - 🕿 *04 66 51 51 65* - *oustaucamarguen@ wanadoo.fr* - *fermé 13 oct.-25 mars* - 🅿 - *39 ch. 78/147 €* - 🍽️ *10,50 €* - *restaurant 27/31 €*. Petit mas camarguais sur la route de la plage sud. Chambres spacieuses décorées dans l'esprit provençal ; certaines sont dotées de jardinets privatifs. Restaurant avec terrasse en bord de piscine. Cuisine classique, grill le midi. Hammam et jacuzzi.

Se restaurer

🛏️🍽️🍽️ **L'Amarette** – *Centre commercial Camargue 2 000* - 30240 Port-Camargue - *3 km au S du Grau-du-Roi par D 62*^B - 🕿 *04 66 51 47 63* - *fermé déc.-janv. et merc. hors sais.* - *35/59 €*. Restaurant aménagé au 1er étage d'un centre commercial où vous pourrez déguster poissons, coquillages et crustacés de très grande fraîcheur, tout en ne manquant rien du spectacle qui s'offre à vos yeux de la terrasse dominant le littoral.

En soirée

👁️ **Bon à savoir** – Au Grau-du-Roi, le développement du tourisme a su, malgré tout, préserver une certaine authenticité et mettre en valeur les traditions de ce vieux port de pêche en proposant des espaces de loisirs, comme le Palais de la mer, et des lieux de commerce, comme la Maison méditerranéenne des vins, de l'olive et des produits régionaux (*voir « Que rapporter »*).

Bar de la Marine – *31 quai Colbert* - 🕿 *04 66 51 40 33* - *été 7h-1h ; reste de l'année : 8h-20h*. Cette institution locale constitue, en été, un des points stratégiques de la station. Son décor en bleu et blanc est fort agréable et sa terrasse dressée sur un ponton surplombant le canal permet d'admirer le retour au port des chalutiers cernés par les gabians.

Casino du Grau-du-Roi – *3 av. du Ceinturion* - *Port Camargue* - 🕿 *04 66 53 40 95* - *www.groupetranchant.com* - *10h-3h*. Ce casino propose des jeux de black-jack, roulettes anglaises, boule, stud poker et 80 machines à sous. Dîners-spectacles, soirées musicales et dansantes.

Que rapporter

Maison méditerranéenne des vins, de l'olive et des produits régionaux – *Domaine de l'Espiguette* - *Suivre le panneau « plage de l'Espiguette »* - 🕿 *04 66 53 07 52* - *www.mdv30.com* - *de mi-juin à mi-sept. : 9h-13h, 14h30-20h ; de mi-sept. à mi-juin : 9h-12h30, 14h30h-18h*. Vaste espace consacré à la dégustation et à la vente de nombreux produits régionaux : vins méditerranéens (plus de 2 000 références de Nice à Collioure), huiles d'olive, plats cuisinés, miel, riz, sel de Camargue et savons de Marseille. Vous y trouverez également une librairie et des objets artisanaux.

Sports & Loisirs

Ranch Lou Seden – *1820 rte de l'Espiguette* - 🕿 *04 66 51 74 75* - *été : 8h-21h ; le reste de l'année : 9h-19h* - *15 €/h ; 25 €/2h*. En 1950, Jean Vedel eut le premier l'idée d'organiser des excursions équestres à travers la **Camargue**. Aujourd'hui, ses enfants ont pris le relais et mettent à votre disposition chevaux et poneys pour des promenades d'une heure (dans les marais), de 2h au bord de la mer, ou de 4h (pour cavaliers confirmés).

L'Écurie des dunes – *1745 rte de l'Espiguette* - 🕿 *04 66 53 09 28* - *ecurie-des-dunes@wanadoo.fr* - *8h-19h*. La Camargue à cheval avec l'Écurie des dunes : stages d'équitation tous niveaux, randonnées dans les marais, les dunes, sur les plages...

Mas de l'Espiguette – *Rte de l'Espiguette* - 🕿 *04 66 51 51 89* - *8h-21h* - *fermé 25 déc.* Toutes les disciplines sont enseignées par une monitrice diplômée, sous forme de cours à l'année ou de stages. Le temps d'une promenade à cheval, laissez-vous charmer par la beauté de la Camargue dans les plaines et les marais. Un galop dans l'écume des vagues sous un soleil couchant vous laissera des souvenirs inoubliables.

Thalassa Port-Camargue – *Rte des Marines* - *plage Sud* - 30240 Port-Camargue - 🕿 *04 66 73 60 60* - *www.accorthalassa.com*. Cures de remise en forme, de beauté, séjour post-natal, forfait spécial jambes, « masculin tonic », « équilibre et harmonie ». Il existe également un forfait.

Événements

Spectacles taurins – D'avril à octobre : courses camarguaises réputées aux arènes (en particulier lors de la fête votive mi-septembre lorsqu'est mis en jeu entre les raseteurs le Trophée de la mer). *Abrivados* dans les rues, sur le pont tournant et (hors saison) sur la plage du Boucanet. Corridas et novilladas aux arènes (l'été). Toros-piscine, courses autour d'un bassin (juillet-août : lundi, mercredi et vendredi).

Grignan

1 353 GRIGNANAIS
CARTE GÉNÉRALE B1 – CARTE MICHELIN LOCAL 332 C7 – DRÔME (26)

Dressé sur une butte rocheuse isolée, l'imposant château médiéval des Adhémar de Monteil domine ce vieux bourg du Tricastin que Madame de Sévigné a rendu célèbre. La marquise ne fit pas qu'écrire de fort belles lettres à sa fille, mariée au châtelain de l'époque : belle-maman fit de si fréquentes visites au château qu'elle finit par y disposer de ses propres appartements !

▶ **Se repérer** – On arrive à Grignan en quittant l'autoroute A 7 au sud de Montélimar et en prenant la D 941 en direction de Valréas.

🅿 **Se garer** – Vous pourrez laisser votre voiture aux parkings de la rue du Grand-Faubourg ou de la place du Jeu-de-Ballon, avant de partir à l'assaut du château.

👁 **À ne pas manquer** – Le château et les appartements de Mme de Sévigné ; le musée de la Soie de Taulignan.

🕐 **Organiser son temps** – Comptez une poignée d'heures pour que la visite soit suivie d'une agréable flânerie dans le village. Les passionnés de belles lettres reviendront début juillet assister au Festival de la correspondance, vrai clin d'œil adressé à la marquise de Sévigné, qui écrivit tant et plus à sa châtelaine de fille.

👣 **Pour poursuivre la visite** – Voir aussi Valréas ; pour découvrir les villages environnants, reportez-vous au *Guide Vert Lyon et la vallée du Rhône*.

Comprendre

Madame de Sévigné et Grignan - On ne sait ce que François, qui, selon les mots de sa jeune épouse, « abusait de la permission qu'ont les hommes d'être laids », pensait de cette belle-mère envahissante. Toujours est-il qu'après le mariage de sa fille, qui comblait ses vœux (« La plus jolie fille de France, écrit-elle à son cousin, épouse, non pas le plus joli garçon, mais un des plus honnêtes hommes du royaume. »), Mme de Sévigné entama une correspondance de vingt ans avec la jeune « exilée » à qui elle contait par le menu tous les potins

> ### 👁 Le saviez-vous ?
>
> **François de Castellane-Adhémar de Monteil**, comte de Grignan (1629-1714), lieutenant-général de Provence, s'illustra en s'emparant d'Orange en 1673 et en sauvant Toulon en 1707, alors menacé par le duc de Savoie. Faits d'armes qui ont moins fait pour sa gloire posthume que son troisième mariage, en 1669, avec Françoise-Marguerite de Sévigné, fille de la marquise de Sévigné.

de Paris. Sa liberté de ton et de style en font un chef-d'œuvre de la littérature du 17e s. Cependant, la marquise séjourna souvent à Grignan. C'est d'ailleurs là qu'elle mourut, en 1696, alors qu'elle était venue soigner sa fille atteinte d'une maladie de langueur ; elle fut enterrée dans la collégiale.

En 1793, la tombe de la marquise fut violée : tel y prit une côte qu'il fit enchâsser en médaillon, tel autre une dent, qui fut montée en bague et un amateur de phrénologie fit scier le crâne de la marquise et l'envoya à Paris, afin qu'il soit examiné par les savants. Qu'est-il devenu depuis ? Nul ne le sait.

Découvrir

Château★★

📞 04 75 91 83 55 - visite guidée uniquement (1h) 9h30-11h30, 14h-17h30 - fermé le mar. de nov. à mars, 1er janv. et 25 déc. - 5,50 € (enf. 3,20 €)

Château médiéval, il fut transformé une première fois au 16e s. par Louis Adhémar, gouverneur de Provence, puis, plus tard, par le gendre de Mme de Sévigné, entre 1668 et 1690. En grande partie détruit pendant la Révolution, il a retrouvé sa fière allure après une campagne de restauration et de reconstitution (mobilier 17e-18e s.) initiée par sa nouvelle propriétaire au début du 20e s. et poursuivie par le conseil général de la Drôme.

En parcourant les extérieurs, vous découvrirez la grande façade Renaissance du Midi, puis la cour du Puits avec son bassin, ouverte sur une terrasse encadrée à gauche par la galerie gothique, à droite et au fond par des corps de logis Renaissance.

Depuis la terrasse, vaste **panorama★** découvrant la longue crête de la montagne de la Lance, le mont Ventoux et les dentelles de Montmirail, la plaine comtadine et les Alpilles, le bois de Grignan et les montagnes du Vivarais.

Le château de Grignan en impose.

À l'intérieur, de l'office médiéval vous accèderez aux étages par l'escalier d'honneur (17e s.), pour visiter les appartements de Mme de Sévigné et du comte de Grignan, la salle du Roi, puis l'oratoire, avant de redescendre, par un escalier gothique, à la grande galerie aux belles boiseries. Remarquable **mobilier**★, en particulier deux magnifiques cabinets (l'un florentin, l'autre en ébène), et **tapisseries** d'Aubusson représentant des scènes mythologiques.

Collégiale Saint-Sauveur
Été : 10h-19h ; reste de l'année : 10h-18h - visite guidée sur demande, s'adresser à l'office de tourisme.
À l'intérieur de cette église du 16e s., dont la petite tribune communiquait avec le château, **buffet d'orgue** du 17e s. et, dans le chœur, belles boiseries. Au pied du maître-autel, à gauche, une dalle de marbre désigne l'emplacement de la tombe de Mme de Sévigné, morte à Grignan le 18 avril 1696.

Beffroi
Cette ancienne porte de la ville, datant du 12e s., a été transformée au 17e s. en tour de l'horloge.

Atelier-musée Livre & Typographie
℘ 04 75 46 57 16 - juil.-août : 10h-18h30 ; reste de l'année : tlj sf lun. 10h-12h30, 14h-18h - 2,30 € (enf. 1,50 €).
Dans ce village qui cultive le goût des belles lettres et de la correspondance, il faut s'arrêter à la maison du Bailli (15e s.). Elle regroupe des salles d'expositions, l'atelier d'impression des éditions Colophon, une librairie et un musée qui présente l'histoire de l'imprimerie ainsi qu'une reconstitution d'un atelier de typographe.

Grotte de Rochecourbière
Prendre la route partant de la D 541, à la sortie sud de Grignan, à hauteur d'un calvaire. Après environ 1 km, laisser votre voiture au parc de stationnement pour revenir à l'escalier de pierre, à droite. Cet escalier donne accès à la grotte de Rochecourbière. Mme de Sévigné aimait se retirer dans cette grotte, fraîche et silencieuse, parfumée de toutes les herbes de Provence, pour se reposer ou écrire son abondante correspondance.

Aux alentours

Taulignan
7 km au nord-ouest par les D 14 et D 24.
À la limite du Dauphiné et de la Provence, ce vieux bourg a gardé son enceinte médiévale : circulaire et presque continue, elle conserve onze tours (neuf rondes et deux carrées) reliées par des courtines (restes de mâchicoulis en plusieurs endroits), où s'intègrent des habitations. Au nord-est, la porte d'Anguille est la seule porte fortifiée ayant subsisté. Au hasard des ruelles, vous apprécierez les façades anciennes avec leurs portes en accolade et leurs fenêtres à meneaux (rue des Fontaines).

Atelier-musée de la Soie★ – 📞 04 75 53 12 96 - juil.-août : 10h-18h ; sept.-juin : 10h-12h30, 13h30-17h30, w.-end 10h-18h - fermé déc.-janv. - 5,50 € (-13 ans 2,50 €, -6 ans gratuit). Grâce à une présentation didactique autour de l'outillage et des machines (certaines en état de marche) nécessaires à la confection des tissus, vous découvrirez l'aventure de la soie, qui faisait vivre les magnaneries de la région au 19e s., et son processus de fabrication : la sériciculture, la filature et le tissage.

Grignan pratique

♿ Voir aussi l'encadré pratique de Valréas.

Adresse utile

Office du tourisme du pays de Grignan – Pl. du Jeu-de-Ballon - 26230 Grignan - 📞 04 75 46 56 75, www.tourisme-paysdegrignan.com - juil.-août : 9h30-12h30, 14h30,19h ; juin et sept. : 9h30-12h30, 14h-18h ; oct.-mai : 9h30-12h30, 14h-17h30 - fermé dim. sf juil.-août, 1er Mai, 25 déc. et 1er janv.

Se loger

🛏️🛏️🛏️ **La Bastide de Grignan** – Rte de Montélimar - 📞 04 75 90 67 09 - www.lerelaisdegrignan.com - 🚭 🅿 - 16 ch. 60/110 € - 🍽️ 8 €. Rattachée au Relais de Grignan tout proche, cet établissement flambant neuf construit sur une ancienne garrigue truffière offre de coquettes chambres au décor provençal actuel.

Se restaurer

🍽️🍽️ **Le Relais de Grignan** – 1 km à l'O de Grignan par D 541 - 📞 04 75 46 57 22 - www.lerelaisdegrignan.com - fermé 1er-17 nov., 20-29 déc., dim. soir, merc. soir et lun. - 25/70 €. C'est une grosse maison basse, en bordure d'une oliveraie, avec une belle terrasse sous les arbres. Si vous y passez pendant l'hiver, ne manquez pas les truffes.

Sports & Loisirs

🧍🧍 **Centre équestre de Grignan** – Le Serre Veyrenc - 📞 04 75 46 90 02. Envie d'une promenade à cheval ? Une monitrice diplômée vous fera découvrir le pays de Grignan et son patrimoine naturel, en compagnie de sympathiques équidés. Également stages d'initiation pour enfants et adultes, dressage, voltige et parcours en terrain varié.

Événements

Festival de la correspondance – Pendant 5 jours début juillet. Il propose des lectures, des spectacles, des cafés littéraires et des expositions, pour fêter la correspondance dans tous ses états.

Fêtes nocturnes – En juillet-août, en soirée, la façade du **château de Grignan** sert de scène à des représentations théâtrales. Une façon originale de s'adonner au plaisir du théâtre tout en découvrant le château sous un nouvel angle.

L'Isle-sur-la-Sorgue

16 971 ISLOIS
CARTE GÉNÉRALE B2 – CARTE MICHELIN LOCAL 332 D10 – VAUCLUSE (84)

Il suffit d'une courte promenade pour comprendre pourquoi cette petite ville entourée d'eau porte le nom d'Isle… Quant à Sorga, ce mot occitan désigne une source au débit abondant, nom bien adapté pour cette rivière qui sourd de la fontaine de Vaucluse… Les bras de la Sorgue, les grands platanes, les avenues et les roues à aubes donnent à cette localité un aspect riant et frais où il est particulièrement agréable de chiner le week-end, lorsque les antiquaires l'investissent.

- 🢒 **Se repérer** – À 23 km l'ouest d'Avignon, par la N 100, au pied du plateau du Vaucluse.

- 🅿 **Se garer** – Parking payant le long de la rivière.

- 👁 **À ne pas manquer** – Flâner le long des quais ombragés de la Sorgue, à la recherche des dernières roues à aubes.

- 🕐 **Organiser son temps** – Si c'est la brocante qui vous attire ici, venez le week-end ou les jours fériés, quand les villages d'antiquaires sont ouverts. Hors saison, c'est encore plus agréable : il n'y a plus foule.

- 👣 **Pour poursuivre la visite** – Voir aussi Fontaine-de-Vaucluse et Cavaillon ; les amateurs de brocante trouveront d'autres lieux incontournables dans la rubrique « Chiner » (voir le chapitre « Loisirs de A à Z », p. 37).

Se promener

L'Isle est une ville de flâneries, plus que de visites : les quais ombragés de la Sorgue qu'enjambent de petits ponts, les ruelles de la Juiverie, les agréables cafés qui ont souvent conservé leur caractère, les nombreux antiquaires en font un lieu privilégié pour les promeneurs.

Vous ne manquerez pas les **roues à aubes**, rescapées parmi toutes celles (il y en avait des dizaines) qui naguère rythmaient la vie de la cité : près de la place Émile-Char, à l'angle du jardin de la Caisse ; cours Victor-Hugo ; rue Jean-Théophile et quai des Lices. Elles étaient indispensables à l'époque où la ville était un grand centre de tisserands, de teinturiers, de tanneurs et de papetiers.

Visiter

Collégiale Notre-Dame-des-Anges

Juil.-août : 10h-18h ; sept.-juin : mar.-sam. 10h-12h, 15h-17h.

Sa **décoration★** (17e s.) d'une extrême richesse rappelle celle des églises italiennes. La nef unique est ornée au revers de la façade d'une immense gloire en bois doré attribuée à Jean Péru, comme les figures des Vertus placées sous les balustrades ; chapelles latérales décorées de belles boiseries et de tableaux de Mignard, Sauvan, Simon Vouet et Parrocel. Dans le chœur, un grand retable encadre une toile de Reynaud Levieux représentant l'Assomption. Orgues du 17e s.

Maison René-Char - Hôtel Campredon

R. du Dr-Tallet. 📞 04 90 38 17 41 - www.campredon-expos.com - juil.-oct. : 11h-18h30 ; nov.-juin : 10h-12h30, 14h, 17h30 - fermé mar., 1er Mai, 25 déc. et 1er janv.- 6 € (gratuit –14 ans).

Ce bel hôtel particulier du 18e s., représentatif du classicisme français, accueille des expositions temporaires d'art moderne et contemporain. Le 3e étage est consacré au grand poète **René Char** (1907-1988) : reconstitution de son cabinet de travail, exposition permanente et centre de documentation.

Hôpital

📞 04 90 38 04 00 - Malgré les rénovations en cours, quelques parties classées se visitent (sur demande à l'accueil de l'hôpital) : chapelle, le hall d'honneur et l'escalier, le jardin et la fontaine - gratuit.

S'ouvrant sur la rue Jean-Théophile, longée par un bras de la Sorgue, il est digne d'intérêt à plusieurs titres : Vierge en bois doré, grand escalier avec rampe en fer forgé (18e s.), boiseries de la chapelle, collection de pots en faïence de Moustiers dans la pharmacie et enfin, dans le jardin, charmante fontaine du 18e s.

Aux alentours

Le Thor

5 km à l'ouest sur la N 100, direction Avignon.

L'ancienne capitale du raisin de table « chasselas » est aujourd'hui un gros bourg agricole qui se partage entre cultures maraîchères et fruitières et viticulture. Le pont sur la Sorgue et ses alentours, notamment l'église, offrent une perspective rafraîchissante. Du Moyen Âge subsistent également des fragments de remparts et le beffroi.

L'**église★**, achevée au début du 13e s., est romane dans son ensemble, mais sa nef unique est couverte d'une voûte gothique qui compte parmi les plus anciennes de Provence. Extérieur imposant avec sa haute nef qu'étayent de massifs contreforts, son abside ornée d'arcatures lombardes et son lourd clocher central, inachevé. Portails directement inspirés de l'art antique. *📞 04 90 33 92 31 - 9h30-11h30 - possibilité de visite lors de la visite guidée de la ville, sur demande à l'office de tourisme.*

Grottes de Thouzon

3 km au nord du Thor par la D 16, sur laquelle s'amorce (à gauche) le chemin des grottes. 📞 04 90 33 93 65 - www.grottes-de-thouzon.com - visite guidée (45mn) juil.-août : 10h-19h ; avr.-juin et sept.-oct. : 10h-12h, 14h-18h (dernière entrée 30mn av. fermeture) - 6,80 € (5-12 ans 4,50 €) - prévoir vêtements chauds : température 13 °C.

👪 Les grottes s'ouvrent au pied d'une colline que couronnent les ruines du château de Thouzon et un monastère. Ce fut le hasard d'un coup de mine, sur le site d'une carrière, qui les fit découvrir en 1902. Sur 230 m, on parcourt l'ancien lit de la rivière souterraine qui creusa la galerie, terminée par un gouffre peu profond. Avec ses nombreuses concrétions colorées, la voûte, qui atteint parfois 22 m de hauteur, supporte des **stalactites fistuleuses** d'une rare finesse.

L'Isle-sur-la-Sorgue pratique

♿ Voir aussi les encadrés pratiques de Cavaillon et Pernes-les-Fontaines.

Adresse utile

Office du tourisme de L'Isle-sur-la-Sorgue – Pl. de la Liberté - 84800 L'Isle-sur-la-Sorgue - ℘ 04 90 38 04 78 - www.oti-delasorgue.fr - juil.-août : 9h-12h30, 14h30-18h, dim. et j. fériés : 9h-13h ; sept.-juin : 9h-12h30, 14h30-18h, dim. et j. fériés 9h-12h30.

Visites

Visites guidées – Juil.-sept. L'office de tourisme organise des visites thématiques (2h) : la Venise comtadine, la Sorgue source d'inspiration des poètes. Également un choix de visites à la journée.

Se loger

⌚ **Hôtel Lou Soloy du Luberon** – 2 av. Charles-de-Gaulle - ℘ 04 90 38 03 16 - lousoloy@tiscali.fr - fermé 1re sem. de janv. et 2 sem. en nov. - 8 ch. 40/49 € - 🍴 6 € - repas 15/55 €. Enjambant un bassin de la Sorgue, cet hôtel rénové propose de belles chambres calmes et claires, à la décoration provençale et aux tarifs raisonnables. Les plus chères ont vue sur la Sorgue, les autres sur un boulevard passant. Le restaurant attenant est plus haut de gamme. Plats tendance nouvelle cuisine provençale et jolie terrasse. Accueil à la fois attentif et détendu.

⌚🍴 **Hôtel Les Névons** – Chemin des Névons - ℘ 04 90 20 72 00 - www.hotel-les-nevons.com - fermé 13 déc.-15 janv. - 🅿 - 44 ch. 50/70 € - 🍴 8 €. Cet immeuble moderne propose des chambres fonctionnelles et fraîches à la sortie de la ville. Sur le toit, moments de détente offerts par le solarium-piscine.

Se restaurer

⌚ **Bistrot de l'Industrie** – 2 quai de la Charité - ℘ 04 90 38 00 40 - fermé lun. soir et mar. - 14 € déj. - 15/25 €. Que l'on préfère son intérieur « rénové à l'ancienne » ou sa terrasse sur la Sorgue, on aura de toutes façons une place agréable dans ce petit restaurant. Pas de réel menu, mais de grandes salades, des pizzas, des galettes ou un plat du jour, et de vraies frites maison !

⌚🍴 **L'Oustau de l'Isle** – 21 av. des Quatre-Otages - ℘ 04 90 20 81 36 - www.restaurant-oustau.com - fermé 10 janv.-3 fév., 15 nov.-16 déc., jeu. sf le soir de Pâques à oct. et merc. - 25/35 €. Niché

dans un quartier résidentiel, ce mas protégé d'un luxuriant jardin dissimule une séduisante terrasse ombragée et deux salles sobres. Saveurs régionales (gaspacho de tomate et sorbet aubergine, pâtes à la crème de truffe, etc.).

En soirée

Café de France – 14 pl. de la Liberté - ℘ 04 90 38 01 45 - tlj 7h-1h30. Profitez de la terrasse de ce café situé face à la collégiale. L'adresse est membre de l'Association des cafés historiques et patrimoniaux d'Europe. « Café philosophique » le 1er dimanche du mois. Choix de salades, sandwiches et plats.

Que rapporter

Foire à la brocante – La plus grande de Provence, elle se tient durant les week-ends de Pâques et du 15 août. Plus de 1 500 exposants dévoilent leurs trésors : boutis anciens, meubles provençaux, faïences, tableaux et objets divers. Un déballage-brocante a aussi lieu tous les dimanches sur l'av. des Quatre-Otages.

Le Village des antiquaires – 2 bis av. de l'Égalité - ℘ 04 90 38 04 57 - www.villagegare.com - w.-end et j. fériés 10h-19h. C'est le plus important des villages d'antiquaires : 80 d'entre eux sont regroupés dans une ancienne manufacture de tisserands.

Marché – Ce marché, qui se tient deux fois par semaine (jeudi et dimanche) sur les quais le long de la Sorgue, réunit de nombreux petits marchands venus vendre leurs produits du terroir.

Les Délices du Luberon – 1 av. du Partage-des-Eaux - ℘ 04 90 20 77 37 - www.delices-du-luberon.fr - 9h30-18h30 ; hiver 9h30-12h30, 14h30-19h - fermé 1er janv. Cette entreprise familiale élabore des tapenades noires, vertes, au basilic ou aux amandes de Provence, ainsi que du caviar d'aubergine ou de tomates séchées, de l'anchoïade, de l'olivade de poivrons rouges, etc. Sur place, vous trouverez également de l'huile d'olive, des croquettes Aujoras, du miel et des confitures.

Les Vergers de la Courtoise – 4440 rte Cavaillon - ℘ 04 90 06 30 60 - tlj sf w.-end 8h-12h, 14h-17h, sam. mat. de juin à sept. - fermé j. fériés. Ce producteur fruitier hors pair est connu de tous les habitants de la région pour la qualité de ses produits et ses prix imbattables. Une adresse précieuse et économique !

Le Luberon★★★

CARTE GÉNÉRALE BC/2-3 – CARTE MICHELIN LOCAL 332 E11 À G11 – VAUCLUSE (84),
ALPES-DE-HAUTE-PROVENCE (04)

À mi-chemin entre les Alpes et la Méditerranée s'étend la barrière montagneuse du Luberon. Parsemant ces paysages lumineux et accidentés, villages perchés ou mystérieuses bories confèrent à la région une forte personnalité. Ce territoire préservé par le Parc naturel régional a été classé « réserve de biosphère » par l'Unesco. Au royaume du tourisme, cette montagne douce du Vaucluse concentre tous les clichés de la Terre promise. Du coup, les foules s'y bousculent, surtout l'été. Que les amoureux de solitude se rassurent ! Loin des villages stars, même en plein été, il reste suffisamment de poches de résistance pour retrouver les vertus originelles de cette région.

▷ **Se repérer** – La combe de Lourmarin divise le Luberon en deux parties inégales : à l'ouest, le **Petit Luberon**, plateau échancré de gorges et de ravins dont l'altitude ne dépasse guère 700 m ; à l'est, le **Grand Luberon**, qui aligne ses croupes massives s'élèvant jusqu'à 1 125 m au Mourre Nègre. Le versant nord, aux pentes abruptes et ravinées, plus frais et humide, porte une belle forêt de chênes pubescents, tandis que le versant sud, tourné vers le pays d'Aix, est plus méditerranéen par sa végétation (chênaie verte, garrigues à romarin).

👁 **À ne pas manquer** – Le Petit Luberon, où sont perchés les plus célèbres villages, Bonnieux et Ménerbes en tête ; le Grand Luberon, piqué de villages moins connus, comme Sivergues, Saignon et Grambois.

🕐 **Organiser son temps** – Comptez 1/2 journée pour le circuit du Petit Luberon et une journée pour le circuit du Grand Luberon. Si vous le pouvez, préférez l'arrière-saison, voire l'hiver, quand les villages retrouvent une atmosphère plus paisible.

👪 **Avec les enfants** – Le sentier de découverte du Conservatoire des terrasses de cultures, à Goult.

👣 **Pour poursuivre la visite** – Pour compléter vos circuits dans le Luberon, voir aussi Apt, Ansouis, la Tour-d'Aigues, Bonnieux, Ménerbes, Gordes et Roussillon. Pour vous plonger dans des paysages d'ocre, quasi uniques en France, voir aussi Roussillon et le circuit de l'ocre d'Apt.

Comprendre

Le milieu naturel – La diversité du tapis végétal comblera les amoureux de la nature. Outre les forêts de chênes, de nombreuses autres essences se développent :

👁 **Le saviez-vous ?**

L'avignonnais **Henri Bosco** (1888-1976) est l'écrivain du Luberon : cette escapade devrait être l'occasion de relire quelques-uns de ses ouvrages, à commencer par *Le Mas Théotime*.

cèdre de l'Atlas sur les sommets du Petit Luberon, hêtre, pin sylvestre… Les landes à genêts et à buis, les garrigues, l'extraordinaire palette de plantes odorantes s'agrippent un peu partout sur les pentes rocailleuses. Le mistral se met de la partie et provoque des inversions locales, transportant le chêne vert sur les ubacs (versants exposés au nord) et les chênes blancs sur les adrets (versants exposés au sud). En hiver, les contrastes sont frappants entre les feuillages persistants et caducs. La **flore** du Luberon se distingue par quelques espèces propres comme la leuzée à cône (reconnaissable au cône résineux qui la termine), le ciste cotonneux, aux feuilles pelucheuses, et le chèvrefeuille d'Étrurie, particulièrement odorant. La **faune** est également très riche : couleuvre (sept espèces différentes), psammodrome d'Edwards (lézard), fauvette, merle bleu, hibou grand duc, aigle de Bonelli, circaète jean-le-blanc, etc.

Vie et survie des villages perchés – Si le Luberon fut habité dès la préhistoire, les villages perchés n'apparaissent qu'au Moyen Âge. Blottis au pied d'un château ou d'une église, ils pressent à flanc de rocher leurs maisons aux murs imposants et aux pièces parfois creusées dans le roc. Les habitants descendaient des villages pour travailler dans la campagne environnante, où, lorsque l'éloignement le commandait, ils s'abritaient quelque temps dans des cabanes de pierres sèches, les bories. Chaque parcelle cultivable était soigneusement épierrée – les pierres étaient rassemblées en tas, les « clapiers » – et bordée de murettes de pierres sèches, pour protéger le terrain du ravinement des eaux de pluie. Les troupeaux étaient aussi parqués dans

Le Parc naturel régional du Luberon

Parc nat. rég. du Luberon

Parc naturel régional du Luberon

Créé en 1977, il englobe 71 communes couvrant 165 000 ha répartis sur les départements du Vaucluse et des Alpes-de-Haute-Provence, de Manosque à Cavaillon et de la vallée du Coulon (ou Calavon) à celle de la Durance. Il a pour vocation de préserver l'équilibre naturel de la région tout en visant à l'amélioration des conditions de vie des villageois et la promotion des activités agricoles par l'irrigation, la mécanisation et la restructuration foncière. Les principales réalisations dans le domaine touristique concernent l'ouverture de centres d'information et de musées à Apt et La Tour-d'Aigues, le balisage de sentiers de découverte dans la forêt de cèdres de Bonnieux, les falaises d'ocre de Roussillon, les terrasses de culture à Goult, les collines de Cavaillon, la restauration du village de bories de Viens, la création des « marchés paysans » ou encore l'aménagement de routes touristiques thématiques comme « la route des Vaudois » et l'édition d'ouvrages, souvent remarquables.

des enclos de pierre. Les ressources venaient principalement de l'élevage (moutons), de l'olivier, de maigres céréales et de la vigne ; s'ajoutèrent ensuite la culture de la lavande et l'élevage du ver à soie. Cette économie traditionnelle a été balayée par les mutations agricoles des 19e et 20e s. et la fin de l'insécurité : peu à peu, les villages se sont dépeuplés et sont tombés en ruine. De nos jours, la tendance s'est inversée : les villages sont souvent bien restaurés et une nouvelle population, en augmentation constante, a remplacé les autochtones.

Les bories – Sur les pentes du Luberon et du plateau de Vaucluse se dressent de curieuses cabanes de pierres sèches : les bories. Le mot *boria*, en occitan, désigne, au féminin, une ferme. Mais dans le Luberon, bien qu'ayant la même étymologie, on dit un « bori ». Elles se présentent soit isolées, soit groupées en véritables villages : on en dénombre environ 3 000. Certaines d'entre elles n'étaient que des remises à outils ou des bergeries, mais beaucoup ont été habitées à différentes époques, depuis l'âge du fer jusqu'au 18e s. Les bories étaient bâties avec les matériaux trouvés sur place : feuilles de calcaire se détachant du rocher ou plaquettes provenant de l'épierrage des champs. Ces pierres, appelées **lauzes**, d'environ 10 cm d'épaisseur, étaient assemblées sans mortier ni eau. L'épaisseur des murs, obtenue par la juxtaposition de plusieurs rangs de plaquettes, toujours renforcée à la base, varie de 0,80 m à 1,60 m. Pour leur couverture, à mesure que les murs montaient, on prenait soin de faire légèrement déborder chaque assise de pierres sur la précédente de façon que le diamètre diminue jusqu'à la dimension d'un simple orifice que l'on n'avait plus qu'à fermer avec une dalle. Pour éviter les infiltrations d'eau, les différents lits de pierres étaient inclinés vers l'extérieur. À l'intérieur, la voûte se présente souvent comme une coupole hémisphérique sur pendentifs, ces derniers permettant de passer du plan carré au cercle ou au cône. Leurs formes sont très variées. Les plus simples, d'aspect circulaire, ovoïde ou carré, ne comportent qu'une seule pièce et une seule ouverture, la porte située à l'est ou au sud-est. L'agencement intérieur se limite à des cavités aménagées dans l'épaisseur des murs, servant de placards. La température de la cabane reste constante en toutes saisons. Des bâtiments de plus grandes dimensions existent. Ils sont rectangulaires, ont quelques rares ouvertures étroites, et leur toiture à double ou quadruple pente utilise la technique des fausses voûtes en plein cintre, en berceau brisé ou en « carène ». Leur organisation est celle d'une ferme traditionnelle : à l'intérieur d'une cour ceinte d'un haut mur, on trouve, outre l'habitation (sols dallés, banquettes et cheminée pour les plus confortables), le four à pain et les différents bâtiments d'exploitation.

🔎 *Voir le village des Bories à Gordes.*

Circuits de découverte

LE GRAND LUBERON★★ 1

Circuit de 100 km au départ d'Apt – 1 journée, ascension au Mourre Nègre non comprise. Quitter Apt par la D 48 au sud-est, par l'avenue de Saignon.

La route en montée offre de belles vues sur le site perché de Saignon, le bassin d'Apt, le plateau de Vaucluse et le mont Ventoux.

Saignon

Laisser la voiture sur le vaste parking des Amandiers, à l'entrée du village. Bâti sur un promontoire rocheux dominant Apt, ce charmant village occupe un **site★** remarquable. Votre promenade vous conduira sur la charmante **place de la Fontaine** (petit lavoir sur votre gauche). Plus loin à droite, sur une place surplombant la vallée, un **moulin à huile troglodytique** a été conservé. En franchissant le **Portau aurós**, qui fait partie des anciennes fortifications, on accède aux vestiges de l'ancien château (chapelle sur votre gauche). En haut des marches, **rocher Bellevue** (table d'orientation) : devant vous, le cône pelé du Ventoux surplombant le plateau de Vaucluse ; en contrebas, Apt ; derrière vous, à vos pieds, les toits de tuiles roses de Saignon ; en toile de fond, le Grand Luberon dominé par le Mourre Nègre.

L'église **Notre-Dame-de-Pitié**, romane, frappe par ses dimensions. Sur la façade, belles arcades trilobées sur pilastres et colonnettes, et portail de bois sculpté par Elzéar Sollier (14e s.).

Saignon, charmant village perché du Luberon.

Dans le quartier de la Molière, **Le Potager d'un curieux** est le royaume d'un passionné du jardinage, Jean-Luc Danneyrolles, qui cultive avec amour des plantes oubliées et des légumes du passé. C'est un véritable enchantement lorsqu'à la belle saison les massifs se parent de mille couleurs. ✆ 04 90 74 44 68 - mars-oct. : tlj sf w.-end 9h-12h, 14h-18h.

Poursuivez sur la D 48 qui atteint un replat cultivé. À droite, le **plateau des Claparèdes** parsemé de bories.

Laisser votre voiture à Auribeau. Ressortir du village au nord et prendre à gauche en direction du Mourre Nègre la route forestière non revêtue jusqu'au GR 92, qui permet d'atteindre le sommet du Mourre Nègre.

Le Mourre Nègre★★★

🚶 *5h AR.* Alt. 1 125 m. Le Mourre Nègre (« Visage Noir ») est le point culminant de la montagne du Luberon. Du sommet, immense **panorama★★★** sur la montagne de Lure et les Préalpes de Digne au nord-est, la vallée de la Durance, avec en arrière-plan la montagne Sainte-Victoire au sud-est, l'étang de Berre et les Alpilles au sud-ouest, le bassin d'Apt, le plateau de Vaucluse et le mont Ventoux au nord-ouest.

Revenez sur la D 48 qui traverse Auribeau puis le hameau étagé de **Castellet**, pour atteindre la **vallée du Calavon**, qui fait suite aux garrigues.

Prendre à droite la N 100, puis, juste après avoir franchi le Calavon, suivre sur 2 km une petite route sur la droite, passant devant l'imposante façade pratiquement aveugle de la tour d'Embarbe (12e s.).

Céreste

On s'attardera volontiers dans cette ancienne cité romaine située sur la voie Domitienne. Elle a conservé une partie de ses fortifications et forme un bel ensemble architectural. Le sol est riche en remarquables fossiles (poissons, végétaux) qui se sont formés dans les calcaires schisteux *(il est bien entendu interdit de les ramasser)*.

La N 100 divise le village en partie haute et partie basse. Le sol des rues pavées est riche en fossiles (poissons, végétaux) hérités du temps où la mer recouvrait les lieux. Dans la **partie haute**, après avoir flâné dans la rue de la Bourgade, montez à l'église. La largeur étonnante de la façade et le clocher coiffé d'un élégant campanile lui donnent un air nettement provençal, encore accentué par la placette herbue devant le parvis. La **partie basse** est

la plus charmante. Au détour du lacis de ruelles typiquement provençal, vous découvrirez des maisons médiévales ou du 17e s., le four à pain, la fontaine. À la sortie de Céreste se trouve l'ancienne place de l'**église primitive** : transformée en grange, celle-ci présente encore un beau porche roman à arcatures en plein cintre. À la sortie du village, le **pont romain** (mais roman), à angle cassé, enjambe l'Encrème.

Vous pourrez continuer jusqu'au **prieuré de Carluc** *(5 km par la N 100, route de Forcalquier, puis une petite route à gauche signalisée.).* Dominant un havre naturel, le ravin de Cure, les curieux vestiges du prieuré de Carluc n'ont pas livré tous leurs secrets. Édifié au 12e s., il dépendait de l'abbaye de Montmajour. Des trois églises qui s'y élevaient, il n'en reste qu'une, dont la nef est taillée dans la falaise. Sur son flanc gauche, creusée dans le roc, s'ouvre une galerie pleine de mystères. Des **tombes anthropomorphes** sont visibles dans le sol. Cette galerie menait à une seconde église dont il ne subsiste que la partie rupestre. *Fermé provisoirement. Possibilité de visite guidée ; se renseigner à l'office de tourisme,* 📞 *04 92 79 09 84.*

Quitter Céreste au Sud par la D 31.

La route serpente sur le versant nord du Grand Luberon (belles vues sur la vallée du Calavon et le plateau de Vaucluse).

Descendre le versant sud vers Vitrolles et prendre la D 33 vers Grambois.

Grambois

L'entrée dans le vieux village, juché au sommet d'une colline *(vaste parking)*, permet de découvrir une charmante place dominée par la silhouette fortifiée de l'**église Notre-Dame-de-Beauvoir**. À l'intérieur *(1re chapelle à gauche)*, *Vie de saint Jean-Baptiste,* triptyque de l'école gothique d'Aix attribué par certains à un peintre de Pont-Saint-Esprit, André Tavel. « Déjà vu cette tête quelque part », ne pourront s'empêcher de penser ceux qui, en période calendaire, découvriront dans l'église les **santons** très expressifs de **Pierre Graille**. Et pour cause : l'artiste a pris pour modèles les habitants du village !

Quitter Grambois au sud par la D 956.

La Tour d'Aigues *(voir ce nom)*

Prendre à l'ouest en direction d'Ansouis.

Ansouis *(voir ce nom)*

Par la D 56 au nord, rejoindre Cucuron.

Cucuron

L'**église** du village a conservé sa nef romane : Christ assis et enchaîné en bois peint du 16e s. dans la chapelle des fonts baptismaux, chaire en marbre de couleurs variées.

En face de l'église, l'hôtel de Bouliers (17e s.) abrite le petit **musée archéologique Marc-Deydier** consacré à la préhistoire, à l'époque gallo-romaine et aux traditions locales. 📞 *04 90 77 25 02 - 10h-12h, 15h-19h - fermé mar. mat. - gratuit.*

De la plate-forme au pied du donjon, belle vue sur le bassin de Cucuron et, à l'horizon, sur la montagne Sainte-Victoire.

🚶 *3,5 km et 4 km. Départ de la cave coopérative. Dépliant disponible dans les offices de tourisme et à la Maison du Parc. Pour découvrir le vignoble, suivez le* **Sentier des vignerons**, *ponctué de panneaux d'informations.*

Prendre la D 56 en direction de Lourmarin.

Le Mai de Cucuron

Le samedi suivant le 21 mai, une équipe de villageois part couper la « piboulo » parmi les plus grands peupliers qui se dressent sur la commune. L'arbre choisi doit dépasser le faîte de l'église. Un enfant portant le drapeau français, juché dessus, « Le Mai » est alors porté à dos d'hommes à travers les rues sinueuses du village, accompagné d'un cortège et de danseurs folkloriques. Arrivé sur le parvis de l'église Notre-Dame de Beaulieu, l'arbre fleuri est dressé le long de la façade où il trônera jusqu'au 14 août. Cette fête est organisée pour respecter un vœu prononcé en témoignage de reconnaissance à **Sainte-Tulle**, patronne de Cucuron, qui fit cesser la terrible peste de 1720.

Vaugines

À l'entrée du village (quelques vieilles demeures), au creux d'un vallon, dans un cadre romantique, l'église romane **Saint-Pierre-et-Saint-Barthélemy★**, que borde un vieux cimetière, compose un **tableau** empreint d'une sérénité inouïe. Les cinéphiles reconnaîtront sans peine l'église de *Jean de Florette* et de *Manon des Sources*.

Lourmarin★

Au pied de la montagne du Luberon, à l'entrée de la combe, Lourmarin est dominé par son château, bâti sur une butte un peu à l'écart du village. Légué par son dernier propriétaire, Robert Laurent-Vibert, à l'Académie des arts et belles-lettres d'Aix-en-Provence afin qu'elle en fît une « villa Médicis de Provence », ce **château★** comprend une partie du 15ᵉ s. et une partie Renaissance. Cette dernière est remarquable par son unité de style et de composition. Belles cheminées ornées de cariatides ou de colonnes. Originalité : une fine colonnette soutenant une coupole de pierre parachève le grand escalier. La partie du 15ᵉ s. est occupée par la bibliothèque et les chambres des pensionnaires, qui donnent sur d'agréables galeries de pierre ou de bois. *℘ 04 90 68 15 23 - www.chateau-de-lourmarin.com - juil.-août : 10h-12h, 14h30-18h ; mai-juin et sept. : 10h-11h30, 14h30-17h30 ; mars-avr.-oct. : 10h-11h30, 14h30-16h30 ; nov.-déc. et fév. : 10h30-11h30, 14h30-16h ; janv. : w.-end 14h30-16h - fermé 1ᵉʳ janv.- 5,50 € (−10 ans gratuit) - audioguide 5 €.*

Lourmarin, au pied de la montagne du Luberon.

Galeries d'art, boutiques d'artisanat et terrasses de cafés ensoleillées offrent l'occasion d'une agréable flânerie dans le village aux étroites ruelles, agrémentées de fontaines et de façades Renaissance. Les plus gourmands compléteront leur visite par un « gibassier », galette sucrée à l'huile d'olive, spécialité du lieu.
La D 943 au nord-ouest remonte la combe de Lourmarin.

Un inventeur opiniâtre

Natif de Lourmarin, **Philippe de Girard** (1775-1845) ne manquait ni d'imagination ni de talent : songez qu'il inventa entre autres une machine à utiliser les vagues (1789), la lampe hydrostatique (1801), un procédé pour la conservation des aliments (1806), la machine à filer le lin (1810), la mitrailleuse à vapeur (1814), une machine à résoudre les équations, le chronothermomètre… et on en passe ! Hélas pour lui, Girard manquait de sens pratique et il fut dépouillé de la plupart de ses inventions par de peu scrupuleux associés. S'il mourut pauvre, son souvenir perdure à Lourmarin… ainsi qu'en Pologne, dans la ville de Zirardov qui porte son nom : elle fut en effet créée autour d'une filature de lin conçue par lui et est aujourd'hui jumelée avec la cité natale de son bienfaiteur.

La route, sinueuse, traverse des gorges étroites, aux parois abruptes, ouvertes dans le massif par l'Aigue Brun. Après l'**ancien château du Buoux** (16ᵉ et 18ᵉ s.), transformé en centre d'accueil pédagogique par le Parc, la route franchit un pont et conduit vers un groupe de maisons. Un peu avant ces dernières, tournez à droite dans le chemin *(parking)*.

Fort de Buoux

2h à pied AR, puis 45mn de visite. Passer la grille, puis sous une roche en surplomb, gagner la maison du gardien. 𝒫 *04 90 74 25 75 - du lever au coucher du soleil (sf mauvaises conditions météorologiques) - 3 € (enf. 2 €).*

Déjà occupé par les Ligures, puis par les Romains, l'éperon rocheux qui supporte le fort a longtemps conservé sa vocation militaire. Témoin des combats entre catholiques et protestants, il fut démantelé sur ordre de Louis XIV en 1660. Trois enceintes défensives demeurent, avec une chapelle romane, des habitats, des silos taillés dans le rocher, un donjon, une pierre de sacrifice ligure et un escalier dérobé. De la pointe de l'éperon, vue sur la haute vallée de l'Aigue Brun.

Revenir au château pour prendre à droite la D 113 qui traverse Buoux et prendre sur la droite la D 569, puis encore à droite la D 114.

Sivergues

À l'écart des routes, ce bourg perché sur les pentes du Grand Luberon fut peuplé par des **Vaudois** qui, mettant à profit l'isolement de leur village, échappèrent à la répression, avant de rallier le protestantisme officiel *(voir p. 65)*. C'est peut-être ici, sur ce site que Henri Bosco qualifiait de « bougrement perché », que vous toucherez au plus près l'âme du Luberon, pour peu que vous sachiez vous abandonner à la solitude et au silence.

Faire demi-tour vers Apt par la D 114.

LE PETIT LUBERON★★ 2

Circuit de 101 km au départ d'Apt – environ 2 h de route sans les arrêts. Quitter Apt par la D 943, puis prendre immédiatement à droite la D 3.

👁 **Bon à savoir** – Comptez une journée pour effectuer ce circuit tranquillement et « vivre » pleinement le charme des villages perchés : prendre un café à la terrasse d'un petit bar, flâner dans les ruelles, sillonner le vignoble en faisant halte chez quelques producteurs de côte-du-luberon, dénicher de belles plantes dans l'une des nombreuses pépinières de la région… Et si vous voulez profiter de tous les panoramas offerts par les villages perchés, la journée vous laissera de beaux souvenirs et… quelques courbatures dans les cuisses !

Bonnieux★ *(voir ce nom)*

Quitter Bonnieux au sud par la D 3 qui serpente sur le flanc du petit Luberon, entre vignes et vergers, à l'arrière de Bonnieux. Prendre à gauche la D 109.

Lacoste★

Laisser sa voiture dans le bas du village. Plus petit que Bonnieux qui semble le surveiller depuis la colline opposée, ce charmant village niche sous les murailles de son imposant château, qui appartenait à la famille de Sade. Plusieurs fois emprisonné, condamné à mort par contumace, le divin marquis vint s'y réfugier en 1774. Passionné de théâtre, il y avait fait aménager une luxueuse salle de spectacles. L'actuel propriétaire, le couturier Pierre Cardin, le restaure petit à petit.

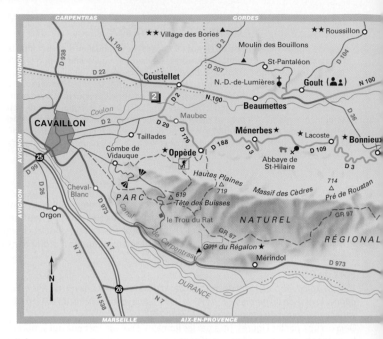

Très raide, bordée de belles maisons en pierre restaurées, la « calade » principale grimpe jusqu'au pied des murailles, offrant de belles vues sur Bonnieux. Le haut du village bute sur une impasse, il faut redescendre par le même chemin.

Continuer vers Ménerbes par la D 109. Poursuivre sur 7 km, avant de tourner à gauche dans un chemin boisé.

Après les carrières de Lacoste où l'on extrait une pierre de taille renommée, dans un joli site face au Luberon, isolé au fond d'un vallon, l'ancien **prieuré de Saint-Hilaire**, occupé par les Carmes du 13ᵉ au 18ᵉ s. et aujourd'hui propriété privée, conserve trois chapelles, respectivement des 12ᵉ, 13ᵉ et 14ᵉ s., ainsi que des bâtiments claustraux du 17ᵉ s. *1ᵉʳ avr.-15 nov. : 10h-18h (19h l'été) - gratuit.*

Ménerbes★ *(voir ce nom)*

Emprunter la D 3 au sud, puis la D 188.

Oppède-le-Vieux★

Laisser la voiture sur le vaste parking (payant de Pâques à la Toussaint, 2 € par véhicule) aménagé au pied du village pour partir à sa découverte à pied. Étagé dans un **site★** remarquable sur un éperon rocheux, le vieux village a été abandonné en 1912 pour une installation dans la plaine. Taillé dans le roc, naguère en grande partie ruiné, il a retrouvé vie grâce à l'intervention d'artistes et d'hommes de lettres qui s'emploient, tout en le restaurant, à préserver sa rugueuse authenticité. Quelques maisons sont désormais habitées, certaines à l'année, et une astucieuse organisation de la circulation automobile préserve le village d'intempestifs bruits de moteurs.

Depuis l'ancienne place du bourg, on accède au village supérieur, couronné par l'**église** du 16ᵉ s. *(en cours de restauration)* et les ruines du château, en passant sous une ancienne porte de ville. De la terrasse devant l'église, belle **vue★** sur la vallée du Coulon, le plateau de Vaucluse

Chemin menant à la collégiale d'Oppède.

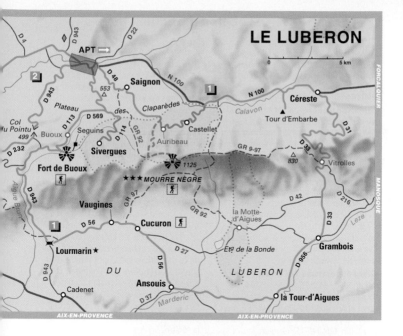

et Ménerbes. Derrière le **château** (fondé par les comtes de Toulouse et reconstruit aux 15e et 16e s.), vue dégagée sur les ravins qui sillonnent le flanc nord du Luberon.

1h30. Départ près de l'oratoire Saint-Joseph. Dépliant disponible dans les offices de tourisme et à la Maison du parc. Circuit similaire à Cucuron, versant sud. L'itinéraire, balisé de petits panneaux représentant une grappe de raisin, s'enfonce à travers le **vignoble***, au pied du vieil Oppède.*

Après avoir traversé la région de Maubec (D 176, D 29), tourner à droite dans la D 2.

Coustellet

Le **musée de la Lavande** *(sur la droite)* rassemble différents alambics anciens en cuivre rouge (à feu nu, à vapeur, au bain-marie, pour concrètes et pour l'absolue), dont le plus ancien date de 1626. On y fait connaissance avec le lavandin, hybride issu de la pollinisation de la lavande fine (la « vraie ») et de la lavande aspic. C'est de la lavande fine que l'on tire les parfums les plus subtils. Mais le rendement du lavandin est bien plus important. Les produits proposés sont obtenus à partir de lavande cultivée au château du Bois à Lagarde-d'Apt, sur le plateau d'Albion. *Visite audioguidée. ☎ 04 90 76 91 23 - www.museedelalavande.com - ♿ - juil.-août : 9h-19h ; juin et sept. : 9h-12h, 14h-19h ; oct.-mai : 9h-12h, 14h-18h - fermé janv. et 25 déc. - 5 € (–15 ans gratuit).*

Prendre la N 100 en direction d'Apt.

Beaumettes

Le village est dominé par des vestiges d'habitations creusées dans la roche. Désormais à l'écart de la route, il a retrouvé sa tranquillité.

De la N 100, prendre à gauche la D 60 vers Goult.

Dans son parc agréable, **Notre-Dame-de-Lumières** *(sur la gauche)*, lieu de pèlerinage célèbre en Provence, conserve une importante collection d'ex-voto.

Goult

Laisser la voiture sur le parking de l'église. Moins perché que les autres, moins escarpé aussi, ce village est dominé par son château *(privé)*. Il fait bon faire halte à l'une des terrasses de la place de l'église avant de flâner dans les ruelles, à la recherche du moulin qui a retrouvé ses ailes.

1h. Départ en haut du village. Le **Conservatoire des terrasses** a pour vocation de préserver et mettre en valeur ce système de construction en pierres sèches (*restanques* ou *bancaus*), plus complexe qu'on ne l'imagine, qui permettait de mettre en culture et d'irriguer les terrains accidentés. Un agréable sentier de découverte à faire en famille.

Revenir à Apt par la N 100 qui remonte la vallée du Calavon.

Sur la gauche s'étend le **pays de l'ocre** *(voir Roussillon et Apt)*.

Le Luberon pratique

& Voir aussi les encadrés pratiques d'Ansouis, d'Apt, de La Tour-d'Aigues, Bonnieux, Ménerbes, Cavaillon et Gordes.

Adresses utiles

La Maison du Parc – *℘ 04 90 04 42 00 - www.parcduluberon.fr - avr.-sept. : tlj sf dim. 8h30-12h, 13h30-19h ; oct.-mars : tlj sf w.-end 8h30-12h, 13h30-18h - fermé j. fériés.*

Office du tourisme de Lourmarin – *Av. Philippe-de-Girard - 84160 Lourmarin - ℘ 04 90 68 10 77 - www.lourmarin.com - lun. au sam. : 10h-12h30, 15h-18h. Fermé dim. et j. fériés.* Outre la documentation traditionnelle, **visites guidées** sur les pas d'Albert Camus et Henri Bosco, une fois par sem. en juil.-août (mardi à 10h pour Camus, mercredi à 10h pour Bosco), sur réserv. le reste de l'année.

Office du tourisme de Céreste – *Pl. de la République - 84280 Céreste - ℘ 04 92 79 09 84 - www.cereste.fr - juin-sept. : tlj sf merc. et w.-end 9h30-12h30, 14h-18h, merc. 9h30-18h, w.-end 10h-12h ; oct.-mai : lun. et vend. 10h-12h, 14h-16h30, merc., jeu. et sam. 10h-12h.*

Office du tourisme de Lacoste – *La Cure (esplanade de l'église)- 84480 Lacoste - ℘ 04 90 06 11 36 - www.lacoste-84.com - se renseigner pour les horaires.*

Se loger

⌂ **Hôtel L'Aiguebelle** – *Pl. de la République - 04280 Céreste - ℘ 04 92 79 00 91 - fermé 13 nov.-13 fév. - 12 ch. 35/55 € - ⬛ 7 € - repas 15/30 €.* Cet hôtel-restaurant sans prétention est situé au cœur du village. Les chambres, bien équipées, sont sobres et claires. La cuisine, régionale, est simple, copieuse, et les prix sont raisonnables.

⌂ **Chambre d'hôte Le Mas des Collines** – *04100 Reillanne - 5 km au NE de Céreste par le Pont-Romain et GR 4 puis embranchement à gauche au prieuré de Carluc - ℘ 04 92 76 43 53 - ⬛ - 6 ch. 51/74 € ⬛.* Cette ancienne bergerie isolée dans la garrigue a su conserver son authenticité. Après une nuit dans l'une des paisibles chambres, vous vous régalerez de bons produits locaux au petit-déjeuner. Pas de table d'hôte, mais une superbe cour aménagée en coin pique-nique.

⌂⌂ **Hôtel L'Oustau dï Vins** – *La Font du Pin - 84460 Cheval-Blanc - 7 km à l'O de Mérindol, rte de Cavaillon - ℘ 04 90 72 90 90 - ⬛ ▣ - réserv. obligatoire en hiver - 6 ch. 58 € - ⬛ 7,50 €.* Sur un domaine arboré de 20 ha, au pied du Luberon, ancienne ferme bien restaurée abritant de belles chambres provençales aux tons ocre, toutes personnalisées. La propriétaire, œnologue, vous fera découvrir les vins de la région. Piscine.

⌂⌂ **Chambre d'hôte Domaine de Layaude Basse** – *Chemin de St-Jean - 84480 Lacoste - 1,5 km au N de Lacoste dir. Roussillon et rte secondaire - ℘ 04 90 75 90 06 - www.layaudebasse.net - fermé 1ᵉʳ déc.-1ᵉʳ mars - ⬛ - 6 ch. 60/90 € ⬛ - restauration (soir seulement) 25 €.* Vos hôtes vous reçoivent dans les jolies chambres de leur mas familial du 17ᵉ s. bâti au cœur d'une grande propriété viticole, face au mont Ventoux. Découverte des vins du domaine lors du pot de bienvenue, tandis que miels et confitures maison garnissent les tartines du matin. Demi-pension possible.

⌂⌂ **Chambre d'hôte Le Sorbier des Oiseleurs** – *Chemin des Lavandes - 13600 Ceyreste - 1,5 km au NE de Céreste par D 3, rte du Castelet - ℘ 04 42 83 71 55 - www.lamusarde.com - fermé oct.-mars - ⬛ - 3 ch. 65/70 € ⬛.* Entre verdure et mimosas, les 3 chambres indépendantes de ce mas provençal allient simplicité et confort. On choisira plus volontiers celles qui offrent une jolie vue sur la colline. Terrasses privatives avec salon de jardin. Cueillette des cerises en saison. Accueil chaleureux et de bon conseil pour visiter la région.

⌂⌂ **Chambre d'hôte La Lombarde** – *BP 32, à Puyvert - 84160 Lourmarin - ℘ 04 90 08 40 60 - www.lalombarde.fr - fermé nov.-fév. - ⬛ - 4 ch. et 2 gîtes 72 € ⬛.* Dans la tranquillité d'un domaine s'étalant sur 10 ha, cette très ancienne maison abrite 4 chambres et 2 gîtes, disposant chacun d'une entrée indépendante. Petites terrasses privatives avec salon en osier, et espace piscine très agréable. Promenades en avion.

⌂⌂ **Chambre d'hôte Les Grandes Garrigues** – *84160 Vaugines - 3 km à l'O de Cucuron par D 56 et D 45 (rte de Cadenet) - ℘ 04 90 77 10 71 - www.grandesgarrigues.com - ⬛ - 5 ch. 75/105 € ⬛.* Bâtie sur un domaine de 11 ha, au pied du Luberon, belle propriété aux murs ocre et aux chambres confortables. Piscine et cuisine d'été à disposition des hôtes. Jolie vue sur les Alpilles et la montagne Sainte-Victoire.

⌂⌂⌂ **Chambre d'hôte La Maison des Sources** – *Chemin des Fraisses - 84360 Lauris - 4,5 km au SO de Lourmarin par D 27 - ℘ 04 90 08 22 19/06 08 33 06 40 - www.maison-des-sources.com - ⬛ - 4 ch. 85/87 € ⬛.* Appuyée contre une falaise où subsistent des vestiges d'habitat troglodytique, ferme rénovée abritant des chambres colorées à la chaux pigmentée ; dans la plus originale sont rassemblés quatre lits à baldaquin ! Au rez-de-chaussée, deux pièces voûtées accueillent le salon et la salle à manger.

Se restaurer

⌂ **Maison Gouin** – *84660 Coustellet - 7 km au NO de Ménerbes par D 103 et N 100 - ℘ 04 90 76 90 18 - fermé 15 fév.-10 mars, 15 nov.-10 déc., merc. et dim. - 13/33 €.* La salle à manger, prolongée d'une terrasse, est aménagée dans l'arrière-boutique de la boucherie familiale, ouverte en 1928 et toujours en activité. Cuisine du marché arrosée de vins que vous irez choisir directement à la cave. Atypique !

⊖ **La Table des Mamées** – *1 r. du Mûrier - 84360 Lauris - 4,5 km au SO de Lourmarin par D 27 -* ℰ *04 90 08 34 66 - fermé 20 nov.- 3 déc., dim. soir et lun. - réserv. conseillée - 14,80/26 €.* La tradition de la cuisine de femme est cultivée avec passion dans ce restaurant de village où les recettes de grands-mères font le bonheur des convives installés dans deux salles voûtées des 14e et 15e s.

⊖⊟ **La Récréation** – *15 av. Philippe- de-Girard - 84160 Lourmarin -* ℰ *04 90 68 23 73 - fermé merc. - 21,50/28 €.* À deux pas de l'office de tourisme, ce charmant restaurant provençal vous fera découvrir les saveurs locales à toute heure de la journée. Salon de thé l'après-midi avec quelques pâtisseries maison, à déguster en terrasse.

⊖⊟⊟ **Auberge du Cheval Blanc** – *La Canebière - 84460 Cheval-Blanc - 5 km de Cavaillon -* ℰ *04 32 50 18 55 - www.auberge-de-chevalblanc.com - fermé vac. de fév., de Toussaint, lun. soir, merc. midi et mar. - 23 € déj. - 28/68 €.* Plaisante étape que cette discrète auberge de bord de route. La salle à manger, couleur soleil, est toute neuve. Les plats, classiques, prennent parfois l'accent provençal.

En soirée

La Gare – *Pl. du Marché-Coustellet - en venant de Gordes, dir. A 7 (Marseille) - 84660 Maubec -* ℰ *04 90 76 84 38 - vend.- sam. 21h30-2h, dim. 8h-14h - fermé janv., juil.-août et j. fériés.* Dûment labellisé scène de musiques actuelles, le lieu conserve quelques éléments de son décor ferroviaire d'antan. Aujourd'hui, c'est un pôle d'animation où concerts, pièces de théâtre, débats et événements inclassables se disputent un programme étonnant. Espace multimédia.

Que rapporter

Distillerie Bio Lavande 1 100 – *Bastide Notre-Dame - 84400 Lagarde-d'Apt -* ℰ *04 90 75 01 42 - tte l'année sur RV.* Cette

Poteries sur le marché de Lourmarin.

distillerie familiale fabrique des huiles essentielles depuis quatre générations. Vente sur place. Accueil charmant.

La Ferme de Gerbaud – *Campagne Gerbaud - 84160 Lourmarin -* ℰ *04 90 68 11 83 - www.lourmarin.com - nov.-mars : w.-end 15h ; avr.-oct. : mar., jeu. sam. 17h (visite guidée) ; 14h-19h (boutique) - fermé janv.* Un chemin cahoteux mène à ce domaine de 25 ha dédié à la culture des plantes aromatiques et médicinales. La **visite** vous fera découvrir comment on cultive les plantes, quelles sont leurs propriétés et leurs utilisations. La boutique vend herbes de Provence, miels, huiles essentielles…

Sports & Loisirs

RANDONNÉES

À vélo – Deux tinéraires touristiques : « **Le Luberon en vélo** » (235 km) et « **Les ocres en vélo** » (50 km). Les parcours sont jalonnés de panneaux de signalisation (postés à chaque carrefour) et de pancartes d'informations culturelles et pratiques, installées dans une quarantaine de villages… Documentation disponible à la Maison du Parc.

À pied – Guides édités par La Fédération française de la randonnée pédestre : *Tour du Luberon*, *GR 9* et *Le Parc naturel régional du Luberon à pied*. La collection « Balades en Luberon », éditée par le Parc naturel régional du Luberon, répertorie des circuits à faire à pied ou en vélo au départ de Roussillon, Buoux, Apt, Les Taillades. La Maison du Parc informe sur les promenades pédestres accompagnées *(gratuites)* et les possibilités d'hébergement en gîtes d'étape.

À cheval – Itinéraires, adresses de centres équestres et accompagnateurs de randonnée sont réunis dans le *Guide des Loisirs de plein air en Vaucluse* édité par le comité départemental de tourisme.

AUTRES ACTIVITÉS

Escalade – De nombreuses voies ont été aménagées dans les falaises de Buoux. Contacter les offices du tourisme de Cavaillon et d'Apt *(voir ces noms)*.

Association vélivole du Luberon – *26 av. de la Fontaine - 13370 Mallemort - ℰ 04 90 57 43 86 - 9h30-19h - fermé sept.- 23 juil.* Luberon et vallée de la Durance… vus du ciel grâce à cette association de vol à voile.

Événements

Festival international de quatuors à cordes – ℰ *04 90 75 89 60. www.festival-quatuors-luberon.com.* En juillet-août, à Cabrières d'Avignon, L'Isle-sur-la-Sorgue, Goult, Roussillon et l'abbaye de Silvacane.

Festival de Lacoste – ℰ *04 90 75 93 12.* En juillet-août, ce festival d'art lyrique et de théâtre se déroule dans les anciennes carrières du château de Sade.

Marseille★★★

798 430 MARSEILLAIS
CARTE GÉNÉRALE C4 – CARTE MICHELIN LOCAL 340 H6 – BOUCHES-DU-RHÔNE (13)

Rivée à un port qui accueillit ses premiers habitants, fière de ses 2 600 ans d'histoire, Marseille perpétue une tradition d'intégration tout en se montrant, parfois, intolérante… L'emblématique Vieux Port est resté le lieu privilégié où écouter battre le cœur de cette cité pleine de contradictions. Explorez le Panier, dont les ruelles aux couleurs méditerranéennes n'ont rien à envier à celles de Naples ou Palerme. Plongez dans les marchés de Noailles, semblables à un grand souk à ciel ouvert. Remontez la Canebière, où les façades des anciens palaces disparaissent sous une gangue de pollution. Longez la Corniche ponctuée de villas bourgeoises avec vue sur mer. Piquez une tête dans les minuscules criques qui apparaissent comme par surprise au bout des ruelles. Premier port de Méditerranée, Marseille reste avant tout une fille du Sud, prompte à l'exubérance. Qu'elle vous charme ou qu'elle vous agace, elle ne vous laissera à coup sûr jamais indifférent.

Se repérer – Avant de vous immerger dans la ville, prenez le temps d'admirer son site exceptionnel. Du parvis de Notre-Dame-de-la-Garde, on découvre un extraordinaire **panorama★★★** sur les toits, le port et les montagnes environnantes. À gauche, les îles du Frioul et, au loin, le massif de Marseilleveyre ; en face, le port, avec, au premier plan, le fort Saint-Jean et le parc du Pharo, plus à droite, la ville, et au fond, la chaîne de l'Estaque ; en arrière, les collines arides de la Côte Bleue.

Stéphane Sauvignier / MICHELIN

Départ du ferry-boat.

Se garer – La circulation marseillaise et le stationnement des véhicules en centre ville tiennent du casse-tête. Épargnez-vous en laissant votre voiture au premier parking souterrain venu. Les plus proches du centre sont « Vieux Port », « Monthyon », « Hôtel de Ville », « Préfecture », « Bourse », et « De Gaulle ». Ils sont indiqués par les panneaux directionnels, certains dès l'entrée de la ville.

À ne pas manquer – Le Vieux Port, ses terrasses animées et son « ferry-boâte » ; le Panier ; le centre de la Vieille Charité ; la Canebière ; Notre-Dame-de-la-Garde ; l'abbaye Saint-Victor ; la Corniche ; le vallon des Auffes ; une mini-croisière jusqu'au château d'If et aux îles du Frioul ; un match de l'OM au stade Vélodrome.

Organiser son temps – Que vous ayez une journée ou une semaine, tout commencera et tout finira sur le Vieux Port. C'est un point névralgique pour les déplacements dans la ville, fort étendue : le bus 83 remonte la Corniche jusqu'aux plages du Prado, au sud ; le bus 35 file vers le nord, jusqu'à l'Estaque et aux plages de Corbières ; un petit train touristique vous emmène vers le Panier ou à N.-D.-de-la-Garde ; le métro mène en deux stations à la gare ferroviaire ; les taxis sont nombreux ; des navettes partent vers les îles du Frioul et le château d'If.

Avec les enfants – Le Muséum d'Histoire naturelle ; le musée-boutique de l'OM et la visite du stade Vélodrome ; le préau des Accoules ; vos petits pirates devraient aussi aprécier la mini-croisière à destination du château d'If ; le tour de la ville en petit train ou en bus à impériale *(voir l'encadré pratique)* ; côté plages, privilégiez avec eux les plages du Prophète, Borély et Pointe-Rouge, surveillées en saison.

Pour poursuivre la visite – Voir aussi la Côte Bleue ; les calanques, dont une bonne partie sont situées sur le territoire marseillais.

👁 Le saviez-vous ?

Jeune journaliste héraultais entré en Résistance, **Gaston Defferre** s'empare en août 1944 de l'hôtel de ville… où il restera, hors une brève période, jusqu'à sa mort en 1986. Figure des IVe et Ve Républiques, orateur au débit déconcertant, ce personnage à la haute silhouette coiffée d'un feutre à larges bords symbolisera petit à petit sa ville.

Comprendre

La bosse du commerce – Vers 600 av. J.-C., quelques galères, montées par des Phocéens (Grecs d'Asie Mineure), abordent dans la calanque du **Lakydon**, l'actuel Vieux Port. Les Grecs, commerçants avisés, rendent vite la cité prospère. Après la destruction de Phocée par les Perses (540 av. J.-C.), elle se trouve au centre de nombreuses colonies supplémentaires. Les **Massaliotes** créent des comptoirs le long de la côte (Agde, Arles, Le Brusc, Hyères-Olbia, Antibes, Nice) et dans l'arrière-pays (Glanum, Cavaillon, Avignon et peut-être Saint-Blaise). Avec les Celto-Ligures, les échanges, intenses, portent sur les armes, les objets en bronze, l'huile, le vin, le sel, les esclaves et la céramique. Maîtres des mers entre le détroit de Messine et les côtes ibères, dominateurs dans la vallée du Rhône après avoir supplanté leurs concurrents étrusques et puniques, les Massaliotes règnent sur le commerce international de l'ambre et surtout des métaux bruts : argent et étain d'Espagne ou de Bretagne, cuivre d'Étrurie. Après une période de défaillance, la cité organisée en République (Platon jugera exemplaire sa constitution) retrouve sa splendeur au 4ᵉ s. Le littoral est mis en valeur, planté d'arbres fruitiers, d'oliviers et de vignes.

Les fouilles de la **place des Pistoles** (1995) ont mis au jour des vestiges d'habitat datant du 4ᵉ s. av. J.-C. : aménagements domestiques, céramiques, ainsi qu'un réseau de rues témoignent d'une intense activité.

Marius et César – Les **Romains** entrent en Provence en 125, dégagent Massalia de l'emprise salyenne et entreprennent la conquête du pays. Massalia reste une république indépendante, alliée de Rome, et se voit reconnaître une bande de territoire le long du littoral.

Alors que la rivalité de César et de Pompée est à son point culminant, Marseille choisit malencontreusement de miser sur le second. Assiégée pendant six mois, la ville est prise en 49 av. J.-C. Rancunier, César lui enlève sa flotte, ses trésors, ses comptoirs. Arles, Narbonne et Fréjus s'enrichissent de ses dépouilles. Toutefois, elle reste ville libre et entretient une université brillante, dernier refuge de l'esprit grec en Occident.

Après les invasions, le port, toujours actif, continue à commercer avec l'Orient : avec les cargaisons débarque, un jour de 543, la peste, dont c'est la première apparition en Gaule. Le déclin définitif s'amorce à partir du 7ᵉ s. Les pillages des Sarrasins, des Grecs et de Charles Martel entraînent le repli de la ville dans l'enceinte épiscopale de la butte Saint-Laurent.

L'apparition du **christianisme** à Marseille est précoce : saint Victor y fut martyrisé vers 290, et on a trouvé trace de catacombes sur les pentes de la colline de la Garde. Au 5ᵉ s., le moine arménien Cassien établit dans ce quartier chrétien deux monastères, parmi les premiers fondés en Occident.

Le renouveau – Dès le 11ᵉ s., la cité phocéenne se réveille, mobilise toutes ses nefs et galvanise ses chantiers de constructions navales. En 1214, elle peut à nouveau s'ériger en république indépendante, pour une courte durée, puisqu'elle doit se soumettre en 1252 à **Charles d'Anjou**. Mais les croisades (12ᵉ-14ᵉ s.) font entrer la ville dans une période faste : elle dispute aux Génois le fret avantageux constitué par les croisés, leur matériel et leur ravitaillement. Ce soutien logistique lui rapporte de gros bénéfices, d'autant qu'à l'instar des grandes républiques italiennes, elle obtient en toute propriété un quartier de Jérusalem avec son église propre. Ses marins pratiquent le cabotage sur les côtes catalanes, vont concurrencer jusque chez eux les Pisans et les Génois, fréquentent le Levant, l'Égypte, l'Afrique du Nord. Après une phase de crise et de repli lorsqu'en 1423 la flotte aragonaise ravage la ville, les affaires repartent sous l'impulsion de deux habiles négociants, les frères Forbin. Jacques Cœur installe ici son principal comptoir.

La grande peste de 1720 – Au début du 18ᵉ s., Marseille compte environ 90 000 habitants. Grand port bénéficiant d'un édit de franchise depuis 1669, la ville jouit du monopole du commerce levantin et devient un gigantesque entrepôt de produits d'importation (matières textiles, denrées alimentaires, drogues et « curiosités »). Elle s'apprête à se lancer à la conquête des Antilles et du Nouveau Monde quand, en mai 1720, un terrible fléau la frappe. Un navire venant de Syrie, le *Grand Saint-Antoine*, a eu au cours de sa traversée plusieurs cas de peste. À son arrivée à Marseille, il est mis en quarantaine à l'île de Jarre. Mais l'épidémie se déclare en ville ; elle y fait des ravages foudroyants. L'interdiction, sous peine de mort, de toute communication entre Marseille et le reste de la Provence n'empêche pas le fléau de se répandre. Au total, entre 1720 et 1722, environ 100 000 personnes ont péri en Provence dont 50 000 à Marseille.

L'entrée du Vieux Port de Marseille.

L'euphorie commerciale – Très vite, Marseille se relève. Le commerce trouve de nouveaux débouchés en direction des Amériques et surtout des Antilles ; on importe du sucre, du café et du cacao, tandis que la ville s'industrialise : savonnerie, verrerie, raffinage du sucre, faïence, textile, manufactures de tabac, etc. De grandes fortunes s'édifient : armateurs et négociants affichent leur opulence au milieu d'un petit peuple d'artisans et de salariés vivant au rythme de l'arrivée des cargaisons au port. La ville accueille la Révolution avec enthousiasme. En 1792, les volontaires Marseillais popularisent le *Chant de guerre de l'armée du Rhin* composé par **Rouget de Lisle** et bientôt rebaptisé *La Marseillaise*. Marseille est aussi la première ville à demander l'abolition de la royauté. Mais la rude poigne de la Convention lui devient bientôt insupportable. Fédéraliste dans l'âme, elle se révolte. Enlevée d'assaut, elle devient la « Ville Sans Nom ». Sous l'Empire, le commerce maritime est fortement atteint par le blocus continental et Marseille devient farouchement royaliste.
Sous le Second Empire, où d'importants travaux d'urbanisme sont réalisés, la ville, toujours rebelle, est républicaine… et cependant prospère, car son activité, déjà stimulée par la conquête de l'Algérie, franchit un nouveau palier avec l'ouverture en 1869 du canal de Suez.

Aujourd'hui et demain – Touché par les bombardements et surtout par la destruction en 1943 du vieux quartier compris entre la rue Caisserie et le Vieux Port, Marseille s'est lancé dès la Libération dans la reconstruction. C'est l'époque où **Fernand Pouillon** reconstruit le Vieux Port, mais la réalisation la plus marquante est la Cité radieuse ou « Maison du fada » : première « unité d'habitation » de **Le Corbusier**, édifiée sur le boulevard Michelet, elle rassemble en un seul volume les composantes d'une petite ville, avec ses services de proximité, ses espaces de loisirs et de convivialité. Le mouvement de décolonisation a durement frappé le premier port de France, la ville entière tombant alors dans une longue crise économique. Ce n'est qu'à l'aube des années 2000 que Marseille semble avoir trouvé un nouveau souffle, symbolisé par le succès du TGV Méditerranée, qui a mis Paris à 3h du Vieux Port. Autre emblème de ce nouveau souffle, le projet « Euroméditerranée », dont la réalisation est programmée sur 25 ans, vise à remodeler la cité entre la Belle de Mai, la gare Saint-Charles et la Joliette, autour de pôles culturel, économique, commercial et portuaire.

Se promener

LE VIEUX MARSEILLE ①

Du Vieux Port au Panier – compter 3h. Voir plan II.

Le Vieux Port★★

C'est ici qu'en 600 av. J.-C. débarquèrent les Phocéens et que toute l'activité maritime se concentra pendant vingt-cinq siècles. Mais au 19e s., la profondeur de 6 m devint insuffisante pour les navires de fort tonnage, obligeant à créer de nouveaux bassins. Il n'empêche, le Vieux Port reste le vrai cœur de Marseille, là où toutes les voies convergent, là où les grands événements rassemblent la foule, où les promeneurs déambulent autour des cafés et des restaurants vantant leur bouillabaisse, tandis qu'à la sortie du métro « Vieux Port », on furète parmi les étals du **marché aux poissons** du **quai des Belges**. Point de départ des vedettes proposant des excursions aux îles du Frioul, le Vieux Port, dont le plan d'eau disparaît sous une forêt de mâts, est toujours traversé par le célèbre et pittoresque **ferry-boat** (prononcez « boate ») *Le César*, popularisé par Pagnol *(voir l'encadré pratique).*

Face au Vieux Port, au débouché de la rue de la République, l'**église Saint-Ferréol**, ou des Augustins, dresse sa façade Renaissance, reconstruite en 1804 *(7h10-19h, w.-end 12h-15h).*

Prenez en face le **quai du Port**, qui longe le « Corps-de-Ville », quartier emblématique du Vieux Marseille que les nazis dynamitèrent en 1943 sous prétexte d'insalubrité après avoir évacué 40 000 personnes. Seuls quelques bâtiments remarquables furent épargnés, dont l'hôtel de ville qu'encadrent des immeubles avec arcades construits après la guerre par Fernand Pouillon.

Hôtel de ville

Intéressante façade de style baroque provençal. L'écusson aux armes royales au-dessus de l'entrée principale est un moulage d'une œuvre de Pierre Puget.

Après l'avoir contourné sur la gauche, vous accédez à la **Maison diamantée** (16e s.) qui doit son nom aux pierres à facettes de sa façade. Elle abrite aujourd'hui le **musée du Vieux Marseille**★ *(voir « Visiter »).*

Poursuivre jusqu'à la rue Caisserie, que l'on prend sur la droite, jusqu'à la Grand-Rue où, au n⁰ 27 bis, s'élève l'hôtel de Cabre.

Hôtel de Cabre

Construite en 1535, c'est l'une des plus anciennes maisons de la cité. Son style composite témoigne de l'influence du gothique tardif sur l'architecture civile marseillaise.

En revenant sur vos pas vers la place Daviel, vous rencontrez le **pavillon Daviel** (milieu du 18e s.), ancien palais de justice. Remarquez sur sa façade rythmée de pilastres un beau balcon en ferronnerie dont le décor dit « à la marguerite » appartient à la tradition marseillaise. L'imposante masse de l'**Hôtel-Dieu** domine le port, avec son architecture caractérisée par l'agencement des volumes et la superposition de galeries à arcades (18e s.).

Le **clocher des Accoules**, seul vestige d'une des plus anciennes églises de Marseille, donne accès au quartier du Panier.

Le Panier★

Bâti sur la butte des Moulins à l'emplacement de l'antique Massalia, c'est le dernier vestige du Vieux Marseille. Ancien quartier des pêcheurs, les habitants, souvent de condition modeste, ont tiré le meilleur parti de leurs minuscules bouts de terrain en construisant des maisons tout en hauteur dans ce lacis de ruelles qui, avec son animation, son linge séchant en aplomb des rues, ses volées d'escaliers et ses façades colorées n'est pas sans évoquer Naples, la Catalogne, tous les rivages méditerranéens... C'est désormais un **quartier en vogue**, plébiscité des néo-Marseillais, avec de nombreuses galeries d'art, restaurants façon guinguettes et quelques boutiques de créateurs.

Empruntez la **montée des Accoules**, symbole du quartier, mais n'hésitez pas non plus à vous fier au hasard : la **rue du Panier**, les rues Fontaine-de-Caylus, Porte-Baussenque, du Petit-Puits, Sainte-Françoise, du Poirier, des Moulins (qui mène à la charmante place des Moulins), toutes méritent d'être parcourues, dans ce quartier authentique qui a vu sa transformation progressive en ghetto arrêtée par des opérations de réhabilitation, après la restauration de la Vieille Charité. Enfin, ne craignez pas de vous perdre : il suffit de monter !

Vieille Charité★★

Cet ancien hospice, remarquablement restauré, constitue un bel ensemble architectural édifié de 1671 à 1749 sur les plans des frères Puget. Les bâtiments de cet « Escurial de la Misère », conçu pour enfermer les pauvres de Marseille, s'ordonnent

---

Fabio Montale, le flic désabusé du Panier

Sur le pas des portes, des *cacòus* en bleu de Shanghai consultent la presse tout en commentant les résultats de l'OM dans un « français de Marseille » aux tournures parfois étonnantes... C'est le monde de Fabio Montale, un minot du quartier, devenu le policier au grand cœur créé par **Jean-Claude Izzo** (*Chourmo, Total Khéops* et *Solea*, dans la collection « Série Noire ») et incarné au petit écran par Alain Delon...

SE LOGER

Chambre d'hôte
  Villa Marie-Jeanne...............⑦

Chambre d'Hôte
  Villa Monticelli....................⑩

Hôtel Benidorm......................⑲

Hôtel Le Corbusier.................㉕

Hôtel Le Richelieu..................㉘

SE RESTAURER

Chez Fonfon...........................①

Cyprien.................................⑩

L'Épuisette............................⑬

Le Bord'Eau..........................㉛

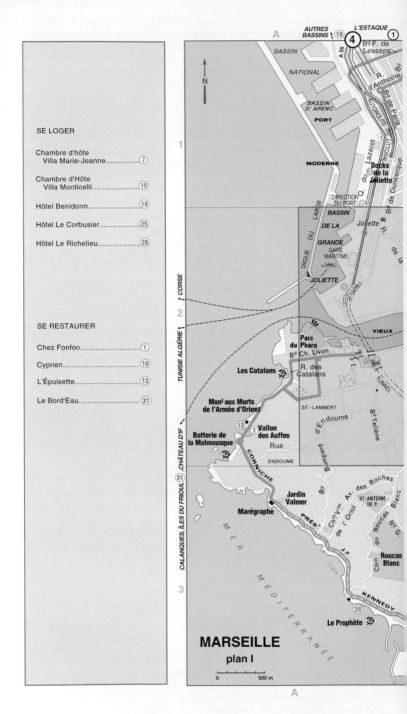

MARSEILLE
plan I

0   500 m

autour d'une **chapelle**★ centrale au dôme ovoïde, belle œuvre baroque due à Pierre Puget. Donnant sur cour, trois niveaux de galeries à arcades sont construits en calcaire du cap Couronne, aux reflets roses et jaunes. Le centre abrite aujourd'hui le **musée d'Archéologie méditerranéenne**, le musée d'Arts africains, océaniens, amérindiens **(MAAOA)**, et des expositions temporaires *(voir « Visiter »)*. Il fait bon faire une pause dans l'agréable bar-restaurant installé sous ses arcades, ou à la librairie attenante.

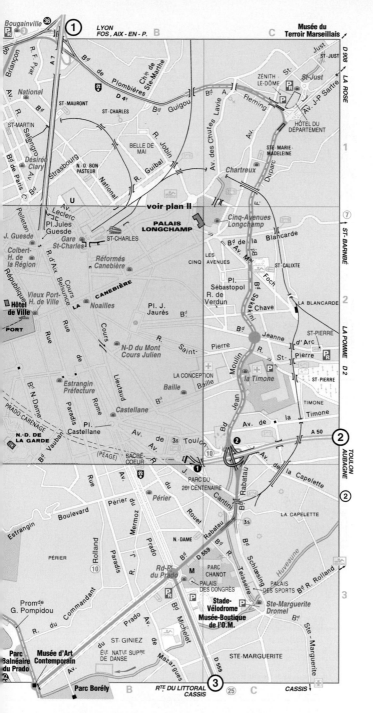

Après avoir contourné sur la gauche la Vieille Charité, tourner à gauche, puis encore à gauche, dans la rue de l'Évêché et enfin à droite vers la Major.

Cathédrale de la Major

Colossale, elle a été construite à partir de 1852 dans le style romano-byzantin par l'architecte Espérandieu, à l'initiative du futur Napoléon III qui voulait se concilier d'un seul coup l'Église et les Marseillais. Que l'on apprécie ou non ce pompeux édifice, on regrette tout de même qu'il ait entraîné la destruction d'une partie de l'**ancienne**

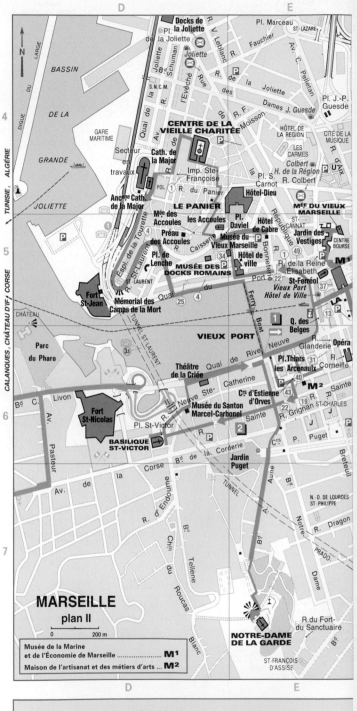

MARSEILLE
plan II

0   200 m

Musée de la Marine
et de l'Économie de Marseille .... **M¹**
Maison de l'artisanat et des métiers d'arts ... **M²**

SE LOGER		SE RESTAURER
Chambre d'hôte La Maison du Petit Canard.....①	Hôtel Azur......................⑯	Bateau-restaurant Le Marseillois.............①
	Hôtel Hermès.................㉒	
Chambre d'hôte M. et Mme Schaufelberger..................④	Hôtel Relax....................㉛	Chez Madie les Galinettes..............④
	Hôtel Saint-Louis............㉞	
Hôtel Alizé...........................⑬	New Hôtel Vieux Port......㊲	Couleur des Thés...........⑦

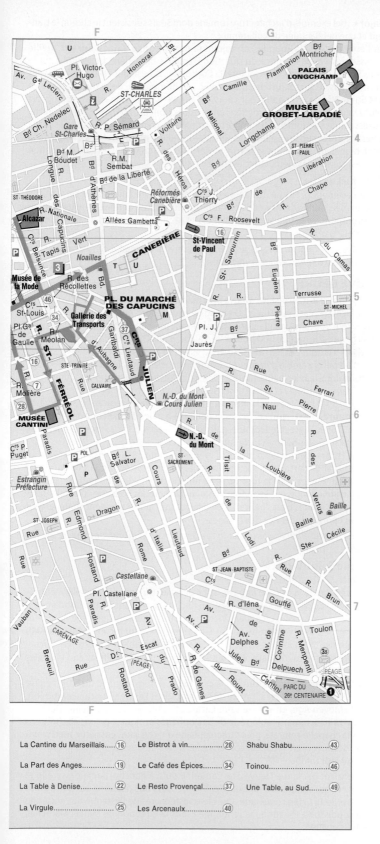

La Cantine du Marseillais.....16	Le Bistrot à vin.............28	Shabu Shabu.............43
La Part des Anges.............19	Le Café des Épices.........34	Toinou.............46
La Table à Denise.............22	Le Resto Provençal.........37	Une Table, au Sud.........49
La Virgule.............25	Les Arcenaulx.............40	

Major★ : bel exemple d'architecture romane dont seuls subsistent le chœur, le transept et une nef flanquée de collatéraux.

Par l'esplanade de la Tourelle, on rejoint la petite **église Saint-Laurent**, vieille paroisse des « gens de mer » du quartier. Depuis le belvédère, belle **vue★** sur le Vieux Port et l'entrée de la Canebière, la Côte Bleue, la basilique N.-D.-de-la-Garde ; en contrebas, le **fort Saint-Jean** qui, avec son homologue de la rive opposée, le **fort Saint-Nicolas**, fut édifié par Louis XIV afin de tenir la ville en respect. Le fort Saint-Jean englobe des constructions antérieures, dont la tour du Fanal ou Tourette, qui ressemble à un minaret. Il comporte également un ancien blockhaus : c'est dans ce vestige de l'occupation allemande qu'a été installé le **mémorial des Camps de la mort**, rappelant les grandes rafles de janvier 1943 qui furent suivies par l'évacuation et la destruction des vieux quartiers *(voir « Visiter »)*.

Place de Lenche

À l'emplacement présumé de l'agora de Massalia s'ouvre aujourd'hui cette petite place animée, ourlée de bars et de restaurants, aux façades agrémentées de balcons en ferronnerie, avec vue sur le Vieux Port et le théâtre de la Criée, que domine N.-D.-de-la-Garde.

Descendre sur le quai du Port jusqu'à l'embarcadère du légendaire ferry-boat que l'on emprunte pour gagner le quai de Rive-Neuve.

LA RIVE NEUVE 2

Vous aborderez le quai de Rive-Neuve près du buste du chanteur d'opérette Vincent Scotto, face à la place aux Huiles. On imagine mal aujourd'hui le succès de **Vincent Scotto**. Pour s'en faire une idée, une comparaison : pour la jeunesse de 1930, il représentait ce qu'est le groupe **IAM** pour celle d'aujourd'hui. Qui nous dit que les rappeurs marseillais n'auront pas leur effigie dans la ville d'ici quelques décennies ?

Bordé d'un bel ensemble d'immeubles au style néoclassique, le quai de Rive-Neuve fut ainsi nommé car les hauts-fonds encombrant cette partie du port ne furent que tardivement supprimés et la rive aménagée.

Vous entrez par la place aux Huiles dans le **quartier des Arcenaulx**. Sur le vaste **cours Honoré-d'Estienne-d'Orves**, aménagé en place à l'italienne, la façade de l'hôtel (n° 23) et l'agréable Librairie-galerie des Arcenaulx (n° 25) sont les derniers vestiges visibles des bâtiments de l'arsenal.

Le **carré Thiars**, autour de la place du même nom (fin 18e s.) s'inscrit sur l'ancien chantier naval de l'arsenal. Dans ce quadrillage de rues, notamment au carrefour de la rue Saint-Saëns et de la rue Fortia, de nombreux restaurants, véritable tour du monde gastronomique, entretiennent une animation que les boîtes de nuit prolongent jusqu'au petit matin : c'est l'heure où les *gabians* (goélands) viennent chercher leur pâture aux portes de service des cuisines.

Par la rue Marcel-Paul (escaliers) et la rue Sainte, sur la droite, poursuivre vers la basilique.

Basilique Saint-Victor★

☎ *04 96 11 22 60 - tlj 9h-19h.*

Dernier vestige de la célèbre abbaye, appelée « clef du port de Marseille » et fondée au début du 5e s. par saint Cassien, en l'honneur de saint Victor. Condamné à être broyé entre deux meules, saint Victor ne pouvait dès lors que devenir le saint patron des meuniers… Détruite par les Sarrasins, l'église fut reconstruite vers 1040 et puissamment fortifiée. Extérieurement, c'est une véritable forteresse. Le porche, qui s'ouvre dans la tour d'Isarn, est voûté de lourdes ogives ; édifiées en 1140, elles comptent parmi les plus anciennes du Midi.

À l'intérieur, ne manquez surtout pas la **crypte★★**, enterrée quand fut bâtie l'église du 11e s. À côté se trouvent la grotte de saint Victor et l'entrée des catacombes où, depuis le Moyen Âge, on vénère saint Lazare et sainte Marie-Madeleine. Dans les cryptes voisines, remarquable série de sarcophages antiques, païens et chrétiens et, dans la chapelle centrale, près du sarcophage dit « de saint Cassien », martyrium du 3e s., découvert en 1965, qui contenait les restes de deux martyrs. L'abbaye fut édifiée sur leur tombe.

En descendant par la rue Neuve-Ste-Catherine puis, à gauche, par la passerelle et les escaliers qui conduisent au quai de Rive-Neuve, vous passerez ensuite devant le **théâtre de la Criée** : aménagé après le transfert près de l'Estaque de l'ancienne criée aux poissons, il a connu la renommée sous la direction de Marcel Maréchal, entre 1981 et 1994.

Notre-Dame-de-la-Garde, incontournable.

Reprendre sa voiture ou mieux, depuis le cours Jean-Ballard, l'autobus n° 60 pour monter vers N.-D.-de-la-Garde. Les piétons irréductibles emprunteront le sentier pédestre qui démarre rue du Bois-Sacré, au boulodrome situé au pied de la Bonne Mère. L'ascension se fait à travers d'agréables espaces paysagés (98 marches).

Basilique Notre-Dame-de-la-Garde
Se garer sur « le plateau de la Croix » (parcs de stationnement gratuits, tlj 7h-19h en hiver, 7h-19h30 en été). La restauration de la basilique et de la crypte sont en cours. Durant les travaux, l'un ou l'autre lieu de culte reste toujours ouvert.
Notre-Dame-de-la-Garde fut construite par Espérandieu, au milieu du 19e s., dans le style romano-byzantin alors en vogue. Elle s'élève sur un piton calcaire à 161 m d'altitude et son clocher de 60 m de haut est surmonté d'une énorme statue dorée de la Vierge, la fameuse « Bonne Mère ». L'intérieur de l'église est revêtu de marbres de couleur, de mosaïques et de peintures murales de l'école de Düsseldorf. De très nombreux ex-voto recouvrent les murs. Dans la **crypte** (église basse), belle *Mater dolorosa* en marbre, sculptée par Carpeaux.
Le principal intérêt de la montée à Notre-Dame-de-la-Garde réside sans doute dans le **panorama★★★** que l'on découvre de son parvis.

LA CANEBIÈRE ③

Compter 2h. Cette voie, percée au 17e s., tire son nom d'une corderie de chanvre (*canèbe*, en provençal) implantée autrefois à cet endroit.

Splendeur et décadence – Grâce aux marins qui ont porté son renom aux quatre coins du monde, la Canebière est devenue la plus fameuse artère de la ville – et son symbole. Les opérettes de Vincent Scotto (*Un de la Canebière*, 1938) et les chanteurs

Souvenirs, souvenirs…
L'Alcazar, ouvert en 1857, fut pendant plus d'un siècle le temple de la variété à Marseille : spectacles de mimes, pastorales, « revues marseillaises », « diseuses à voix », comiques troupiers, fantaisistes locaux et, dans les derniers temps, chefs de file du rock'n roll ou chanteurs yé-yé s'y succédèrent. Les opérettes de **Vincent Scotto** et Sarvil, servies par les estimés Alibert, Rellys ou Charpin, y devinrent un genre à part entière, tandis que l'esprit de l'Alcazar soufflait quelques répliques, et non des moindres, à Pagnol. La salle connut son apogée entre 1920 et 1950, accueillant Mayol, Mistinguett, Maurice Chevalier, fidèle entre tous depuis sa première prestation à l'âge de 16 ans, Rina Ketty… Raimu, Fernandel, Tino Rossi, **Yves Montand** y firent leurs débuts, ce dernier dans un répertoire de style western qui le consacra « jeune vedette swing 1941 ». Passer devant ce public impitoyable ne tolérant aucune fausse note ou faiblesse vocale était une épreuve. Mais les artistes appréciaient sa compétence et les vedettes y testaient leur tour avant d'affronter la capitale. L'Alcazar ferma en 1964 : un des derniers à y triompher fut Johnny Halliday…

populaires de l'entre-deux-guerres ont aussi contribué à la renommée de cette avenue qui, jusqu'à l'Occupation, regroupait cafés prestigieux, commerces de luxe, grands hôtels, cinémas et théâtres. Elle a aujourd'hui perdu de son lustre et, malgré un « plan Canebière » visant à la réhabiliter en y implantant diverses administrations, dont un commissariat flambant neuf dans un ancien palace, elle est encore loin d'avoir retrouvé le prestige et l'animation de naguère… en particulier après la tombée du jour. Un indice tout de même de la poursuite de ce lent renouveau : sa récente transformation en une artère à deux voies automobiles (au lieu de quatre) pour y faire circuler le nouveau tramway.

Partant du Vieux Port, emprunter le trottoir de gauche.

À droite de la rue Saint-Ferréol, un passage puis des escaliers mécaniques conduisent au Centre Bourse, vaste complexe commercial dans lequel est aménagé le **musée d'Histoire de Marseille**★ *(voir « Visiter »)* et qui donne accès au jardin des Vestiges, dégagés lors des travaux d'aménagement du quartier.

Jardin des Vestiges

Entrée par le musée d'Histoire de Marseille uniquement.

Les fortifications de la ville grecque, la corne du port antique entourée de ses quais du 1er s. et une voie d'entrée de la ville datant du 4e s., forment ce jardin archéologique. À l'époque phocéenne, ce site bordait un marécage qui fut progressivement asséché aux 3e et 2e s. av. J.-C. Dans la seconde moitié du 2e s. av. J.-C., on éleva de nouveaux remparts dont subsistent des traces : tours carrées, bastions et courtines édifiés en blocs de grand appareil taillés dans le calcaire rose du cap Couronne. Une voie d'époque romaine entre dans la ville par une porte plus ancienne (2e s. av. J.-C.) dont une des tours est encore bien identifiable.

En remontant la Canebière, plusieurs immeubles se signalent par la qualité de leur architecture, rappelant la gloire passée de la rue, notamment sur le trottoir de droite : entre la rue St-Ferréol et le cours St-Louis, façades à décor de rocaille du milieu du 18e s. ; à l'angle du cours Saint-Louis (nos 1-3 du cours), bâtiment de style baroque construit en 1671-1672, qui devait former un des côtés de la place Royale dessinée par Pierre Puget et jamais achevée ; aux nos 53 et 62 (hôtel de Noailles), immeubles caractéristiques du Second Empire.

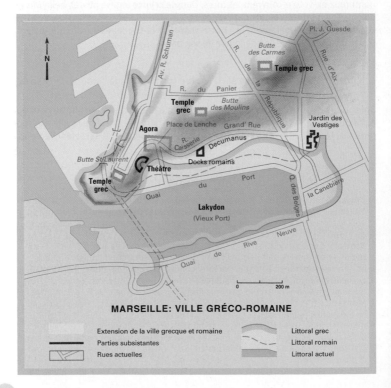

MARSEILLE : VILLE GRÉCO-ROMAINE

Extension de la ville grecque et romaine

Parties subsistantes

Rues actuelles

Littoral grec

Littoral romain

Littoral actuel

La rue Longue-des-Capucins : un mélange de saveurs, de couleurs et de senteurs.

Sur le cours Belsunce se trouve l'ancien **Alcazar**, scène illustre et devenue mythique. Abandonné, il n'en subsiste désormais plus que la marquise d'entrée : l'ancien immeuble a été entièrement réhabilité en 2004 pour accueillir la grande **bibliothèque municipale à vocation régionale** (BMVR).

Redescendre dans le quartier commerçant qui se développe immédiatement au sud de la Canebière. Prendre à droite le boulevard Garibaldi puis, à gauche, rejoindre le bas du cours Julien.

Cours Julien

Cette vaste esplanade, en partie piétonne, fut jusqu'en 1972 le marché maraîcher de Marseille. Rénové et investi de restaurants, magasins d'antiquités ou de vêtements créateurs (*Madame Zaza of Marseille, Fille de Lune, Casablanca, etc.*), de librairies et de galeries, de salles de spectacles *(Espace Julien, Chocolat Théâtre…),* il constitue un agréable lieu de détente, grâce à un aménagement paysager faisant la part belle aux terrasses de restaurants et de cafés. Les rues débouchant à l'est du cours (rues Bussy-l'Indien, Pastoret, Crudère, Vian) ont un petit côté « alternatif » avec leurs façades recouvertes de tags de facture plus ou moins artistique *(voir la devanture de La Maison hantée, rue Vian)*, leurs clubs et leurs cafés qui s'animent à la tombée de la nuit.

En descendant les escaliers (belle vue sur le centre ville) puis la passerelle qui enjambe le cours Lieutaud, vous rejoignez la rue d'Aubagne, une succession de boutiques d'épices, de bazars orientaux, de galeries d'art et de restaurants exotiques. Cette rue conduit au « ventre de Marseille », toujours vivant même s'il a perdu de son importance économique. Flânez devant les étals de fruits et légumes de la **place du Marché-des-Capucins** face à la station de métro et de tram Noailles (petit musée des Transports). Remontez l'étroite **rue Longue-des-Capucins** dont l'atmosphère oscille entre le souk et le marché aux puces, les odeurs d'épices se mêlant à celles du café, des olives « cassées » ou « à la picholine », de la menthe fraîche et des fruits séchés.

La rue des Halles-Charles-Delacroix, ancien marché aux poissons, ouvre sur la petite rue Vacon avec ses rouleaux de tissus à l'étalage et conduit à « Saint-Fé », la **rue Saint-Ferréol**, principale artère piétonne de la cité où se concentrent commerces de prêt-à-porter, de chaussures, maroquiniers, glaciers, fast-foods et grands magasins comme les Galeries Lafayette ou Virgin Megastore…

Une visite au **musée Cantini★** *(voir « Visiter »)*, hôtel (17ᵉ s.) de la compagnie du Cap-Nègre, et vous rejoindrez la Canebière en prenant sur la droite la très commerçante rue Paradis.

LA CORNICHE (Plan I)

Cette longue promenade peut s'effectuer en voiture. Mais une place de stationnement sur la Corniche tient parfois du miracle, surtout le week-end… Sinon, le bus n° 83 part du Vieux Port et longe la corniche jusqu'à l'espace Borély ; de là, le bus n° 19 conduit à la Pointe-Rouge.

Le Pharo

Il occupe un promontoire qui domine l'entrée du Vieux Port : très jolie **vue** de la terrasse située près du palais du Pharo, construit pour Napoléon III. Le parc abrite un auditorium en sous-sol. Au passage, les passionnés de marine jetteront un œil au **chantier naval Borg** *(25 Anse Pharo)*, le dernier endroit où sont fabriquées les barquettes marseillaises *(visites guidées sur réserv., ℰ 04 91 31 48 12)*.

En continuant sur le boulevard Charles-Livon, vous atteindrez la **corniche du Prés.-J.-F.-Kennedy★★**, longue de plus de 5 km, qui suit presque constamment le bord de mer, avec de belles villas construites à la fin du 19ᵉ s.

Après les populaires quartiers d'Endoume et des Catalans, depuis le **monument aux morts de l'armée d'Orient**, vues sur la côte et les îles. Un viaduc franchit le pittoresque vallon des Auffes.

Vallon des Auffes

Accès par le boulevard des Dardanelles, juste avant le viaduc. Dans ce minuscule port de pêche encombré de « barquettes » (barques traditionnelles) et cerné de cabanons s'étageant sur ses rives, on se sent loin de la ville bruyante et animée… que seule la circulation sur le viaduc vient rappeler. Un dîner en terrasse, dans ce décor d'opérette qui inspira Vincent Scotto et dont l'éclairage se modifie sans cesse au soleil couchant, devrait vous convaincre durablement du pouvoir de séduction de la cité phocéenne… encore bien présent quelques mètres plus loin dans les ruelles bordées de villas qui conduisent à l'**anse de Malmousque**. De retour sur la Corniche, en chemin vers le jardin Valmer, vous apercevrez au passage le **marégraphe**, aujourd'hui désaffecté : c'est ici que furent prises les mesures du niveau de la mer permettant de déterminer l'altitude zéro.

Jardin Valmer

Ses faux airs de domaine privé laissent de nombreux ignorants à la porte. Le jardin Valmer est bien un jardin public, certainement le plus élégant de la ville. Couronné par la **villa Valmer**, une somptueuse bastide de style néo-Renaissance construite en 1865 par un riche négociant industriel *(visible dans le cadre des visites guidées de l'office de tourisme)*, le parc offre des vues plongeantes sur la Méditerranée, des collines de Marseilleveyre au sud à la pointe de Carry au nord. Au plus fort de l'été, vous apprécierez particulièrement l'épais ombrage tricoté par la végétation luxuriante, dont la diversité rappelle les plus beaux jardins de Côte d'Azur. Arbousiers, oliviers et chênes verts se mêlent aux espèces exotiques (palmiers, pistachiers, etc.) ramenées d'Orient par le premier propriétaire.

Promenade de la Plage

Elle prolonge la Corniche vers le sud, longeant les **plages Gaston-Defferre** (que les Marseillais surnomment aussi « plages du Prado »), ensemble de bassins de plaisance et de plages artificielles bordé de jardins. De l'autre côté de la route, nombreux restaurants.

Le vallon des Auffes, hors du tumulte de la cité.

Stéphane Sauvignier / MICHELIN

Au-delà du rond-point de la plage, où se dresse une réplique du *David* de Michel-Ange, la plage populaire de la **Pointe-Rouge** se prolonge par un important centre de pratique de la voile.

Château et parc Borély

Édifié au 18e s. par de riches négociants, les Borély, le château devrait accueillir après restauration le musée des Arts décoratifs de la ville.

Très bien remis en valeur, le parc, prolongé par un beau **jardin botanique** et une **roseraie**, est un but de promenade très prisé le dimanche, quand il n'accueille pas le Mondial de la pétanque, l'une des

Plage de la Pointe Rouge.

manifestations les plus populaires du genre *(voir l'encadré pratique).* ℘ 04 91 55 25 06 - ♿ *- Jardin botanique (entrée par le parc Borély) : mai-sept. : 10h-18h, w.-end 11h-18h ; oct.-avr. : 10h-17h, w.-end 11h-17h - fermé lun. et vac. scol. de fin d'année - 3 € (3-12 ans 1 €).*

Vous pourrez poursuivre la promenade jusqu'à la petite plage de Montredon où, dans « la campagne Pastré », belle bastide du 19e s., est installé le superbe **musée de la Faïence★** *(voir « Visiter »)*, puis jusqu'aux calanques des Goudes et de Callelongue *(voir les calanques).*

LE PORT (Plan I)

👁 **Bon à savoir** – Vous atteindrez ce quartier en pleine mutation en remontant (à pied ou en tramway) la rue de la République, une longue artère haussmannienne en cours de réhabilitation. Autre option : le métro, station « Joliette ». Comptez 1h de visite.

En 1844, le Vieux Port était devenu insuffisant pour les navires qui s'y tassaient sur quatre et cinq rangs. Une loi permit la création d'un bassin à la Joliette ; suivirent les bassins du Lazaret et d'Arenc et l'extension régulière en direction du nord. De rares témoins subsistent du « système économique marseillais » reposant sur le triptyque industrie-négoce-marine : huileries, savonneries, minoteries, semouleries et usines métallurgiques. Les guerres mondiales, la désaffection du canal de Suez et l'émancipation des colonies ont porté un rude coup à ce système. La reconversion, tournée vers le pétrole et la chimie, a entraîné un déplacement des grandes activités industrielles vers l'étang de Berre et le golfe de Fos.

À la recherche d'un nouveau souffle

C'est le premier port de France et de Méditerranée, le deuxième d'Europe. C'est aussi l'une des icônes marseillaises, au même titre que l'OM ou la Bonne Mère. Avec un trafic annuel de près de 100 millions de tonnes, le port autonome de Marseille (PAM) joue un rôle économique important. Par ailleurs, le trafic passager a conservé une certaine importance avec les lignes régulières de Corse et d'Afrique du Nord (nouvelle gare maritime de la Major) et la navigation de croisière (gare maritime nord) s'est beaucoup développée depuis dix ans. Même le *Queen Mary* a fait escale à Marseille ! Le remodelage prévu par le **projet Euroméditerranée** *(www.euromediterranee.fr)* devrait permettre à terme de donner un nouvel élan aux installations portuaires, tout en les ouvrant sur des quartiers réhabilités.

Docks de la Joliette

Accès : M° Joliette. Entrée place de la Joliette, par l'hôtel d'administration. Construite de 1858 à 1863 sur le modèle des docks anglais, cette immense enfilade d'entrepôts de près de 400 m de long incarne le rayonnement économique de Marseille à son apogée. La ville tenait sa fortune des colonies dont les matières premières étaient transformées avant d'être, pour l'essentiel, réexportées. L'emploi exclusif de la pierre, de la brique et de la fonte, caractéristique de l'architecture des docks, était destiné à prévenir les risques d'incendie. Outre divers services liés à l'activité portuaire, les docks, réhabilités, accueillent des entreprises de communication, des spectacles et des expositions qui donnent l'occasion d'admirer leurs remarquables caves voûtées.

La construction d'un tunnel autoroutier a permis de dégager la Major de la circulation et d'ouvrir un espace de promenade. La Cité de la Méditerranée va se mettre en place entre la nouvelle gare maritime et le Fort Saint-Jean (qui abritera le musée des Civilisations de l'Europe et de la Méditerranée).

L'ESTAQUE

👁 **Bon à savoir** – Pour venir dans ce quartier excentré de Marseille (10 km au nord du Vieux Port), il faudra prendre la voiture, ou le bus 35 depuis le Vieux Port. Très fréquenté par les Marseillais le week-end, le hameau retrouve son calme en semaine.

« C'est comme une carte à jouer. Des toits rouges sur la mer bleue. » Ainsi **Paul Cézanne** vantait-il à Camille Pissarro, en juillet 1876, les charmes de ce village de pêcheurs parsemé d'usines, dont une escouade de peintres avant-gardistes (Braque, Dufy, Derain, Marquet…) allait faire la renommée entre 1870 et la Première Guerre mondiale. Plus récemment, le quartier a été popularisé par certains films du réalisateur marseillais Robert Guédiguian, notamment *Marius et Jeannette*.
L'Estaque peut décevoir le visiteur… Quelques poissonneries et restaurants y attirent les citadins, au même titre que les « baraques » perpétuant la fabrication des « panisses » et des « chichi frégi », longs beignets frits un peu lourds à digérer, mais très appréciés. Toutefois, en montant dans le vieux village, sur la place de l'église, une **vue panoramique** sur la rade de Marseille, avec ses îles et, au premier plan en contrebas, les toits du vieux village, vous permettra de mieux comprendre l'engouement que ce lieu célèbre suscita naguère.

Puget de Marseille

Jeune sculpteur, mais aussi peintre et architecte, **Pierre Puget** (1620-1694) se rend en Italie pour recevoir l'enseignement de Pierre de Cortone. Après avoir sculpté le portail de l'hôtel de ville de Toulon, il travaille à Gênes, de 1660 à 1668, période la plus brillante de sa carrière. Rappelé par Colbert, qui lui confie la décoration des vaisseaux à l'arsenal de Toulon, il se consacre ensuite à l'ornementation de villes de Provence comme Aix ou Marseille. Sculpteur baroque et expressif à une époque où le classicisme domine en France, il a montré la mesure de son talent dans la construction de l'hospice de la **Vieille Charité**…

Visiter

DANS LE VIEUX MARSEILLE (plan II)

Centre de la Vieille Charité★★ (D4)

📞 04 91 14 58 80 - juin-sept. : 11h-18h ; oct.-mai : 10h-17h - fermé lun. et j. fériés - 2 € musée d'Archéologie méditerranéenne ; 2 € musée des Arts africains, océaniens et amérindiens ; 3 € expo. temporaires ; 5 € expo. grands événements.
Une des grandes collections archéologiques de France : pour tous ceux qui s'intéressent aux civilisations antiques des rivages méditerranéens.

Musée d'Archéologie méditerranéenne★★ - *1er étage, aile nord*. On y aborde l'**Égypte**, du début de l'Ancien Empire (2700 av. J.-C.) jusqu'à l'époque copte (3e-4e s. apr. J.-C.) : statuettes funéraires, dites « ouchebtis », deux masques d'Osiris en feuilles d'or martelées, un grand ibis en argent et bois doré (époque ptolémaïque), une statue de la déesse Neith en granit noir (XVIIIe dynastie), une table d'offrande portant 34 cartouches royaux (XIXe dynastie). Et un superbe Livre des Morts en papyrus datant de la XXVIe dynastie. Ce recueil de textes et de formules avait pour but d'assurer la survie du défunt dans l'au-delà.

Proche-Orient : pièces assyriennes des palais de Sargon II à Dûr-Sharukin (l'actuelle Khorsabad) et d'Assurbanipal à Ninive. Remarquez deux céramiques d'une finesse exceptionnelle datant du 4e millénaire av. J.-C.

Chypre : poteries à surface rouge lustrée portant un décor incisé ou appliqué en léger relief, mobilier funéraire de type mycénien, céramique tournée décorée de cercles concentriques.

Grèce et Grande-Grèce : statues d'idoles cycladiques en marbre, céramiques décorées de frises de motifs géométriques, vases à parfums corinthiens décorés de motifs animaliers ou floraux, céramiques à figures noires et à figures rouges, *kouros* (sculpture de jeune homme nu) et *koré* (jeune fille vêtue). Pour la Grèce classique, lécythes à fond blanc et stèles funéraires.

Étrurie et Rome : céramique en *bucchero-nero* (pâte noire soigneusement lissée), pièces d'argenterie, peinture funéraire de Chiusi et Tarquinia, sculpture en pierre de Vulci, *korés* de Cerveteri et Véies.

Celto-Ligures de Roquepertuse (oppidum situé au nord de Vitrolles) : fragments peints, sculptés et gravés, statues de guerriers assis en tailleur, gros oiseau… À remarquer : **Hermès bicéphale★**, magnifique groupe de deux têtes accolées ; également, le portique « aux têtes coupées » avec ses piliers dont la partie supérieure était destinée à recevoir des crânes.

Musée d'Arts africains, océaniens, amérindiens (MAAOA)★★ – *Au 2ᵉ étage des ailes nord et est.* Musée de province le plus riche en objets d'arts provenant d'Afrique, d'Océanie et des Amériques. Prenez votre temps, sa présentation privilégie la contemplation : les œuvres, toutes exposées sur un fond noir, rayonnent d'une lumière diffuse et indirecte. **Salle Pierre-Guerre** : masques, sculptures, reliquaires et objets quotidiens provenant principalement d'Afrique de l'Ouest. **Salle Antonin-Artaud** (civilisations d'Océanie et des Amériques) : coiffe-masque de Wayana (Brésil), têtes humaines réduites (*tsantsas* des Indiens jivaros, Équateur). La collection Gastaut réunit une série unique de crânes humains, sculptés, gravés, illustrant les civilisations anciennes de l'Océanie et de l'Amazonie. **Collection François-Reichenbach** : art populaire du Mexique.

Musée du Vieux Marseille★ (E4)
R. de la Prison (Maison diamantée). 🖉 *04 91 55 28 68 - juin-sept. : 11h-18h ; oct.-mai : 10h-17h, possibilité de visite guidée sur demande (1h) - fermé lun. et j. fériés - 2 € (enf. 1,50 €). Propositions de visites guidées dans le vieux Marseille sur réserv.*

Dans ce bâtiment du 16ᵉ s. dont la façade est taillée en pointes de diamant, vous pourrez admirer un bel escalier avec plafond à caissons. D'ici la fin des travaux de réhabilitation, présentation d'une partie des collections permanentes : retable du 15ᵉ s. « La prédication de Marie-Madeleine », santons habillés, divers petits objets illustrant la vie quotidienne des Marseillais au 19ᵉ s.

Musée des Docks romains★ (D5)
Pl. Vivaux. 🖉 *04 91 91 24 62 - juin-sept. : 11h-18h ; oct.-mai : 10h-17h - fermé lun. et j. fériés - 2 €.*

Au cours des travaux de reconstruction du Vieux Port, on a découvert des entrepôts commerciaux romains à *dolia* (grandes jarres) datant des 1ᵉʳ-3ᵉ s., aujourd'hui aménagés en musée. Celui-ci abrite des objets trouvés sur les lieux, tandis qu'une maquette aide à imaginer le site et ses abords à l'époque romaine. Les entrepôts comportaient un rez-de-chaussée (qui abritait des *dolia* pour le grain, le vin et l'huile) s'ouvrant sur le quai du port et un étage communiquant sans doute par un portique avec l'artère principale de la cité, la voie Décumane, actuellement rue Caisserie. D'autres objets illustrent le rôle maritime de Marseille : céramiques, métaux et amphores provenant d'épaves, balances romaines et monnaies. Une maquette de four de potier illustre la technique de fabrication des amphores.

Préau des Accoules (D5)
29 montée des Accoules. 🖉 *04 91 91 52 06 - août : tlj sf dim. et lun. 13h30-17h30 ; oct.-juil. : merc. et sam. 13h30-17h30 (en période d'exposition) - fermé sept. - animations pour enf. sur demande - gratuit.*

👫 Voici un concept inédit dans la présentation de collections au jeune public : des expositions autour de véritables œuvres (choisies dans les collections des musées de Marseille) permettent aux enfants de se familiariser avec l'art à travers des activités interactives menées par des animateurs. Au passage, levez les yeux vers la voûte plate, belle réalisation de la fin du 18ᵉ s., pour cette ancienne salle de réunion extraordinaire de l'Académie de Marseille.

Mémorial des Camps de la mort (D5)
Quai de la Tourette (contre le fort Saint-Jean). 🖉 *04 91 90 73 15 -* ♿ *- juin-sept. : 11h-18h ; oct.-mai : 10h-17h - fermé lun. et j. fériés. - 2 €, gratuit dim. mat.*

Installé dans un ancien blockhaus de l'armée d'occupation allemande et dédié à toutes les victimes de la barbarie nazie, ce musée retrace la rafle du 22 janvier 1943 au cours de laquelle 804 Juifs marseillais ont été déportés au camp d'extermination de Sobibor, en Pologne, d'où aucun n'est revenu. Quelques jours après, le chef de la Gestapo en France, Karl Oberg, annonçait que les vieux quartiers seraient détruits « par la mine et le feu ». 25 000 habitants du Vieux Port furent évacués par la police française et déportés dans des camps d'internement à Fréjus. À leur retour, ils trouvèrent un champ de ruines : 1 494 immeubles dynamités par l'occupant, soit 14 ha.

La vidéo du rez-de-chaussée, l'exposition de **photographies d'archives nazies** prises lors de la destruction du Vieux Port (au 1er étage) retracent cette période. Au 2e étage, vous pourrez vous recueillir devant les urnes contenant la terre et les cendres de dix-huit camps de concentration et d'extermination.

Musée du Santon Marcel-Carbonel (D6)

47-49 r. Neuve-Ste-Catherine. ℘ 04 91 54 26 58 - www.santonsmarcelcarbonel.com - musée : tlj sf dim. et lun. 10h-12h30, 14h-18h30, possibilité de visite guidée mar. et jeu. sur réserv. - atelier : lun.-jeu. 8h-12h30, 14h-17h - gratuit.

👫 Situé dans l'arrière-boutique, ce petit musée privé présente la collection personnelle d'un des grands santonniers marseillais, **Marcel Carbonel**. Points forts de la collection, des modèles de santonniers connus (Lagnel, Neveu, Devouassoux, Paul Fouque, Puccinelli, etc.) ainsi que des santons habillés de l'abbé Sumien (1912). Une petite mezzanine dévoile des modèles plus exotiques (crèches du Japon, d'Alaska ou Mexique). À côté (n° 47), l'atelier de fabrication se visite aussi.

Maison de l'artisanat et des métiers d'art (E5 M²)

21 cours d'Estienne-d'Orves. ℘ 04 91 54 80 54 - tlj sf dim. et lun. 13h-18h - gratuit.

Dans ce bâtiment historique hérité de l'Arsenal des galères sont organisées des expositions thématiques temporaires sur l'artisanat et les métiers d'art, en particulier ceux du bassin méditerranéen.

AUTOUR DE LA CANEBIÈRE

Musée d'Histoire de Marseille★ (E4)

Centre commercial « Centre Bourse ». ℘ 04 91 90 42 22 - ♿ - tlj sf dim. 12h-19h - fermé j. fériés - visites accompagnées sur réserv. - 2 € (–10 ans gratuit).

Situé au fond du jardin des Vestiges, il retrace l'histoire de Marseille, de la préhistoire au Moyen Âge. La maquette de Marseille aux 3e et 2e s. av. J.-C. précise la situation du port antique, équipé de cales de halage.

Les coutumes celto-ligures sont évoquées par la reconstitution du portique du sanctuaire de Roquepertuse exhibant des « têtes coupées ». La ville grecque, les usages funéraires, la métallurgie, etc., sont tour à tour abordés avec clarté. La présentation en coupe d'un *dolium* (grande jarre), l'exposition de divers modèles d'amphores ayant contenu du vin, de l'huile ou différentes préparations de poisson renseignent sur le transport et le stockage des denrées. Ne manquez pas l'épave d'un navire marchand romain du 3e s., conservée par lyophilisation, tant les bois utilisés sont divers : quille en cyprès, étrave en pin parasol, clés et chevilles en olivier et chêne vert, revêtement intérieur en mélèze et pin d'Alep.

Un espace d'exposition, « Le temps des découvertes de Protis à la reine Jeanne », est consacré aux plus récentes trouvailles parmi lesquelles une épave grecque du 6e s. av. J.-C. issue des dernières fouilles dans le port et entièrement assemblée par ligatures.

Musée Cantini★ (F6)

19 r. Grignan. ℘ 04 91 54 77 75 - juin-sept. : 11h-18h ; oct.-mai : 10h-17h - fermé lun. et j. fériés - visites accompagnées sur réserv. - musée : 2 € - expositions temporaires : 3 €.

Ce musée est spécialisé dans l'art du 20e s. jusqu'aux années 1960, et en particulier dans les domaines du fauvisme, du premier cubisme, de l'expressionnisme et de l'abstraction : œuvres de Matisse, Derain *(Pinède, Cassis)*, Dufy *(Usine à l'Estaque)*, Alberto Magnelli *(Pierres n° 2, 1932)*, Dubuffet *(Vénus du trottoir, 1946)*, Kandinsky, Chagall, Jean Hélion et plusieurs Picasso... Le séjour à Marseille de nombre d'artistes surréalistes, réunis pendant la dernière guerre à la villa Air-Bel autour d'André Breton, justifie un traitement de choix du mouvement ; ainsi se trouvent rassemblés des tableaux d'André Masson *(Antille, 1943)*, Max Ernst *(Monument aux oiseaux, 1927)*, Wilfredo Lam, Victor Brauner, Jacques Hérold, Joan Miró, et 7 (rares) dessins du Marseillais Antonin Artaud.

Le port de Marseille, autre grand sujet d'inspiration locale avec l'Estaque, est représenté par des toiles de Marquet, dont le *Vieux Port* aux eaux étales qui se confondent avec le ciel et la gracile silhouette du défunt pont transbordeur, de Signac et du spécialiste marseillais en la matière, Louis-Mathieu Verdilhan (1875-1928). La collection compte enfin quelques œuvres d'artistes en marge de toute école : Balthus *(Le Baigneur)*, Giacometti *(Portrait de Diego)* et Francis Bacon *(Autoportrait)*.

Musée de la Marine et de l'Économie de Marseille (E5 M¹)

*Rez-de-chaussée du palais de la Bourse. ℘ 04 91 39 33 21 - www.ccimp.com/patrimoine -
10h-18h - 2 € (–12 ans gratuit).*

Maquettes de navires à voiles ou à vapeur, peintures, aquarelles, gravures et plans
illustrent l'histoire de la marine et du port de Marseille du 16e s. à nos jours.

Musée de la Mode (F5)

*11 La Canebière. ℘ 04 96 17 06 00 - ⑤ - juin-sept. : 11h-18h ; oct.-mai : 10h-17h - fermé
lun. et j. fériés - visites accompagnées sur réserv. - 3 €.*

Espace consacré à des expositions temporaires sur les thèmes de la mode et du
costume, avec des expositions thématiques temporaires présentant par roulement
les collections permanentes et les dernières acquisitions haute couture.

QUARTIERS SUD (Plan I)

Musée de la Faïence★

*Hors plan. Dépasser le parc Borély et continuer vers la Pointe Rouge. Le musée se trouve
au bout du parc de Montredon. ℘ 04 91 72 43 47 - ⑤ - juin-sept. : tlj sf lun. 11h-18h ;
oct.-mai : 10h-17h - fermé j. fériés - 2 €.*

*Un petit train permet d'y monter. Juin-sept. : tlj sf lun. (dép. parc de Montredon, ttes les
10mn) 11h-18h ; oct.-mai : 10h-17h - fermé j. fériés - 1,50 € AR.*

Installé au **château Pastré**, belle bastide du 19e s. bâtie au pied du massif de
Marseilleveyre, ce musée est consacré à l'art de la céramique, du néolithique ancien
à nos jours. Collections en grande partie constituées de faïences de Marseille,
grand centre de production à la fin du 17e s. et au 18e s. On verra successivement
de très belles pièces de la fabrique Clérissy, la première à avoir relancé la faïence à
la fin du 17e s. (grand feu bleu et manganèse) et des fabriques Madeleine Héraud,
Louis Leroy et Fauchier (ornementation rocaille et émail jaune). Quatre grandes
fabriques utilisent au 18e s. la technique du petit feu : celles de la Veuve Perrin
(décor de poissons, scènes chinoises, grandes fleurs avec insecte), de Gaspard
Robert, Honoré Savy (petit feu vert) et Antoine Bonnefoy. Sont ensuite présentées
les productions provençales : faïence de Moustiers, céramiques de La Tour-d'Aigues,
d'Aubagne (poterie vernissée vert et jaune), d'Apt et du Castellet (terres mêlées
vernissées). Quelques belles créations viennent illustrer la production de la fin du
19e s. : poterie vernissée (style Bernard Palissy) d'Avisseau, grès émaillés d'Ernest
Chaplet, vases Art nouveau de Théodore Deck. Enfin, la création contemporaine
n'est pas oubliée avec les œuvres d'Émile Decœur (années 1930), Georges Jouve
(après 1954) ou Claude Varlan (1990).

Avis aux supporters

Plus qu'un simple club de football, l'**OM**
est l'âme de la ville, sa fierté et une
part de son identité. De triomphes en
désastres et en scandales, tout y est
excessif : l'antre du stade Vélodrome
avec son public aussi enthousiaste que
sévère, la presse qui décortique chaque
jour les états d'âme des joueurs, l'effectif
où se sont souvent bousculées les stars.
Le club centenaire passionne et soude les
Marseillais de toutes origines autour de
ses couleurs blanc et bleu et de sa devise,
« Droit au but ».

Stéphane Sauvignier / MICHELIN

👁 **Zinedine Zidane**, qui a conduit
l'équipe de France de football à la victoire
en Coupe du monde (1998) et en Coupe
d'Europe (2 000). Une particularité : cet enfant du quartier de la Castellane, Marseillais
bon teint, n'a jamais porté le maillot blanc et bleu de l'OM.

Musée-boutique de l'OM et visite du stade Vélodrome (C3)

*3 bd Michelet, sous le stade Vélodrome. M° Rond-Point-du-Prado. Visite guidée du stade :
1h30. Été : 10h-17h, dép. toutes les h. ; hors vac. : selon disponibilité, sur réserv. à l'office
de tourisme, ℘ 04 91 13 89 00 - le stade ferme au gré des manifestations sportives ou
culturelles, se renseigner à l'office de tourisme - 5 € (–5 ans gratuit).*

👥♿ Situé dans le stade Vélodrome, ce minimusée est dédié à l'OM. Face aux impératifs de la boutique, le musée a malheureusement été réduit à la portion congrue. De nombreux fans de foot se recueillent devant les trois vitrines consacrées au club, avec la réplique de la coupe d'Europe de 1993, des trophées par dizaines (les plus vieux de 1924). À l'entrée, un mur d'empreintes dévoile, entre autres, les mains de Barthez et les pieds de Papin et de Djorkaeff.

Musée d'Art contemporain / MAC (B3)

69 av. d'Haïfa. Hors plan. Depuis la promenade de la Plage, tourner au niveau de l'Escale Borély dans l'avenue de Bonneveine et poursuivre jusqu'à l'intersection avec l'avenue d'Haïfa, où pointe un grand pouce métallique sculpté par César. 📞 *04 91 25 01 07 -* ♿ *- juin-oct. : tlj sf lun. 11h-18h ; nov.-mai : tlj sf lun. 10h-17h - fermé j. fériés - 3 €.*

Ce musée occupe un bâtiment formé d'une juxtaposition de modules identiques. Sa collection permanente, qui privilégie les créateurs français et réserve une place de choix aux Marseillais de naissance ou d'adoption, regroupe diverses tendances de l'art contemporain des années 1960 à aujourd'hui : courants structurés comme le Nouveau Réalisme, Supports/Surfaces ou l'Arte Povera, mais aussi éclectisme propre aux années 1980 et œuvres de francs-tireurs résistant à toute tentative de classification. Dans un ensemble promis à l'enrichissement, se mettent en évidence les *Compressions* et *Expansions* de **César**, les compositions de Richard Baquié (*Amore Mio*, 1985), Jean-Luc Parent (*Machines à voir*, 1993), **Daniel Buren** (*Cabane éclatée n° 2*), les complexes démarches créatives de Martial Raysse (*Bird of Paradise*, 1960), Arman, Jean-Pierre Raynaud, la machine *Rotazaza* de **Tinguely**, une anthropométrie d'Yves Klein et les contributions de **Robert Combas** et Jean-Michel Basquiat à la valorisation de certains aspects de notre culture : bande dessinée, graffiti, etc.

QUARTIER LONCHAMP (plan II)

Musée Grobet-Labadié★★ (G4)

140 bd Longchamp. M° Longchamp-Cinq-Avenues. 📞 *04 91 62 21 82 - juin-sept. : 11h-18h ; oct.-mai : 10h-17h - fermé lun. et j. fériés - 2 €.*

Dans un cadre bourgeois, bel ensemble de tapisseries flamandes et françaises (16e-18e s.), meubles, faïences de Marseille et de Moustiers (18e s.), orfèvrerie religieuse, ferronnerie, instruments de musique anciens. Aux murs, des primitifs flamands, allemands et italiens, l'école française des 17e, 18e et 19e s. Une collection de dessins des écoles européennes du 15e s. au 19e s. enrichit le musée.

Musée des Beaux-Arts★

Aile gauche du palais Longchamp. M° Longchamp-Cinq-Avenues. Bus 81. Fermé pour travaux, au moins jusqu'en 2009. Renseignements : 📞 *04 91 14 58 80.*

Le **palais Longchamp**, imposante construction mêlant avec une allégresse communicative tous les styles architecturaux répertoriés, véritable hymne à l'eau bienfaisante, élevé par Jacques-Henri Espérandieu, abrite le musée des Beaux-Arts et le Muséum d'Histoire naturelle. Il fait l'objet d'un programme de rénovation et d'extension.

Au 1er niveau, une galerie est consacrée à la **peinture des 16e et 17e s.** des écoles française (exquise *Vierge à la rose* de Vouet), italienne (Pérugin, Carrache et le Guerchin) et flamande, avec Snijders, Jordaens et plusieurs Rubens *(La Chasse au sanglier)* ; également, quelques œuvres provençales de Michel Serre, Jean Daret, Finson et Meiffren Comte. **Pierre Puget** tient naturellement la vedette avec des peintures d'une grande variété dont le *Sommeil de l'Enfant Jésus* et *Achille et Le Centaure*, des sculptures (le *Faune*) et des bas-reliefs comme *La Peste à Milan* ou *Louis XIV à cheval*.

Dans l'escalier, peintures murales, aujourd'hui un peu désuètes, de Puvis de Chavannes (*Marseille, colonie grecque* et *Marseille, porte de l'Orient*).

Au 2e niveau, plusieurs salles sont vouées exclusivement à la **peinture française des 18e et 19e s**. Le 18e s. est représenté par de belles toiles de Nattier, Verdussen, Watteau de Lille, Carle Van Loo, Françoise Duparc, Greuze, Joseph Vernet (*Une tempête*), Mme Vigée-Lebrun *(La Duchesse d'Orléans)*. Parmi les œuvres du 19e s., on s'attardera devant Courbet *(Le Cerf à l'eau)*, Millet, Corot, Girodet, Gros, Gérard, Ingres, David et les Provençaux Guigou et Casile. On le connaissait comme caricaturiste, Honoré Daumier, né à Marseille en 1808, était aussi sculpteur, facette méconnue d'un talent fécond.

Le **cabinet des dessins** rassemble des collections italiennes et françaises, présentées sous forme d'expositions temporaires.

Les îles du Frioul invitent à une escapade.

Muséum d'Histoire naturelle★
Aile droite du palais Longchamp. 𝄋 04 91 14 59 50 - tlj sf lun. 10h-17h - fermé j. fériés -
4 € (–10 ans gratuit).
Il renferme de riches collections, très intéressantes pour les amateurs de zoologie, de géologie et de préhistoire. 400 millions d'années d'histoire de la région y sont retracés et un safari-muséum expose les peuplements zoologiques de la terre. Une salle est consacrée à la faune et à la flore provençales. Dans les **aquariums**, exposition permanente sur les « Eaux vives, du Verdon aux calanques ».

Musée du Terroir marseillais
𝄋 04 91 68 14 38 - tlj sf lun. 9h-12h, 14h-18h30, w.-end 14h30-18h30 - fermé j. fériés -
3,80 € (enf. 2 €).
Situé à **Château-Gombert** *(dans le 13ᵉ arr.)*, sur une grande place ombragée de platanes, le musée retrace les modes de vie provençaux aux 18ᵉ et 19ᵉ s. Dans la cuisine, avec sa hotte de cheminée et sa « pile » (évier), faïences de Marseille, étains, *terralhas*, *tian* en terre cuite, mortiers d'aïoli… Dans la salle de séjour et la chambre, meubles régionaux dont un long canapé, le *radassier*. Notez également la belle collection de santons et de crèches.

Aux alentours

Îles du Frioul et château d'If
Traversée en bateau : départ du Vieux Port, quai des Belges - pour les horaires, se renseigner
aux Navettes du Frioul - 𝄋 04 91 46 54 65 - certaines navettes font escale au château
d'If - 10 € (Frioul ou If), 15 € (les deux îles).
Visite du château d'If juin-sept. : 9h30-18h30 ; oct.-mai : 9h30-17h30, fermé lun. de sept.
à mars, 25 déc. et 1ᵉʳ janv. - 5 €.
À tout seigneur tout honneur, votre première escale sera la célèbre île du **château d'If★★**, immortalisée par Alexandre Dumas. Il y fit croupir trois de ses héros : le Masque de Fer, le comte de Monte-Cristo et l'abbé Faria ; ce sont surtout les huguenots, puis des opposants au coup d'État de 1851 qui y séjournèrent. Construit de 1524 à 1528 en un temps très court, le château d'If formait un avant-poste destiné à protéger la rade de Marseille. À la fin du 16ᵉ s., on l'entoura d'une enceinte bastionnée posée sur le rocher en lisière de la mer. Devenue inutile, la citadelle devint prison d'État. La visite, qu'agrémente des vidéos extraites des multiples avatars cinématographiques du comte de Monte-Cristo, fait parcourir les cachots de ces nombreux prisonniers. D'une terrasse au sommet de la chapelle (désaffectée), **panorama★★★** sur la rade et la ville, les îles Ratonneau et de **Pomègues** reliées par le nouveau port du Frioul. Sur cette dernière, où l'on tenta naguère d'établir un quartier de la ville, l'**hôpital Caroline**, ancien centre de quarantaine, est en cours de restauration.

Les calanques★★ *(voir ce nom)*

La Côte Bleue★ *(voir ce nom)*

Marseille pratique

Adresse utile

Office du tourisme de Marseille – *4 La-Canebière - 13001 Marseille - ✆ 04 91 13 89 00 - www.marseille-tourisme.com - lun.-sam. 9h-19h, dim. 10h-17h - fermé 25 déc. et 1er janv.* Outre les renseignements traditionnels, vaste choix de visites commentées, cours d'œnologie ou de bouillabaisse, activités de plein air (randonnée dans les calanques, plongée, voile, kayak).

Transports

👁 **Bon à savoir** – La navette de l'aéroport arrive à la **gare Saint-Charles**, l'unique gare marseillaise où aboutissent également les TGV, les trains grandes lignes et les TER.

Voiture – Il faut s'armer de patience, de philosophie et de courage : embouteillages incessants, conducteurs irascibles dénués de la moindre indulgence envers ceux qui semblent chercher leur chemin, n'hésitant pas à accompagner d'un assourdissant concert d'avertisseur ponctué d'invectives les manœuvres de stationnement dès lors qu'elles sont jugées trop longues, quasi impossibilité de se garer en dehors de parkings souterrains parfois complets, l'expérience peut relever, pour un public non averti, du calvaire. Encore un exemple pour vous convaincre ? Ici, les double files sont souvent triples.

Métro – ✆ 04 91 91 92 10 - www.rtm.fr - C'est le transport en commun le plus commode ; les deux lignes fonctionnent tlj de 5h à 21h, jusqu'à 0h30 vend.,sam. et dim. En semaine, elles sont remplacées de 21h à 1h par les bus de nuit (« fluobus »). Les titres de transport sont vendus en station sous forme de cartes magnétiques valables pour 1h de déplacement (carte solo : 1,70 €), une journée (carte journée : 4,50 €) ou plusieurs jours (cartes liberté : 6 € ou 12 €). Plan du réseau distribué gratuitement aux guichets.

Ferry-boat – *9h-19h. De la place aux Huiles à l'Hôtel de ville. 0,80 € AR (0,50 € aller).* Escartefigue, le célèbre personnage de Marcel Pagnol, n'officie plus comme capitaine mais le trajet garde un charme fou. Les minots adorent, les grands aussi et surtout, le « ferry boate » permet d'économiser 800 m de marche à pied, avantage non négligeable sous le cagnard estival.

Visites

City Pass Marseille – *en vente à l'office de tourisme et des Congrès - 18 €/1 j., 25 €/2 j.* Ce passeport touristique et culturel permet de découvrir Marseille grâce à une formule « tout compris ». Il donne accès aux musées de la ville, aux visites guidées de l'office de tourisme, au réseau bus-métro-tramway, au petit train touristique de N.-D.-de-la-Garde et à celui du musée de la Faïence, au bateau pour le château d'If, à la visite du château d'If et offre des réductions dans certaines boutiques.

Visite guidée – *sur réserv. uniquement - renseignements à l'office de tourisme ou sur www.marseille-tourisme.com - 6,50 €.* Marseille, qui porte le **label Ville d'art et d'histoire**, propose des visites-découvertes (2h) animées par des guides-conférenciers agréés par le ministère de la Culture et de la Communication.

👥 **« Le Grand Tour » en bus** – *Jusqu'à 8 dép. par j., dép. quai du Port, fréquence max. de déb. avr. à fin oct. - 17 € (20 € pour 2 j.).* Visite guidée avec commentaires sur cassette audio (1h30 sans compter les arrêts que vous choisirez de faire). Mis en place par une compagnie privée, ce bus à impériale a l'avantage de permettre de monter ou descendre à chacun des seize arrêts.

👥 **Petit train touristique** – *✆ 04 91 25 24 69 - dép. quai du Port - le train de N.-D.-de-la-Garde fonctionne toute l'année sf du 1er au 25 déc., celui du Vieux Marseille fonctionne d'avr. à oct. - 5 € par circuit (enf. 3 €).* Deux circuits proposés : vers N.-D.-de-la-Garde par la basilique Saint-Victor ou dans le Vieux Marseille (quartier du Panier et Vieille Charité).

Taxis Tourisme – *Réserv. et rens. à l'office de tourisme ou sur www.marseille-tourisme. com - 66 €.* Visite guidée (2h30) avec commentaires sur cassette audio.

Se loger

🛏 **Hôtel Benidorm** – *734 chemin du Littoral (Estaque) - bus 35 - ✆ 04 91 46 12 91 - 26 ch. 38/44 € - ☕ 5 €.* Seul hôtel de l'Estaque, ce bâtiment blanc tout simple abrite des chambres avant tout pratiques (parfois sans toilettes privatives) et dotées de double vitrage ; la moitié d'entre elles ouvrent côté mer. Prix raisonnables.

🛏 **Hôtel Saint-Louis** – *2 r. des Récollettes (cours St-Louis) - M° Vieux-Port - ✆ 04 91 54 02 74 - www.hotel-st-louis.com - 22 ch. 38/54 € - ☕ 6 €.* Au pied du marché des Capucins et de la Canebière, ce deux-étoiles se niche dans un bâtiment du 19e s. à la façade rose et blanche. Patines chaudes, couleurs provençales et tomettes lui donnent du caractère. En sortant, on retrouve l'atmosphère du quartier de Noailles, une sorte de grand souk à ciel ouvert.

🛏 **Hôtel Le Richelieu** – *52 corniche Kennedy - bus 83 - ✆ 04 91 31 01 92 - www.lerichelieu-marseille.com - 🅿 - 19 ch. + 2 suites 40/100 € - ☕ 7 €.* Charmant hôtel installé sur la Corniche, près de la plage des Catalans. Sept types de chambres (et de prix), avec ou sans vue sur mer. Double vitrage côté rue. Les moins chères ont un cabinet de toilette privé mais des WC communs. Coup de cœur pour la suite n° 5 qui possède une terrasse dominant la rade.

🛏 **Chambre d'hôte La Maison du Petit Canard** – *2 imp. Ste-Françoise - M° Vieux-Port - ℘ 04 91 91 40 31 - http://maison.petit.canard.free.fr - ⤧ - 1 ch. et 4 studios 30/55 € - ⟟ - repas 14 €.* Une adresse au cœur du Panier, plébiscitée pour son ambiance chaleureuse. Une chambre et quatre studios à prix raisonnables, dans deux maisons anciennes avec poutres apparentes et sols en tomettes. Décoration très Sud, avec meubles chinés, joli salon oriental et table d'hôte. Accueil sympathique.

🛏 **Chambre d'hôte M. et Mme Schaufelberger** – *2 r. St-Laurent - M° Vieux-Port puis bus 49 - ℘ 04 91 90 29 02 - www.fleursdesoleil.fr/ciems.maisons/13-schaufel.html - ⤧ - 3 ch. 55/65 € ⟟.* Nichées au sommet d'une grande tour moderne du Panier, ces chambres d'hôte (deux chambres à louer, possibilité d'une troisième en suite pour les groupes qui se connaissent) offrent une vue exceptionnelle sur le Vieux Port, les forts et la rade. Petits-déjeuners en terrasse aux beaux jours. Belle vue depuis le salon commun, qui est aussi celui de la famille Schaufelberger.

🛏 **Hôtel Relax** – *4 r. Corneille - ℘ 04 91 33 15 87 - www.hotelrelax.fr - 21 ch. 50/55 € - ⟟ 6 €.* Détendez-vous, vous êtes au Relax, hôtel familial entièrement refait pour assurer à ses hôtes des nuits sans souci dans des petites chambres bien tenues, insonorisées et climatisées.

🛏 **Hôtel Azur** – *24 cours Franklin-Roosevelt - M° Réformés - ℘ 04 91 42 74 38 - www.azur-hotel.fr - 18 ch. 55/75 € - ⟟ 8 €.* À deux pas de la Canebière, un deux-étoiles familial dans un immeuble « trois fenêtres » typique de Marseille. Les chambres climatisées et insonorisées s'articulent sur quatre étages, autour d'un grand escalier baigné de lumière. Certaines donnent sur le jardin où vous pourrez prendre le petit-déjeuner. Accueil attentif.

🛏 **Hôtel Le Corbusier** – *280 bd Michelet - bus 21, 22 - ℘ 04 91 16 78 00 - www.hotelcorbusier.com - fermé 1 sem. en janv. - P - 21 ch. 55/105 € - ⟟ 8 € - restaurant 12/29 €.* Griffé Le Corbusier, cet hôtel niche ses chambres quasi monacales à la Cité radieuse, ce vaisseau de béton qui s'élève depuis 50 ans dans une banlieue chic excentrée. Depuis le toit-terrasse, vue à 360° sur la rade de Marseille. Rénovation progressive des lieux en respectant l'architecture d'origine. Le « Ventre de l'Architecte » permet de se restaurer.

🛏 **Hôtel Alizé** – *35 quai des Belges - M° Vieux-Port - ℘ 04 91 33 66 97 - www.alize-hotel.com - 39 ch. 63/85 € - ⟟ 9,50 €.* Le bel immeuble en pierre de taille du 18ᵉ s. abrite un hôtel plutôt confortable. Devant le célèbre marché aux poissons, hôtel fonctionnel où vous choisirez de préférence les chambres rénovées situées en façade pour profiter du spectacle du port.

🛏 **Hôtel Hermès** – *2 r. Bonneterie - M° Vieux-Port - ℘ 04 96 11 63 63 - www.hotelmarseille.com - 28 ch. 71/91 € - ⟟ 8 €.* Cet hôtel propose un hébergement simple et confortable. Sur le toit, superbe terrasse et exceptionnelle « chambre nuptiale » avec de grandes baies vitrées et un panorama cinq étoiles sur le Vieux Port et N.-D.-de-la-Garde.

🛏 **Chambre d'hôte Villa Marie-Jeanne** – *4 r. Chicot - ℘ 04 91 85 51 31 - ⤧ - 3 ch. 60/75 €.* Adresse rare à Marseille que cette bastide du 19ᵉ s. désormais englobée dans un quartier résidentiel : aménagée avec goût, elle mêle élégamment couleurs provençales traditionnelles, meubles anciens, fer forgé et toiles contemporaines. Jardin ombragé de platanes centenaires et d'un micocoulier.

🛏 **Chambre d'hôte Villa Monticelli** – *96 r. du Cdt-Rolland - M° Rond-point du Prado - ℘ 04 91 22 15 20 - www.villamonticelli.com - ⤧ - 5 ch. 85/100 €.* Cette maison Art déco au cœur du Prado vous surprendra peut-être par son intérieur coloré de façon insolite. Mais rassurez-vous, l'ensemble reste de très bon goût, même les chambres qui, en dépit de leurs dimensions souvent modestes, offrent un réel confort. Il suffit de descendre la rue pour arriver à la plage.

🛏 **New Hôtel Vieux Port** – *3 bis r. de la Reine-Élisabeth - M° Vieux-Port - ℘ 04 91 99 23 23 - www.new-hotel.com - 42 ch. 155/250 € - ⟟ 11 €.* Cet immeuble ancien idéalement situé sur le Vieux Port a bénéficié d'une récente rénovation. Les chambres sont personnalisées par différents décors empreints d'exotisme : Mille et une nuits, Pondichery, Vera Cruz, Soleil Levant et Afrique noire.

Se restaurer

Spécialités – À l'illustre bouillabaisse, le plat des pêcheurs à base de poissons de roche qui vous sera proposé un peu

Criée aux poissons.

Gilles Magnin / MICHELIN

partout, et au célébrissime aïoli, on ajoutera les pieds-paquets, à base de tripes. Enfin, outre la brousse du Rove et les chichis frégis, la région de l'Estaque propose les panisses, pâtes à base de pois chiches que l'on découpe en rondelles et que l'on frit.

🦪 **Le Bistrot à vin** – *17 r. Sainte - M° Vieux-Port - Hôtel-de-Ville - ✆ 04 91 54 02 20 - fermé août - formule déj. 10 € - 10/28 €.* Dans un cadre chaleureux à souhait (poutres au plafond, murs tantôt couverts de briques, tantôt orangés, tables en fer forgé et chaises en bois), vous dégusterez une cuisine provençale bien inspirée. La carte, présentée sur ardoise, propose en entrée 4 ou 5 assiettes. Les plats s'avèrent copieux. Pour le dessert, vous hésiterez entre la tarte maison et le fondant au chocolat.

🦪 **Toinou** – *3 cours St-Louis - M° Noailles - ✆ 04 91 33 14 94 - www.toinou.com - 10/25 €.* Huîtres, crustacés, oursins ou violets extra-frais campent sur les plateaux de fruits de mer servis aux trois étages, dans un décor de bois blond et métal poli. Le service est 100 % efficace, plébiscité par les nombreux Marseillais qui s'y régalent. La terrasse est bruyante mais on peut y observer les écaillers au travail.

🦪 **La Table à Denise** – *63 r. Sainte - ✆ 04 91 54 19 74 - fermé le soir sf vend. et sam. et veille de fête - réserv. conseillée - 10,50/34 €.* L'ardoise extérieure annonce les plats qui varient selon le marché. L'esprit ? Provençal créatif, souvent sucré-salé (veau au miel épicé, jarret d'agneau sur confiture d'oignons, tian de daurade). La toute petite salle à manger est très conviviale, avec ses meubles patinés et sa vaisselle chinée.

🦪 **La Cantine du Marseillais** – *13 r. Glandevès - M° Vieux-Port - ✆ 04 91 33 66 79 - fermé 3 sem. en août, lun. soir, mar. soir, merc. soir et dim. - 12/18 €.* Au cœur du centre commerçant, cette petite adresse toute neuve met la Méditerranée à l'honneur, avec une cuisine qui navigue de l'Espagne à la Grèce, de l'Italie à la Provence. Sur les tables défilent artichauts, supions, palourdines et rougets, arrosés de vins du Sud. Une bonne escale déjeuner entre deux boutiques.

🦪 **Le Bord'Eau** – *Quai d'Honneur, îles du Frioul - bateau du Vieux-Port - ✆ 04 91 59 01 45 - fermé nov.-avr. - 12,50/30 €.* Chaises en plastique et parasols composent le décor de ce restaurant-bar-glacier installé face au port du Frioul. Il se distingue par un service attentionné et des prix raisonnables. Glaces, pâtisseries et, pour les grosses faims, poissons grillés et fruits de mer.

🦪 **Couleur des Thés** – *24 r. Paradis - ✆ 04 91 55 65 57 - tlj sf dim. et lun. 12h-18h30 ; fermé 2 sem. en août - 13/20 €.* Salon de thé agréablement décoré, installé dans l'intimité d'un appartement cossu (climatisé), au 1er étage d'un immeuble du centre-ville. Au menu : buffet de salades, charcuteries, tartes salées et pâtisseries maison. Cinquante variétés de thés, vendues en vrac.

🦪 **Le Resto Provençal** – *64 cours Julien - M° Cours-Julien - ✆ 04 91 48 85 12 - ouv. du mar. midi au vend. soir et sam. soir, 12h-14h, 19h45-22h30 (23h le w.-end) ; en août : fermé midi du lun. au sam. - 13/23,50 €.* Une adresse douillette où les spécialités provençales ensoleillent les assiettes : daurade en bouillabaisse, seiches au basilic, tarte aux figues. Une note détaillant les apéritifs provençaux est posée sur chaque table.

🦪 **La Part des Anges** – *33 r. Sainte - M° Vieux-Port - Hôtel-de-Ville - ✆ 04 88 86 78 64 - fermé 25 déc. et 1er janv. - 15/30 €.* Ce bar à vins très animé le soir propose plus de 250 références à déguster sur place, en bouteille et au verre, ou à emporter. Pour les accompagner, vous aurez le choix entre des assiettes de charcuterie et de fromage et des petits plats préparés selon le marché. Décor mi-rustique, mi-contemporain et long comptoir en zinc.

🦪 **Chez Madie les Galinettes** – *138 quai du Port - M° Vieux-Port - ✆ 04 91 90 40 87 - fermé sam. midi en juil. et dim. - 15 € déj. - 22/27 €.* Près des musées du Vieux Marseille, un restaurant provençal avec terrasse donnant sur le Vieux Port et la Bonne Mère. Idéal aussi pour épater des copains venus du Nord, avec un beau soleil qui caracole dans l'assiette : artichauts à la barigoule, poivrons anchoiade, alibofis (rognons), pieds-paquets. Madie détaillera la carte parfois mystérieuse avec le sourire. Deux bémols : des prix qui ont eu un petit coup de chaud et la rumeur des voitures.

🦪🦪 **La Virgule** – *27 r. des Loges - M° Vieux-Port - ✆ 04 91 90 91 11 - formule déj. 19 € - 20/30 €.* Les bobos marseillais tiennent leur lieu de rendez-vous avec ce restaurant de style bistrot dernier cri face au vieux port. Dans un décor noir, blanc et acier où dansent les tabliers orange des serveurs, il faut s'attendre à quelques surprises culinaires (tarte tatin au boudin noir) mais toujours du haut de gamme !

🦪🦪 **Shabu Shabu** – *30 r. de la Paix - M° Marcel-Paul - ✆ 04 91 54 15 00 - fermé 28 juil.-1er sept., lun. midi et dim. - réserv. conseillée le w.-end - 22/28 €.* Tous les poissons de la Méditerranée préparés en sushis sous vos yeux ! Le décor est japonais et le chef, français, se passionne pour la cuisine du Soleil Levant : une table à la personnalité affirmée, dans une ville où les restaurants nippons se font rares.

🦪🦪 **Le Café des Épices** – *4 r. Lacydon - ✆ 04 91 91 22 69 - fermé 23 déc.-2 janv., sam. midi, dim. et lun. - 23/30 €.* Minuscule restaurant (20 places), mais néanmoins bien séduisant par son décor contemporain et sa cuisine aussi inventive que soignée. Terrasse d'été.

Cyprien – *56 av. de Toulon -* 04 91 25 50 00 *- fermé 23 juil.-4 sept., 24 déc.-5 janv., lun. sf le soir hors vac. scol., sam., dim. et j. fériés - 24/55 €.* Non loin de la place Castellane, classicisme affirmé tant en ce qui concerne la goûteuse cuisine que pour le décor, ponctué de notes florales et égayé de tableaux.

Bateau-Restaurant Le Marseillois – *Quai du Port-Marine, devant la mairie -* 04 91 90 72 52 *- www.lemarseillois.com - fermé dim. et lun. - 25/50 €.* Pour un repas presque les pieds dans l'eau, rendez-vous sur cette goélette du 19e s. amarrée dans le Vieux Port. Vous y dégusterez sur le pont en été ou dans la cale en hiver, une cuisine provençale privilégiant les produits de la mer.

Les Arcenaulx – *25 cours d'Estienne-d'Orves - M° Vieux-Port -* 04 91 59 80 30 *- www.les-arcenaulx. com - fermé 11-19 août et dim. - 29/50 €.* Dînez parmi les livres : ils tapissent les murs de ce restaurant associé à une librairie et une maison d'édition (Jeanne Laffitte), dans le cadre original des anciens entrepôts des galères (17e s.). Grande terrasse sur le cours d'Estienne-d'Orves. Cuisine gorgée de soleil.

Une Table, au Sud – *2 quai du Port - M° Vieux-Port -* 04 91 90 63 53 *- 30/75 €.* Une table en vue : nage de langoustine à la verveine citronnée et à la fleur de capucine, fricassée de calamars au sésame, crème brûlée à l'artichaut… Le chef Lionel Lévy décline avec brio les saveurs méditerranéennes. Mieux vaut réserver pour être sur d'obtenir une table avec vue sur le Vieux Port.

Chez Fonfon – *140 r. du Vallon-des-Auffes -* 04 91 52 14 38 *- www.chez-fonfon.com - fermé 2-23 janv., lun. midi et dim. - 40/55 €.* La salle à manger de ce restaurant réputé domine le petit port du vallon des Auffes d'où, chaque matin, les « pointus » partent pêcher de quoi régaler les amateurs de poissons et fruits de mer.

L'Épuisette – *156 r. du Vallon-des-Auffes - Bus 83 -* 04 91 52 17 82 *- www.l-epuisette.com - fermé 7 août-7 sept., dim. et lun. - 45/95 €.* Aux premières loges, les jours de tempête ! Tel un navire, ce restaurant s'avance vers la Méditerranée face aux îles du Frioul, poussé par ses voiles tendues au plafond de la salle à manger. Cuisine régionale actualisée mettant en vedette les produits de la mer.

En soirée

Programmes – On les trouvera dans la presse quotidienne locale (*La Provence, La Marseillaise*) et dans l'hebdomadaire de Marseille, *L'Hebdo*, vendu dans les kiosques le mercredi. Citons le petit livret

In Situ, mensuel, distribué à l'office de tourisme et à l'espace Culture.

La Caravelle – *34 quai du Port -* 04 91 90 36 64 *- 7h-2h.* Superbe vue sur le Vieux Port depuis le minibalcon de ce bar situé au 1er étage d'un immeuble ancien. À l'intérieur, le décor 1930 a un certain charme ; petite restauration à midi et « apéro-tapas » à partir de 18h. Concerts de jazz et expositions d'art.

Le Pelle-Mêle – *8 pl. aux Huiles -* 04 91 54 85 26 *- à partir de 17h.* Les plus grandes figures du jazz national et international viennent se produire dans ce sympathique établissement situé à deux pas du port. Le cadre, en partie voûté, est chaleureux et intime. Belle carte de whiskies. Entre 18h et 21h, apéritif accompagné de tapas.

Que rapporter

LES MARCHÉS

Marché aux poissons – Tous les matins, quai des Belges.

Marchés alimentaires – Tous les matins sauf le dimanche, cours Pierre-Puget, pl. Jean-Jaurès (la Plaine), pl. du Marché-des-Capucins et av. du Prado.

Marchés aux fleurs – Mardi et samedi matin en haut de la Canebière et vendredi matin av. du Prado.

Marché aux livres – Le 2e samedi du mois cours Julien ; bouquinistes et disques d'occasion devant le palais des Arts (tlj).

Marché aux puces – Dimanche matin, av. du Cap-Pinède.

Marchés de Noël – En novembre et décembre dans divers points du centre-ville.

Gilles Magnin / MICHELIN

Le Four des Navettes.

BOUTIQUES

Four des Navettes – *136 r. Sainte - M° Vieux-Port -* 04 91 33 32 12 *- www.fourdesnavettes.com - 7h-20h - fermé 1er janv. et 1er Mai.* Point de Chandeleur sans « navette » qui protégera la maison de la maladie et des catastrophes ! Dans la plus ancienne boulangerie de la ville, bénie à cette occasion, on achète ce biscuit parfumé à la fleur d'oranger dont on garde jalousement la recette depuis deux siècles. On y trouve aussi du chocolat à la lavande, des canistellis, des croquants aux amandes, des pompes à l'huile d'olive, des gibassiers et toute une gamme de pains spéciaux.

Navettes Orsoni - Biscuiterie José Orsoni – *7 bd Botinelly -* ☏ *04 91 34 87 03 - tlj sf w.-end 8h-17h30 - fermé août et j. fériés.* Ne vous fiez pas à sa façade un rien « tristounette » et poussez donc la vieille porte en bois de cette maison : vous voici au cœur d'une fabrique de biscuits ! Autour de vous, tout le monde s'affaire : on travaille la pâte, on met en sachet, on remplit un carton. Ne partez pas sans emporter un petit sac de navettes, de canistrelli, de croquants au miel et aux amandes ou de macarons, ou quelques petits palets salés à l'huile d'olive.

Au Père Blaize – *4-6 rue Méolan - M° Noailles -* ☏ *04 91 54 04 01 - www.pere-blaize.fr - tlj sf dim. et lun. 9h30-12h30, 14h30-18h45 - fermé août.* Cette pharmacie-herboristerie, fondée en 1815, regorge de plantes aromatiques et médicinales. Anis étoilé, marjolaine, thym, pistou, romarin, boldo, noyer, pariétaire, chiendent, frêne, guimauve, canne de Provence : un inventaire à la Prévert… parfumé ! Le joli décor « tout bois » mérite aussi le coup d'œil. Madame Bonnabel-Blaize, responsable du lieu, a même écrit un ouvrage sur sa passion.

Lei Moulins – *4-6 bd Tellène - M° Vieux-Port -* ☏ *04 91 59 49 78 - www.leimoulins.com - tlj sf dim. 10h-12h30, 15h-19h - fermé j. fériés.* Étonnante boutique troglodytique installée dans le quartier St-Victor. Vous y trouverez une intéressante sélection d'huiles d'olive provenant de producteurs méditerranéens, et plus particulièrement provençaux, ainsi que des confitures artisanales fabriquées sur place.

La Compagnie de Provence – *1 r. Caisserie -* ☏ *04 91 56 20 94 - www.lcdpmarseille.com - tlj sf dim. 10h-13h, 14h-19h - fermé j. fériés.* En maître des lieux, le **savon de Marseille** est ici présenté sous différentes formes : gel douche, ficelé avec du chanvre, accompagné d'huiles pour le bain, de linge de toilette… Le tout installé dans une boutique flambant neuf sentant divinement bon !

Savonnerie de la Licorne – *34 cours Julien -* ☏ *04 96 12 00 91 - tlj sf dim. 8h-17h, sam. 10h-18h - fermé j. fériés.* La façade un peu passe-partout cache non seulement une excellente adresse pour acheter du savon, mais aussi le seul atelier de fabrication artisanale du centre-ville. Une douzaine de parfums proposés : rose, pépins de raisin, violette, pastis, etc. Possibilité de **visiter la savonnerie** et un vieux moulin à huile d'olive.

Savons de Marseille.

La Boule Bleue – *ZI de la Valentine - montée St-Menet -* ☏ *04 91 43 27 20 - www.labouleblue.com - tlj sf w.-end 8h30-18h - fermé 3 sem. en août, 2 sem. à Noël et j. fériés.* Les boulistes connaissent bien cette entreprise familiale qui, depuis 1904, fabrique cet article typiquement marseillais. Les boules peuvent être réalisées sur mesure avec marquage des initiales ou du nom. En vente également, de nombreux accessoires : sacoche, mètre… et « Fanny » en bas-relief !

Santons Marcel Carbonel – *49 r. Neuve-Ste-Catherine -* ☏ *04 91 13 61 36 - www.santonsmarcelcarbonel.com - boutique : tlj sf dim. 9h30-12h30, 14h-18h30, tlj en déc. ; atelier (visite guidée) : mar. et jeu. sf déc. sur réserv.* Dans cette belle boutique avec vue sur la rade, plus de 600 santons au choix, de 2,5 à 15 cm. La crèche « basique » est à assortir aux personnages tirés de la tradition populaire provençale, sans oublier les accessoires.

Le Cabanon des Accoules – *1 r. des Moulins, Le Panier -* ☏ *06 73 74 77 52 - 9h-13h, 14h30-18h30.* Santonnier d'art installé dans le pittoresque quartier du Panier.

Souleïado – *117 r. Paradis - M° Estrangin -* ☏ *04 91 04 69 30 - www.souleiado.com - tlj sf dim. et lun. 10h-12h30, 14h30-19h - fermé j. fériés.* Connaissez-vous la jolie signification du mot *souleïado* ? Il évoque la percée du soleil à travers les nuages. Cette boutique de la célèbre maison provençale propose toute la gamme de **tissus**, linge de maison, vêtements et arts de la table pour ramener chez vous les couleurs du pays de Daudet.

Madame Zaza of Marseille – *73 cours Julien - M° Cours-Julien -* ☏ *04 91 48 05 57 - tlj sf dim. 10h-13h30, 14h-19h, sam. 10h-19h.* C'est la boutique historique, celle qui a ouvert en 1980. La marque s'est depuis rendue célèbre avec des modèles aux couleurs chatoyantes et aux coupes épicées *(les modèles distribués dans la boutique Casablanca de la rue de la Tour).*

Galeries – Toutes les disciplines artistiques s'expriment dans les anciens entrepôts de la **Friche de la Belle-de-Mai**, (r. Jobin, dans le 3ᵉ arrondissement). Nombreuses

Stéphane Sauvignier / MICHELIN

galeries dans la rue Sainte, la r. Neuve-Ste-Catherine, le quartier des Arcenaulx, le cours Julien, la r. E.-Rostand.

Librairie-Galerie-Restaurant des Arcenaulx – *25 cours d'Estienne-d'Orves, Vieux-Port - M° Vieux-Port -* ✆ *04 91 59 80 40 - www.les-arcenaulx.com - 10h-19h ; boutique 10h-0h ; restaurant jusqu'à 23h - fermé 2 sem. en août, dim. et j. fériés.* Cette adresse abrite le siège des **éditions Jeanne Laffitte**, libraire-éditeur spécialisé dans les titres évoquant Marseille, la Provence, les régions et la gastronomie. Collections de livres anciens ou rares, réédition d'ouvrages épuisés raviront les collectionneurs. Boutique consacrée aux objets emblématiques de la ville. Salon de thé attenant. *Voir « Se restaurer ».*

Librairie Maritime – *26 quai Rive-Neuve - M° Vieux-Port -* ✆ *04 91 54 79 26 - tlj sf dim. et lun. 9h-12h30, 14h-18h30, sam. 10h-12h30, 14h30-18h - fermé j. fériés.* Navigateurs et amoureux de la mer pourront étancher leur soif de découverte du monde marin en fréquentant cette librairie fort bien fournie en ouvrages, cartes nautiques, maquettes, lithographies et objets divers liés à la mer.

Sports & Loisirs

Baignade – Depuis l'ouverture au public de la plage des Catalans, toutes les plages marseillaises sont publiques, de Corbières (plages aménagées de l'Estaque, au nord de la ville) jusqu'à Pointe-Rouge (au sud). Toutes les plages sont surveillées, de mi-juin à début sept., de 9h à 18h (poste de secours, consignes gratuites et douches). Du nord au sud, le long de la Corniche, les plus vastes et les plus populaires sont les suivantes : Catalans, Prophète, Prado et Pointe-Rouge.

Foot – Adonnez-vous au culte de l'OM les soirs de match au **stade Vélodrome** (bd Michelet) si vous avez pu vous procurer un billet d'entrée ; ou alors au **café OM** sur le quai des Belges, où les matchs sont retransmis en direct, ou encore dans un des multiples cafés qui retransmettent les matchs dans une ambiance passionnée. Les autres jours, allez fureter dans une des **boutiques de l'OM** (*bd Michelet, en face du stade ou sur la Canebière*) à la recherche de fanions, écharpes, maillots, banderoles et autres colifichets aux couleurs du club.

Thalassa-Form Le Grand Large – *42 av. du Grand-Large -* ✆ *04 96 14 05 40 (apr. 17h) - tlj sf dim. 17h-21h, sam. 9h-18h - fermé août et j. fériés.* Gym, aquagym, bébés nageurs, balnéothérapie, etc.

Événements

Festival de musique sacrée – Église Saint-Michel, en mai.

Festival de Marseille – ✆ *04 91 99 02 50 - www.festivaldemarseille.com.* En juillet, ce festival ultra-contemporain propose une sélection pointue de spectacles de danse, théâtre et musique en divers lieux emblématiques, comme la Vieille Charité et le parc du Ballet national de Marseille.

Festival de jazz des Cinq continents – ✆ *04 91 57 75 00.* Fin juilllet, concerts de jazz à écouter cinq soirs d'affilée, sous les majestueux arbres du parc du Palais Longchamp. Prévoir une couverture pour s'asseoir dans l'herbe.

Mondial de La Marseillaise à pétanque – 1re semaine de juillet : éliminatoires au parc Borély, finales sur le Vieux Port. Une manifestation de masse avec des célébrités du show-biz, qui, après les premiers tours, abandonnent le terrain aux vedettes de la discipline.

Festival international du folklore – Début juillet : danses et musiques traditionnelles des cinq continents à Château-Gombert.

Fiesta des Suds – *12 r. Urbain-V - M° National - www.dock-des-suds.org.* C'est la grande fiesta du métissage marseillais, la fête la plus courue de la ville avec en moyenne 50 000 spectateurs chaque année : musiques, cultures et ambiances de tous les Sud. Elle se tient en octobre dans le quartier de la Joliette.

Chandeleur – La fête de la Chandeleur est célébrée le 2 février et donne lieu à un grand pèlerinage à la basilique St-Victor où est vénérée une Vierge noire, Notre-Dame de la Confession. Sa statue est portée en procession jusqu'à la mer, les fidèles portant un cierge vert (un privilège royal accordait aux moines de St-Victor de cacheter leurs documents avec de la cire verte). La procession passe par le **Four des Navettes** où les navettes (biscuits de forme allongée) sont bénies, réminiscence du temps où fut créée la boulangerie, sur le territoire de l'abbaye.

Foire aux santons – Dernier week-end de novembre au 31 décembre. Une trentaine de santonniers provençaux proposent leurs petites figurines d'argile. Le choix est immense. Depuis les travaux sur la Canebière, son emplacement varie (*se renseigner à l'office de tourisme*).

Pastorales – En janvier, représentations de pastorales (dont la fameuse pastorale Maurel) en provençal, aux théâtres Mazenod (*88 r. d'Aubagne*) et Nau (*9 r. Nau*).

Références

Lire – La cité d'aujourd'hui est mise en scène dans le roman noir surnommé « polar bouillabaisse » et représenté, outre Jean-Claude Izzo, par Philippe Carrese (*Trois jours d'engatse*) et par les nombreux auteurs édités par L'Écailler du Sud. Voir aussi, en BD, *Les Aventures de Léo Loden*, un privé marseillais.

Voir – Les films de Robert Guédiguian, l'auteur de *Marius et Jeannette*, mais aussi *Transit* de René Allio ou *Bye-Bye* de Karem Dridi. Et bien sûr, la trilogie de Pagnol, pour les nostalgiques d'une époque révolue.

Martigues

43 493 MARTÉGAUX
CARTE GÉNÉRALE B4 – CARTE MICHELIN LOCAL 340 F5 – BOUCHES-DU-RHÔNE (13)

« Adieu Venise provençale », chantait Vincent Scotto. Certes, un sens de l'exagération tout méridional n'est pas étranger à cette appellation. Il n'empêche que cette ville striée de canaux a fasciné bien des amoureux de la lumière, peintres ou cinéastes. Entre l'étang de Berre et la Côte Bleue, Martigues continue de cultiver une certaine douceur de vivre à l'ombre de ses ruelles colorées, offrant un étonnant contraste avec les installations industrielles dressées à l'horizon.

La « Venise provençale » ou le Miroir aux oiseaux.

▶ **Se repérer** – Situé en bordure de l'étang de Berre *(voir ce nom)* et relié à la mer par le canal de Caronte, Martigues a connu un considérable développement depuis l'implantation du complexe portuaire de Lavéra. En venant de Marseille, après avoir franchi le viaduc de Caronte, quittez la voie rapide en direction de « Martigues-centre ». Le centre-ville se découpe en trois quartiers, reliés par des ponts : vous traversez d'abord **Jonquières** (commercial avec ses ruelles bordées de boutiques), puis l'**Île** (historique avec ses canaux dont le fameux Miroir aux oiseaux) et enfin **Ferrières** (administratif, avec l'office de tourisme et le musée Ziem). Parkings *(payants et gratuits)* le long de l'étang de Berre.

👁 **À ne pas manquer** – Le quartier de l'Île et le Miroir aux oiseaux ; le musée Ziem.

🕐 **Organiser son temps** – Compter 2h pour la visite complète de la ville. Si les plages sont excentrées, elles n'en font pas moins de Martigues une station balnéaire, qui peut donc constituer une base de séjour.

🔖 **Pour poursuivre la visite** – Voir aussi la Côte Bleue, l'étang de Berre et le golfe de Fos.

Se promener

Le Martigues d'autrefois, alors que le village était avant tout un petit port de pêche, vous le retrouverez principalement dans le quartier de l'**Île**, effectivement séparé du reste de la ville par deux canaux. Il fait bon flâner sur ces quais où sont amarrés des voiliers et des petites barques colorées.

👁 Le saviez-vous ?

Martigues n'a pris son nom définitif qu'en 1581, après la réunion des trois localités de Jonquières, l'Île et Ferrières, établies en ces lieux dès le Moyen Âge. Souvenir de l'indépendance passée : chacun est coiffé du clocher de sa propre église !

Miroir aux oiseaux★

Ziem, Corot et bien d'autres affectionnaient ce plan d'eau avec ses maisons chaudement colorées et ses barques aux teintes vives amarrées le long du canal : à contempler depuis le pont Saint-Sébastien ou le long du quai Brescon.

Église Sainte-Madeleine-de-l'Île

Bâtie le long du canal Saint-Sébastien, cet édifice à la façade de style corinthien (17ᵉ s.) recèle une riche décoration intérieure ; imposant buffet d'orgue baroque.

Visiter

Musée Ziem

Quartier Ferrières. Bd du 14-Juillet. ☏ 04 42 41 39 60 - juil.-août : tlj sf mar. 10h-12h, 14h30-18h30 ; sept.-juin : tlj sf lun. et mar. 14h30-18h30 - fermé 1ᵉʳ janv., 1ᵉʳ Mai, 14 Juillet, 15 août, 1ᵉʳ nov. et 25 déc. - ▟▙ ateliers gratuits (merc. 10h-12h, période scolaire), sur réserv. 1 sem. à l'avance - adultes : visite commentée (env.1h), le vend. à 15h - gratuit.

Architecte de formation, peintre orientaliste tenant de l'école de Barbizon et annonçant l'impressionnisme, **Félix Ziem** (1821-1911), né à Beaune, s'est fixé à Martigues et a pris l'étang de Berre comme sujet de prédilection. Ainsi le musée martégal porte-t-il son nom, d'autant que sa collection s'est enrichie d'une donation d'œuvres du peintre, léguée par sa petite-fille.

Outre les tableaux lumineux de Ziem, vous pourrez y faire plus ample connaissance avec les peintres provençaux Guigou, Manguin, Monticelli ou Seyssaud, et y découvrir les œuvres de Dufy, Rodin, Camille Claudel et Derain. Une section d'archéologie locale et une collection d'art contemporain complètent cet ensemble.

Chapelle de l'Annonciade

Quartier Jonquières. ☏ 04 42 41 39 60 - visite guidée sur demande au moins une semaine à l'avance. La chapelle est fermée pour travaux au moins jusqu'en 2008.

L'intérieur de cette ancienne chapelle des Pénitents Blancs, située derrière l'église Saint-Geniès, ravira les tenants du baroque provençal : boiseries dorées, fresques représentant la vie de la Vierge, plafond peint composent un décor dont la richesse tranche avec la sobriété extérieure du bâtiment.

Aux alentours

Les plages

Martigues, station balnéaire ? Eh oui ! Si l'on ne se baigne pas dans l'étang de Berre, la façade littorale martégale compte six plages. La plus connue et la plus fréquentée est la plage de sable du Verdon *(voir La Côte Bleue)*, jusqu'à 11 000 personnes les week-ends d'été ! Vous serez relativement plus tranquilles sur les plages de Carro, Bonnieu *(crique naturiste)*, Saulce, Laurons et Sainte-Croix.

👁 **Bon à savoir** – Les plages du Verdon, Saulce, Sainte-Croix et Laurons sont surveillées en saison.

Chapelle Notre-Dame-des-Marins

À 3,5 km au nord par la N 568.

Des abords de la chapelle, large **panorama★** sur Port-de-Bouc, Fos, Port-Saint-Louis, Lavéra et son port pétrolier, le viaduc ferroviaire et le pont autoroutier de Caronte, la chaîne de l'Estaque avec Martigues au premier plan, l'étang de Berre et la digue du canal d'Arles à Fos, les chaînes de l'Étoile et de Vitrolles, la Sainte-Victoire (et, par temps clair, le mont Ventoux), Berre et, dans une échancrure entre deux collines, Saint-Mitre-les-Remparts.

Circuits de découvertes

Côte Bleue★

50 km de Niolon à Martigues – compter 4h. Suivre en sens inverse le circuit décrit dans la Côte Bleue. Voir ce nom.

Étang de Berre

Circuit de 113 km au départ de Martigues – compter une journée. Voir ce nom.

Golfe de Fos

28 km de Port-de-Bouc (à 9 km à l'ouest de Martigues par la N 568) à Port-Saint-Louis-du-Rhône – compter 3h. Voir ce nom.

Martigues pratique

♿ Voir aussi les encadrés pratiques de la Côte Bleue, le golfe de Fos et l'étang de Berre.

Adresses utiles

Office du tourisme de Martigues – *Rond-point de l'Hôtel-de-ville - 13500 Martigues -* ☎ *04 42 42 31 10 - www.martigues-tourisme.com - oct.-avr. : lun.-vend. 9h-18h10 ; mai-sept. : 9h-18h30.*

Points d'informations touristiques – L'office de tourisme tient également un point d'information touristique au Centre commercial Nord *(lun.-sam. 10h-12h, 14h-19h)* et, l'été, sur l'av. Charles-de-Gaulle, à l'entrée de Martigues, côté Jonquières *(lun.-sam. 10h-13h, 15h-19h).*

Visites

❧ **Bon à savoir** – L'office de tourisme met à votre disposition les fiches de trois circuits : « shopping », « l'homme et la mer » et « sur la route des peintres ».

Visite guidée de la ville – *Juil.-août : vend. 10h30-12h. 2,50 €. Sur demande à l'office de tourisme.* Découverte du Vieux Martigues, rendez-vous quai Brescon (1h30).

Se loger

🛏🍽 **Clair Hôtel** – *57 bd Marcel-Cachin -* ☎ *04 42 13 52 52 - www.clair-hotel.fr -* 🅿 *- 32 ch. 55/77 € -* 🍴 *6 €.* Bien plus qu'une simple rénovation, cet établissement a bénéficié d'une véritable cure de jouvence ! Si les meubles chinés et les fauteuils en cuir ont gardé leur place dans la décoration cossue, la modernité des équipements (jacuzzi, climatisation, Internet) inviterait presque à prolonger son séjour. C'est clair !

🛏🍽 **Le St-Roch** – *Av. Georges-Braque - A 55, sortie Martigues-Ferrières -* ☎ *04 42 42 36 36 - www.hotelsaintroch.com -* 🅿 *- 63 ch. 96/122 €* 🍴 *- restaurant 21/40 €.* +Sur les hauteurs de la ville, à l'ombre d'une pinède, un bâtiment moderne abritant des chambres vastes et bien équipées. Piscine et solarium.

Se restaurer

🍽 **La Petite Venise** – *Pl. de la Libération -* ☎ *04 42 80 63 74 - fermé lun. et mar. - 13,50/33 €.* En surplomb du « Miroir aux oiseaux », un restaurant traditionnel où le poisson est à la fête.

🛏🍽 **Le Bouchon à la Mer** – *19 quai Lucien-Toulmond -* ☎ *04 42 49 41 41 - 28/38 €.* Ce petit restaurant sans prétention donne sur le canal et le port. Salle à manger aux tons crème et chocolat. Cuisine classique d'un bon rapport qualité-prix. Une promenade digestive ?

Allez flâner le long des quais, dans l'île Brescon.

Faire une pause

Les Ombrelles – *Plage de Ste-Croix - La Couronne -* ☎ *04 42 80 77 61 - de fin mars à fin oct. 9h-22h15 - 7 € la coupe, menu 20 €.* Depuis la terrasse surplombant la plage de Ste-Croix, belle vue sur l'anse de la Beaumaderie, fermée à gauche par la chapelle de Ste-Croix, à droite par le phare de la Couronne. On peut y manger une cuisine de brasserie aux couleurs du littoral. En journée, les baigneurs viennent surtout explorer la carte des glaces.

Loisirs

❧ **Bon à savoir** – Pour vous baigner sur la Côte Bleue, rejoignez Carro (12 km au sud) en voiture ou en vélo (piste cyclable).

Pass nautique – *Valable du 1er juil. au 31 août - gratuit, sur simple demande, pour toute pers. hébergée à Martigues.* Il offre des réductions sur une vingtaine d'activités, nautiques et sportives.

👥 **Grand Parc de Figuerolles** – *rte d'Istres -* ☎ *06 19 25 78 52.* À proximité de l'Étang de Berre, ce parc de 80 ha regroupe une aire de pique-nique, une ferme pédagogique, des parcours acrobatiques dans les arbres, ou encore des randonnées dans la pinède en VTT et en poney. Enfin, un bowling et un cinéma (9 salles) viendront égayer les jours pluvieux.

Événements

Fêtes de la mer et de la Saint-Pierre – 1er week-end de juillet : messe en provençal, bénédiction des bateaux.

Joutes provençales – Juin-août, du mardi au vendredi à 16h, entraînement de l'équipe locale de joutes sur le canal de Galliffet.

Sardinades – Juillet-août (interruption pendant le festival de Martigues), quartier de l'Île, à côté du conservatoire. Dégustation de sardines au bord des canaux.

Fête vénitienne – 1er samedi de juillet. Spectacle pyrotechnique.

Festival de Martigues, théâtre des cultures du monde – ☎ *04 42 42 12 01, www.festivaldemartigues.com.* Dernière semaine de juillet. Théâtre, danse, musique et chants des cinq continents sont au programme de ce festival, qui se déroule sur une scène flottante posée sur le canal Saint-Sébastien. Il s'accompagne d'animations de rue et de bals.

Ménerbes ★

1 007 MÉNERBOIS
CARTE GÉNÉRALE B2 – CARTE MICHELIN LOCAL 332 E11 – SCHÉMAS P. 258 ET 385 –
VAUCLUSE (84)

Ménerbes est placé sous le patronage de Minerve, la déesse de la sagesse et des arts. Cela ne pouvait qu'attirer écrivains (Albert Camus qui habitait Lourmarin venait en voisin, François Nourissier) et artistes : Picasso y séjourna en 1946, Nicolas de Staël s'y installa en 1953. C'est l'un des plus célèbres villages perchés du Luberon. L'un des plus beaux également ? La concurrence est rude… Alors, rien de tel qu'une longue halte à Ménerbes pour trancher la question.

▷ **Se repérer** – Que vous veniez de Cavaillon (14 km à l'ouest) ou d'Apt (20 km à l'est), vous arriverez au pied de ce village perché sur son fier éperon.

▣ **Se garer** – Laissez votre voiture sur le parking à l'entrée du village : vous ne goûterez que mieux les charmes de cette promenade.

👁 **À ne pas manquer** – Se promener dans le village, tout simplement.

🕐 **Organiser son temps** – Comme ailleurs dans le Luberon, nous vous conseillons de privilégier l'arrière-saison, voire l'hiver, pour profiter d'une atmosphère plus paisible dans le village.

👣 **Pour poursuivre la visite** – Voir aussi Ansouis, Bonnieux, Gordes, le Luberon, La Tour-d'Aigues.

👁 Le saviez-vous ?

Un de leurs concitoyens d'adoption, le Britannique **Peter Mayle**, a donné au village, dans son roman *Une année en Provence*, une renommée telle que Ménerbes est devenu une étape incontournable pour maints touristes japonais et américains. Depuis, Peter Mayle est parti. Les touristes, eux, sont restés…

Se promener

En haut du village, gagnez la belle **place de l'Horloge** que domine le beffroi de l'hôtel de ville et son sobre campanile en fer forgé. Dans un angle, un hôtel particulier (17ᵉ s.), avec son portail en plein cintre, ajoute à la séduction du lieu. Il abrite la Maison de la truffe et du vin *(voir l'encadré pratique)*. Depuis la terrasse, **vue★** sur la vallée du Calavon, Gordes, Roussillon et le mont Ventoux.

L'**église**, du 14ᵉ s., à l'extrémité du village, était jadis un prieuré de Saint-Agricol d'Avignon.

La **citadelle**, du 13ᵉ s. (mais reconstruite au 16ᵉ s. puis au 19ᵉ s.), joua un rôle important lors des guerres de Religion : si les calvinistes s'en emparèrent en 1573, ce fut par la ruse ; pour les en déloger cinq ans plus tard, il fallut verser une rançon. De son système de défense subsistent tours d'angle et mâchicoulis *(propriété privée)*.

Ménerbes, un village du Luberon qui a fait couler de l'encre.

Hervé Le Gac / MICHELIN

Visiter

Musée du Tire-bouchon

À la sortie de Ménerbes, sur la D 3 en direction de Cavaillon. ℘ *04 90 72 41 58 -*
www.museedutirebouchon.com - &. *- Pâques-oct. : 10h-12h, 14h-19h ; nov.-Pâques :*
tlj sf dim. et j. fériés 9h-12h, 14h-18h, sam. 10h-12h, 14h-18h - 4 € (-15 ans gratuit).
Installé dans le domaine viticole de la Citadelle, ce musée rassemble 1 000 tire-
bouchons du 17ᵉ s. à nos jours, de matières (corne, métal, ivoire…) et de formes (en T,
à l'effigie du sénateur Volstead, instigateur de la loi sur la prohibition au États-Unis…)
très diverses. Vous ferez donc le tour de la question du débouchage, à laquelle
l'ingéniosité humaine a donné toute sa mesure. Et pourquoi ne pas conclure par
une visite des caves, suivie d'une dégustation de côtes-du-luberon ?

Ménerbes pratique

&. Voir aussi les encadrés pratiques du
Luberon, Bonnieux et Cavaillon.

Adresse utile

**Office du tourisme intercommunal
de Bonnieux** – *Voir ce nom.* En l'absence
d'office de tourisme, c'est celui de
Bonnieux qui vous fournira tous les
renseignements.

Visite-Achats

Maison de la truffe et du vin –
Pl. de l'Horloge - ℘ *04 90 72 52 10 -*
www.vin-truffe-luberon.com - 10h-13h,
14h-18h ; juil.-août : 15h-19h - fermé
dim.-merc. d'oct. à mars. Dans un
cadre superbe (l'hôtel d'Astier de
Montfaucon du 18ᵉ s.), vous découvrirez
un **espace muséographique** et une
librairie dédiés à la truffe et au vin
ainsi qu'une cave rassemblant tous
les crus produits dans le Parc naturel
régional du Luberon. **Stages** de
dégustations en été.

Se restaurer

⊖⊖⊜ **Auberge de la Bartavelle** –
R. du Cheval-Blanc - 84220 Goult - 6 km
au NE de Ménerbes par D 218 et D 145 -
℘ *04 90 72 33 72 - fermé de mi-nov. à déb.*
mars, merc., le midi sf dim. de mars à mai
et mar. midi - 36 €. Le patron a lui-même
rénové cette vieille maison provençale.
Salle à manger voûtée plaisamment
garnie de meubles et d'objets anciens,
terrasse d'été dressée dans la rue piétonne
et petit salon-fumoir. Cuisine régionale
de produits frais.

Abbaye de **Montmajour**★

CARTE GÉNÉRALE A3 – CARTE MICHELIN LOCAL 340 C3 – BOUCHES-DU-RHÔNE (13)

Mont Majour, le « mont majeur », référence à cette colline qui se dressait dans une zone jadis marécageuse, un peu comme une île. C'en était une, du reste ! Datant du Moyen Âge pour une part, du 18e s. pour l'autre, les ruines de l'abbaye de Montmajour forment avec leur colline boisée de pins un ensemble romantique chargé d'histoire et de légendes.

Se repérer – 2 km à la sortie d'Arles en direction de Fontvieille (D 17). Soudain, comme un avant-poste des Alpilles posé dans la plaine, apparaît la colline de Montmajour, que vous contournerez avant de vous garer devant l'entrée de l'abbaye.

À ne pas manquer – La crypte, le cloître et la chapelle St-Pierre ; le panorama depuis la tour de l'Abbé.

Organiser son temps – Prévoir 1 à 2h de visite selon votre degré de passion pour l'architecture religieuse.

Pour poursuivre la visite – Voir aussi les Alpilles et la Camargue. Les passionnés d'architecture religieuse ne manqueront pas les sœurs cisterciennes de Provence, les abbayes de Sénanque *(voir ce nom)*, Silvacane *(voir ce nom)* et Thoronet *(voir Le Guide Vert Côte d'Azur)*.

Le saviez-vous ?

Ce n'était sans doute pas le plus recommandable, mais ce fut le plus célèbre : le dernier abbé de Montmajour, le **cardinal de Rohan**, fut plus que compromis dans l'affaire du collier de la reine ; en guise de représailles, Louis XVI prononça, en 1786, la suppression de cette abbaye par trop mondaine.

Comprendre

Un travail de bénédictins – Il faut se rappeler que la plaine actuelle était au haut Moyen Âge une zone de marais insalubres. Sur les rochers de Montmajour, quelques ermites, veillant sur une vaste nécropole, sont à l'origine de l'abbaye bénédictine qui s'établit au 10e s.

Une communauté bien frivole – Au 17e s., l'abbaye est en décadence. Parmi la communauté, on compte bon nombre de « religieux laïques » qui, par faveur royale, ont obtenu une place dans la communauté et surtout une part des revenus. Leur goût pour les futilités de ce bas monde entraîne une réaction : de nouveaux moines sont envoyés pour restaurer la discipline tandis que les anciens, expulsés manu militari, saccagent l'abbaye. Au 18e s., une partie des bâtiments s'effondre ; on les remplace par de nouvelles constructions.

Un dépeçage en règle – En 1791, Montmajour est vendue comme bien national à une brocanteuse qui dépèce les bâtiments. Meubles, boiseries, plomb, charpentes, marbres s'en vont par charretées. Le successeur, un marchand de biens, s'attaque, lui, au gros œuvre en débitant la pierre de taille… L'action d'Arlésiens amis des vieux monuments (comme le peintre Réattu), bientôt relayés par la municipalité, permet de commencer la restauration des bâtiments médiévaux en 1872, mais les constructions du 18e s. demeurent en ruine.

Cloître de l'abbaye.

Stéphane Sauvignier / MICHELIN

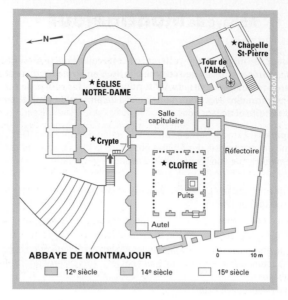

Visiter

📞 04 90 54 64 17 - mai-août : 10h-18h30 ; avr. et sept. : 10h-17h ; oct.-mars : tlj sf lun. 10h-17h (dernière entrée 45mn avant la fermeture) - fermé 1er janv., 1er Mai, 1er et 11 Nov. et 25 déc. - 6,50 € (–18 ans gratuit).

Église Notre-Dame★

Cet édifice, du 12e s. dans sa partie principale, comprend une église haute et une crypte ou église basse. Jamais achevée, l'**église haute** se compose du chœur, d'un transept et d'une nef à deux travées. La **crypte★**, aménagée pour compenser la déclivité du terrain, est en partie creusée dans le roc et en partie surélevée.

Cloître★

Il a été édifié au 12e s., mais seule la galerie est a conservé son authenticité romane : le remarquable décor historié des chapiteaux a pu être inspiré par celui de Saint-Trophime d'Arles.

Locaux d'habitation

Subsistent la salle capitulaire avec un beau berceau en plein cintre et le réfectoire aux voûtes surbaissées *(accès par l'extérieur)*. Le dortoir occupait le 1er étage, au-dessus du réfectoire.

Tour de l'Abbé

De la plate-forme supérieure de ce beau donjon (124 marches), **panorama★** sur les Alpilles, la Crau, Arles, les Cévennes, Beaucaire et Tarascon.

Chapelle Saint-Pierre★

À demi creusée dans le roc, à flanc de colline, elle fut édifiée lors de la fondation de l'abbaye. Elle comprend une église à deux nefs et, dans le prolongement, un ermitage formé de grottes naturelles. C'était la chapelle du **cimetière** de l'abbaye.

Aux alentours

Chapelle Sainte-Croix★

200 m sur la droite vers Fontvieille. 📞 04 90 54 64 17 - *sur demande uniquement.*
Ce charmant petit édifice du 12e s. se trouve en dehors de l'abbaye. Son plan est en forme de croix grecque : un carré entouré de quatre absidioles.

Dentelles de **Montmirail**★

CARTE GÉNÉRALE B2 – CARTE MICHELIN LOCAL 332 D8-D9 – VAUCLUSE (84)

En mai-juin, lorsque les genêts, très abondants, illuminent les collines de leurs fleurs jaunes, les paysages des dentelles de Montmirail révèlent alors leur sereine beauté. Rendez-vous des peintres, paradis pour botanistes, randonneurs, alpinistes, amateurs de crus locaux ou de vieilles pierres, les dentelles de Montmirail offrent, au cœur du Comtat venaissin, un environnement varié et préservé. De quoi satisfaire sa soif d'aventure, d'escalade… ou de bon vin.

▶ **Se repérer** – Bien que de faible altitude (elles culminent à 734 m au mont Saint-Amand), les dentelles ont un caractère alpestre plus marqué que leur puissant voisin, le mont Ventoux, haut de 1 912 m.

◉ **À ne pas manquer** – Le village de Séguret ; les caveaux de dégustation à Gigondas et Beaumes-de-Venise.

🕐 **Organiser son temps** – Prévoir 1/2 journée minimum pour tricoter un circuit complet de découverte des dentelles. Attention à ne pas multiplier les arrêts dans les caveaux de dégustation, un coupe-jarret qui vous priverait de fort belles randonnées pédestres au cœur des dentelles

👣 **Pour poursuivre la visite** – Voir aussi Carpentras, le mont Ventoux et Vaison-la-Romaine.

> ## 👁 Le saviez-vous ?
>
> Les vignerons de **Séguret** (vins capiteux et parfumés), **Vacqueyras** (rouges charpentés et blancs élégants), **Gigondas** (qui rivalisent avec leurs collègues de Châteauneuf-du-Pape) et **Beaumes-de-Venise** (spécialisés dans le muscat) ont porté haut le renom de la région… et méritent amplement une visite.

Circuit de découverte

AU FIL DES DENTELLES

Circuit de 60 km au départ de Vaison-la-Romaine – 1h30 de route, sans les arrêts. Quitter Vaison-la-Romaine par la D 977, route d'Avignon, et à 5,5 km prendre à gauche la D 88 qui, en s'élevant, offre de belles vues sur la vallée de l'Ouvèze.

Séguret★

Superbe village bâti en gradins au pied d'une colline. À l'entrée du bourg, empruntez le passage sous voûte que prolonge la rue principale. Chemin faisant, vous passerez devant la jolie fontaine comtadine des Mascarons (15e s.), le beffroi (14e s.), puis l'église

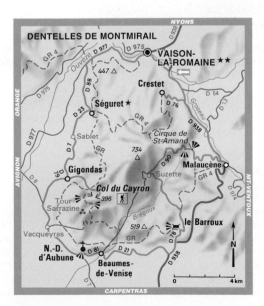

Saint-Denis (12e s.). Depuis la table d'orientation installée sur la place, vue étendue sur les dentelles et la plaine du Comtat. Un château féodal en ruine, des ruelles étroites en forte pente bordées d'anciennes demeures ajoutent encore au charme de ce lieu préservé où vous aimerez sans doute vous attarder.

À la sortie de Séguret, prendre à gauche la D 23 vers Sablet, puis la D 7 et la D 79 vers Gigondas.

Gigondas

Bourg connu pour son vin rouge issu de grenache, un des grands crus des côtes-du-rhône. Multiples possibilités de dégustation et d'achats à la propriété *(voir l'encadré pratique).*

Par Les Florets, gagner le col du Cayron.

Col du Cayron

Alt. 396 m. Ici, les parois des dentelles peuvent atteindre près de 100 m et les adeptes de l'escalade s'en donneront à cœur joie, d'autant qu'ils pourront y rencontrer toute la gamme des difficultés.

*1h AR. En prenant à pied sur la droite une route non revêtue qui serpente parmi les dentelles, on aura de belles **vues★** sur la plaine rhodanienne barrée par les Cévennes, le plateau de Vaucluse et le mont Ventoux.*

Rejoindre la D 7 à gauche et descendre sur Vacqueyras, autre haut lieu des côtes-du-rhône.

Chapelle Notre-Dame-d'Aubune

Chapelle romane située près de la ferme Fontenouilles, au pied des dentelles de Montmirail, sur une petite terrasse. Élégant **clocher★** orné sur chaque face de longs pilastres inspirés de l'antique ; les quatre baies sont encadrées de piliers ou de colonnettes décorées de cannelures droites ou torses, de raisins, de pampres, de feuilles d'acanthe et de visages grimaçants.

Suivre à gauche la D 81 qui serpente parmi vignes et oliviers.

Beaumes-de-Venise

Sur les premiers contreforts des dentelles, ce village (son nom est une altération de Venaissin) est le grand lieu de production du fameux **muscat**, subtilement parfumé.

Quitter Beaumes par la D 21 à l'est, puis prendre à gauche la D 938, et à gauche de nouveau la D 78.

Le Barroux

Parking à l'entrée du village. Pittoresque bourg aux rues pentues, dominé par la haute silhouette de son **château**. Ce vaste quadrilatère flanqué de tours rondes fut, au 12e s., une place forte qui assurait la protection de la plaine comtadine. Siège de plusieurs seigneuries successives, il fut remanié à la Renaissance, incendié au cours de la Seconde Guerre mondiale, puis restauré. La visite permet de découvrir la chapelle, les salles basses et la salle des Gardes, puis les étages, dont les salles accueillent des expositions d'art contemporain. Depuis les jardins, agréable vue panoramique.

04 90 62 35 21 - juil.-sept. : 10h-19h ; juin : 14h-19h ; avr.-mai : w.-end 10h-19h ; oct. : 14h-18h - 3,50 € (enf. gratuit).

Quitter Le Barroux au nord en direction de Suzette et rejoindre la D 90.

Après Suzette, la route pénètre dans le cirque de Saint-Amand, aux parois à pic. La route s'élève vers un petit col qui ménage une belle **vue★** d'un côté sur les dentelles, de l'autre sur le mont Ventoux, la vallée de l'Ouvèze et les Baronnies.

Malaucène *(voir mont Ventoux)*

La D 938, au nord-ouest, remonte la fertile vallée du Groseau, que l'on quitte pour prendre, à gauche, la D 76.

Crestet

Laisser la voiture au parc de stationnement du château. Une placette ornée d'une arcade, d'une fontaine et du porche de l'église (14e s.), des ruelles bordées de maisons Renaissance escaladant la colline que couronne le château du 12e s. : un adorable village vauclusien. De la terrasse du château (table d'orientation), belle vue sur le village, sa colline verdoyante, l'Ouvèze, le mont Ventoux et les Baronnies.

Revenir sur la D 938 et tourner à gauche pour regagner Vaison-la-Romaine.

Dentelles de Montmirail pratique

  Voir aussi les encadrés pratiques de Carpentras, le mont Ventoux et Vaison-la-Romaine.

Adresse utile

Office du tourisme de Beaumes-de-Venise – *Pl. du Marché - 84190 Beaumes-de-Venise -* 04 90 62 94 39 - *www.ot-beaumesdevenise.com. - juil.-août : 9h-13h (12h le lun.), 14h-19h (18h le sam.) ; mai-juin : 9h-13h (12h le lun.), 14h-18h30 (18h le sam.) ; mars-avr. et sept. : 9h-13h (lun. 12h), 14h-18h ; oct.-fév. : 9h-13h (lun. 12h), 14h-17h30 (sam. 18h).*

Se loger

Chambre d'hôte La Farigoule – *Le Plan de Dieu - 84150 Violès - 7 km à l'O de Gigondas par D 80 dir. Orange puis D 8 et D 977 dir. Violès -* 04 90 70 91 78 - *www.la-farigoule.com - fermé nov.-mars - - 5 ch. 35/55 € .* Cette maison vigneronne du 18ᵉ s. a gardé toute son authenticité. Ses chambres, desservies par un bel escalier et meublées à l'ancienne, portent chacune le nom d'un écrivain provençal. Petits-déjeuners servis dans une jolie salle voûtée, à la fraîcheur appréciée en été. Jardin, cuisine d'été.

Chambre d'hôte Mas de la Lause – *Chemin de Geysset, rte de Suzette - 84330 Le Barroux -* 04 90 62 33 33 - *www.provence-gites.com - fermé 15 nov.-15 mars - 5 ch. 61 € - repas 18,50 €.* Mas de 1883 niché au milieu des vignes et des oliviers. Rénovées dans un style contemporain, ses chambres ont gardé leurs couleurs provençales. La cuisine familiale, préparée avec des produits locaux, est servie dans la salle à manger ou sous la tonnelle, face au château.

Chambre d'hôte Le Mas de la Fontaine – *Rte de Vacqueyras - 84260 Sarrians - 14 km au NO par D 950 et D 52 -* 04 90 12 36 63 - *www.lemasdelafontaine.com - fermé mi-nov.-fév. - - 3 ch. 65/90 € - repas 25 €.* Le platane tricentenaire a fait corps avec la fontaine au fil des années. Tous deux offrent une fraîcheur apaisante à cette grosse bâtisse joliment rénovée, au milieu des vignes. Les chambres, toutes à l'étage, affichent la même décoration simple et sans fioriture. Table d'hôte provençale.

Se restaurer

La Bastide Bleue – *Rte de Sablet - 84110 Séguret -* 04 90 46 83 43 - *fermé du 7 janv. à fin fév., mar. et merc. sf juil.-août - (dîner seul.) - 20,50/24,10 € - 7 ch. 38/62 € -* 6 €. Ancien relais de poste où vous savourerez des plats du terroir suggérés sur l'ardoise du jour. En été, la terrasse est dressée dans la cour agréablement ombragée. Chambres de caractère et, à l'arrière du bâtiment, jolie piscine au milieu d'un jardin.

Que rapporter

Domaine de Fenouillet – *Allée St-Roch - 84190 Beaumes-de-Venise -* 04 90 62 95 61 - *tlj sf dim. 9h-12h, 14h-19h.* Cette maison qui pratique l'agriculture raisonnée propose une belle gamme de vins : côtes-du-ventoux blanc, rosé et rouge, beaumes-de-venise, muscat et marc de muscat de Beaumes-de-Venise. Le domaine vend également de l'huile d'olive provenant du moulin familial situé à quelques kilomètres.

Caveau de Gigondas – *Pl. du Portail - 84190 Gigondas -* 04 90 65 82 29 - *10h-12h, 14h-18h30 - fermé 25 déc. et 1ᵉʳ janv.* Ouverte toute l'année, cette boutique gérée par une association d'une cinquantaine de vignerons permet aux visiteurs de déguster plusieurs crus sans se sentir obligé d'acheter. Chaque bouteille est le fruit de la production d'un viticulteur : le magasin ne propose aucun assemblage. Conseils avisés du personnel.

Sports & Loisirs

Randonnées pédestres – *Guides et cartes auprès de l'office du tourisme de Gigondas,* 04 90 65 85 46. Un GR de pays et des petites randonnées permettent de sillonner les dentelles.

Escalade – Renseignements auprès de l'office du tourisme de Gigondas *(voir ci-dessus)* qui propose à la vente un topoguide d'escalade.

Association Agarrus – *Maison des dentelles, pl. du Marché - 84190 Beaumes-de-Venise -* 06 80 43 12 12 - *www.agarrus.com.* Cette association d'accompagnateurs diplômés d'État propose de découvrir le Vaucluse et ses massifs en pratiquant diverses activités : randonnée pédestre, raquettes ou escalade. Différentes formules : demi-journée, journée ou séjour.

Événements

Les prémices de la vigne – Célébré dans tous les villages viticoles, le samedi qui suit l'Ascension.

Messe de minuit en provençal – 04 90 46 91 08. 24 décembre. Représentation de la pastorale *Li Bergié de Séguret* à l'église Saint-Denis de Séguret.

Nîmes★★★

133 424 NÎMOIS
CARTE GÉNÉRALE A2/3 – CARTE MICHELIN LOCAL 339 L5 – GARD (30)

À la lisière des collines, des garrigues et de la plaine marécageuse de Petite Camargue, Rome française pour les uns, Madrid selon d'autres, Nîmes présente toujours deux visages : catholique ou protestante, austère mais débridée pendant les ferias, fière de son passé romain mais soucieuse de modernité… Le climat est à l'unisson : sec le plus souvent, il donne parfois lieu à des orages torrentiels et dévastateurs.

▸ **Se repérer** – Selon votre approche, Nîmes se montre bien différent : depuis Uzès, la route sinueuse passe par les collines autrefois parsemées de **mazets** (cabanes de berger en pierre), avant d'entrer dans la ville par le canal de la Fontaine, puis le boulevard Victor-Hugo jusqu'aux arènes, à contourner pour stationner au parking souterrain de l'Esplanade. En revanche, venant d'Avignon ou d'Arles, vous ferez connaissance avec la « ville active » avant de vous glisser sous le viaduc du chemin de fer et d'arriver à l'Esplanade par l'avenue Feuchère, bordée d'aristocratiques façades.

👁 **À ne pas manquer** – Les arènes et la Maison carrée ; le Jardin de la Fontaine ; le carré d'Art et le musée d'Art contemporain ; le musée des Beaux-Arts ; le musée du Vieux Nîmes ; le musée archéologique.

🕓 **Organiser son temps** – Si vous détestez la chaleur, évitez le mois de juillet : Nîmes est alors une étuve et même les nuits y sont caniculaires. Si vous détestez les corridas et/ou la foule, évitez le week-end de Pentecôte : du reste, difficile de visiter quoi que ce soit, hormis les *bodegas*, et impossible de s'y loger ! Autrement, vos pérégrinations dans le centre-ville de Nîmes pourront suivre les clous de Nîmes, dessinés par Philippe Stark !

👪 **Avec les enfants** – La chasse au trésor dans les arènes (pour les 7-12 ans).

🚶 **Pour poursuivre la visite** – Les passionnés d'histoire antique poursuivront vers Arles, Orange, le Pont du Gard, Saint-Rémy et Vaison-la-Romaine (*voir aussi « La Provence antique »*, p. 13).

Comprendre

Quand la ville prend forme – Les légionnaires romains qui, selon la tradition, succédèrent en 31 av. J.-C. aux Volques Arécomiques, venaient de l'armée d'Égypte. Une vaste enceinte de 16 km de longueur est élevée ; la ville, traversée par la **voie Domitienne**, se couvre de splendides édifices : un forum, bordé au sud par la Maison carrée, un amphithéâtre, un cirque, des thermes et des fontaines qu'alimentaient un aqueduc (le pont du Gard en est le plus spectaculaire vestige) débitant 20 000 m³ d'eau par jour. Au 2e s., choyée par Hadrien et, plus encore, par **Antonin le Pieux** (de mère

La feria attire les foules dans les arènes de Nîmes.

Marie-Hélène Carcanague / MICHELIN

MIMI TRALALA

et la Bande à Charly...

Tel : 04.32.62.03.28

4a Rue du Château – 13210 St Rémy de Provence

Cadeaux de Naissance Rigolos
Accessoires Enfants
Création Artisanale

nîmoise), la ville atteint son apogée : elle compte près de 25 000 habitants, voit s'édifier la mystérieuse basilique de Plotine et le quartier de la Fontaine.

On ne badine pas avec la religion – Le caractère « réboussié » des habitants de la Rome française et leur goût pour la polémique ne s'est jamais démenti. Quelques exemples : au 5ᵉ s., les Nîmois fraîchement christianisés préférèrent les persécutions à la soumission ; au 13ᵉ s., ils prennent fait et cause pour les Albigeois… mais se rendent sans résistance à Simon de Montfort (1213). Un siècle plus tard, les Juifs, pourtant bien intégrés à la vie économique et intellectuelle locale, sont expulsés de la ville, et leurs biens saisis. Au 16ᵉ s., la ville devient huguenote, se gouverne de façon autonome et traque les catholiques : 200 d'entre eux, surtout les prêtres, seront massacrés le 29 septembre 1567 lors de la Michelade. Il s'ensuivra une période de troubles et de persécutions, chaque communauté prenant tour à tour le pouvoir (guerre des Camisards après la révocation de l'édit de Nantes, Révolution vécue comme une revanche des protestants, Terreur blanche exercée par les catholiques sous la Restauration) et n'ayant rien de plus cher que de faire payer à l'autre les affronts de la période précédente.

La conquête de l'Ouest – Modeste, mais essentielle, telle fut la contribution nîmoise à la conquête de l'Ouest. On peut dire, sans exagération, que, sans Nîmes, jamais l'Amérique n'aurait été découverte : la solidité de la serge nîmoise, connue de toute l'Europe dès le Moyen Âge, était telle que Christophe Colomb n'aurait voulu d'autre toile pour les voiles de ses caravelles. Cette toile, dans laquelle les marins taillaient leurs pantalons, s'exportait depuis Gênes… et en 1873, un certain Lévy-Strauss, émigré bavarois aux États-Unis, eut l'idée d'en exploiter la robustesse pour y tailler des pantalons qu'il vendit aux chercheurs d'or et autres aventuriers partant à la conquête de l'Ouest. Sa fortune était faite et le « bleu de Gênes » prononcé à l'américaine devint *blue jeans* tandis que la marque **Denim** perpétue l'apport du textile nîmois à l'épopée américaine.

Nîmes en feria – Si la feria de Pentecôte, créée en 1952 à l'imitation des ferias (à l'origine foires agricoles) espagnoles, est centrée autour des arènes et des corridas et novilladas qui s'y déroulent, c'est toute une ville qui se retrouve autour de ses traditions : *pégoulade* nocturne autour des boulevards, courses d'amateurs dans les arènes de la périphérie, *abrivados* dans différents quartiers, concerts, expositions et bals rassemblent dans la ville une population considérable venant de tous horizons. De nombreuses associations d'aficionados (connaisseurs) créées afin d'analyser les corridas qui viennent de se dérouler ou d'affirmer leur ferveur pour tel ou tel torero (ou élevage) ouvrent à cette occasion dans les lieux les plus inattendus des *bodegas* (caves) où la cuisine et les vins espagnols sont à l'honneur, d'autres préférant jouer la carte régionale avec l'incontournable pastis débité « au kilomètre ».

La colère du dieu Nemoz – Le 8 octobre 1988 au petit matin, un de ces orages accompagnés de trombes d'eau dont Nîmes a le secret éclata sur la ville. Quelques minutes plus tard, de nombreux ruisseaux, généralement à sec, les *cadereaux*, sortaient de leur lit, tandis que ceux qui étaient enterrés crevaient leurs canalisations. La route d'Alès devint bientôt un impétueux torrent de boue qui envahit la ville, arrachant tout sur son passage, projetant arbres et véhicules contre les murs, causant 8 morts et semant la désolation.

Se promener

NÎMES ROMAINE ET MÉDIÉVALE [1] (plan II)

Cette promenade permet de découvrir les principaux monuments de la ville romaine ainsi que l'« Écusson », lacis de ruelles du quartier médiéval serré entre les boulevards ombragés de micocouliers et ponctué de vitrines et de beaux hôtels particuliers parfois réhabilités (même si un peu partout les digicodes interdisent l'accès aux cours intérieures).

Esplanade

Laisser la voiture au parking souterrain. Cette vaste place, bordée d'un côté par les colonnes du palais de justice et de nombreuses terrasses de cafés, ouvre de l'autre sur la belle avenue Feuchères. En son centre, la **fontaine Pradier,** élevée en 1848.

La croix huguenote

Elle a été inventée par un **orfèvre nîmois** vers 1692. Louis XIV avait interdit aux protestants tout insigne ; ces derniers, en signe d'insoumission, utilisèrent la croix de Malte fleurdelisée… Quant à la colombe, elle représente le Saint-Esprit, expression de la relation du chrétien avec Dieu.

Arrêtez-vous au « point info », si vous souhaitez visualiser le projet d'aménagement urbain entre l'esplanade et les arènes *(achèvement prévu en 2009)*.

Poursuivre le boulevard de la Libération jusqu'à la place des Arènes.

Sur le vaste terre-plein des arènes, après la statue de **El Nimeño II**, vestiges (tour et courtines) de l'enceinte augustéenne.

Arènes★★★

Accès au monument au débouché de la rue de l'Aspic. ☏ 04 66 76 72 77 - juin-août : 9h-19h ; avr.-mai et sept. : 9h-18h ; mars et oct. : 9h-17h30 ; jan.-fév. : 9h30-16h30 - fermé j. de corridas et sepctacles - visite avec audioguide - 7,70 € (enf. 5,60 €)- billet « Nîmes romaine » (arènes, Maison carrée et tour Magne) 9,50 €.

👥 Deux espaces multimédias vous apprendront tout sur les gladiateurs et la tauromachie. Les 7-12 ans se lanceront dans une chasse au trésor.

Buste de « El Nimeno II ».

Même époque (fin du 1er s., début du 2e s.), dimensions, contenances comparables (133 m sur 101 m, 24 000 spectateurs) : cet amphithéâtre ne se distingue de son frère arlésien que par des points de détail, comme les voûtes des galeries en berceau, suivant la tradition romaine. Si de par ses dimensions, il n'est que le 9e des 20 amphithéâtres retrouvés en Gaule, il est le mieux conservé du monde romain.

Construit en grand appareil de calcaire de Barutel, il présente à l'extérieur deux niveaux de 60 arcades chacun (hauteur totale 21 m) couronnés d'un attique. La principale des quatre portes axiales, au nord, a conservé un fronton orné de taureaux. Une visite de l'intérieur permet d'apprécier le système complexe de couloirs, d'escaliers, de galeries et de vomitoires qui permettait au public d'évacuer l'édifice en quelques minutes. Du sommet des gradins, on appréciera une vue d'ensemble du monument et de la *cavea*, ensemble des gradins. Sous l'arène (68 m sur 37 m), deux larges galeries disposées en croix servaient de coulisses. Dans la partie supérieure subsistent des consoles percées d'un trou : elles recevaient les mâts supportant le *velum* destiné à protéger le public du soleil.

Après l'interdiction des combats de gladiateurs en 404, les arènes furent transformées en forteresse par les Wisigoths : il leur suffit de boucher les arcades, d'ajouter quelques tours, de creuser un fossé et, peut-être, d'édifier une petite enceinte supplémentaire (vestiges dans le sous-sol du palais de justice). Deux arcades murées, percées de petites fenêtres romanes, du côté de l'Esplanade, sont les seuls témoignages subsistant d'un château des vicomtes de Nîmes, édifié à l'intérieur du monument. Lui succéda un véritable village qui comptait encore 700 habitants au 18e s. Le dégagement commença à partir de 1809, prélude à la restauration de l'édifice qui retrouva sa vocation première, l'organisation de courses de taureaux camarguaises puis, à partir de 1853, de corridas.

Remonter le boulevard Victor-Hugo, en laissant à gauche, après le lycée, l'église romano-byzantine Saint-Paul. Séparée du Carré d'art par le boulevard, au centre d'une place élégante, s'élève la Maison carrée (de là, possibilité de prolonger la promenade par le circuit 2 avant de poursuivre le circuit 1).

Maison carrée★★★

☏ 04 66 76 35 70 - juin-août : 9h-19h ; avr.-mai et sept. : 9h-18h ; fév. et oct. : 9h-17h30 ; jan.-mars : 9h30-16h30 - 4,50 € (enf. 3,60 €) - billet « Nîmes romaine » (arènes, Maison carrée et tour Magne) 9,50 €.

Avec son portique aux colonnes sculptées, elle devait avoir fière allure aux abords du forum… La Maison carrée, sans doute le temple romain le mieux conservé, fut édifiée sous le règne d'Auguste (fin du 1er s. av. J.-C.), sur le plan du temple d'Apollon à Rome. Elle était sans doute vouée au culte impérial et dédiée aux princes de la jeunesse, les petits-fils d'Auguste, Caïus et Lucius Caesar.

Au fait, pourquoi qualifier de carré un bâtiment rectangulaire ? Tout simplement parce que le mot rectangle est d'apparition récente et que ce que nous désignons ainsi s'appelait autrefois un « carré long ». La pureté des lignes, les proportions de l'édifice et l'élégance gracile de ses colonnes cannelées dénotent sans doute une influence grecque (décoration sculptée). Mais avant tout, il s'en dégage un charme empreint de fragilité qui tient autant à l'harmonie du monument proprement dit qu'à son inscription dans la cité, désormais bien mise en valeur : au centre d'une vaste place dallée, la proximité audacieuse du Carré d'art semble lui avoir donné une nouvelle jeunesse. Comme tous les temples classiques, elle se compose d'un vestibule délimité par une colonnade et d'une *cella*, chambre consacrée à la divinité, auxquels on accède par un escalier de 15 marches. Elle a servi de modèle lors de l'édification du State Capitol de Richmond (Virginie), car ce bâtiment avait eu l'heur d'enthousiasmer Thomas Jefferson, lors de son passage à Nîmes en 1787.

À l'intérieur, exposition didactique sur l'architecture et l'histoire, fort agitée, de la Maison carrée. Projection d'un film en relief *(20mn)* sur Nîmes et les personnalités qui y ont joué un rôle majeur. Superbe mosaïque découverte lors d'un chantier de construction aux environs de la fontaine.

Prendre l'étroite rue de l'Horloge ; place de l'Horloge, tourner à droite et, enfin, à gauche, dans la rue de la Madeleine.

Une salle polyvalente avant l'heure

Les consuls de la ville avaient fait de la **Maison carrée**, au Moyen Âge, leur salle de réunion, avant que le monument ne soit « privatisé » en 1540. Dès lors, ses propriétaires successifs s'acharnèrent à lui chercher une utilisation : les ducs d'Uzès, en toute modestie, voulaient en faire leur chapelle funéraire ; le projet n'aboutit pas mais au 16e s., un sieur de Brueys, plus terre à terre, n'hésita pas à y installer son écurie. En 1670, les Augustins en firent l'église de leur couvent proche tandis que Colbert envisageait de la démonter pierre par pierre pour l'installer à Versailles ! Après la Révolution, elle abrita tour à tour les archives départementales, le musée des Beaux-Arts et le Musée archéologique, jusqu'en 1875, et, encore récemment, des collections d'art contemporain. Aujourd'hui, toute de grâce et de légèreté, sa beauté n'a plus pour autre fin que d'illuminer la vie de ceux qui la côtoient.

Rue de la Madeleine

Principale artère commerçante de la cité. Au n° 1, remarquez la finesse des sculptures de la façade de la **Maison romane**, la plus ancienne maison du vieux Nîmes.

On débouche sur la très agréable **place aux Herbes**, où une pause à une terrasse de café s'impose, d'autant qu'elle permet de contempler la façade de la **cathédrale Notre-Dame-et-Saint-Castor**, qui a conservé, malgré tous ses malheurs, une frise en partie romane où sont figurées des scènes de l'Ancien Testament. *☏ 04 66 67 27 72 lun.-vend. 8h-18h, sam. 8h30-12h, 14h30-18h, dim. heures de messe et 14h30-18h.*

Prendre à gauche de la cathédrale une étroite ruelle, puis, par la rue Curaterie et la place du Grand-Temple, rejoindre le boulevard de l'Amiral-Courbet.

Porte d'Auguste

C'est ici que la voie Domitienne arrivait dans Nemausus. Flanquée à l'origine de deux tours, la porte comporte deux larges passages réservés aux chars et deux plus étroits pour les piétons. Copie en bronze d'une statue d'Auguste.

Revenir sur le boulevard, puis après l'ancien collège des Jésuites qui abrite le Musée archéologique, prendre à droite la rue des Greffes puis tout de suite à droite la Grand'Rue.

Chapelle des Jésuites

Ce lieu, devenu aujourd'hui salle d'exposition et de concert, mérite amplement le coup d'œil. Si la façade est surtout imposante, l'**intérieur★** ne manquera pas de surprendre par l'harmonie de ses proportions. Abondant décor sculpté où l'architecte semble s'être ingénié à rappeler les monuments romains de la ville, qu'il réinterprète à sa manière.

Dans la rue du Chapitre, remarquez la belle façade 18e s. et la noble cour pavée de l'**hôtel de Régis**, au n° 14. La rue de la Prévôté débouche sur la place du Chapitre. Après l'ancien évêché, actuel musée du Vieux Nîmes *(voir « Visiter »)*, vous retrouverez la place aux Herbes pour prendre sur la gauche la **rue des Marchands** et longer les vitrines du pittoresque passage couvert des Marchands. Sur la droite s'ouvre la rue de Bernis.

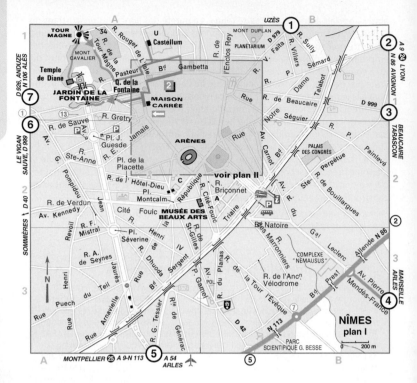

Rue de Bernis

Au carrefour avec la **rue de l'Aspic**, quelques pas sur la droite mènent à l'**hôtel Meynier de Salinelles** (n° 8) dont le porche est orné de trois sarcophages paléo-chrétiens scellés dans le mur. Quelques pas sur la gauche permettent d'admirer au n° 14 le remarquable escalier à double révolution de l'**hôtel Fontfroide**. *Visite guidée uniquement (voir l'encadré pratique).*

Au n° 3 de la rue de Bernis, l'**hôtel de Bernis** arbore une élégante façade du 15e s.

Par la rue Fresque, à gauche, un passage sous arche permet de déboucher sur la **place du Marché**, où se dresse le palmier, symbole de Nîmes, tandis qu'un crocodile en bronze se mire dans l'eau d'une fontaine, œuvre de Martial Raysse.

Rejoindre l'Esplanade par la place de l'Hôtel-de-Ville (voir la cour et l'escalier) puis, à droite, par la rue Régale.

RETOUR AUX SOURCES 2 (plan I)

Depuis la place de la Maison carrée *(voir le circuit 1)*, remontez le boulevard Daudet jusqu'à la **place d'Assas** : cette vaste étendue, bordée d'un côté par des terrasses de restaurants, a été redessinée par Martial Raysse.

En obliquant sur la droite, on débouche sur l'aristocratique **quai de la Fontaine**, bordé de beaux hôtels. Suivez alors le canal, ombragé de micocouliers : leurs feuillages se mirent dans ces eaux calmes où glissent quelques cygnes.

Jardin de la Fontaine★★

On y pénètre par la majestueuse grille faisant face à l'avenue Jean-Jaurès. Ce jardin a été aménagé au 18e s. par un ingénieur militaire, J.-P. Mareschal, au pied et sur les premières pentes du mont Cavalier, que surmonte la tour Magne. Il a respecté le plan antique de la fontaine de Nemausus qui s'étale en miroir d'eau avant d'alimenter des bassins et le canal. Il s'agit d'une résurgence des eaux de pluie qui s'infiltrent dans les collines calcaires des garrigues.

À l'époque gallo-romaine, ce quartier comprenait les thermes (on peut en apercevoir quelques vestiges), un théâtre et un temple. Des fouilles récentes ont permis de dégager dans les environs une riche demeure du 2e s. *(r. Pasteur)*, les traces d'un quartier populaire indigène et, au croisement de l'avenue Jean-Jaurès et de la rue de Sauve, un édifice public somptueux dont l'usage demeure mystérieux.

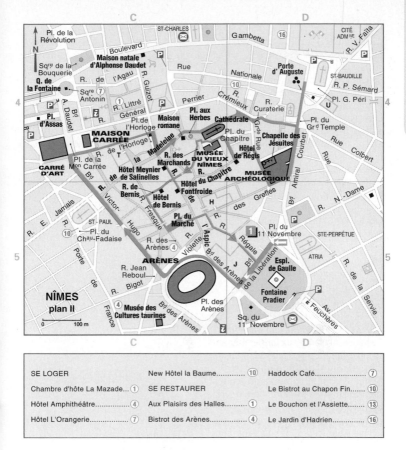

NÎMES
plan II

0   100 m

SE LOGER			
Chambre d'hôte La Mazade...	①	SE RESTAURER	
Hôtel Amphithéâtre...............	④	Aux Plaisirs des Halles..........	①
Hôtel L'Orangerie..................	⑦	Bistrot des Arènes.................	④

New Hôtel la Baume.............	⑩

Haddock Café........................	⑦
Le Bistrot au Chapon Fin.......	⑩
Le Bouchon et l'Assiette........	⑬
Le Jardin d'Hadrien..............	⑯

Sur la gauche de la fontaine, le **temple de Diane**, ruiné en 1577 lors des guerres de Religion, compose avec la végétation un tableau des plus romantiques. L'édifice, datant du 2e s., n'était du reste sans doute pas un temple mais, selon certains, un lupanar ! Quoi qu'il en soit, il mérite une visite, avant de partir à l'assaut du mont Cavalier, peuplé d'essences méditerranéennes, somptueux écrin de verdure d'où émerge l'emblème de la cité, la **tour Magne**★. Il s'agit du plus imposant vestige de la très longue enceinte romaine de Nîmes. Cette tour polygonale à trois étages, haute de 34 m et fragilisée par les travaux d'un chercheur de trésor du 16e s., est antérieure à l'occupation romaine. Depuis la petite plate-forme, superbe **vue**★ sur les toits roses de Nîmes, avec en toile de fond le mont Ventoux et les Alpilles. Une **table d'orientation** y présente Nîmes telle qu'elle était à l'époque romaine. ℰ 04 66 67 65 56 - juin-août : 9h-19h ; avr.-mai et sept. : 9h-18h ; fév. et oct. : 9h-17h30 ; jan.-mars : 9h30-16h30 - 2,70 € (enf. 2,30 €) - billet « Nîmes romaine » (arènes, Maison carrée et tour Magne) 9,50 €.

Quitter le jardin et redescendre vers le canal de la Fontaine par la rue de la Tour-Magne, puis prendre à gauche la rue Pasteur.

Castellum

Ce bassin circulaire de distribution des eaux était le point d'aboutissement de l'aqueduc de Nîmes. Redécouvert en 1844, il s'agit d'un des rares édifices de ce type qui nous soient parvenus, et le mieux conservé avec celui de Pompéi.

Plus haut, se dresse le fort Vauban, citadelle élevée en 1687, devenue aujourd'hui centre universitaire.

En redescendant sur le boulevard Gambetta, les admirateurs du *Petit Chose* ne manqueront pas d'aller se recueillir devant la **maison natale de Daudet**, demeure bourgeoise située au n° 20.

Regagner la Maison carrée par le square Antonin et la rue Auguste.

Visiter

Musée des Beaux-Arts★ (AB/2)

R. Cité-Foulc. ℘ 04 66 67 38 21 - ᚷ - tlj sf lun. 10h-18h, jeu. jusqu'à 20h - visites guidées sur réserv. - fermé 1ᵉʳ janv., 1ᵉʳ Mai, 1ᵉʳ nov. et 25 déc. - 4,90 € (10-16 ans 3,60 €) - gratuit pour les Nîmois, tous les 1ᵉʳˢ dim. du mois.

Réaménagé en 1986 par Jean-Michel Wilmotte autour d'une mosaïque romaine découverte en 1883 *(Le Mariage d'Admète)*, il présente des œuvres du 15ᵉ au 19ᵉ s. des écoles italienne, hollandaise flamande et française. Au hasard des salles, on pourra s'attarder devant un Bassano *(Suzanne et les vieillards)*, un *Arracheur de dents* du peintre hollandais Jan Miel (1599-1663), un *Portrait de moine* par Rubens, une *Moissonneuse endormie* de Jean-François de Troy, un étonnant mascaron de céramique d'Andrea Della Robia, *La Vierge à l'Enfant*, dite aussi *Madone Foulc,* des portraits dus à Nicolas de Largillière et Hyacinthe Rigaud. Les fans du pompiérisme ne manqueront pas le théâtral *Cromwell devant le cercueil de Charles Iᵉʳ* de Paul Delaroche. Quant à la peinture régionale, elle est représentée par de délicats portraits de l'Uzétien Xavier Sigalon (1787-1837), une marine de Joseph Vernet, des tableaux d'histoire du Nîmois Natoire et un *Paysage des environs de Nîmes* daté de 1869 et signé de J.-B. Lavastre (1839-1891) qui, s'il ne mérite sans doute pas d'entrer dans l'histoire de la peinture, cultivera la nostalgie d'un temps où les collines de Nîmes étaient encore le cadre de la « civilisation du mazet ».

Carré d'art★ (C4)

℘ 04 66 76 35 70 - ᚷ - tlj sf lun. 10h-18h (dernière entrée 30mn av. fermeture), possibilité de visite guidée (1h) sur réserv. - fermé 1ᵉʳ janv., 1ᵉʳ Mai, 1ᵉʳ nov. et 25 déc. - 4,90 € (enf. 3,60 €) - gratuit 1ᵉʳ dim. du mois.

Ce bâtiment élancé aux formes élégantes, hardiment placé face à la Maison carrée dont il ambitionne d'être le pendant contemporain, a été conçu par Norman Foster pour abriter la médiathèque, installée en sous-sol, et le **musée d'Art contemporain** de la ville. Celui-ci propose un panorama de la création de 1960 à nos jours, selon trois grands axes : l'art en France, l'identité méditerranéenne (Espagne et Italie en particulier avec l'Arte Povera et le mouvement Transavangarde) et la création anglo-saxonne et germanique. La collection réunit quelques œuvres représentatives des grands mouvements picturaux contemporains comme le Nouveau Réalisme, Supports/Surfaces, le groupe BMPT, la Figuration libre ou la Nouvelle Figuration. César, Jean Tinguely, Sigmar Polke, Christian Boltanski, Gérard Garouste, Martial Raysse, Julian Schnabel, Miquel Barceló, Annette Messager, le photographe Thomas Struth et, bien sûr, le Nîmois Viallat sont quelques-uns des grands noms d'une collection exposée par roulement aux deux étages supérieurs de l'édifice (le dernier étant parfois consacré à des expositions temporaires).

Gilles Magnin / MICHELIN

Escaliers du Carré d'art.

Musée du Vieux Nîmes★ (C4)

Pl. aux Herbes. ℘ 04 66 76 73 70 - tlj sf lun. 10h-18h - fermé 1ᵉʳ janv., 1ᵉʳ Mai, 1ᵉʳ nov. et 25 déc. - visite guidée (1h) sur réserv. - gratuit.

Installé dans l'ancien évêché (17ᵉ s.), à côté de la cathédrale, ce musée fondé en 1920 par Henri Bauquier selon les principes du Museon Arlaten *(voir Arles)* présente des collections évoquant la **vie traditionnelle nîmoise** : industrie du textile (superbes châles et émouvant casaquin d'adolescent en tissu sergé, ancêtre du « denim »), mobilier (remarquez les *manjadous*, ou garde-manger, mais aussi une belle armoire languedocienne en noyer du 17ᵉ s. dont le décor des portes représente *Suzanne et les vieillards*), poteries, métiers traditionnels (avec, en particulier, un *castelet*, couveuse pour œufs de vers à soie). Visite indispensable pour qui souhaite mieux connaître la vie traditionnelle en pays nîmois.

Musée archéologique★ (D4)

13 bd de l'Amiral-Courbet. ☎ 04 66 76 74 80 - www.nimes.fr - tlj sf lun. 10h-18h - fermé 1er janv., 1er Mai, 1er nov. et 25 déc. - gratuit.

Installé dans l'ancien collège des Jésuites, il présente dans la galerie du rez-de-chaussée des objets antérieurs à la colonisation ainsi que des inscriptions romaines (bornes milliaires). À l'étage, objets de la vie quotidienne à l'époque gallo-romaine (toilette, parure, outils, stèles funéraires, lames à huile), verreries, céramiques (grecque, étrusque et punique), monnaies, dont le fameux « as » de Nîmes, et d'étonnantes maquettes en liège des principaux monuments antiques de la cité. Un *Félin au bord d'une corniche*, panneau peint datant d'environ 150 apr. J.-C., attend les amoureux des chats.

Muséum d'histoire naturelle

13 bd de l'Amiral-Courbet. ☎ 04 66 76 73 45 - www.nimes.fr - avr.-sept. : tlj sf lun. 10h-18h ; oct.-nov. : tlj sf lun. 11h-18h - gratuit.

Dans le même bâtiment que le **Musée archéologique**, le Muséum d'histoire naturelle comprend une section d'ethnographie avec des masques, des armes, des parures d'Asie, d'Afrique et d'Océanie. Dans la section histoire naturelle, collection régionale sur la préhistoire, mammifères et reptiles de tous pays.

Musée des Cultures taurines (C5)

6 r. Alexandre-Ducros. ☎ 04 66 36 83 77 - du 31 mai au 31 oct., tlj sf lun. 10h-18h - fermé du 1er nov. à l'Ascension et 1er Mai - 4,90 € (enf. 3,60 €) - gratuit pour les Nîmois, tous les 1ers dim. du mois.

Tout proche des arènes, installé dans l'ancien Mont-de-Piété de la cité, ce musée aborde dans une perspective ethnographique le thème des jeux taurins, en partant de leur élément de base : le taureau de Camargue et son élevage. Petit à petit se sont développés différents jeux de rue *(abrivados, bandidos)* ou d'arène (avec la « course libre », devenue course camarguaise) jusqu'à l'introduction au milieu du 19e s. de la tauromachie espagnole qui, chez ce peuple dévoré par la « *fé du bi* » (la foi des taureaux), ne pouvait rencontrer qu'un terrain favorable. Plus de 35 000 objets et documents, affiches, costumes, outils sont présentés dans cet espace aéré par un grand patio, premier véritable musée en France consacré aux différentes formes de tauromachie.

Aux alentours

Aire de Caissargues

Entre l'échangeur de Nîmes-Centre et l'échangeur de Garons, sur l'A 54.

À l'extrémité d'un mail bordé de micocouliers a été réédifiée la **colonnade néoclassique** de l'ancien théâtre de Nîmes, qui, naguère à la place du Carré d'art, faisait pendant à la Maison carrée. La mise à bas de la colonnade du théâtre, seul vestige de l'édifice détruit par le feu en 1952, a déclenché une de ces polémiques dont les Nîmois ont le secret, opposant partisans de la modernité et nostalgiques d'un théâtre dont 35 ans après, ils n'avaient pas fait le deuil. C'est la raison pour laquelle ces nobles colonnes veillent désormais sur la plaine du Vistre. Le bâtiment d'exposition rassemble les moulages des vestiges découverts lors des travaux de construction de l'autoroute, en particulier la « Dame de Caissargues », squelette de femme âgée de 25 à 30 ans inhumée en position fœtale 5 000 ans av. J.-C.

Margueritte

10 km à l'est par la N 86.

⌖ *1,9 km.* Le sentier de découverte des capitelles est un agréable parcours à travers un ensemble de constructions en pierres sèches restaurées.

Circuit de découverte

LA VAUNAGE

Circuit de 44 km – environ 1h de route (2h30 avec les arrêts). Depuis l'Esplanade, prendre la rue de la République puis, au-delà de l'avenue Jean-Jaurès (rond-point, prendre en face la rue Arnavielle, que prolonge la route de Sommières (D 940).

Caveirac

La mairie de ce village occupe un imposant **château** du 17e s. en fer à cheval : deux tours d'angle carrées couvertes de tuiles vernissées, des fenêtres à meneaux, de belles gargouilles et un grand escalier à rampe en fer forgé. Le porche d'entrée est assez large pour laisser passer une route, la D 103.

Poursuivre sur la D 40 puis, passant au large de Saint-Dionisy, prendre sur la gauche la D 737 en direction de Nages-et-Solorgues.

Oppidum de Nages

À l'entrée du village, la première rue à gauche conduit à la fontaine romaine qui alimente encore en eau plusieurs fontaines du bourg. Prendre la rue de la Fontaine-Salée.

30mn AR. Suivre le GR. C'est l'un des cinq oppidums de l'âge du fer (800 à 50 av. J.-C.) qui rassemblaient la population de la Vaunage. Les îlots d'habitations aménagés dans le sens de la pente (donc du ruissellement), séparés par des rues parallèles, laissent deviner ce que pouvait être le cadre urbain des Celto-Ligures. Chaque habitation comprenait en son centre un foyer et n'avait à l'origine qu'une seule pièce. Ce n'est qu'au 2ᵉ s. av. J.-C. que les maisons s'agrandirent et se subdivisèrent, mais le confort restait pour le moins rudimentaire. Une partie de l'enceinte de l'oppidum (en fait il y en eut quatre successives) a été dégagée. Aucun monument public n'a été découvert, hormis une sorte de *fanum* (petit temple indigène) daté de 70 av. J.-C. La pénétration romaine n'arrêta pas le développement de l'oppidum qui atteignit sa plus grande extension entre 70 et 30 av. J.-C., époque à laquelle semble s'être ébauchée une spécialisation économique (présence d'une forge).

Nages-et-Solorgues

Situé au 1ᵉʳ étage de la mairie, le **Musée archéologique** regroupe divers objets évoquant la vie quotidienne des habitants du lieu : activités vivrières (agriculture, élevage, chasse), artisanales (travail des métaux, fabrication de la céramique, tissage), armes, ustensiles de toilette et objets funéraires. *S'adresser au secrétariat de la mairie tlj sf w.-end.* ℘ *04 66 35 05 26.*

Retourner sur la D 40 que l'on prend sur la gauche.

Toits de tuiles romaines à Calvisson.

Calvisson

Au centre de la plaine de la Vaunage, ce paisible village viticole, dominé par une colline que coiffent des moulins, est célèbre pour son corso de Pâques.

Maison du boutis – ℘ *04 66 01 63 75 - www.la-maison-du-boutis.com - mai-oct. : jeu.-dim. 14h30-18h ; nov.-avr. : vend. et w.-end 14h30-18h, possibilité de visite guidée (1h) - fermé j. fériés et de mi-déc. à fin janv. - 3 € (enf. 2,30 €).* Consacrée aux techniques du piquage en basse Occitanie, elle présente de façon émouvante, outre des nécessaires à couture munis d'aiguilles à boutis, de belles réalisations (18ᵉ-19ᵉ s.) de cette technique importée de Sici le : costumes, bourrasses et bourrassons, coiffes et bonnets, jupons de mariées et vannes (magnifiques courtepointes de mariage), ainsi qu'une belle collection de pétassons, ces pièces d'étoffe que tous les prévoyants prenaient soin de poser sur leurs genoux avant de prendre un bébé dans leurs bras. Remarquez les motifs plus ou moins riches mais toujours d'une exquise délicatesse, représentant des symboles traditionnels ou des monogrammes.

Dans le bourg, prendre le CD 107 vers Fontanès : à la sortie du village, prendre à gauche la route du Roc de Gachonne.

De la table d'orientation placée au sommet d'une **tour**, vue sur les toits de tuiles rouges du village, la vallée du Vidourle au sud-ouest et le pic Saint-Loup à l'est.

Regagner la D 40 pour prendre à gauche la D 249 jusqu'à Aubais.

À gauche, la D 142 conduit à **Aigues-Vives** (patrie d'un célèbre « gastounet », l'ancien président de la République Gaston Doumergue). Après être passé sous l'autoroute, rejoindre **Mus**, qui, comme sa voisine **Gallargues**, mérite un coup d'œil.

Le saviez-vous ?

Deux couches d'étoffes cousues ensemble à petits points dessinant des motifs dans lesquels on insère des mèches de coton destinées à leur donner du relief, tel est le **boutis**, cet art de la broderie de l'intérieur.

Vergèze

Sur la place de la mairie, la **Tonnellerie animée** présente les outils et le travail du tonnelier, le tout agrémenté d'un petit spectacle, « Raconte-moi un tonneau ». *℘ 04 66 35 45 92 - visite guidée (30mn) tlj sf dim. 9h-11h30, 15h-17h30, sam. 9h-11h30 - fermé j. fériés - gratuit.*

La D 139 conduit à la source Perrier.

Source Perrier

℘ 04 66 87 61 01 - www.perrier.com - visite guidée (1h30, réserv. conseillée) juil.-août : 9h30-19h (dernière visite 17h30, 17h le w.-end) ; avr.-juin et sept. : lun.-vend. 9h30-18h (dernière visite 16h) - janv.-mars et oct.-déc. : lun.-jeu. 9h30-18h (dernière visite 16h) - fermé tous les j. fériés sf 14 Juil. et 15 août - 6 € (7-18 ans 3 €).

La source des Bouillens est une nappe d'eau souterraine de 15 °C d'où se dégage du gaz naturel qui, recueilli par des captages, est réincorporé à l'eau. C'est le bon docteur Perrier qui découvrit à l'eau des Bouillens de mystérieuses vertus thérapeutiques. Mais c'est un Anglais du nom d'Harmosworth qui en dirigea la commercialisation, ce qui explique sans doute le succès de Perrier dans les pays anglo-saxons, et la présence d'un manoir de style victorien sur le site. De nos jours, la marque appartient au groupe Nestlé. La visite des usines permet d'assister à la fabrication des bouteilles et aux opérations d'embouteillage, d'étiquetage, d'emballage et de stockage, tandis qu'une exposition permanente du matériel publicitaire permettra de revivre les grandes heures télévisées de la sympathique petite bouteille verte.

Retour vers Nîmes par la D 135, puis, au domaine de La Bastide, la D 613 à gauche.

Nîmes pratique

Adresse utile

Office du tourisme de Nîmes – *6 r. Auguste - 30000 Nîmes - ℘ 04 66 58 38 00 - www.ot-nimes.fr - juil.-août : 8h30-20h, sam. 9h-19h, dim. 10h-18h ; reste de l'année : 8h30-19h, sam. 9h-19h, dim. 10h-18h (17h d'oct. à Pâques) - fermé 1er janv., 1er Mai et 25 déc.*

Visites

Billet Nîmes romaine – *Renseignements ℘ 04 66 21 82 56 - achat dans le premier monument visité - 9,50 €.* Il permet de visiter les arènes, la Maison carrée et la tour Magne.

Visites guidées de la ville – *Renseignements à l'office de tourisme ou sur www.vpah.culture.fr - tte l'année : sam. 14h30 (juil.-sept. : mar., jeu., sam. 10h) ; vac. scol. : mar., jeu., sam. 14h30 - 5,50 €.* Nîmes, qui porte le label **Ville d'art et d'histoire**, propose des visites-découvertes (2h) animées par des guides-conférenciers agréés par le ministère de la Culture et de la Communication. Elles permettent notamment de voir l'hôtel Fontfroide, fermé à la visite autrement.

Se loger

⊖ **Hôtel Amphithéâtre** – *4 r. des Arènes - ℘ 04 66 67 28 51 - hotel-amphitheatre@wanadoo.fr - fermé janv. - 15 ch. 44/66 € - ☕ 6,50 €.* Proche des arènes, dans une rue piétonne, petit hôtel familial à la façade un peu austère, proposant des chambres de taille moyenne garnies d'un mobilier d'inspiration rustique. Une bonne adresse pour les petits budgets.

⊖ **Chambre d'hôte La Mazade** – *Dans le village - 30730 St-Mamert-du-Gard - 14 km à l'O de Nîmes par D 999 et D 1 - ℘ 04 66 81 17 56 - www.bbfrance.com/couston.html - ⊭ - 3 ch. 45/65 € ☕ - restauration (soir seulement) 25 €.* Voici une maison de famille véritablement originale, où dans chaque pièce vivent en harmonie décor design, objets d'art mexicains et exubérance de plantes vertes…

Le résultat est à la fois pittoresque et amusant ! Le soir, dîner « à la fraîche » sous la treille, face au jardin.

Hôtel L'Orangerie – 755 r. de la Tour-de-l'Évêque - ℘ 04 66 84 50 57 - www.orangerie.fr - fermé 23-28 déc. - ⧠ - 31 ch. 79/115 € - ⧠ 9 € - restaurant 27 €. Maison récente aux allures de vieux mas. Les chambres, spacieuses et personnalisées, portent les couleurs du Midi ; certaines avec terrasse, d'autres avec bains bouillonnants. Salle de restaurant au mobilier provençal et agréable terrasse en rez-de-jardin.

New Hôtel la Baume – 21 r. Nationale - ℘ 04 66 76 28 42 - www.new-hotel.com - 34 ch. 100/190 € - ⧠ 10 €. Mariage réussi du moderne et de l'ancien dans cet hôtel particulier du 17e s. autour duquel fut bâti le New Hôtel La Baume. Un escalier monumental en pierre conduit à des chambres sobres, garnies de mobilier contemporain et égayées pour certaines de jolis plafonds à la française.

Brandade de morue.

Se restaurer

La brandade – « Que faire de tout cela ? », se demandaient les Nîmois en voyant arriver des cargaisons de morue séchée envoyées par les terre-neuvas bretons, en paiement du sel d'Aigues-Mortes. L'un d'entre eux eut l'idée de piler le poisson dans un mortier, d'y ajouter de l'huile d'olive et du lait, obtenant ainsi une préparation crémeuse : la brandade (du provençal brandar, « remuer ») était née. Servie avec des croûtons ou en garniture de vol-au-vent, ce plat est aujourd'hui au menu de toute table de la région.

Haddock Café – 13 r. de l'Agau - ℘ 04 66 67 86 57 - ouv. tlj sf dim. 11h30-15h, 19h-2h, sam. 19h-3h - 7,60/10 €. Ce bar à vins-restaurant courtise autant la bonne chère (vin au verre, menu à tarif modique) que les muses, en organisant coup sur coup des soirées concert, théâtre, littérature, philo et des expositions de peinture. Derrière son grand bar en zinc, Philippe, le patron, préside certainement l'un des foyers les plus dynamiques de la vie culturelle nîmoise.

Bistrot des Arènes – 11 r. Bigot - ℘ 04 66 21 40 18 - fermé août, lun. soir, mar. soir et merc. soir - 9,50/18 €. Avec le TGV Méditerranée, il fallait s'y attendre : Guignol a fait une « descente » en Provence ! Nous l'avons retrouvé à deux pas des arènes, dans ce bouchon typiquement lyonnais au décor fouillis à souhait, et sympathique comme tout.

Le Bistrot au Chapon Fin – 3 pl. du Château-Fadaise - ℘ 04 66 67 34 73 - fermé sam. midi et dim. - formule déj. 11 € - 12/30 €. Sympathique adresse installée derrière l'église St-Paul. Aux plats du jour, concoctés selon le marché et inscrits sur l'ardoise, s'ajoutent quelques valeurs sûres de la cuisine méditerranéenne, et une carte de vins régionaux. Décor de style bistrot (salles climatisées). Bar à vins et terrasse d'été sous les toits.

Le Jardin d'Hadrien – 11 r. de l'Enclos-Rey - ℘ 04 66 21 86 65 - fermé 20 août-3 sept., lun. midi, merc. midi et dim. en juil.-août - 18/41 €. À l'écart de l'animation. L'hiver, vous choisirez les poutres patinées et la chaleur de l'âtre. L'été, la véranda ou le patio ombragé d'un if majestueux.

Aux Plaisirs des Halles – 4 r. Littré - ℘ 04 66 36 01 02 - fermé 3 fév.-1er mars, 24 oct.-9 nov., dim. et lun. - 20 € déj. - 24/55 €. En ville, tout le monde en parle… Passé la discrète façade, c'est le plaisir ! Celui d'un cadre contemporain « chic » et épuré, d'un patio joliment dressé en terrasse et d'une cuisine du marché fort bien tournée. Sans oublier la belle carte des vins comportant une intéressante sélection régionale…

Le Bouchon et L'Assiette – 5 bis r. de Sauve - ℘ 04 66 62 02 93 - www.bouchon-assiette.com - fermé 2-17 janv., 29 avr.-2 mai, 29 juil.-23 août, mar. et merc. - 15 € déj. - 25/44 €. Salle à manger aux beaux murs de pierre ou petit salon intime : vous apprécierez le cadre chaleureux et raffiné de ce restaurant décoré d'antiquités. Le « bouchon » et l'assiette s'avèrent tout aussi soignés que le décor, avec les saveurs en plus et des prix restant étonnamment sages…

En soirée

Programmes – On consultera le quotidien Midi-Libre, l'hebdomadaire La Semaine de Nîmes ou La Gazette de Nîmes, le Nimescope ou encore Le César (gratuit), que l'on trouvera à l'office de tourisme.

Bar Hemingway - Hôtel Imperator – Quai de la Fontaine - ℘ 04 66 21 90 30 - www.hotel-imperator.com - 17h-1h. Ouvrant sur un jardin arboré (séquoias, cèdres du Liban et ginkgo biloba d'Extrême-Orient), agrémenté d'une fontaine et de sculptures, ce bar est un lieu empreint de calme et de magie. Quelques photographies évoquent le passage en ces murs de deux amoureux

Didier Pazery / MICHELIN

de la tauromachie, Ava Gardner et Ernest Hemingway, l'auteur de *Mort dans l'après-midi* (1932), magnifique livre consacré à la corrida.

Grand Café de la Bourse – *2 bd des Arènes -* 𝒫 *04 66 36 12 12 - 7h-1h.* Un plafond à caissons de style Napoléon III, une terrasse située face à l'entrée des arènes, des fauteuils en rotin profonds et confortables, autant d'indices qui ne trompent pas : nous sommes ici dans l'un des plus prestigieux cafés de Nîmes dont le service diligent et le professionnalisme attirent une clientèle de tous les âges et de tous les milieux.

Le Sémaphore – *25 r. de la Porte-de-France -* 𝒫 *04 66 67 83 11 - www.semaphore.free.fr - 12h-23h30 - fermé w.-end de la Pentecôte - de 3,50 à 5,50 €.* Cinéma d'art et d'essai (5 salles) abritant également une cafétéria.

Théâtre du Quaternaire – *12 r. de l'Ancien-Vélodrome -* 𝒫 *04 66 84 20 52 - accueil : tlj sf dim. 10h-12h, 14h-18h - fermé juil.-août.* Théâtre installé dans une friche industrielle (ancien hangar). Musique, théâtre, expositions, danse, nouveau cirque…

Que rapporter

Marchés – Grand marché lundi sur le bd Jean-Jaurès. Marché biologique vendredi matin av. Jean-Jaurès. Marché aux puces dimanche matin sur le parking du stade des Costières. Marché nocturne en juillet-août, jeudi (« Les jeudis de Nîmes », 18h-22h). Marché aux fleurs lundi sur le parking du stade des Costières.

Maison Villaret – *13 r. de la Madeleine -* 𝒫 *04 66 67 41 79 - tlj sf dim. et j. fériés 7h-19h30.* Farine, sucre, eau, fleur d'oranger, extrait de citron et amandes figurent parmi les ingrédients des célèbres **croquants** de Nîmes inventés par Monsieur Villaret dans cette boulangerie-pâtisserie fondée en 1775. Le four à bois, d'époque, est toujours en activité.

Brandade Raymond – *34 r. Nationale -* 𝒫 *04 66 67 20 47 - contact@ raymond-geoffroy.fr - tlj sf dim. 8h30-12h30.* Le roi de la brandade ! Depuis plus d'un siècle, cette petite boutique élabore dans les règles de l'art la fameuse recette nîmoise, qu'elle vend ensuite en bocaux millésimés. Également, de nombreuses autres spécialités : tapenade, crème d'anchoïade, croquants, caviar de tomates séchées…

La Vinothèque – *18 r. Jean-Reboul - proche des arènes -* 𝒫 *04 66 67 20 44 - vinotheque-nimes@wanadoo.fr - tlj sf dim. et lun. 9h30-12h30, 15h-20h - fermé 2 sem. en août et j. fériés.* L'enseigne dit l'essentiel ! Dans les rayons, les vins des costières de Nîmes, des côtes-du-Rhône et du Languedoc jouent les vedettes, mais le choix s'étend bien au-delà des crus régionaux. Belle sélection de champagnes et de spiritueux.

Les Olivades – *4 pl. de la Maison-Carrée -* 𝒫 *04 66 21 01 31 - tlj sf dim. et lun 10h-13h, 14h-19h ; juil.-août : tlj sf dim. et lun. 10h-12h30, 14h-19h, sam. 10h-19h - fermé j. fériés.* C'est sous Louis XI que l'industrie textile est née à Nîmes avec la création de la première manufacture. Cette tradition se perpétue aujourd'hui grâce aux Olivades. Vous trouverez ici **tissus**, linge de maison, arts de la table et objets de décoration, mais aussi prêt-à-porter, accessoires et petite bagagerie, aux couleurs de la Provence.

Librairie Goyard – *34 bd Victor-Hugo -* 𝒫 *04 66 67 20 51 - tlj sf dim. 9h30-19h - fermé j. fériés.* Cette librairie facilement reconnaissable à sa devanture rouge s'adresse avant tout aux aficionados. Elle possède en effet un très bon choix de livres sur la tauromachie et les arènes de Nîmes, mais aussi des ouvrages sur la Camargue et la Provence.

Terrasse de café au pied des arènes.

Stéphane Sauvignier / MICHELIN

Calendrier des arènes

Ferias – Elles sont au nombre de deux : la plus connue, celle de **Pentecôte**, du mardi au lundi avec *pégoulade* sur les boulevards, *abrivados*, novilladas et corridas matin et soir et animations diverses dans la ville. La plus locale, celle des **Vendanges**, se déroule à la mi-septembre.

Trouver un billet – *Au guichet, compter de 16 € à 91 € pour une corrida, de 18 € à 44 € pour une novillada. Bureau de location : 4 r. de la Violette -* 𝒫 *0 891 701 401 - www.arenesdenimes. com.* Les places sont vendues sous deux formes : abonnement pour toutes les corridas ou à l'unité pour chacune. Seul privilège des abonnés, ils sont servis les premiers.

Autres spectacles – En dehors des ferias, les arènes accueillent de nombreuses manifestations : spectacles grand public, concerts (rock ou chanson) ou grandes manifestations sportives.

Nyons

6 723 NYONSAIS
CARTE GÉNÉRALE B1 – CARTE MICHELIN LOCAL 332 D7 – DRÔME (26)

Au 2e s., Nyons se nommait Noimagos, contraction de *Novio Magos* signifiant le « nouveau marché ». Au fait, il a lieu tous les jeudis. Pour tous les oliviers de la terre, Nyons est un véritable paradis. Et ce n'est pas vrai que pour les oliviers ! Ici, les plantes exotiques poussent en pleine terre et les habitués des lieux y passent des hivers très doux… Car la ville a été bâtie au débouché de la vallée de l'Eygues, dans la plaine du Tricastin bien abritée par les montagnes. Ce qui a fait écrire à Jean Giono, un expert en la matière : « Nyons me paraît être le paradis terrestre. » Tout simplement.

- **Se repérer** – On atteint cette pointe avancée de la Provence, en venant de Vaison-la-Romaine (à 16 km), par la D 538. Après avoir traversé l'Eygues, prendre l'avenue Draye-de-Meyne jusqu'à la place de la Libération, puis sur la droite, la place du Dr-Bourdongle.

- **À ne pas manquer** – Une promenade dans le Vieux Nyons ; la découverte de la planète huile d'olive en visitant un moulin, le musée de l'Olivier et… en dégustant l'or vert de Provence !

- **Organiser son temps** – Puisque l'on est dans l'un de ces hauts lieux du bon vivre provençal, prévoyez une petite visite au marché traditionnel du jeudi matin. Autre option : le marché provençal du dimanche matin, de mi-mai à mi-septembre.

- **Avec les enfants** – Avis aux petits gourmets : la visite au moulin est très souvent suivie d'une dégustation (ça vaut pour les grands aussi).

- **Pour poursuivre la visite** – Voir aussi Vaison-la-Romaine ; pour approfondir vos connaissances sur l'huile d'olive, cap sur les Alpilles, un autre grand bassin de production.

Nyonsais

René Barjavel (1911-1985), connu pour ses ouvrages, dont *Ravage*, où science-fiction et fantastique expriment l'angoisse ressentie devant une technologie que l'homme ne maîtrise plus, revient aux valeurs pastorales du « bon vieux temps » dans *La Charrette bleue*. L'écrivain, qui passa toute son enfance à Nyons dans la boulangerie paternelle, fait revivre cette période dans ce récit autobiographique.

Découvrir

LES OLIVES DE NYONS

Vieux moulins

Accès par la promenade de la Digue. 𝄞 *04 75 26 11 00 - visite guidée (40mn) juil.-août : tlj sf dim. dép. à 11h30, 15h, 16h ; sept.-1er Nov. : tlj sf dim. et lun. dép. à 11h et 15h - vac. Noël et fév.-mars : jeu. et sam., dép. à 11h et 15h - fermé 1er janv., 1er et 8 Mai et 25 déc.- 4 €*
(–12 ans gratuit) - gratuit j. du Patrimoine.
Dans ces moulins des 18e et 19e s., l'huile fut fabriquée selon les procédés traditionnels jusqu'en 1952. C'était donc le cadre idéal pour évoquer l'histoire de l'oléiculture locale. On visite également une ancienne savonnerie.

Musée de l'Olivier

Allée des Tilleuls. Accès à l'ouest (direction Gap), puis au nord-ouest de la place Olivier-de-Serres. 𝄞 *04 75 26 12 12 -* & *- lun.-sam. 10h-11h30, 14h30-18h, dim. sur réserv. - 2 € (enf. 1 €) - gratuit j. du Patrimoine.*
Il présente un inventaire de l'outillage traditionnel nécessaire à la culture de

Olives de Nyons.

François Isler / MICHELIN

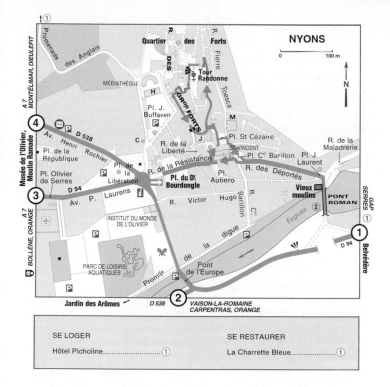

SE LOGER	SE RESTAURER
Hôtel Picholine..........................①	La Charrette Bleue...................①

l'olivier et à la fabrication de l'huile. Nombreux objets, comme des lampes, se rapportant aux utilisations multiples de celle-ci. Des documents complètent cette présentation.

Moulin Ramade

Accès à l'ouest (direction Gap) et la quatrième rue à gauche. 📞 *04 75 26 08 18 - tlj sf dim. 9h-12h, 14h-18h30 - possibilité de visite guidée (15mn) sur réserv. - gratuit.*
La première salle contient les meules et les presses utilisées pour la fabrication de l'huile d'olive. La deuxième sert à l'affinage et au stockage.

Se promener

Le Vieux Nyons★

Pour découvrir ce vieux quartier, bâti sur une colline, partez de la **place du Dr-Bourdongle**, entourée d'arcades. Par la rue de la Résistance, puis, à gauche, celle de la Mairie, gagnez la **rue des Petits-Forts**, étroite venelle dont les maisons basses datent du début du 14ᵉ s. Au bout, sur une place, la **tour Randonne** du 13ᵉ s. abrite la minuscule chapelle de Notre-Dame-de-Bon-Secours. Prenez à gauche la rue de la chapelle pour rejoindre la **rue des Grands Forts★**, longue galerie couverte dont les murs épais sont percés de fenêtres. Franchissant la haute porte voûtée, vestige du château féodal, tournez à gauche dans le Maupas, rue à degrés qui ramène rue de la Mairie.

Par les places Saint-Cézaire et Barillon, puis la rue des Déportés, on rejoint les rives de l'Eygues et le **pont roman★** (Vieux Pont), pont en dos d'âne des 13ᵉ et 14ᵉ s. Son arche, de 40 m d'ouverture, est une des plus hardies du Midi.

Revenez sur vos pas et rejoignez la Promenade de la Digue pour accéder au **jardin des Arômes**. Dans cet agréable jardin botanique (collection de plantes aromatiques, médicinales et à parfum) se mêlent les effluves.

Belvédère

Franchissez le Nouveau Pont, prenez à gauche la D 94, laissez le Vieux Pont sur la gauche ; passez sous le tunnel et tournez à droite. Du piton rocheux (banc), **vue** sur le Vieux Nyons dominé par la montagne d'Angèle (alt. 1 606 m) ; la vallée de l'Eygues, encaissée à droite, contraste avec le large bassin, à gauche, où se déploie la ville nouvelle.

Nyons pratique

ö Voir aussi l'encadré pratique de Vaison.

Adresse utile

Office du tourisme de Nyons – *Pl. de la Libération - 26110 Nyons -* ☎ *04 75 26 10 35 - www.paysdenyons.com - juil.-août : 9h-12h30, 14h30-19h, dim. 10h-13h, 15h-17h, j. fériés 10h-13h ; avr.-juin et sept. : 9h30-12h, 14h30-18h30, dim. 10h-13h ; oct.-mars : 9h30-12h, 14h30-17h45, dim. 10h-13h - fermé 1er janv., 1er Mai et 25 déc.*

Visites

👁 **Bon à savoir** – L'office de tourisme propose différentes brochures pour découvrir Nyons et ses alentours. Celle consacrée à l'olivier (« Le sentier des Oliviers ») est particulièrement pratique.

Institut du Monde de l'Olivier – *AFIDOL - 40 pl. de la Libération - 26111 Nyons -* ☎ *04 75 26 90 90.* Il abrite des expositions permanentes et temporaires, ainsi qu'un centre de documentation sur l'olivier. Il organise également des initiations à la dégustation des huiles d'olive *(sur réserv. juin-sept. : jeu. 15h - 6 € (8-12 ans 2 €).*

Se loger

🍽🍽 **Hôtel Picholine** – *Prom. Perrière - 1 km au N de Nyons par prom. des Anglais -* ☎ *04 75 26 06 21 - www.picholine26.com - fermé 7 fév.-1er mars et 24 oct.-17 nov. -* 🅿 *- 16 ch. 64/72 € -* 🍴 *7,50 € - restaurant 23/39 €.* Halte paisible sur les collines de Nyons, dans cette grande bâtisse bordant une voie privée. Son jardin, sa piscine à l'ombre du feuillage léger des oliviers et sa belle terrasse séduiront les amateurs de farniente. Chambres fonctionnelles, parfois dotées d'un balcon.

Se restaurer

🍽🍽 **La Charrette Bleue** – *7 km au NE de Nyons sur D 94 (rte de Gap) -* ☎ *04 75 27 72 33 - fermé 25 oct.-3 nov., 13 déc.-2 fév., dim. soir de mi-sept. à mars, mar. de sept. à juin et merc. - 19 € déj. - 24/39 €.* Oui, une charrette bleue s'est perchée sur le toit de ce joli mas coiffé de tuiles romaines ! Coquette salle à manger rustique dotée de poutres apparentes et de dalles anciennes. Cuisine régionale dans les règles de l'art.

Que rapporter

👁 **Bon à savoir** – Les **olives** (en particulier la variété noire de Nyons, dite « tanche ») et l'huile font la réputation de la ville. Nyons compte parmi les marchés français de la **truffe**. Enfin, on distille aussi la **lavande** et autres plantes aromatiques.

Marchés – Marché traditionnel jeudi matin. Marché provençal dimanche matin de mi-mai à mi-septembre.

Le Moulin Dozol Autrand – *Prom. de la Digue - le Pont-Roman -* ☎ *04 75 26 02 52 - www.moulin-dozol.com - tlj sf dim. 9h-12h, 14h-18h30, j. fériés 10h-12h - fermé 2 sem. en oct.* Nouvelles normes obligent, les vieilles meules de ce moulin bâti en 1750 ont tourné pour la dernière fois en 1998. Désormais transformé en boutique, vous y trouverez bien sûr l'huile d'olive AOC Nyons, mais aussi savons, tapenades, miels, aromates et autres produits régionaux. En décembre et janvier, pleine période de fabrication, **vidéo-visite** du nouveau moulin.

Distillerie Bleu-Provence – *58 prom. de la Digue -* ☎ *04 75 26 10 42 - www.distillerie-bleu-provence.com - janv.-mars : tlj sf lun. 9h30-12h15, 14h30-18h30 ; avr.-déc. : tlj ; en période de distillation : tlj en continu.* Construite en 1939, cette distillerie de plantes aromatiques et à parfum vous propose toute l'année une découverte de la distillation et des huiles essentielles. Accès libre et **visites guidées** (45mn env.) ; « dégustation » olfactive. De juin à septembre, il est possible d'assister aux distillations. Boutique.

Coopérative du Nyonsais – *Pl. Olivier-de-Serres -* ☎ *04 75 26 95 00 - www.coop-du-nyonsais.fr - 9h-12h15, 14h-18h30 ; dim. et j. fériés 10h-12h30, 14h-18h - fermé 1er janv., 1er Mai et 25 déc.* Depuis 1923, cette coopérative commercialise des spécialités régionales telles que vins de pays et des côtes du Rhône, huiles d'olive et produits dérivés, miel, jus d'abricot et plantes aromatiques. À quelques pas, dans un moulin moderne, on peut suivre la fabrication de l'huile d'olive vierge obtenue en une seule pression à froid.

La Scourtinerie – *36 r. de La Maladrerie -* ☎ *04 75 26 33 52 / 04 75 26 06 52 - magasin : mai-fin août : tlj sf dim. 9h30-12h, 14h30-19h ; sept.-avr. : 9h30-12h, 14h30-18h30 ; atelier : été : tlj sf w.-end. 9h30-12h, 14h-18h ; le reste de l'année : tlj sf w-end 14h-17h - fermé j. fériés.* Fondée en 1882, cette entreprise familiale est la seule à fabriquer le scourtin (du provençal *escourtin*, sorte de panier plat en fibre de coco servant à l'extraction de l'huile contenue dans les olives après broyage. Aujourd'hui, cette maison réputée confectionne également des tapis et propose une large gamme d'artisanat provençal.

Événements

Les Olivades – Le week-end avant le 14 Juillet, fête de l'olivier dans le centre ville de Nyons.

Alicoque – Le 1er week-end de février, célébration de l'huile nouvelle dans le centre-ville de Nyons.

Fête de l'olive piquée – ☎ *04 75 26 90 90.* Le samedi avant Noël : marché aux produits oléicoles, dégustations, visites d'oliveraies et cueillettes, ateliers.

Orange★★

27 989 ORANGEOIS
CARTE GÉNÉRALE B2 – CARTE MICHELIN LOCAL 332 B9 – VAUCLUSE (84)

Porte du Midi, important marché de primeurs, Orange doit le meilleur de sa célébrité à deux prestigieux monuments romains classés au Patrimoine mondial de l'Unesco : l'arc commémoratif et le théâtre antique, ce dernier constituant depuis bientôt un siècle et demi l'extraordinaire cadre des Chorégies.

- **Se repérer** – Il faut absolument arriver à Orange par la N 7 (depuis Montélimar) : là, sur un terre-plein, se dresse l'arc majestueux qui donne accès à la ville.

- **Se garer** – Après avoir contourné l'arc, prenez à droite au-delà de la Meyne pour garer votre voiture sur les parkings du cours Aristide-Briand.

- **À ne pas manquer** – Savourez l'Orange romaine, bien sûr, avec deux morceaux de choix : l'arc de triomphe et le théâtre antique.

- **Organiser son temps** – Comptez environ 2h pour la découverte de l'Orange romaine, dont une bonne heure consacrée à la visite du seul théâtre antique. Conservez un peu de temps pour flâner dans les agréables ruelles du Vieil Orange.

- **Avec les enfants** – Pour rendre l'histoire plus vivante, emmenez-les au Spectacle romain *(attention, une seule représentation, voir Orange Pratique).*

- **Pour poursuivre la visite** – Les passionnés d'histoire antique poursuivront vers Arles, Nîmes, le Pont du Gard, Saint-Rémy et Vaison-la-Romaine *(voir aussi « La Provence antique » dans « Nos propositions d'itinéraires », p. 13).*

Le théâtre antique avant qu'il ne soit recouvert de son dôme de verre.

Comprendre

Une cité romaine – Établie en 35 av. J.-C., la colonie romaine d'Orange accueille les vétérans de la IIe légion. La ville nouvelle se construit selon un plan très régulier, se pare de monuments et s'entoure d'une enceinte qui englobe environ 70 ha. Elle commande un vaste territoire que les arpenteurs romains cadastrent avec précision. Des lots fonciers sont attribués en priorité aux vétérans ; d'autres, plus médiocres, sont donnés en location ; d'autres encore restent propriété de la collectivité. Ainsi est facilitée la colonisation et la mise en valeur du sol, au détriment des autochtones. Jusqu'en 412, date du pillage de la cité par les Wisigoths, Orange connaît une existence prospère et devient le siège d'un évêché.

Un petit coin de Hollande – Dans la seconde moitié du 12e s., la ville devient le siège d'une petite principauté enclavée dans le Comtat venaissin ; son prince, **Raimbaut d'Orange**, est un troubadour réputé qui chante son amour pour la comtesse de Die. Le hasard des alliances et des héritages fait qu'Orange échoit à une branche de la maison des Baux, héritière, en outre, de la principauté germanique de Nassau.

Au 16ᵉ s., Guillaume de Nassau, dit « le Taciturne », prince d'Orange, crée la république des Provinces-Unies, dont il devient le *stathouder*. La ville, qui opte pour la Réforme, subit de plein fouet les ravages des guerres de Religion, mais parvient à préserver son autonomie.

La maison d'Orange-Nassau, tout en gouvernant les Pays-Bas et, pendant quelque temps, l'Angleterre, n'oublie pas son minuscule domaine français. Aujourd'hui encore, les souverains néerlandais portent le titre de prince ou princesse d'Orange et ont conservé la couleur orange comme emblème. En outre, un État, des villes et des fleuves, fondés ou découverts par les Néerlandais, portent le nom d'Orange, tant en Afrique du Sud qu'en Amérique.

En 1622, **Maurice de Nassau**, grand amateur de fortifications, entoure la ville d'une enceinte puissante et élève un formidable château. Malheureusement, il utilise comme carrière les monuments romains que les Barbares n'avaient pu détruire complètement. Cette fois, tout disparaît, sauf le théâtre, englobé dans les remparts, et l'arc, transformé en forteresse.

Le « hold-up » de Louis XIV – Quand Louis XIV entre en guerre contre la Hollande, il s'empresse de faire main basse sur la principauté d'Orange. C'est le **comte de Grignan**, lieutenant général du roi en Provence et gendre de Mme de Sévigné, qui s'empare de la ville. Les remparts et le château sont mis à bas. Le rattachement d'Orange à la France sera entériné en 1713 par le **traité d'Utrecht**.

Découvrir

ORANGE ROMAINE

Compter 2h.

Arc de triomphe★★ (A1)

À l'entrée de la ville sur la N 7. Parking gratuit au carrefour. Véritable porte de la cité, cet arc magnifique s'élève à l'entrée nord d'Orange, sur la via Agrippa qui reliait Lyon et Arles. S'il est remarquable pour ses dimensions imposantes (19,21 m de hauteur, 19,57 m de largeur et 8,40 m de profondeur, le troisième par la taille des arcs romains qui nous sont parvenus), c'est surtout l'un des mieux conservés : la face nord en particulier a gardé pour une bonne part sa décoration d'origine, qui tient à la fois du classicisme romain et de l'art hellénistique. Les scènes guerrières évoquent la pacification de la Gaule tandis que les attributs marins semblent faire référence à la victoire remportée par Auguste à Actium sur la flotte d'Antoine et Cléopâtre.

Construit vers 20 av. J.-C., et dédié plus tard à Tibère, il commémorait les exploits des vétérans de la IIᵉ légion. Percé de trois baies encadrées de colonnes, surmonté à l'origine par un quadrige en bronze flanqué de deux trophées, il présente deux particularités : le fronton triangulaire, au-dessus de la baie centrale, et deux attiques superposés.

Théâtre antique★★★ (B1/2)

☎ 04 90 51 17 60, www.theatre-antique.com - visite audioguidée - juin-août : 9h-19h ; avr.-mai et sept. : 9h-18h ; mars et oct. : 9h-17h30 ; reste de l'année : 9h30-16h30 (dernière entrée 15mn av. fermeture) - 7,50 € (billet combiné avec le musée municipal).

Édifié sous le règne d'**Auguste** (alors Octave), ce théâtre fait, à juste titre, la fierté d'Orange : il s'agit en effet du seul théâtre romain qui ait conservé son **mur de scène** pratiquement intact. Lorsque l'on arrive sur la place, on est avant tout frappé par ce mur imposant, long de 103 m et haut de 36 m, qui se dresse devant nous et que Louis XIV, dit-on, avait qualifié de « plus belle muraille du royaume ». On aperçoit, tout en haut, la double rangée de corbeaux (pierres en

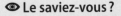

> **👁 Le saviez-vous ?**
>
> Le mur de scène est orné d'une statue de l'empereur : sa tête est amovible, ce qui permettait d'en changer au gré des aléas politiques...

saillie) au travers desquels passaient les mâts servant à tendre le voile *(velum)* qui protégeait les spectateurs du soleil. Au bas, les 19 arcades donnaient accès aux coulisses et aux loges. La scène a été récemment couverte d'un **toit de verre**, mesurant 61 mètres de long et pesant plus de 200 t !

L'hémicycle *(cavea)* pouvait contenir environ 7 000 spectateurs, répartis selon leur rang social. Il se divise en 3 zones, étagées en 34 gradins et séparées par des murs. En contrebas, l'*orchestra* forme un demi-cercle ; en bordure, on plaçait des sièges mobiles qui étaient réservés aux personnages de haut rang. De part et d'autre de la

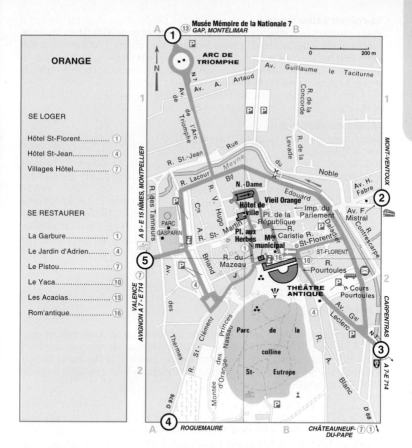

ORANGE

SE LOGER

Hôtel St-Florent............ ①
Hôtel St-Jean............... ④
Villages Hôtel.............. ⑦

SE RESTAURER

La Garbure................... ①
Le Jardin d'Adrien......... ④
Le Pistou...................... ⑦
Le Yaca........................ ⑩
Les Acacias.................. ⑬
Rom'antique.................. ⑯

scène, de grandes salles superposées (on entre actuellement par la salle inférieure occidentale) servaient à l'accueil du public et abritaient les coulisses. La scène, faite d'un plancher de bois sous lequel était logée la machinerie, mesure 61 m de longueur pour 9 m de profondeur utile : elle dominait l'*orchestra* d'environ 1,10 m, soutenue par un mur bas, le *pulpitum*. À l'arrière, se trouve la fosse du rideau (que l'on abaissait pendant les représentations).

Au fait, comment se faire entendre lorsqu'on est acteur ? Certes, les masques faisaient office de porte-voix ; le plafond, les portes en creux et les vases résonateurs jouaient un rôle ; pourtant, s'ils ont aujourd'hui disparu, même du haut des gradins (sauf coup de mistral), on peut vérifier que le théâtre a conservé une acoustique étonnante.

Le mur de scène atteint le niveau du sommet de la *cavea* ; il présentait un riche décor de placages de marbre, de stucs, de mosaïques, de colonnades étagées et de niches abritant des statues, dont celle d'Auguste, haute de 3,55 m, qui a été remise en place en 1950. Ce mur est percé de trois portes : la porte royale au centre (entrée des acteurs principaux) et les deux portes latérales (entrée des acteurs secondaires).

Se promener

Le Vieil Orange

Depuis le théâtre, empruntez en face la rue Caristie jusqu'à la rue de la République, principale artère de la ville. Prenez à gauche pour atteindre la place de la République, remarquez au passage la statue du prince-troubadour Raimbaut d'Orange, et dirigez-vous vers l'**ancienne cathédrale Notre-Dame**, en prenant à droite la rue Fusterie et, après la place du Cloître, à gauche la rue du Renoyer. D'origine romane, l'église a été très endommagée et en partie reconstruite après les guerres de Religion. Revenez à la place Georges-Clemenceau, où s'élève l'**hôtel de ville** qui a conservé son beffroi du 18e s., puis à la place de la République, investie par les terrasses des cafés et brasseries. La rue Stassart conduit à une placette ombragée de platanes, la **place aux Herbes**, que vous traversez pour regagner le théâtre par la rue du Mazeau.

La colline Saint-Europe

Par la rue Pourtoules, rejoindre l'escalier est. L'allée principale franchit les fossés de l'ancien château des princes d'Orange, dont les fouilles ont révélé d'importants vestiges. À l'extrémité nord du parc, à côté d'une statue de la Vierge, table d'orientation offrant une excellente **vue★** sur le théâtre antique, la ville avec ses toits de tuiles, la plaine du Rhône et son cadre de montagnes.

Visiter

Musée municipal (B1)

Mêmes conditions de visite que le théâtre. $\mathscr{C}$ *04 90 51 17 60 - 7,50 € (billet combiné avec le théâtre antique).*

Installé dans l'hôtel édifié au 17ᵉ s. par un noble hollandais, il expose les collections lapidaires provenant de fouilles effectuées dans la ville, ainsi qu'une pièce unique en France : les **cadastres** romains d'Orange. Sur ces tableaux de marbre, on a pu reconnaître le quadrillage des terres découpées en centuries, carrés de 709 m de côté organisés autour de deux axes, nord-sud et est-ouest, ainsi que des renseignements écrits sur le statut juridique des terres. On retiendra surtout les toiles consacrées à la **famille Wetter**, industriels d'origine suisse qui employaient en 1764 à Orange 530 ouvriers pour la fabrication d'indiennes qu'ils exportaient dans toute l'Europe.

Aux alentours

Caderousse

8 km au sud-ouest par la D 17.

Cette localité, totalement enserrée dans des remparts percés seulement de deux portes, est située au bord du Rhône, voisin fort envahissant : des plaques, apposées sur la façade de l'hôtel de ville, en témoignent. À l'intérieur de l'**église St-Michel**, exemple caractéristique de roman provençal, la chapelle St-Claude, avec ses belles voûtes de style flamboyant, fut ajoutée au 16ᵉ s.

Le Homère des insectes

C'est ainsi que Victor Hugo appelait **Jean-Henri Fabre**, personnage romanesque qui consacra sa vie aux insectes et leur dédia de passionnants *Souvenirs entomologiques* (2 360 pages dans la collection « Bouquins » que les fans de *Microcosmos* se doivent de dévorer !). Cet autodidacte, qui fut vendeur ambulant de citrons pour payer ses études, fut contraint de démissionner de l'enseignement pour avoir (horreur !) fait un exposé sur la sexualité des plantes en présence de jeunes filles ! Et, s'il proclamait haut et fort son amour des insectes vivants (à l'exclusion des cigales, trop bruyantes à son goût), il n'hésitait pas à les proposer accommodés à sa façon lors de repas que ses invités redoutaient particulièrement.

Harmas Jean-Henri Fabre

À Sérignan, 8 km au nord-est d'Orange par la N 7 (direction Bollène) puis la D 976, direction Sérignan. L'Harmas se cache derrière un grand portail en pierre, 200 m après le panneau d'entrée du village - $\mathscr{C}$ *04 90 30 57 62 - mai-sept., tlj sf mar., 10h-12h30, 14h30-18h - entrée : 5 € - visites guidées (11h et 16h) : 6,50 €.*

À l'entrée de Sérignan, à droite, se trouve l'harmas (« terrain en friche » en provençal), où l'entomologiste **J.-H. Fabre** (1823-1915) vécut les trente-six dernières années de sa vie. Rouvert après six ans de travaux pour restauration, on y visite le superbe jardin botanique et la maison bâtie en 1849, avec la salle à manger restaurée à l'identique, le cabinet de travail où des vitrines contiennent les impressionnantes collections du savant (insectes, coquillages, fossiles, minéraux, soit 1 300 specimens au total !), et la salle où sont rassemblées ses aquarelles peintes avec beaucoup de talent (champignons de la région). Les 25 000 planches de l'herbier sont en cours de restauration, mais 6 500 d'entre elles sont déjà accessibles sur le site du Museum national d'histoire naturelle, dont dépend l'harmas *(www.mnhn.fr).*

Musée Mémoire de la Nationale 7

À 9 km au nord d'Orange. Emprunter la N 7 jusqu'à Polienc ; dans le village, suivre le fléchage - parking gratuit - $\mathscr{C}$ *04 90 29 57 89, www.memoirenationale7.org - avr.-sept. : du merc. au dim. 9h-12h, 14h-18h ; oct.-mars : du mar. au sam. 9h-12h, 14h-18h - 4 € (+12 ans à 2 €).*

Châteauneuf-du-Pape entouré de son vignoble.

Le château Simian héberge la collection d'une association d'amoureux de la N 7. Automobiles, vélomoteurs, bicyclettes ainsi que différents objets relatifs à la route (plaques émaillées, bornes kilométriques, stations essence, etc.) sont mis en scène pour rappeler l'animation et l'activité que générait dans le village la fréquentation de la route des vacances. Une vidéo *(20mn)* complète ce témoignage allègre.

Châteauneuf-du-Pape
10 km au sud par la D 68.

Les papes d'Avignon ont contribué au développement du vignoble de Châteauneuf dont la renommée date du milieu du 18e s. Ruiné par la crise du phylloxéra en 1866, le vignoble fut alors replanté et, en 1923, le syndicat des viticulteurs édicta une réglementation stricte, garante de la qualité : limites de la région plantée, choix des raisins et des cépages (il y en a 13), vinification… Aujourd'hui, les 300 vignerons castels-papaux exploitent 3 300 ha de vignes fameuses. Ne manquez pas la Fête de la véraison, le premier week-end d'août. De la forteresse papale, superbe **vue**★★ sur la vallée du Rhône, Roquemaure et le château de l'Hers, Avignon avec le rocher des Doms et le palais des Papes se détachant sur la toile de fond des Alpilles ; on aperçoit aussi le Luberon, le plateau de Vaucluse, le mont Ventoux, les dentelles de Montmirail, les Baronnies et la montagne de la Lance.

Musée du Vin – *Dans la cave L.-C. Brotte-Père Anselme.* ℘ *04 90 83 70 07 - www.brotte. com - mi-avr.-mi oct. : 9h-13h, 14h-19h ; mi-oct.-mi-avr. : 9h-12h, 14h-18h, possibilité de visite guidée (1h) - fermé 1er janv. et 25 déc. - gratuit.*

Avant la dégustation, une visite de ce musée s'impose. L'historique de l'appellation d'origine contrôlée est évoqué à travers un cheminement allant de la formation des sols au travail du vigneron, en passant par l'origine des cépages. Exposition très complète de vieux outils de vignerons.

Orange pratique

Adresses utiles

Office du tourisme d'Orange –
5 cours Aristide-Briand - 84100 Orange - ℘ 04 90 34 70 88 - www.otorange.fr - juil.-août : 9h30-20h, dim. et j. fériés 10h-13h, 14h-19h ; avr.-juin et sept. : 9h30-19h, dim. et j. fériés 10h-13h, 14h-18h30 ; oct.-mars : tlj sf dim. et j. fériés 10h-13h, 14h-17h.

Office du tourisme de Châteauneuf-du-Pape – Pl. du Portail - 84230 Châteauneuf-du-Pape - ℘ 04 90 83 71 08 - juil.-août : 9h30-19h, dim. 10h-13h, 14h-18h ; janv.-juin et sept.-oct. : tlj sf dim. 9h30-12h30, 14h-18h, j. fériés 10h-13h, 14h-18h ; nov.-déc. : tlj sf dim. 9h30-12h30, 14h-18h - fermé 1er Nov., 25 déc., 1er janv., 1er Mai.

Transport

Orange est à 28,5 km au nord d'Avignon, le **TER** relie les deux villes en 30mn.

Se loger

⊖ **Hôtel St-Florent** – 4 r. du Mazeau - ℘ 04 90 34 18 53 - www.hotelsaintflorent. com - fermé fév. - 16 ch. 27/75 € - ⊡ 6 €.

À deux pas du théâtre antique, vous serez surpris par ce petit hôtel où toutes les peintures ont été réalisées par la propriétaire des lieux. Chaque chambre est personnalisée.

⊝ **Villages Hôtel** – *Chemin de Queyradel - sortie 21 autoroute Orange nord -* ☏ *08 92 70 75 59 - www.villages-hotel.com -* 🅿 *- 70 ch. 36/39 € - ⊐ 4,20 €.* Bien sûr, les hôtels de chaîne économique font pâle figure, comparés à des établissements plus authentiques et luxueux. Mais on retiendra celui-ci pour sa proximité du centre-ville, la sagesse de ses prix, ses chambres bien tenues et son accueil souriant, aux heures de présence.

⊝⊝ **Hôtel St-Jean** – *1 cours Pourtoules -* ☏ *04 90 51 15 16 - www.avignon-et-provence.com - fermé 1ᵉʳ janv.-15 fév. -* 🅿 *- 22 ch. 50/75 € - ⊐ 7 €.* Ancien relais de poste adossé à la colline St-Eutrope et voisin du théâtre antique. Salon original taillé dans la roche et chambres d'ampleurs variées.

Se restaurer

⊝ **Le Yaca** – *24 pl. Silvain -* ☏ *04 90 34 70 03 - fermé 28 oct.-24 nov., mar. soir et merc. - 11/23 €.* Ici, le patron se décarcasse ! Tout est fait maison, frais et vraiment pas cher dans ce petit restaurant situé à quelques enjambées du théâtre antique... Salle voûtée provençale avec lampes et fleurs sur les tables. Terrasse en été.

⊝ **Le Jardin d'Adrien** – *58 cours Aristide-Briand -* ☏ *04 90 51 63 04 - fermé merc. soir et jeu. - 13/30 €.* Sympathique petit restaurant abritant une salle aux tons orangés. Jolie terrasse d'été ombragée, dressée dans une courette intérieure. Cuisine plutôt traditionnelle, avec quelques notes teintées Sud : foie gras parfumé au muscat de Beaumes-de-Venise, carré d'agneau jus simple au romarin, etc.

⊝ **Les Acacias** – *Pl. G.-Clemenceau - 84100 Uchaux - 9 km au N d'Orange dir. Bollène par N 7, D 976 puis D 11 -* ☏ *04 90 40 60 59 - fermé mar. soir et sam. midi - 13/19 €.* Attablez-vous en fonction du temps dans la salle à manger aménagée dans des anciennes écuries ou en terrasse. Vous y dégusterez de bons petits plats traditionnels, des grillades et des pizzas cuites au feu de bois dans le four qui a pris la place de la forge ancestrale. Une adresse simple, qui fleure bon le Midi.

⊝ **Rom'antique** – *5 pl. Silvain -* ☏ *04 90 51 67 06 - fermé 1 sem. en fév., 1 sem. en mars, sam. midi et lun. - 14 € déj. - 18/22 €.* On n'accordera que peu d'attention au cadre et à la décoration, pourtant très corrects, une fois que l'on aura été servi : en effet, l'excellente qualité des plats proposés, parmi lesquels la pintade aux lentilles, ferait oublier tout le reste ! Pensée émue pour les desserts, petits trésors de finesse.

⊝⊝ **Le Pistou** – *15 r. Joseph-Ducos - 84230 Châteauneuf-du-Pape -* ☏ *04 90 83 71 75 - fermé janv., 23-30 juin, dim. soir, lun. et le soir de nov. à Pâques sf sam. - 21/25 €.* Petite adresse située au centre du bourg, dans une ruelle menant à la forteresse papale. La carte et les suggestions du jour y sont affichées sur ardoise, pour la plus grande gloire des saveurs du terroir (paupiette d'agneau au basilic, rosace de lotte avec sauce bouillabaisse, etc.).

⊝⊝ **La Garbure** – *3 r. Joseph-Ducos - 84230 Châteauneuf-du-Pape -* ☏ *04 90 83 75 08 - www.la-garbure.com - fermé janv., 15-30 nov., sam. midi, dim. midi, lun. midi en sais., dim. et lun. hors sais. - 16 € déj. - 23/45 € - 8 ch. 69/82 € - ⊐ 8 €.* Installé dans cette petite salle aux couleurs vives meublée avec soin, laissez-vous guider par votre appétit : les menus régionaux concoctés par le patron devraient vous plaire. Quelques chambres provençales pour prolonger l'étape.

Que rapporter

Marché provençal et des métiers d'art – Pl. de la République, de mi-juin à mi-septembre, samedi (9h-19h).

« Vinadéa » - Maison des vins – *8 r. du Mar.-Foch - 84230 Châteauneuf-du-Pape -* ☏ *04 90 83 70 69 - www.vinadea.com - mai-juin : 10h-13h, 14h-19h ; juil.-août : 10h-19h ; nov.-fév. : 10h-12h30, 14h-18h - fermé 1 sem. fin janv., 25 déc. et 1ᵉʳ janv.* Elle présente les vins de quelque 90 viticulteurs de l'appellation Châteauneuf-du-Pape. Vous y trouverez de gouleyantes cuvées blanches ou rouges, de vieux millésimes et un petit espace dédié à la librairie et aux cadeaux.

Chocolaterie artisanale Bernard Castelain – *Rte d'Avignon - 84230 Châteauneuf-du-Pape -* ☏ *04 90 83 54 71 - magasin@castelain.fr - tlj sf dim. 9h-12h, 14h-19h - fermé 1 sem. en janv., 1 sem. en août et j. fériés.* Cette chocolaterie abrite aussi un petit **musée** et une boutique de vente ; vous pourrez y déguster la spécialité maison : le palet des Papes.

Sports & Loisirs

Golf – *Rte de Camaret -* ☏ *04 90 34 34 04 - www.golforange.fr.* Parcours de 9 trous.

Événements

Chorégies – *Bureau de location : pl. Silvain (à côté du théâtre) -* ☏ *04 90 34 24 24 - www.choregies.com.* De début juillet à début août, le théâtre antique accueille ce festival consacré à l'opéra et aux concerts (symphoniques et lyriques). C'est tout d'abord l'occasion de voir de très grands et beaux spectacles, ensuite d'apprécier la grandeur du théâtre antique.

Spectacle romain – *Renseignements à l'office de tourisme au 04 90 34 70 88.* En été, au théâtre antique, une seule représentation d'un spectacle historique d'une durée de 1h30.

Aven d'**Orgnac**★★★

CARTE GÉNÉRALE A1 – CARTE MICHELIN LOCAL 331 I8 – ARDÈCHE (07)

On ne saura jamais assez remercier Robert de Joly pour cette remarquable découverte qu'il fit en août 1935. Ce qui n'était qu'un sombre gouffre a révélé un magnifique réseau de salles décorées d'une grande variété de concrétions. Façonnées par des eaux souterraines, les immenses salles ont enregistré les changements climatiques de l'ère quaternaire.

▷ **Se repérer** – À 15 km de Vallon-Pont-d'Arc, l'aven est situé à l'extrémité sud de l'Ardèche.

◷ **Organiser son temps** – Comptez une demi-journée pour la visite de l'aven et de ses environs.

⌘ **Pour poursuivre la visite** – Voir aussi les gorges de l'Ardèche et Vallon-Pont-d'Arc.

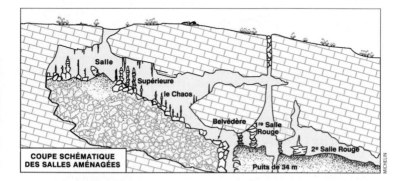

Visiter

L'aven

Ne descendez pas sans au moins un chandail ou une veste : la température avoisine 10,5 °C toute l'année dans le gouffre. La remontée des 120 m de déclivité se fait désormais en ascenseur.

☎ 04 75 38 65 10 - www.orgnac.com - visite guidée (1h) juil.-août : 9h30-18h ; avr.-juin et sept. : 9h30-17h30 ; du 1ᵉʳ oct. au 15 nov. : 9h30-12h, 14h-17h15 ; fév.-mars et vac. de Noël (grotte uniquement) : 10h30-12h, 14h-16h45 - fermé du 16 nov. au 31 janv. - visite accompagnée obligatoire pour la grotte, visite libre pour le musée - 9,40 € billet combiné grotte et musée (enf. 5,80 €).

👥 S'infiltrant par les calcaires fissurés, les eaux sont à l'origine de la formation de cet aven comme des stalagmites, qui n'ont pas bougé depuis 15 000 ans. Une faible lumière bleutée baigne la **salle supérieure** d'une atmosphère irréelle. Haute de 17 à 40 m, longue de 250 m et large de 125 m, cette salle possède de magnifiques stalagmites, de tailles imposantes. Comme des poissons parmi les coraux, vous sillonnez le gouffre en suivant le petit sentier balisé. Un jeu de lumière sans cesse renouvelé met en valeur successivement les multiples points d'intérêt du site. Au centre, les plus grosses stalagmites montrent des excroissances qui leur donnent l'aspect de « pommes de pin ». Elles n'ont pu, à cause de la hauteur de la voûte, se souder aux stalactites pour former des colonnes, mais elles se sont épaissies à la base, atteignant parfois un diamètre imposant. D'autres, plus récentes et plus grêles, en forme d'« assiettes empilées », les surmontent. Leur lente construction étant toujours en cours, vous aurez la chance, grâce à un savant éclairage, de voir « l'ouvrier au travail » : la goutte perlant au plafond, s'en décrochant pour une trajectoire vertigineuse achevée en

---

👁 **Le saviez-vous ?**

Robert de Joly (1887-1968) explora l'aven le 19 août 1935. Ce pionnier de la spéléologie, qui visita bon nombre de gouffres de la région, joua un rôle fondamental dans la mise au point du matériel et de la technique d'exploration. À tel point qu'en dernier hommage, l'urne contenant son cœur fut placée dans la niche d'une concrétion de la salle supérieure.

éclaboussures. Sur le pourtour de la salle, on remarque de frêles colonnettes. Certaines ont atteint une grande hauteur, les unes « en baïonnette », d'autres très droites. L'ensemble constitué de cristaux de chalcite scintille sous le feu des éclairages.

Dans la **salle du Chaos**, encombrée de concrétions tombées de la salle supérieure, les parois suintent d'une multitude de gouttes glissant cette fois-ci lentement sur des formes molles : elles forment alors les magnifiques « draperies » blanches ou colorées. Les couleurs sont issues des minerais présents dans le sol en surplomb : tons de vert pour le cuivre, de rouge et d'ocre pour le fer.

Au niveau du belvédère de la **salle Rouge**, les eaux d'infiltration, enrichies en carbonate de chaux par la traversée de la couche calcaire, ont permis aux concrétions de se multiplier.

Vous atteignez enfin le **Grand Théâtre**, tout d'abord plongé dans une obscurité totale. Vous êtes installé sur le belvédère quand toutes les lumières s'éteignent pour laisser place au clou du spectacle : le **son et lumière★★**. Sur fond de chant choral, un jeu d'éclairages, presque une chorégraphie, révèle par adroites touches successives, de plus en plus spectaculaires, la profondeur sans limite et le paysage tourmenté de la plus grande salle d'Orgnac.

Musée régional de Préhistoire

𝒞 04 75 38 65 10 - www.orgnac.com - &. *- mêmes conditions de visite que les grottes.* Les salles ordonnées autour d'un patio rassemblent les produits des fouilles pratiquées en Ardèche et dans le nord du Gard depuis le paléolithique inférieur jusqu'au début de l'âge du fer, soit de 350 000 à 600 ans av. J.-C. Des reconstitutions (cabane acheuléenne d'Orgnac 3, atelier de taille du silex ou grotte ornée de la Tête du Lion) introduisent le visiteur dans le mode de vie des hommes préhistoriques.

Circuits de découverte

GORGES DE L'ARDÈCHE★★★ 1 *(voir ce nom)*

PLATEAU D'ORGNAC 2

Circuit de 45 km au départ de l'aven d'Orgnac – schéma p. 130. Suivez la D 317 vers l'ouest jusqu'à Barjac.

Barjac

Célèbre dans toute la région pour ses deux brocantes annuelles, Barjac possède un quartier haut qui mérite une flânerie dans les ruelles que bordent des demeures 18e s., autour de son noble château reconverti en centre culturel (cinéma et médiathèque). De l'esplanade qui domine la plaine, belle vue sur les Cévennes.

Prenez au nord la D 979. À Vagnas, prenez à droite la D 355.

Labastide-de-Virac

Au nord de cette bastide fortifiée constituée de calades et de ruelles sous voûtes (point de départ d'excursions sur le plateau et dans les gorges) se dresse le **château des Roure**, édifié au 16e s. pour contrôler le passage des gorges de l'Ardèche au niveau du Pont d'Arc. Il arbore une cour de style florentin, une belle cheminée dans la grande salle du 1er étage et une magnanerie en activité (exposition de productions de soieries locales). Après avoir subi les assauts des camisards de Jean Cavalier en 1703, ce château est passé en 1825 aux métayers des comtes de Roure. La famille comptait alors dans ses membres le sculpteur James Pradier, auteur du décor de l'Arc de triomphe, à Paris. *𝒞 04 75 38 61 13 - www.chateaudesroure.com - juil.-août : 10h-19h ; de Pâques à fin juin et sept. : tlj sf merc. 14h-18h - 4,10 € (musée de la Soie), 5,50 € (château), 7,50 € (château et musée de la Soie).*

Après Labastide, sur la D 217, tourner à gauche.

La route permet de traverser **Les Crottes**, village martyre dont les habitants furent massacrés par les nazis le 3 mars 1944. Au **belvédère du Méandre de Gaud★★**, belle vue sur l'Ardèche et le cirque de Gaud.

Faire demi-tour et prendre la D 217 à gauche. Bientôt, sur la droite, une petite route permet d'accéder à l'aven de la Forestière.

Aven de la Forestière★

𝒞 04 75 38 63 03 - visite guidée (1h) de Pâques au 30 sept. : 10h-18h - 5,50 € (enf. 3,50 €). On remarquera l'extrême finesse des concrétions de la grande salle : cristallisations en forme de chou-fleur, longs macaronis pendant de la voûte, excentriques aux formes capricieuses, draperies de stalactites aux couleurs variées et imposant plancher de stalagmites mis en lumière. Un zoo cavernicole présente crustacés, poissons, batraciens et insectes.

Aven d'Orgnac pratique

Adresse utile

Office de tourisme – *1 pl. de l'Ancienne-Gare - 07150 Vallon-Pont-d'Arc - ☎ 04 75 88 04 01/41 09 - www.vallon-pont-darc.com - juil.-août : 9h-13h, 15h-19h, dim. et j. fériés 9h30-12h30 ; mai-juin et sept. : tlj sf dim. 9h-12h, 14h-18h (sam. 17h) ; avr. et oct. : tlj sf dim. 9h-12h, 14h-17h (sam. 16h) ; nov.-mars : tlj sf dim. 9h-12h, 14h-17h, sam. 9h-12h.*

Se loger

⌂ Chambre d'hôte Le Mas des Roches – *07150 Labastide-de-Virac - ☎ 04 75 38 63 12 - www.ardeche.com/tourism/roches - ⊠ - 6 ch. 38/53 € ⊡.* Ensemble d'hébergement au sein d'une propriété de plusieurs hectares. Au choix : chambres d'hôte (logées dans la maison principale) ou 9 maisonnettes neuves, sans vis-à-vis et accessibles par un petit chemin de terre. Belle piscine et terrasse fleurie.

⌂⊜ Hôtel de l'Aven – *Pl. de la Mairie - 07150 Orgnac-l'Aven - ☎ 04 75 38 61 80 - www.aven.sarrazin.com - fermé 15 nov.-1er juil. - ᗪ - 25 ch. 46/49 € - ⊡ 6,95 € - restaurant 19/36 €.* Même si, dans son ensemble, l'établissement n'est pas un modèle de confort, on sera satisfait de savoir que les chambres sont bien entretenues et que celles orientées plein sud disposent de la climatisation. Ajoutez à cela un restaurant correct proposant une carte variée, et vous obtenez une adresse très convenable.

⌂⊜ Chambre d'hôte La Sérénité – *Pl. de la Mairie - 30430 Barjac - 6 km à l'O de l'aven d'Orgnac par D 317 et D 176 - ☎ 04 66 24 54 63 - www.la-serenite.fr - fermé 1er Nov.-Pâques - ⊠ - 3 ch. 70/115 € ⊡.* Au cœur du village, demeure du 17e s. aux volets bleus tapissée de vigne vierge. Meubles chinés, bibelots, patine des murs, carrelages et tomettes personnalisent chaque chambre. Délicieux petit-déjeuner servi devant la cheminée ou sur la terrasse fleurie à la belle saison. Un vrai bijou !

Se restaurer

⌂⊜ Les Stalagmites – *07150 Orgnac-l'Aven - ☎ 04 75 38 60 67 - www.lesstalagmites.com - fermé 16 nov.-28 fév. - ᗪ - 17/25 € - 25 ch. 35/45 € - ⊡ 6,50 €.* Un hôtel-restaurant familial simple, très accueillant et vraiment pas cher, à dénicher dans le village même. Aux beaux jours, délaissez la sobre salle à manger pour vous attabler sous la tonnelle, afin d'y déguster de copieuses assiettes traditionnelles et régionales. Chambres modestes, plus récentes à l'annexe.

⌂⊜ La Chaise Longue – *30430 Barjac - ☎ 04 66 24 57 01 - 15 avr.-15 oct. et fermé merc. sf juil.-août - 24/37 €.* Cet ancien couvent invite à goûter au plaisir des nourritures terrestres (plats actuels) dans trois jolies petites salles voûtées ou sur une terrasse ombragée.

Sports & Loisirs

👁 Bon à savoir – La température (constante) dans la grotte est de **13 °C** : prévoir donc de se couvrir surtout au plus fort de l'été quand dehors il fait (très) chaud… sinon gare aux angines et bronchites !

S.IV.U. Orgnac - Issirac – *07150 Orgnac-l'Aven - ☎ 04 75 38 65 10 - www.orgnac.com - 9h-12h, 14h-17h - uniquement sur réserv. - groupes de 4 à 8 pers. (10 ans mini.) - 35 €.* Aux visiteurs passionnés s'offre la possibilité d'un contact unique et privilégié avec l'aven dans les premières salles des réseaux non aménagés (donc fermés habituellement à la visite). Cette promenade (3h) effectuée en groupe restreint présente peu de difficultés et ne requiert aucun effort physique particulier.

Odysée souterraine – *Sur demande uniquement. 58 €/pers.* Vous désirez avoir une approche privilégiée du milieu souterrain, vous êtes en bonne condition physique, alors n'hésitez pas ! Partez pour une journée d'aventures spéléologiques dans une partie non aménagée de ce vaste réseau souterrain. Accompagné d'un guide diplômé d'État, vous découvrirez un monde grandiose et magique peuplé de myriades de concrétions aux formes les plus étonnantes. Un moment inoubliable.

Pernes-les-Fontaines★

10 170 PERNAIS
CARTE GÉNÉRALE B2 – CARTE MICHELIN LOCAL 332 D10 – VAUCLUSE (84)

On la surnomme « perle du Comtat »… Dans cette petite ville, le temps, à l'ombre d'un haut donjon, semble suspendu. Placettes ornées de fontaines, ruelles enchevêtrées, c'est un lieu de flânerie idéal pour une longue soirée d'été, d'autant que les fameuses fontaines soufflent leur fraîcheur au passage et que des visites nocturnes commentées y sont organisées.

▷ **Se repérer** – Posée sur la Nesque, l'ancienne capitale du Comtat venaissin est située au carrefour de la D 28, venant d'Avignon (20 km à l'ouest), et de la D 138 joignant Carpentras (6 km au nord) à Cavaillon (21 km au sud).

🅿 **Se garer** – Quittant ces voies un peu trop fréquentées, laissez votre voiture au parking situé non loin de l'office de tourisme, sur la droite du cours Frizet (D 1, direction Mazan) afin de pouvoir explorer la ville à pied.

👁 **À ne pas manquer** – Une promenade dans le lacis de ruelles, à la recherche des plus jolies fontaines.

🕐 **Organiser son temps** – Armez-vous de patience si vous voulez voir toutes les fontaines, il y en a 40 ! Ne prévoyez pas moins de 2h pour vous promener dans les ruelles, surtout si vous vous laissez séduire par le charme tranquille de cette agréable bourgade au patrimoine remarquable.

👶 **Pour poursuivre la visite** – Voir aussi Carpentras, L'Isle-sur-la-Sorgue et Vénasque.

Le saviez-vous ?

👁 Il semble bien que le nom de Pernes vienne de celui d'un dénommé **Paternus**, probable propriétaire terrien installé jadis sur les lieux. Quant aux fontaines, *li font*, il suffit de les compter ! Elles sont au nombre de 40, et datent souvent du 18e s., époque où l'on a découvert une importante source près de la chapelle Saint-Roch.

👁 **Esprit Fléchier** (1632-1710), natif de Pernes, s'est illustré dans un genre littéraire qui faisait fureur au 17e s., l'oraison funèbre.

Se promener

À LA RECHERCHE DES FONTAINES

Compter 2h ou plus pour ceux qui souhaiteraient prolonger leur flânerie dans le lacis de ruelles de la vieille ville. Départ de l'église N.-D.-de-Nazareth (depuis l'office de tourisme, longer la Nesque).

L'**église Notre-Dame-de-Nazareth** date, dans ses parties les plus anciennes, de la fin du 11e s. Elle a conservé (côté sud) une belle porte dont la décoration, malheureusement très endommagée, est inspirée de l'antique.

En face, la Nesque, ombragée de saules, est franchie par un vieux pont qui conduit à la **porte Notre-Dame★**. Sur l'une des piles s'élève la minuscule chapelle N.-D.-des-Grâces.

Sitôt après la porte, sur la droite, se dresse une halle couverte du 17e s. En face, la **fontaine du Cormoran (E)** est peut-être la plus intéressante de la ville.

Prendre à droite la rue Victor-Hugo qui court parallèlement à la Nesque, puis la rue de Brancas et immédiatement à droite.

Tour de l'Horloge

📞 04 90 61 31 04 - www.ville-pernes-les-fontaines.fr - 10h-17h - fermé les jours de mauvais temps (mistral ou pluie) - gratuit.

Ce donjon est l'unique vestige du château des comtes de Toulouse. Depuis la terrasse, panorama sur la plaine du Comtat, le pays d'Avignon et, en arrière-plan, au nord et à l'est, les dentelles de Montmirail et le mont Ventoux.

De nouveau dans la rue Victor-Hugo, on passe devant le Clos de Verdun, bucolique et minuscule jardin public aménagé à l'emplacement d'un ancien moulin à huile.

Les fresques de la tour Ferrande valent le coup d'œil.

Tour Ferrande

🕿 *04 90 61 31 04 - www.ville-pernes-les-fontaines.fr - visite guidée (45mn) - juil.-août : tlj sf w.-end, dép. 10h ; reste de l'année : sur demande préalable à l'office de tourisme - fermé j. fériés - 2 € (gratuit -12 ans).*

Sur une placette qu'orne la fontaine de Guilhaumin, ou du Gigot, se dresse la tour Ferrande (13ᵉ s.), crénelée et enclavée dans les maisons. Le 3ᵉ étage renferme des **fresques** du 13ᵉ s. bien conservées.

Au bout de la rue Gambetta, la **porte de Villeneuve**, flanquée de deux tours rondes à mâchicoulis, est un vestige de l'enceinte du 16ᵉ s.

Revenir sur ses pas jusqu'à la rue de la République pour la prendre à droite.

Magasin Drapier

🕿 *04 90 66 58 69 - mi-juin à mi-sept. : 10h-12h, 15h-19h ; d'avr. à mi-juin et vac. de Noël : 14h30-18h - fermé lun. et de mi-sept. à fin mars - gratuit.*

Il abrite le charmant petit musée du Costume comtadin. Le magasin a conservé l'apparence d'une boutique d'étoffes du 19ᵉ s. Costumes, coiffes, châles de tradition comtadine garnissent abondamment les rayons.

En face, un portail surmonté d'un élégant balcon de fer forgé ouvre sur l'**hôtel de Vichet (G)** du 16ᵉ s. Passez devant l'hôtel de Villefranche du 17ᵉ s. Prenez à gauche la rue Barrau, où la **fontaine de l'Hôpital**, datant de 1760, fait face à l'hôtel des ducs de Berton, seigneurs de Crillon. On débouche bientôt sur la place Louis-Giraud, où s'élève le centre culturel des Augustins, installé dans une ancienne église.

Poursuivre rue des Istres qui débouche sur la place des Comtes-de-Toulouse, puis prendre à droite l'étroite rue Brancas.

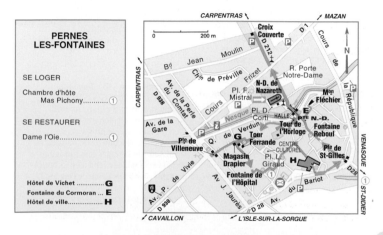

Hôtel de ville (H)

C'est l'ancien hôtel des ducs de Brancas, dont l'un fut maréchal de France et ambassadeur de Louis XIV en Espagne. Traversez la cour pour aller voir la fontaine entourée d'un portique.

Par l'avenue du Bariot, à gauche, rejoignez la **porte de Saint-Gilles** : cette tour carrée qui a conservé ses mâchicoulis faisait partie de l'enceinte du 14ᵉ s.

Franchir la porte et prendre la rue Raspail.

Au n° 214 *(en retrait)*, beau portail Louis XV de l'hôtel de Jocas. Vous passez ensuite devant la **fontaine Reboul**, ou « Grand Font », avec son décor en écailles de poisson.

Avant de retrouver la porte Notre-Dame, tourner à droite pour atteindre la place Fléchier.

Maison Fléchier

📞 04 90 61 31 04 - déb. avr. à mi-juin : tlj sf lun. 14h30-18h ; mi-juin à mi-sept. : tlj sf lun. 10h-12h, 15h-19h ; mi-déc. à déb. janv. : tlj sf lun. 14h30-18h - fermé le reste de l'année - possibilité de visite guidée (1h) - gratuit.

Lieu de naissance du célèbre orateur Esprit Fléchier, cet hôtel particulier du 17ᵉ s. présente, sur deux étages, les principales traditions provençales : salle à manger du 19ᵉ s. où la table dressée à l'occasion du « gros souper » de Noël n'attend plus que ses convives, chambre évoquant les « souhaits au nouveau-né », reconstitution d'un atelier de santonnier et d'une magnanerie (élevage de vers à soie).

Revenir sur la porte Notre-Dame, traverser le pont et continuer sur 200 m environ, après le cours Frizet.

Croix Couverte

Élégant monument quadrangulaire qui aurait été élevé au 15ᵉ s. par le Pernais Pierre de Boèt.

Circuit de découverte

INCURSION DANS L'EST DU COMTAT
Circuit de 50 km. Voir Carpentras.

Pernes-les-Fontaines pratique

♿ Voir aussi les encadrés pratiques de L'Isle-sur-la-Sorgue, Venasque et Carpentras.

Adresse utile

Office du tourisme de Pernes-les-Fontaines – Pl. Gabriel-Moutte - 84210 Pernes-Les-Fontaines - 📞 04 90 61 31 04 - www.ville-pernes-les-fontaines.fr - juil.-août : 9h-12h30, 14h30-19h, sam. 9h-12h30, 14h-18h, dim. 10h-12h30 ; avr.-juin et sept.-oct. : 9h-12h, 14h-18h, sam. 9h-12h, 14h-17h, fermé dim. ; nov.-mars : 9h-12h, 14h-17h, sam. 9h-12h30, fermé dim.

Visites

Visites guidées – *Réservations conseillées à l'office de tourisme. Du 1ᵉʳ juin au 15 sept., l'office de tourisme propose des visites guidées de la ville (env. 2h, dép. mar. et jeu. à 10h - 3 €) et une visite « Pernes Insolite » (env. 2h, dép. jeu. à 17h30, 6 €).*

Se loger

⌂⊜ **Chambre d'hôte Mas Pichony** – 1454 rte de St-Didier (RD 28) - 📞 04 90 61 56 11 - www.maspichony.com - fermé nov.-mars - 🚫 - 6 ch. 70/86 € ☐ - restauration (soir seul.) 26 €. Le vieux mas, les amandiers et la vue sur le mont Ventoux : cette maison, posée au milieu des vignes, a des allures de carte postale provençale. Cinq chambres à la décoration soignée et piscine. Les propriétaires font également table d'hôte.

Se restaurer

⌂⊜ **Dame l'Oie** – 56 r. Troubadour-Durand - 📞 04 90 61 62 43 - fermé 15-28 fév., mar. midi et lun. - 16/30 €. Sur la fontaine en pierre trône une oie bien grasse, le décor provençal s'égaye d'une riche collection d'oies miniatures, la vaisselle de Limoges a les rondeurs de l'oie et la table se fend d'un « caprice de dame l'oie »… « L'ouïe de l'oie oie », ajouterait malicieusement Raymond Devos ! Saveurs classiques et vins de terroir.

Pont du Gard★★★

CARTE GÉNÉRALE A2 – CARTE MICHELIN LOCAL 339 M5 – GARD (30)

Affluent du Rhône ayant donné son nom à un département, le Gard présente la particularité rare de ne pas exister… du moins sous ce nom. Formé par l'adjonction de multiples cours d'eau, les Gardon (réputés pour leurs redoutables *gardonnades*), il conserve l'appellation de Gardon jusqu'à son embouchure. L'une des merveilles de l'Antiquité, ouvrage grandiose édifié au 1er siècle, le Pont du Gard, serti dans un cadre superbe, mériterait presque à lui seul une halte en Provence.

Le Pont du Gard, la partie la plus spectaculaire de l'aqueduc de Nîmes.

- **Se repérer** – Le pont routier étant fermé à la circulation motorisée, vous avez le choix entre l'une ou l'autre rive… La rive gauche, par la D 19 (en direction d'Uzès), où se trouve le point d'accueil et un grand parking (800 places, payant) ; ou bien la rive droite, que vous atteindrez en franchissant le Gardon à Remoulins (parking tout aussi payant de 600 places).

- **À ne pas manquer** – La star : le pont lui-même ; une fois l'hommage rendu, revenez sur vos pas pour découvrir le passionnant musée qui décrypte ses moindres secrets ; une visite guidée de l'arche supérieure (*voir l'encadré pratique*).

- **Organiser son temps** – D'une heure à une journée, le site est organisé de façon à répondre à tous les emplois du temps, été comme hiver (la saison la plus tranquille, évidemment). Le monument lui-même est désormais entouré d'un bâtiment d'accueil et d'un parc. Les activités sont nombreuses, du sentier commenté dans la garrigue aux illuminations nocturnes (*voir l'encadré pratique*). Sachez enfin que les espaces de découverte sont fermés tous les lundis matin, 15 jours en janv. pour cause de maintenance.

- **Avec les enfants** – L'espace de jeux Ludo, pour s'improviser archéologue ; l'été, « Les plages du Pont du Gard » (*voir l'encadré pratique*).

- **Pour poursuivre la visite** – Voir aussi Uzès ; pour les passionné d'histoire antique, voir aussi Arles, Nîmes, Orange, Saint-Rémy et Vaison-la-Romaine (*se reporter au chapitre « La Provence antique », p. 13*).

Comprendre

Le pont – Rarement une œuvre humaine ne s'est insérée dans le paysage de façon aussi « naturelle ». Car la performance technique n'est pas tout ; ses vieilles pierres mordorées, l'étrange sensation de légèreté, inattendue dans un ouvrage aussi colossal, le cadre de collines couvertes d'une végétation méditerranéenne, les eaux vertes du Gardon dans lesquelles le pont mire ses arches, le ciel d'un bleu intense, chacun de ces éléments contribue à un merveilleux spectacle que vous ne vous lasserez pas de contempler sous divers points de vue : depuis le pont lui-même quand les arcades semblent jouer avec les rayons du soleil rasant, depuis les rives, du haut des collines…

Un aqueduc pour Nîmes - Les Romains attachaient une grande importance à la qualité des eaux dont ils alimentaient leurs cités. Captée de préférence sur le versant nord des collines, l'eau était conduite dans un canal voûté et entièrement maçonné, pourvu d'ouvertures d'aération ainsi que de purgeurs pour

vidanger, nettoyer et réparer. Qu'un accident de terrain se présente et on le franchissait au moyen de ponts, de tranchées, de tunnels ou de siphons. **Les hommes** transportaient sans doute les blocs sur des barges après avoir mis en eau la carrière. Puis ils les élevaient avec des palans, le treuil étant constitué par un tambour de bois que faisaient tourner des « hommes-écureuils ». On estime que les travaux n'ont pas duré plus de cinq ans. Ainsi, l'aqueduc de Nîmes, qui captait les eaux des sources de l'Eure, près d'Uzès, long de près de 50 km, avait une pente moyenne de 24,8 cm par kilomètre, plus forte en amont du pont afin de réduire le plus possible la hauteur de cet ouvrage. Son débit était d'environ 20 000 m^3 d'eau, distribuée chaque jour dans la cité par le *castellum*. À partir du 4e s., il ne fut plus guère entretenu, les dépôts calcaires s'accumulant jusqu'à obstruer aux deux tiers la conduite. Au 9e s., il était devenu inutilisable et les riverains prélevèrent une grande partie des pierres et des dalles pour leurs propres constructions.

Visiter

Le Portal
Ce vaste bâtiment semi-enterré est situé entre le parking de la rive gauche et le pont.

Musée – La visite de cette exposition interactive et multimédia, consacrée pour l'essentiel à la question de l'eau à l'époque de la *Pax romana*, est passionnante ! Grâce à des vidéos, fac-similés d'objets, photographies, bornes interactives, vous découvrirez le système des égouts dans une ville antique et l'art de vivre des Romains, dont une bonne partie de la journée se passait aux thermes.

Mais pour cela, il fallait faire venir l'eau jusqu'à la ville, parfois de fort loin : comment les ingénieurs romains ont-ils résolu cette question ? C'est l'objet de la seconde partie de l'exposition qui traite de l'aqueduc. Le fameux pont est le plus spectaculaire élément parmi les quelque 25 ouvrages d'art (ponts, bassins de régulation et même tunnels, comme à Sernhac), dont quelques tronçons sont encore visibles dans la garrigue, entre la source de l'Eure et Nîmes. Le GR 6 permet aux plus vaillants de le suivre : c'est la seule façon de mesurer véritablement toute l'ampleur de cet extraordinaire ouvrage d'art. Enfin, les travaux de construction du pont proprement dit sont évoqués avec un grand luxe de détails.

Ludo – 🧒👤 Dans cet espace de jeux, on s'improvise archéologue en interprétant les traces du passé, on suit la vie quotidienne d'un enfant romain et on apprend à apprivoiser l'eau ou à découvrir la faune et la flore de la garrigue.

Cinémascope – Les plus intéressés d'entre vous prolongeront la visite par la vision d'un film, *Le Vaisseau du Gardon (30mn)*.

Médiathèque – Ouvrages, revues et sites Internet sont à votre disposition pour compléter vos connaissances.

Mémoires de garrigue
1,4 km (1 à 2h). Ce sentier de découverte serpente à travers un paysage méditerranéen reconstitué. Les terres entourant le site, longtemps délaissées, ont été remises en culture : oliviers, vignes, mûriers, arbres fruitiers, céréales… Cette agréable promenade vous permettra de mieux connaître le milieu naturel des garrigues, mais aussi l'activité agraire traditionnelle dont elles sont le cadre.

Le pont★★★
Bâti en blocs colossaux de 6 à 8 tonnes hissés à plus de 40 m de hauteur, il enjambe la vallée du Gardon. Afin de rompre toute sensation de monotonie, les trois étages d'arcades sont en retrait l'un sur l'autre et l'architecte a su varier, dans un même étage, la dimension des arcs. Les arches sont faites d'anneaux indépendants accolés, ce qui donne à la masse beaucoup d'élasticité en cas de tassement. Les pierres saillant sur les façades supportaient les échafaudages. Les bancs de pierre qui apparaissent sous les

arcades servaient de points d'appui aux cintres de bois utilisés pour l'établissement des voûtes. Des escaliers et des sentiers en accès libre, rive droite, permettent d'aller sous le pont ou de l'admirer de haut.

Aux alentours

Jardins du château de Saint-Privat

Laisser la voiture sur le parking de la rive droite du Pont du Gard. ✆ *04 66 37 36 36 - mai-juin et 15 août-15 nov. : w.-end et j. fériés 15h (point de rendez-vous : café des Terrasses, rive droite) - 6,50 € (enf. 3,50 €).*

Dans un site des plus romantiques, ce château à la fois palais et forteresse a été bâti sur une ancienne commanderie de **Templiers** qui a elle-même succédé à une villa gallo-romaine. Parmi les hôtes illustres du château : Catherine de Médicis accompagnée des futurs Henri III et IV, Louis XIII et Richelieu qui y reçurent la capitulation des protestants nîmois en 1629. Vous découvrirez, près de la chapelle du 18e s., un avant-parc planté de micocouliers et de mûriers, un parc dont les arbres vénérables entourent le bassin de Neptune et un beau jardin à la française surplombant le Gardon.

Pont du Gard pratique

♿ Voir aussi l'encadré pratique d'Uzès.

Stationnement

Parking sur chaque rive 7h-1h. 5 € la journée, gratuit si vous prenez le forfait site à la journée *(voir tarifs)*. Si vous comptez revenir plusieurs fois, optez pour la carte d'abonnement annuel (10 €).

Renseignements

Accueil téléphonique – ✆ *0 820 903 330 (0,12 €/mn).* Pour tous renseignements. sur le site et les activités

Horaires

Les espaces de découverte intérieurs sont fermés lun. matin et 2 sem. en janv.

Musée, Ludo, Ciné et expositions temporaires – ♿. De mi-avr. à déb. oct. : 9h30-19h ; de déb. nov. à mi-avr. : 10h-17h30.

Médiathèque – 14h-17h.

Mémoires de garrigue – De déb. avr. à mi-oct. : 9h30-18h.

Tarifs

Accès gratuit au Pont, à l'espace Mémoires de garrigue et à la médiathèque.

À l'unité – Musée : 6 €, Ludo : 4,50 €, Cinémascope : 3 €, livret *Mémoires de garrigue* : 4 €.

Forfait site à la journée – 10 € (6-17 ans : 8 €). Accès aux sites, livret *Mémoires de garrigue* et parking compris.

Forfait famille journée – 20 €. 2 adultes accompagnés de 1 à 4 enfants.

Visite guidée de la canalisation – Env. 1h30, juil.-août, 3 dép./j. - 6 €.

Se loger

🛏🛏 **Le Colombier** – *30210 Remoulins -* ✆ *04 66 37 05 28 - hotelresto.colombier@ free.fr -* 🅿 *- 18 ch. 49 € -* 🍽 *7,50 € - restaurant 17/25 €.* Maison centenaire

et sa jolie galerie-terrasse où l'on sert les petits-déjeuners. Les chambres situées à l'étage sortent d'une efficace cure de rajeunissement. Salle à manger au décor provençal et cuisine traditionnelle sans fioritures dans les assiettes.

🛏🛏 **Chambre d'hôte La Terre des Lauriers** – *Pont du Gard, rive droite - 30210 Remoulins -* ✆ *04 66 37 19 45 - www.laterredeslauriers.com - fermé vac. scol. de fév. et 2 sem. en déc. -* 🗄 *- 4 ch. + 2 gîtes 70/98 €* 🍽. Cette maison tapissée de vigne vierge se trouve au cœur d'un parc de 6 ha. Les chambres climatisées allient espace et confort et se parent de jolies couleurs. Un peu à l'écart, une bergerie du 18e s. et un confortable chalet offrent plus d'indépendance. Agréable piscine et rivière en contrebas.

🛏🛏 **Chambre d'hôte Vic** – *Mas de Raffin - 30210 Castillon-du-Gard - 4 km au NE du Pont du Gard par D 19 et D 228 -* ✆ *04 66 37 13 28 - www.chambresdhotes-vic.com -* 🗄 *- 4 ch. 70/90 €* 🍽. Ferme viticole rénovée dont les chambres, aux tons rouges et jaunes, associent avec bonheur vieilles pierres et décoration moderne. Certaines sont voûtées, d'autres ont une mezzanine. En été, petit-déjeuner sous le mûrier. Piscine, spa et hammam.

Se restaurer

🍽 **Le Presbytère** – *Pl. de la Madone - 30210 Argilliers -* ✆ *04 66 58 06 15 - fermé de mi-nov. à mi-mars, lun. et mar. - 12/15,60 €.* Une fois passé l'étonnement provoqué par sa situation insolite (un ancien presbytère restauré), on apprécie la grande simplicité des lieux, tant dans la décoration que sur la carte. Si le choix peut paraître restreint, on trouvera assurément son bonheur entre plats traditionnels et pizzas…

⊖⊜⊜ **L'Amphitryon** – *Pl. du 8-Mai-1945 - 30210 Castillon-du-Gard - 4 km au NE du Pont du Gard par D 19 et D 228 - ℘ 04 66 37 05 04 - fermé 15-28 fév., 15-30 nov., mar. et merc. hors sais. - 39/67 €.* Voûtes et pierre pour la salle à manger aménagée dans une ancienne bergerie ; joli patio accueillant les repas en été. Cuisine régionale actualisée et ambiance conviviale.

Sports & Loisirs

Baignade – Plages artificielles au bord du Gardon. Attention aux remous, aux trous d'eau et… aux gardonnades soudaines et imprévisibles.

▲⚊ **Kayak Vert** – *Berges du Gardon - A 9 sortie Remoulins - 30210 Collias - ℘ 04 66 22 80 76 - www.canoe-france.com/gardon - 9h-19h - fermé 15 déc.-15 janv.* Kayak Vert propose des descentes du Gardon en canoë ou en kayak à partir de Collias. Cette rivière de classe 2 ne présente pas de dangers et cette activité peut donc être pratiquée par tous. Rafraîchissant !

Événements

La garrigue en fête - Week-end de Pâques. Marché de producteurs, pique-nique *(sur réserv., payant)*, animations.

Les plages du Pont du Gard – 15 juillet-15 août. La rive droite est aménagée pour le confort des visiteurs.

L'été au Pont du Gard – Juillet-août : concerts, spectacles et expositions sur le site, en extérieur et à l'intérieur.

Mise en lumière du Pont du Gard – Juillet-août : tous les soirs, 40mn après la tombée de la nuit (juin et septembre : vendredi et samedi).

Pont-Saint-Esprit

9 265 SPIRIPONTINS
CARTE GÉNÉRALE A1 – CARTE MICHELIN LOCAL 339 M3 – GARD (30)

Un pont audacieux lancé sur le Rhône, édifié entre 1265 et 1309 par une confrérie placée sous le signe du Saint-Esprit, un peu en amont du confluent avec l'Ardèche, a favorisé l'éclosion de cette petite cité négociante qui a conservé quelques belles demeures anciennes et sa vocation de marché.

▶ **Se repérer** – On ne peut faire moins que de traverser le Rhône sur le pont… (venant de Bollène, à 9 km au nord-est, ou d'Orange, à 24 km au sud-est) avant d'emprunter, après le grand carrefour de l'Europe, le boulevard Gambetta sur la gauche puis, encore à gauche, le boulevard Carnot, de façon à pouvoir laisser la voiture sur les allées Jean-Jaurès.

🕐 **Organiser son temps** – Pont-Saint-Esprit constitue une étape agréable sur la route des gorges de l'Ardèche. En plein été, quand celles ci sont bondées, pourquoi ne pas faire de Pont-Saint-Esprit, certes un peu excentré mais tranquille, votre base de séjour ?

👈 **Pour poursuivre la visite** – Voir aussi les gorges de l'Ardèche et Bagnols-sur-Cèze.

La cité et son pont enjambant le Rhône.

Se promener

C'est un pont… mais ce n'est pas qu'un pont, car sa situation en fit dès le Moyen Âge un important lieu d'étape dont la ville a conservé quelques traces.

Au départ de l'allée J.-Jaurès.

Rue Saint-Jacques

Elle est bordée de logis anciens tels l'**hôtel de Roubin**, du 17ᵉ s. (au nº 10), et surtout la **maison des Chevaliers** (au nº 2). Il est assez rare qu'une maison soit occupée pendant huit siècles par la même famille… C'est pourtant le cas de cette maison, édifiée au 12ᵉ s. et habitée jusqu'en 1988 par les Piolenc, grande famille de négociants de la vallée du Rhône. Maintenant, cet hôtel particulier à la jolie baie romane géminée abrite aujourd'hui le musée d'Art sacré du Gard *(voir « Visiter »)*, dont la visite permet de découvrir en particulier les deux salles d'apparat superposées de Guillaume de Piolenc (plafonds peints avec écus armoriés). Plus loin, l'ancienne **maison de ville** abrite le musée Paul-Raymond *(voir « Visiter »)*.

Suivre la rue du Haut-Mazeau.

Place Saint-Pierre

Elle est encadrée au nord par l'église paroissiale du 15ᵉ s., au sud-ouest par la façade baroque de la chapelle des Pénitents, et au sud par l'ancienne église Saint-Pierre du 17ᵉ s. La **terrasse** donnant sur le Rhône offre une belle vue d'ensemble du pont.

Un escalier monumental à double volée conduit au quai de Luynes que l'on suit jusqu'au pont. À gauche, presque au pied de celui-ci, la **maison du Roy** est percée de baies Renaissance.

Le pont

Long de près de 1 000 m, il a conservé 19 arches anciennes sur 25. Les remous du fleuve, l'impétuosité de son courant et l'étroitesse des arches entraînèrent maints naufrages de bateliers. Ainsi les deux premières arches furent-elles remplacées par une arche unique. À l'origine, il était défendu à ses extrémités par des bastilles, et en son milieu par deux tours, ouvrages défensifs aujourd'hui démolis. Depuis le pont, belle vue en aval sur le Rhône et la ville.

Du centre de l'esplanade, on aperçoit le portail flamboyant (15ᵉ s.) de l'ancienne **collégiale du Plan**, ainsi que des vestiges de la citadelle fortifiée au 17ᵉ s. par Vauban.

Revenir sur ses pas et emprunter la vieille rue des Minimes, puis la rue du Couvent pour rejoindre les rues Bas-Mazeau, Haut-Mazeau et Saint-Jacques.

Visiter

Musée d'Art sacré du Gard

2 r. Saint-Jacques. ☎ 04 66 39 17 61 - ♿ - juil.-août : tlj sf lun. 10h-19h ; sept.-juin : tlj sf lun. 10h-12h, 14h-18h - possibilité de visite guidée (1h30 à 2h) - fermé j. fériés - 3 € (enf. 2 €) gratuit 1ᵉʳ dim. du mois (oct.-juin).

L'ambition de ce musée est de mieux faire comprendre le patrimoine religieux en familiarisant le public avec ses rites et leur signification… un peu oubliés aujourd'hui. Les salles du rez-de-jardin proposent une réflexion sur la place de la Bible face à la science et sur le sens du sacré. L'ancienne tour dominant le jardin est réservée aux crèches et aux santons des 18ᵉ et 19ᵉ s. tandis qu'une salle conserve une collection de reliquaires domestiques dont quelques « paperolles », tableaux composés de papiers roulés formant décor autour des reliques. Parmi les œuvres exposées, outre un émouvant *Christ à l'agonie* polychrome (17ᵉ s.), on remarquera l'*Adoration des Mages* par Nicolas Dipre (vers 1495). Enfin, la pharmacie de l'hôpital du Saint-Esprit (bel ensemble de céramiques hispano-mauresques médiévales) et un petit cabinet d'apothicaire complètent la visite.

La **cour royale de justice★** constitue un magnifique écrin pour *Le Mystère de la chute des anges*, retable de 1509-1510 dû au primitif provençal Raymond Boterie.

Musée Paul-Raymond

Pl. de l'ancien Hôtel-de-Ville. ☎ 04 66 39 09 98 - juil.-août : tlj sf lun. 10h-12h, 15h-19h ; sept.-juin : tlj sf lun. et sam. 10h-12h, 14h-18h, possibilité de visite guidée sur demande préalable (1h) - fermé fév. et j. fériés - 2,10 €, gratuit 1ᵉʳ dim. du mois (oct.-juin).

👁 Le saviez-vous ?

La cité est le berceau d'une lignée de nobliaux provençaux qui allaient connaître un destin national. La raison ? Charles, marquis d'Albert et futur **duc de Luynes** (1578-1621), était habile à dresser les faucons et, ce qui ne gâtait rien, fort joli garçon. Quant à en faire un ministre… il n'y avait qu'un pas que Louis XIII n'hésita guère à franchir en le nommant connétable du royaume.

Il abrite sur deux étages l'œuvre du peintre **Benn** (1905-1989), dont les tableaux illustrent divers thèmes religieux. Au sous-sol se trouve l'ancienne glacière de la ville (1780).

Aux alentours

Chartreuse de Valbonne

À Saint-Paulet-de-Caisson, 10 km à l'ouest de Pont-Saint-Esprit par la D 23. ℘ 04 66 90 41 24 - 10h-12h30, 13h30-17h30, w.-ends jusqu'à 18h (dernière entrée 30mn av. fermeture) ; oct.-avr. : 10h-12h30, 13h30-17h30, visite guidée sur réserv. - fermé 1er janv. et 25 déc. - 5 €.

Fondée en 1203 et reconstruite aux 17e et 18e s., elle fut habitée par des moines chartreux jusqu'en 1901. C'est un pasteur qui racheta les lieux en 1926 pour y fonder une léproserie. Aujourd'hui occupé par un établissement de réinsertion socio-professionnelle, ce long bâtiment flanqué de tourelles de style provençal enfouit ses tuiles vernissées au cœur d'une épaisse forêt. Une **cellule** reconstituée rassemble le mobilier et les objets évoquant la vie quotidienne des chartreux. *Possibilité de visite dans le cadre des visites guidées de la chartreuse.* L'accès à la cour d'honneur se fait par un portail du 17e s. En face s'élève l'église, à la riche **décoration intérieure**★ (stalles sculptées dans le chœur). Par un passage à droite, on gagne l'une des galeries de l'immense cloître vitré ouvrant une perspective de plus de 100 m sur laquelle donnaient les cellules des moines, aujourd'hui reconverties en chambres d'hôtel.

Pont-Saint-Esprit pratique

♿ Voir aussi les encadrés pratiques des gorges de l'Ardèche et de Bagnols-sur-Cèze.

Adresse utile

Office du tourisme de Pont-Saint-Esprit – *Av. Kennedy - 30130 Pont-St-Esprit - ℘ 04 66 39 44 45 - www.ot-pont-saint-esprit.fr -juil.-août : 9h-19h, dim. 9h-12h ; reste de l'année : se renseigner.*

Se loger

⊜⊜ **Hôtel de la Bourse** – *6 pl. de la République - ℘ 04 66 39 20 44 - www.hoteldelabourse.com - 12 ch. 52/65 € - ⊡ 7,50 €.* Si l'on arrive à passer outre quelques détails secondaires, on trouvera son bonheur dans cet hôtel du centre-ville. Chambres spacieuses, sans fioritures, mais avec tout le confort moderne. Certaines disposent même d'une terrasse privative donnant sur la place.

Se restaurer

⊜ **Le Rosalbin** – *Allée Frédéric-Mistral - ℘ 04 66 33 15 69 - fermé fin janv. et fin sept., dim. soir et lun. - formule déj. 11 € -* 19/25 €. Installé sur l'une des allées principales du centre-ville, ce tout jeune restaurant offre la fraîcheur d'une cuisine du marché, améliorée d'une pointe de couleur provençale. Service souriant et décoration sympathique avec, en salle comme en terrasse, un style bistrot rehaussé d'un zeste contemporain.

⊜ **Le St-Pancrace** – *Rte de Barjac - 3 km au NO de Pont-St-Esprit dir. gorges de l'Ardèche - ℘ 04 66 39 47 81 - s.pagano@libertysurf.fr - fermé sam. midi et merc. - 12/38 €.* Connue des habitants de la région, cette adresse doit sa réputation à la qualité de sa cuisine et à la gentillesse de l'accueil. Salles à manger lumineuses et terrasse d'été dressée dans le jardin. Belle sélection de vins de la vallée du Rhône.

Événement

Rencontres musicales internationales de Pont-Saint-Esprit – *℘ 04 66 39 44 45.* Concerts classiques durant la 2e semaine d'août.

Roussillon★★

1 161 ROUSSILLONNAIS
CARTE GÉNÉRALE C2 – CARTE MICHELIN LOCAL 332 E10 – SCHÉMA P. 125 – VAUCLUSE (84)

Rouge comme la terre qui l'entoure, rouge comme son nom, le village de Roussillon entremêle ses maisons aux façades badigeonnées d'ocre. Le couchant révèle une palette de couleurs toute en nuances, du jaune au rouge, composant un tableau de rêve, fort apprécié des nombreux groupes de touristes qui s'y pressent.

▶ **Se repérer** – Venant d'Apt (12 km au sud-est) ou de Gordes (10 km à l'ouest), vous aboutirez au parking de la place du Pasquier, où vous pourrez laisser votre voiture. En plein été, inutile d'espérer vous y garer : prenez le premier emplacement que vous trouverez sur les routes d'accès, et sachez que tout stationnement dans la commune est alors payant !

👁 **À ne pas manquer** – Une balade dans les ruelles badigeonnées d'ocre du village, avant de retrouver l'ocre dans les carrières et à l'usine.

🕐 **Organiser son temps** – À Roussillon, une promenade au soleil couchant a deux avantages : les foules ont quitté le village et ce dernier se trouve alors illuminé par les rayons rasants. Au printemps et à l'automne, le village retrouve un semblant de tranquillité, plus propice aux rêveries esthétiques.

👪 **Avec les enfants** – Le Conservatoire des ocres et le sentier des ocres.

🕯 **Pour poursuivre la visite** – Pour compléter vos circuits dans le Luberon, voir aussi Apt, Ansouis, La Tour-d'Aigues, Bonnieux, le Luberon, Ménerbes et Gordes. Pour vous plonger dans des paysages d'ocre, quasi uniques en France, voir aussi le circuit de l'ocre d'Apt.

Comprendre

Pour la petite histoire – Un Roussillonnais, **Jean-Étienne Astier**, eut l'idée à la fin du 18e s. de laver le sable ocreux pour en extraire le pigment pur et fit naître l'industrie qui allait apporter au village sa renommée. Outre la fabrication du pigment utilisé pour les peintures et badigeons, l'**ocre** avait diverses applications industrielles parfois insolites : mélangée à l'hévéa, elle entrait dans la composition du caoutchouc ; on en faisait des chambres à air, des élastiques, du linoléum, la peau des saucisses de Strasbourg et… on en colorait le papier des Gitanes maïs.

Découvrir

TERRES D'OCRES

Un séjour à Roussillon sera l'occasion de découvrir, outre un merveilleux village, l'ocre dans tous ses états, depuis les carrières où elle était extraite jusqu'aux murs auxquels elle donne leur éclat, en passant par l'usine où elle était transformée.

Ludovic Campion / MICHELIN

Un village perché dont les murs rougissent au soleil.

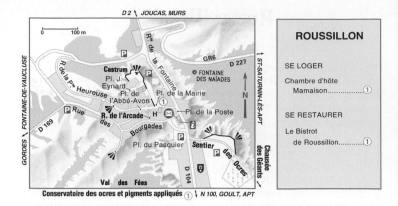

Conservatoire des ocres et pigments appliqués ① \ N 100, GOULT, APT

Sentier des ocres★

Départ devant le cimetière, face à la place Pasquier. De déb. mars au dim. qui suit le 11 nov. - 2 € (–10 ans : gratuit). Dans le site, il est interdit de prélever de l'ocre, de fumer et de pique-niquer. Fermé en cas de pluie.

🔭 *1 km. Compter 1h.* Ce sentier aménagé, balisé et agrémenté de panonceaux didactiques permet de découvrir la flore particulière des collines d'ocres (yeuses, chênes blancs, genévriers…) ainsi que les étonnants paysages formés par les anciennes carrières : l'action de l'homme mais aussi de l'érosion ont sculpté ces **aiguilles de Fées** au-dessus de la fameuse **chaussée des Géants★★** (le sentier des ocres est l'unique moyen d'accès à ce dernier site).

Conservatoire des ocres et pigments appliqués★

Situé sur la route d'Apt (D 104), à 1 km environ de la place Pasquier. ☎ 04 90 05 66 69. www.okhra.com - 🦽 - visite guidée (1h), non obligatoire mais recommandée - Juil.-août : tlj 9h-19h ; reste de l'année : 9h-18h - fermé lun. (sf pendant les vac. scolaires) - fermé 2 sem. en janv. - 5 € (–10 ans gratuit).

👥 Dans cette usine, fermée en 1963, on transformait l'ocre extraite des carrières et apportée ici en wagonnets. La première étape consistait à éliminer un maximum de sable en le versant dans un batardeau avec de l'eau.

Après malaxage, le sable se déposait au fond et l'ocrier, grâce à un jeu de bouchons, évacuait le mélange d'ocre et d'argile vers les bassins de décantation après avoir évalué la teneur en sable… en le goûtant. À l'étape suivante, l'ocre reposait dans des bassins (un par couleur). L'argile se déposait au fond et l'eau était alors évacuée. Plusieurs couches successives étaient ainsi amenées dans les bassins jusqu'à la fin de l'hiver et mises à sécher tout l'été. Lorsqu'elles avaient la consistance de la pâte à modeler, elles étaient découpées en briques. Enfin, elles étaient conduites au four où s'achevait le séchage (certaines ocres rouges étaient obtenues en cuisant une ocre jaune à 450 °C), puis au moulin où elles étaient broyées et mises dans des sacs ou des tonneaux.

Se promener

Village★

Avec ses ruelles étroites, parfois en escaliers, ses maisons imbriquées dont les façades badigeonnées d'ocre rivalisent de couleur et d'harmonie, ses galeries où artistes et potiers exposent leurs créations, les vues que l'on découvre soudain au hasard d'une échappée, le village de Roussillon est un enchantement continuel, en particulier à la tombée du jour lorsque les rayons rasants du soleil viennent illuminer les façades.

Vous pouvez prendre, à gauche de l'office de tourisme, la rue des Bourgades puis vous engager dans la rue de l'Arcade, venelle à degrés en partie couverte. Par la place Pignotte, gagnez le chemin de ronde : vue sur les **aiguilles du val des Fées**, entailles verticales dans une falaise d'ocre couronnée de pins aux silhouettes torturées. Passant sous la tour du Beffroi, gagnez le **castrum** *(fléchage)*. De cette plate-forme, vue panoramique avec, au nord, le mont Ventoux, au sud, le Grand Luberon avec le Mourre Nègre et, perché sur son roc, au nord-ouest, le village de Gordes.

Par la rue des Bourgades, vous rejoindrez votre voiture.

Roussillon pratique

& Voir aussi les encadrés pratiques d'Apt, de Bonnieux, de Gordes, du Luberon, de Ménerbes, d'Ansouis et de La Tour-d'Aigues.

Adresse utile

Office du tourisme de Roussillon – *Pl. de la Poste - 84220 Roussillon - ℘ 04 90 05 60 25 - www.roussillon-provence.com - juil.-août : 10h-12h, 14h-17h30, dim. 13h30-17h30 ; reste de l'année : tlj sf dim. 10h-12h, 14h-17h30 - fermé 1ᵉʳ janv., 1ᵉʳ et 11 Nov. et 25 déc.*

Se loger

⊖⊖⊖ **Chambre d'hôte Mamaison** – *Quartier Les Devens - 4 km au S de Roussillon, dir. Apt, puis D 149 - ℘ 04 90 05 74 17 - www.mamaison-provence.com - fermé 15 oct.-1ᵉʳ mars - 6 ch. 82/155 € ☒.* Digne d'une couverture de magazine de décoration, ce mas de caractère datant du 18ᵉ s. ! Artistes peintres, les propriétaires ont pensé à tout pour votre plaisir : parc, verger, piscine, chambres personnalisées avec poutres, tomettes et beau mobilier… Quand venez-vous ?

Se restaurer

⊖ **Le Bistrot de Roussillon** – *Pl. de la Mairie - ℘ 04 90 05 74 45 - fermé sam. midi en juil.-août - 15/25 €.* Un petit bonheur, cette terrasse derrière la maison, offrant la vue sur les toits du village et le val des Fées : cadre idéal pour savourer le menu à l'accent provençal et déguster un vin du coin. Salle aux tons ocre et seconde terrasse sur la place animée.

Sports & Loisirs

Ôkhra Société Coopérative d'Intérêt Collectif – *D 104, ancienne usine Mathieu - ℘ 04 90 05 66 69 - www.okhra.com - avr.-sept. et vac. scol. : 9h-18h, juil.-août : 9h-19h ; reste de l'année : tlj sf lun. 9h-18h - fermé 1ᵉʳ janv. et 25 déc. - 5 €.* Installée dans une ancienne usine d'extraction des ocres, cette coopérative culturelle, dont le nom grec signifie « terre jaune » organise, tout au long de l'année, des visites et des circuits sur le patrimoine industriel. Expositions à thème et **stages** d'initiation aux techniques liées au travail de l'ocre. Vente de pigments et librairie spécialisée sur la couleur.

Saint-Blaise

CARTE GÉNÉRALE B3 – CARTE MICHELIN LOCAL 340 E5 – SCHÉMA P. 185 – BOUCHES-DU-RHÔNE (13)

À proximité de la mer, du Rhône, de l'étang de Berre et de la plaine de la Crau, ce site chargé d'histoire vécut pendant des siècles de l'exploitation et du commerce d'une denrée précieuse entre toutes : le sel. Les derniers habitants de l'oppidum sont partis en 1390 pour devenir des Saint-Mitrois.

▸ **Se repérer** – À proximité de Saint-Mitre-les-Remparts *(voir étang de Berre)*, Saint-Blaise domine l'**étang de Lavalduc**. En venant de Martigues par la D 5, arrivé à hauteur du rond-point de Saint-Mitre-les-Remparts, prenez à gauche la D 51 (direction « Saint-Blaise ») qui longe l'étang de Citis. À 2 km, sur votre gauche, se trouve le parc de stationnement de Saint-Blaise (il est mal indiqué, bien faire attention).

▣ **Se garer** – Laissez votre voiture au parc de stationnement pour prendre, à gauche, un chemin en montée qui mène à l'enceinte médiévale entourant les fouilles.

◔ **Organiser son temps** – Compter 1h de visite pour l'oppidum (attention aux conditions de visites un peu restrictives).

& **Pour poursuivre la visite** – Sur les pistes des oppidums, visitez aussi ceux d'Entremont *(voir Aix-en-Provence)* et Glanum *(voir Saint-Rémy-de-Provence)*.

Visiter

Compter 1h. ℘ 04 42 49 18 93 - mai-sept. : 9h-12h30, 14h-17h30 ; oct.-avr. : 9h-12h30, 14h-16h30 (dernière entrée 1h av. fermeture) - fermé dim., lun., mar. et j. fériés - gratuit. L'oppidum se présente sous l'aspect d'un éperon. Ses défenses naturelles, d'importantes falaises verticales, sont renforcées par des remparts établis sur le versant plus accessible qui domine le vallon de Lavalduc.

Le comptoir étrusque

Sur cet oppidum celto-ligure – les fouilles y ont révélé un sanctuaire indigène, comparable à ceux d'Entremont *(voir Aix-en-Provence)* ou de Glanum *(voir Saint-Rémy-de-Provence)*, avec portique à crânes et stèles votives –, les Étrusques ont créé au 7ᵉ s. av. J.-C. un comptoir et entrepris le commerce fructueux du sel recueilli sur place. Malgré la redoutable concurrence des Phocéens de Massalia (Marseille), l'oppidum poursuit son développement et se couvre d'un habitat proto-urbain protégé par une enceinte. Comme à Entremont, apparaissent une ville haute et une ville basse. Les cases sont construites en pierre selon un plan quadrangulaire ; l'une d'elles, dans la ville basse, conserve encore ses murs sur une hauteur de 0,90 m. On a relevé sur le site de nombreuses traces d'activités commerciales et artisanales : celliers où s'entassaient les *dolia* (jarres), atelier de fondeur, etc. Il semblerait en effet que le site ait été un bien prospère entrepôt. Suit une longue période de transition (475 à 200 av. J.-C.) après un incendie et l'abandon du comptoir par les Étrusques, tandis que Marseille prend le relais.

Vestiges du rempart hellénistique.

Le rempart hellénistique★

Sans en faire une colonie, Marseille tient l'oppidum sous sa dépendance et, peu à peu, le commerce reprend : de la fin du 3ᵉ s. jusqu'au milieu du 1ᵉʳ s. av. J.-C., Saint-Blaise atteint son apogée. De grands travaux de nivellement précèdent la mise en place d'un plan d'urbanisme et d'un puissant rempart. Le **rempart hellénistique★**, en grand appareil, élevé par des maîtres d'œuvre grecs entre 175 et 140 av. J.-C., étend sur plus d'un kilomètre une succession de courtines en ligne brisée avec tours de bastions, trois poternes et une porte charretière. Cette enceinte admirable possédait un dispositif d'évacuation des eaux par chenaux. Le rempart à peine terminé, l'oppidum dut subir un siège violent (des dizaines de boulets l'attestent). On pense que Saint-Blaise, ayant échappé au contrôle de Marseille, aurait été pris par les Romains lors de la conquête de 125-123 av. J.-C. Après cet événement, le déclin est rapide : une brève réoccupation au milieu du 1ᵉʳ s. av. J.-C. précède quatre siècles d'abandon.

Le bourg paléochrétien et médiéval

Devant la montée de l'insécurité à la fin de l'Empire romain, le vieil oppidum est de nouveau habité. Les fortifications hellénistiques sont réutilisées. Deux églises sont construites : Saint-Vincent (dont on distingue l'abside près de l'ancienne porte principale) et Saint-Pierre. Une nécropole (les tombes sont creusées dans le roc) s'étend au sud. L'habitat de cette époque est malheureusement indiscernable au milieu des autres vestiges. En 874, Ugium (c'est le nom du bourg d'alors) est détruit par les Sarrasins. Il se relève lentement : l'église Saint-Pierre est reconstruite au 11ᵉ s. (substructions à côté de la chapelle Saint-Blaise). En 1231, à la pointe nord du plateau, un nouveau rempart vient clôturer Castelveyre (nouvelle appellation) et son église Notre-Dame-et-Saint-Blaise. Mais en 1390, les bandes de Raymond de Turenne mettent le bourg à sac : les survivants s'établissent alors à Saint-Mitre, abandonnant définitivement le site.

Depuis la **pointe de l'éperon**, se dégage une belle vue sur l'étang de Lavalduc et, au loin, le port de Fos.

Saint-Gilles★

11 626 SAINT-GILLOIS
CARTE GÉNÉRALE A3 – CARTE MICHELIN LOCAL 339 L6 – GARD (30)

Aux porte de la petite Camargue gardoise, cette importante cité agricole (fruits, vins des Costières) est surtout renommée pour son ancienne église abbatiale : véritable chef-d'œuvre, la façade offre l'un des plus beaux exemples de statuaire romane provençale.

- **Se repérer** – Le vieux Saint-Gilles se cache ! Les visiteurs, qu'ils arrivent de Nîmes (19 km au nord) ou d'Arles (11 km à l'est), traversent la cité par la rue Gambetta, aussi commerçante qu'animée.

- **Se garer** – Il est préférable de stationner sur le parking signalé *(sur la droite en venant de Nîmes)* pour gagner à pied, par la rue Porte-des-Maréchaux, la place de l'église, à moins qu'ils ne préfèrent tenter leur chance dans les ruelles de la vieille ville.

- **À ne pas manquer** – La façade de l'église abbatiale, sa vis et sa crypte ; autour de St-Gilles, la petite Camargue gardoise.

- **Organiser son temps** – En visitant l'église au cours de la matinée, vous pourrez déjeuner à St-Gilles, y goûter le bœuf à la saint-gilloise *(voir le carnet pratique)* puis consacrer l'après-midi à la petite Camargue gardoise. Les aficionados gourmands reviendront le 3e w.-end d'août, pour la feria de la pêche et de l'abricot.

- **Avec les enfants** – La visite d'une rizière et d'un élevage de chevaux camarguais *(voir l'encadré pratique)*.

- **Pour poursuivre la visite** – Voir aussi la Camargue et Arles.

Comprendre

Histoire sainte – **Saint Gilles** (*sant Gèli* en provençal), Grec touché par la grâce vers le 8e s., distribua ses biens aux pauvres et embarqua sur une nef qui le conduisit, au gré des flots, en Provence. Il y vécut dans une grotte, nourri par une **biche**… Un jour, poursuivie par un seigneur, celle-ci se réfugie auprès de son maître. La flèche que lance le chasseur est alors arrêtée en plein vol par l'ermite ! Pour honorer l'auteur d'un tel miracle, le seigneur décide de fonder une abbaye en cet endroit. Et quand le pape fait don à saint Gilles de deux portes destinées à l'édifice, celui-ci les jette dans le Tibre : elles traversent la mer, remontent le Petit Rhône et parviennent à la grotte en même temps que lui. La biche est aujourd'hui devenue l'emblème de la ville.

L'alliance de la foi et du commerce – À l'emplacement du tombeau de saint Gilles s'élève un sanctuaire, objet d'un culte fervent et d'un pèlerinage, car il se situait sur l'une des quatre routes principales de Saint-Jacques-de-Compostelle. C'est au 12e s. que le **monastère** atteint son apogée. Les croisades, et les flux commerciaux qui les accompagnent, ne font qu'accroître sa fortune : dans son port transitent quantité de marchandises orientales ; des pèlerins, des croisés s'y embarquent, et les Saint-Gillois possèdent des comptoirs avec privilèges dans les États latins de Jérusalem. La **foire de Saint-Gilles**, en septembre, connaît un rapide essor : elle constitue l'un des grands points d'échanges entre Méditerranéens et Nordiques. Cette prospérité se réduira au 13e s., notamment sous l'effet de la concurrence du port royal d'Aigues-Mortes.

Gloire et déchéance des comtes de Toulouse – C'est à Saint-Gilles que commence l'aventure de **Raimond IV de Toulouse**. Fils cadet du comte Pons, il reçoit en lot la seigneurie de Saint-Gilles. Un mariage judicieux avec la fille du comte de Provence, la succession de son frère Guillaume IV de Toulouse, mort sans enfants, et Raymond IV

👁 Le saviez-vous ?

Le canal irriguant le bas Languedoc, du Rhône à Montpellier, porte désormais le nom de **Philippe Lamour** (1903-1992), avocat, journaliste, fondateur d'une revue d'art (avec Fernand Léger) et pionnier de l'aménagement hydraulique du territoire. Sa pièce maîtresse est située à 5 km au nord-est de Saint-Gilles par la D 38 (direction Bellegarde, Beaucaire) au lieu-dit Pichegu : c'est la **station de pompage Aristide-Dumont**, située à la jonction du canal d'irrigation et du canal des Costières, qui se dirige vers le nord. Élevée à une hauteur suffisante, l'eau s'écoule par simple gravité à travers toute la plaine du bas Languedoc.

se retrouve à la tête d'un vaste domaine, de Cahors aux îles de Lérins : les « États de Saint-Gilles ». En 1096, le puissant comte y accueille le pape **Urbain II** et fait vœu de se consacrer entièrement à la reconquête de la Terre sainte. Il sera tué au cours du siège de Tripoli (1105).

Son arrière-petit-fils, **Raimond VI**, devait vivre des heures plus amères dans cette même cité. Sommé par le pape **Innocent III** d'entrer en lutte contre ses sujets hérétiques, les cathares, il reçoit à Saint-Gilles, le 14 janvier 1208, le légat Pierre de Castelnau, porteur des exigences papales. L'entrevue est orageuse et, le lendemain, le légat est assassiné. Innocent III excommunie aussitôt Raimond VI et fait prêcher la croisade. Raymond cède. Le 12 juin 1209, il se présente nu devant le grand portail de l'église de Saint-Gilles et jure obéissance au pape. On lui passe une étole au cou et le nouveau légat, le tirant par cette étole, le fait entrer dans le sanctuaire, tout en le flagellant vigoureusement ; la pénitence se poursuit dans la crypte devant le tombeau de Castelnau et le comte est enfin libéré et absous. Cette soumission durera peu ; Raimond VI entamera une lutte sans merci contre les « Barons du Nord » conduits par Simon de Montfort.

Découvrir

ÉGLISE SAINT-GILLES

♋ 04 66 87 33 75 - www.ot-saint-gilles.fr - visite de l'ancien chœur, de la vis de Saint-Gilles et de la crypte - juil.-août : tlj sf dim. 9h-12h30, 15h-19h ; avr.-juin et sept.-oct. : tlj sf dim. 9h-12h30, 14h-18h ; nov.-mars : lun.-vend. 8h30-12h, 13h30-17h30, sam. 10h-12h, 14h-16h (17h en nov. et mars) - visite libre ou guidée, au choix, dernière entrée 30mn avant la fermeture - fermé j. fériés - 4 €.

On a du mal aujourd'hui à imaginer l'importance de l'abbaye lors de son apogée. Pour s'en faire une idée, il faut reconstruire mentalement le chœur de l'ancienne abbatiale au-delà du chœur actuel, avec, sur la droite de l'église, un cloître dont la cour était entourée d'une salle capitulaire, d'un réfectoire, de cuisines et d'un cellier en sous-sol.

L'édifice, comme ses occupants, fut victime des guerres de Religion. En 1562, les protestants, non contents de jeter les religieux dans le puits de la crypte, incendient le monastère : les voûtes de l'église s'effondrent ; en 1622, ils abattent le grand clocher. Si bien qu'au 17e s., pour ne pas entreprendre de réparations trop importantes, l'église est raccourcie de moitié et sa voûte abaissée. Ainsi, du magnifique monument médiéval ne subsistent qu'une admirable façade, quelques vestiges du chœur et la crypte.

Façade★★

Cette œuvre, une des plus belles pages de sculpture romane du sud de la France, a été exécutée au 12e s. par plusieurs ateliers de sculpteurs (on y distingue cinq groupes stylistiques), très inspirés de l'antique comme l'atteste leur goût pour la technique du haut-relief et pour la représentation des volumes et des formes (drapés et vêtements plissés). Le thème représenté est celui du Salut à travers les épisodes de la vie du Christ.

Bas-relief du portail de l'église Saint-Gilles.

Stéphane Sauvignier / MICHELIN

Cinq artistes
pour un chef-d'œuvre

Un style antiquisant, lourd et austère caractérise les sculptures attribuées au seul maître ayant laissé sa signature, **Brunus** (sculptures représentant Matthieu, Barthélemy, Jean l'Évangéliste, Jacques le Majeur et Paul). Un traitement linéaire et animé, de facture typiquement romane, marque la contribution du « **maître de saint Thomas** », auteur de Thomas, Jacques le Mineur, Pierre, ainsi que des bas-reliefs du portail central. On a qualifié de « **maître doux** » (drapés souples modelant les plis autour des bras et des jambes) l'auteur des apôtres, du tympan et du linteau du portail de gauche. Remarquez la différence de facture avec celle du « **maître dur** », auteur des apôtres et du portail de droite : les plis des drapés sont plus rudes et les contrastes entre ombre et lumière sont accentués. Quant au « **maître de saint Michel** », son style mouvementé et très expressif peut être apprécié avec un saint Michel terrassant le dragon ainsi que les entablements de part et d'autre du portail central.

La grande frise se lit de gauche à droite : les événements de la Semaine sainte s'y déroulent, du jour des Rameaux au matin de la Résurrection pascale, avec la découverte du tombeau vide par les saintes femmes.

Ancien chœur

C'est la partie qui fut ravagée au 17e s. et rasée sous la Révolution. À l'extérieur de l'église actuelle, les bases des piliers et des murs montrent parfaitement le plan de l'ancien chœur avec son déambulatoire et ses cinq chapelles rayonnantes. Sur les côtés du déambulatoire, deux petits clochers étaient desservis par des escaliers tournants, dont celui de gauche, la « vis de Saint-Gilles », subsiste.

Vis de Saint-Gilles★

Il faut monter au sommet *(50 marches)* de cet escalier, terminé en 1142, pour découvrir la rare qualité de la taille et de l'assemblage des pierres : les marches s'appuient sur le noyau central et sur les murs, intérieurement cylindriques. Leur emboîtement parfait compose une voûte hélicoïdale à 9 claveaux. L'art du tailleur apparaît dans la double concavité et convexité de chaque claveau. De tout temps, la vis de Saint-Gilles a fasciné les compagnons tailleurs de pierre qui, dans leur tour de France, ne manquaient pas de venir l'étudier : de nombreux graffitis marquent leur passage et d'innombrables « chefs-d'œuvre », exécutés en réduction, témoignent de cette admiration.

Crypte★

Ici, autour du tombeau de saint Gilles, se déroulait un des plus importants pèlerinages d'Occident : pendant trois jours, une foule de 50 000 personnes défilait dans le sanctuaire. L'église basse était autrefois couverte par des voûtes d'arêtes : il en subsiste quelques-unes dans des travées à droite de l'entrée. Le reste de la crypte présente des voûtes d'ogives (milieu du 12e s.) qui comptent parmi les plus anciennes de France. Remarquez l'escalier et le plan incliné qu'empruntaient les moines pour accéder à l'église haute. Sarcophages, autels antiques et chapiteaux romans attirent également l'attention.

Visiter

Maison romane

✆ 04 66 87 40 42 - juil.-août : 9h-12h, 15h-19h ; juin et sept. : 9h-12h, 14h-18h; fév. -mai et oct.-déc. : 9h-12h, 14h-17h - fermé janv., dim. et j. fériés - gratuit.

C'est dans cette belle demeure du 12e s. que serait né Guy Foulque, devenu en 1265 le pape Clément IV. À l'intérieur, une salle d'ethnographie présente la vie saint-gilloise d'autrefois : outils et objets de berger, tonnellerie, travail des champs et vie quotidienne. Dans la salle « médiévale » (magnifique cheminée), petit musée lapidaire où sont rassemblés des vestiges (sarcophages, bas-reliefs du 12e s., tympan et chapiteaux) provenant de l'ancienne abbaye.

Circuit de découverte

LA CAMARGUE GARDOISE★

73 km – compter 1h30 de route sans les arrêts.

Entre les costières et le Petit Rhône, Saint-Gilles et Aigues-Mortes, la Camargue gardoise, terre de marais et de roseaux, présente sans doute des paysages plus sévères que le delta du Rhône. Mais son attachement aux traditions, en particulier à celles

Récolte mécanisée de joncs.

liées à la « bouvine », en font un pays qui mérite d'être préservé… et exploré, d'autant que vous y traverserez trois terroirs labellisés : celui des costières de Nîmes, celui des vins des sables et celui du riz de Camargue.

Quitter Saint-Gilles au sud-ouest par la N 572 en direction de Montpellier.

À flanc de coteaux, la route traverse le territoire des **costières de Nîmes** (nombreuses caves de producteurs où l'on pourra faire quelques emplettes) tout en dominant sur la gauche une zone lacustre : les vastes étangs de Scamandre, puis du Charnier, que l'on devine parmi les roselières.

Après 12 km, prendre sur la gauche la D 779 en direction de Gallician ; dans ce bourg viticole, prendre à droite la D 38, puis à gauche la D 104 jusqu'au canal du Rhône à Sète.

Pont des Tourradons

Depuis ce pont perdu dans les marais, **vue★** intéressante sur un paysage typique de Petite Camargue : canal rectiligne, étangs, roseaux, mariage de la terre et du ciel dans la solitude et le silence. Quelques manades de taureaux noirs aux cornes en lyre paissent paisiblement dans les « prés » du **Cailar**. Il s'agit sans doute d'un des endroits où l'on peut approcher au plus près la Camargue authentique.

Reprendre en sens inverse la D 104, puis à droite (Mas Roubaud) la D 352.

Vauvert

Ce gros bourg viticole, aujourd'hui banlieue résidentielle de Nîmes, a conservé un centre ancien, avec des halles converties en lieux d'expositions.

L'expression « Au diable Vauvert » n'a sans doute rien à voir avec Vauvert qui, du reste, s'appelait autrefois Posquières avant de prendre le nom d'un lieu de pèlerinage proche, la *Vallis Viridis*, ou vallée Verte.

Prendre la N 572 vers Aimargues.

Au rond-point donnant accès au village du Cailar, tombeau d'un fameux taureau camarguais, le **Sanglier**.

Le Cailar

Le centre ancien de ce haut lieu de la bouvine, dont la signalétique a été réalisée par le peintre François Boisrond, a conservé un certain cachet languedocien. Ombragé

La sagne

La coupe du roseau, ou « sagne », a de tout temps constitué une ressource locale majeure. De la mi-novembre au mois d'avril, le roseau sec est coupé, souvent à la main, par les « sagneurs » puis entassé en gerbes. La récolte sert à confectionner des toits de chaume (pour les cabanes de gardian, par exemple) et à fabriquer les « paillassons » utilisés pour protéger les cultures. Mais cette pénible et peu rentable activité est de plus en plus délaissée (malgré la mécanisation) et les roseaux ont tendance à proliférer au détriment des équilibres écologiques du marais…

de platanes, l'ancien « plan de la Glaciero » (les arènes) est un des temples de la course camarguaise.

Cercle d'art contemporain – Installé dans une belle maison de village, ce centre présente des expositions d'artistes contemporains, souvent centrées sur le thème des taureaux. Ce centre de création pluridisciplinaire possède également une librairie ainsi qu'un café installé sur la terrasse. *Maison Mathieu - 9 av. Baroncelli - ℘ 04 66 88 94 61 - juil.-août : tlj sf lun. 11h-13h, 15h-20h ; sept.-juin : tlj sf lun. et mar. 14h-19h - gratuit.*

Quitter Le Cailar à l'est pour rejoindre la D 979. La prendre à gauche.

Saint-Laurent-d'Aigouze

Gros bourg viticole dont il faut absolument fréquenter les arènes, installées sur la place du village qu'ombragent de grands platanes et adossées à l'église (la sacristie semble servir de toril…), lors des grandes courses camarguaises de la **fête votive** *(la semaine qui suit le 15 août).*

Par la D 46, tracée sur une digue à travers les étangs, on contourne la **tour Carbonnière** *(voir Aigues-Mortes).*

Rejoindre la D 58 pour prendre à gauche en direction d'Arles.

On traverse alors le domaine des **vins des sables** (et des asperges). De proche en proche, grands mas, souvent ombragés de bosquets de pins parasols.

Au bout de 9,5 km, prendre sur la gauche la petite D 179.

Dans le hameau de **Montcalm**, vestiges d'une vaste demeure (très dégradée) du début du 18e s. où le marquis de Montcalm séjourna avant son départ au Canada. Une chapelle de la même époque, accolée à un mas, s'élève un peu plus loin dans le vignoble.

Très étroite, la route longe le canal des Capettes jusqu'au mas des Iscles (voir l'encadré pratique). Au carrefour, se garer dans le parking du centre du Scamandre.

Centre de découverte du Scamandre

À Vauvert. ℘ 04 66 73 52 05 - www.camarguegardoise.com - ♿ - merc.-sam. 9h-18h (les horaires peuvent varier en cours d'année, se renseigner) - fermé j. fériés - accès gratuit à la Réserve naturelle - sur réservation, possibilité de visite guidée (2h) : 6 € (+6 ans 3 €).

🐾 Aménagé dans la Réserve naturelle volontaire du Scamandre, il a pour mission essentielle la protection et la gestion des marais ainsi que la sensibilisation du public à ce fragile écosystème. Une petite exposition et deux sentiers de découverte (4 km et 1 km) permettent de mieux connaître ce paysage fragile et original envahi par les roselières.

La D 779, à droite, conduit vers Gallician, le long du **canal des Capettes**, très fréquenté par les pêcheurs, et qui court entre les étangs du Charnier et de Scamandre, dans une véritable forêt de roseaux, fort appréciés des « sagneurs ».

Après avoir franchi le canal du Rhône à Sète et traversé Gallician, rentrer à Saint-Gilles par la N 572 à droite.

Saint-Gilles pratique

♿ Voir aussi les encadrés pratiques de la Camargue et d'Arles.

Adresse utile

Office du tourisme de Saint-Gilles – *1 pl. Frédéric-Mistral - 30800 St-Gilles - ℘ 04 66 87 33 75. www.ot-saint-gilles.fr - juil.-août : tlj sf dim. 9h-12h30, 15h-19h ; avr.-juin et sept.-oct. : tlj sf dim. 9h-12h30, 14h-18h ; nov.-mars : lun.-vend. 8h30-12h, 13h30-17h30, sam. 10h-12h, 14h-16h (17h en nov. et mars).*

Se loger

🛏 **Chambre d'hôte Le Mas de Plisset** – *Rte de Nîmes - ℘ 04 66 87 18 91 - fermé vac. de Toussaint - ⌷ - 4 ch. 46/50 € ⌷.* Cette exploitation agricole toujours en activité possède un fort caractère campagnard,

taillé pour le labeur. À son image, les chambres d'hôte misent sur la simplicité et la fonctionnalité, sans empiéter sur le confort. Petits-déjeuners accompagnés de confiture bio.

Se restaurer

👁 **Bon à savoir** – Le **bœuf à la saint-gilloise**, dit aussi « gardiane des mariniers », est une variante locale (et succulente) de la gardiane de taureau.

🍽 **Le Clément IV** – *36 quai du Canal - ℘ 04 66 87 00 66 - fermé dim. soir et lun. - 12,50/30 €.* Produits de la mer et spécialités camarguaises servies en véranda ou en terrasse, dans ce restaurant aux allures campagnardes offrant une jolie vue sur le petit port de plaisance le long du canal, au milieu du marais.

Que rapporter

Maison des métiers d'art – *Grand-Rue - ℘ 04 66 87 09 05.* Ateliers d'artisans : céramiques, orfèvrerie, vitrail, poterie et tapisserie d'ameublement.

Sports & Loisirs

Mas des Iscles – *En face du centre du Scamandre - 30600 Vauvert - ℘ 06 14 48 10 73 - www.masdesiscles.com - 9h-12h, 14h30-17h.* Domaine de 400 ha comprenant des rizières (possibilité de visite guidée) et un élevage de chevaux camarguais. Le propriétaire propose des stages d'équitation et de découverte de la faune et de la flore régionales.

Événements

Saint-Gilles – Cité de vieille tradition taurine (nombreuses courses camarguaises et autres spectacles taurins tout au long de la saison), Saint-Gilles s'est fait connaître grâce à sa **feria de la Pêche et de l'Abricot**, le 3e week-end d'août (corridas, spectacles espagnols).

Courses – En **août** à Vauvert, une semaine de courses camarguaises. Le Cailar prend la relève avec une dizaine de courses. Aimargues et Saint-Laurent-d'Aigouze achèvent le mois avec force *abrivados, bandidos* et courses camarguaises.

Saint-Maximin-la-Sainte-Baume★★

12 402 ST-MAXIMINOIS
CARTE GÉNÉRALE C3 – CARTE MICHELIN LOCAL 340 K5 – SCHÉMA P. 353 – VAR (83)

Le village a pris le nom du saint qui, selon la tradition, l'évangélisa et dont on retrouva le tombeau au 13e s. De loin, sa magnifique basilique la domine de façon impressionnante. Petite ville très provençale, Saint-Maximin constitue une étape agréable et verdoyante sur la route des vacances.

○ **Se repérer** – La ville occupe le fond d'un ancien lac, non loin des **sources de l'Argens**, dans une région que cernent au nord des collines boisées, entrecoupées de vignobles (AOC coteaux varois), et au sud les assises du **massif de la Sainte-Baume**. Par la N 7 ou par l'autoroute, on accède à la place du marché, ombragée par des platanes

P **Se garer** – Vaste parking à proximité de la place du marché.

◉ **À ne pas manquer** – La basilique ; le couvent royal.

○ **Organiser son temps** – Prévoyez au moins 2h pour la visite des deux monuments, et un peu plus si vous souhaitez vous offrir une agréable flânerie dans les rues de la ville.

☝ **Pour poursuivre la visite** – Voir aussi le massif de la Sainte-Baume.

Se promener

La ville

Dans cette ancienne « ville neuve », au plan en damier, placettes ombragées et fontaines incitent à la flânerie. Au sud de l'église, un passage couvert rejoint la **rue Colbert**. Celle-ci, bordée d'arcades du 14e s., signale l'emplacement de l'ancien ghetto ; de l'autre côté, maison de Lucien Bonaparte et ancien Hôtel-Dieu. En revenant en arrière, on aboutit à une placette dominée par la **tour de l'Horloge** et son campanile. Sur la droite, en direction de la rue du Gén.-de-Gaulle, jolie maison du 16e s. (tourelle en encorbellement).

Visiter

Basilique★★

Visite : 45mn. À l'emplacement d'une église mérovingienne, on avait découvert en 1279 les tombeaux de sainte Marie-Madeleine et de saint Maximin, cachés en 716 par crainte des Sarrasins qui dévastaient la région. En 1295, le pape Boniface VIII reconnut les saintes reliques et, sur le lieu de la découverte, Charles d'Anjou, roi de Sicile et comte

◉ Le saviez-vous ?

Les Maximinois doivent à **Lucien Bonaparte** (1775-1840) la sauvegarde de leur basilique. Le frère de Napoléon était, pendant la Révolution, président du club des Jacobins de Saint-Maximin : il empêcha la destruction de la cathédrale en la transformant en dépôt de vivres, et celle des orgues… en y faisant jouer *La Marseillaise*.

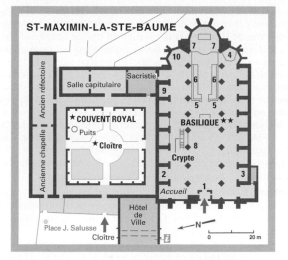

de Provence, fit bâtir une basilique et un couvent accolé, vaste bâtiment à 3 étages en forme de U. Il y installa les dominicains, gardiens du tombeau et animateurs du très célèbre pèlerinage.

Sainte Marie-Madeleine, apparue en songe à Charles II d'Anjou, lui parla d'un lieu « où se trouverait une plante de fenouil toute verdoyante ». Il fit immédiatement faire des fouilles et l'un des sarcophages ayant laissé échapper des effluves anisés, il ne restait plus qu'à élever une basilique sur place pour honorer la sainte parfumée.

L'extérieur de l'édifice, le plus important exemple de style gothique en Provence, mêle des influences du Nord (Bourges en particulier) aux traditions locales ; l'absence de clocher, la façade inachevée et les contreforts massifs qui soutiennent, en s'élevant très haut, les murs de la nef contribuent à lui donner un aspect trapu. Il n'y a ni déambulatoire ni transept.

L'**intérieur** comprend une nef, un chœur et deux bas-côtés d'une remarquable élévation. La nef, haute de 29 m, à deux étages, est voûtée d'ogives dont les clefs de voûte portent des blasons des comtes de Provence et des rois de France ; une abside à cinq pans clôture le chœur. Les bas-côtés, hauts de 18 m seulement pour permettre l'éclairage de la nef par ses fenêtres hautes, s'achèvent par une absidiole à quatre pans.

Remarquez successivement le double buffet des grandes orgues **(1)**, œuvre du frère Isnard de Tarascon, un des plus beaux qui nous restent du 18e s. ; une belle statue en bois doré de saint Jean-Baptiste **(2)** ; le retable des Quatre Saints, du 15e s. **(3)** ; l'autel

Détail du sarcophage de saint Sidoine.

du rosaire **(4)** ; la clôture du chœur (17ᵉ s.) aux découpures garnies de grillages en fer forgé, aux armes de France **(5)** ; les 94 stalles exécutées au 17ᵉ s. par le frère convers dominicain Vincent Funel **(6)** ; la décoration en stuc de J. Lombard **(7)** ; la chaire, véritable chef-d'œuvre de travail du bois, dont les sculptures représentent diverses phases de la vie de Marie-Madeleine **(8)** ; la base d'un retable du 15ᵉ s. de l'école provençale où l'on voit la décollation de saint Jean-Baptiste, sainte Marthe arrêtant la Tarasque sur le pont de Tarascon et le Christ apparaissant à Marie-Madeleine **(9)** ; et surtout, un **retable★** en bois peint (16ᵉ s.) de Ronzen, dont le tableau central (*Crucifixion*) est entouré de 18 médaillons **(10)**.

La **crypte**, ancien oratoire paléochrétien, renferme des sarcophages du 4ᵉ s. : ceux de sainte Marie-Madeleine, saintes Marcelle et Suzanne, saints Maximin et Sidoine.

Au fond, reliquaire du 19ᵉ s. contenant un crâne, vénéré comme étant celui de sainte Marie-Madeleine. Quatre plaques de marbre ou de pierre comportent des figures gravées au trait de la Vierge, Abraham et Daniel (an 500 environ).

Couvent royal★

📞 04 94 86 55 66 - www.hotelfp-saintmaximin.com - 9h-11h30, 14h-18h, possibilité de visite guidée (45mn) sur réserv. à l'office de tourisme - fermé le 31 déc. et lors des manifestations organisées au couvent - gratuit.

Commencé au 13ᵉ s. en même temps que la basilique à laquelle il s'adosse, il fut achevé au 15ᵉ s. Le **cloître★**, d'une grande pureté de lignes, compte 32 travées. Autour des galeries se répartissent une ancienne chapelle aux belles voûtes surbaissées et l'ancien réfectoire des religieux.

Les cellules des moines ont été transformées en chambres d'hôtel et la salle capitulaire en restaurant *(voir l'encadré pratique)*.

Saint-Maximin-la-Sainte-Baume pratique

♿ Voir aussi l'encadré pratique du massif de la Sainte-Baume.

Adresse utile

Office du tourisme de Saint-Maximin-la-Sainte-Baume – Pl. de l'Hôtel-de-Ville - 83470 St-Maximin-la-Ste-Baume - 📞 04 94 59 84 59 - juil.-août : lun.-sam. 9h-12h30, 14h30-18h30, dim. 10h-12h30, 14h30, 18h30 ; sept-juin : lun.-sam. 9h-12h30, 14h-18h, dim. 10h-12h30, 14h, 18h.

Visites

Visites guidées – Tte l'année, sur réserv. à l'office de tourisme - 4,60 € (gratuit en juil.-août). Visites guidées de la basilique, du cloître et du quartier médiéval.

Se loger

🛏️🛏️ **Hôtel de France** – 3-5 av. Albert-1ᵉʳ - 📞 04 94 78 00 14 - www.hotel-de-france.fr - réserv. conseillée le w.-end - 25 ch. 70/94 € - 🍽️ 12 € - restaurant 22,50/46 €. Cet hôtel aménagé dans un ancien relais de poste abrite des chambres d'ampleurs variées, toutes décorées dans un esprit provençal. Au restaurant, le chef prépare une cuisine évoluant avec les saisons.

🛏️🛏️ **Hôtellerie du Couvent Royal** – Pl. Jean-Salusse - 📞 04 94 86 55 66 - www.hotelfp-saintmaximin.com - 🅿 - 66 ch. 80/140 € - 🍽️ 12 € - restaurant 26/35 €. Un hôtel au cœur de l'histoire… Une partie des chambres, à la sobriété monacale, occupe les cellules de l'ancien couvent accolé à la basilique ; les autres sont aménagées dans une aile moderne. Repas servis dans la salle capitulaire ou dans le cloître lorsque le temps le permet. Béatifique !

Se restaurer

🍴 **L'Imprévu** – R. Gabriel-Péri - 📞 04 94 59 82 36 - réserv. conseillée - 11/30 €. Aménagée dans une grange rustique et chaleureuse, cette pizzeria possède une grande terrasse, à l'ombre des platanes. Marie vous propose ses spécialités à base de pâtes. Elle a d'ailleurs écrit un livre sur le sujet.

🍴 **La Galabrette** – Traverse des Prés - 83860 Nans-les-Pins - 12 km au SO de St-Maximin-la-Ste-Baume par N 560 puis D 80 - 📞 04 94 78 62 05 - fermé mar. soir et merc. - formule déj. 11 € - 20 €. Ce restaurant sert une cuisine de terroir simple dans une salle intime, au fond d'une ruelle, tout au bout du cours du Général-de-Gaulle : personne ne vous dérangera.

Que rapporter

Marché – Grand marché provençal sur la Grand-Place le mercredi matin.

Foire aux santons et à l'artisanat d'art – 3ᵉ week-end de novembre, au Couvent royal.

Événements

Concerts d'orgue – D'avril à octobre le dimanche à 17h (gratuit).

Fêtes de sainte Marie-Madeleine – Fin du mois. Processions et messes autour de la sainte. Ses reliques sont portées à travers la ville.

Saint-Rémy-de-Provence★

9 806 SAINT-RÉMOIS
CARTE GÉNÉRALE B3 – CARTE MICHELIN LOCAL 340 D3 – BOUCHES-DU-RHÔNE (13)

Une fois l'antique Glanum abandonnée, la nouvelle cité se développa sous la protection de l'abbaye Saint-Rémi de Reims. Au cœur des Alpilles, Saint-Rémy fleure bon la Provence : boulevards ombragés de platanes, terrasses de cafés caressées par le soleil, ruelles débouchant sur des places ornées de fontaines, senteurs de thym et de romarin les jours de marché, tout ici invite à remettre au lendemain ce qui ailleurs semblerait urgent… À deux pas, les ruines romaines rappellent un passé qui demeure toujours un peu présent.

▶ **Se repérer** – Impossible de se tromper : après avoir traversé les faubourgs, on aboutit aux boulevards ombragés qui enserrent la vieille cité… en sens unique.

🅿 **Se garer** – Place de la République (marché le merc. matin), s'il n'y a pas trop de monde, ou place J.-Jaurès (en direction du plateau des Antiques).

👁 **À ne pas manquer** – Le plateau des Antiques ; avec notamment le mausolée, l'arc municipal et Glanum.

🕐 **Organiser son temps** – Comptez environ 2h pour la visite du plateau des Antiques. L'atmosphère paisible de Saint-Rémy, ses boutiques, ses restaurants et ses hébergements vous retiendront sans nul doute plus longuement. La ville constitue en outre une base de séjour bien pratique pour rayonner aux alentours.

👪 **Avec les enfants** – Le musée des Alpilles.

👣 **Pour poursuivre la visite** – Voir aussi les Alpilles et Avignon. Les passionnés d'histoire antique poursuivront vers Arles, Nîmes, Orange, le Pont du Gard et Vaison-la-Romaine (*voir aussi « La Provence antique », p. 13*).

Glanum, en trois actes

À l'origine sanctuaire vénéré par une peuplade celto-ligure, les Glaniques, et situé à proximité de deux importantes routes, Glanon (ou Glanum I) ne tarda pas à entrer en contact avec les négociants massaliotes. Cette cité hellénisée comprenait des édifices publics (temple, agora, salle d'assemblée, rempart) et des maisons à péristyle.
Glanum II commence avec la conquête romaine de la fin du 2ᵉ s. av. J.-C. et l'occupation du pays par les armées de Marius après sa victoire sur les Cimbres et les Teutons. Les bâtiments publics disparaissent en grande partie.
Glanum III suit la prise de Marseille en 49 av. J.-C. La romanisation s'intensifie et, sous Auguste, la ville fait peau neuve. Au centre, les constructions anciennes laissent place à une vaste esplanade sur laquelle se dressent de grands monuments publics : forum, basilique, temples, thermes, etc.

Découvrir

LE PLATEAU DES ANTIQUES★★

2h. Quitter Saint-Rémy par 3 du plan (voir aussi le schéma p. 117). Garer votre voiture sur le parking (payant) aménagé à droite, devant l'arc municipal.

Au pied des derniers contreforts des Alpilles, à 1 km au sud de Saint-Rémy, parmi pinèdes et olivettes, s'élevait la riche cité de Glanum. Abandonnée à la suite des destructions barbares de la fin du 3ᵉ s., il en subsiste deux magnifiques monuments (le mausolée et l'arc municipal) qui semblent veiller sur le champ de ruines antiques.

Mausolée★★

À l'exception de la pomme de pin qui coiffait sa coupole, ce mausolée de 18 m de haut, un des plus beaux du monde romain, nous est parvenu intact.
Des bas-reliefs représentent des scènes de batailles et de chasse ornent les quatre faces du socle carré. Au 1er étage du mausolée, on peut lire sous une frise à sujet marin cette inscription : « Sextius, Lucius, Marcus, fils de Caïus, de la famille des Julii, à leurs parents. » Il s'agit d'une dédicace que trois frères firent graver en l'honneur de leurs père et grand-père, dont les statues sont placées à l'intérieur de la rotonde à colonnade corinthienne du 2ᵉ étage.

Arc municipal★

Peut-être contemporain du mausolée, il passe pour le plus ancien des arcs romains de la Narbonnaise. Sur le passage de la grande voie des Alpes, il marquait l'entrée de Glanum. Ses proportions parfaites (12,5 m de longueur, 5,5 m de largeur et 8,6 m de hauteur) et la qualité exceptionnelle de son décor sculpté dénotent une influence grecque, très sensible : arcade unique sculptée d'une guirlande de fruits et de feuilles ; voûte ornée de caissons hexagonaux finement ciselés. Sur les côtés, des captifs, hommes et femmes, au pied de trophées, laissent transparaître leur abattement.

Glanum★

☎ 04 90 92 35 07 - avr.-août : 10h-18h30 ; sept.-mars : tlj sf lun. 10h30-17h (dernière entrée 30mn avant la fermeture) - possibilité de visite guidée (1h) - fermé 1er janv., 1er Mai, 1er et 11 Nov. et 25 déc. - 6,50 € (–18 ans gratuit), gratuit 1er dim. de chaque mois oct.-mars et pendant les journées du Patrimoine.

On embrasse du regard l'ensemble du site depuis les **belvédères** *(sur le chemin d'accès au sanctuaire gaulois)*. Il présente un ensemble de structures complexes, suite aux trois périodes distinctes d'occupation. Dans le bâtiment d'accueil, deux maquettes du site, des fresques reconstituées, ainsi que divers fragments d'architecture et objets domestiques familiarisent le visiteur avec les différentes phases de l'histoire du site.

Sanctuaire gaulois - Établi en terrasses, il remonte au 6e s. av. J.-C. Dans le secteur, on a retrouvé des statues de guerriers accroupis et des stèles à crânes identiques à celles des grands oppidums salyens.

Bassin monumental - Il marque l'emplacement de la source qui est peut-être à l'origine de Glanum. Il est constitué de murailles en grand appareil de type grec. Un escalier mène au fond, encore alimenté en eau. Juste à côté, Agrippa fit édifier en 20 av. J.-C. un temple dédié à Valetudo, déesse de la santé.

Porte fortifiée - Ce remarquable vestige hellénistique utilise, comme à St-Blaise, la technique massaliote des fortifications en gros blocs rectangulaires bien ajustés, avec merlons et gargouilles. Le rempart, qui comprend une poterne en chicane et une porte charretière, était destiné à protéger le sanctuaire.

Temples - Au sud-ouest du forum (sur la gauche en descendant) s'élevaient deux temples jumeaux entourés d'un péribole dont la partie sud recouvrait partiellement une salle d'assemblée (le *bouleutérion*) avec des gradins. Ces monuments romains, les plus anciens de ce type en Gaule, dateraient de 30 av. J.-C. De leur riche décoration, on a exhumé d'importants fragments et de très belles sculptures *(visibles à l'hôtel de Sade)*. En face, devant le forum, s'étendait la cour trapézoïdale d'un bâtiment hellénistique, entourée de colonnades, où se dressait une fontaine monumentale **(1)**.

Forum - Aménagé sur les décombres d'édifices préromains, le forum se terminait au nord par la basilique (bâtiment à vocation multiple, commerciale et administrative en particulier) dont il reste 24 piles de fondations, et sous laquelle se trouvaient un temple et la maison de Sulla qui a livré des mosaïques, sans doute les plus anciennes

Glanum, tout le charme d'une ville abandonnée depuis le 17e s.

Stéphane Sauvignier / MICHELIN

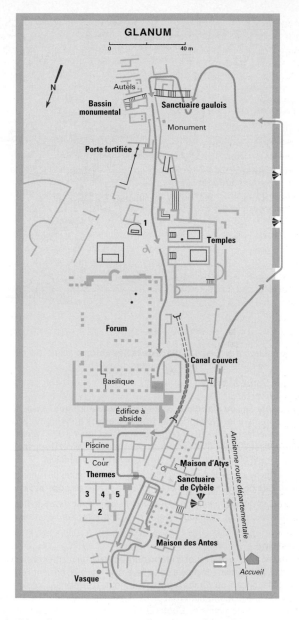

GLANUM

0   40 m

N

Autels

Bassin monumental

Sanctuaire gaulois

Monument

Porte fortifiée

1

Temples

Forum

Canal couvert

Basilique

Édifice à abside

Piscine

Cour

Thermes

3   4   5

2

Maison d'Atys

Sanctuaire de Cybèle

Ancienne route départementale

Maison des Antes

Vasque

Accueil

de la Gaule. Déposées pour restauration, elles ne sont plus visibles sur le site. Au sud de la basilique s'étendait la grande cour du forum, sous laquelle ont été retrouvés une maison et un grand bâtiment hellénistique.

Canal couvert - C'est vraisemblablement un ancien égout, drainant les eaux du vallon et de la ville, dont la couverture a formé le pavement de la principale rue de Glanum.

Thermes - Ils remontent à l'époque de César. On reconnaît la piscine froide, peut-être à eau courante, la salle de chauffe **(2)**, la salle froide **(3)**, la salle tiède **(4)** et le bassin chaud **(5)** et, enfin, une palestre, aménagée pour les exercices physiques.

Maison d'Atys - Elle se divisait, dans son état primitif, en deux parties (cour à péristyle au nord et bassin au sud) reliées par une large porte. Par la suite, un sanctuaire de Cybèle fut aménagé vers le péristyle.

Maison des Antes - Contiguë à la précédente, c'est une vaste et belle demeure de type grec ; son plan est organisé autour d'une cour centrale à péristyle et sa citerne. La baie d'entrée d'une salle conserve encore ses deux pilastres cannelés (les *antes*). Remarquez l'autel votif dédié aux oreilles (attentives) de la déesse.

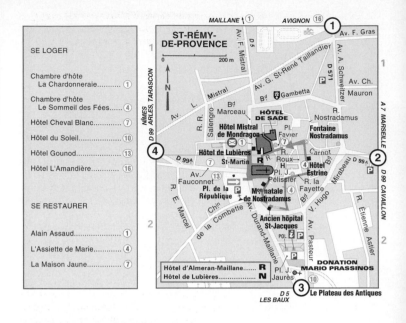

Se promener

Bordant le boulevard circulaire, la **place de la République** anime le centre-ville avec ses terrasses de café et les couleurs des jours de marché.

Collégiale Saint-Martin
Été : 9h-19h, hiver : 8h30-17h.
Son imposante façade n'a conservé de l'édifice primitif que le clocher du 14ᵉ s. À l'intérieur, remarquez l'exceptionnel **buffet d'orgue** polychrome, reconstruit en 1983, sur lequel les plus grands interprètes viennent jouer *(voir « Événements » dans l'encadré pratique)*. Œuvre d'un facteur carpentrassien, **Pascal Quoirin**, il comprend 62 jeux (environ 500 tuyaux) répartis sur 3 claviers et un pédalier.

Dans la rue Hoche, qui, à droite de la collégiale, longe les restes de l'enceinte du 14ᵉ s., **maison natale de Nostradamus** et bâtiment de l'**ancien hôpital Saint-Jacques**.

Prendre à gauche pour rejoindre la place Jules-Pélissier où se dresse la mairie, installée dans un ancien couvent. Poursuivre par la rue La Fayette (à droite) puis, à gauche, la rue Estrine.

Hôtel Estrine
Au nᵒ 8. Bâti en 1748, ce bel hôtel doit son nom actuel à un maître cordier marseillais, Louis Estrine. Le bâtiment en pierre de taille, à trois niveaux, présente en façade une partie centrale concave où s'ouvre le portail surmonté d'un élégant balcon en fer forgé. À l'intérieur, l'escalier monumental en pierre dessert les pièces du 1ᵉʳ étage pavées de tommettes et ornées de gypseries. L'hôtel abrite le **centre d'Art-Présence-Van-Gogh** qui présente un montage audiovisuel et une exposition thématique (renouvelés chaque année) sur Vincent Van Gogh. À l'étage : expositions d'art contemporain et deux salles consacrées au peintre **Albert Gleizes** (1881-1953), qui mourut à Saint-Rémy. ☏ 04 90 92 34 72 - avr. à mi-oct. : tlj sf lun. 10h-13h, 15h-19h ; mi-oct. à fin déc. : 10h30-12h30, 14h-18h, possibilité de visite guidée (1h) - fermé janv.-mars, 2 sem. en nov., et 25-26 déc - 3,20 € (-12 ans gratuit), gratuit pour les journées du Patrimoine.

En sortant, poursuivre dans la rue Estrine.

À l'angle des rues Carnot et Nostradamus, la *font vèio*, dite aussi « **fontaine Nostradamus** » (19ᵉ s.), est ornée du portrait de l'enfant du pays.
« Vincent Van Gogh n'est pas né dans cette maison. Il n'y est pas décédé non plus », affirme une plaque de marbre apposée sur une façade de la rue Jaume-Roux.

Suivre la rue Carnot, puis à droite la rue du Parage.

À quelques pas, la place Favier (Le Planet ou ancienne place aux Herbes) est bordée de beaux hôtels : l'**hôtel de Sade** (15ᵉ-16ᵉ s.) et l'**hôtel Mistral de Mondragon**, vaste demeure du 16ᵉ s. ordonnée autour d'une belle cour avec tourelle d'escalier ronde et loggias, qui abrite le musée des Alpilles *(voir « Visiter »)*.

De retour dans la rue Carnot, vous passez devant l'**hôtel d'Almeran-Maillane (R)**, où Gounod donna la première audition de *Mireille*, avant de retrouver le boulevard Marceau. Sur la droite, au n° 11, se trouve l'ancien **hôtel de Lubières (N)**, dit aussi « maison de l'Amandier », où un sculpteur sur bois d'amandier a installé son atelier (*℘ 04 90 92 02 28 - ♿ - visite sur réserv. - gratuit*).

Visiter

Musée des Alpilles

Pl. Favier. 1h de visite. ℘ 04 90 92 68 24 - ♿ - mar.-sam. et 1er dim. du mois- juil.-août : 10h-12h30, 14h-19h ; mars-juin et sept.-oct. : 10h-12h, 14h-18h ; nov.-fév. : 14h-17h - fermé 1er janv., 1er Mai et 25 déc. - 3 € (enf. gratuit) ; gratuit 1er dim. du mois.

Rouvert après une complète réfection, cet intéressant petit musée dédié aux traditions locales et aux arts populaires est installé dans le bel hôtel Mistral de Montdragon, d'époque Renaissance. Bénéficiant désormais d'une muséographie sobre et contemporaine, les collections mettent en valeur le patrimoine historique et ethnographique saint-rémois, et plus généralement, des Alpilles. La variété des objets exposés en fait un musée adapté aux enfants. À ne pas manquer : la salle des costumes du pays d'Arles (ceux que les St-Rémoises portaient encore au début du 20e s.), la petite section dédiée au **Félibrige** *(voir p. 84)*, la salle d'agriculture ancienne (en particulier la partie sur la culture du chardon cardère, bien connu des tisserands). Un **cabinet d'arts graphiques**, comprenant des œuvres d'Ossip Zadkine et Albert Gleizes *(pour voir d'autres œuvres de ce peintre, allez ausssi à l'hôtel Estrine)*, et la reconstitution d'un **atelier de typographie** et de gravure du 20e s. complètent la visite. Avant de quitter le musée, jetez un œil dans la remarquable cour intérieure où veille le buste de Vincent Van Gogh sculpté par Ossip Zadkine.

Donation Mario Prassinos★

Av. Durand-Maillane. ℘ 04 90 92 35 13 - juil.-août : 11h-13h, 15h-19h ; sept.-nov. et mars-juin : 14h-18h - fermé lun. et mar., déc.-fév., 1er Mai, 14 Juil., 15 août - 2 € (–13 ans gratuit).

C'est pour la petite chapelle Notre-Dame-de-Pitié, où jadis les pèlerins se rendaient lorsqu'apparaissaient de grands fléaux, peste ou famine, que Mario Prassinos (1916-1985), artiste d'origine grecque établi à Eygalières *(voir les Alpilles)*, a réalisé cette série de peintures murales sur le thème du supplice. Il est difficile de résister à l'émotion devant ces troncs et ces branches torturées, dans une austère opposition de noir et de blanc : un cancer allait emporter l'artiste quelques jours après qu'il eut achevé cette œuvre. Des gravures sur cuivre, des estampes, des encres de Chine sur papier, présentées en alternance, complètent cette donation.

Monastère de Saint-Paul-de-Mausole

1 km à la sortie de la ville par la D 5, en direction du plateau des Antiques et de Glanum. Parking des Antiques. ℘ 04 90 92 77 00 - ♿ - avr.-oct. : tlj sf sam. 9h30-19h ; nov.-mars : 10h30-17h - fermé 25 déc. et 1er janv. - 3,80 € (–12 ans gratuit).

Le cloître du monastère de Saint-Paul-de-Mausole.

À proximité des Antiques, auquel son nom (Mausole) est lié, ce monastère devint maison de santé dès le milieu du 18ᵉ s. Un beau clocher carré, orné d'arcatures lombardes, coiffe l'église (fin 12ᵉ s.). Dans le **cloître★** adjacent, élégant décor roman avec chapiteaux sculptés de motifs variés (feuillages, animaux, masques, etc.).

Le monastère garde le souvenir de Van Gogh, qui s'y fit interner volontairement du 3 mai 1889 au 16 mai 1890 (chambre reconstituée). Disposant d'un atelier, l'artiste ne cessa de peindre : son cadre de vie, la nature (*Les Cyprès*, *Le Champ de blé au faucheur*, etc.), des autoportraits. Dans les anciennes salles capitulaires, exposition-vente des œuvres de l'atelier d'art thérapie.

1,5 km. Du monastère au centre-ville, 21 reproductions ponctuent un parcours où vous lirez le paysage à travers les yeux de l'artiste *(plan à l'office de tourisme)*.

Mas de la Pyramide

Accès à 200 m du monastère de St-Paul-de-Mausole. 𝒫 04 90 92 00 81 - 8h-12h, 14h-18h, possibilité de visite guidée (30 à 60mn).

Ce mas troglodytique, à l'aménagement intérieur insolite, fut construit en grande partie dans les anciennes carrières romaines, dont les matériaux ont servi à l'érection de Glanum. Les cavités abritent un musée rural rassemblant des outils et du matériel agricole utilisés autrefois par les paysans du terroir. Au centre du terrain, la « pyramide », rocher vertical de 23 m de haut, permet d'apprécier l'ancien niveau de la surface avant le début de l'exploitation des carrières.

Saint-Rémy-de-Provence pratique

Adresse utile

Office du tourisme de Saint-Rémy-de-Provence – *Pl. Jean-Jaurès - 13210 Saint-Rémy-de-Provence - 𝒫 04 90 92 05 22 - www.saintremy-de-provence.com - Pâques-oct. : tlj 9h-12h30, 14h-19h, dim. 10h-12h ; nov.-Pâques : tlj sf dim. 9h-12h, 14h-18h.*

Visites

Visite guidée de la ville – *Réserv. obligatoire - RV devant l'office de tourisme - 6,40 €.* L'office de tourisme organise une visite de la vieille ville *(sam. : 10h)* et une promenade sur les lieux peints par Van Gogh *(mar., jeu. et vend. : 10h)*.

Circuit touristique – *Dépliant disponible à l'office de tourisme.* « La Provence au temps de Nostradamus », découverte de la Renaissance dans les Alpilles, de Saint-Rémy-de-Provence à Salon-de-Provence.

Se loger

🛏️🍴 **Hôtel Cheval Blanc** – *6 av. Fauconnet - 𝒫 04 90 92 09 28 - www.hotelcheval-blanc.com - fermé de déb. nov. à déb. mars - 🅿 - 22 ch. 52/60 € - ⏩ 6 €.* Maison familiale située au cœur de la charmante cité provençale. Accueil à l'étage, chambres rafraîchies et colorées, salon agrémenté de quelques meubles régionaux. Les petits-déjeuners sont servis sous la véranda ou sur la terrasse.

🛏️🍴 **Hôtel du Soleil** – *35 av. Pasteur - 𝒫 04 90 92 00 63 - www.hotelsoleil.com - fermé de déb. nov. à fin mars - 🅿 - 21 ch. 53/69 € - ⏩ 7 €.* Ancienne fabrique de chardons ordonnée autour d'une vaste cour fermée (terrasse, jardin, piscine). Chambres paisibles, meublées en rotin. Espace Internet.

🛏️🍴 **Hôtel L'Amandière** – *Av. Plaisance-du-Touch - 1 km au NE de St-Rémy par rte d'Avignon puis rte de Noves - 𝒫 04 90 92 41 00 - www.hotel-amandiere.com - 🅿 - 25 ch. 66 € - ⏩ 7 €.* Le jardin et la piscine sont plaisants, le quartier est calme, la bâtisse récente, l'accueil charmant… Que demander de plus ? Chambres sobres, de taille moyenne, certaines avec petite terrasse ou balcon. Petit-déjeuner soigné, servi sous la véranda ou à l'extérieur.

🛏️🍴 **Chambre d'hôte Le Sommeil des Fées** – *4 r. du 8-Mai-1945 - 𝒫 04 90 92 17 66 - sommeil-des-fees@wanadoo.fr - ⏩ - 5 ch. 55/75 € - ⏩ - repas 18/30 €.* Les chambres associent sanitaires complets et décoration agréable, riche en couleurs, avec tomettes ou parquet au sol. Mais on aura quand même une préférence pour celles du 2ᵉ étage, plus spacieuses. Installé dans le patio, le restaurant propose des recettes régionales, cuisinées sur place à base de produits frais.

🛏️🍴 **Chambre d'hôte La Chardonneraie** – *60 r. Notre-Dame - 13910 Maillane - 7 km au NO de St-Rémy par D 5 - 𝒫 04 90 95 80 12 ou 06 09 22 35 55 - www.lachardonneraie.com - ⏩ - 4 ch. 61/67 € - ⏩ 6 €.* Les chambres, aménagées dans un mas du 18ᵉ s. restauré, sont personnalisées et décorées dans un esprit provençal : mobilier ancien, fer forgé et couleurs ensoleillées. Agréable jardin avec piscine. Petit-déjeuner servi sous une treille aux beaux jours.

🛏️🍴 **Hôtel Gounod** – *18 pl. de la République - 𝒫 04 90 92 06 14 - www.hotel-gounod.com - fermé de fin fév. à déb. mars et 24 déc.-2 janv. - 🅿 - 34 ch. 90/230 € - ⏩ - salon de thé 11 €.*

Charles Gounod séjourna dans ces murs en 1863 pour composer son opéra *Mireille*. Aujourd'hui, entièrement rénové, cet hôtel perpétue la tradition d'hospitalité provençale avec tous les agréments du confort moderne. Ses chambres, disposées autour d'un jardin insoupçonnable de l'extérieur, ne manquent pas d'attraits.

Se restaurer

◖ **L'Assiette de Marie** – *1 r. Jaume-Roux -* ☎ *04 90 92 32 14 - fermé janv., fév., lun. midi en sais. et jeu. en hiver - 14/30 €.* Ce restaurant possède un charme fou avec son étonnant décor aux allures de brocante : vous vous attablerez ici entre une machine à écrire et un gramophone. Les pâtes maison peuvent se trouver à l'Épicerie de Marie, adjacente.

◖◍ **Alain Assaud** – *13 bd Marceau -* ☎ *04 90 92 37 11 - fermé 5 janv. -15 mars et 15 nov.-15 déc. - 25/40 €.* Papeton d'aubergine ou soupe au pistou, loup grillé ou aïoli de morue fraîche ? Cette ancienne boutique est devenue le rendez-vous des gourmets saint-rémois.

◖◍◔ **La Maison Jaune** – *15 r. Carnot -* ☎ *04 90 92 56 14 - www.franceweb.org/lamaisonjaune - fermé 8 janv.-8 mars, dim. soir en hiver, mar. midi de juin à sept. et lun. - réserv. obligatoire - 30/57 €.* Jaune est la façade de ce restaurant, comme le carrelage à motifs de sa jolie terrasse sur deux niveaux, ombragée d'un auvent et offrant la vue sur l'église. Mobilier en teck et ferronnerie. Cuisine actuelle aux senteurs provençales.

En soirée

Café du Lézard – *12 bd Gambetta -* ☎ *04 90 92 59 66 - juin-sept. : lun.-sam. 11h-16h, 18h30-0h ; oct.-mai : w.-end midi et soir ; tlj sf merc.* Ce bar à vins au décor hétéroclite est prisé pour sa convivialité, sa belle sélection de crus régionaux, son agréable terrasse et son ambiance musicale. Tartines et amuse-gueules pour les petites faims. Vins à emporter.

Que rapporter

Marchés – Marché traditionnel mercredi, pl. de la République et pl. Pélissier. En période calendale, le marché du **gros souper** permet de se procurer les produits de base pour le repas de Noël provençal.

Marché nocturne des créateurs – En juillet-août, le mardi soir place de la Mairie.

Confiseur Lilamand – *5 r. Albert-Schweitzer -* ☎ *04 92 92 12 77 - www.lilamand.com - tlj sf dim. et lun. 10h-12h30, 14h30-19h - fermé j. fériés.* Pour le plaisir des gourmands, cette entreprise familiale née en 1886 a conservé ses procédés artisanaux de fabrication. Les fruits sont pelés à la main, confits dans de grandes bassines en cuivre puis glacés. Ananas et melon entiers, kumquats, tranches de kiwi, d'orange ou de citron, prunes et angéliques comptent parmi les fruits confits à goûter impérativement.

Olive-Les Huiles du Monde – *16 bd Victor-Hugo -* ☎ *04 90 92 53 93 - 10h-13h, 15h-20h - fermé nov.-fév.* Dans une belle maison de maître, dégustation et vente des huiles AOC de toutes provenances. À la même adresse, une petite visite au **Monde de la Truffe** s'impose…

Le Petit Duc – *7 bd Victor-Hugo -* ☎ *04 90 92 08 31 - www.petit-duc.com - 10h-13h, 15h-19h - fermé vac. de fév.* Pâtisseries, douceurs sucrées ou biscuits salés confectionnés de façon artisanale, dans le plus grand respect de recettes anciennes.

Florame - musée des Arômes – *34 bd Mirabeau -* ☎ *04 32 60 05 18 - www.florame.com - tlj sf dim. 10h-12h30, 14h30-19h - fermé dim. de mi-sept. à Pâques - gratuit.* L'ancien atelier, avec ses vieux alambics et sa collection de flacons de parfum, se trouve à l'entrée. La **visite guidée** (gratuite) explique les procédés d'élaboration du parfum. Bon choix d'huiles essentielles, de savons et de cosmétiques bio.

Santonnier Laurent Bourges – *Rte de Maillane - À 2 km de St-Rémy par la D 5 -* ☎ *04 90 92 20 45 - 9h-19h.* Depuis 1955, Laurent Bourges se consacre avec passion à la réalisation de santons de Provence. Rendez-lui visite, il vous montrera son atelier et, qui sait, vous dévoilera peut-être quelques secrets de son savoir-faire.

Sports & Loisirs

La Provence vue d'avion – *5 r. Carnot -* ☎ *04 90 92 22 84 - www.provence-vue-avion.com - tlj du lever au coucher du soleil selon les conditions climatiques - à partir de 39 €.* C'est ce que propose cette société spécialisée dans les visites aériennes commentées. Vous prendrez place à bord d'un Cessna 182 ou 172 et survolerez les plus beaux sites provençaux. Magique !

Événements

Festival Organa – Le Festival international d'orgue a lieu de début juillet à mi-septembre, le samedi à 17h30, dans la collégiale Saint-Martin.

Feria provençale – Autour du 15 août. Courses camarguaises, *abrivados, encierros* (lâchers de taureaux). Le 15 août : *carreto ramado* (charrette décorée, tirée par 50 chevaux), à partir de 10h30 et défilé d'Arlésiennes en costumes traditionnels.

Fête de la transhumance – Le dimanche de Pentecôte, chèvres, brebis et moutons des Alpilles traversent la cité en fête qui accueille une foire aux fromages, une brocante et une exposition d'ânes.

Fêtes de la route des peintres – Un dimanche par mois de mai à septembre, dans le centre ancien, ces fêtes réunissent près de 250 artistes, peintres et sculpteurs. Les collectionneurs viennent nombreux, dès 10h.

Messe de minuit avec pastrage – 24 décembre à la Collégiale Saint-Martin.

Massif de la **Sainte-Baume**★★

CARTE GÉNÉRALE C4 – CARTE MICHELIN LOCAL 340 J6 – BOUCHES-DU-RHÔNE (13) ET VAR (83)

La *bauma* (ou *baoumo*), « grotte » en provençal, devenue sainte depuis que Marie-Madeleine a choisi de s'y retirer, a donné son nom à la forêt comme au massif. Lieu de spiritualité depuis les temps les plus reculés (déjà les Gaulois en avaient fait un bois sacré), le massif de la Sainte-Baume attire les amoureux de la nature par la diversité de ses reliefs abrupts, ses multiples promenades et son écosystème original, avec les essences nordiques qui peuplent sa forêt et lui donnent un caractère unique en Provence.

▷ **Se repérer** – Le massif, le plus étendu et le plus élevé des chaînons provençaux, atteint 1 147 m au Signal de la Sainte-Baume. Le versant sud, aride et dénudé, monte en pente douce du bassin de Cuges à la ligne de crête, longue de 12 km, dont l'un des points culminants, le Saint-Pilon (alt. 994 m), offre un splendide panorama. Une falaise verticale, haute de 300 m environ, donne sa physionomie au versant nord qui abrite la célèbre grotte ; en contrebas s'étale la forêt domaniale, près du plateau du Plan-d'Aups évoquant les Causses.

👁 **À ne pas manquer** – Les hêtres, tilleuls et érables de cette forêt, unique en Provence ; la randonnée au col du Saint-Pilon et sa récompense : un panorama époustouflant.

🕐 **Organiser son temps** – Comptez environ 5h pour suivre notre circuit, ascension du Saint-Pilon non comprise. L'été, vous apprécierez la fraîcheur du massif. Au printemps, le parc de Saint-Pons est illuminé par la magnifique floraison des arbres de Judée.

♿ **Pour poursuivre la visite** – Voir aussi Saint-Maximin-la-Sainte-Baume.

Comprendre

Un espace forestier classé – D'une superficie d'environ 140 ha, la **forêt**★★ (altitude comprise entre 680 et 1 000 m) doit à son originalité d'être classée en **Réserve biologique domaniale**. En effet, elle est peuplée surtout de hêtres géants et d'énormes tilleuls entremêlés d'érables dont les hautes voûtes de feuillages légers se ferment sur l'épaisse et sombre ramure des ifs, des fusains, des lierres et des houx. Pourquoi rencontre-t-on, en pleine Provence, des arbres qui ne dépareraient pas les forêts d'Île-de-France ? Tout simplement à cause de l'ombre portée par la haute falaise qui, au sud, domine la région boisée : elle y entretient une fraîcheur et une humidité toutes septentrionales, fort appréciées l'été, comme on s'en doute, par les populations locales. Dès que cette muraille s'abaisse, les chênes méditerranéens resurgissent. Depuis un temps immémorial, la « forêt-relique » est quasiment « hors de coupe » : on veille essentiellement à assurer une régénération suffisante de ce patrimoine unique en Provence et à prévenir la chute des arbres dangereux.

Massif de la Sainte-Baume et vue sur le Saint-Pilon.

Ludovic Campion / MICHELIN

Au 1er siècle avant le réfrigérateur

À l'approche des premières gelées, les eaux des sources avoisinantes étaient détournées à l'aide de rigoles vers des « bassins de gel » disposés en gradins. Une fois l'hiver venu, la **glace** était chargée dans des tombereaux avant d'être « cavée » dans des glacières aux murs intérieurs garnis de paille : une fois la glacière pleine, il suffisait de fermer et d'attendre l'été. La glace était alors débitée au ciseau et faisait le bonheur des citadins accablés de chaleur et démunis de tout moyen de conservation des aliments. Il y avait sur le territoire de la commune de Mazaugues pas moins de 17 glacières, qui alimentèrent en glace Toulon, puis Marseille, durant tout le 19e s.

Circuit de découverte

Circuit de 107 km au départ de Saint-Maximin-la-Sainte-Baume (voir ce nom) – environ 1h30 de route, sans les arrêts. Quitter Saint-Maximin au sud par la N 560 en direction d'Aubagne ; après le pont ferroviaire, prendre tout de suite à gauche la D 64.

Mazaugues

Cette petite localité varoise accueille le **musée de la Glace**, rappelant l'activité qui en fit un lieu jadis béni des Toulonnais et des Marseillais au moment des canicules estivales. Il est bien entendu dédié en partie aux méthodes locales de production artisanale de la glace auxquelles sont consacrés plusieurs panneaux : maquette d'une glacière et d'un bassin de gel, outils… Vous découvrirez le cheminement de cette précieuse et éphémère denrée jusqu'à ses utilisateurs. *℘ 04 94 86 39 24 - 🖐 - juin-sept. : tlj sf lun. 9h-12h, 14h-18h ; oct.-mai : dim. et j. fériés 9h-12h, 14h-17h, possibilité de visite guidée (1h) - 2,30 €.*

Poursuivre sur la D 95 en direction de Plan-d'Aups.

Au lieu-dit Les Glacières, la **glacière de Pivaut** a été récemment restaurée *(accès par un chemin forestier sur la gauche de la D 95).*

Hôtellerie de la Sainte-Baume

Dans le hall, portail d'entrée à la grotte réalisé au 16e s. par Jean Guiramand. Une chapelle a été aménagée en 1972 dans une belle salle voûtée, l'ancien abri des pèlerins. Sur la gauche de l'hôtellerie, humble cimetière des dominicains décédés durant leur séjour au couvent.

Accès à la grotte

Dès le 5e s., les moines de **Saint-Cassien** s'installent dans la grotte, déjà vénérée par la population. Sa renommée attire de nombreux pèlerins : des rois de France (dont Saint Louis), plusieurs papes, des milliers de grands seigneurs et des millions de fidèles feront le voyage. Un des premiers actes publics du **roi René** en Provence sera de se rendre à la grotte en compagnie de son neveu, le futur Louis XI. À partir de 1295, les dominicains ont la garde de la grotte. Leur hôtellerie toute proche sera brûlée à la Révolution (traces encore visibles sur la paroi rocheuse). En 1859, le **père Lacordaire** y ramène les dominicains, ainsi qu'à Saint-Maximin. L'hôtellerie a été reconstruite sur ses indications, en bas sur le plateau.

1h30 AR. Deux possibilités s'offrent : depuis l'hôtellerie : emprunter le « chemin du Canapé » à gauche des bâtiments, qui passe par le Canapé, amoncellement d'énormes blocs moussus ; ou, depuis le carrefour des Trois-Chênes (D 80 et D 95), suivre le « chemin des Rois », plus aisé. Ces deux chemins se rejoignent au **carrefour de l'Oratoire** après un agréable parcours sous la magnifique futaie de la Ste-Baume. Du carrefour, à droite, un large sentier rejoint un escalier taillé dans le roc et barré, à mi-côte, par une porte décorée de l'écu fleurdelisé de France ; à gauche, une niche sous roche protège un calvaire en bronze. L'escalier *(150 marches)* aboutit à une **terrasse** au parapet surmonté d'une croix de pierre (Pietà en bronze, treizième station du chemin de croix). Belle **vue★** sur la montagne Ste-Victoire que semblent prolonger, à droite, le mont Aurélien, et en contrebas sur Plan-d'Aups, l'hôtellerie et la forêt touffue.

La **grotte**, en forme d'hémicycle, s'ouvre au nord de la terrasse, à 946 m d'altitude. Un reliquaire, à droite du maître-autel, contient les reliques de sainte Marie-Madeleine provenant de St-Maximin. Derrière le maître-autel, dans une anfractuosité surélevée de 3 m, seul lieu sec de la grotte, se trouve une statue de Marie-Madeleine allongée ; cet endroit serait le « lieu de pénitence » de la pécheresse repentie.

Dans ce lieu où l'on vénérait les déesses de la fécondité, la tradition a perduré sous le christianisme : chaque couple de promis, sur le chemin de la grotte, élevait un tas de pierres. Autant de cailloux, autant d'enfants désirés dans le futur foyer…

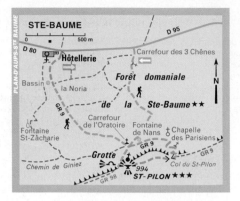

Saint-Pilon★★★

Au carrefour de l'Oratoire, passer devant l'oratoire, puis prendre le sentier de droite (jalonnement rouge et blanc du GR 9). Ce sentier longe une chapelle abandonnée, dite « des Parisiens », monte en zigzag et tourne à droite au col du Saint-Pilon.

🐾 *2h AR.* Au sommet se trouvait une colonne (d'où le nom de Saint-Pilon), remplacée par une petite chapelle. En ce lieu, selon la légende, sept fois par jour, les anges portaient sainte Marie-Madeleine qui écoutait avec ravissement les « concerts du Paradis ». Du Saint-Pilon (alt. 994 m), magnifique **panorama★★★** (table d'orientation) : au nord, sur l'hôtellerie de la Sainte-Baume au premier plan, le mont Ventoux que l'on devine au loin, le Luberon, la montagne de Lure, le Briançonnais, le mont Olympe et, plus près, le mont Aurélien ; au sud-est, sur le massif des Maures ; au sud-ouest, sur la chaîne de la Sainte-Baume et le golfe de La Ciotat ; au nord-ouest, sur les Alpilles et la montagne Sainte-Victoire.

Plan-d'Aups

Cette petite station climatique, qui possède une église romane, accueille le centre d'accueil de l'**écomusée de la Sainte-Baume** *(sur la droite de la route avant le carrefour avec la D 480 descendant sur St-Zacharie).* Regroupant 22 communes, il s'attache à préserver l'écosystème du massif et à en étudier la géologie, mais également à perpétuer la mémoire des activités humaines conduites depuis la préhistoire, en ce lieu où les compagnons finissaient jadis traditionnellement leur tour de France. 📞 *04 42 62 56 46 - http://ecomusee-saintebaume.free.fr - de mi-avr. à fin oct. : 9h-12h, 14h-18h ; reste de l'année : 14h-17h30, possibilité de visite guidée (1h) - 4 € (–14 ans gratuit).*

Poursuivre à l'ouest par la D 80 ; à la Coutronne, prendre à gauche la D 2.

La route s'élève sur le versant nord, offrant des vues sur la chaîne de l'Étoile et la montagne Sainte-Victoire, séparées par le bassin de Fuveau. Au **col de l'Espigoulier★** (alt. 728 m), la vue s'étend sur le massif de la Sainte-Baume, la plaine d'Aubagne, la chaîne de Saint-Cyr et Marseille. La descente en lacets s'effectue ensuite sur le versant sud du massif, creusé d'un profond amphithéâtre.

Parc de Saint-Pons★

🐾 *Laisser sa voiture au parc de stationnement après le pont (le week-end, on se garera le long de la route) et emprunter le sentier qui borde le ruisseau.* Un vieux moulin abandonné, près d'une cascade formée par les eaux de la source vauclusienne de Saint-Pons, une abbaye cistercienne fondée au 13ᵉ s. et la chapelle Saint-Martin au

---

Du Golgotha au Saint-Pilon

Sœur de Marthe et de Lazare, **Marie-Madeleine** mène une vie peu édifiante jusqu'à sa rencontre avec Jésus. Subjuguée, la pécheresse repentie suit le Sauveur. Elle se trouve au pied de la croix au Golgotha et, le matin de Pâques, elle est la première à qui Jésus ressuscité se manifeste. Selon la tradition provençale, elle est chassée de Palestine lors des premières persécutions contre les chrétiens, avec Marthe, Lazare, Maximin et d'autres saints. Après qu'ils ont abordé aux Saintes-Maries, l'itinéraire de prédication de Marie-Madeleine la mène à la Sainte-Baume. La sainte passe là trente-trois ans dans la prière et la contemplation. Sentant venir sa dernière heure, elle descend dans la plaine où saint Maximin lui donne la dernière communion et l'ensevelit.

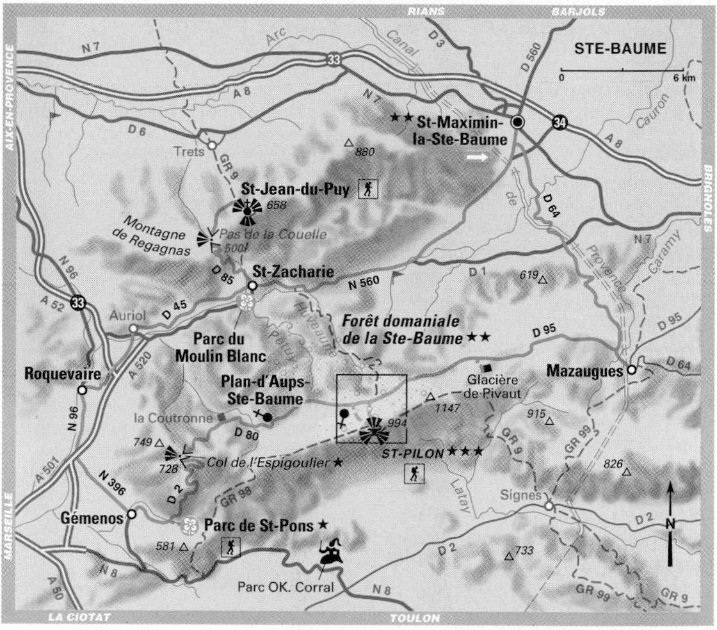

portail roman se nichent dans ce havre de fraîcheur qu'ombrage une abondante végétation (hêtres, frênes, érables et autres essences rares en Provence). Venez de préférence au printemps, lorsque, illuminé par la magnifique floraison des arbres de Judée, le parc de Saint-Pons brille de tout son éclat.

Gémenos

À l'entrée du verdoyant vallon de Saint-Pons, dans la vallée de l'Huveaune, ce beau village sillonné par des ruelles parfois raides, et qui a conservé un **château** de la fin du 17e s., mérite que l'on s'y attarde le temps d'une flânerie.

Prendre au nord-ouest la N 396 puis, au Pont-de-l'Étoile, la N 96 en direction d'Aix.

Roquevaire

Dominé par sa tour de l'Horloge, ce village est surtout célèbre pour son **orgue** (église Saint-Vincent) reconstruit avec la tuyauterie et les boiseries d'origine, mais intégrant l'orgue personnel de Pierre Cochereau, ancien titulaire de Notre-Dame de Paris. *Visite guidée : s'adresser à l'Association des amis du grand orgue de Roquevaire, 6 av. Pierre-Cochereau, 13630 Roquevaire, ✆ 04 42 04 05 33.*

Prendre à droite la D 45 que l'on poursuit, après Auriol, jusqu'à Saint-Zacharie.

Saint-Zacharie

Ce sympathique – pour peu que l'on abandonne la route qui le traverse – village, jadis célèbre pour ses céramiques, s'enorgueillit de ses nombreuses fontaines.

Arboretum du parc du Moulin blanc – *À la sortie de Saint-Zacharie, sur la N 560 en direction d'Aubagne. ✆ 04 42 62 71 30 - www.parcdumoulinblanc.fr - ♿ - juil.-août : 14h-19h ; mai-juin et sept.-nov. : w.-end et j. fériés 14h-18h, possibilité de visite guidée (1h30) sur demande - 4 €.*

Conçu en 1851 par le marquis Adolphe de Saporta, ce superbe jardin aménagé à l'anglaise, selon le goût de l'époque, fut enrichi par son fils, **Gaston de Saporta**, paléobotaniste réputé qui y a introduit et acclimaté des espèces exotiques telles que bambous, séquoias, cyprès chauves et autres liquidambars. L'espace « Petite Sainte-Baume » rassemble la plupart des espèces présentes dans le massif.

Oratoire de Saint-Jean-du-Puy

Sur la D 85, que l'on prend à droite, peu après le Pas de la Couelle, s'amorce à droite un chemin très étroit qui conduit, après une forte rampe, à un poste radar militaire ; y laisser sa voiture. 15mn AR. Un sentier jalonné permet de gagner à pied l'oratoire : très belle **vue**★ sur la montagne Sainte-Victoire et la plaine de Saint-Maximin au nord, les massifs des Maures et de la Sainte-Baume au sud-est et, au premier plan, la montagne de Regagnas, la chaîne de l'Étoile et le pays d'Aix à l'ouest.

Revenir à Saint-Zacharie et rejoindre Saint-Maximin, à gauche, par la N 560.

Massif de la Sainte-Baume pratique

Voir aussi l'encadré pratique de Saint-Maximin-la-Sainte-Baume.

Se loger

Hôtellerie de la Ste-Baume – *83460 Plan-d'Aups - ℰ 04 42 04 54 84 - 60 ch. 12,50/18,50 € - 3,50 € - repas 12 €.* Cette hôtellerie située en pleine nature, à la lisière de la forêt domaniale de la Ste-Baume, accueille aussi bien les pèlerins que les randonneurs et ceux qui désirent se retirer un temps du monde… pour méditer sur le sens de la vie ?

Hôtel Le Parc – *Vallée St-Pons - 13420 Gémenos - 1 km à l'E de Gémenos par D 2 - ℰ 04 42 32 20 38 - www.hotel-parc-gemenos.com - - 13 ch. 54/89 € - 7 € - restaurant 25/48 €.* Au calme, en retrait de la départementale, une maison nichée dans un écrin de verdure. Terrasse ombragée et salle à manger s'ouvrant sur le jardin. Coquettes petites chambres gaiement colorées.

Se restaurer

La Restanque – *R. de La Treille - 13360 Roquevaire - ℰ 04 42 04 21 78 - fermé lun. soir - 13,50/41 €.* Belle terrasse, ensoleillée l'hiver et ombragée l'été, au-dessus de la place, juste à côté de l'Huveaune. Cuisine au feu de bois et spécialités méditerranéennes.

Lou Pebre d'Aï – *Rte Pic-de-Bertagne - 83460 Plan-d'Aups - ℰ 04 42 04 50 42 - www.loupebredai.com - fermé 5-31 janv., vac. de fév., mar. soir et merc. sf du 15 avr. au 15 sept. - 26/45 €.* Halte reposante dans une grande maison de ce village dominé par l'escarpement de la Ste-Baume. Plaisant décor campagnard au restaurant et terrasse bordant un jardin avec piscine. Cuisine aux saveurs du terroir. Chambres simples et calmes.

Que rapporter

Moulin à huile de la Cauvine – *Quartier de la Cauvine - entre St-Jean-de-Garguier et St-Estève - 13360 Roquevaire - ℰ 04 42 04 09 30 - jean-paul.julien12@wanadoo.fr - tlj sf dim. 9h-19h - fermé j. fériés.* Un vrai paysage de carte postale entoure cette ferme plantée au milieu des oliviers, des vergers et des champs de légumes. Vous pourrez y remplir votre panier de fruits et légumes de saison, tous les mardis et les vendredis. À noter : l'huile d'olive fabriquée ici, vendue à prix attractif, a obtenu plusieurs médailles.

Événements

Mazaugues – Le dernier dimanche de février est organisée une **Foire à la glace** : expositions, conférences, animations et… dégustation de glaces artisanales.

Roquevaire – *Informations www.roquevaire.fr.* Chaque année, de mi-septembre à début octobre, a lieu un prestigieux **Festival international d'orgue**.

Saint-Maximin-la-Sainte-Baume – Pour la **fête de Sainte-Marie-Madeleine**, une messe est célébrée le dimanche suivant le 22 juillet à la basilique de Saint-Maximin, avec une procession des reliques de la sainte l'après-midi.

La Sainte-Victoire★★★

CARTE GÉNÉRALE C3 – CARTE MICHELIN LOCAL 340 I4 – BOUCHES-DU-RHÔNE (13)

À l'est d'Aix-en-Provence, la montagne Sainte-Victoire ou « la Sainte », comme on l'appelle affectueusement, avec sa silhouette reconnaissable entre toutes, plus qu'une montagne est un symbole pour la Provence, un véritable point de ralliement. Elle fut immortalisée par Cézanne qui, à travers une recherche inlassable et quasi mystique d'approfondissement de son art, représenta une soixantaine de fois la montagne qui le hantait.

La Sainte-Victoire, massif que Cézanne n'eut de cesse de peindre…

▶ **Se repérer** – Ce massif calcaire culmine à 1 011 m au pic des Mouches. Orientée d'ouest en est, la chaîne présente, au sud, une face abrupte dominant le bassin de l'Arc, tandis qu'au nord, elle s'abaisse doucement en une série de plateaux calcaires vers la plaine de la Durance. Un saisissant contraste oppose le rouge franc des argiles de la base au blanc des calcaires de la haute muraille, notamment entre Le Tholonet et Puyloubier.

👁 **À ne pas manquer** – La randonnée jusqu'à la Croix de Provence, d'où l'on embrasse un splendide panorama sur les montagnes provençales. Attention, la montée et la descente sont rudes et certains passages rocheux sont délicats.

🕐 **Organiser son temps** – Comme tous les espaces naturels sensibles des Bouches-du-Rhône, l'accès au massif est strictement réglementé du 1er juil. au 2e sam. de sept. Ouverts au public de 6h à 11h du matin, les espaces peuvent fermer en cas de risque d'incendie. Renseignez-vous avant le départ (☎ 0 811 20 13 13). S'il fait chaud, prenez un chapeau et buvez tout au long du chemin. En hiver, emportez coupe-vent et bonnet pour vous protéger du mistral.

👥 **Avec les enfants** – La maison de la Sainte-Victoire à Saint-Antonin-sur-Bayon, pour tout savoir du gisement d'oeufs de dinosaures retrouvés à proximité (et exposés au Muséum d'histoire naturelle d'Aix).

🕭 **Pour poursuivre la visite** – Voir aussi Aix-en-Provence.

Circuit de découverte

SUR LES PAS DE CÉZANNE

Circuit de 74 km au départ d'Aix-en-Provence – compter 1 journée (visite d'Aix non comprise). Quitter Aix-en-Provence par la D 10 à l'est, puis prendre à droite une route en direction du barrage de Bimont.

Barrage de Bimont
Ouvrage principal du projet d'extension du canal du Verdon, il a été construit sur l'Infernet dans un très beau site boisé, au pied de la montagne Sainte-Victoire.

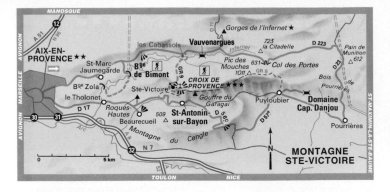

🐾 *2h AR. Tout au bout du parking aménagé, suivre le balisage jusqu'au barrage Zola. Prenez un chapeau, une bonne bouteille et de bonnes chaussures.*

La descente s'effectue par la rive droite, le long de belles gorges piquées de garrigue menant au **barrage Zola** (édifié par l'ingénieur François Zola, père du célèbre écrivain), deuxième ouvrage de ce projet conçu pour irriguer et distribuer l'eau à une soixantaine de communes de la région. La remontée s'effectue par la rive gauche, plus boisée. On rejoint le parking en traversant l'impressionnant barrage de Bimont, belle vue sur les eaux bleues.

Revenir sur la D 10 où l'on tourne à droite. Au lieu dit la ferme des Cabassols, laisser la voiture sur un petit parc de stationnement à droite de la route.

Croix de Provence★★★

🐾 *3h30 AR. Prendre le chemin muletier des Venturiers (GR 9) qui s'élève rapidement dans la pinède, puis cède la place à un sentier, plus aisé, serpentant en lacets à flanc de montagne.* Une chapelle, un bâtiment conventuel et les vestiges d'un cloître : c'est le **prieuré de Notre-Dame-de-Ste-Victoire** (alt. 900 m), édifié en 1656, d'où l'on découvre, depuis la terrasse, une jolie **vue** sur le bassin de l'Arc et la chaîne de l'Étoile. Une petite escalade permet de gagner la Croix de Provence (alt. 945 m), haute de 17 m (avec un soubassement de 11 m). La vue embrasse un magnifique **panorama★★★** sur les montagnes provençales : au sud, le massif de la Ste-Baume et la chaîne de l'Étoile, vers la droite, la chaîne de Vitrolles, la Crau, la vallée de la Durance, le Luberon, les Alpes de Provence et, plus à l'est, le pic des Mouches. À l'est, sur la crête, se trouve le ténébreux **gouffre du Garagaï**, profond de 150 m. Il fut une source inépuisable de légendes, qui, contées à la veillée, ont fait cauchemarder bien des enfants…

Vauvenargues

Village situé dans la vallée de l'Infernet : son **château** (17ᵉ s.), perché sur un éperon rocheux, appartint à Picasso, qui est enterré dans le parc.

Après Vauvenargues, la route remonte les **gorges de l'Infernet★**, très boisées, dominées à gauche par la Citadelle (723 m), et franchit le col des Portes. Au cours de la descente, les Préalpes se dessinent à l'horizon.

Au Puits-de-Rians, prenez à droite la D 23 qui contourne la montagne Sainte-Victoire par l'est et traverse le bois de Pourrières. Sur la gauche, se dresse le **Pain de Munition** (612 m). Dans Pourrières, où Marius aurait écrasé l'armée des Teutons, tournez à droite en direction de Puyloubier.

Domaine Capitaine Danjou

📞 04 42 66 38 20 - 🚻 - 10h-12h, 14h-17h - fermé 30 avr. - gratuit.

Le château de cette exploitation viticole abrite l'Institution des invalides de la Légion étrangère. Dans une bastide du domaine, on peut visiter le **musée de l'Uniforme**.

Revenir à Puyloubier et emprunter la D 57ᴮ, puis la D 56ᶜ à droite.

Ce parcours pittoresque offre de belles vues sur la montagne Sainte-Victoire, le bassin de Trets et le massif de la Sainte-Baume, puis franchit la montagne du Cengle avant de rejoindre la D 17, qui serpente en direction d'Aix entre la Sainte-Victoire et la montagne du Cengle.

Saint-Antonin-sur-Bayon

Le village abrite la **Maison de la Sainte-Victoire** : exposition permanente sur la montagne, son écosystème, son histoire (les œufs de dinosaure) et les expériences de reforestation entreprises depuis le terrible incendie qui ravagea la montagne en 1989. Film *(30mn)* et sentier d'interprétation. *℘ 04 42 66 84 40 -* &. *; juil.-août :* *10h15-19h30 ; avr.-juin et sept.-oct. : lun.-vend. 9h30-18h, w.-end et j. fériés 9h15-19h30 ;* *nov.-mars : 9h30-18h - fermé 1er janv. et 25 déc. - gratuit.*

Avant de reprendre le chemin d'Aix, un détour par **Beaurecueil** s'impose : c'est depuis ce village que la vue sur la Sainte-Victoire est certainement la plus belle, surtout à l'« heure cézannienne », lorsque le soleil déclinant vient caresser la montagne et les campagnes environnantes.

Retour à Aix par Le Tholonet, le long de la « route Paul Cézanne ».

La Sainte-Victoire pratique

&. Voir aussi l'encadré pratique d'Aix-en-Provence.

Adresse utile

Maison de la Sainte-Victoire – *À Saint-Antonin-sur-Bayon (voir le « Circuit de découverte »).*

Se loger

Au Moulin de Provence – *33 av. des Maquisards - 13126 Vauvenargues - ℘ 04 42 66 02 22 - www.lemoulindeprovence.com - fermé 8 janv.-15 fév. -* **P** *- réserv. conseillée - 12 ch. 44/48 € -* ⌾ *6,40 € - restaurant 17/22 €.* Gîte et couvert assurés dans cette maison familiale : petites chambres rénovées et plats régionaux. De la terrasse et de la salle à manger aux tonalités provençales, la vue s'étend jusqu'à la montagne Ste-Victoire. Nombreux départs de randonnée pédestre au pied de l'hôtel.

Chambre d'hôte Domaine Genty – *Rte de St-Antonin-sur-Bayon - 13114 Puyloubier - ℘ 04 42 66 32 44 - www.domainegenty.com -* ⌾ *- 5 ch. 60/80 €.* Au pied de la Sainte-Victoire, une agréable bastide pour dormir l'âme en paix, dans un décor digne de la plus grande tradition provençale.

Se restaurer

Ferme-auberge du Mont Venturi – *Lieu-dit l'Étang - rte de Rousset - 13100 St-Antonin-sur-Bayon - entre Puyloubier et St-Antonin-sur-Bayon, par la petite D56C en dir. de Rousset - ℘ 04 42 66 91 04 - fermé juil.-août - réserv. obligatoire - 10/45 €.* Michèle et Bruno Davico n'ont pas fait de la publicité leur cheval de bataille. C'est tout ce qui fait le charme de cette adresse campagnarde, située sur le plateau de Cengle, en contrebas de la Sainte-Victoire. Dans une grande salle rustique, les connaisseurs viennent déguster, été comme hiver, gibier et volailles, tout droit venus de l'exploitation voisine.

Hôtel-restaurant Le Relais de Saint-Ser – *Chemin Départemental 17 - 13114 Puyloubier - ℘ 04 42 66 37 26 - fermé janv., lun. sf en été et dim. soir - 12/24 €.* Au pied de la Sainte-Victoire, au point de départ de la montée vers l'ermitage de Saint-Ser, voilà une adresse très agréable, au milieu des vignes. Excellente cuisine

régionale. Également quelques chambres. Prix peu élevés pour la région.

Chez Thomé – *La Plantation - 13100 Le Tholonet - ℘ 04 42 66 90 43 - www.chezthome.com - fermé lun. en hiver - 24/50 €.* Une institution de la campagne aixoise, « envahie » tous les week-ends. Cuisine provençale traditionnelle. Grand jardin pour boire un verre, sous les platanes.

Que rapporter

Cave des Vignerons du Mont Sainte-Victoire – *13114 Puyloubier - ℘ 04 42 66 32 21 - vignerons-msv@ wanadoo.fr - tlj sf dim. 9h-12h, 14h-18h - fermé 1er-2 janv. et j. fériés.* Les vignerons qui adhèrent à cette coopérative (140 domaines) suivent une démarche officielle d'agriculture raisonnée. La cave fournit les trois couleurs sous l'appellation AOC côtes-de-provence et AOC sainte-victoire rosé. Elle vend également de nombreux produits dérivés, toujours à base de vin : confitures, terrines, confits, tapenade, chocolats, etc.

Sports & Loisirs

Bon à savoir – Du 1er juillet au 2e samedi de septembre, les espaces sensibles sont ouverts au public de 6h à 11h du matin. Ils ferment en cas de risque d'incendie. Se renseigner avant le départ *℘* **0 811 20 13 13**.

Randonnées à thème – *Réserv. obligatoire - gratuit.* La Maison de la Sainte-Victoire organise des randonnées à thème. Encadrées par un écoguide, elles partent à la rencontre des milieux aquatiques, à la recherche d'indices d'œufs de dinosaures et à la découverte de bien d'autres thèmes.

Randonnée pédestre – Le GR 9, des Cabassols à Puyloubier, passe par la Croix de Provence puis suit la crête jusqu'au pic des Mouches.

Centre équestre Canto-Grihet – *13100 Beaurecueil - ℘ 04 42 66 97 94 - www.canto-grihet.com - 9h30-12h30, 14h-17h.* Dans un cadre magnifique au pied de la Sainte-Victoire, leçons d'équitation, stages tous niveaux, de l'initiation au championnat, sorties accompagnées.

Les Saintes-Maries-de-la-Mer★

2 478 SAINTOIS
CARTE GÉNÉRALE A3 – CARTE MICHELIN LOCAL 340 B5 – SCHÉMA P. 203 –
BOUCHES-DU-RHÔNE (13)

La légende des Saintes, le fameux pèlerinage des gitans, les gardians et les taureaux, les flamants roses…, ces images fortes résument les Saintes-Maries. Dans un paysage baigné de lumière, où l'eau et le ciel se confondent, c'est aussi un excellent point de départ pour la découverte de la Camargue, à pied, en VTT ou à cheval. Quant aux amateurs de farniente, ils apprécieront cette station balnéaire pour ses immenses plages et son port de plaisance.

▷ **Se repérer** – Entre la mer et les étangs de Launes et des Impériaux, à deux pas de l'embouchure du Petit Rhône, cabanes de gardians et petites maisons blanches se serrent autour de l'église-forteresse qui signale, de loin, l'approche des Saintes.

🅿 **Se garer** – En saison, en particulier pendant les vacances scolaires et les week-ends, s'y garer peut relever de l'utopie. On tentera sa chance près des plages, le long des digues qui protègent la cité des assauts de la mer, ou dans le village *(parkings payants)*. Hors saison, quel soulagement, on n'aura aucun souci de stationnement.

👁 **À ne pas manquer** – Une promenade dans les ruelles blanchies par la chaux ; la visite de l'église abritant Sainte-Sara, la patronne des Gitans ; les plages.

🕐 **Organiser son temps** – Bondé en été, l'ancien hameau de pêcheurs devenu station balnéaire dévoile un charme plus intime au printemps et à l'automne. Ici, vous approcherez plus facilement qu'ailleurs en Camargue le monde des manades et des courses camarguaises. Sachez enfin que le 24 mai, les Gitans de toute la France viennent ici se rassembler autour de Sainte-Sara.

👪 **Avec les enfants** – Le toit terrasse de l'église, avec une belle vue sur la mer, les étangs et la ville.

🚶 **Pour poursuivre la visite** – Voir aussi la Camargue, Arles et Saint-Gilles.

Comprendre

Pour la petite histoire – Son nom évoque la légendaire arrivée en barque, vers 40 apr. J.-C., de **Marie Jacobé**, sœur de la Vierge, **Marie Salomé**, mère des apôtres Jacques le Majeur et Jean. Lazare, le ressuscité, et ses deux sœurs, Marthe et Marie-Madeleine, Maximin et Sidoine, l'aveugle guéri, les accompagnaient, tous abandonnés en mer sur une barque sans voile, sans rames et sans provisions. **Sara**, la servante noire des deux Marie, ne devait pas être du voyage : mais Marie Salomé jeta à l'eau son manteau qui servit de radeau à Sara pour rejoindre la barque. La protection

L'église des Saintes-Maries pointe à l'horizon.

divine fit le reste… et la Provence pouvait être évangélisée. **Marthe** évangélisa Tarascon après avoir vaincu la Tarasque ; **Marie-Madeleine** continua sa pénitence à la Sainte-Baume ; Lazare fut l'apôtre de Marseille, Maximin et Sidoine répandirent la parole divine à Aix. Quant aux deux Marie et à Sara, elles restèrent en Camargue et, à leur mort, les fidèles placèrent leurs reliques dans l'oratoire qu'elles avaient édifié à leur arrivée.

De l'oratoire à la forteresse – Au milieu du 9ᵉ s., une première église aurait été édifiée à l'emplacement du vieil oratoire (attesté au 6ᵉ s.). Au 11ᵉ s., les moines de Montmajour établissent un prieuré, puis, au 12ᵉ s., reconstruisent l'église, qui est incorporée aux fortifications de la ville. À la fin du 14ᵉ s., l'allure guerrière de l'édifice est renforcée par l'adjonction de mâchicoulis.

Lors des invasions, les restes des saintes avaient été enterrés dans le chœur. En 1448, on entreprit des fouilles à la demande du roi René et les reliques, retrouvées, furent placées dans des châsses.

Séjourner

Séjourner aux Saintes, c'est flâner dans les ruelles aux maisons basses d'une blancheur éclatante qui se blottissent contre l'église, et s'abandonner au charme de cette petite ville qui a échappé par miracle à la folie immobilière des bords de mer. Malheureusement, le charme de certaines ruelles (F.-Mistral et V.-Hugo en particulier) a été terni par le trop-plein d'échoppes en tous genres. Pour échapper à l'atmosphère commerciale, privilégiez la tranquille blancheur des ruelles plus excentrées, sur les franges nord et ouest du village.

Vous vous assurerez la même tranquillité en arpentant la digue qui protège la ville des assauts de la mer, ou en empruntant, à vélo ou à pied, la **digue à la mer**. Vous irez jusqu'au **phare de la Gacholle**, pour

> **👁 Le saviez-vous ?**
>
> Ici plane l'ombre tutélaire de **Folco de Baroncelli-Javon**, appelé avec respect *Lou Marqués* (1869-1943), poète, félibre, manadier, mainteneur et rénovateur des traditions camarguaises, enterré à l'emplacement de sa cabane du Simbèu, près de l'embouchure du Petit Rhône.

profiter en toute liberté des immenses **plages** camarguaises, Beauduc et Piémanson en tête *(voir La Camargue)*.

Autre plaisir : participer aux *abrivados* en se mêlant aux « atrapaïres » qui se jettent au devant des chevaux des gardians pour faire échapper les « bious », avant d'aller vibrer aux **arènes** devant les « coups de barrière » des cocardiers. Pour finir la journée en toute sérénité, on admirera le couchant illuminer les étangs de couleurs flamboyantes.

Les plages

Oui, vous pouvez piquer une tête au pied des ruelles blanches : le long de la promenade piétonne de bord de mer, vous trouverez une succession de petites plages de sable. Le poste de secours est situé derrière les arènes.

Les immenses plages est s'étirent le long de la digue à la mer *(piste d'accès en voiture sur 4 km, accès à pied ou en vélo ensuite)*. À l'ouest du village, une autre plage de sable s'étire plus modestement sur 2 km. Nombreuses activités nautiques : location de bateaux avec ou sans permis, planche à voile, dériveur, kite surf, pédalos, canoë-kayak ou encore excursion de pêche en mer *(liste des prestataires à l'office de tourisme, voir l'encadré pratique)*.

Visiter

Église★

Forteresse destinée à protéger les reliques des saintes (mais aussi les Saintois) en cas d'incursion des Sarrasins : la chapelle haute forme un véritable donjon, entouré, à la base, d'un **chemin de ronde** et surmonté d'une plate-forme crénelée.

On accède au **toit** de l'église par un escalier de 53 marches. De là, **vue★** immense sur la mer, les toits de la ville et les étangs. *𝒫 04 90 97 87 60 - juil.-août : 10h-20h ; mars-juin et sept. : 10h-12h30, 14h-18h30 ; de déb. oct. à mi-nov. : 10h-12h, 14h-17h ; reste de l'année : merc., sam. et dim. 10h-12h, 14h-17h - 2 € (6-12 ans 1,30 €).*

Un clocher à peigne domine l'ensemble. Sur le flanc droit, remarquer deux beaux lions dévorant des animaux qui servirent, croit-on, de supports à un porche.

On pénètre à l'**intérieur** par une petite porte ouvrant sur la place de l'église. La nef unique, romane, est très sombre. Le chœur, surélevé au moment de la construction de la crypte, présente des arcatures aveugles que supportent huit colonnes de marbre, surmontées de chapiteaux, dont deux illustrent l'Incarnation et le sacrifice d'Abraham.

À droite, au bord de l'allée centrale, s'ouvre le puits qui servait aux défenseurs en cas de siège. Dans la troisième travée à gauche, au-dessus de l'autel, est placée la barque des saintes Maries, portée en procession jusqu'à la mer lors des pèlerinages. À droite de cet autel, remarquez l'« oreiller des Saintes », une pierre polie enchâssée dans une colonne provenant des fouilles ayant abouti, en 1448, à la découverte des reliques des saintes. Dans la 4e travée gauche s'élève un autel païen. Émouvante collection d'ex-voto de facture naïve.

Quelques marches donnent accès à la **crypte** (les plus grands se méfieront de la voûte) : constitué en partie par un fragment de sarcophage, l'autel supporte la châsse contenant les ossements présumés de Sara. À droite, statue de Sara et ex-voto offerts par les Gitans.

Dans la **chapelle haute**, ornée de boiseries Louis XV vert clair et or, se trouvent les châsses des deux saintes Maries. Mistral y a situé la scène où Mireille, venue implorer le secours des « reines du Paradis », et frappée d'insolation, rend le dernier soupir entre ses parents et Vincent.

Musée Baroncelli

04 90 97 87 60 - juil.-août : 10h-12h, 14h-17h ; mars-juin et déb. sept. au 11 Nov. : 10h-12h, 14h-18h - fermé mar. et du 11 Nov. à fin fév. - 1,50 €.

Installé dans l'ancienne mairie, il présente des documents recueillis, en digne émule de Mistral, par le marquis Folco de Baroncelli : mode de vie traditionnel en Camargue, histoire de la ville, dioramas présentant la faune camarguaise (dont une héronnière), tête naturalisée du fameux cocardier Vovo (aux cornes émoussées par les frappes contre les planches des barricades), mobilier provençal du 18e s., vitrines consacrées à Van Gogh, au marquis et à ses amis, ces « fous magnifiques », mainteneurs des traditions camarguaises, comme les peintres Hermann Paul et Ivan Prashninikoff.

Les Saintes-Maries-de-la-Mer pratique

♿ Voir aussi les encadrés pratiques de la Camargue, d'Arles et de Saint-Gilles.

Adresse utile

Office du tourisme des Saintes-Maries-de-la-Mer – *5 av. Van-Gogh - 13460 Les Saintes-Maries-de-la-Mer - 04 90 97 82 55 - www.lessaintesmaries.com - juil.-août : 9h-20h ; avr.-juin et sept. : 9h-19h ; mars et oct. : 9h-18h ; nov.-fév. : 9h-17h - fermé 25 déc. et 1er janv.*

Se loger

⌂ **Méditerranée** – *4 r. Frédéric-Mistral - 04 90 97 82 09 - www.camargue.fr - fermé 3 sem. en janv. - 14 ch. 38,50/50 € - 5,50 €.* Cet hôtel familial simple ne manque pas d'atouts : façade fleurie, terrasse ombragée où l'on sert le petit-déjeuner aux beaux jours, chambres rajeunies parfois climatisées, prix raisonnables et nombreux restaurants à proximité. En réservant à l'avance, possibilité de disposer d'un garage fermé.

⌂⌂ **Chambre d'hôte Mazet du Maréchal-Ferrand** – *Rte du Bac - 13460 Les Stes-Maries-de-la-Mer - 5 km des Stes-Maries par D 570 dir. Arles et rte du Bac par D 85 - 04 90 97 84 60 - babethandre@aol.com - ⌂ - 3 ch. 60 € ⌂.* Ici, pas de chichi : la propriétaire sait vous mettre à l'aise tout de suite. Ses chambres, toutes au rez-de-chaussée, sont simples et colorées. Les petits-déjeuners se prennent sous le mûrier-platane ou dans une petite pièce aux couleurs provençales.

Se restaurer

👁 **Bon à savoir -** Aux Saintes-Maries, les restaurants se succèdent sur toute la longueur de l'**av. Frédéric-Mistral**. Menus identiques avec tellines, gardian de taureau, loups grillés, poissons au sel…

🍴 **Le Kahlua, bar-bodega chez Mounette** – *1 r. Jean-Roch - 04 90 97 98 41 - fermé de mi-janv. à fin fév. - 7/17 €.* En fonction de l'heure, vous rejoindrez cette villa très années 1930 pour prendre un cocktail ou déguster au choix pizza, grillade au feu de bois, tapas ou spécialités antillaises, comme la cuisse de poulet Boucanet.

🍴🍴 **Bar-Brasserie de la Plage (chez Boisset)** – *1 av. de la République - face à la mairie au coin de la place des Gitans - 04 90 97 84 77 - fermé 3 sem. en janv. et mar. d'oct. à mars - 15/95 €.* Coquillages et plateaux de fruits de mer à déguster sur place (sur la terrasse ombragée de canisses) ou à emporter.

Que rapporter

Marchés – Marché traditionnel provençal lundi et vendredi pl. des Gitans.

Boucherie Gallardo – *18 r. des Pénitents-Blancs - 04 90 97 97 19 - tlj sf merc. 8h30-12h30, 16h-19h, dim. 8h30-12h30.* En plein centre-ville, une adresse renommée pour la qualité de sa viande de **taureau** et notamment son fameux saucisson.

Les Bijoux de Sarah – *12 pl. de l'Église -* ☎ *04 90 97 73 73 - sarahleeloo@aol.com - 10h-12h30, 14h30-19h30.* Vente de bijoux faits main, en particulier le pendentif « gitan » qui protège des mauvais sorts et apporte le bonheur…

Sports & Loisirs

👁 **En selle** – L'office du tourisme des Saintes-Maries-de-la-Mer édite une brochure gratuite, qui sera très utile aux cavaliers, débutants ou expérimentés. Intitulée *Découverte de la Camargue à cheval*, elle recense tous les prestataires de loisirs équestres.

Méjanes - Domaine Paul-Ricard – *13460 Stes-Maries-de-la-Mer - 9h-17h (été : 18h) - fermé nov.-fév. Prom. à cheval : 14 €/h ; poney : 4 €/15mn ; prom. en petit train : 4 € (enf. 3 €) ; ferrades, démonstrations de dressage et jeux gardians dim. et j. fériés.* Centre d'attractions avec arènes, promenades à cheval, VTT, parcours pédestre et petit train effectuant un circuit de 3,5 km en bordure du Vaccarès.

Tiki III Mini Croisière Camarguaise – *D 38, rte de Montpellier - 4 km à l'O par D 38, après le camping « Clos du Rhône » - 13460 Les Stes-Maries-de-la-Mer -* ☎ *04 90 97 81 68 - www.tiki3.fr - fermé 15 nov.-15 mars.* Découvrez les secrets de la Camargue à bord du *Tiki III*, un bateau à roue coloré, au charme un peu suranné. Vous pourrez observer la faune et la flore locales, au cours de cette petite croisière comprenant un arrêt à mi-parcours, non loin des manades de chevaux et de taureaux.

Thalcap Camargue – *Av. Jacques-Yves-Cousteau -* ☎ *0 825 125 145 - réception : 7h-22h30 - fermé 2 sem. en déc.* Centre de thalassothérapie.

Événements

Pèlerinage des gitans – En mai, venus en foule de tous les pays, les gitans se rassemblent dans la crypte de l'église des Saintes-Maries où se trouve la statue de leur patronne, sainte Sara. À la suite de la descente des châsses le 24 mai, la statue de sainte Sara est portée par les gitans jusqu'à la mer.

Les deux saintes, Marie Jacobé et Marie Salomé.

Pèlerinage des Saintes – Chaque sainte a droit à son pèlerinage : Marie Jacobé le 25 mai et Marie Salomé le dimanche d'octobre le plus proche du 22.
Le premier jour, l'après-midi, les châsses sont descendues de la chapelle haute dans le chœur de l'église. Le lendemain, les statues des saintes, précédées d'un groupe d'Arlésiennes et entourées des gardians à cheval, sont amenées en procession dans les rues, sur la plage et à la mer.

Traditions camarguaises – Le marquis de Baroncelli-Javon, lui, n'a pas été (encore) canonisé, mais il n'en est pas moins l'objet d'un culte fervent, le 26 mai : Arlésiennes en costume, farandoles, ferrades, jeux gardians, *abrivado* dans les rues et course camarguaise aux arènes, bref, un concentré de traditions camarguaises.

Feria du cheval – Mi-juillet : spectacles équestres, aux arènes et dans le village.

Noël – À l'église, messe de minuit camarguaise avec gardians, Arlésiennes et crèche vivante.

Festival de la Camargue et du delta du Rhône – *Début mai, Port-Saint-Louis-du-Rhône, Les Saintes-Maries-de-la-Mer, Arles, Saint-Martin-de-Crau. Renseignements dans les offices de tourisme - www.festival-camargue-deltadurhone.camargue.fr* Pour les amoureux des oiseaux, six jours de sorties nature accompagnées (cinquantaine au choix), d'expositions sur la Camargue, de conférences et de projections. 👥 Également des animations pour les enfants.

Salon-de-Provence ★

37 129 SALONAIS
CARTE GÉNÉRALE B3 – CARTE MICHELIN LOCAL 340 F4 – SCHÉMA P. 385 –
BOUCHES-DU-RHÔNE (13)

Cité de Nostradamus, fameuse pour son industrie de l'huile d'olive implantée au 15e s., Salon est une étape obligée pour les amoureux des astres… Quant aux autres, ils lèveront quand même les yeux au ciel pour admirer les spectaculaires démonstrations de la Patrouille de France.

▷ **Se repérer** – À mi-chemin entre Arles et Aix, au centre d'une campagne où domine l'olivier, Salon a profité de cette situation de carrefour pour développer des quartiers modernes qu'il faudra traverser pour atteindre la vieille cité, nichée au cœur d'une vaste ceinture de cours ombragés.

👁 **À ne pas manquer** – Le musée de l'Empéri ; la maison de Nostradamus ; une promenade dans les agréables ruelles de Salon ; aux alentours, l'imposant château de la Barben.

🕐 **Organiser son temps** – Deux à trois heures vous permettront de visiter les principaux sites de Salon, qui constitue en outre l'été une base de séjour meilleur marché et plus tranquille que d'autres cités plus célèbres.

Tremblement

Le 11 juin 1909, la région de Salon et Aix fut secouée par un violent tremblement de terre qui détruisit les villages de Vernègues et de Rognes, causa d'importants dégâts à Salon, Lambesc et Saint-Cannat et fit une soixantaine de victimes.

👶 **Avec les enfants** – Le musée de l'Empéri ; le musée Grévin de Provence ; la maison de Nostradamus ; le zoo de la Barben.

🕯 **Pour poursuivre la visite** – Voir aussi la maison natale de Nostradamus à Saint-Rémy-de-Provence.

Se promener

LE CENTRE-VILLE

Château de l'Empéri (B2)

Bâti sur le rocher du Puech, sa masse imposante domine la ville. L'Empéri n'est pas celui que créa Napoléon 1er : il s'agit du Saint-Empire romain germanique dont plusieurs souverains séjournèrent au château. Cette ancienne résidence des archevêques d'Arles, seigneurs de Salon, fut construite du 10e au 13e s. et complétée au 16e s. par une galerie Renaissance dans la cour d'honneur. La chapelle Ste-Catherine (12e s.), la salle d'honneur avec sa cheminée finement sculptée (15e s.) et une trentaine de salles abritent le musée de l'Empéri *(voir « Visiter »)*.

Du stéthoscope à l'horoscope

À une époque où la science et l'ésotérisme étaient intimement liés, on ne s'étonne guère qu'un médecin, né en 1503 et ayant étudié à Montpellier, n'ait pas jugé indigne de s'adonner aux prédictions astrologiques, qui firent sa fortune. Après douze ans de voyage en Europe et en Orient mis à profit pour mettre au point des remèdes dont il garda jalousement le secret, Nostradamus obtint quelques succès en luttant contre des épidémies à Aix et à Lyon, ce qui lui attira la jalousie de ses confrères. Retiré à Salon, il se consacra dès lors à l'astrologie et publia les fameuses *Centuries astrologiques*, assez énigmatiques pour faire encore aujourd'hui sa gloire. Précurseur de la météo, il se livra à des prédictions sur le temps, publiées dans un *Almanach* qui connut un grand succès.

Nostradamus en cire.

Hôtel de ville (B1)

Élégant hôtel du 17ᵉ s. avec deux tourelles d'angle et balcon sculpté. Sur la place, statue de l'ingénieur **Adam de Craponne** (1527-1576) qui fertilisa la région en construisant un canal d'irrigation amenant les eaux de la Durance par son ancien passage naturel, le pertuis de Lamanon. En face de la mairie se dresse la **porte Bourg-Neuf**, vestige des anciens remparts.

Église Saint-Michel (B21)

Place Saint-Michel. Du lun. au vend. 10h-12h, 16h18h (15h-17h en hiver).

Son beau clocher-arcade et le tympan sculpté du portail raviront les amoureux de la sculpture romane.

On passe, au cœur du vieux Salon, devant la maison de Nostradamus *(voir « Visiter »)* avant de franchir la **porte de l'Horloge** et d'arriver place Crousillat, où se trouve la charmante **fontaine moussue** du 18ᵉ s.

Continuer rue des Frères-Kennedy, puis tourner à droite dans la rue Pontis.

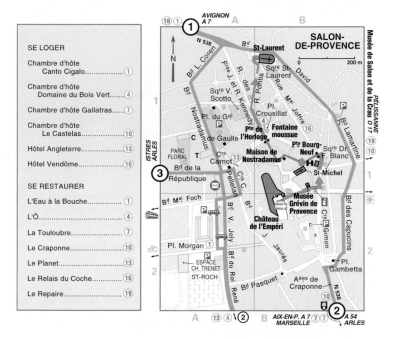

Collégiale Saint-Laurent (B1)

Square Jean-XXIII. Lun. au vend. 13h30-17h.

À l'intérieur de ce bel exemple de gothique méridional, remarquez, avant d'aller vous recueillir devant le tombeau de Nostradamus, une Descente de croix polychrome, monolithe du 15ᵉ s.

Faire demi-tour, reprendre la rue des Frères-Kennedy et rejoindre la place des Centuries, devant le château.

Visiter

Musée de l'Empéri★★ (B2)

Montée du Puech. ☏ 04 90 56 22 36 - tlj sf mar. 10h-12h, 14h-18h - fermé 1ᵉʳ janv., 1ᵉʳ Mai, 1ᵉʳ et 11 Nov., 24-25 et 31 déc. - 3,05 € (enf. 2,30 €)

Ses collections, qui plongeront dans le ravissement les âmes, jeunes ou moins jeunes, sensibles aux atours militaires, décrivent l'histoire des armées françaises depuis le règne de Louis XIV jusqu'en 1918.

La belle architecture des salles met en valeur les 10 000 pièces exposées : uniformes, harnachements, drapeaux, décorations, armes blanches et à feu, canons, peintures, dessins, gravures, personnages à pied ou à cheval illustrent ce passé militaire et en particulier la période napoléonienne.

Musée Grévin de Provence (B1)

Pl. des Centuries. ℘ *04 90 56 36 30 -* ᪥ *- 9h-12h, 14h-18h, w.-end 14h-18h - fermé 1ᵉʳ janv., Pâques, 1ᵉʳ et 8 Mai, Pentecôte, 14 Juil., 1ᵉʳ et 11 Nov. et 24-31 déc. - fermé certains j. fériés, se renseigner - 3,05 € (enf. 2,30 €).*

2 600 ans d'histoire et de légendes provençales en 15 tableaux, du mariage de Gyptis et Protis à nos jours.

Maison de Nostradamus (B1)

11 r. Nostradamus. ℘ *04 90 56 64 31 - www.salon-de-provence.org - visite audioguidée (env. 40mn) 9h-12h, 14h-18h, w.-end 14h-18h - fermé certains j. fériés, se renseigner- 3,05 € (enf. 2,30 €).*

C'est ici que Nostradamus passa les dix-neuf dernières années de son existence. Dix scènes animées par un support audiovisuel illustrent sa vie et son œuvre. Des expositions temporaires complètent la visite.

Circuit de découverte

ENTRE CRAU ET ALPILLES

68 km – compter 1/2 journée. Quitter Salon-de-Provence à l'est par la D 572.

Au-delà de **Pélissanne**, une petite route sur la gauche conduit à La Barben, qui occupe un site escarpé dans le vallon de la Touloubre.

Château de La Barben★

℘ *04 90 55 25 41 - visite guidée uniquement (env. 1h) - 1ᵉʳ avr.-1ᵉʳ nov. : tlj 10h-18h ; nov.-fin mars : w.-end et tlj pendant les vac. scol. 11h-12h, 14h-17h30 - fermé 25 déc. et 1ᵉʳ janv. - 8 € (enf. 5 €).*

Le château actuel a succédé à une forteresse antérieure à l'an mil, qui appartint à l'abbaye Saint-Victor de Marseille, puis au roi René avant d'être cédée à la puissante famille des Forbin ; celle-ci l'habita près de 500 ans, la remania et l'agrandit à plusieurs reprises, pour la transformer au 17ᵉ s. en demeure de plaisance. Sa tour ronde, abattue lors du tremblement de terre de 1909, a été réédifiée. De la terrasse (escalier Henri IV à double volée) précédant une noble façade du 17ᵉ s., vue sur les beaux jardins dessinés par **Le Nôtre** et la campagne provençale, entre la chaîne de la Trévaresse et les Alpilles.

Au cours de la visite, remarquez les plafonds à la française, des tapisseries d'Aubusson, des Flandres et de Bruxelles des 16ᵉ et 17ᵉ s., un beau Largillière. **Et caressez...** du regard les superbes **cuirs de Cordoue★** qui décorent la grande salle et, pour son charme voluptueux, la chambre de Pauline Borghèse et son boudoir décoré d'un papier peint par Granet *(Les Quatre Saisons).*

Dans le grand salon, tapis d'Aubusson du Second Empire.

Zoo de La Barben – ℘ *04 90 55 19 12 - www.zoolabarben.com -* ᪥ *- 10h-18h - 12 € (enf. 6 €) - petit train 1 €.* Dans le parc de 33 ha, aires de jeu et petit train circulant parmi les enclos du zoo où vivent en semi-liberté fauves, éléphants, girafes, bisons, tapirs, zèbres, singes et rapaces : au total plus de 600 animaux.

Revenir sur la D 572, à prendre à gauche.

Gilles Magnin / MICHELIN

Château de La Barben, une forteresse transformée en demeure de plaisance.

La route suit la verdoyante **vallée de la Touloubre** ; après le viaduc de la ligne TGV Méditerranée, belle vue en avant sur la chaîne de la Trévaresse.

Saint-Cannat

Avant de vous promener dans le village, faites une halte au petit **musée Suffren**. Il regroupe des archives historiques consacrées à l'histoire de la commune – en particulier sur le Bailli de Suffren (1729-1788), grand navigateur français et natif de Saint-Cannat –, parmi lesquelles un petit espace est dévolu au tremblement de terre. Vieilles cartes postales, coupures de presse, témoignages. ℘ 04 42 50 82 00 - 2 mai-29 sept. : mar.-vend. et 1er dim. du mois 15h-18h (dernière entrée 30mn av. fermeture), possibilité de visite guidée (1h30) - fermé j. fériés - gratuit.

Quitter Saint-Cannat par la N 7 (en direction d'Avignon), puis prendre sur la gauche la D 917.

Lambesc

Hôtels particuliers et fontaines des 17e et 18e s. donnent à la bourgade un petit air aixois. Percé d'une porte, **beffroi** du 16e s. avec horloge à automates. Un dôme remarquable coiffe l'église, imposante construction du 18e s.

Reprendre la N 7 puis, à Cazan, tourner à gauche dans la D 22. À 1 km s'embranche le chemin d'accès au site de Château-Bas qui conduit à un parc de stationnement.

Château-Bas

Le **temple romain** daterait de la fin du 1er s. av. J.-C., et serait donc contemporain de l'arc de St-Rémy-de-Provence ou de la Maison carrée de Nîmes. Il subsiste une partie des soubassements et du mur latéral de gauche. Le pilastre carré qui termine ce mur vers l'entrée possède un très beau chapiteau corinthien. En avant s'élève une colonne cannelée, haute de 7 m, restée intacte. Autour du temple, vestiges d'un autre temple et enceinte semi-circulaire romaine, probablement celle d'un sanctuaire. ℘ 04 90 59 13 16 - 9h-12h30, 13h30-18h30, dim. et j. fériés 10h-12h30, 14h30-18h30, possibilité de visite guidée (1h) sur RV - fermé 1er janv. et 25 déc.- gratuit.

Continuer sur la D 22, puis tourner à droite dans la D 22C.

Vieux-Vernègues

Après avoir traversé Vernègues, édifié après le tremblement de terre de 1909 et l'abandon du village perché, on contourne les ruines de celui-ci (accès interdit) jusqu'au belvédère : vaste **panorama**★ sur une grande partie de la Provence.

Poursuivez par une route en lacets jusqu'à **Alleins**, qui a conservé quelques vestiges de ses fortifications.

Prendre à gauche la D 71D, puis, immédiatement après avoir traversé le canal EDF, encore à gauche sur la D 17D en direction de Lamanon.

Une belle platane ! Belle, oui, car en provençal, l'arbre dont le feuillage préserve de l'insolation les joueurs de pétanque, est du genre féminin. Et celle de **Lamanon**, en face du stade, fait l'orgueil des habitants : 300 ans, avec un tronc dont la circonférence atteint 8 m.

Harpagon de Lamanon

Seigneur du village qui porte son nom, le troubadour **Bertrand de Lamanon** était un redoutable pamphlétaire, dont les vers satiriques (sirventés) faisaient trembler ses ennemis : l'évêque d'Arles, notamment, accusé de tous les péchés, en savait quelque chose ! Mais là où le bon Bertrand devint véritablement féroce, c'est lorsque Charles d'Anjou lui subtilisa en 1260 le monopole de la vente du sel, qu'il revendait cinq fois plus cher qu'il ne l'achetait…

Site de Calès

🚶 Laisser la voiture au parking de la caserne des pompiers de Lamanon et rejoindre le chemin pavé derrière l'église. Parcours dangereux, suivre les balises de guidage. Arrêté municipal 06/2003 du 13 mars 2003. Site fermé de déb. juil. à mi-sept.

Niché dans la colline du Défens, le site de Calès comprend un remarquable ensemble troglodytique dominé par les vestiges d'un château fort, ainsi que des chapelles médiévales.

Creusées au pied d'un cirque de falaises, les **grottes** furent exploitées pour la construction du château (12e s.) puis aménagées en dépendances et en habitations. Trous de poutres, gouttières, escaliers, silos taillés dans le roc afin d'entreposer les réserves alimentaires témoignent de l'occupation humaine des grottes, abandonnées à la fin du 16e s. lorsque le château fut détruit.

Depuis le terre-plein du château (rares vestiges), statue de Notre-Dame-de-la-Garde, et vues dégagées : sur la vallée de la Durance et le Luberon au nord ; les habitations troglodytiques à l'est ; le pertuis de Lamanon, ancien passage de la Durance, la plaine de Salon, la chaîne de l'Estaque, la Crau et l'étang de Berre au sud.

Redescendez vers le cirque et suivez le circuit vert, à gauche, en direction de la **chapelle Saint-Denis** qui, construite en même temps que le château, semble issue d'une crèche provençale. En prenant à droite vers le plateau Saint-Jean, on atteint les ruines d'une chapelle double, autrefois important lieu de pèlerinage.

De retour à Lamanon, vous pourrez compléter la balade par la visite du petit **musée**, face à l'église : deux salles d'exposition où trouver des informations sur le site troglodytique. *04 90 59 54 62 - se renseigner - gratuit.*

Poursuivre sur la D 17ᴱ.

Après avoir découvert les fontaines du joli village d'**Eyguières**, prenez vers le nord la D 569.

Castelas de Roquemartine

Ces ruines perchées, d'époques diverses, composent un ensemble très pittoresque. Un tel nid d'aigle avait tout pour séduire les brigands : ce fut le cas à la fin du 14ᵉ s. lorsque la forteresse devint le repaire des bandes du sinistre Raymond de Turenne.

Revenir à Eyguières, puis suivre la D 17 qui ramène à Salon.

Salon-de-Provence pratique

Adresse utile

Office du tourisme de Salon-de-Provence – *56 cours Gimon - 1 3300 Salon-de-Provence - ℘ 04 90 56 27 60 - www.salon-de-provence.org - juil.-août : 9h30-18h30, dim. 10h-12h30 ; reste de l'année : tlj sf dim. 9h30-12h30, 14h-18h.*

Transport

Le **TER** relie Salon-de-Provence à Marseille et Avignon en environ 50mn.

Visites

Visites guidées – *Horaires et réservations à l'office de tourisme - 6 à 12 €.* « Balades musicales au château de l'Empéri », « Les gourmandises de Nostradamus », « Adam de Craponne maître de l'eau ».

Circuits en ville – *Plan à disposition.* L'office de tourisme propose trois circuits pour découvrir la ville : circuit vert, les monuments majeurs de la ville ; circuit rouge, les personnages illustres ayant rythmé la vie salonaise ; circuit jaune, les traces des maîtres savonniers de Salon.

Circuit touristique – *Dépliant disponible à l'office de tourisme.* « La Provence au temps de Nostradamus », découverte de la Renaissance dans les Alpilles, de Salon-de-Provence à Saint-Rémy-de-Provence.

Se loger

Hôtel Vendôme – *34 r. du Mar.-Joffre - ℘ 04 90 56 01 96 - www.hotelvendome. com - 19 ch. 38/51 € - ☲ 5,60 €.* Un peu à l'écart du boulevard circulaire, voilà un hôtel tranquille, réputé pour le confort de sa literie. Préférez les chambres donnant sur le patio.

Chambre d'hôte Canto Cigalo – *Quartier du Pin - 13430 Eyguières - 9 km au NO de Salon par D 17 - ℘ 04 90 59 89 85 - http://perso.wanadoo.fr/cantocigalo - fermé de mi-nov. à mi-déc. - ⚑ - 3 ch. 39/47 € ☲.* Maison récente ouverte sur les prés et la garrigue. Ses chambres, à la propreté remarquable, sont sobrement décorées, meublées à l'ancienne, égayées de voilages colorés et équipées de télévisions. Aire de jeux pour les enfants.

Hôtel Angleterre – *98 cours Carnot - ℘ 04 90 56 01 10 - hoteldangleterre@ wanadoo.fr - fermé du 20 déc. au 6 janv. - 26 ch. 46/53 € - ☲ 7 €.* Cette construction du début du 20ᵉ s., voisine des musées, abritait jadis un couvent. Aujourd'hui, vous y trouverez des chambres sobrement décorées et équipées d'un double vitrage. Petits-déjeuners servis sous forme de buffet dans une salle dotée d'une coupole vitrée.

Chambre d'hôte Domaine du Bois Vert – *Quartier Montauban - 13450 Grans - 7 km au S de Salon par D 16 puis dir. Lançon par D 19 - ℘ 04 90 55 82 98 - www.domaineduboisvert.com - fermé 15 déc.-20 mars - ⚑ - 3 ch. 61/73 € ☲.* Au milieu d'un parc planté de chênes et de pins, ce mas abrite des chambres ouvrant de plain-pied sur une pelouse. Décorées dans un esprit provençal, elles sont agréables et parfaitement entretenues. Selon les saisons, le petit-déjeuner se prend dans la grande pièce à vivre ou sur la terrasse.

Chambre d'hôte Le Castelas – *Vallon des Eoures, D 68 - 13121 Aurons - ℘ 04 90 55 60 12 - lecastelas@aol.com - ⚑ - réserv. conseillée - 3 ch. 75/95 € ☲ - repas 25 €.* Ces 3 chambres indépendantes abritent unecollection de bibelots et de meubles anciens. Le salon, à l'étage, bénéficie de cette même abondance de mobilier, sans pour autant nuire au

confort. La vaste véranda offre une vue
superbe sur les environs.

⊖⊜🛏 Chambre d'hôte Gallatras –
*Rte de Caireval - 13410 Lambesc -
℘ 04 42 92 75 70 - 🖵 - 2 ch. 95/100 € 🖵.*
Magnifique maison en pierre située
parmi les pins et les vignes surplombant
Lambesc.

Se restaurer

⊖ Le Repaire – *Vieux village -
13116 Vernègues - ℘ 04 90 59 31 64 - fermé
janv., 1 sem. en oct. et mar. - 6,80/20 €.*
Le Repaire se trouve au pied des ruines
du vieux village, détruit par le séisme
de 1909. Cadre plaisant et belle terrasse
d'été pour déguster crêpes, glaces,
salades et omelettes. Beau choix de thés
et cafés.

⊖ L'Ô – *1 pl. Crousillat - ℘ 04 90 44 70 82 -
fermé dim. - 12/76 €.* Dans la poissonnerie
éponyme, un escalier conduit aux
deux petites salles à manger cossues.
La troisième salle s'ouvre sur une
terrassette offrant une jolie vue sur les
toits de la ville… La cuisine de la mer
privilégie les coquillages et les crustacés.

⊖⊜ L'Eau à la Bouche – *Pl. Morgan -
℘ 04 90 56 41 93 - fermé 23-30 déc.,
dim. soir et lun. - 15/35 €.* Couplé à une
poissonnerie, ce restaurant vous présente
les poissons et crustacés du magasin
avant de les cuisiner : fraîcheur et
qualité des produits garanties ! Vous
les dégusterez dans la salle à manger
sobrement décorée ou dans la véranda,
très agréable en été.

⊖⊜ La Touloubre – *29 chemin Salatier -
13330 La Barben - ℘ 04 90 55 16 85 - fermé
17 oct.-8 nov., 13 fév.-8 mars, dim. soir, mar.
soir et lun. - 18/40 €.* Agréable atmosphère
« vieille France » : la grande cheminée qui
réchauffe la salle à manger rustique, la
terrasse ombragée de platanes, l'accueil
aimable de la patronne et la cuisine
mi-traditionnelle, mi-régionale réalisée
par un chef fidèle à la maison depuis plus
de 25 ans. Chambres rénovées.

⊖⊜ Le Craponne – *146 allée de
Craponne - ℘ 04 90 53 23 92 - fermé
8-31 août, 24 déc.-5 janv. et merc. soir -
22/37 €.* Valeur sûre du paysage
gastronomique local, ce restaurant
propose une cuisine traditionnelle aux
consonnances familiales : tête de veau
sauce gribiche, entrecôte à la bordelaise,
canette à l'orange, pâtisseries maison.
À déguster l'été dans la paisible courette
ombragée.

⊖⊜ Le Planet – *12 pl. Jean-Jaurès -
13450 Grans - ℘ 04 90 55 83 66 - fermé vac.
de fév., 17 sept.-3 oct., vac. de Toussaint,
dim. soir de nov. à mars, lun. et mar. - 17 €
déj. - 23/36 €.* Cette bâtisse abritait jadis
un moulin à huile, la salle à manger a
conservé ses jolies voûtes. Si vous optez
pour la terrasse ombragée de platanes,
vous profiterez de l'animation villageoise.
Accueil souriant et cuisine du terroir.

⊖⊜ Le Relais du Coche – *Pl. Monier -
13430 Eyguières - 9 km au NO de Salon par
D 17 - ℘ 04 90 59 86 70 - fermé 2-21 janv.,
28 juin-1ᵉʳ juil., mar. midi en juil.-août,
dim. soir de sept. à juin et lun. - 16 € déj. -
26/33 €.* Stalles, poutres et pierres
apparentes témoignent du passé de
l'actuelle salle à manger aménagée
dans l'ancienne écurie. Belle terrasse
ombragée sur l'arrière.

Que rapporter

Marché – Grand marché traditionnel
pl. Morgan le mercredi matin.

Domaine Glauges des Alpilles –
*Voie d'Aureille - dans le village d'Eyguières
prendre dir. Aureille-Mouriès-Les Baux-de-
Provence - 13430 Eyguières - ℘ 04 90 59
81 45 - www.domainedesglauges.com -
juin-sept. : tlj sf dim. 10h-12h30, 14h30-19h ;
oct.-avr. : tlj sf dim. 9h-12h30, 14h30-18h -
fermé j. fériés.* Au pied du point culminant
des Alpilles, très beau domaine dans un
vallon caché, produisant rouges, rosés et
blancs plusieurs fois primés. Vins classés
AOC Coteaux d'Aix-en-Provence.

**Ste Oleïcole de Pélissanne - Moulin des
Costes** – *445 chemin de St-Pierre - 13330
Pélissanne - ℘ 04 90 55 30 00 - boutique du
moulin : tlj sf dim. 16h-19h, sam. 10h-12h,
16h-19h - fermé j. fériés.* Pélissanne est
l'une des communes les plus riches en
matière de vergers d'oliviers. Au moulin
des Costes (beau mas du 18ᵉ s.), on
fabrique des huiles variétale, vierge
et AOC. Les conseils d'utilisation et de
dégustation de la précieuse substance
sont toujours donnés avec le sourire.

Les Santons de Vernègues – *R. de la
Transhumance - 13116 Vernègues -
℘ 04 90 57 38 40 - tlj sf lun. 9h-12h,
15h-19h, dim. 15h-19h.* Dans la plus pure
tradition provençale, Hélène Troussier
fabrique ses santons avec passion. Vente
sur place ou travail à la commande.

Savonnerie Marius Fabre –
*148 av. Paul-Bourret - ℘ 04 90 53 24 77 -
www.marius-fabre.fr - tlj sf w.-end 9h30-
12h, 13h45-17h30 (vend. 16h30) - fermé
25 déc.-1ᵉʳ janv. et j. fériés.* Cette savonnerie
fondée en 1900 vous convie tous les jours
à la découverte de son **musée du Savon
de Marseille** *(visite guidée lun. et jeu. à
10h30).* Produits très variés à l'espace
boutique.

**Savonnerie-Savonnetterie Rampal-
Patou** – *71 r. Félix-Pyat - ℘ 04 90 56 07 28 -
visite guidée : tlj sf w.-end 10h30-12h, 15h30-
17h - fermé 3 sem. en août et 25 déc.-1ᵉʳ janv.*
Depuis 1828, fabrication artisanale dans la
plus pure tradition : savons de Marseille à
l'ancienne, savonnettes parfumées, savoir
noir, shampoings, etc.

Sports & Loisirs

Centre de vol à voile de la Crau –
*Aérodrome Salon-Eyguières - 13300 Salon-
de-Provence - ℘ 04 90 42 00 91.* Vols de
découverte en planeur au-dessus des
Alpilles.

Sault

1 171 SALTÉSIENS
CARTE GÉNÉRALE C2 – CARTE MICHELIN LOCAL 332 F9 – VAUCLUSE (84)

Odorante lavande… L'été venu, ses nappes bleutées parent les paysages du plateau de Sault, région qui attire randonneurs, cyclotouristes… et gourmands ! Car outre le miel de lavande et le nougat, le pays de Sault s'est fait un devoir de réhabiliter l'épeautre (blé des Gaulois), au goût inoubliable, cultivé jusqu'à la fin de l'ère romaine.

▶ **Se repérer** – Bâti en hémicycle, à 765 m d'altitude, sur une avancée rocheuse qui termine le plateau de Vaucluse à l'ouest et domine la vallée de la Nesque, ce bourg agréable offre une bonne base d'excursions entre le mont Ventoux, les Baronnies et la montagne de Lure *(voir* Le Guide Vert Alpes du Sud*)*.

▣ **Se garer** – Laissez la voiture sur la vaste place des Aires.

◷ **Organiser son temps** – Vous viendrez pour la journée, le temps de vous promener à Sault et de découvrir le plateau d'Albion le matin, tandis que vous consacrerez l'après-midi aux gorges de la Nesque. Prévoyez deux jours si vous souhaitez également faire le circuit du mont Ventoux.

▲▲**Avec les enfants** – Le Centre de découverte de la nature à Sault.

⚲ **Pour poursuivre la visite** – Voir aussi le mont Ventoux.

Se promener

Le vieux bourg, autrefois fortifié, avec ses ruelles aux noms parfois insolites (comme la rue des Esquiche-Mouches dont l'appellation proclame l'étroitesse !), bordées de demeures anciennes et d'agréables placettes, ne manque pas d'un certain charme.

L'**église Notre-Dame-de-la-Tour**, commencée au 12e s., a conservé sa nef romane primitive que couvre une voûte en berceau brisé. *juil.-août : tlj 9h-12h, 15h-19h.*

Au nord du bourg par l'avenue de la Promenade (face à l'office de tourisme), belle **vue★** sur le plateau de Sault, l'entrée des gorges de la Nesque et le mont Ventoux.

Visiter

Musée

☎ 04 90 64 02 30 - juil.-août : tlj sf dim. 15h-18h - gratuit.

Au 1er étage de la bibliothèque, témoignages sur la préhistoire et l'époque gallo-romaine : monnaies, armes, roches du pays, documents anciens sur le pays de Sault et, importation plus inattendue, une momie égyptienne !

Centre de découverte de la nature et du patrimoine cynégétique

Av. de l'Oratoire. Accès possible par la rue des Écoles. En haut de la volée de marches dominant la place des Martyrs-d'Izon. ☎ 04 90 64 13 96 - ᵬ - juil.-août : tlj sf lun. 10h-12h, 15h-19h ; de mi-fév. à fin juin et de déb. sept. à mi-déc. : tlj sf w.-end 10h-12h, 14h-18h - fermé de mi-déc. à mi-fév. et 1er Mai - 3 € (−8 ans gratuit).

▲▲ Cet espace permet, à l'aide de bornes interactives, de panneaux et de dioramas, de mieux connaître la faune, la flore, la géologie de la région, les activités traditionnelles (pastoralisme, chasse…), les produits du terroir (miel, lavande, etc.). Expositions permanentes et temporaires.

Circuits de découverte

MONT VENTOUX★★★

Circuit de 63 km au départ de Vaison-la-Romaine (voir Le Guide Vert Provence) – compter une demi-journée. Voir ce nom.

PLATEAU D'ALBION

39 km – env. 1h30 avec les arrêts. Quitter Sault au nord par la D 942 en direction d'Aurel.

On a recensé dans ce véritable causse plus de 200 gouffres ou avens aux ouvertures parfois très étroites et difficilement repérables. Si le plus beau (depuis le haut) est sûrement celui de la Cervi près de Saint-Christol, les plus profonds sont l'aven

Jean-Nouveau, avec son puits vertical de 168 m, et l'aven Autran, qui dépassent les 600 m de profondeur. Ces gouffres absorbent les eaux de pluie, qui circulent dans un réseau souterrain enfoui très profondément dans la masse calcaire, et dont la branche maîtresse aboutirait à la célèbre fontaine de Vaucluse.

Aurel

Les restes de ses fortifications et sa robuste église en pierre claire dominent les champs de lavande de la plaine de Sault.

Quitter Aurel à l'ouest par la D 95, puis prendre la D 1, et enfin, à gauche, la D 950.

En saison, les champs de lavande font de la campagne un véritable jardin.

Une base stratégique

De 1971 à 1996, au temps de la « guerre froide », le plateau d'Albion fut le symbole de la dissuasion nucléaire française. À compter de 1964, l'armée aménagea, autour de Saint-Christol, une base souterraine de missiles. Dotée de 18 silos destinés à accueillir, à 30 m de profondeur, des fusées sol-sol à tête nucléaire, elle occupait près de 1 000 km². Le redéploiement des forces militaires en Europe a conduit, fin 1996, à l'abandon de ce site.

Saint-Trinit

Cette église du 12ᵉ s, dépendant à l'origine de l'abbaye bénédictine de Villeneuve-lès-Avignon, est un bel exemple de l'architecture romane en haute Provence.

Par la D 95 au sud puis la D 30, rejoindre Saint-Christol.

Saint-Christol

Ce village possède plusieurs distilleries de lavande et une belle **église** romane construite au 12ᵉ s. (une seconde nef fut rajoutée au 17ᵉ s.). Intéressante décoration d'animaux fantastiques sur l'abside et sculptures de l'autel d'époque carolingienne.

Prendre la D 34, à la sortie de St-Christol, en direction de Lagarde-d'Apt.

La route en forte montée conduit sur le plateau, à 1 100 m d'altitude, dans un paysage dominé par le mont Ventoux et au loin les Alpes, vers **Lagarde-d'Apt**.

Observatoire Sirene

Avant le panneau d'entrée de Lagarde-d'Apt, après le chemin menant à la chapelle Notre-Dame-de-Lamaron. ℰ 04 90 75 04 17 - www.obs-sirene.com - visite guidée sur réserv. - 10 € (visite jour), 40 € (soirée découverte), 15 € (balade nocturne sam. en été).

« Silo réhabilité pour nuit étoilée » : tel est le terme poétique désignant cet observatoire installé dans un ancien équipement militaire, afin de profiter de la visibilité à 360° et de la pureté incomparable de l'air. Lieu idéal pour vous initier à une découverte nocturne du ciel, en particulier grâce à un télescope entièrement automatisé. Sachez qu'une petite laine ne sera pas de trop pour affronter la fraîcheur nocturne !

Reprendre la D 34 en sens inverse, puis la D 245 à gauche pour rentrer à Sault.

GORGES DE LA NESQUE★★

90 km – compter environ 4h avec les arrêts. Quitter Sault par la D 942 au sud-est, route tracée en corniche sur la rive droite de la Nesque. Afin d'apprécier pleinement les gorges, profitez de tous les élargissements pour garer votre véhicule.

Longue de 70 km, la Nesque prend sa source sur le versant est du mont Ventoux et se jette dans la Sorgue de Velleron, au-delà de Pernes-les-Fontaines. Avant de pénétrer dans la plaine comtadine, elle se fraye un passage dans les assises calcaires du plateau de Vaucluse : ces gorges représentent la partie la plus spectaculaire de son cours.

Monieux

Ce vieux village, en balcon au-dessus de la Nesque, est dominé par une haute tour du 12ᵉ s. reliée au village par des vestiges d'enceinte. De belles maisons médiévales ont conservé des portes anciennes.

À la sortie sud de Monieux, prendre à gauche vers le plan d'eau.

Sentier botanique des gorges de la Nesque★

Se garer au parking et poursuivre la piste balisée « Sentier botanique ».

3h AR sans difficulté. On découvre un paysage où prédominent l'olivier et le chêne vert, très différent de ce qu'en montre la D 942. Le sentier s'élève sur la rive gauche et longe le bord du plateau de Vaucluse. Au croisement avec le GR 9, prenez à droite ce dernier qui descend jusqu'à un pont de bois enjambant le torrent. Sur la rive droite, le sentier longe la **chapelle troglodytique Saint-Michel**, édifice roman niché sous un rocher. On est ému par la beauté simple de son architecture et par le petit autel où se dresse une statue de l'archange terrassant le dragon. C'est l'aventure… Une montée raide aboutit à la D 942. En la prenant à gauche, on peut atteindre en 15mn le belvédère de Castellaras ; si l'on s'engage à droite, on peut rejoindre Monieux en 30mn de marche.

Revenir au parking et continuer sur la route qui mène à la D 96 que l'on suit sur 4 km environ. Au carrefour avec la D 5, prendre sur la gauche jusqu'au relais St-Hubert où on laisse la voiture.

Aiguier de la Jaille

Compter 45mn environ AR. Une marche sans difficulté particulière vous permettra d'atteindre cet aiguier creusé sur une dalle rocheuse, muni d'un impluvium destiné à recueillir les eaux de pluie, et de bassins.

De retour à Saint-Hubert, les plus curieux d'entre vous emprunteront vers l'ouest, sur 500 m environ, le GR 91^A. Celui-ci longe alors un tronçon assez bien conservé d'une muraille de pierres sèches, le **mur de la Peste**, édifié en 1720.

Rejoindre les gorges de la Nesque par la route empruntée à l'aller.

Les aiguiers du pays de Sault

Témoins d'une vie rude dans une nature parcimonieuse, les **aiguiers** sont des réservoirs d'eau creusés par les paysans afin de recueillir les eaux de ruissellement, quelquefois précédés d'un impluvium et alimentés par des rigoles taillées dans la roche. Parfois recouverts d'une voûte en pierres sèches, comparable à celle des bories, ils servaient sans doute principalement à abreuver les troupeaux, mais aussi à l'approvisionnement en eau potable des habitats isolés. Vous pourrez en voir dans les gorges de la Nesque (aiguiers du Puits-Verrier, de Fayol et des Annelles, et, à partir de ceux de Castellaras, une promenade vous conduira aux superbes aiguiers du Camp-de-Sicaude).

L'office de tourisme propose 3 itinéraires pour découvrir les aiguiers. Il vend également Le Guide des aiguiers *(12 €).*

Belvédère de Castellaras★★

À 734 m d'altitude, sur la gauche de la route, il doit son nom à un ancien oppidum. Vous pourrez y lire sur une stèle un extrait du *Calendau* de Mistral. **Vue** remarquable sur l'enfilade des gorges et le **rocher du Cire**, très escarpé (872 m).
La descente amorcée, la route franchit trois tunnels. Entre chaque tunnel, on surplombe la Nesque, dissimulée par une abondante végétation, au creux d'une entaille profonde : seul un murmure cristallin signale sa présence. La D 942 s'éloigne un peu des gorges et traverse la combe de Coste Chaude. À la sortie du dernier tunnel, belle vue arrière sur les gorges et le rocher du Cire. La route passe au pied du hameau ruiné de Fayol, noyé dans la végétation. Soudain, le paysage change et la plaine comtadine succède aux gorges : **vue** sur le mont Ventoux, Carpentras et la campagne environnante. La très belle combe de l'Hermitage mène à **Villes-sur-Auzon**, gros village agricole posé sur les pentes du Ventoux. Bordé de platanes et agrémenté de fontaines, un boulevard ceinture le noyau ancien.

Prendre la D 1 en direction de la Gabelle.

Cette route court sur le plateau et offre un large tour d'horizon sur le mont Ventoux, les dentelles de Montmirail et le bassin de Carpentras. À l'entrée de la Gabelle, la **vue** se porte sur l'autre versant avec au premier plan l'entaille de la Nesque et, à l'horizon, la montagne du Luberon.

De la Gabelle, continuer au nord, traverser la D 1 et prendre la D 217 vers Flassan.

La route descend dans un frais vallon boisé de pins et d'épicéas jusqu'à **Flassan**, village égayé par des maisons au revêtement ocre et une place on ne peut plus provençale.

Retour à Sault par la D 217 puis, à gauche, la D 1.

Sault pratique

Adresse utile

Office du tourisme de Sault – *Av. de la Promenade - 84390 Sault - ℘ 04 90 64 01 21 - www.saultenprovence.com - juil.-août : 9h-12h30, 14h-18h30, dim. 9h30-12h30 ; avr.-juin et sept. : 9h-12h, dim. 9h30-12h30 ; oct.-mars : tlj sf dim. 9h-12h, 14h-18h (17h sam.) - fermé durant les vacances scolaires de Noël et 1er Mai.*

Se loger

⊖ **Hôtel-Restaurant Signoret** – *Av. de la Résistance - ℘ 04 90 64 11 44 - hotelsignoret84@aol.com - 26 ch. 31/45 € - ☑ 6 € - restaurant 15/19 €.* Cet hôtel situé au centre du village a retrouvé une seconde jeunesse grâce aux efforts de rénovation entrepris par les propriétaires. Rien de flamboyant certes, mais un entretien, une propreté et surtout des tarifs qui en font une adresse des plus convenables. Salle à manger et terrasse pour les repas.

Se restaurer

⊖ **Le Provençal** – *R. de la Porte-des-Aires - ℘ 04 90 64 09 09 - fermé 12 nov.-1er janv., lun. soir et mar. sf de mai à sept. - ⊟ - 10,50/21,50 €.* Ne vous fiez pas à la modeste façade de ce restaurant, apprécié dans la région pour l'atmosphère de simplicité et la bonne humeur qui y règnent. Aux fourneaux, le jeune chef concocte une cuisine « couleur locale », à savourer en salle ou sur la terrasse abritée du soleil.

⊖⊖ **Ferme Les Bayles** – *84390 St-Trinit - 9 km à l'E de Sault par D 950 et rte secondaire - ℘ 04 90 75 00 91 - fermé janv. - ⊟ - réserv. obligatoire - 15/23 € - 5 ch. 40/50 € - ☑ 5 €.* Cette ancienne bergerie est l'endroit rêvé pour un retour à la nature. Poulets, pintades, canards et lapins sont servis à la table d'hôte. Cinq chambres d'hôte et un gîte d'étape accueillant randonneurs, cyclistes et cavaliers. Ferme équestre et piscine.

Que rapporter

André Boyer – *R. de la Porte-des-Aires - ℘ 04 90 64 00 23 - 7h-19h - fermé 3 sem. en fév.* La boutique d'André Boyer est une adresse incontournable qui perpétue les traditions artisanales de fabrication.

Miel de lavande et amandes de Provence constituent les matières premières nobles qui entrent dans l'élaboration du **nougat** blanc tendre ou du nougat noir croquant, sans oublier macarons et petites galettes à la farine d'épeautre.

Maison des producteurs – *R. de la République - ℘ 04 90 64 08 98 - Pâques-1er Nov. : 9h30-12h30, 14h-19h ; hors sais. : vac. scol. et w.-end - avr.-11 nov. et w.-end jusqu'au 25 déc.* Coopérative des producteurs de lavande et de petit épeautre du pays de Sault. Plantes aromatiques, huiles essentielles, miel, nougat, huile d'olive. Exposition-vente.

Nougat et lavande.

Sports & Loisirs

Randonnées pédestres et VTT – L'office de tourisme vend des topoguides de randonnées pédestres ainsi qu'un guide comprenant 5 itinéraires (3 €), au départ de Sault et des villages alentours.

Accueil spéléologique du plateau d'Albion – *R. de l'Église - 84390 St-Christol - ℘ 04 90 75 08 33 - www.aspanet.net - ouv. tte l'année - adhésion annuelle : 2,50 € ; nuitée : 10 €.* Avec les avens Autran, de la Cervi et du Trou Souffleur, St-Christol est devenue la capitale spéléologique du plateau d'Albion.

Événement

Fête de la lavande – Le 15 août, défilé de groupes folkloriques et démonstrations de coupe, manuelle, à l'hippodrome.

Abbaye de **Sénanque**★★

CARTE GÉNÉRALE B2 – CARTE MICHELIN LOCAL 332 E10 – VAUCLUSE (84)

La Sénancole a donné son nom à Sénanque après avoir tiré le sien de la racine *sin-*, « montagne », d'où dérive également le nom du mont Sinaï. Patronage de choix pour une abbaye… À la recherche d'un moment de sérénité ? Pourquoi ne pas aller méditer un peu à quelques kilomètres de Gordes, loin du bruit et de la foule estivale, dans cette abbaye austère et paisible, nichée dans son écrin de lavande et baignée par une douce lumière ?

Stéphane Sauvignier / MICHELIN

L'abbaye de Sénanque, très photogénique quand la lavande est en fleur.

◖ **Se repérer** – En arrivant de Gordes par la D 177, on reste saisi à la vue de ces harmonieux bâtiments, lovés au creux d'un petit canyon : la Sénancole y a creusé son lit, dans le plateau de Vaucluse.

👁 **À ne pas manquer** – L'église, le cloître et les bâtiments conventuels.

🕐 **Organiser son temps** – Compter environ 1h. Pour respecter la tranquillité des six moines qui vivent dans l'abbaye, il n'y a aucune visite libre. Les visites sont uniquement guidées, en français, et il faut réserver au préalable. Une tenue correcte est exigée à l'entrée.

👶 **Pour poursuivre la visite** – Pour compléter votre tour d'horizon des abbayes cisterciennes de Provence, voir aussi celles de Silvacane et du Thoronet *(voir* Le Guide Vert Côte d'Azur).

Comprendre

Une histoire tourmentée – Fondée en 1148 par des moines venus de Mazan (haut Vivarais), Sénanque prospéra rapidement, au point que, dès 1152, sa communauté était assez nombreuse pour fonder une seconde abbaye dans le Vivarais. Elle bénéficia de nombreuses donations, en particulier des terres de la famille de Simiane et des seigneurs de Venasque. Le monastère ne tarda pas à installer, parfois très loin, des « granges », sortes d'annexes à la tête des exploitations qui étaient mises en valeur par les frères convers, moines « auxiliaires » chargés des tâches agricoles. Mais l'abbaye accumula des richesses peu compatibles avec les vœux de pauvreté ; au 14e s., c'est la décadence. Le recrutement et la ferveur diminuent tandis que la discipline se relâche. Pourtant, la situation s'améliore et le monastère retrouve sa dignité en s'efforçant de respecter l'esprit des fondateurs. En 1544, l'insurrection vaudoise porte à l'abbaye un coup dont elle ne se relèvera pas : des moines sont pendus et plusieurs bâtiments incendiés. À la fin du 17e s., Sénanque ne compte plus que deux religieux. Vendue comme bien national en 1791, elle trouve par chance un acquéreur qui la préserve de toute destruction, et va jusqu'à la faire consolider. Rachetée par un ecclésiastique en 1854, elle retrouve sa vocation d'origine : des bâtiments nouveaux viennent flanquer les anciens et 72 moines s'y installent. Depuis lors, malgré quelques tourments sous la IIIe République, la vie monastique se poursuit à Sénanque (communauté de moines cisterciens).

Les cisterciens – Inspiré par **saint Bernard de Cîteaux**, le mouvement cistercien prônait un idéal ascétique et la règle bénédictine primitive était observée dans ses établissements avec une extrême rigueur : isolement, pauvreté et simplicité, seules voies pouvant mener à la béatitude. Les conditions de vie des cisterciens sont donc très dures : les offices, la prière, les lectures pieuses alternent avec les travaux manuels, le temps de repos ne dépassant pas sept heures ; les repas, pris en silence, sont frugaux et les moines se couchent tout habillés dans un dortoir commun dépourvu du moindre confort.

Visiter

L'abbaye Notre-Dame de Sénanque est le lieu de vie de la communauté monastique. Les moines offrent la possibilité de découvrir les bâtiments du 12e s., au cours de quelques visites guidées en français organisées chaque semaine (effectif limité). Réservation impérative - ℘ 04 90 72 05 72 - www.senanque.fr

Magnifique illustration de l'art cistercien, le monastère a conservé sa forme primitive, à l'exception de l'aile des convers (18e s.). Les parties médiévales sont construites en bel appareil de pierres du pays aux joints finement taillés. L'église n'est pas orientée à l'est comme le voulait la coutume, mais au nord, les bâtisseurs ayant dû se plier aux exigences de la topographie. L'austérité inspire les conceptions artistiques de l'ordre : les bâtiments sont dépouillés de toute ornementation, qui détournerait les moines de l'essentiel ; vitraux colorés, statues, peintures ou tympans sculptés sont bannis.

On retrouve l'austérité de Sénanque dans les abbayes du Thoronet *(voir* Le Guide Vert Côte d'Azur*)* et de Silvacane *(voir ce nom)* qui nous sont presque parvenues dans leur état d'origine, quand l'ordre connaissait son apogée.

La visite commence par le dortoir, situé au nord-ouest du cloître, au 1er étage.

Dortoir

Dans cette vaste salle voûtée, éclairée par un oculus et d'étroites fenêtres (sol dallé de briques), les moines dormaient chacun sur leur paillasse ; le premier office (matines) avait lieu à 2h du matin, le second à l'aube (laudes). Le dortoir abrite une exposition sur la construction de l'abbaye.

Église★

Elle fut édifiée entre 1150 et le début du 13e s. La pureté de ses lignes (du fond de la nef, on pourra apprécier l'équilibre des proportions et des volumes), que rehausse l'absence de toute décoration, crée une ambiance de recueillement.

La croisée du transept est couronnée par une ample coupole sur trompes très ouvragées (arcatures, dalle de pierre incurvée, pilastres cannelés qui rappellent le style des églises du Velay et du Vivarais). Une abside semi-circulaire, percée de trois fenêtres (symbolisant La Trinité) et flanquée de quatre absidioles, parachève l'édifice. Nef, transept et collatéraux sont recouverts de pierres plates reposant à même la voûte.

Cloître★

Galeries (fin 12ᵉ s.) voûtées en berceau plein cintre avec doubleaux reposant sur des consoles sculptées. Notez la décoration très discrète sur les chapiteaux : feuillages, fleurs, torsades, palmettes et entrelacs.

Le cloître donne accès aux différentes pièces des bâtiments conventuels, chacune tenant une fonction bien précise.

Bâtiments conventuels★

Les moines se réunissaient dans la **salle capitulaire**, assis sur des gradins, pour lire et commenter les Écritures, recevoir les vœux des novices, veiller les défunts et prendre d'importantes décisions.

Un étroit passage donne accès au **chauffoir**, où subsiste une des deux cheminées d'origine : elles fournissaient aux copistes travaillant dans la pièce la chaleur nécessaire.

Parallèle à la galerie ouest du cloître, le **réfectoire**, détruit au 16ᵉ s., a été reconstruit par la suite et récemment restauré dans son état primitif *(ne se visite pas)*.

Au sud, le **bâtiment des convers**, refait au 18ᵉ s., abritait les moines « auxiliaires » : ils ne rejoignaient leurs frères qu'à l'occasion des travaux des champs et de certains offices.

Abbaye de Sénanque pratique

Messes

Les messes et offices sont ouverts au public. Horaires des messes : 8h30 le lundi, 12h en semaine, 10h les dimanches et jours de fêtes religieuses, vêpres à 18h.

Se loger

⌂ **Chambre d'hôte Les Hauts de Véroncle** – *84220 Murs - 13 km au NE de Sénanque par D 177, D 244 puis D 15 dir. Murs -* ☎ *04 90 72 60 91 - http://hauts.de.veroncle.free.fr - fermé 4 nov.-29 mars -* ⌿ *- 3 ch. 42/53 € -* ☐ *- repas 21 €.* En dehors du chant des cigales, rien ne perturbe la quiétude de ce mas isolé en pleine garrigue. Chambres plaisantes, sobres et soignées et gîte (4 personnes) à disposition. Dîner sous la tonnelle en été et au coin du feu l'hiver. Nombreuses randonnées à proximité dont la découverte des gorges de Véroncle.

Abbaye de **Silvacane**★★

CARTE GÉNÉRALE B3 – CARTE MICHELIN LOCAL 340 G3 – SCHÉMA P. 385 –
BOUCHES-DU-RHÔNE (13)

Une forêt *(sylva)* **de roseaux** *(cana)* **: au 11ᵉ s., les moines de Saint-Victor de Marseille choisirent ce lieu pour s'y établir. Sur la rive gauche de la Durance, l'abbaye de Silvacane étage ses toitures rosées et son petit clocher carré, exemple admirable de sobriété cistercienne.**

Façade de l'église à la sereine austérité cistercienne.

 Se repérer – L'abbaye s'étend au bord de la Durance, en contrebas de la D 561ᴬ, aux portes de La Roque-d'Anthéron *(voir La Tour-d'Aigues)*. Un parking est aménagé pour les véhicules des visiteurs. L'accès s'effectue par un bâtiment d'accueil élevé à l'emplacement de l'ancienne hôtellerie.

 À ne pas manquer – L'église, le cloître et les bâtiments conventuels.

 Organiser son temps – Compter environ 1h.

 Pour poursuivre la visite – Pour compléter votre tour d'horizon des abbayes cisterciennes de Provence, voir aussi celles de Sénanque et du Thoronet *(voir* Le Guide Vert Côte d'Azur*)*.

Comprendre

Une histoire conflictuelle – C'est un groupe de cisterciens de Morimond qui prit en main l'abbaye de Silvacane dès son affiliation à l'**ordre de Cîteaux** et effectua les travaux de bonification des terres environnantes. Toutefois, à la fin du 13ᵉ s., un violent conflit opposa les moines de Silvacane à ceux de Montmajour *(voir ce nom)* ; les moines en vinrent aux mains et quelques cisterciens de Silvacane furent même pris en otages par leurs collègues. Il fallut un procès pour que l'abbaye soit rendue à ses légitimes occupants.

Protégée par les grands seigneurs de Provence, l'abbaye prospéra, pour fonder à son tour une filiale à Valsainte, près d'Apt. Mais le sac de 1358 par le seigneur d'Aubignan et les grandes gelées de 1364 qui anéantirent les récoltes d'olives et de vin entraînèrent le déclin et, en 1443, l'abbaye était annexée au chapitre de la cathédrale d'Aix. Devenue église paroissiale de La Roque-d'Anthéron au début du 16ᵉ s., elle subit des dégradations pendant les guerres de Religion. Lorsque la Révolution éclata, les bâtiments étaient à l'abandon ; vendus comme bien national, ils furent transformés en ferme. Depuis le rachat par l'État, juste après la Seconde Guerre mondiale, ils ont été progressivement restaurés : ainsi, sur des fondements découverts en 1989, ont été restitués, à l'ouest, des bâtiments monastiques, le mur d'enceinte ainsi que l'hôtellerie des moines.

Visiter

Compter environ 1h15. ℘ *04 42 50 41 69 - www.monum.fr - du 28 mai au 30 sept. : 10h-18h ; du 1ᵉʳ oct. au 27 mai : tlj sf mar. 10h-13h, 14h-17h (dernière entrée 1h av. fermeture) - possibilité de visite guidée (1h) - fermé 1ᵉʳ janv., 1ᵉʳ Mai et 25 déc. - 6,50 € (enf. gratuit).*

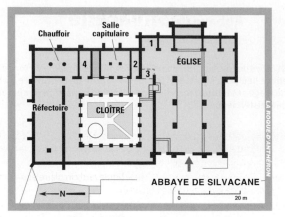

Église

D'une grande sobriété, elle fut construite entre 1175 et 1220 sur un terrain en pente, d'où les décalages de niveau qui frappent lorsque l'on observe la façade occidentale, percée de nombreuses ouvertures : le portail central et les deux portes latérales sont surmontées de trois hautes baies et d'une rosace, aujourd'hui en partie abîmée. La nef de trois travées se termine par un chevet plat. Sur chacun des bras du large transept se greffent deux chapelles. Vous pourrez observer comment l'architecte a tenu compte de la pente très accusée du terrain en étageant les niveaux du collatéral sud jusqu'à la galerie nord du cloître.

Cloître

Il date de la seconde moitié du 13ᵉ s. Cependant, les voûtes de ses galeries demeurent romanes. De puissantes arcades en plein cintre, jadis ornées de baies géminées, ouvrent sur le préau.

Bâtiments conventuels

À l'exception du réfectoire, ils furent construits entre 1210 et 1300. Toute en longueur, l'exiguë **sacristie** (2) jouxte l'**armarium** (3) (bibliothèque) situé sous le croisiilon nord du transept. La salle capitulaire avec ses six voûtes d'ogives retombant sur deux piles centrales rappelle Sénanque. Après le **parloir** (4), servant de passage vers l'extérieur, vient le **chauffoir** qui a conservé sa cheminée. À l'étage se situe le **dortoir**. Le magnifique **réfectoire** a été reconstruit au 14ᵉ s., avec de hautes fenêtres et une large rosace dispensant abondamment la lumière indispensable au lecteur, dont la chaire a été conservée. Ses chapiteaux sont plus ornés que ceux des autres salles. Le bâtiment des convers a, quant à lui, complètement disparu. Les archéologues estiment qu'il était accolé au mur ouest du cloître. Des fouilles ont permis de dégager, à l'extérieur, les vestiges de la porterie et du mur de clôture de l'abbaye.

Tarascon★

12 668 TARASCONNAIS
CARTE GÉNÉRALE A3 – CARTE MICHELIN LOCAL 340 C3 – BOUCHES-DU-RHÔNE (13)

La Tarasque, puis Tartarin (Daudet s'est inspiré d'un authentique Tarasconnais du nom de Barbarin) l'ont rendu célèbre ; autre célèbre emblème, les murailles de son magnifique château, surplombant les eaux du Rhône ; mais Tarascon est avant tout une belle ville provençale où, sans tartarinade, il fait bon flâner.

▷ **Se repérer** – Il faut arriver à Tarascon en provenance de Beaucaire par le pont sur le Rhône, qui offre le meilleur point de vue sur le château. Mais que l'on arrive de Beaucaire, d'Arles (17 km) ou d'Avignon (23 km), on se retrouve bientôt sur le boulevard circulaire, ombragé de platanes.

▣ **Se garer** – Places de stationnement sur le boulevard circulaire et parking *(gratuit comme partout en ville)* au pied du château.

👁 **À ne pas manquer** – Le château du roi René ; le charme des vieilles ruelles taras-connaises, semi-piétonnes, avec couleurs chaudes et nobles demeures ; le musée Charles-Deméry (Souleïado) ; la Montagnette voisine, avec ses collines calcaires au parfums de thym et de myrte.

◷ **Organiser son temps** – Prévoyez environ 1h pour la visite du château et quelques-unes de plus pour flâner dans les ruelles. Hors saison, Tarascon a tendance à s'endormir le week-end, privilégiez donc les jours de semaine si vous aimez l'animation. À proximité, ne manquez pas le savoureux marché paysan de Graveson, tous les vendredis de mai à octobre (16h-20h).

👪 **Avec les enfants** – L'été, animations jeune public au château du roi René ; la maison de Tartarin.

♨ **Pour poursuivre la visite** – Voir aussi Beaucaire, Barbentane, les Alpilles et le Luberon.

Le château du roi René qui y faisait de longs séjours en compagnie de sa cour.

Comprendre

La sainte et la bête – Il suffit d'apercevoir son effigie pour se rendre compte que c'était vraiment une sale bête. Elle ? **La Tarasque**, monstre amphibie qui surgissait soudain du Rhône pour dévorer les enfants ou le bétail et tuer les imprudents qui traversaient le fleuve. Heureusement sainte Marthe, venant de Palestine, traversa la Camargue, où l'on s'y connaît en bêtes sauvages : un simple signe de croix et la terrible Tarasque, vaincue, se couche aux pieds de la sainte. Cette dernière livre la bête au peuple qui s'empresse de la mettre à mal. Grand amateur de fêtes et de réjouissances, le roi René ne manqua pas d'en organiser en 1474 pour célébrer l'événement… Cette tradition a perduré jusqu'à nos jours *(voir « Événements » dans l'encadré pratique).*

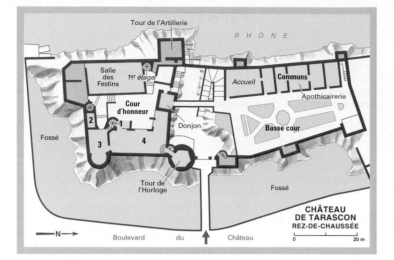

Toutefois, ce n'est pas la Tarasque qui a donné son nom à la ville… En effet, la racine ligure *asc* signifie « cours d'eau » et le préfixe *tar* « rocher ». Autrement dit, Tarascon serait le « rocher de la rivière », sans doute en référence à la roche qui, dominant le Rhône, supporte le château.

Découvrir

LE CHÂTEAU DU ROI RENÉ★★

Visite : 1h. Animations jeune public en été. 04 90 91 01 93 - www.monum.fr - avr.- août : 10h-18h30 ; sept.-mars : tlj sf lun. 10h30-17h (dernière entrée 45mn av. fermeture), possibilité de visite guidée (1h) - fermé 1er janv., 1ers Mai, 1er et 11 Nov. et 25 déc. - 6,50 € (–18 ans gratuit) - gratuit tous les 1er dim. d'oct. à mars, et le 3e w.-end de sept.

Sa silhouette massive posée au bord du Rhône, l'élégance insoupçonnée de son architecture intérieure et son état exceptionnel de conservation en font un des plus beaux châteaux médiévaux de France. Il se compose de deux parties indépendantes : au sud, le logis seigneurial, cantonné de tours rondes côté ville et de tours carrées côté fleuve, avec des murailles s'élevant jusqu'à 48 m de hauteur ; au nord, la basse cour, que défendent des constructions rectangulaires.

Basse cour

Le château actuel a succédé à une forteresse, édifiée à l'emplacement du *castrum* romain afin de surveiller la frontière de la Provence. Après sa mise à sac en 1399 par les bandes de Raymond de Turenne, la famille d'Anjou décida de le reconstruire entièrement dès 1400. Entre 1447 et 1449, le roi René, qui en avait fait sa résidence favorite, fit réaliser une décoration intérieure raffinée.

Un large fossé traversé par un pont (autrefois pont-levis) isole l'ensemble du château de la ville. La basse cour comprend les bâtiments de service qui abritent l'apothicairerie de l'hôpital St-Nicolas : importante collection de pots de faïence présentée dans une belle boiserie du 18e s.

Cour d'honneur

On y accède par la porte en chicane de la tour du donjon. Autour s'ordonnent de belles façades finement sculptées et ornées de fenêtres à meneaux. Une gracieuse tourelle d'escalier polygonale **(1)** dessert les étages ; à côté, dans une niche, bustes du roi René et de la reine Jeanne. Remarquez la clôture flamboyante de la chapelle des Chantres **(2)** et, contre la tour d'angle, la chapelle basse **(3)** que surmonte la chapelle haute.

Côté ville, un corps de logis en équerre comprend des appartements, étagés deux à deux au-dessus d'une galerie **(4)** aux voûtes surbaissées, qui communiquent avec la tour de l'Horloge.

Logis seigneurial

Nous voici chez le roi René, dans l'aile occidentale qui surplombe le fleuve. Les salles d'apparat, celle des Festins au rez-de-chaussée, avec ses deux cheminées et, au premier étage, la salle des Fêtes, avec ses plafonds de bois décorés de peintures, prouvent que la réputation festive du bon roi n'avait rien d'usurpé… Au deuxième étage, deux salles voûtées, celle des Audiences et celle des Conseils. Toutes ces salles sont décorées de tapisseries flamandes. Dans l'aile sud, après la chambre du chapelain et son four à hostie, chapelle royale d'où le roi et la reine pouvaient entendre, depuis leurs oratoires, la voix des chantres. La chambre du roi (dans la tour sud-ouest) possédait une cheminée et un chauffe-plat, bien utiles en cas de petite faim.

Terrasse

Accès par la tour de l'Artillerie. Depuis cette plate-forme, **panorama★★** immense sur Tarascon, Beaucaire, le mont Ventoux, le barrage de Vallabrègues sur le Rhône, la Montagnette et les Alpilles, Fontvieille, Montmajour, Arles et la plaine de Saint-Gilles. On redescend par la tour de l'Horloge dont le rez-de-chaussée est occupé par la salle des Galères, ainsi nommée en souvenir des graffitis et dessins de bateaux exécutés par les prisonniers de jadis.

Se promener

Si le château est très connu, c'est souvent au détriment de la ville qui mérite de mieux l'être, avec ses vieilles demeures édifiées dans une pierre aux teintes chaudes où le soleil révèle ici une corniche, là un portail, là encore une frise, et ses petites rues bordées d'hôtels aux façades souvent très bien restaurées.

Entrer dans la cité par la porte Saint-Jean et prendre la rue Eugène-Pelletan.

Sur la droite, remarquez la façade baroque du **théâtre**, avec ses angelots joufflus.

Poursuivre par la rue Proudhon.

Au n° 39, un bel hôtel abrite l'entreprise familiale **Souleïado** *(voir « Visiter » et l'encadré pratique).* Poursuivre dans la rue puis, à gauche, juste après la chapelle de la Persévérance (17ᵉ s.), s'ouvre la rue **Arc-de-Boqui**, en partie couverte.

Au débouché de la ruelle, prendre à droite vers la place du Marché.

Hôtel de ville (H)

Élégante façade sculptée, du 17ᵉ s. Un bel escalier donne accès à la salle des Consuls, ornée de boiseries et de tableaux *(accessible, sauf lors de mariages ou de réunions).*

Prenant la rue du Château (ancienne rue Droite-des-Juifs), on pénètre dans le quartier de la **Juiverie**, ancien ghetto de Tarascon. Prenant à gauche la rue des Juifs, vous arrivez sur la minuscule place Renan, ombragée par un grand eucalyptus. Regagnez la rue du Château par un second tronçon de la rue des Juifs, barré par un arceau. À l'extrémité se dressent le château et, face au fleuve, la collégiale Sainte-Marthe.

Collégiale royale Sainte-Marthe★

Édifiée au 12ᵉ s., elle fut en grande partie reconstruite au 14ᵉ s., puis remaniée et enfin restaurée après avoir subi des dégâts en 1944. Elle a conservé, côté sud, un très beau portail roman, dont la décoration sculptée a en partie disparu. À l'intérieur, tableaux

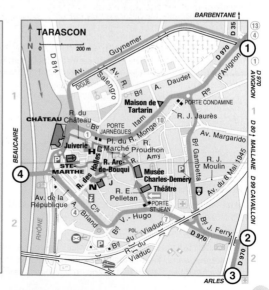

de Nicolas Mignard et de Pierre Parrocel. Dans la **crypte** est exposé le sarcophage de sainte Marthe (3e-4e s.), orné de sculptures. Au passage, dans l'escalier, remarquez le tombeau de l'ancien sénéchal de Provence, Jean de Cossa, belle œuvre de style Renaissance.

Après avoir contourné l'église, et jeté un œil sur l'harmonieuse place Fraga, suivre la rue de l'Ancien-Collège et la rue Clerc-de-Molières.

Prenez à droite la **rue des Halles**, principale artère du vieux Tarascon, où le cadran solaire affiche : « Toutes blessent, la dernière tue ». Ceci est sans appel ! Arcades et couverts (15e s.) bordent cette rue, où se tenait autrefois le marché. Sur la petite place aménagée à droite de la rue Frédéric-Mistral, les galeries du **cloître des Cordeliers (N)** méritent d'être découvertes à l'occasion d'une exposition.

Par la rue Salaire (remarquez sur la gauche le portail de l'ancien mont-de-piété), vous rejoignez la rue Proudhon qui, à droite, vous ramène à la porte Saint-Jean.

Visiter

Musée Charles-Deméry★ (Souleïado)

🕿 04 90 91 50 11 - mar.-sam. 10h-13h, 14h-18h - fermé du 25 déc. au 1er janv. et j. fériés - 6,10 € (–12 ans gratuit).

L'ancien hôtel particulier a abrité dès 1806 la célèbre manufacture d'impression d'**indiennes** *(voir p. 88)*. Dédié à ces tissus imprimés de motifs colorés, le musée possède près de **40 000 planches d'impression**, dont les plus anciennes remontent au 18e s. En bois rehaussé de pointes de laiton, elles étaient appliquées à la main, puis frappées au maillet par des ouvriers qui imprimaient jusqu'à 30 m de toile de coton par jour.

Dans l'intérieur provençal du 19e s., des scènes de la vie provençale ont été reconstituées, ainsi que plusieurs ateliers d'époque, comme la **cuisine aux couleurs** où l'on confectionnait les teintes destinées aux étoffes. Sont également exposées de **rares pièces de tissus imprimés**, des costumes provençaux des 18e et 19e s. et une importante collection de poteries, faïences et tableaux.

Maison de Tartarin

55 bis bd Itam. 🕿 04 90 91 05 08 - juil.-août : tlj sf dim. et merc. 9h30-12h, 14h-19h ; avr.-juin et sept. : tlj sf w.-end et merc. 9h30-12h, 14h-19h ; oct.-mars : tlj sf w.-end et merc. 9h-12h, 13h30-18h, possibilité de visite guidée (45mn) - fermé 1er janv., 1er et 8 Mai, 1er et 11 Nov. et 25 déc. - 2 € (enf. 1 €).

👥 Le célèbre personnage de Daudet a enfin trouvé un lieu pour se remettre de ses aventures. Dans cet intérieur reconstitué dans le goût des années 1870, mannequins costumés, meubles et documents restituent l'ambiance du roman de Daudet.

Un poète qui ne manquait pas de souffle

Né en 1830 dans une famille de paysans aisés, Mistral passe sa jeunesse au mas du Juge (sur la route de St-Rémy). Collégien à Saint-Michel-de-Frigolet puis en Avignon, où il se lie avec Roumanille, il fait son droit à Aix avant de regagner le mas paternel, puis s'installe dans la maison du Lézard *(face au Museon)* où il achève *Mirèio* en 1859, cinq ans après avoir fondé le **félibrige**. Le succès ne va plus le quitter et Mistral, devenu l'âme de la Renaissance provençale, obtient le prix Nobel de littérature en 1904, devenant si célèbre qu'en octobre 1913, il est convié à déjeuner dans le wagon présidentiel par le président de la République de l'époque, Raymond Poincaré, dont le train s'est arrêté tout exprès en gare de Graveson.

♿ *À noter : Fête mistralienne à Aix-en-Provence début septembre. 🕿 04 42 26 23 41.*

Circuit de découverte

LA MONTAGNETTE

45 km – 4h. Quitter Tarascon à l'est par la D 80 (direction Maillane) et continuer au-delà de la N 570 par la D 80A puis, sur la gauche, la D 32.

Maillane

Au cœur de « la Crau de Saint-Rémy », Maillane doit sa célébrité à **Frédéric Mistral**. Au cimetière, dans l'allée principale, à gauche, s'élève le mausolée que l'auteur de *Calendau* fit copier d'après le pavillon de la reine Jeanne, près des Baux.

Museon Mistral - *11 av. Lamartine.* ☎ *04 90 95 84 19 - uniquement visite guidée (env. 1h) avr.-sept. : 9h30-11h30, 14h30-18h30 ; oct.-mars : 10h-11h30, 14h-16h30 - fermé lun. et j. fériés - 4 € (enf. 2 €) - gratuit 25 mars, dim. proche du 8 sept.*

Installé dans la demeure que le poète habita depuis son mariage en 1876 jusqu'à sa mort en 1914 et conservée en l'état, ce lieu de pèlerinage pour tous les amoureux de la langue d'oc et du Félibrige *(voir p. 84)* contient d'émouvants souvenirs, des tableaux et des livres.

Rejoindre Graveson par la D 5, puis à gauche la D 28.

Graveson

L'ancienne cité fortifiée conserve un charme certain avec son cours principal alangui le long d'une petite roubine (un canal long d'une dizaine de mètres). L'église du village présente une abside romane et un clocher hérissé de sculptures qui a valu aux Gravesonnais le surnom de « nombrils de bois ».

Musée Auguste-Chabaud★ – *Cours National.* ☎ *04 90 90 53 02 - www.museechabaud. com - juin-sept. : 10h-12h, 13h30-18h30 ; oct.-mai : 13h30-18h30, possibilité de visite guidée (1h15) - fermé 25 déc. et 1er janv. - 4 € (enf. 2 €).* Il est consacré au peintre sculpteur nîmois (1882-1955), qui, installé au Mas de Martin au pied de la Montagnette, a fait de celle-ci son principal sujet d'inspiration. D'abord postimpressionniste *(Maison au bord du canal,* 1902), puis apparenté au fauvisme, l'ermite de Graveson, par la force d'expression de ses tableaux aux couleurs vives cernées de noir, peut être situé dans un courant proche de l'expressionnisme.

✿ Pour prolonger cet hommage au peintre, suivez en sortant l'itinéraire Chabaud, mis en place dans les rues du bourg. Une dizaine de panneaux reproduisant ses œuvres ont été installés sur les lieux qu'il a peints *(livret en vente au musée, 5 €).*

Jardin des Quatre-Saisons – *Av. de Verdun. Avr.-sept. : 8h-20h ; oct.-mars : 8h-18h. Accès libre, plan gratuit à l'office du tourisme de Graveson.* Ce jardin public, en lisière du village, se compose de quatre sections, chacune dédiée à une saison. Depuis le sommet de la butte centrale, vue sur les collines calcaires de la Montagnette.

Jardin aquatique « Aux fleurs de l'eau » – *Quartier Cassoulen, rte de St-Rémy-de-Provence.* ☎ *04 90 95 85 02 - de mi-juin à mi-sept. : 10h-12h, 14h30-19h ; de déb. mai à mi-juin : w.-end et j. fériés 10h-12h, 14h30-19h - 4 € (−8 ans gratuit).* Une douzaine de bassins, trois cascades, 1 km de sentiers, 2 000 variétés de plantes des cinq continents, dont beaucoup sont aquatiques : voilà de quoi ravir les botanistes amateurs ou promeneurs en quête de fraîcheur. Les enfants observeront les grenouilles, libellules et carpes japonaises de cette jungle bien irriguée et ordonnée.

Musée des Arômes et du Parfum – *La Chevêche, Petite Route du Grès (au sud par la D 80).* ☎ *04 90 95 81 72 - juil.-août : 10h-19h ; sept.-juin : 10h-12h, 14h-18h - 4,50 € (−12 ans gratuit).* Dans une ancienne cave à vins de l'abbaye de Saint-Michel-de-Frigolet, vous verrez alambics, flacons, essenciers... Vous arpenterez ensuite le jardin expérimental de plantes aromatiques en culture biologique. Les récoltes sont distillées en Haute-Provence, puis traitées dans le laboratoire attenant au musée. Les partisans de l'aromathérapie trouveront leur bonheur dans la boutique.

Poursuivre jusqu'à la N 570 et prendre à droite vers Graveson, puis à gauche en direction de Tarascon. Immédiatement, tourner à gauche dans la D 81.

Après être passée au-dessus de la D 970, la route s'élève en lacets parmi pins, oliviers et cyprès dans un paysage propice à la promenade comme au pique-nique.

Abbaye de Saint-Michel-de-Frigolet

☎ *04 90 95 70 07 - www.frigolet.com - l'abbatiale et l'église Saint-Michel sont en accès libre - accès au cloître et à la salle du chapitre uniquement sur visite guidée payante (env. 1h) tous les dim. 16h15 - 4,50 € (enf. gratuit).*

Un chemin de croix précède l'arrivée à l'abbaye, annoncée par une enceinte néomédiévale qui, avec ses tours, courtines, créneaux et mâchicoulis, semble sortie de quelque dessin animé de Walt Disney. On visite l'église abbatiale néo-gothique *(8h-11h, 14h-18h)*, construite autour de la **chapelle de Notre-Dame-du-Bon-Remède**, dont la structure romane est dissimulée sous une débauche de **boiseries**★ dorées offertes par Anne d'Autriche, et de tableaux attribués à l'école de Nicolas Mignard. Dans la galerie nord du **cloître** (début du 12e s., restauré au 17e s.), on peut admirer quelques vestiges romains : frises, chapiteaux, masques, ainsi que de beaux santons modernes en bois d'oliviers millénaires

De remèdes en élixir

Fondée par les moines défricheurs de Montmajour *(voir ce nom)* qui, souvent atteints de fièvres paludéennes, venaient s'y rétablir (d'où le nom de la chapelle de Notre-Dame-du-Bon-Remède), l'abbaye, après avoir vu se succéder des religieux de divers ordres, fut vendue comme bien national à la Révolution. Utilisée comme pensionnat (Mistral compta parmi ses élèves), elle retrouva sa vocation religieuse en 1856 avec une communauté de prémontrés, toujours présente, après avoir traversé une période de fortes turbulences au début de la IIIᵉ République. Cependant, si les moines existent bel et bien, le plus célèbre d'entre eux est sans doute né de l'imagination d'Alphonse Daudet : c'est le fameux Révérend père Gaucher qui, tortillant son chapelet de noyaux d'olives, confiait au prieur le secret de l'élixir de la tante Bégon.

  À noter : la distillerie Liqueur de Saint-Michel-de-Frigolet se trouve à Châteaurenard *(voir le « Circuit de découverte » à Avignon).*

sculptés par Charles Toni, de Noves. Dans la **salle du chapitre** (17ᵉ s.), tableaux de Jean Guitton. Dans le hall d'entrée, remarquable tableau de Wenzel, *Le Siège de Frigolet* (1880).

Quant à l'**église Saint-Michel** (12ᵉ s.), *(tlj, 7h-12h, 14h-19h),* elle saura vous charmer par sa simplicité. Elle a conservé un beau toit en dalles de pierre que termine une élégante crête ajourée.

L'accès au massif est interdit de juillet à mi-septembre, et toute l'année lorsque le vent souffle à plus de 40 km/h. Un circuit balisé *(en jaune)* permet aux plus vaillants d'explorer la Montagnette depuis Saint-Michel-de-Frigolet en passant par Boulbon et le **San Salvador**, qui culmine à 161 m.

Poursuivre la D 80, puis la D 35ᴱ.

Barbentane *(voir ce nom)*

Quitter Barbentane par la D 35 au sud.

Boulbon

Adossé à la Montagnette, le bourg est dominé par les murailles d'un imposant **château fort** *(ne se visite pas)* : il faut le découvrir en fin de journée, lorsque les rayons rasants du soleil viennent illuminer la pierre de teintes chaudes.

Au cimetière, la **chapelle Saint-Marcellin** (11ᵉ-12ᵉ s.) contient de belles sculptures (gisant et pleureurs du 14ᵉ s.).   *04 90 43 95 47 - visite guidée sur réserv. à la mairie.*

Reprendre la D 35 qui ramène à Tarascon.

Tarascon pratique

Adresse utile

Office du tourisme de Tarascon – *16 bd Itam - 13150 Tarascon -   04 90 91 03 52 - www.tarascon.org - juil.-août : 9h-19h, dim. 9h30-12h30 ; juin et sept. : 9h-12h30, 14h-18h, dim. 9h30-12h30 ; oct.-mai : tlj sf dim. 9h-12h30, 14h-17h30 - j. fériés : se renseigner pour les horaires.*

Visites

Allovisit – *Carte Allovisit disponible gratuitement à l'office de tourisme (communication : 0,34 €/mn).* Parcours dans la ville en 7 étapes, audioguidé depuis votre téléphone portable.

Visites guidées – *Juil.-août le lun., mar., merc. et jeu. à 10h et 14h30, au dép. de l'Office de tourisme - 6 € (–12 ans 3 €) -   04 90 91 03 52.* Découverte de Tarascon.

Visites nocturnes « Histoires et théâtre en balade » – *Dép. de l'office de tourisme à 20h30 - 8 € (+8 ans 4 €).   04 90 91 03 52.* Tous les mardis de juillet et août,

les rues de Tarascon sont le lieu de visites théâtralisées nocturnes autour des légendes et de l'histoire de la ville.

Se loger

Hôtel du Viaduc – *9 r. du Viaduc -   04 90 91 16 67 - hotel.duviaduc@laposte.net -   - 15 ch. 26/38 € -   5 €.* Cet hôtel occupe une maison régionale située à deux pas de la gare de Tarascon. Chambres simples et bien tenues, meublées dans un esprit rustique. Aux beaux jours, les petits-déjeuners sont servis sur la terrasse ombragée.

Hôtel Échevins – *26 bd Itam -   04 90 91 01 70 - echevins@aol.com - fermé Toussaint-Pâques - 40 ch. 58/63 € -   9 €.* Les « Tartarins » en route pour l'Afrique feront étape en cette demeure du 17ᵉ s. à l'ambiance familiale. Bel escalier à rampe forgée et chambres modestes mais bien tenues. Joli restaurant-véranda très coloré et cuisine traditionnelle caressée par le mistral.

Chambre d'hôte Rue du Château – *24 r. du Château* - *04 90 91 09 99 - www.chambres-hotes.com - fermé nov.- janv. - 4 ch. 72/85 €*. Élégante maison provençale du 18ᵉ s. nichée dans une paisible ruelle conduisant au château du roi René. Jolies chambres aux tons pastel desservies par un bel escalier en pierre et admirable patio fleuri où l'on sert les petits-déjeuners lorsque le temps le permet. Une adresse de charme !

Hôtel Cadran Solaire – *R. du Cabaret-Neuf - 13690 Graveson - 10 km au N de Tarascon par N 570 - 04 90 95 71 79 - www.hotel-en-provence.com - fermé de mi-nov. à mi-mars - 12 ch. 55/80 € - 8 €*. Un cadran solaire orne la belle façade de cet ancien relais de poste bâti au 16ᵉ s. Tons grèges et beiges, parterre en jonc de mer ou en tomettes et mobilier campagnard président au décor des chambres. Agréable jardinet. Confitures maison au petit-déjeuner.

Hôtel Le Mas des Amandiers – *Rte d'Avignon - 13690 Graveson - 04 90 95 81 76 - www.hotel-des-amandiers.com - fermé 16 oct.-14 mars - 28 ch. 59/63 € - 8 € - restaurant 18/43 €*. Les chambres, égayées de tons ensoleillés et garnies de meubles rustiques peints, sont réparties autour de la piscine. Parcours botanique, location de vélos et de scooters. Salle à manger actuelle décorée dans la note provençale ; carte classico-régionale.

Se restaurer

Le Bistroquet – *4 cours National - 13690 Graveson - 04 90 95 79 20 - 12,50/14 €*. Les habitants du village fréquentent cet établissement et s'attablent autour de petits plats tout simples, servis avec le sourire. Aux beaux jours, la terrasse dressée sous les platanes centenaires est très souvent prise d'assaut. Restauration midi et soir, bar-glacier le reste de la journée.

Le Provençal – *12 cours Aristide-Briand - 04 90 91 11 41 - fermé dim. soir, mar. midi et lun. - 18/29 € - 22 ch. 37/43 € - 6 €*. Le restaurant, assez réputé à Tarascon, propose une appétissante cuisine aux accents provençaux. L'hôtel abrite des chambres simples et confortables ; celles qui donnent sur la cour sont plus calmes.

Que rapporter

MARCHÉS

Tarascon – Marché traditionnel mardi, dans le centre-ville, pl. de Verdun. Marché bio vendredi matin, pl. du Marché.

Graveson – Marché paysan, vendredi (16h-20h) en mai-octobre, pl. du Marché.

BOUTIQUES

Souleïado – *39 r. Proudhou - 04 90 91 08 80 - mai-sept. : tlj sf dim. 10h-18h ; oct.- nov. : tlj sf dim. et lun. 10h-17h*. Souleïado vous invite à découvrir sa maison mère et ses fameux tissus dont la Provence est si fière. La boutique est la seule à proposer un coin « promo », avec 30 à 50 % de réduction sur un large choix d'articles fin de série. La maison organise des **ateliers** le week-end.

Tissus Choix du Roy – *26 r. des Halles, (dans l'ancien hôtel de la Monnaie) - 06 78 88 22 92 - aff2c@yahoo.fr - sur RV*. Vaste choix de tissus provençaux vendus au mètre ou confectionnés, bijoux, tarots et objets décoratifs accessibles à ceux qui auront pensé à prendre rendez-vous.

Pâtisserie La Tarasque – *56 r. des Halles - 04 90 91 01 17 - tlj sf lun. 6h30-13h, 15h-20h - fermé 15-30 août*. La Tarasque est le nom d'un délicieux entremets au chocolat, à la noisette et à l'orange, que prépare Régis Morin dans sa boutique aux tons provençaux. Installé à Tarascon depuis 1989, ce pâtissier chocolatier est également l'auteur de la Tartarinade, des Bésuquettes et du tout récent Délice de Tartarin caramel.

Sports & Loisirs

À cheval avec les Écuries de la Montagnette, club équestre de Barbentane – *Quartier Pendière, chemin Carrière - 13570 Barbentane - 04 90 90 89 11 - 9h-12h, 14h-19h*. Promenades à travers la Montagnette, sur chevaux et poneys.

Événements

Fêtes de la Tarasque – À compter du dernier jeudi de juin, pendant 4 jours, se perpétuent les très anciennes fêtes de la Tarasque, instaurées par le roi René en 1474. Lors d'un grand défilé, le monstre apparaît, entraîné par ses chevaliers (*tarascaïres*) et joyeusement accompagné par Tartarin, de retour d'Afrique. Diverses manifestations musicales, folkloriques et traditionnelles (*abrivado, encierro, novillada, banquet*) s'achèvent par un spectacle pyrotechnique en bordure du Rhône.

Fête de Saint-Éloi – Dernier week-end de juillet à **Graveson**. Cavalcades et charrettes décorées en l'honneur du saint patron des maréchaux-ferrants, une fête populaire dans les villages provençaux.

Médiévales – Dernier week-end d'août. Défilés en costume d'époque, reconstitutions de scènes historiques, marché artisanal et grand banquet festif.

Foire aux santons de Tarascon – Dernier week-end de novembre sur le marché de Noël, rue des Halles et place du Marché.

Pastrage – 24 décembre au soir. Cérémonie du pastrage à l'église Sainte-Marthe et à l'abbaye Saint-Michel-de-Frigolet.

Procession des bouteilles – Le 1ᵉʳ juin à 19h, à **Boulbon**, se déroule une procession réservée aux hommes, chacun muni d'une bouteille de vin de l'année, jusqu'à la chapelle Saint-Marcellin. Après la messe, bénédiction des bouteilles.

La Tour-d'Aigues

3 860 TOURAINS
CARTE GÉNÉRALE C3 – CARTE MICHELIN LOCAL 332 G11 – SCHÉMA P. 259 –
VAUCLUSE (84)

Pour qui vient du rude Luberon, le pays d'Aigues, baigné par la Durance et largement ouvert sur Aix, apparaît comme une région bénie des dieux, avec ses paysages riants et ses riches terroirs portant vignobles, cerisiers et cultures maraîchères.

▷ **Se repérer** – À 27 km au nord d'Aix-en-Provence et à 30 km au sud d'Apt, entre la Durance et le Luberon, le bourg, dominé par son château, est la véritable capitale du pays d'Aigues.

▣ **Se garer** – Vaste parking sur la place du château.

👁 **À ne pas manquer** – Le château et son musée des Faïences ; une flânerie au fil de la Durance.

🕐 **Organiser son temps** – Prévoyez au moins 1h pour la visite du château, musée et expositions comprises, et une journée environ pour un itinéraire au fil de la Durance.

🖐 **Pour poursuivre la visite** – Voir aussi le Luberon, Ansouis, Bonnieux, Ménerbes et Gordes. Pour vous plonger dans des paysages d'ocre, quasi uniques en France, voir aussi Roussillon et le circuit de l'ocre à Apt.

Visiter

CHÂTEAU

📞 *04 90 07 50 33 - www.chateau-latourdaigues.com - de déb. juil. à mi-août : 10h-13h, 14h30-18h ; avr.-juin et de mi-août à fin oct. : 10h-13h, 14h30-18h, dim. et lun. 14h30-18h, mar. 10h-13h ; nov.-mars : 10h-12h, 14h-17h, dim. et lun. 14h-17h, mar. 10h-12h - fermé 1er janv., 24-26 et 31 déc. - 4,50 € (−8 ans gratuit).*

Il a encore fière allure, ce château, avec sa silhouette émouvante, aux fenêtres ouvrant sur le vide ! Édifié entre 1555 et 1575 dans le goût de la Renaissance par un architecte italien sur une vaste terrasse dominant l'Èze, il s'honore d'avoir reçu en 1579 Catherine de Médicis. Mais s'il brillait alors de mille feux, un incendie accidentel, en 1780, suivi du saccage par les révolutionnaires de 1792, l'ont ruiné. Le conseil général du Vaucluse, propriétaire des lieux, a entrepris sa restauration en 1974.

Deux imposants pavillons encadrent le monumental portail d'entrée, inspiré des arcs de triomphe, abondamment décoré de colonnes et pilastres corinthiens avec une frise d'attributs guerriers.

Au cœur de l'enceinte se dresse le donjon, restitué dans son état du 16ᵉ s. Dans un angle subsiste la chapelle. Les caves accueillent des salles d'expositions et de conférences, ainsi que les collections de deux musées.

Le portail monumental du château.

Gilles Magnin / MICHELIN

Musée des Faïences

Mêmes conditions de visite que le château, dont il fait partie. C'est fortuitement que l'on a retrouvé, au cours de travaux réalisés dans les caves du château, une grande quantité de **céramiques vernissées**, base de cette collection. Pour l'essentiel, il s'agit de pièces, blanches ou polychromes, réalisées dans la fabrique de Jerôme Bruny à La Tour-d'Aigues, entre 1750 et 1785. Parmi les beaux exemples de faïence, on remarque un plat ovale représentant une scène de chasse au renard en camaïeu, d'après une gravure de J.-B. Oudry.

En contrepoint, des porcelaines européennes (Delft, Moustiers, Marseille) et asiatiques (Chine, Japon) du 18e s., des médaillons en marbre du 16e s. et des carreaux de pavement en terre cuite émaillée (17e-18e s.) viennent éclairer cette présentation.

Musée de l'Habitat rural du pays d'Aigues

Même conditions de visite que le château, dont il fait partie. Une des salles du château est consacrée à l'histoire de l'occupation de la région et présente les différentes formes d'habitat.

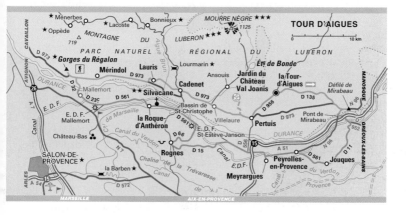

Circuit de découverte

FLÂNERIE AU FIL DE LA DURANCE

112 km – 2h (sans les arrêts).

Au pied du **Luberon**, cette rivière fantasque suit un cours souvent paresseux, parallèle à la Méditerranée jusqu'au Rhône qu'elle rejoint au sud d'Avignon. Ce ne fut pas toujours le cas puisque, à l'époque des dernières grandes glaciations, elle formait un coude à peu près à hauteur de Lamanon et se jetait directement dans la mer en charriant une énorme masse de cailloux devenue aujourd'hui la **Crau**.

Un débit irrégulier et des crues aussi spectaculaires que dévastatrices ont marqué l'histoire de la Durance, qui ne s'est laissé apprivoiser que peu à peu. La retenue de Serre-Ponçon *(voir* Le Guide Vert Alpes du Sud*)* a permis de réguler son cours et de pouvoir irriguer les plaines de la basse Durance en saison sèche. De nombreux canaux, destinés à l'alimentation des villes, à l'irrigation (cas du plus ancien, le canal de Craponne, du 16e s.) ou utilisant son important potentiel hydroélectrique, ont été creusés dans la région comprise entre la Durance et la mer.

Poissons, cormorans, hérons et castors ont aujourd'hui réinvesti les eaux de la rivière, qui ont retrouvé leur pureté.

Quitter La Tour-d'Aigues vers l'est par la D 135 en direction de Mirabeau.

Sur la gauche après le village, la N 96 (en direction de Manosque) emprunte le **défilé de Mirabeau**, étroit couloir creusé dans la roche par lequel la Durance quitte la haute Provence pour entrer en Vaucluse.

Après avoir franchi la Durance sur le pont de Mirabeau, prendre à gauche au rond-point, en direction de Saint-Paul-lez-Durance, puis à droite dans la D 11.

Jouques

Étagé en bordure du Réal, ce village avec son mail ombragé de majestueux platanes, ses maisons aux façades de couleurs chaudes, ses ruelles pentues en escaliers parfois enjambées par des arcs et ses toits de tuiles romaines évoque irrésistiblement le village provençal tel qu'il est représenté dans les crèches. Une balade agréable vous conduira au sommet du village où, depuis l'église de **Notre-Dame-de-la-Roque**, la jolie vue sur un site harmonieux et verdoyant sera une belle récompense.

Prendre la D 561 en direction de Peyrolles.

Peyrolles-en-Provence

Le bourg a conservé de son enceinte médiévale un beffroi (campanile en fer forgé) et une tour ronde ruinée, près de l'église. Ancienne résidence du roi René largement remaniée au 17ᵉ s., le **château**, qui domine le village, abrite aujourd'hui la mairie. À l'intérieur, grand escalier « de vanité » et gypseries du 18ᵉ s. De la terrasse est, ornée d'une « fontaine au gladiateur », vue sur la vallée. *Visite guidée (30mn) sur demande auprès du Service tourisme - ℘ 04 42 57 89 82 - gratuit.*

Au pied du château a été découverte une grotte contenant d'étonnantes traces de **palmiers fossilisés** remontant à l'ère tertiaire, uniques en Europe. *Visite sur demande auprès du Service tourisme - ℘ 04 42 57 89 82 - gratuit.*

L'**église Saint-Pierre**, maintes fois remaniée, a conservé une nef romane.

Sur un éperon rocheux, la **chapelle du Saint-Sépulcre**, édifiée au 12ᵉ s., présente un plan en forme de croix grecque. Sur les murs, des fresques : la création d'Adam et Ève (au-dessus de la porte) et une procession de saints auréolés.

Meyrargues

L'imposant château qui surplombe la cité est aujourd'hui un hôtel. En contrebas, une promenade conduit aux vestiges de l'aqueduc romain qui, passant à travers les gorges sauvages de l'Étroit, alimentait Aix-en-Provence.

À la sortie de Meyrargues, prendre à droite la D 561 en direction de la Roque-d'Anthéron, puis tourner à gauche dans la D 15 vers le Puy-Sainte-Réparade.

Rognes

Rognes est renommé à double titre : pour sa pierre très utilisée en Provence dans la construction et la décoration *(carrières sur la route de Lambesc)*, et, depuis peu, pour la truffe.

Un bien pour un mal

1 300 ha de terrains communaux, peuplés pour l'essentiel de pins, sont partis en fumée lors d'un incendie il y a une dizaine d'années. Les habitants, se souvenant alors qu'ils vivaient sur une terre à **truffes**, ont reboisé le terrain d'arbres truffiers (chênes, en particulier) afin de tenir les sous-bois propres. Et c'est ainsi que d'une catastrophe, **Rognes** a tiré une spécialité d'autant plus renommée que le terrain sableux et humide donne à la truffe locale un parfum très apprécié.

L'**église**, du 17ᵉ s., possède un remarquable ensemble de dix **retables★** des 17ᵉ et 18ᵉ s. *Visite sur inscription préalable à l'office de tourisme avec l'association Les Amis du Vieux Rognes - ℘ 04 42 50 13 36.*

Par la D 66, revenir sur la D 561 et prendre à gauche.

Après la **centrale de Saint-Estève-Janson**, où prend naissance le canal de Marseille qui, creusé au 19ᵉ s., a longtemps alimenté la cité en eau potable, on longe le **bassin de Saint-Christophe**, vaste réservoir de retenue situé au pied de la chaîne des Côtes, dans un site de rochers et de pins.

La route traverse puis longe le canal EDF.

Abbaye de Silvacane★★ *(voir ce nom)*

La Roque-d'Anthéron

Au cœur du bourg, le **château de Florans**, vaste demeure du 17ᵉ s. aux tours d'angle roses, accueille chaque année un prestigieux festival international de piano.

Place Paul-Cézanne, le **Centre d'évocation vaudois** rappelle l'installation des Vaudois à La Roque entre 1514 et 1545 (évocation qui peut être complétée par l'exposition installée dans le temple). Le 1ᵉʳ étage est, quant à lui, occupé par le **musée de Géologie provençale**. *Fermé pour travaux. Se renseigner auprès de l'office de tourisme - ℘ 04 42 50 70 74.*

La D 561 puis, à droite, la D 23ᶜ conduisent à Mallemort. Franchir la Durance par la D 32 puis tourner à gauche sur la D 973. Faire 2 km avant de prendre à droite une petite route qui longe une carrière (fléchage) et conduit à un parking aménagé sous les oliviers.

Gorges du Régalon★

1h15 AR. Attention : les jours d'orage, le mince filet d'eau devient torrent, ce qui rend l'excursion impossible. Prendre le chemin qui suit en contre-haut le lit du torrent. Bientôt, sur la gauche, s'étend une oliveraie que l'on traverse pour atteindre un passage étroit qui marque l'entrée.

Une promenade idéale pour les jours de forte chaleur, car la température dans les gorges est toujours très fraîche. Marchant dans le lit du torrent, on passe sous un énorme bloc de rochers encastré entre les parois très rapprochées. Une petite escalade et nous voici à l'entrée d'une grotte, tunnel coudé auquel fait suite un couloir de 100 m de long, haut de 30 m et étroit, parfois, de 80 cm (claustrophobes s'abstenir). Au terme de cet impressionnant défilé, faire demi-tour.

Les gorges du Régalon.

Gilles Magnin / MICHELIN

Après avoir regagné la voiture, prendre à gauche la D 973.

Mérindol

Sur un talus surélevé au bord de la Durance, une cabane en bois aménagée offre un panorama exclusif sur les ébats de ces centaines d'oiseaux, loin de se douter de votre présence. Cet **observatoire ornithologique** *(accès libre, panneaux didactiques sur les différentes espèces)* a été construit par le Parc naturel régional du Luberon. Dernière précision : n'oubliez pas vos jumelles !

Lauris

Il serait dommage que les nombreuses constructions nouvelles fassent négliger le vieux village aux ruelles bordées de demeures anciennes. L'**église** possède un des plus jolis campaniles en fer forgé de la région. Le **château** (18ᵉ s.), au point culminant de la falaise, contrôlait la vallée de la Durance. Après avoir visité sa cour, qui abrite huit ateliers d'artisans, n'hésitez pas à déambuler librement dans les **jardins en terrasse**. Au deuxième niveau se trouve le Conservatoire des plantes tinctoriales.

Cadenet

Centre important de vannerie grâce à la proximité de la Durance dont le lit fut, jusqu'au milieu du 20ᵉ s., un lieu de récolte de l'osier. Florissante entre 1920 et 1930, la production subit ensuite la concurrence du rotin importé d'Extrême-Orient et dut se diversifier : ustensiles à usage domestique, récipients et objets décoratifs. La dernière usine ferma ses portes en 1978. Dans l'ancien atelier La Glaneuse, le **musée de la Vannerie** expose outillage, objets à usage quotidien, chaises longues coloniales, landaus et berceaux, dames-jeannes, malles et valises. Sur la mezzanine, montage audiovisuel retraçant la vie quotidienne

> ### Tambour à l'eau
>
> Novembre 1796, **pont d'Arcole**. Un combat acharné s'engage entre l'armée française et les Autrichiens. L'issue est incertaine lorsque soudain, un jeune tambour traverse la rivière à la nage et bat la charge sur l'autre rive. Se croyant encerclés, les Autrichiens reculent.

d'autrefois. ℘ 04 90 68 24 44 - ⅙ - avr.-oct. : tlj sf mar. 10h-12h, 14h30-18h30, merc. et dim. 14h30-18h30 - fermé 1ᵉʳ Mai - 3,50 €.

Sur la place principale, une statue perpétue la mémoire du héros local, André Estienne, le **tambour d'Arcole**.

Une belle tour carrée supporte le clocher de l'**église** (du 14ᵉ s. mais plusieurs fois remanié). À l'intérieur, beaux **fonts baptismaux★** constitués par un sarcophage romain du 3ᵉ s. orné de bas-reliefs. ℘ 04 90 68 36 01 - juin-août : lun. et sam. 10h-12h, 17h-19h, merc. 9h-10h30, 17h-19h, dim. 10h-12h ; le reste de l'année : sur RV.

Après Villelaure, sur la D 973, tourner à gauche et suivre « Château Val Joanis ».

Jardin du château Val Joanis

Visite du jardin suivie d'une dégustation des vins du domaine (côtes-du-luberon). ☎ 04 90 79 88 40/20 77 - www.val-joanis.com - *avr.-oct. et déc. : 10h-19h ; nov., janv.-mars : lun. au sam. 14h-18h - fermé du 31 déc. au 5 janv. - gratuit.*

Derrière les caves de ce domaine viticole se cache un beau jardin étagé sur trois terrasses : la 1re est consacrée au potager, la 2e aux fleurs et la 3e aux arbres d'ornement. Le jardin est fermé à gauche par une tonnelle couverte de roses tandis qu'à droite est plantée une oliveraie. Calme et sérénité se dégagent de ce jardin, île de couleurs et de fraîcheur au milieu de l'océan des vignes.

Pertuis

Ce gros bourg, capitale du pays d'Aigues, a conservé quelques traces de son passé : la tour de l'Horloge (13e s.) et la tour Saint-Jacques (14e s.) à mâchicoulis. Dans l'**église Saint-Nicolas**, remarquez deux belles statues de marbre du 17e s. et un triptyque du 16e s. ☎ 04 90 79 11 91 - *été : 8h-18h30 ; hiver : 8h-17h30 - fermé dim. apr.-midi.*

Rentrer à La Tour-d'Aigues par la D 956

La Tour-d'Aigues pratique

♿ Voir aussi l'encadré pratique du Luberon.

Adresses utiles

Office du tourisme de la vallée d'Aigues – *Le Château - 84240 La Tour-d'Aigues -* ☎ 04 90 07 50 29 - ot.valleedaigues@free.fr - *15 juin-15 sept. : 10h-17h ; 16 sept.-31 mars 9h30-12h, 13h30-17h ; 1er avr.-14 juin : 9h30-13h, 13h30-17h - fermé dim.-lun. et j. fériés.*

Office du tourisme de Cadenet – *Pl. du Tambour-d'Arcole - 84160 Cadenet -* ☎ 04 90 68 38 21 - *juil.-août : lun.-sam. 10h-12h30, 13h30-18h ; sept.-juin : lun.-sam. 9h30-12h30, 13h30-17h30.*

Office du tourisme de Rognes – *5 cours Saint-Étienne - 13840 Rognes -* ☎ 04 42 50 13 36 - *mar.-sam. 10h-12h, 15h-18h, lun. 10h-12h - fermé dim. et j. fériés.*

Se loger

⌂ **Chambre d'hôte Bastide de la Roquemalière** – *Rte de la Font-de-l'Orme - 84360 Mérindol -* ☎ 04 90 72 86 72 - roquemaliere@wanadoo.fr - ⊠ *- 5 ch. 55 € -* ⊡ *- repas 20 €.* Comme le soulignent les propriétaires, calme, tranquillité et nature sont bien les trois points forts de ces chambres d'hôte, situées dans une maison isolée, au pied des premiers contreforts du Luberon. Nous ajouterons aussi les prix, tout à fait raisonnables pour la région. Les chambres sont spacieuses et modernes (surtout au premier étage), la décoration particulièrement soignée. La maison dispose d'un grand jardin avec piscine et d'une terrasse sous les arbres. Que demander de plus ?

⌂⌂ **Chambre d'hôte Domaine de La Carraire** – *Chemin de la Carraire - 84360 Lauris -* ☎ 04 90 08 36 89 - www.lacarraire.com - *fermé 15 nov.-1er avr. -* ⊠ *- 5 ch. 60/75 € -* ⊡ *7 €.* On ne peut pas rêver plus provençal ! Imaginez : une superbe bastide, des vignes, une piscine et des vieux platanes ! Le tout à des prix encore abordables, même en haute saison. Une adresse rare.

Se restaurer

⊖ **Auberge de la Tour** – *R. Antoine-de-Tres -* ☎ 04 90 07 34 64 - *fermé vac. de fév., vac. de Toussaint, sam. midi, dim. soir et lun. - 11 € déj. - 18/24 €.* L'ambiance est décontractée, ce qui donne à ce restaurant niché au cœur du village un petit air de bistrot. Côté cuisine, le terroir est à l'honneur : plats mitonnés fleurant bon la Provence.

⊖⊖ **Le Patio du Vallon** – *Chemin du Vallon-Bernard - 84360 Mérindol -* ☎ 04 90 72 82 19 - *fermé lun. et mar. - 16/23 €.* Dans le village de Mérindol, une adresse sympathique qui allie pizzas traditionnelles et cuisine provençale plus élaborée. Four à pizza dans la salle. Aux beaux jours, une petite terrasse-balcon accueille les clients. Halte agréable et service de qualité.

Que rapporter

Marché à Cadenet – Marché traditionnel : lundi matin à Cadenet. Marché paysan : samedi matin au boulodrome (de mai à octobre).

Marché à Pertuis – Marché traditionnel vendredi matin ; marché paysan mercredi et samedi matin place Garcin.

Marché à Rognes – Sur la place du monument aux morts : marché traditionnel mercredi matin et petit marché paysan samedi matin (les agriculteurs locaux y vendent exclusivement leur propres productions).

Marché aux truffes à Rognes – *13840 Rognes - 9h-18h.* Un grand marché « truffe et gastronomie », le dernier dimanche avant Noël.

Marché traditionnel à La Roque-d'Anthéron – *13640 La Roque-d'Anthéron - 7h-12h.* Jeudi matin sur le cours Foch.

Sports & Loisirs

Montgolfière Hot-Air Ballooning – *Le Mas Fourniguière - 84220 Joucas -* ☎ 04 90 05 79 21 - www.montgolfiereprovence-ballooning.com - 9h-22h - fermé *1er nov.-1er avr.* Pour survoler en silence le Luberon. Prévoir 3h (transfert sur site d'envol, préparation des montgolfières, vol). Les vols se déroulent généralement en début de matinée.

Événements

Festival du château de La Tour d'Aigues – ℘ 04 90 07 50 33. De mi-juillet à mi-août. Musiques du monde, jazz, danse, théâtre.

Festival international de piano – ℘ 04 42 50 51 15 - www.festival-piano.com Dernière semaine de juillet et 3 premières semaines d'août, à **La Roque-d'Anthéron**.

Fête des Vins des Coteaux d'Aix – Fin mai à **Rognes**.

Fête des cerises – 1er week-end de juin à la **Roque-d'Anthéron**. Marché aux cerises avec présentation de vieux métiers et défilé traditionnel.

Uzès★★

8 007 UZÉTIENS
CARTE GÉNÉRALE A2 – CARTE MICHELIN LOCAL 339 L4 – GARD (30)

Le « Premier duché de France » occupe un paysage de garrigues au charme austère ou éblouissant, selon les saisons. Avec ses boulevards ombragés, ses ruelles médiévales et leurs belles demeures nées aux 17e et 18e s. lorsque le drap, la serge et la soie firent la richesse de la ville, Uzès dégage une beauté radieuse et sereine.

▶ **Se repérer** – Une arrivée par la D 981, depuis le Pont du Gard (13 km au sud-est), offre la plus jolie vue sur la ville, hérissée de tours et installée à l'extrémité d'un plateau dominant la vallée de l'Alzon. Mais quelle que soit l'approche choisie, on se trouvera vite sur le boulevard circulaire à sens unique.

🅿 **Se garer** – Places de stationnement sur le boulevard circulaire, soit sur le Portalet, peu avant la tour Fenestrelle, soit au parking Gide, soit encore sur l'avenue de la Libération.

👁 **À ne pas manquer** – Se promener dans la ville ancienne ; la tour Fenestrelle ; la place aux Herbes ; la visite du Duché.

🕐 **Organiser son temps** – Nos moments préférés ? Le printemps et l'automne, quand les ruelles sont rendues aux seuls Uzétiens (ou presque) ; le mercredi matin, quand le marché des producteurs anime la belle place aux Herbes ; le mois de février, quand les amandiers fleurissent.

👪 **Avec les enfants** – Le musée du bonbon Haribo ; le moulin de Chalier ; le parc aquatique de la Bouscarasse *(voir l'encadré pratique)*.

👣 **Pour poursuivre la visite** – Voir aussi le Pont du Gard.

La place aux Herbes, un haut lieu de l'art de vivre uzétien.

Ludovic Campion / MICHELIN

Le saviez-vous ?

👁 « Premier duché de France » ne fait pas référence à l'ancienneté du titre mais à des questions de préséance à la cour. Fixées par le roi Charles IX, elles virent la famille de Crussol accéder au premier plan en 1632 lorsque le duc de Montmorency fut décapité à Toulouse.

👁 Uzès a vu naître quelques célébrités : le peintre **Nicolas Froment**, auteur pour le roi René du célèbre *Triptyque du Buisson ardent* que l'on peut voir à Aix ; son confrère **Xavier Sigalon** (1788-1837) ; et, bien sûr, **André Gide** (1869-1951) qui a évoqué ses vacances uzétiennes chez son oncle dans *Si le grain ne meurt*. Mais c'est **Jean Racine** (1639-1699) qui a le plus fait pour le renom de la cité.

Se promener

LA VILLE ANCIENNE★★

Étrangement silencieuses parfois, les ruelles d'Uzès nous transportent hors du temps, lorsque d'une fenêtre s'égrènent quelques notes de piano. Soudain, on débouche sur une place à couverts où se tient un marché haut en couleur, ou bien on découvre en contrebas la garrigue qui, en février, s'illumine sous les fleurs d'un blanc éclatant des amandiers. Devant les vitrines des artisans, souvent de qualité, à l'écoute de l'animation toute méridionale des boulevards, quand le feuillage des platanes est pris d'un brusque frémissement… on éprouve la délicieuse sensation de pouvoir se perdre, l'espace d'un instant, dans cette cité dont le charme tient à un subtil équilibre entre présent et passé.

Depuis l'avenue de la Libération, prendre à droite le boulevard des Alliés.

Église Saint-Étienne

📞 *04 66 22 68 88 - 9h-12h, 14h-18h.*

Sa façade curviligne est caractéristique du style jésuite en vogue au 18e s. Elle a été édifiée sur l'emplacement d'une église du 13e s. détruite au cours des guerres de Religion et dont ne subsiste que le clocher rectangulaire.

Sur la place, **maison natale de Charles Gide (D)**, économiste défenseur du système coopératif (1847-1932), et oncle d'André.

Prendre la rue Saint-Étienne en direction de la place aux Herbes.

Au passage, remarquez (au n° 1) une imposante porte Louis XIII à pointes de diamant et, plus loin, à gauche, dans une impasse, une belle façade Renaissance.

Place aux Herbes★

De plan asymétrique, entourée de couverts (les « arceaux ») sous lesquels se nichent d'agréables boutiques et quelques restaurants, plantée de platanes, elle est le véritable cœur de la cité qui s'anime les jours de marché. Parmi les demeures qui la bordent, dans un renfoncement, l'**hôtel de la Rochette** (du 17e s.) et, au nord, une **maison d'angle** flanquée d'une tourelle sont les plus remarquables.

Une petite ruelle devant cette dernière conduit à l'étroite rue Pélisserie, que l'on prend à gauche. Sur la droite, prendre la rue Entre-les-Tours.

Tour de l'Horloge

Cet ouvrage du 12e s. (campanile en fer forgé) était la tour de l'Évêque : elle s'opposait à la tour ducale et à la tour du Roi à l'époque où ces trois forces se disputaient le pouvoir sur la cité.

Revenir sur ses pas et poursuivre rue Pélisserie.

À l'angle de la rue et de la place Dampmartin, belle façade Renaissance de l'**hôtel Dampmartin**, que flanque une tour ronde.

Traverser la place et prendre la rue de la République.

Au n° 12, l'**hôtel de Joubert** déploie sa belle façade d'époque Henri II.

Poursuivre la rue, puis prendre à droite le boulevard Gambetta jusqu'à l'hôtel de ville.

Hôtel de ville

Depuis la façade (18e s., belle cour intérieure), perspectives sur la silhouette massive du Duché *(voir « Visiter »)* et la toiture en tuiles vernissées de la chapelle.

Traverser la cour de l'hôtel de ville et prendre à gauche le passage du jardin des Jésuites, puis, dans le prolongement, la rue Boucairie, où l'on travaillait jadis le cuir.

À l'angle de la rue Raffin s'élève l'**hôtel des Monnaies**, rappelant que les évêques eurent le privilège de battre monnaie jusqu'au 13e s.

Plus loin, après l'arceau qui enjambe la rue, sur la place de l'Évêché, se dresse la façade, précédée d'une colonnade, de l'**hôtel du Baron de Castille (R)**.

Au-delà de la rue Saint-Julien, l'**ancien palais épiscopal**, demeure fastueuse, abrite le musée municipal Georges-Borias *(voir « Visiter »)*.

Cathédrale Saint-Théodorit

04 66 22 68 88 - 2 nov.-31 mars : 8h30-20h, 1er avr.-1er nov. : 8h30-18h.

Elle a été élevée au 17e s. sur l'emplacement de l'ancienne cathédrale romane, détruite pendant les guerres de Religion. À l'intérieur, superbes **orgues**★ Louis XIV encadrées de volets peints destinés à les masquer pendant le carême.

Tour Fenestrelle★★

Ce vestige roman de l'ancienne cathédrale est l'unique exemple en France de clocher rond. Les six étages de fenêtres géminées lui ont donné son nom.

Poursuivre sur la **promenade Jean-Racine** d'où l'on domine les garrigues et la vallée de l'Alzon : l'Eure y prend sa source, qui, captée par les Romains, était dirigée sur Nîmes par le Pont du Gard. À gauche, en saillie, le **pavillon Racine (X)**, surmonté d'un dôme, a été construit sur une tour des anciennes fortifications.

Vous pourrez rejoindre, à pied, la vallée de l'Alzon en empruntant le **chemin André-Gide**, en contrebas de la promenade Racine : lieu fort bucolique d'où vous découvrirez une très belle vue sur la ville… et quelques ouvrages d'art de l'aqueduc romain.

Traverser Le Portalet, partie du boulevard circulaire qui domine la garrigue, et prendre la rue Saint-Théodorit.

Étroite et pentue, la rue, dont le départ est marqué par une fontaine fermée par une grille, donne accès à un réseau de ruelles bordées de nobles demeures, dont la plupart ont été remarquablement restaurées.

Prendre en face l'impasse Port-Royal.

Jardin médiéval

Impasse Port-Royal. 04 66 22 38 21 - juil.-août : 10h30-12h30, 14h-18h ; avr.-juin et sept. : 14h-18h, w.-end et j. fériés 10h30-12h30, 14h-18h ; oct. : 14h-17h - fermé du 1er Nov. au 31 mars - 3 € (enf. gratuit).

Au bout d'un passage voûté, vous découvrirez ce havre de verdure où l'on trouve plantes potagères, condimentaires, utilitaires, ornementales et médicinales. Recons-

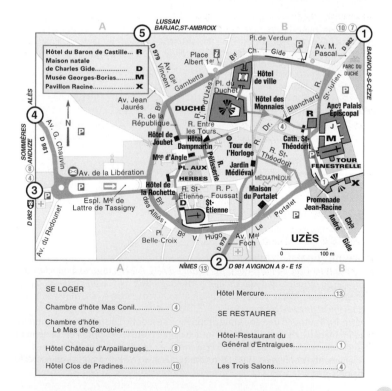

titué avec soin, ce jardin, conçu à la suite de recherches historiques, offre en outre une vue imprenable sur les tours du Roi et de l'Évêque, qui servent de cadre à des expositions.

Descendre la rue Port-Royal et par la rue Paul-Foussat, regagner le boulevard.

Sur Le Portalet, à gauche, au n° 19, **maison du Portalet** (bel hôtel Renaissance). *Revenir sur ses pas pour retrouver le boulevard Victor-Hugo.*

Visiter

Duché★

📞 01 42 88 36 64 - www.uzes.com - juil.-août : 10h-12h30, 14h-18h30 ; sept.-juin : 10h-12h, 14h-18h - fermé 25 déc. - visite libre de la tour, visite guidée des appartements et des caves (45mn) - 14 € (7-11 ans 5 €).

Vu de l'extérieur, le Duché, dans son style féodal, présente un aspect massif et imposant. Quand on entre dans la cour, les bâtiments témoignent de l'ascension de la prestigieuse dynastie des seigneurs d'Uzès : à gauche, la tour de la Vicomté, avec sa tourelle octogonale, date du 14e s. ; la tour Bermonde est un donjon carré du 11e s. À droite, s'étend la **façade★** Renaissance édifiée vers 1550 par le premier duc sur les plans de Philibert Delorme. À l'extrémité de la façade s'élève une chapelle gothique, restaurée au 19e s.

On accède à la **tour Bermonde** par un escalier à vis de 135 marches. En récompense, **panorama★★** sur les vieux toits brûlés de soleil, le campanile de la tour de l'Horloge et la garrigue.

Un bel escalier d'honneur Renaissance voûté en caissons et à pointes de diamant mène aux **appartements meublés**. Grand salon bleu Louis XV orné de gypseries et de quatre cheminées d'angle en marbre de carrare ; bibliothèque, salle à manger décorée de meubles Renaissance et Louis XIII ; chapelle du 15e s. (remaniée au 19e s.). En sortant, sur la gauche, on aperçoit la **tour de la Vigie** (12e s.).

« Nos nuits sont plus belles que vos jours »

C'est ce qu'écrivait le jeune Racine à un ami parisien lors du séjour de 18 mois qu'il fit à Uzès à partir de novembre 1661 : en effet, ce jeune homme de 22 ans, après avoir tâté de la discipline janséniste, s'était émancipé et songeait sérieusement à se consacrer au théâtre ! Pour détourner le godelureau de cette funeste vocation, on l'envoya donc chez son oncle, le chanoine Sconin, vicaire général à Uzès, qui fit miroiter au poète en herbe un « bénéfice » s'il entrait dans les ordres. L'oncle ne fut sans doute pas assez persuasif mais Racine tomba sous le charme de ce Midi qu'il découvrait et ce séjour lui inspira ses *Lettres d'Uzès*, témoignage enthousiaste sur la vie uzétienne de l'époque.

Musée municipal Georges-Borias (M)

Dans l'ancien Évêché. 📞 04 66 22 40 23 - juil.-août : 10h-12h, 15h-18h ; mars-juin et sept.-oct. : 15h-18h ; nov.-déc. et fév. : 14h-17h - fermé lun., janv., 1er nov. et 25 déc. - 2,50 € (enf. 1 €).

Collections très éclectiques : archéologie, documents, terres cuites de Saint-Quentin-la-Poterie *(voir le « Circuit de découverte »)*, toiles de Sigalon et de Chabaud, souvenirs de la famille Gide. **L'armoire peinte d'Uzès** fait son apparition au début du 18e s. De petite taille, elle est décorée de motifs qui rehaussent la teinte sombre du meuble. Vous en verrez trois au musée et une au Duché.

Aux alentours

Haras national d'Uzès

3,5 km. Quitter Uzès au nord-ouest par la route d'Alès. À 2 km, tourner à gauche dans le chemin du mas des Tailles (fléchage). 📞 04 66 22 68 88 - ♿ - visites libres tlj sf dim. et j. fériés 14h-17h - visite guidée (1h) du 15 juin au 15 sept. : mar. et jeu. 10h et 15h (avec entraînement de Lucien Gruss) - 5 €.

Créé en 1974 autour d'une ancienne propriété, il s'est doté d'installations modernes, dont un manège, des carrières et un terrain planté d'obstacles pour l'entraînement de ses étalons, chevaux ou ânes de Provence. La race des ânes de Provence a été officiellement reconnue en 1995. De mémoire d'âne, on n'avait jamais connu pareille aubaine…

Musée du Bonbon Haribo

Au Pont-des-Charrettes, à l'entrée d'Uzès, sur la D 981 (route de Remoulins). ☎ *04 66 22 74 39 - www.haribo.com - ♿ - juil.-août : 10h-19h ; sept.-juin : tlj sf lun. 10h-13h, 14h-18h - fermé les 3 premières sem. de janv. - 5 € (enf. 3 €).*

👥 Tout sur l'histoire et la fabrication des bonbons, en particulier les gélifiés aux formes variées qui font le bonheur de nos chers petits. Espace arôme pour exercer son nez et dégustation. Adresses des dentistes à l'office de tourisme !

Moulin de Chalier

3 km. Quitter Uzès à l'ouest par la D 982 en direction d'Anduze. Peu avant Arpaillargues, prendre à droite une petite route en descente. ☎ *04 66 57 25 13 - ♿ - juil.-août : 10h-13h, 14h-19h ; mars-juin : tlj sf lun. 10h-12h, 14h-19h ; sept.-oct. : tlj sf lun. 10h-12h, 14h-18h ; nov.-fév. : merc., sam.-dim., j. fériés et vac. scol. 10h-12h, 14h-18h - fermé janv. et 25 déc. - musée 1900 : 6 € (enf. 4 €), musée du Jouet : 5,50 € (enf. 4 €), forfaits famille.*

Dans une bâtisse en pierre du 18ᵉ s., le **musée 1900** regroupe véhicules, affiches et objets évoquant la vie quotidienne à la Belle Époque. Moyens de transport, du grand Bi de 1870 aux limousines des années 1950, lanternes magiques, cinéma des frères Lumière, postes à galène et évocation des activités agricoles de la région (moulin à huile du 18ᵉ s.).

👥 À 100 m, le **musée du Train et du Jouet** propose un réseau ferroviaire miniature datant de 1923 : 400 m de rails sillonnent des paysages cévenols et camarguais où ont été placés les sites les plus prestigieux de la région, tels que les arènes de Nîmes ou le Pont du Gard. *Mêmes conditions de visite que le musée 1900.*

Saint-Quentin-la-Poterie

5 km. Quitter Uzès au nord-est par la route de Bagnols. À 2 km, prendre à gauche la D 5, puis la D 23.

L'argile locale d'excellente qualité a fait la fortune de Saint-Quentin : au 14ᵉ s., on y réalisa plus de 120 000 carreaux de faïence vernissée destinés à orner les salles du palais des Papes à Avignon *(voir ce nom)*. La production se maintint à un niveau important jusqu'au début du 20ᵉ s., en particulier avec les « toupins » au bel émail jaune, des pipes en terre et des briques, avant de s'éteindre en 1974, date de la fermeture de la dernière usine. Mais, depuis 1983, le village a retrouvé une nouvelle jeunesse avec l'arrivée de céramistes et de potiers produisant des pièces décoratives ou utilitaires.

Installé dans un ancien moulin à huile transformé en Maison de la terre *(14 r. de la Fontaine)*, l**e musée de la Poterie méditerranéenne** abrite une collection de 250 pièces, utilitaires ou festives, provenant d'Espagne, de Crète, du Maroc, de Tunisie et de Saint-Quentin, bien sûr. ☎ *04 66 03 65 86 - www.musee-poterie-mediterranee. com - juil.-sept. : 10h-13h, 15h-19h ; avr.-juin et oct.-déc. : tlj sf lun. et mar. 14h-18h - fermé janv.-mars sf w.-end pdt les vac. scol., 25 déc. - 3 € (–12 ans gratuit).*

À côté, la galerie **Terra Viva** présente des expositions de céramistes contemporains. ☎ *04 66 22 48 78 - mai-sept. : 10h-13h, 14h30-19h ; de mi-mars à déb. avr. et oct.-déc. : tlj sf lun. 10h-13h, 14h30-18h - fermé janv.-mi-mars, 1ᵉʳ janv. et 25 déc. - gratuit.*

Circuit de découverte

LA GARDONNENQUE

45 km - compter 1h de route (4h au total avec les arrêts).

D'Uzès à Remoulins, l'itinéraire permet de suivre la vallée du Gardon. Roches mises à nu par les intempéries et le vent, cistes, genêts, chênes kermès, asphodèles, plantes aromatiques, parfois chênes verts ou pubescents (les *garrics*, à qui la garrigue doit son nom) composent le paysage de cette zone calcaire vallonnée et aride, profondément entaillée par le lit des rivières.

Quitter Uzès au sud et prendre à droite la D 979, route de Nîmes, qui serpente dans la campagne en offrant des vues sur Uzès.

Pont Saint-Nicolas

Lancé sur le Gardon, dans un site très particulier (et apprécié en été), ce pont à neuf arches a été édifié au 13ᵉ s. par la confrérie des frères pontifes.

La route s'élève en corniche, offrant de belles vues sur le Gardon, en particulier dans un virage à droite (possibilité de se garer) où l'on découvre une belle **vue★** sur l'enfilade des gorges.

Tourner à gauche dans la D 135 et, à l'entrée de Poulx, prendre à gauche la D 127 qui a conservé de rares traces de son revêtement d'antan (croisement impossible en dehors des parkings aménagés).

Les cinéphiles ne manqueront pas d'évoquer, pendant la descente, Charles Vanel et Yves Montand au volant de leur camion chargé de nitroglycérine. Une scène fameuse du *Salaire de la peur* fut en effet tournée sur cette route, la D 127.

Site de la Baume★

Laisser la voiture après le dernier lacet et emprunter le chemin qui conduit au fond des gorges. ⏱ 1h AR. Après avoir traversé des vestiges de constructions, on atteint, en bordure du Gardon, un point pittoresque, très fréquenté en été par les baigneurs, naturistes ou non. Sur l'autre rive, on peut apercevoir dans la falaise l'entrée de la grotte de la Baume.

Aujourd'hui banlieue résidentielle de Nîmes, le village de **Poulx** abrite une jolie petite église romane.

Suivre la D 427, à travers une garrigue entrecoupée de vignes et de vergers, et, dans Cabrières, tourner à gauche dans la D 3 en direction de la vallée du Gardon.

Collias

Centre de tourisme nautique et équestre, point de passage du GR 63 qui permet de suivre les gorges du Gardon, Collias possède en outre d'abruptes falaises que les varappeurs n'hésitent pas à escalader.

Poursuivre sur la D 3 qui remonte la vallée de l'Alzon, puis prendre à droite la D 981.

Château de Castille

Après une chapelle romane et un mausolée entouré de colonnes, l'allée bordée d'ifs mène au château *(ne se visite pas)*, remanié au 18e s. par Joseph de Froment d'Argilliers, baron de Castille. Ce baron professait en cette fin de 18e s. un amour immodéré pour les colonnes. Si bien que lorsque maçons et tailleurs de pierre uzétiens étaient frappés par la crise, il leur ouvrait généreusement ses carrières… à seule condition qu'ils édifient des colonnes. Il revenait ensuite au baron la charge de les disposer où bon lui semblait, même en rase campagne s'il le fallait.

Suivre la D 981.

Pont du Gard★★★ *(voir ce nom)*

Prendre à gauche la D 228.

Castillon-du-Gard★

Village médiéval perché aux maisons de pierres rousses joliment restaurées. Il possède un privilège : c'est le seul village d'où l'on aperçoit le fameux Pont du Gard, depuis un petit belvédère situé près du parking municipal, au pied du château d'eau.

Revenez sur la D 19 pour rejoindre **Remoulins**, qui a conservé quelques vestiges de ses remparts (église romane à clocher à peigne).

Uzès pratique

Adresse utile

Office du tourisme d'Uzès – *Chapelle des Capucins - 30700 Uzès - ☎ 04 66 22 68 88 - www.uzes-tourisme.com - du mi-juin à fin sept. : 9h-18h (19h en juil. et août), w.-ends et j. fériés 10h-13h, 14h-17h ; de déb. oct. à mi-juin : tlj sf dim. 9h-12h30, 14h-18h, sam. 10h-13h - fermé 1er et 8 Mai, 1er et 11 Nov., 25 déc. et 1er janv.*

Visite

Visite guidée de la ville – *Juin-sept. : lun. et vend. à 10h, merc. à 16h. Visites nocturnes en été, se renseigner pour la date. La visite de l'église Saint-Étienne est comprise dans le circuit. Renseignements à l'office de tourisme ou www.vpah.culture.fr.* Uzès, qui porte le label **Ville d'art et d'histoire**, propose des visites-découvertes (2h) animées par des guides-conférenciers agréés par le ministère de la Culture et de la Communication.

Se loger

⊜⊜ Hôtel Mercure – *Rte de Nîmes - ☎ 04 66 03 32 22 - www.mercure-uzes-gard. com -* 🅿 *- 65 ch. 65/72 € - ⊡ 9 € - restaurant 19 €.* Groupe de bâtiments ordonnés autour d'une piscine et d'une terrasse ombragée. Chambres rénovées, équipées de meubles actuels. Attablez-vous dans une salle à manger aux couleurs provençales ou sur la jolie terrasse.

⊜⊜ Hôtel Clos de Pradines – *Pl. Pigeonnier - 30700 St-Quentin-la-Poterie - ☎ 04 66 20 04 89 - www.clos-de-pradines. com - fermé 15 janv.-11 fév. et 13-29 nov. -* 🅿 *- 18 ch. 58/108 € - ⊡ 10 € - restaurant 29 €.* Sur les hauteurs du village, hôtel neuf proposant de ravissantes chambres de style néo-provençal dotées de miniterrasses ou de balcons orientés plein sud. Au restaurant, belle terrasse dominant la vallée, salle à manger actuelle et cuisine traditionnelle.

Hôtel Château d'Arpaillargues – *R. du Château - 30700 Arpaillargues-et-Aureillac - ☎ 04 66 22 14 48 - arpaillargues@leshotelsparticuliers.com - P - 29 ch. 70/250 € - ☱ 13 € - restaurant 26/45 €.* Un joli château du 18ᵉ s. et une ancienne magnanerie abritent des chambres personnalisées avec vue sur le parc ou le village. Cuisine au goût du jour, cadre chaleureux et agréable terrasse au restaurant.

Chambre d'hôte Le Mas de Caroubier – *684 rte de Vallabrix - 30700 St-Quentin-la-Poterie - 5 km au NE d'Uzès par D 982 et D 5 - ☎ 04 66 22 12 72 - www.mas-caroubier.com - fermé déc. - ⊄ - 4 ch. 65/85 € ☱.* Ce mas surgissant au bout d'un chemin de campagne est un havre de paix. Tout y incite à la sérénité : le délicieux accueil, le charme des chambres garnies de meubles chinés, la quiétude du jardin et du beau potager médiéval, la piscine… Stages de poterie, de peinture et de cuisine.

Chambre d'hôte Mas Conil – *Chemin de Collorgues - 30190 Aubussargues - 8 km à l'E d'Uzès par D 982 et D 120 - ☎ 04 66 63 97 00 - www.masconil.com - fermé 10 j. à Noël - 4 ch. + 1 suite 90 € ☱ - repas 30 €.* Non loin du château d'Aubussargues, vous trouverez ce mas en pierre sèche abritant 4 chambres et une suite familiale où couleurs apaisantes et meubles chinés se marient harmonieusement. Table d'hôte sur réservation : recettes provençales assorties en hiver de quelques spécialités helvétiques. Jolie piscine.

Se restaurer

Hôtel-Restaurant du Général d'Entraigues – *Pl. de l'Évêché - ☎ 04 66 22 32 68 - www.leshotelsparticuliers.com - formule déj. et dîner 18 € - 21/35 € - 35 ch. 90/150 € - ☱ 9 €.* Issu de la réunion de plusieurs maisons particulières, cet hôtel compte 38 chambres donnant sur des patios ou des courettes calmes et arborées. Dans l'agréable salle voûtée du restaurant, vous aurez le choix entre un menu unique correct et une carte plus étoffée. Piscine insolite.

Les Trois Salons – *18 r. du Dr-Blanchard - ☎ 04 66 22 57 34 - lestroissalons@yahoo.fr - fermé 10 janv.-10 fév., dim. soir, lun. et mar. - 24/48 €.* Enseigne-vérité pour cette maison bâtie en 1699 : les tables sont installées dans trois jolis salons au décor épuré. Carte moderne mâtinée de saveurs régionales.

Que rapporter

Foires et marchés – Journée de la Truffe sur la place aux Herbes, le 3ᵉ dimanche de janvier. Au même endroit, Foire à l'ail (accompagnée des feux de la St-Jean) le 24 juin et un marché traditionnel samedi matin. Foire aux vins, autour du 15 août, sur l'Esplanade. Marché des producteurs tous les mercredis matin.

Huile d'olive – Deux moulins sont ouverts au public, à Collorgues et à Martignargues.

Atelier Christophe Pichon – *ZAC Pont des Charrettes - ☎ 04 66 22 11 86 - tlj sf dim. 9h12h, 14h-18h - fermé 1ᵉʳ Mai, 14 juil. et 25 déc.* Atelier de fabrication de céramiques traditionnelles fondé en 1802 par un ancêtre de Christophe Pichon. De nouveaux styles égaient les collections, mais la passion familiale est toujours intacte.

Sports & Loisirs

Balades en Uzège – Topoguide réunissant 6 itinéraires de randonnées (3 €), cartoguide *Sentier de l'aqueduc romain* et *Gorges du Gardon* (3 €), en vente à l'office du tourisme d'Uzès.

Randonnée à vélo – *Dépliant à l'office du tourisme d'Uzès.* Certes, le terrain est vallonné… mais pourquoi ne pas découvrir le paysage entre Uzès et le pont du Gard à bicyclette, en suivant l'itinéraire départemental (boucle de 30 km) ?

Parc Aquatique de La Bouscarasse – *Rte d'Alès - 8 km au NO d'Uzès par D 981 - 30700 Serviers-et-Labaume - ☎ 04 66 22 50 25 - 10h-19h, w.-end 10h-20h - fermé du 7 sept. à fin mai.* 2 500 m² de bassins et de pataugeoires attendent les vacanciers et leurs enfants. Le grand parc ombragé et doté d'une végétation luxuriante comporte des aménagements pour les pique-niques, un théâtre à ciel ouvert et un petit snack.

Golf-Club d'Uzès – *Mas de la Place, Pont des Charrettes - ☎ 04 66 22 40 03 - http://perso.club-internet.fr/golfuzes - 8h-19h ; juin-août : 7h30-20h - fermé 25 déc. et 1ᵉʳ janv.* Parcours de 9 trous, compact 4 trous, practice et putting-green. Hôtel, restaurant et salle de séminaires sur place.

Survol de l'Uzège en ballon – *Les Montgolfières du sud - 30700 La Capelle-et-Masmolène - ☎ 04 66 37 28 02.* Toute l'année, sur rendez-vous, prenez place à bord d'une montgolfière pour découvrir du ciel le beau pays d'Uzès.

Événements

Biennale du Meuble Peint – Week-end de Pâques (années paires).

Nuits musicales d'Uzès – Elles rassemblent de prestigieux interprètes de musique Renaissance et baroque dans les édifices historiques d'Uzès et de l'Uzège durant la 2ᵉ quinzaine de juillet.

Festival Autres Rivages – De mi-juillet à mi-août, il permet de découvrir des musiques traditionnelles du monde dans plusieurs villages de l'Uzège.

Festival européen des arts céramiques – Il a lieu durant le 3ᵉ week-end de juillet (les années paires) à Saint-Quentin. Des milliers de visiteurs viennent faire leur choix parmi les pièces proposées.

Vaison-la-Romaine★★

5 904 VAISONNAIS
CARTE GÉNÉRALE B1 – CARTE MICHELIN LOCAL 332 D8 – SCHÉMAS P. 295 ET 410 –
VAUCLUSE (84)

Vous en avez assez de la vie moderne trépidante, stressante et harassante ? Venez à Vaison : la ville convie les amoureux du passé à une longue promenade dans le temps avec son immense champ de ruines antiques. Plongez ensuite au Moyen Âge en arpentant les douces ruelles de la ville ancienne, à l'ombre du château.

Stéphane Sauvignier / MICHELIN

La maison du Buste d'argent, l'un des vestiges gallo-romains.

- **Se repérer** – Une ville haute, médiévale et une ville basse, romaine et moderne, établies de part et d'autre de l'Ouvèze : ainsi se présente Vaison.

- **Se garer** – Arrivant d'Orange (28 km au sud-ouest) ou de Carpentras (27,5 km au sud), laissez votre voiture de préférence au parking de la place Burrus, afin d'explorer à pied les deux cités.

- **À ne pas manquer** – Les ruines romaines ; la haute ville médiévale ; le cloître de l'ancienne cathédrale.

- **Organiser son temps** – Comptez 2h pour les ruines romaines, bien plus si vous souhaitez flâner en toute tranquillité dans la cité médiévale, bien résolue à vous séduire : l'été, un marché provençal y est organisé le dimanche matin.

- **Pour poursuivre la visite** – Voir aussi le mont Ventoux et les dentelles de Montmirail. Les passionnés d'histoire antique poursuivront vers Arles, Nîmes, Orange, le Pont du Gard et Saint-Rémy (*voir aussi « La Provence antique », p. 13*).

Comprendre

Au bon temps des Voconces – Capitale méridionale du peuple celtique des Voconces, Vaison est, après la conquête romaine de la fin du 2ᵉ s. av. J.-C., intégrée à la *Provincia* couvrant tout le sud-est de la Gaule. Cité fédérée (et non colonie), elle conserva une large autonomie. Fidèles à César pendant la guerre des Gaules (58 à 51 av. J.-C.), les **Voconces** se couleront aisément dans le moule romain et parmi eux s'illustreront des hommes comme l'historien Trogue Pompée et Burrus, le précepteur de Néron.

Mentionnée comme une des villes les plus prospères de la Narbonnaise sous l'Empire, **Vasio** s'étendait sur environ 70 ha, pour une population de moins de 10 000 habitants. Ce tissu urbain

👁 Le saviez-vous ?

Les Vaisonnais eurent la chance d'avoir pour directeur de conscience le chanoine **Joseph Sautel**. C'est à lui que l'on doit la découverte et le dégagement de deux quartiers et du théâtre antiques : un véritable travail de romain, effectué entre 1907 et 1955.

très lâche s'explique par la présence d'un habitat préexistant qui empêcha d'appliquer à la ville un plan d'urbanisme « à la romaine ». C'est sous les Flaviens seulement (après l'an 70) que l'on se décida à percer des rues rectilignes, remodelant ainsi les propriétés et décalant les façades des maisons, tandis que s'élevaient portiques et colonnades. La ville accumulait un habitat très hétéroclite où voisinaient luxueuses *domus*, petits palais, logements modestes, bicoques ou arrière-boutiques minuscules. Hors le théâtre et les thermes, les grands monuments publics ne nous sont pas connus. Les archéologues constatent

Quand l'Ouvèze gronde

22 septembre 1992, 11h du matin : des trombes d'eau s'abattent brusquement sur la ville. Quelques minutes de déluge suffisent pour transformer la paisible Ouvèze en un torrent dévastateur qui déferle sur la ville, semant la désolation sur son passage. Le bilan est lourd : une trentaine de morts et autant de disparus, 150 maisons sont détruites et la zone artisanale est complètement anéantie. Seul le pont romain, qui en a vu d'autres, a résisté aux assauts de la rivière…

que les luxueuses *domus* de Vasio étaient bien plus vastes que celles de Pompéi, ce qui en dit long sur la prospérité de la cité. Selon C. Goudineau, elles formaient « un monde clos réservant à leurs habitants et à leurs visiteurs leur perfection architecturale ».

De Vasio à Vaison – Partiellement détruite à la fin du 3e s., Vaison se relève au siècle suivant dans un cadre urbain réduit. Siège d'un évêché, elle occupe encore aux 5e et 6e s., malgré la domination barbare, un rang assez important pour que deux conciles s'y réunissent en 442 et 529. Les siècles suivants sont marqués par un net déclin et l'insécurité pousse les habitants à abandonner la ville basse pour l'ancien oppidum, sur la rive gauche de l'Ouvèze, où le comte de Toulouse fait édifier un château. La haute ville médiévale ne sera abandonnée à son tour qu'aux 18e et 19e s., la ville moderne recouvrant alors la cité gallo-romaine.

Découvrir

LES VESTIGES GALLO-ROMAINS★★

Environ 2h. ☎ 04 90 36 02 11 - juin-sept. : Puymin 9h30-18h30, Villasse 10h-12h, 14h30-18h30 ; avr.-mai : Puymin 9h30-18h, Villasse 10h-12h, 14h30-18h ; mars : 10h-12h30, 14h-18h ; oct.-fév. : 10h-12h, 14h-17h, possibilité de visite guidée (1h30) - fermé janv., 1re sem. de fév. et 25 déc. - Villasse fermé mar. mat. - 7 € (–11 ans gratuit), billet donnant accès à l'ensemble des monuments, gratuit pour les journées du Patrimoine.

L'émotion est grande quand on parcourt cet immense champ de ruines qui s'étend sur 15 ha, comme si l'on pénétrait par effraction dans le passé et dans la vie quotidienne des habitants de l'antique Vasio. Les vestiges dégagés sont ceux des quartiers périphériques de la cité gallo-romaine, car son centre (forum et abords) est recouvert par la ville moderne. Actuellement, les fouilles progressent en direction de la cathédrale

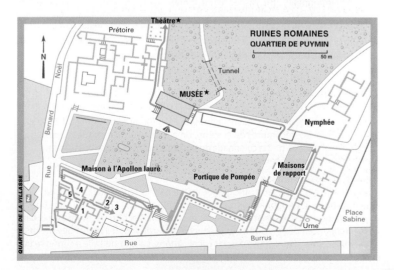

dans le quartier de la Villasse et autour de la colline de Puymin, où ont été mis au jour un quartier de boutiques et une somptueuse *domus* (la **villa du Paon**) avec son décor de mosaïques. À la limite nord de la ville antique, les fouilles des thermes (une vingtaine de salles – *non ouvert au public*) ont montré que ces derniers ont été utilisés jusqu'à la fin du 3e s.

Quartier de Puymin

On découvre d'abord la **maison à l'Apollon lauré**, grande demeure d'une riche famille vaisonnaise. Cette *domus* (en partie enfouie sous la voirie moderne), avec son agencement intérieur très élaboré, constituait un cadre de vie somptueux et confortable. À l'entrée, un vestibule puis un couloir conduisent à l'*atrium* (1) autour duquel s'ordonnent différentes pièces, dont le *tablinum* (cabinet de travail, bibliothèque) du père de famille. L'atrium comportait au centre un *impluvium*, bassin carré alimenté en eau de pluie par un *compluvium*, ouverture ménagée dans le toit. On remarquera la pièce **(2)** où fut trouvée la tête d'Apollon laurée (que l'on pourra voir au musée), la grande salle de réception ou *œcus* **(3)**, le péristyle avec son bassin et, dans les annexes, la cuisine **(4)** avec ses foyers jumelés et le bain privé **(5)** avec ses trois salles (chaude, tiède et froide).

Sur la droite, le **portique de Pompée** offrait une sorte de promenade affectant la forme d'une enceinte de 64 m sur 52 m. Quatre galeries, couvertes à l'origine d'une toiture en appentis, entouraient un jardin et un bassin au centre duquel s'élevait un édicule carré. Dans la galerie nord, des moulages des statues de Diadumène (l'original est à Londres, au British Museum), d'Hadrien et de son épouse Sabine ont été placés dans trois exèdres, grandes niches servant de reposoirs aux promeneurs. La galerie occidentale est presque entièrement dégagée, tandis que les deux autres s'enfoncent sous les constructions modernes.

On arrive ensuite aux **maisons de rapport**, lotissement pour citoyens modestes (remarquez le *dolium*, grande jarre à provisions). En face, on aperçoit diverses structures d'un château d'eau établi autour d'une source captée dans un bassin de forme allongée, le **nymphée**. C'est un peu plus loin, à l'est, que s'élevaient le **quartier des boutiques** et la **villa du Paon** *(fermée au public)*.

Musée archéologique Théo-Desplans★

Dans le quartier de Puymin. ℘ 04 90 36 50 48 - ♿ - *possibilité de visite guidée (1h30) - juin-sept. : 10h30-18h30 ; avr.-mai : 10h30-18h ; mars : 10h-12h30, 14h-18h ; oct.-fév. : 10h-12h, 14h-17h, - fermé mar. mat., janv., 1re sem. de fév. et 25 déc. - 7 € (–11 ans gratuit), billet donnant accès à l'ensemble des monuments, gratuit pour les journées du Patrimoine.*

Il évoque de façon remarquable la vie quotidienne à l'époque gallo-romaine : religion, habitat, céramique, verrerie, armes, outils, parure, toilette. Mais on remarquera surtout les magnifiques **statues de marbre blanc** : Claude (en 43) est représenté la tête ceinte d'une couronne de chêne, Domitien est cuirassé, Hadrien, en 121, donne une image de majesté à la manière hellénistique en posant nu, tandis que Sabine, sa femme, plus conventionnelle, offre l'aspect d'une grande dame en vêtement d'apparat. Les statues acéphales représentent les personnages municipaux : n'existant que par leur charge, leurs têtes étaient… interchangeables. D'autres œuvres retiennent l'attention, comme la tête d'Apollon laurée, marbre du 2e s., le buste en argent d'un patricien (3e s.) et les **mosaïques** provenant de la villa du Paon.

En longeant le versant occidental du Puymin, où se trouve la maison dite « à la tonnelle », on gagne le **théâtre★** qui, édifié au 1er s. apr. J.-C., restauré au 3e s., a été démantelé au 5e s. Avec un diamètre de 95 m, une hauteur de 29 m et une capacité de 6 000 spectateurs, il est un peu plus petit que celui d'Orange qui, comme lui, s'adosse à la colline. Les gradins sont une reconstitution moderne effectuée par Jules Formigé. Sous les décombres de la scène, on a découvert les statues exposées au musée. On observera que la colonnade du portique du 1er étage subsiste ici en partie, alors qu'elle a disparu dans les autres théâtres antiques de Provence.

Quartier de la Villasse

On y pénètre par la **rue centrale**, grande artère dallée, sous laquelle court un égout qui descend vers les habitations modernes, en direction de l'Ouvèze. L'allée bordée de colonnades était réservée aux piétons et longeait des boutiques installées dans les dépendances des maisons. Sur la gauche apparaissent les restes des **thermes** du centre, ceinturés par de profondes canalisations. La grande salle a conservé une arcade à pilastres.

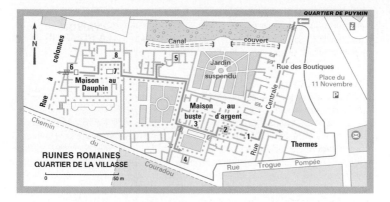

En face, dans la rue des Boutiques, s'ouvre l'entrée **(1)** de la **maison au Buste d'argent**, vaste *domus* : son opulent propriétaire s'était fait sculpter le buste d'argent que l'on a pu voir au musée. Cette maison, d'une surface d'environ 5 000 m² est complète : on y reconnaît le vestibule dallé, l'*atrium* **(2)**, le *tablinum* **(3)**, un premier péristyle, puis, plus grand, un second, lui aussi avec jardin et bassin. Une maison contiguë, au sud, a livré plusieurs mosaïques **(4)** ainsi que des fresques autour d'un *atrium*. Au nord du second péristyle se trouve le bain privé **(5)** précédé d'une cour. À côté, un grand jardin suspendu agrémentait l'ensemble.

Plus loin, la **maison au Dauphin** (40 av. J.-C.) occupait le nord-est d'un grand enclos, dans un cadre qui n'était pas encore urbain. Le logis principal de cette vaste maison, qui s'étend sur 2 700 m², s'ordonne autour d'un péristyle **(7)** garni d'un bassin en pierre de taille. Au nord, un bâtiment séparé abritait le bain privé **(8)**, le plus ancien connu en Gaule, flanqué à l'ouest par le *triclinium*, grande salle à manger d'apparat. L'atrium **(6)** donne sur la rue à colonnes : c'est l'une des deux entrées de la maison. Au sud se trouve un autre péristyle, lieu d'agrément orné d'un grand bassin, décoré de placages de marbre blanc.

La **rue à colonnes**, incomplètement dégagée, borde la maison au Dauphin sur une longueur de 43 m. Comme la plupart des rues, elle n'était pas dallée mais simplement recouverte de gravillons.

Se promener

L'exceptionnel site archéologique qui fait la renommée de Vaison ne doit pas faire pour autant oublier la ville médiévale, à partir de la cathédrale que l'on atteindra en longeant le quartier de la Villasse.

Ancienne cathédrale Notre-Dame-de-Nazareth

La découverte dans la cathédrale de fragments d'architecture datant de la fin du 1er s. laisse à penser qu'elle fut construite sur les vestiges d'un bâtiment gallo-romain.

Ce bel édifice de style roman provençal conserve du 11e s. le chevet pris dans un massif rectangulaire et ses absidioles, ainsi que les murs, renforcés au 12e s., lorsqu'on a entrepris de couvrir la nef par une voûte en berceau. La décoration extérieure du chevet présente des corniches et des frises imitées de l'antique. À l'intérieur, deux travées voûtées en berceau brisé encadrent la nef que surmonte une coupole octogonale sur trompes décorées (symboles des évangélistes), éclairées par des fenêtres percées à la base de la voûte.

Cloître★

☎ 04 90 36 02 11 - juin-sept. : 10h-12h30, 14h-18h30 ; mars : 10h-12h30, 14h-18h ; avr.-mai : 10h30-12h30, 14h-18h ; oct.-fév. : 10h-12h, 14h-17h, possibilité de visite guidée (1h30) - fermé mar. mat., janv., 1re sem. de fév. et 25 déc. - 1,50 € (–11 ans gratuit), gratuit pour les journées du Patrimoine.

Accolé à la cathédrale, il a conservé trois de ses galeries d'origine (12e et 13e s., celle du sud-est ayant été reconstituée au 19e s.). On remarquera les chapiteaux de la galerie est, plus élaborés (feuilles d'acanthe, entrelacs et figurines).

Rejoindre l'avenue Jules-Ferry, puis, à droite, le quai Pasteur qui longe l'Ouvèze.

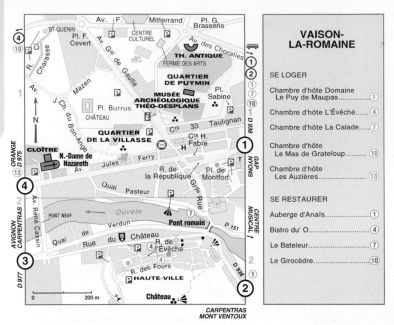

VAISON-LA-ROMAINE

SE LOGER

Chambre d'hôte Domaine
Le Puy de Maupas...............①

Chambre d'hôte L'Évêché......④

Chambre d'hôte La Calade.....⑦

Chambre d'hôte
Le Mas de Grateloup..........⑩

Chambre d'hôte
Les Auzières......................⑬

SE RESTAURER

Auberge d'Anaïs..................①

Bistro du' O........................④

Le Bateleur.........................⑦

Le Girocèdre.......................⑩

Pont romain

Avec son arche unique de 17,20 m d'ouverture, surplombant l'Ouvèze de 12 m, ce pont, vieux de 2000 ans, nous est parvenu intact. Seul son parapet, qui avait été emporté par la dramatique crue de 1992, a été refait.

En traversant la rivière, on rejoint la ville médiévale.

Haute-Ville★

On y accède, depuis la place du Poids, en franchissant une **porte fortifiée** dominée par le beffroi et son campanile de fer forgé. Les remparts qui enserrent ce bourg médiéval ont été en partie édifiés avec des pierres provenant de la ville romaine. En marchant au hasard des calades, des ruelles (rue de l'Église, rue de l'Évêché, rue des Fours…) et des placettes ornées comme celle du Vieux-Marché, vous découvrirez de jolies fontaines, d'anciennes demeures à la pierre chaleureuse et aux toitures colorées de vieilles tuiles rondes. Cette agréable promenade vous conduira à l'église : depuis le parvis, belle **vue** sur le mont Ventoux Pour ceux qui se sentiraient des fourmis dans les jambes, un sentier assez raide mène au pied du **château**, élevé à la fin du 12e s. par les comtes de Toulouse, au sommet du rocher de la Haute-Ville.

Aux alentours

Rasteau

8 km à l'ouest par la D 975.

Une excursion réservée aux amateurs de côtes-du-rhône et de vins doux naturels qui ne manqueront pas de s'intéresser au **musée des Vignerons**, avec sa collection d'outils, et les bouteilles anciennes de sa vinothèque. *℘ 04 90 83 71 79 - ♿ - juil.-août : 10h-18h ; de Pâques à fin juin et sept. : 14h-18h - possibilité de visite guidée (30mn) - fermé dim. et mar., de déb. oct. à Pâques - 2 € (visite guidée 5 €).*

Brantes

28 km à l'est par la D 938, puis la D 54 jusqu'à Entrechaux, la D 13 vers Mollans et enfin la D 40 à droite.

Ce village fortifié, avec sa chapelle des Pénitents Blancs, aujourd'hui lieu d'exposition, les vestiges d'un manoir Renaissance (beau portail sculpté) et une église richement décorée mérite une visite, d'autant qu'il est placé dans un **site★** grandiose, au pied du mont Ventoux, sur le versant nord, très abrupt, de la vallée du Toulourenc.

Mont Ventoux★★★

Circuit de 63 km au départ de Vaison. Voir ce nom.

Dentelles de Montmirail★

Circuit de 60 km au départ de Vaison. Voir ce nom.

Vaison-la-Romaine pratique

Adresse utile

Office du tourisme de Vaison-la-Romaine – *Av. du-Chanoine-Sautel - 84110 Vaison-la-Romaine -* 𝄞 *04 90 36 02 11 - www.vaison-la-romaine.com - juil.-août : tlj 9h-12h30, 14h-18h45 ; 1ᵉʳ avr.-juin et sept.-15 oct. : tlj sf dim. après-midi 9h-12h, 14h-17h45 ; 16 oct.-31 mars : tlj sf dim. 9h-12h, 14h-17h45 - fermé 11 Nov., 25 déc., 1ᵉʳ janv. et 1ᵉʳ Mai.*

Visite

Visite guidée de la ville – *De Pâques à la Toussaint et fin d'année. Renseignements au Service des guides (*𝄞 *04 90 36 50 48) ou www.vpah.culture.fr ou www.vaison-la-romaine.com - gratuit sur présentation du billet d'entrée à l'un des sites (vestiges gallo-romains, Musée archéologique ou cloître de la cathédrale N.-D.).Vaison,* qui porte le label **Ville d'art et d'histoire**, propose des visites-découvertes de la ville antique et des monuments de la ville haute (1h30) animées par des guides-conférenciers agréés par le ministère de la Culture et de la Communication.

Se loger

⊖⊜ **Chambre d'hôte L'Évêché** – *R. de l'Évêché - cité médiévale -* 𝄞 *04 90 36 13 46 - http://eveche.free.fr - fermé 15 nov.-15 déc. - ⌺ - 3 ch. et 2 suites 70/85 € ⌑.* Dans la ville haute, plaisante maison du 16ᵉ s. qui faisait partie de l'ancien ensemble épiscopal. Chambres soignées, joliment meublées et agencées sur plusieurs niveaux ; deux suites récentes. Belle collection de gravures extraites d'un traité de serrurerie. De la terrasse, vue imprenable sur la ville basse.

⊖⊜ **Chambre d'hôte Domaine Le Puy de Maupas** – *Rte de Nyons - 84110 Puyméras - 7 km au NE de Vaison par D 938 -* 𝄞 *04 90 46 47 43 - www.puy-du-maupas.com - fermé nov.-mars - 5 ch. 48/53 € ⌑.* Maison au milieu des vignes (42 ha), adossée au chai du domaine viticole. Petit-déjeuner servi face au mont Ventoux. Jeu de piste dans les vignes pour découvrir le terroir et le métier de vigneron. Table d'hôte certains soirs : l'occasion de goûter les vins de la propriété ! Piscine. Un gîte est également disponible.

⊖⊜ **Chambre d'hôte Le Mas de Grateloup** – *Rte de la Coopérative de Villedieu - 84110 Buisson - 10 km au NO de Vaison dir. Rasteau puis D 20 -* 𝄞 *04 90 28 17 95 - www.mas-grateloup.com - ⌺ - 5 ch. 65/75 € ⌑ - repas 25 €.* Derrière les vieux murs d'apparence presque austère de cette ancienne ferme du 18ᵉ s. se cache une petite cour qui, à la fraîcheur du soir, accueille la table d'hôte aux saveurs locales. Les chambres

(dont 3 suites) sont comme éparpillées dans cette bâtisse toute provençale. Jolie piscine à flanc de colline.

⊖⊜ **Chambre d'hôte Les Auzières** – *84110 Roaix - 6 km à l'O de Vaison par D 975 dir. Orange -* 𝄞 *04 90 46 15 54 - www.auzieres.fr - fermé nov.-mars - réserv. conseillée - 5 ch. 69/77 € ⌑.* Perdue au milieu des vignes, cette immense maison entourée de lavande et de lauriers roses vous reçoit dans ses belles chambres spacieuses et fraîches. Petits-déjeuners sur la grande table en bois de la salle à manger ou sur la terrasse, dans la cour abritée par une treille. Piscine. Vente de vin de la propriété.

⊖⊜ **Chambre d'hôte La Calade** – *R. Calade - 84110 St-Romain-en-Viennois - 4 km au NE de Vaison par D 938 puis D 71 dir. Nyons -* 𝄞 *04 90 46 51 79 - www.la-calade-vaison.com - fermé 15 oct.-Pâques - ⌺ - 4 ch. 70/80 € ⌑.* Cette ancienne grange adossée aux fortifications du village accueille ses hôtes dans une ravissante cour bercée par le murmure d'une fontaine. Aux beaux jours, on y sert le petit-déjeuner. Ses chambres, d'une simplicité monacale, plairont aux hôtes du style « ascète ». La terrasse, au sommet de la tour, offre une belle vue.

Se restaurer

⊖ **Auberge d'Anaïs** – *84340 Entrechaux - 5 km au SE de Vaison en direction de St-Marcellin par D 54 puis D 938 -* 𝄞 *04 90 36 20 06 - fermé 15 nov.-1ᵉʳ mars et lun. de mars à nov. - 9,50/27 € - 7 ch. 56/62 € ⌑.* Cette auberge entourée de vignes et d'oliviers est fréquentée par une clientèle d'habitués qui apprécient, outre la simplicité d'une adresse vraiment sans chichi, la cuisine appétissante, le vin de la propriété et le service tout en gentillesse. Quelques chambres et une piscine.

⊖ **Le Girocèdre** – *Au village - 84110 Puyméras - 6 km au NE de Vaison dir. Nyons puis St-Romain par D 71 -* 𝄞 *04 90 46 50 67 - fermé 5-15 mars, nov., dim. soir, lun. et mar. hors sais. - 15/25 €.* En haut du village, maison perchée sur une butte de « safre » dont les cavités, initialement creusées pour l'élevage du ver à soie, servent aujourd'hui de caves à vins. Sa terrasse et son jardin, ombragés de cèdres, oliviers, figuiers et tamaris, sont très agréables. Les soirs d'été, grillades au barbecue : côte de bœuf et poissons de la Méditerranée.

⊖⊜ **Bistro du 'O** – *R. du Château -* 𝄞 *04 90 41 72 90 - fermé dim. soir et lun. - formule déj. et dîner 18 € - 24/29 €.* Quand un vigneron connaisseur s'associe avec un chef « étoilé » on obtient forcément un duo (d'où le nom) un peu magique et un restaurant déjà réputé malgré son jeune âge. Une carte à mi-chemin entre le « bistrot » et le gastronomique, véritable ravissement pour le palais. Jolie décoration mélangeant moderne et ancien.

😋😋 **Le Bateleur** – *1 pl. Théodore-Aubanel - 𝄞 04 90 36 28 04 - fermé 26 juin-1er juil., 13 nov.-4 déc., jeu. soir, sam. midi et lun. - 14 € déj. - 28/44 €.* Non loin du pont romain qui enjambe l'Ouvèze, ce petit restaurant familial est installé dans une ancienne maison. Le patron aux fourneaux vous proposera une cuisine simple.

Que rapporter

Marchés – Marché traditionnel mardi. Marché provençal dimanche matin durant la période estivale, dans la cité médiévale.

Cave de Rasteau – *Rte des Princes-d'Orange - 84110 Rasteau - 𝄞 04 90 10 90 10 - www.rasteau.com - 8h-12h, 14h-18h ; juil.-août : 9h-19h - fermé 25 déc. et 1er janv.* Cette cave, qui existe depuis 1925, profite d'un terroir d'exception pour produire des vins de caractère issus de cépages traditionnels. Le domaine viticole (700 ha) élabore des vins d'appellation d'origine contrôlée côtes-du-rhône, côtes-du-rhône villages, rasteau côtes-du-rhône villages

et un vin doux naturel. Vente et dégustation au caveau.

Moulin à huile Chauvet – *Porte Major - 26170 Mollans-sur-Ouvèze - 𝄞 04 75 28 90 12 - avr.-juin : 10h-12h30, 14h30-19h (w.-end et j. fériés) ; juil.-sept. : 10h-12h30, 14h30-19h.* Ce moulin tricentenaire connaît une double activité. Durant l'hiver, il propose ses services aux producteurs d'olives de la région. À la belle saison, il ouvre ses portes aux visiteurs. Dégustations et belle sélection de produits dérivés de l'olive.

Événements

Festival de Vaison – 𝄞 04 90 28 84 49. 2e quinzaine de juillet. Spectacles de danse dans le théâtre antique.

Choralies – *Renseignements auprès de l'association « À cœur joie » - 𝄞 04 72 19 83 40.* Tous les trois ans ont lieu à Vaison les Choralies, où les choristes venus de tous les horizons se retrouvent pour un festival unique en son genre. Prochaines éditions : août 2007 et 2010.

Festival des soupes – 𝄞 04 90 36 02 11. À Vaison et dans les villages alentour, en octobre. Concours et veillées autour des soupes, provençales ou non.

Les Journées gourmandes – 𝄞 04 90 36 02 11. Festival gastronomique pendant les vacances de la Toussaint, avec plus d'une centaine d'exposants.

Vallon-Pont-d'Arc

2 027 VALLONAIS
CARTE GÉNÉRALE A1 – CARTE MICHELIN LOCAL 331 I7 – ARDÈCHE (07)

Fameuse pour son arche naturelle sur l'Ardèche, et depuis peu pour l'extraordinaire grotte Chauvet, Vallon est une station orientée vers les activités sportives et un agréable lieu de séjour… envahi en haute saison car offrant une base de départ idéale pour la découverte et la descente des gorges de l'Ardèche.

🔵 **Se repérer** – Sur la D 579 entre Barjac et Aubenas, Vallon est une petite cité animée en été, sur laquelle veillent les vestiges de son ancien château féodal.

🅿 **Se garer** – En saison, vous vous faciliterez la vie en n'entrant pas dans le bourg en voiture. Privilégiez plutôt les parkings aménagés hors du centre-ville.

👁 **À ne pas manquer** – Le Pont d'Arc *(voir Les gorges de l'Ardèche)* ; l'exposition Grotte Chauvet-Pont-d'Arc, en attendant la mise en place du fac-similé de la grotte, interdite au public.

🕐 **Organiser son temps** – Prévoyez 2h pour flâner dans le village, faire une pause à l'une des nombreuses terrasses et visiter l'exposition Grotte Chauvet. Deux heures supplémentaires vous permettront d'apprécier le fameux site naturel du Pont d'Arc : situé à 5 km, il invite à la promenade et à la baignade aux beaux jours. Seul souci : en été, vous ne serez loin d'être seul à vouloir en profiter…

👫 **Avec les enfants** – L'exposition Grotte Chauvet-Pont-d'Arc, pour remonter au temps des dinosaures.

🕯 **Pour poursuivre la visite** – Voir aussi les gorges de l'Ardèche et l'aven d'Orgnac.

Se promener

L'artère principale est bordée de commerces et de bars-restaurants. C'est le moment de faire vos emplettes si vous voulez pique-niquer dans les gorges de l'Ardèche voisines : vous ne trouverez plus de commerce alimentaire avant Saint-Martin-d'Ardèche (38 km à l'est). Au besoin, faites aussi provision d'essence et d'argent liquide.

Visiter

Mairie

℘ 04 75 88 02 06 - www.vallon-pont-darc.com - ⛭ - tlj sf w.-end et j. fériés 8h-11h30, 14h-16h30 - possibilité de visite guidée (1h30) - 2,50 €, gratuit pour les journées du Patrimoine.

Dans l'ancienne résidence des comtes de Vallon (17ᵉ s.), la salle des mariages, au rez-de-chaussée, abrite sept **tapisseries** d'Aubusson (18ᵉ s.), remarquables par la fraîcheur de leur coloris.

Découverte

La **grotte Chauvet** fut découverte en 1994 par trois spéléologues : Eliette Brunel-Deschamps, Christian Hillaire et Jean-Marie Chauvet. Elle a révélé un ensemble de dessins et peintures pariétales réalisé voici plus de 30 000 ans, un des plus anciens connus à ce jour, ainsi que 400 animaux, comme le rhinocéros, le lion des cavernes ou le mammouth, des vestiges d'occupation humaine, de nombreuses empreintes de mains, sans doute liées à une pratique chamanique… et la grotte n'a pas encore livré tous ses secrets. Le site fait toujours l'objet de campagnes de recherche.

Exposition grotte Chauvet-Pont-d'Arc

1 r. du Miarou (derrière la mairie). ℘ 04 75 37 17 68 - ⛭ - juin-août : 10h-13h, 15h-19h (dernière entrée 45mn av. fermeture) ; de mi-mars à fin mai et de déb. sept. à mi-nov. : 10h-12h, 14h-17h30, possibilité de visite guidée (1h30) - fermé lun. - 5 € (enf. 2,50 €).

🏃 Situé sur le territoire de Vallon, la grotte Chauvet ne sera jamais ouverte au public. En attendant la mise en place d'un fac-similé, on pourra se faire une idée des trésors qu'elle recèle en visitant cette exposition, rénovée en 2006. Photographies, film *(30mn)* et textes explicatifs présentent l'art rupestre des grottes ardéchoises et initient à la vie quotidienne des chasseurs nomades de cette lointaine époque.

Aux alentours

Pont d'Arc★★

5 km au sud-est par la D 290. Voir Les gorges de l'Ardèche.

Vallon-Pont-d'Arc pratique

⛭ Voir aussi l'encadré des gorges de l'Ardèche

Adresse utile

Office du tourisme de Vallon-Pont-d'Arc – *1 pl. de l'Ancienne-Gare - 07150 Vallon-Pont-d'Arc - ℘ 04 75 88 04 01 - www.vallon-pont-darc.com - juil.-août : 9h-13h, 15h-19h, dim. 9h30-12h30 ; mai-juin et sept. : 9h-12h, 14h-17h, dim. 9h30-12h30 ; oct.-avr : lun.-vend. 9h12h, 14h-17h, sam. 9h-12h, 14h-16h (fermé l'ap.-midi de nov. à mars), fermé dim.- fermé 1ᵉʳ Mai, 11 Nov., 25 déc. et 1ᵉʳ janv.*

Se loger

☺ **Camping Mondial-Camping** – *1,5 km au SE de Vallon-Pont-d'Arc - ℘ 04 75 88 00 44 - reserv-info@mondial-camping.com -* ouv. 20 mars-sept. - réserv. conseillée - 240 empl. 38 € - restauration. Un terrain agréable comportant des emplacements spacieux, bien délimités et verdoyants, un restaurant, une salle de jeux et un bar-discothèque. Côté baignade, vous aurez le choix entre la piscine bordée de palmiers et, bien sûr, l'Ardèche.

☺☺ **Le Manoir du Raveyron** – *R. Henri-Barbusse - ℘ 04 75 88 03 59 - www.manoir-du-raveyron.com - 8 ch. 66/80 € - ⊡.* Cette demeure du 16ᵉ s. située dans une rue calme abrite des petites chambres coquettes et personnalisées. Agréable cour ombragée et fleurie. Plaisante salle à manger voûtée où l'on déguste des plats au goût du jour préparés avec des produits du terroir.

Valréas

9 425 VALRÉASSIENS
CARTE GÉNÉRALE B1 – CARTE MICHELIN LOCAL 332 C7 – VAUCLUSE (84)

Outre sa rareté géographique (un morceau de Vaucluse enclavé dans la Drôme !), Valréas offre aux promeneurs une charmante vieille cité. Cette petite ville a décidément de quoi cartonner puisqu'elle s'enorgueillit en outre de posséder un musée du Cartonnage, unique en France. Et comme Richerenches sa voisine, son marché propose aux gourmets d'exquises truffes noires.

▷ **Se repérer** – Bien qu'en pleine Drôme, Valréas (à 10 km à l'est de Grignan par la D 941) est rattaché au département du Vaucluse. Autour de lui, Grillon, Richerenches et Visan ont subi le même sort.

🕐 **Organiser son temps** – De novembre à mars, le marché aux truffes de Valréas a lieu le mercredi, celui de Richerenches le samedi.

⏱ **Pour poursuivre la visite** – Sur la piste de la truffe, voir aussi Carpentras.

Comprendre

Le petit Saint-Jean – C'est une tradition vieille de cinq siècles : la nuit du 23 juin, un garçonnet de trois à cinq ans est couronné Petit Saint-Jean. Symbolisant Saint-Martin des Ormeaux, protecteur de la cité, vêtu d'une peau de mouton, il parcourt les rues de la ville sur une litière, à la lueur des torches, et bénit la foule sur son parcours. Un cortège de 400 personnages costumés le suit dans une ambiance colorée et enthousiaste. Pendant un an, Valréas est placé sous la sauvegarde de l'élu.

Caveurs et rabassiers – Ce sont les noms que l'on donne à ces passionnés que l'on rencontre sous les chênes, les jours d'hiver, armés d'une binette et accompagnés d'un chien – qui a généralement supplanté la truie de jadis. Ils sont en quête de la fameuse « mélano », ou *tuber melanosporum*, autrement dit la truffe noire. Vous pourrez les voir rencontrer chefs et courtiers, sur les marchés rabassiers du Vaucluse, qui obéissent à un rituel précis et passablement mystérieux pour le profane : conciliabules à voix basse, pesée discrète effectuée sur une balance romaine, paiement en espèces… Vu de l'extérieur, le milieu très fermé des truffiers n'est pas loin d'évoquer une société secrète !

N'importe quel chien peut devenir un excellent truffier… à condition d'être dressé par un bon rabassier. Quant au prix, sachez qu'un chien « fait » peut se négocier autour de 5 000 €, surtout s'il a fait ses preuves lors d'un « concours de cavage ».

👁 Le saviez-vous ?

Les **papes d'Avignon** convoitaient Valréas, voisine du Comtat venaissin. En 1317, Jean XXII l'acheta au dauphin Jean II, mais une bande de terrain séparait Valréas des États pontificaux… Elle aurait pu leur échoir si le roi Charles VII ne s'y était opposé. Valréas sera finalement rattachée à la France en 1791, après plébiscite… pour devenir un canton du Vaucluse enclavé dans la Drôme !

Se promener

La **tour de Tivoli** est le dernier vestige des remparts, qui ont aujourd'hui cédé la place à une ceinture de boulevards ombragés de platanes. Au cœur des ruelles de la vieille cité s'abritent d'anciennes demeures comme l'**hôtel d'Aultane** (36 Grande-Rue), avec sa porte surmontée d'armoiries, l'**hôtel d'Inguimbert** (à l'angle de la rue de l'Échelle), avec ses fenêtres à meneaux.

Hôtel de ville

📞 04 90 35 00 45 - juil.-août : dans le cadre du Salon de l'Enclave, tlj sf mar. 10h-12h, 15h-18h ; sept.-juin : tlj sf dim. et merc. 15h-17h - fermé j. fériés - gratuit.

La demeure du marquis de Simiane, époux de Pauline de Grignan, petite-fille de Mme de Sévigné, se distingue par une majestueuse façade (15e s.) donnant sur la place Aristide-Briand. Au 1er étage, dans la bibliothèque décorée de boiseries du 17e s., sont exposés bulles papales, parchemins, incunables. Dans la salle du 2e étage, remarquable charpente.

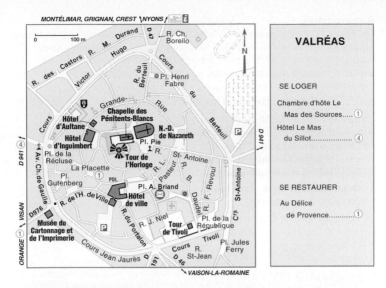

VALRÉAS

SE LOGER

Chambre d'hôte Le
Mas des Sources..... ①
Hôtel Le Mas
du Sillot.................. ④

SE RESTAURER

Au Délice
de Provence...........①

VAISON-LA-ROMAINE

Sur la place Pie, le portail sud de l'**église Notre-Dame-de-Nazareth** offre un bel exemple d'architecture romane provençale. *9h-12h, 14h-19h - possibilité de visite guidée sur demande à l'office de tourisme.*

Chapelle des Pénitents Blancs
Visite sur demande à l'office de tourisme, ℘ *04 90 35 04 71.*
Toujours sur la place Pie, une belle grille en fer forgé s'ouvre sur l'allée menant à la chapelle des Pénitents Blancs, construite au 17ᵉ s. Dans le chœur, stalles sculptées et beau plafond à caissons. La tour du château Ripert ou **tour de l'Horloge** domine le jardin ; de la terrasse, belle vue sur le vieux Valréas et les collines du Tricastin.

Visiter

Musée du Cartonnage et de l'Imprimerie
3 av. du Maréchal-Foch. ℘ *04 90 35 58 75 - avr.-oct. : tlj sf mar. 10h-12h, 15h-18h, dim. 15h-18h - nov.-mars : se renseigner pour les horaires- fermé j. fériés (sf 14 Juil. et 15 août) - 3,50 €.*
Nous avons tous eu entre les mains des boîtes en carton. Mais saviez-vous que sans Valréas nous en serions peut-être privés ? Voilà une excellente occasion de combler cette lacune en visitant ce musée consacré à l'industrie valréassienne par excellence.

Circuit de découverte

DE TRUFFIÈRES EN TEMPLES
40 km - environ 2h. Quitter Valréas à l'ouest par la D 941.

Grignan★ *(voir ce nom)*
Emprunter la D 541 et tourner à gauche dans la D 71.

Chamaret
Un beau **beffroi** perché sur un rocher domine toute la région environnante. Depuis les ruines, vue étendue sur le Tricastin.
Poursuivre sur la D 71.
Bucolique, telle est la D 71, bordée de champs de lavande, avec ses bosquets de chênes truffiers et ses rideaux de cyprès, tout tremblants de lumière.

Montségur-sur-Lauzon
Devant la mairie de Montségur-sur-Lauzon, emprunter la rue à gauche, tourner ensuite à droite, puis prendre un chemin en montée vers le sommet de la butte qui porte le vieux village. Un lacis de sentiers permet de parcourir le vieux village et de découvrir l'ancienne chapelle romane du château. Du chemin de ronde, beau **panorama** sur le Tricastin, les Baronnies et le mont Ventoux.
Prendre la D 71ᴮ à l'est.
Belles vues sur la montagne de la Lance et le pays de Nyons.

Richerenches

Fondée au 12e s., cette **commanderie de Templiers** a été bâtie sur un plan rectangulaire. Elle a conservé son enceinte flanquée de quatre tours d'angle rondes. On y pénètre par le beffroi *(départ du cheminement signalétique qui relate l'historique des lieux)*, tour rectangulaire à mâchicoulis et porte cloutée. À gauche de l'église, imposants vestiges du temple.

La D 20, au sud-est, traverse Visan et conduit à N.-D.-des-Vignes.

Chapelle Notre-Dame-des-Vignes

À Visan. ✆ *04 90 41 90 50 - tlj sf dim. matin et lun. 10h-11h30, 15h-17h30.*
Le chœur de cette chapelle du 13e s. abrite une statue de la Vierge en bois polychrome, vénérée le 8 septembre lors d'un pèlerinage. Boiseries du 15e s. dans la nef.

Par Visan et la D 976, regagner Valréas.

Valréas pratique

♿ Voir aussi les encadrés pratiques de Grignan et Nyons.

Adresse utile

Office du tourisme de Valréas –
Av. du Mar.-Leclerc - 84600 Valréas -
✆ *04 90 35 04 71 - juil.-août : 9h15-12h15, 14h30-18h30 ; mars-juin et sept.-oct. : 9h15-12h15, 14h-18h ; nov.-fév. : 9h15-12h15, 14h-17h - fermé dim. (sf mi-juil.-mi-août) et j. fériés (sf 14 Juil. et 15 août)*

Visite

Visite guidée de la ville – *S'adresser à l'office de tourisme.* Cette visite payante (2h) permet de découvrir e centre ancien et plusieurs monuments.

Se loger

⊖ **Hôtel Le Mas du Sillot** – *Les Plans - 84600 Grillon - 5 km à l'O de Valréas par D 941, rte de Montélimar -* ✆ *04 90 28 44 00 - www.giteprovence.net -* ⊅ - 🅿 *- 18 ch. 38/54 € ⍩ - repas 12/15 €.* Entourée par les vignes, au milieu de l'enclave des Papes, cette ancienne bergerie bénéficie de la protection d'une haie de thuyas, véritable rempart contre le vent. Les chambres sont un peu exiguës, mais très bien tenues. Une adresse d'une grande simplicité, à un prix incroyablement bas pour la région.

⊖⊖ **Chambre d'hôte Le Mas des Sources** – *Chemin Notre-Dame-des-Vignes, rte de Vaison-la-Romaine - 84820 Visan - 10 km au S de Valréas par D 976 et D 20, dir. Vaison-la-Romaine -* ✆ *04 90 41 95 90 - www.mas-des-sources. com - fermé vac. de Toussaint -* ⊅ *- 3 ch. 70 € ⍩ - repas 25 €.* Posée entre les vignes et un verger, cette ferme restaurée vous propose ses chambres (dont une familiale et une suite) soignées et garnies de quelques meubles chinés. Table d'hôte près du magnifique tilleul à la belle saison. Week-ends à thèmes célébrant les spécialités locales : le vin, l'olive, la truffe…

Se restaurer

⊖⊖ **Au Délice de Provence** –
6 La Placette - ✆ *04 90 28 16 91 - fermé 28 juin-14 Juil., mar. soir et merc. - 17/40 €.* Cette maison en pierres de taille abrite deux charmantes salles à manger récemment rénovées où vous pourrez savourer des petits plats régionaux bien tournés élaborés à partir de produits frais : gigot de lotte, filet de canette, agneau à la provençale, rillettes de truite de mer, savarin aux pruneaux, etc.

Que rapporter

Marché – Marché traditionnel mercredi et samedi.

Marchés aux truffes – *Point-Tourisme -* ✆ *04 90 28 05 34.* **Richerenches** est la capitale de la truffe (et a reçu à ce titre l'appellation de « site remarquable du goût »), au point qu'une messe rassemblant la Confrérie du « diamant noir » a lieu chaque 3e dimanche de janvier. L'obole des paroissiens ? Des truffes fraîches. Pour s'en procurer, cap sur le marché de Richerenches le samedi (nov.-mars). Celui de Valréas est réservé aux professionnels : leurs transactions sont tellement discrètes que l'on n'y voit pas les truffes.

Événements

Nuits musicales et théâtrales de l'Enclave des Papes – De mi-juillet à mi août.

Corso de la lavande – Défilé de chars fleuris 1ers samedi et lundi d'août.

👪 **Le Village Médiéval Imaginaire** – *Rte de Visan - 26790 La Baume-de-Transit -* ✆ *04 75 98 09 06 - 10h-12h, 14h-19h.* Construit avec des pierres et des tuiles de la région, ce village miniature, entièrement imaginaire, comprend un château féodal, une église, un beffroi et des fermes typiques de la Drôme provençale, baignés par des cascades, des rivières et des fontaines. Expositions nocturnes en été et grande crèche à Noël.

Venasque★

966 VENASQUAIS
CARTE GÉNÉRALE B2 – CARTE MICHELIN LOCAL 332 D10 – VAUCLUSE (84)

Ses maisons agrippées à la falaise, en aplomb de la vallée, offrent un spectacle saisissant. Mais Venasque ne se réduit pas à un site. Avec ses petites places ornées de fontaines et ses demeures de charme, d'une remarquable unité architecturale, il mérite bien d'être classé parmi « les plus beaux villages de France ».

▶ **Se repérer** – L'étroite D 4 au sud de Carpentras parcourt un paysage vallonné avant d'atteindre Venasque, posé sur le bord de son rocher dominant la vallée de la Nesque. Une petite route en lacet conduit à l'entrée du village.

👁 **À ne pas manquer** – Le baptistère.

🕐 **Organiser son temps** – Comptez 1h de visite pour le baptistère et au moins autant pour flâner dans les agréables ruelles. Vous pourrez prolonger le séjour en suivant un stage gastronomique (*voir l'encadré pratique*).

👶 **Pour poursuivre la visite** – Voir aussi Carpentras et Pernes-les-Fontaines.

Comprendre

Le Comtat venaissin – Entre Rhône, Durance et mont Ventoux, ce territoire, qui doit son nom à Venasque, dépendait des comtes de Toulouse et, comme l'ensemble de leurs possessions, il fut, à l'issue de la croisade contre les Albigeois, réuni à la France en 1229. En 1274, Philippe III le Hardi le cède au pape Grégoire X et il demeura sous l'autorité pontificale jusqu'en 1791. Il possédait alors son administration et ses tribunaux à Carpentras, qui supplanta Pernes-les-Fontaines comme capitale en 1320.

Constitué par la riche plaine de Vaucluse, le Comtat venaissin occupe le bassin le plus large et le plus méridional de la vallée du Rhône. Son sol calcaire bien mis en valeur par l'irrigation a permis la création d'immenses jardins spécialisés dans la production de primeurs, exportées dans la France entière. L'Ouvèze, la Sorgue et la Durance irriguent de vastes plaines aux riches alluvions. Des **villes-marchés** y ont prospéré, telles Orange, Avignon, Cavaillon et Carpentras. Bref, un territoire sans doute béni par les papes, mais plus encore par les dieux.

Se promener

Un moment de calme et de sérénité ? Vous le trouverez sans peine en parcourant les rues du village, parmi les ateliers d'artistes et artisans (peintres, potiers, céramistes) et les maisons restaurées avec goût, souvent ornées d'une treille.

Chemin faisant, la **place des Comtes-de-Toulouse** rappelle que Venasque dut à ces derniers d'être érigé en évêché.

Depuis l'esplanade de la Planette, et plus encore depuis les **tours dites « sarrasines »**, vestiges des fortifications médiévales, en haut du village, belles vues sur le mont Ventoux et les dentelles de Montmirail.

Visiter

Baptistère★

Entrée à droite du presbytère. 📞 *04 90 66 62 01 - de mi-avr. à mi-oct. : 9h-12h, 13h-18h30 ; de mi-oct. à mi-déc. et de déb. fév. à mi-avr. : 9h15-12h, 13h-17h, possibilité de visite guidée (15 à 20mn) - fermé de la 3e sem. de déc. à fin janv. - 3 €.*

Ce baptistère, qui communique avec l'église Notre-Dame par un long couloir, est l'un des plus anciens édifices religieux de France. Datant vraisemblablement de l'époque mérovingienne (6e s.) mais remanié au 11e s., il est conçu en forme de croix grecque. À l'intérieur, une salle carrée, voûtée d'arêtes ; sur chaque côté s'ouvre une absidiole voûtée en cul-de-four. Les arcatures reposent sur des colonnettes de marbre, surmontées de chapiteaux antiques ou mérovingiens. Au centre de la salle, dans le sol, emplacement de la cuve baptismale.

Église Notre-Dame

Très remaniée, elle possède un beau retable du 17e s. en bois sculpté et, surtout, la **Crucifixion★**, tableau de l'école d'Avignon, daté de 1498.

Aux alentours

Route des gorges

10 km à l'est par la D 4 en direction d'Apt.

La route, sinueuse et pittoresque, parcourt la **forêt de Venasque**, constituée essentiellement de chênes verts, sur le plateau de Vaucluse en remontant les gorges. Après une ascension de quelque 400 m, elle atteint le **col de Murs** (alt. 627 m).

Au-delà du col, les premiers tournants de la descente sur Murs révèlent des vues étendues sur la plaine d'Apt et Roussillon.

Pernes-les-Fontaines

9,5 km à l'ouest par la D 28. *Voir ce nom.*

Venasque pratique

Voir aussi les encadrés pratiques de Carpentras et de Pernes-les-Fontaines.

Adresse utile

Office du tourisme de Venasque – *Grand'rue - 84210 Venasque - ✆ 04 90 66 11 66 - www.tourisme-venasque.com - juil.-août : 10h-12h30, 15h-19h ; avr.-juin : 10h-12h, 14h-18h ; sept.-oct. : 10h-12h, 14h-18h- fermé tous les merc. matin et dim. matin - ferm. annuelle : nov.-mars.*

Se loger et se restaurer

Restaurant Les Remparts – *R. Haute - ✆ 04 90 66 02 79 - www.hotellesremparts.com - fermé 15 nov.-15 mars - 11/28 € - 8 ch. 40/55 € - ☕ 7 €.* Restaurant posté sur les anciens remparts de ce village perché où il fait bon déambuler à travers les ruelles. Attablez-vous dans l'une des pimpantes salles à manger colorées et décorées de vieilles affiches de cinéma. Quelques chambres simples.

Auberge La Fontaine – *✆ 04 90 66 02 96 - www.auberge-lafontaine.com - 20/38 €.* Face à la fontaine du bourg, maison ancienne à l'ambiance « guesthouse ». Les duplex, soigneusement aménagés, donnent sur le patio ou les toits. Restaurant garni de meubles et de bibelots chinés ; dîners-concerts. Petite carte et menu du jour servi au bistro.

Sports & Loisirs

Stage gastronomique – *✆ 04 90 66 02 96 - www.auberge-lafontaine.com - cours de cuisine sur réserv. tte l'année.* Apprendre les bases de la cuisine méditerranéenne à l'auberge La Fontaine (*voir ci-dessus*). Une excellente façon de prolonger les vacances tout au long de l'année !

Mont **Ventoux**★★★

CARTE GÉNÉRALE B2 – CARTE MICHELIN LOCAL 332 E8 – VAUCLUSE (84)

Avec ses 1 909 m d'altitude, « le géant de Provence », classé par l'Unesco « Réserve de biosphère », ne rivalise certes pas avec le mont Blanc. Quoique… Sa situation solitaire et son profil de pyramide, au sommet blanchi de neige en hiver, dressent leur majestueux point de mire sur toute la Provence rhodanienne.

▷ **Se repérer** – Deux possibilités d'accès au sommet : par le versant nord et la D 974, ouverte en 1933, ou bien par le versant sud. À moins que l'on ne préfère monter à pied par un sentier…

🕐 **Organiser son temps** – Comptez une demi-journée pour faire le circuit de découverte décrit ci-dessous.

👪 **Avec les enfants** – Des balades à VTT sont organisées pour les familles *(voir la rubrique « Sports & Loisirs » dans l'encadré pratique).*

🐾 **Pour poursuivre la visite** – Voir aussi Sault.

Info pratique

Conditions de circulation – Pour toutes précisions sur l'enneigement des routes du massif du Ventoux (risques d'obstruction nov.-avr.), téléphonez au ☏ 0892 680 284 (météo routière).

Comprendre

Une Réserve de biosphère – Il s'agit de zones où l'on tente de concilier la protection des ressources naturelles avec le développement des activités humaines. La Réserve se compose d'aires centrales où la priorité est donnée à la protection d'un écosystème original : ici, le sommet du Ventoux, le mont Serein, la cédraie de Bédoin, la Tête des Mines… ou les gorges de la Nesque ; dans les zones tampon, on tente d'allier activités économiques traditionnelles et « tourisme vert » ; dans la zone de transition sont conservées des activités humaines (papeterie, exploitation de sable ou d'ocre, agriculture) dans un souci de « développement durable ».

Observer la flore – Après avoir rencontré, sur les pentes, la flore habituelle de la Provence, le botaniste amateur, une fois parvenu au sommet, pourra s'extasier devant des échantillons de flore polaire, tels que la saxifrage du Spitzberg et le petit pavot du Groenland. C'est durant la première quinzaine de juillet que les fleurs du mont Ventoux prennent tout leur éclat. Les flancs de la montagne, dénudés à partir du 16e s. pour alimenter les constructions navales de Toulon, sont en cours de reboisement depuis 1860. Pins d'Alep, chênes verts et blancs, cèdres, hêtres, pins à crochets, sapins et mélèzes forment un manteau forestier qui, vers 1 600 m d'altitude, cède la place à un immense champ de cailloux d'une blancheur étincelante. À l'automne, l'ascension au travers des frondaisons de toutes couleurs est un enchantement.

Le mont Ventoux, la terreur des coureurs du Tour de France.

François Isler / MICHELIN

Circuit de découverte

À L'ASSAUT DU « GÉANT DE PROVENCE »★★

Circuit de 63 km au départ de Vaison-la-Romaine – env. 1h30 de route sans les arrêts. Quitter Vaison-la-Romaine par la D 938 au sud-est. Après 3,5 km, prendre à gauche la D 54.

👁 **Bon à savoir** – Par temps d'orage, la route peut être encombrée sur les trois derniers kilomètres par des éboulis qui n'empêchent pas la circulation, mais demandent un peu d'attention.

Entrechaux

Ancienne pocession des évêques de Vaison, le village est dominé par les ruines perchées de son château et un donjon de 20 m.

Regagner la route de Malaucène par la D 13.

Malaucène

Ce gros bourg est entouré en grande partie d'un cours planté d'énormes platanes : pas de doute, nous sommes bien en Provence… Son **église fortifiée** (bâtie au 14ᵉ s. à l'emplacement d'un édifice romain, elle faisait partie de l'enceinte de la ville) ne manque pas d'intérêt : nef de style roman provençal et belles boiseries ornées d'instruments de musique du buffet d'orgues (18ᵉ s.). La **porte Soubeyran**, à côté de l'église, donne accès à la vieille ville. Là, maisons anciennes, fontaines, lavoirs, oratoires et, au centre, un vieux beffroi coiffé d'un campanile en fer forgé vous plongeront dans une atmosphère pleine de fraîcheur. À gauche de l'église, un chemin mène au calvaire : belle vue sur les montagnes de la Drôme et le mont Ventoux.

Prendre sur la gauche la D 974.

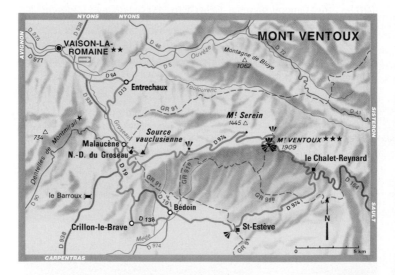

Chapelle Notre-Dame-du-Groseau

Cette chapelle est le seul vestige d'une abbaye bénédictine qui dépendait de Saint-Victor de Marseille. On y distingue un édifice carré *(ne se visite pas)*, ancien chœur de l'église abbatiale du 12ᵉ s., dont la nef a disparu.

Source vauclusienne du Groseau

Sur la gauche de la route, l'eau jaillit par plusieurs fissures au pied d'un escarpement de plus de 100 m, formant un petit lac aux eaux claires ombragé de beaux arbres. Les Romains avaient construit un aqueduc pour amener cette eau jusqu'à Vaison-la-Romaine.

La route en lacet s'élève sur la face nord, la plus abrupte du mont Ventoux ; elle traverse pâturages et petits bois de sapins, près du chalet-refuge du mont Serein. Du belvédère aménagé après la maison forestière des Ramayettes, **vue★** sur les vallées de l'Ouvèze et du Groseau, le massif des Baronnies et le sommet de la Plate.

Mont Serein

Lieu de ralliement des sportifs en hiver comme en été *(voir la rubrique « Sports & Loisirs » dans l'encadré pratique)*.

2 et 5 km. Du chalet d'accueil part le **sentier botanique Jean-Henri-Fabre**.

Le panorama, de plus en plus vaste, découvre les dentelles de Montmirail, les hauteurs de la rive droite du Rhône et les Alpes. Après deux grands lacets, la route atteint le sommet.

Sommet du mont Ventoux★★★

Le sommet du Ventoux est occupé par une station radar de l'armée de l'air et, au nord, par une tour hertzienne. C'est du terre-plein aménagé au sud que l'on découvre un vaste **panorama**★★★ (table d'orientation) : du massif du Pelvoux aux Cévennes en passant par le Luberon, la montagne Ste-Victoire, les collines de l'Estaque, Marseille et l'étang de Berre, les Alpilles et la vallée du Rhône, et même, par temps particulièrement clair, le Canigou.

La descente s'amorce sur le versant sud. Tracée en corniche, à travers l'immense champ de cailloux, la route la plus ancienne, construite vers 1885, passe de 1 909 m à 310 m d'altitude, à Bédoin, en 22 km seulement.

Le Chalet-Reynard

C'est le lieu de rendez-vous des skieurs d'Avignon ou de Carpentras et de la région.

Dans la forêt, aux sapins succèdent les hêtres et les chênes, puis une belle série de cèdres. Enfin la végétation provençale fait son apparition : vigne, plantations de pêchers et de cerisiers, quelques olivettes. Vue sur le plateau de Vaucluse et, au loin, la montagne du Luberon.

On laisse sur la gauche la D 164 pour rejoindre Sault (voir ce nom) par la haute vallée de la Nesque.

Saint-Estève

Du virage, naguère cauchemar des participants de la course automobile du Ventoux (arrêtée en 1973), **vue**★ à droite sur les dentelles de Montmirail et le Comtat, à gauche sur le plateau de Vaucluse.

Bédoin

Ce village, perché sur une colline, a conservé ses rues pittoresques, qui montent vers son église de style jésuite.

Prendre la D 138.

Crillon-le-Brave

Louis de Balbe de Crillon, seigneur du village, fut surnommé pour sa vaillance « le brave des braves ». Afin d'honorer leur grand homme, les villageois lui ont élevé une statue… et ajouté « le Brave » au nom du bourg.

Perché sur une avancée qui fait face au mont Ventoux, ce charmant village a gardé quelques traces de ses remparts.

Par les D 19 et la D 938, regagner Vaison-la-Romaine.

Mont Ventoux pratique

Adresse utile

Office du tourisme de Bédoin – *Espace Marie-Louis-Gravier - 84410 Bédoin - ℰ 04 90 65 63 95 - www.bedoin.org - 15 juin-31 août : lun.-sam. 9h-12h30, 14h-18h, dim. et j. fériés 9h30-12h30 ; reste de l'année : lun.-vend. 9h-12h30, 14h-18h, sam. et j. fériés 9h30-12h30. - fermé 25 déc., 1er janv., 1er Mai, 1er et 11 Nov.*

Météo

Une petite laine est de rigueur car le mistral souffle avec une furie sans pareille. Au sommet, la température est, en moyenne, de 11 °C plus basse qu'au pied et il pleut deux fois plus qu'en bas. Durant la saison froide, le thermomètre descend, à l'observatoire, jusqu'à –27 °C ! En **été**, aux heures chaudes, le mont Ventoux est souvent entouré de brumes. Pour profiter du panorama, mieux vaut partir de très bonne heure. Autre solution : rester sur la montagne jusqu'au coucher du soleil. En hiver, l'atmosphère est plus transparente, mais on ne peut gagner le sommet qu'en chaussant des skis.

Se loger

Hôtel Garance – *Hameau de Ste-Colombe - 84410 Ste-Colombe - 4 km à l'E de Bédoin par rte du Mont-Ventoux - ℰ 04 90 12 81 00 - www.lagarance.fr - fermé 15-30 nov. - 13 ch. 48/70 € - 7,50 €*. Vieille ferme restaurée au sein d'un hameau entouré de vignes et de vergers. Dans les chambres, mobilier actuel et sols anciens. Préférez celles sur l'arrière : elles regardent le mont Ventoux. L'été, le petit-déjeuner se prend en terrasse. Piscine.

Chambre d'hôte La Bastide des Gramuses – *Rte de Buis-les-Baronnies - 84340 Entrechaux - ℰ 04 90 46 01 08 - 3 ch. 100 €*. Isolée entre vignes et oliviers, cette ancienne ferme du 17e s. compte 3 chambres, accessibles depuis la petite cour carrée. Toutes bénéficient d'une association décoration authentique et mobilier moderne. Mini réfrigérateurs, literie et salles de douches de qualité, entre vieux meubles et tomettes.

Hostellerie de Crillon-le-Brave – *Pl. de l'Église - 84410 Crillon-le-Brave - ℰ 04 90 65 61 61 - www.crillonlebrave.com - fermé 2 janv.-10 mars - 24 ch. 155/430 € - 20 € - restaurant 74 €*. Cette bastide du 17e s. postée face au mont Ventoux évoque les toiles de Cézanne. Chambres provençales, ravissante salle à manger aménagée sous les voûtes de l'ancienne écurie, terrasse ombragée et jardin à l'italienne. Sur la table, mets et vins honorent le Midi.

Se restaurer

Des Pins – *84410 Bédoin - ℰ 04 90 65 92 92 - www.hoteldespins.net - fermé 31 oct.-14 mars - 25/37 €*. Maison récente, de type mas provençal, au milieu d'une pinède. Les chambres sont rénovées par étapes ; celles en rez-de-jardin possèdent une petite terrasse. Salle à manger égayée de jolis tons ocre-rouge et terrasse ombragée agréablement fleurie.

Le Vieux Four – *Au village - 84410 Crillon-le-Brave - ℰ 04 90 12 81 39 - fermé 15 nov.-1er mars, lun. et à midi en sem. - 25 €*. C'est dans l'ancienne boulangerie du village qu'est venue s'établir cette jeune cuisinière dynamique. Elle vous accueille dans le fournil, dont elle a conservé le vieux four, ou sur la terrasse, installée sur les remparts. De là, vous pourrez voir le mont Ventoux.

Le Mas des Vignes – *Rte du Mont-Ventoux - 84410 Bédoin - 6 km à l'E de Bédoin - ℰ 04 90 65 63 91 - fermé 1er nov.-31 mars, midi en juil.-août, mar. midi et lun. - 35/50 €*. De ce joli mas surplombant la vallée et le tracé de la fameuse course de côte du mont Ventoux, le panorama s'étend jusqu'aux dentelles de Montmirail et à la plaine du Comtat. En salle ou en terrasse, dégustez sa cuisine de produits frais, préparée et servie sans chichis.

Que rapporter

Marché provençal – Le lundi matin à Bédoin.

Sports & Loisirs

Sports d'hiver – *Renseignements à la mairie de Beaumont-du-Ventoux mar., jeu. et vend. - ℰ 04 90 65 21 13 ou au chalet d'accueil ℰ 04 90 63 42 02 - www.stationdumontserein.com* Entre décembre et avril, le mont Ventoux est encapuchonné de neige au-dessus de 1 300 à 1 400 m d'altitude et fournit aux sports d'hiver d'excellents terrains. Sur le versant nord, au **mont Serein**, ski sur neige et, aux beaux jours, sur herbe, remontées mécaniques et piste de raquettes.

Vélo – Un cycloguide, disponible gratuitement dans les offices du tourisme de la zone du Ventoux, détaille 18 circuits (roue et VTT, tous niveaux) d'une longueur de 10 à 49 km.

Randonnées pédestres – Topoguides disponibles dans les offices de tourisme locaux, avec de nombreux circuits proposés, de la découverte de la forêt de Bédoin à l'ascension du Géant de Provence par les GR 91 et 91B.

Ascensions nocturnes – Un spectacle inoubliable : la plaine provençale, lorsque, dans la nuit, villes et villages scintillent dans l'obscurité. En juillet et août, tous les vendredis soir, des ascensions pédestres nocturnes sont organisées par les offices du tourisme de Malaucène et de Bédoin pour admirer le lever du soleil au sommet du mont Ventoux.

Villeneuve-lès-Avignon★

11 791 VILLENEUVOIS
CARTE GÉNÉRALE B2 – CARTE MICHELIN LOCAL 339 N5 – GARD (30)

Villeneuve est le complément essentiel de la visite d'Avignon. Depuis la « ville des cardinaux », la vue sur la « ville des papes » constitue un des paysages les plus célèbres de la vallée du Rhône, surtout en fin d'après-midi lorsque, aux feux du couchant, Avignon apparaît dans toute sa splendeur.

Villeneuve est posé sur la rive droite du Rhône.

▷ **Se repérer** – En terres gardoises, Villeneuve est depuis l'origine tourné vers Avignon, dont elle constitue une banlieue résidentielle. On l'atteint, depuis la cité des papes, en traversant le Rhône sur le pont Édouard-Daladier (D 900), avant de prendre à droite la D 980 et de passer au pied de la tour Philippe-le-Bel.

▣ **Se garer** – Parkings au pied du fort, sur l'avenue Charles-de-Gaulle.

👁 **À ne pas manquer** – La superbe vue sur Avignon et Villeneuve depuis la tour Philippe-le-Bel ; la Vierge du 14ᵉ s. en ivoire polychrome, comptant parmi les quelques œuvres d'art exceptionnelles du Musée municipal Pierre-de-Luxembourg ; la chartreuse du Val-de-Bénédiction ; le fort Saint-André.

🕐 **Organiser son temps** – Comptez une demi-journée pour explorer la « cité des cardinaux ». Elle est en outre une base de séjour aussi agréable que pratique quand les hôtels et chambres d'hôtes de la « cité des papes » affichent complets.

👪 **Avec les enfants** – Parc d'Astronomie, du Soleil et du Cosmos ; musée du Vélo et de la Moto ; Parc de loisirs Amazonia *(voir l'encadré pratique)*.

🕯 **Pour poursuivre la visite** – Voir aussi Avignon.

Comprendre

Naissance d'une ville – À l'issue de la croisade contre les Albigeois, le roi de France **Philippe III le Hardi** entre en possession, en 1271, du comté de Toulouse et son nouveau domaine atteint le Rhône. Sur l'autre rive, c'est la Provence, terre d'Empire. Le Rhône appartient au royaume de France, mais pas sa rive gauche. Le problème, c'est qu'on ne peut pas préciser où commence celle-ci lors des crues du Rhône. « Là où s'arrête l'eau », décrète l'autorité royale, qui en profite pour aller réclamer des impôts aux habitants des quartiers inondés d'Avignon…

À la fin du 13ᵉ s., **Philippe le Bel** fonde, dans la plaine, une « ville neuve » et, vue l'importance militaire du lieu, il élève, à l'entrée du pont Saint-Bénezet, un ouvrage puissant. L'arrivée des **papes** en Avignon constitue une véritable aubaine

👁 Le saviez-vous ?

Voulue par les rois de France afin de mieux surveiller les terres hostiles de l'autre rive, Villeneuve fut la terre d'élection des **cardinaux** de la cour pontificale, qui lui assurèrent la prospérité et en firent une ville d'art.

pour la cité nouvelle : les cardinaux, ne trouvant pas dans la ville pontificale de demeures dignes d'eux, passent le pont et construisent ici quinze magnifiques résidences, les « livrées ». Ils comblent de bienfaits la ville et ses établissements religieux. De leur côté, les rois Jean le Bon et Charles V construisent le fort Saint-André afin de mieux surveiller la papauté voisine. La prospérité survivra au départ des papes : aux 17e et 18e s., la Grande-Rue se garnit de riches hôtels. Les couvents gardent une vie active et brillante, deviennent de véritables musées. Seule la Révolution mettra un terme à cette richesse aristocratique et ecclésiastique.

Se promener

De l'office de tourisme, suivre la rue Fabrigoule, prendre à gauche la rue de la Foire, puis descendre vers la tour.

Tour Philippe-le-Bel

☏ 04 32 70 08 57 - avr.-sept. : tlj sf lun. 10h-12h, 14h-18h30 ; oct.-mars : tlj sf lun. 10h-12h, 14h-17h - fermé déc.-fév., 1er Mai, 1er et 11 Nov., 25 déc. - 1,80 € (enf. 1 €).
Construite sur un rocher en bordure du Rhône, c'était la pièce maîtresse d'un châtelet qui défendait, en terre royale, l'entrée du pont Saint-Bénezet. Depuis la terrasse supérieure *(176 marches)*, **vue★★** superbe sur Villeneuve et le fort Saint-André, le Rhône et le pont Saint-Bénezet, Avignon et le palais des Papes, la Montagnette et les Alpilles et, en majestueuse toile de fond, le Ventoux.

Remonter jusqu'à la place de l'Oratoire, puis prendre la rue de l'Hôpital.

Église Notre-Dame

Pl. Missonnier. ☏ 04 90 27 49 28 - ♿ - avr.-sept. 10h-12h30, 14h-18h30 ; oct.-mars : 10h-12h, 14h-17h - possibilité de visite guidée (30mn) - gratuit.
La tour de cet édifice fondé en 1333 par le cardinal **Arnaud de Via**, neveu de Jean XXII, était à l'origine un beffroi dont le rez-de-chaussée, formé d'arcades, servait de passage

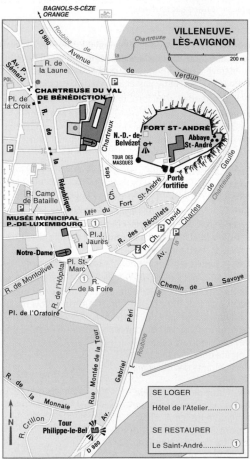

public. Celui-ci fut bouché pour devenir le chœur de l'église, qu'on raccorda à la nef en édifiant une travée supplémentaire. L'église contient plusieurs œuvres d'art : le tombeau du cardinal Arnaud de Via, reconstitué avec son gisant originel du 14e s., un *Saint Bruno* de Nicolas Mignard et un calvaire de Reynaud Levieux, ainsi qu'une copie de la célèbre *Pietà (3e chapelle de droite)*. Ce chef-d'œuvre absolu de l'école d'Avignon, datant du 13e s., avait été exécuté pour la chartreuse de Villeneuve. « Monté » à Paris pour une exposition dont il fut l'un des « clous », il poursuit depuis 1904 son splendide exil au Louvre, au grand dam de certains Villeneuvois.

La **rue de la République**, quelques pas plus loin, est bordée par plusieurs de ces superbes « livrées » cardinalices que les cardinaux ont fait édifier à Villeneuve. Citons celle du cardinal Pierre de Luxembourg (ce jeune homme fort précoce mourut à l'âge de 19 ans, déjà revêtu de la pourpre cardinalice), qui abrite aujourd'hui le **Musée municipal** *(voir « Visiter »)* ainsi que celles des n°s 3, 4 et 53. C'est au n° 60 qu'un portail donne accès à la chartreuse du Val-de-Bénédiction.

Visiter

Musée municipal Pierre-de-Luxembourg★

2 r. de la République. ℘ 04 90 27 49 66 - &. - avr.-sept. : tlj sf lun. 10h-12h30, 14h-18h30 ; oct.-mars : tlj sf lun. 10h-12h, 14h-17h - fermé fév., 1er janv., 1er Mai, 1er et 11 Nov., 25 déc. - 3 €, gratuit 1er dim. du mois (oct.-juin).

Ce musée, installé dans l'hôtel Pierre-de-Luxembourg, propose quelques œuvres d'art exceptionnelles, en particulier une **Vierge★★** du 14e s. en ivoire polychrome : sculptée dans une défense d'éléphant dont elle épouse la courbure, c'est une des plus belles œuvres du genre. Remarquez aussi la Vierge à double face de l'école de Nuremberg (14e s.), le masque de Jeanne de Laval par Laurana, la chasuble dite « d'Innocent VI » (18e s.) et le voile du saint sacrement du 17e s. orné de perles fines, ainsi que des peintures de Nicolas Mignard (*Jésus au Temple*, 1649), Philippe de Champaigne (*La Visitation*, vers 1644), Reynaud Levieux (*La Crucifixion*), Simon de Châlons, ou encore Parrocel (*Saint Antoine et l'Enfant Jésus*).

Chartreuse du Val-de-Bénédiction★

60 r. de la République. ℘ 04 90 15 24 24 - www.chartreuse.org - avr.-sept. : 9h-18h30 ; oct.-mars : 9h30-17h30 (dernière entrée 30mn avant la fermeture), possibilité de visite guidée (1h15) - fermé 1er janv., 1er Mai, 1er et 11 Nov., 25 déc. - 6,10 € (–18 ans gratuit), gratuit 1er dim. du mois (oct.-mai).

En 1352, le conclave avait élu pape le général de l'ordre des Chartreux qui, par humilité, refusa la tiare. Désigné à sa place, Innocent VI, pour commémorer le geste, fonda sur les lieux mêmes de sa « livrée » une chartreuse qui allait devenir la plus importante de France.

Véritable « ville dans la ville » (songez qu'elle occupe une surface double de celle du palais des Papes), son architecture justifie à elle seule une visite.

Après avoir franchi la **porte du cloître** qui sépare l'allée des Mûriers de la place des Chartreux, on se retournera pour en admirer l'ordonnance et l'ornementation, avant de gagner le bureau d'accueil, en haut de l'allée des Mûriers.

On pénètre dans la nef principale de l'**église** dont l'abside effondrée encadre une **vue★** superbe sur le fort St-André *(voir ci-dessous)*. À droite, l'abside de l'autre nef et une travée abritent le tombeau d'Innocent VI **(1)** dont le gisant de marbre blanc repose sur un socle en pierre de Pernes.

Sur la galerie est du **petit cloître** donnent la **salle capitulaire (2)** et la **cour des Sacristains (3)**, avec son puits et son pittoresque escalier. Une jolie coupole du 18e s. couvre le **lavabo (8)**, petit édifice circulaire.

On gagne ensuite le **grand cloître du Cimetière**, large de 20 m et long de 80 m, à la chaude coloration provençale, que bordent les cellules des moines. La première **(4)**, avec son jardin des Simples, se visite. Les autres, restaurées, sont habitées par des écrivains en résidence. À l'extrémité nord-est du cloître, un couloir mène à la « bugade » **(5)**, ou buanderie, qui a conservé son puits et la cheminée du séchoir. De sa galerie ouest, au niveau d'une petite chapelle des morts **(6)**, on rejoint la chapelle **(7)** qui faisait partie de la livrée d'Innocent VI. Remarquez les belles **fresques★**, attribuées à Matteo Giovanetti, l'un des décorateurs du palais des Papes (scènes de la vie de saint Jean-Baptiste et de la vie du Christ). Le **réfectoire**, ancien Tinel (salle des Festins du 18e s.), est aujourd'hui une salle de spectacles.

En différents endroits, des bornes permettent d'écouter des enregistrements de textes d'auteurs contemporains. Parmi eux, Michel Quint, dont vous pouvez lire *Et mon mal est délicieux* (éd. Joëlle Losfeld), roman qui, en partie, a pour cadre la chartreuse.

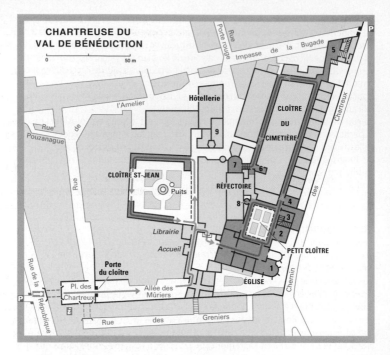

Si les galeries du **cloître Saint-Jean** ont disparu, des cellules de chartreux subsistent encore. Au centre, la monumentale fontaine St-Jean du 18ᵉ s. a conservé son puits et sa belle vasque ancienne. Enfin, jetez un œil à la boulangerie **(9)** avec sa tour hexagonale, et à l'**hôtellerie** qui, remaniée au 18ᵉ s., présente au nord une belle façade.

Fort Saint-André★

Ce fort englobait une abbaye, la chapelle romane **Notre-Dame-de-Belvézet**, et un bourg dont ne subsistent que quelques pans de murs. Il fut élevé au 14ᵉ s. par Jean le Bon et Charles V, sur le mont Andaon, île que le dessèchement d'un bras du Rhône rattacha à la terre à la fin du 13ᵉ s.

Tours jumelles★ – ☏ 04 90 25 45 35 - avr.-sept. : 10h-13h, 14h-18h ; oct.-mars : 10h-13h, 14h-17h - fermé 1ᵉʳ janv., 1ᵉʳ Mai, 1ᵉʳ et 11 Nov., 25 déc. - 5 € (–18 ans gratuit).
Ce magnifique bâtiment d'entrée est l'un des plus beaux exemples de fortification médiévale. L'accès à la tour ouest permet de découvrir la salle de manœuvre des herses et la boulangerie (four à pain du 18ᵉ s). En grimpant les 85 marches de la tour, vous serez récompensé par une **vue★★** somptueuse sur le mont Ventoux, le Rhône, Avignon et le palais des Papes, la plaine comtadine, le Luberon, les Alpilles et la tour Philippe-le-Bel.

Abbaye Saint-André – ☏ 04 90 25 61 33 - accès aux jardins ; avr.-sept. : 10h-12h30, 14h-18h ; oct.-mars : 10h-12h, 14h-17h - fermé lun. - 4 €.
Fondée par les bénédictins au 10ᵉ s. et en partie détruite pendant la Révolution, elle a conservé son portail d'entrée, l'aile gauche et la terrasse que soutiennent des voûtes massives. Mais ce sont surtout ses **jardins★** à l'italienne qui méritent une promenade, avec leurs superbes **vues★** sur Avignon. Les rois de France en avaient fait leur poste d'observation afin de mieux tenir à l'œil leurs inquiétants voisins pontificaux…

Aux alentours

Parc d'Astronomie, du Soleil et du Cosmos

Aux Angles, à 2 km du centre de Villeneuve. Sortir de Villeneuve par l'ouest, en direction de Nîmes. ☏ 04 90 25 66 82 - www.parcducosmos.net - visite guidée (1h30) du 3 janv. à mi-déc. : 14h30 (visite), 16h15 (planétarium) - été : dép. des visites 30mn plus tard - fermé lun. et sam., 1ᵉʳ Mai, de mi-déc. au 2 janv. inclus - 6,50 € (enf. 4,50 €).
👪 Tracé au milieu des pins et des chênes verts, ce parc d'animation astronomique invite à un voyage imaginaire dans l'espace et dans le temps. L'architecture des bâtiments en terrasses superposées évoque celle des ziggourats de l'ancienne

Mésopotamie, édifices symbolisant, croit-on, l'union de la terre et du ciel. Le parcours en labyrinthe parmi planètes, étoiles et autres astéroïdes résume de façon ludique l'évolution.

Rochefort-du-Gard

8 km à l'ouest par la D 900 (direction Les Angles), puis un tout petit bout de la N 100 (direction Remoulins) et la D 111.
Vous prendrez plaisir à flâner dans les ruelles pentues et les placettes ombragées de ce vieux village, dont la mairie occupe une ancienne chapelle. Un peu à l'écart, à l'est, le *castellas* qui fut à l'origine du village n'est guère plus qu'un souvenir : il n'en subsiste que la silhouette blanche et massive de sa chapelle romane. Depuis la plate-forme, belle **vue★** sur N.-D.-de-Grâce, l'étang asséché de Pujaut et l'arrière-plan montagneux.

Musée du Vélo et de la Moto★

À Domazan. 14 km à l'ouest de Villeneuve par la D 900, puis la N 100. Après 9 km, tourner à gauche (direction Domazan). Au château de Bosc. ℘ 04 66 57 65 11 - juin- sept. : 10h-18h30 ; reste de l'année : merc. et vac. scolaires, 14h-18h - 6 € (enf. 4 €).
Aujourd'hui installé dans un château du 19e s. niché au milieu des vignes et des oliviers dans un parc à la française, ce musée présente une exceptionnelle collection de cycles et de motos, des draisiennes aux vélos de course d'aujourd'hui en passant par les tricycles à moteur, de 1900 aux années 1960. Parmi les pièces étonnantes ou incongrues, un vélocipède ciselé (1869) ayant appartenu à Yves Montand, une bicyclette à guidon articulé, une ancêtre du scooter, l'autofauteuil, une moto spécialement conçue pour les ecclésiastiques (!), un vélo à hélice (conduite allongée) et un tricycle solaire de 1980 qui offre la particularité de ne fonctionner qu'en théorie. Et surtout, le musée présente un (très rare) célérifère. Il s'agit d'une copie. Or l'original n'a jamais existé que dans l'imagination fertile d'un journaliste. Copie d'un objet imaginaire, cette pièce est donc, paradoxalement, un original !

Le pays des amoureux

Le week-end le plus proche du 14 février, **Roquemaure** célèbre la Saint-Valentin par la reconstitution historique de l'arrivée des reliques du saint dans le village en 1868. Celles-ci furent achetées à Rome par un viticulteur et offertes à la paroisse afin de protéger la vigne contre le fléau du phylloxéra qui était apparu à Roquemaure cinq ans plus tôt, pour la première fois en Europe.

Roquemaure

16 km au nord par la D 980.
Ce gros bourg viticole (qui a ouvert une Académie du Vin et du Goût, *voir p. 38*) a conservé quelques demeures anciennes, comme celle du cardinal Bertrand, dans le quartier de l'église. Cette dernière remonte au 13e s. et possède de belles orgues du 17e s. La tour des princes de Soubise est le plus important des vestiges du château où mourut le 20 avril 1314 Clément V, premier pape d'Avignon. En face, sur l'autre rive, avec sa tour à mâchicoulis, le château de l'Hers semble veiller sur le précieux vignoble.

Villeneuve-lès-Avignon pratique

✦ Voir aussi l'encadré pratique d'Avignon.

Adresse utile

Office du tourisme de Villeneuve-lès-Avignon – *1 pl. Charles-David - 30400 Villeneuve-lès-Avignon -* ℘ *04 90 25 61 55 - www.villeneuvelesavignon.com - juil : lun.-vend. 10h-19h, w.-end 10h-13h, 14h30-19h ; août : tlj 9h-12h30, 14h-18h ; sept.-juin : tlj sf dim. 9h30-12h30, 14h-18h (17h sam. de nov. à fév.) - fermé 1ᵉʳ Mai, 25 déc. et 1ᵉʳ janv.*

Transport

D'Avignon, vous pourrez rejoindre Villeneuve-lès-Avignon en **bus** (ligne 11, en face de la gare ferroviaire).

Visites

Carte-Pass – *Renseignements dans les offices du tourisme d'Avignon et de Villeneuve-lès-Avignon.* Elle permet de visiter Avignon et Villeneuve-lès-Avignon avec d'intéressantes réductions de tarif pendant 15 jours (musées et monuments, visites guidées de la ville, promenades en bateau, excursions en autocar). Pour l'obtenir, s'adresser à l'office de tourisme, aux monuments et aux musées.

Passeport pour l'Art – *En vente sur les lieux de visite et à l'office du tourisme de Villeneuve - 6,86 €.* Ce forfait est proposé pour l'entrée aux monuments suivants : chartreuse du Val-de-Bénédiction, fort Saint-André, tour Philippe-le-Bel et Musée Pierre-de-Luxembourg.

Visites guidées de la ville – *Renseignements à l'office de tourisme ou au* ℘ *04 90 25 61 33.* Villeneuve, qui porte le label **Ville d'art et d'histoire**, propose des visites-découvertes (2h) animées par des guides-conférenciers agréés par le ministère de la Culture et de la Communication. Également des balades nocturnes au flambeau (juil.-août).

Visite-chocolat à la chartreuse du Val-de-Bénédiction – *Sur réserv. au* ℘ *04 90 15 24 24 - 10,10 € (–18 ans gratuit).* La chartreuse organise régulièrement des visites guidées des bâtiments, suivies d'un chocolat chaud servi dans les anciens appartements du pape, au coin de la cheminée 18ᵉ s. en hiver, à l'ombre des jardins, en été.

Se loger

☎🛏 Hôtel de L'Atelier – *5 r. de la Foire -* ℘ *04 90 25 01 84 - www.hoteldelatelier.com - fermé 3 nov.-17 déc. - 23 ch. 72/85 € -* ⏰ *8,50 €.* Maison du 16ᵉ s. ayant conservé son cachet : meubles anciens, poutres et pierres apparentes, chambres assez spacieuses et personnalisées. L'hiver, la grande cheminée réchauffe le salon, et, à la belle saison, le petit-déjeuner est servi sur la terrasse ombragée.

Se restaurer

☎ Le Saint-André – *4 bis montée du Fort -* ℘ *04 90 25 63 23 - fermé lun. midi et mar. midi - 11/23,50 €.* À deux pas de la collégiale et de la chartreuse, arrêtez-vous dans ce frais restaurant au décor provençal : une petite étape sympathique et reconstituante, au cœur du vignoble des côtes-du-rhône.

Sports & Loisirs

Randonnée – *Dépliants disponibles à l'office de tourisme.* Suivez les « sentiers de l'abbaye » (8, 12 et 23 km) au bord du Rhône ou, si vous préférez vous promener dans les terres, l'itinéraire « la montagne de Villeneuve » (8 km).

👥 Parc de loisirs Amazonia – *Rte d'Orange - Sortie A 7 Orange puis direction Nîmes, 15 km d'Avignon direction Bagnols - 30150 Roquemaure -* ℘ *04 66 82 53 92 - www.amazoniaparc.com - juil.-août : 10h30-19h - 14 € ; avr., sept.-oct. : 11h-18h ; mai-juin : 11h-18h30 ; hors sais. : 12,50 €.* Aztèques et Mayas envahissent la forêt de Roquemaure ! Ce parc d'aventure pour la famille s'articule autour de nombreuses attractions : toboggan aquatique (Machu-Pichu), parcours 4x4 (Amazonia trophy), parcours rivière (Montée des Andes), petit train (Cuzco express), promenade en bateau (Rivière aux crocodiles), rocher d'escalade… Restauration et aires de pique-nique.

Événements

Rencontres de la Chartreuse – ℘ *04 90 15 24 24 - www.chartreuse.org.* En juillet-août, la Chartreuse devient le haut lieu des écritures contemporaines de spectacles.

Fête de Saint-Marc – ℘ *04 90 25 20 03.* Dernier week-end d'avril. Un cep de vigne enrubanné est promené dans la ville. Marché des vignerons des côtes-du-rhône, messe en provençal…

NOTES

NOTES

Avignon : villes, curiosités et régions touristiques.
Cézanne, Paul : noms historiques ou termes faisant l'objet d'une explication.
Les sites isolés (châteaux, abbayes, grottes…) sont répertoriés à leur propre nom.

Nous indiquons par son numéro, entre parenthèses, le département auquel appartient chaque ville ou site. Pour rappel :

07 : Ardèche
13 : Bouches-du-Rhône
30 : Gard
84 : Vaucluse

A

Activités économiques 85
Aigues-Mortes (30) 98
Aiguèze (30) 132
Aiguiers 370
Aïoli 94
Aix-en-Provence (13) 104
   Atelier Paul Cézanne 106
   Cathédrale Saint-Sauveur 107
   Cloître Saint-Sauveur. 107
   Cours Mirabeau 106
   Église Saint-Jean-de-Malte 108
   Église Sainte-Marie-Madeleine 107
   Fondation Vasarely. 109
   Fontaine d'eau thermale 106
   Fontaine des Prêcheurs 107
   Fontaine des Quatre-Dauphins 108
   Fontaine du roi René 106
   Hôtel Boyer d'Éguilles 107
   Hôtel d'Isoard de Vauvenargues 106
   Hôtel de Caumont. 108
   Hôtel de Forbin 106
   Hôtel de Marignane 108
   Hôtel de Panisse-Passis. 106
   Hôtel du Poët 106
   Hôtel Maurel de Pontevès 106
   Musée bibliographique
     et archéologique Paul-Arbaud 110
   Musée des Tapisseries. 109
   Musée du Vieil Aix 110
   Musée Granet. 109
   Muséum d'histoire naturelle. 110
   Pavillon Vendôme. 110
   Place d'Albertas. 107
   Place de l'Hôtel-de-Ville. 107
   Quartier Mazarin 108
   Rue de l'Opéra 106
   Thermes Sextius 110
   Vieil Aix. 106
Albaron (13) 202
Albertas, jardins (13) 110
Albion, plateau (84) 368
Alchimiste, jardin (13). 119
Allauch (13) 239
Les Alpilles (13) 116
Amphithéâtre. 71
Ansouis (84). 121
Apt (84) 122
Arc, vallée (13) 110
Archéologie. 36
Architecture 70
Ardèche 128
Ardèche, gorges (07) 127

Aristide-Dumont,
   station de pompage (30) 335
Arles (13) 135
   Alyscamps 140
   Arènes. 137
   Cloître Saint-Trophime 139
   Cryptoportiques 138
   Église Saint-Honorat 140
   Église Saint-Trophime 138
   Espace Van-Gogh 142
   Fondation Vincent-Van-Gogh. 142
   Hôtel de ville. 138
   Musée de l'Arles et
     de la Provence Antiques. 140
   Musée Réattu. 141
   Museon Arlaten 141
   Palais de Luppé 137
   Palais des Podestats. 138
   Palais et thermes Constantin 137
   Place du Forum 138
   Place Nina-Berberova 137
   Prieuré des chevaliers de Malte 137
   Théâtre antique. 136
Arlésienne 90
Artaud, Antonin. 84
Artisanat. 45
Aubagne (13). 147
Auberges de jeunesse 32
Auguste, empereur. 67
Aurel (84) 369
Autridge, belvédères (07) 129
Auzon, vallée (84) 210
Avens. 60
Avignon (84) 150
   Cathédrale Notre-Dame-des-Doms 158
   Chapelle des Pénitents Gris. 160
   Chapelle des Pénitents Noirs 161
   Clocher des Augustins. 161
   Collection Lambert 163
   Couvent des Célestins 160
   Église de la Visitation. 161
   Église Saint-Agricol. 159
   Église Saint-Didier 161
   Église Saint-Pierre. 162
   Église Saint-Symphorien. 161
   Hôtel d'Adhémar de Cransac 162
   Hôtel de Forbin de Ste-Croix. 160
   Hôtel de Madon de Châteaublanc. 161
   Hôtel de Rascas 161
   Hôtel de Sade 160
   Hôtel de Salvador 160
   Hôtel de Salvan Isoard 160
   Hôtel Desmarez de Montdevergues. . . . 160
   Hôtel des Monnaies 158

INDEX

Hôtel de ville. 159
Livrée Ceccano. 161
Maison du roi René. 160
Manutention. 158
Musée Angladon. 162
Musée Calvet 162
Musée lapidaire 163
Musée Louis-Vouland 163
Muséum Requien 163
Palais des Papes. 152
Palais du Roure 160
Petit Palais 158, 162
Place de l'Horloge. 159
Place des Carmes 161
Pont Saint-Bénezet. 158
Promenade des papes. 157
Quartier de la Balance. 156
Remparts 159
Rocher des Doms 158
Rue Banasterie. 161
Rue de la Balance 158
Rue de la République. 160
Rue des Teinturiers. 160
Rue Jean-Viala 160
Rue Joseph-Vernet 160
Tour de l'Horloge 159
Avignon, château 202

B

Bagnols-sur-Cèze (30) 168
Baignade 36
Baldaccini, César 68
Ballon 36
Barbegal, aqueduc (13) 117
La Barben, château (13). 364
Barbentane (30). 172
Barberousse, Frédéric 136
Barjac (30) 320
Barjavel, René. 84, 310
Baroncelli-Javon, Folco de 359
Baroncelli-Javon, tombeau (13) 203
Le Barroux (84) 296
Le Barry, site (84) 189
Bastide 75
Bas Vivarais (30) 168
La Baume, site (30) 394
Les Baux-de-Provence (13). 174
Bauxite 175
Beaucaire (30). 179
Beauduc, plage (13) 204
Beaumes-de-Venise (84). 296
Beaumettes (84) 259
Beaurecueil (13) 357
Benn 330
Berlingot 210
Bernus, Jacques 212
Berre, étang (13) 184
Berre-l'Étang (13) 187
Bibliographie 53
Bidon (07). 129
Bimont, barrage (13). 355
Bollène (84) 189
Bonaparte, Lucien 340
Bonnieux (84) 191
Bonpas, chartreuse (84) 164
Bories 253

Bories, village (84). 242
Bosco, Henri 84, 252
Bouillabaisse. 94
Boulbon (13) 382
Boutis 306
Brantes (84) 400
Brauquier, Louis 185
Brayer, Yves. 177
Buoux, fort (84) 257
Château de la Buzine (13) 239

C

Cabane de gardian 75
Cabanon. 196
Cabrières-d'Avignon (84) 234
Cabriès (13) 110
Cadenet (84) 387
Caderousse (84) 316
Le Cailar (30) 338
Caissargues, aire (30) 305
Calanques (13) 193
Calès, site (13) 365
Callelongue (13) 196
Calvisson (30) 306
Camarguais, musée (13) 202
Camargue (13) 199
Camargue gardoise (30) 337
Canaille, cap (13) 216
Canoë-kayak. 36
La Capelière, domaine (13). 204
Capitaine Danjou, domaine (13). . . . 356
Capitelles 305
Carluc, prieuré (84) 255
Carpentras (84). 208
Carrèse, Philippe 84
Carro (13) 230
Carry-le-Rouet (13) 230
Cassis (13). 215
Castellaras, belvédère (84). 370
Casteret, Élisabeth et Norbert. 129
Castille, château. 394
Castillon-du-Gard (30). 394
Cathédrale d'Images (13) 178
La Caume, panorama (13). 118
Cavaillon (84) 220
Caveirac (30) 305
Cayron, col (84) 296
Cèdres, forêt (84) 192
Celto-Ligures 66
Céreste (04) 254
Césaire, saint. 68
César, Jules 67
Cézanne, Paul. 16, 82, 105
Chabaud, Auguste. 381
Chaînes hôtelières. 32
Le Chalet-Reynard. 411
Chalier, moulin (30). 393
Chamaret (26). 405
Char, René 84, 255
Charrettes ramées. 164
Château-Bas (13) 365
Châteauneuf-du-Pape (84). 317
Châteaurenard (13) 164
Château Turcan (84) 121
Chauvet, grotte (07) 403
Cheval camarguais 13, 202

Chiner 37
Chusclan (30) 171
La Ciotat (13)..................... 225
Clérissy, Joseph 88
Cloups........................... 60
Cocalière, grotte (30) 228
Collias (30)...................... 394
Colombier, belvédère (07) 131
Combe de Vidauque (84) 223
Comités du tourisme 23
Comtat venaissin................. 208
Conclave......................... 155
Les Concluses (30)............... 169
Constantin, empereur 68, 136
Cornillon (30) 169
Cornillon-Confoux (13) 186
Corrida 37
Corridas espagnoles................ 91
Cosquer, Henri 216
Côte Bleue (13) 229
Course à la cocarde................ 90
Courses camarguaises............. 90
Coustellet (84) 259
La Coustière de Crau (13) 143
La Crau (13) 142
Crèches........................... 92
Crestet (84) 296
Crêtes, route (13) 216
Crillon-le-Brave (84).............. 411
Croix Couverte (30).............. 182
Croix de Provence (13)............ 356
Croix huguenote 299
Cucuron (84)..................... 255
Cuisine (cours) 37
Cyclotourisme.................... 38

D

Daladier, Édouard 208
Daudet, Alphonse.............. 16, 84
Denim........................... 299
Dolines 60
Drac............................ 180
Durance 385

E

École paysagiste 82
Écomusée de la Crau (13) 143
Écomusée de la Forêt
    méditerranéenne, Gardanne (13) . 115
Écomusée des Appeaux (84)........ 212
Éguilles (13)...................... 111
En-Vau, calanque (13)............. 218
Entrechaux (84).................. 410
Entremont, oppidum (13)........... 111
Équitation 42
Escalade.......................... 38
Espérandieu, Henry 16
L'Estaque (13) 276
Étoile, chaîne (13) 114
Eygalières (13)................... 118

F

Fabre, Jean-Henri 316
Faïences 88
Faraman, phare (13) 200
Farandole......................... 89
Faune............................ 61
Fauves........................... 83
Félibres 16
Le Félibrige 84
Ferias 37, 91
Fernandel......................... 68
Ferrades 90, 202
Flamant rose..................... 201
Flassan (84) 370
Fléchier, Esprit 322
Flore............................ 60
Fontaine-de-Vaucluse (84)........ 232
Fontvieille (13) 117
La Forestière, aven (07)........... 320
Forfaits touristiques............... 28
Formalités 24
Fos-sur-Mer (13)................. 236
Frioul, îles (13).................. 281
Froment, Nicolas 390
Fruits confits..................... 210

G

Gacholle, phare (13) 205
Gard, Pont (30)................... 325
Gardanne (13)..................... 114
Gardian.......................... 202
Gardonnenque (30) 393
Gargas (84) 124
Garlaban, massif (13) 238
Garrigue 61
Gastronomie...................... 93
Gémenos (13) 353
Gide, André 84, 390
Gigondas (84) 296
Giovannetti, Matteo.............. 74
Girard, Philippe de 257
Glaciaire........................ 351
Glanum (13)...................... 344
Gleizes, Albert 346
Golf 39
Golfe de Fos (13) 236
Gordes (84) 241
Goudargues (30) 170
Les Goudes (13) 196
Goult (84)........................ 259
Gournier, belvédères (07).......... 129
Grambois (84).................... 255
Grand Belvédère (07).............. 131
La Grande Crau (13) 143
Granet, François-Marius 109
Le Grau-du-Roi (30) 244
Graveson (13) 381
Gréasque,
    Pôle historique minier (13) 115
Grignan (26) 247
Groseau, source vauclusienne (84) .. 410
Guidon du Bouquet (30).......... 169

H

Handicapés 23
Haras national d'Uzès (30) 392
Haribo, musée du bonbon (30)..... 393
Harmas Jean-Henri Fabre (84)...... 316
Hébergement..................... 29
Herbes de Provence 93

Histoire 63
Huile d'olive 86

I

If, château (13) 281
Incendies 43, 62
Indiennes 89
Infernet, gorges (13) 356
Inondations 62
Istres (13) 186
Izzo, Jean-Claude 84, 265

J

Jaille, aiguiers (84) 370
Joly, Robert de 129, 319
Jouques (13) 385

L

L'Espiguette, phare et plage (30) . . . 245
L'Isle-sur-la-Sorgue (84) 249
Labastide-de-Virac (07) 320
Lacoste (84) 257
Lacouture, Jean 69
Lacroix, Christian 69
Lamanon, Bertrand de 365
Lambesc (13) 365
Lamour, Philippe 335
Laudun (30) 170
Lauris (84) 387
Lavande 20, 39
Lavaur, Guy de 129
Légion étrangère, musée (13) 148
Le Sautadet, cascade (30) 169
Livrées 151
Lourmarin (84) 256
Luberon (84,04) 252
Luberon, parc naturel
    régional (84, 04) 124, 253
Luyne, duc de 329

M

Madeleine, belvédère et grotte 130
La Madrague-de-Gignac (13) 230
Maillane (13) 380
Maison romaine 71
Malaucène (84) 410
Manades 90
Manifestations 50
Marchés 39
Marcoule, belvédère (30) 171
Margueritte (30) 305
Marie-Madeleine, sainte 352
Marignane (13) 187
Marseille (13) 262
    Alcazar 271, 273
    Basilique Notre-Dame-de-la-Garde 271
    Basilique Saint-Victor 270
    La Canebière 271
    Carré Thiars 270
    Cathédrale de la Major 267
    Château et parc Borély 275
    Château Pastré 279
    Clocher des Accoules 265
    Cours Honoré-d'Estienne-d'Orves 270
    Cours Julien 273
    Docks de la Joliette 275

Église Saint-Ferréol 265
Église Saint-Laurent 270
Ferry-boat 265
Fort Saint-Jean 270
Fort Saint-Nicolas 270
Hôtel-Dieu 265
Hôtel de Cabre 265
Hôtel de ville 265
Jardin des Vestiges 272
Jardin Valmer 274
MAC 280
Maison de l'artisanat
    et des métiers d'art 278
Maison diamantée 265
Mémorial des Camps de la mort . . 270, 277
Monument aux morts
    de l'armée d'Orient 274
Musée-boutique de l'OM 279
Musée Cantini 273, 278
Musée d'Archéologie
    méditerranéenne 266, 276
Musée d'Histoire de Marseille 272, 278
Musée de la Faïence 275, 279
Musée de la Marine 279
Musée de la Mode 279
Musée des Beaux-Arts 280
Musée des Docks romains 277
Musée du Santon Marcel-Carbonel 278
Musée du Vieux Marseille 265, 277
Musée Grobet-Labadié 280
Muséum d'Histoire naturelle 281
Palais Longchamp 280
Pavillon Daviel 265
Le Pharo 274
Place de Lenche 270
Place du Marché-des-Capucins 273
Port 275
Préau des Accoules 277
Quai des Belges 265
Quai du Port 265
Quartier des Arcenaulx 270
Quartier du Panier 265
Rive Neuve 270
Rue Longue-des-Capucins 273
Rue Saint-Ferréol 273
Théâtre de la Criée 270
Vallon des Auffes 274
Vieille Charité 265, 276
Vieux Port 264
Martel, Charles 68
Martel, Édouard-Alfred 129
Martigues (13) 288
Marzal, aven 129
Mas 75
Massacre de la Michelade 65
Maussane-les-Alpilles (13) 118
Mayle, Peter 291
Mazan (84) 212
Mazaugues (83) 351
Mazets 298
Mélik, Edgar 110
Ménerbes (84) 291
Mérindol (84) 387
Mérinos 142
Mérou 61
Météorologie 22
Meyrargues (13) 386

Mignard, Pierre 74
Milhaud, Darius 105
Mimet (13) 115
Mirabeau 16, 108
Miramas-le-Vieux (13) 186
Mistral. 22, 60
Mistral, Frédéric 84, 141, 370, 380
Mobilier 87
Monieux (84). 369
Montagnette (13). 380
Montand, Yves 69
Monteux (84) 212
Montfavet (84) 164
Montmajour, abbaye (13) 142, 293
Montmirail, dentelles (84) 295
Montségur-sur-Lauzon (26) 405
Mont Ventoux (84) 409
Morgiou (13) 197
Mormoiron (84) 212
Mornas (84) 189
Moulin à musique (84). 212
Moulin des Bouillons, musée (84) . . 243
Mourre Nègre (84). 254
Musée-distillerie
    de la lavande (07). 128
Musée des Alpilles (13) 347
Musée des Santons animés,
    Maussane-les-Alpilles (13). 118
Musée Mémoire
    de la Nationale 7 (84) 316

N

Nages, oppidum (30) 306
Nages-et-Solorgues (30). 306
Napoléon Ier. 222
Nassau, Maurice de. 314
Naturalistes. 82
Nature. 58
Navigation. 39
Nesque, gorges (84) 369
Nîmes (30) 298
    Arènes. 300
    Carré d'art 304
    Castellum. 303
    Cathédrale Notre-Dame-
        et-Saint-Castor. 301
    Chapelle des Jésuites. 301
    Esplanade 299
    Hôtel de Bernis. 302
    Hôtel de Régis 301
    Hôtel Fontfroide 302
    Hôtel Meynier de Salinelles. 302
    Jardin de la Fontaine 302
    Maison natale de Daudet. 303
    Maison romane 301
    Musée archéologique 305
    Musée des Beaux-Arts. 304
    Musée des Cultures taurines. 305
    Musée du Vieux Nîmes 304
    Muséum d'histoire naturelle. 305
    Place aux Herbes. 301
    Place d'Assas. 302
    Place du Marché 302
    Porte d'Auguste. 301
    Quai de la Fontaine 302
    Rue de Bernis 302
    Rue de l'Aspic. 302

    Rue de la Madeleine. 301
    Rue des Marchands 301
    Temple de Diane 303
    Tour Magne. 303
Niolon (13) 229
Noëls de Provence 20, 91
Nostradamus 16, 362
Notre-Dame-d'Aubune,
    chapelle (84) 296
Notre-Dame-des-Vignes,
    chapelle (84) 406
Notre-Dame-du-Groseau,
    chapelle (84) 410
Noves (13) 164
Nyons (26) 310
Nyssen, Françoise 69

O

Occitan 83
Ocre 87
Ocre, circuit (84). 124
Oenologie, cours 37
OK Corral, parc d'attractions (13) . . . 227
Olives. 39, 93
OM 279
Oppède-le-Vieux (84) 258
Orange (84) 313
Orgnac, plateau d' (07) 320
Orgon (13) 222
Oursinades. 32

P

Pagnol, Marcel 16, 84, 147
La Palissade, domaine (13) 205
Paradou (13) 117
Pasteur, Louis 189
Pastis. 95
Pastorales. 93
Pastrage 92
Patissier, Isabelle 194
Pavillon de la reine Jeanne (13) 178
Paysages. 58
Pêche. 40
Peinture 82
Pénitents, confrérie 161
Pernes-les-Fontaines (84). 322
Perrier, source (30) 307
Pertuis (84) 388
Peste, mur (84) 235
Pétanque 89
La Petite Provence
    du Paradou (13). 117
Pétrarque. 83, 234
Peyrolles-en-Provence (13) 386
Phocéens 66
Picasso, Pablo 69
Piémanson, plage (13) 205
Plage de l'Espiguette (30). 245
Plage Napoléon (13) 237
Plaisance 40
Plan-d'Aups (83). 352
Plongée 42
Pont-de-Gau,
    parc ornithologique (13) 203
Pont-Julien (84) 124
Pont-Saint-Esprit (30). 328
Pont du Gard (30) 325

Port-Camargue (13) 245
Port-de-Bouc (13) 236
Port-Miou, calanque (13)........... 218
Port-Pin, calanque (13) 218
Port-Saint-Louis-du-Rhône (13) 237
Prassinos, Mario.................. 347
Préhistoire, musée régional (07) ... 320
Puget, Pierre 16, 74, 276

R

Racine, Jean...................... 390
Ragondin 201
Ranc-Pointu, belvédère (07) 132
Randonnée 42
Raspail, François-Vincent 208
Rasteau (84)...................... 400
Rebuffat, Gaston 194
Régalon, gorges (84) 387
Restauration 32
Richerenches (84) 406
Rièges, îlots (13) 204
Riz, musée (13) 205
Rochefort-du-Gard (30)............ 417
Rognes (13) 386
Roi René 105
La Roque-d'Anthéron (13) 386
Roquefavour, aqueduc (13) 111
Roquemartine, castelas (13)....... 366
Roquemaure (30).................. 417
Roquevaire (13) 353
Rostand, Edmond 84
Le Rouet-Plage (13) 230
Roussillon (84) 331
Routes historiques 44
Routes thématiques............... 44
Rustrel, colorado (84)............. 125

S

Sabran (30) 168
Sade, Marquis de.................. 17
Sagne 338
Saignon (84) 254
Saint-Andiol (13) 223
Saint-Antonin-sur-Bayon (13) 356
Saint-Blaise (13) 333
Saint-Cannat (13) 365
Saint-Chamas (13) 186
Saint-Christol (84) 369
Saint-Didier (84)................. 212
Saint-Estève (84) 411
Saint-Gabriel, chapelle (13) 118
Saint-Gilles (30) 335
Saint-Jacques, chemin 73
Saint-Jean-de-Garguier,
    chapelle (13).................. 148
Saint-Jean-du-Puy, oratoire (13).... 353
Saint-Julien-lès-Martigues (13).... 230
Saint-Laurent-d'Aigouze (30) 339
Saint-Laurent-des-Arbres (30)..... 170
Saint-Marcel, grotte (07)........... 131
Saint-Martin-d'Ardèche (07) 132
Saint-Martin-de-Crau (13) 143
Saint-Maximin-
    la-Sainte-Baume (83) 340
Saint-Michel-de-Frigolet,
    abbaye (13)................... 381
Saint-Mitre-les-Remparts (13)...... 185

Saint-Nicolas, pont (30)........... 393
Saint-Pantaléon (84).............. 243
Saint-Paul-de-Mausole,
    monastère (13) 347
Saint-Pilon (13) 352
Saint-Pons, parc (13).............. 352
Saint-Privat,
    jardins du château (30).......... 327
Saint-Quentin-la-Poterie (30) 393
Saint-Rémy-de-Provence (13) 343
Saint-Roman, abbaye (30) 182
Saint-Saturnin-lès-Apt (84) 125
Saint-Sixte, chapelle (13)........... 119
Saint-Trinit (84).................. 369
Saint-Victor-la-Coste (30) 170
Saint-Vincent-de-Gaujac,
    oppidum (30)................. 170
Saint-Zacharie (83) 353
Sainte-Baume, massif (13,83) 350
Sainte-Croix, chapelle (13) 294
Sainte-Victoire, montagne (13).. 110, 355
Les Saintes-Maries-de-la-Mer (13).. 358
Salin-de-Badon (13) 204
Salin-de-Giraud (13) 205
Salins............................ 200
Salins du Midi (30)................ 101
Salon-de-Provence (13)............ 362
Les Salyens 111
Santons........ 50, 92, 117, 118, 147, 222
La Saoupe, mont (13) 216
Sardinades........................ 32
Sault (84) 368
Saumane-de-Vaucluse (84) 234
Sausset-les-Pins (13).............. 230
Sautel, chanoine Joseph........... 396
Scamandre,
    centre de découverte (30)...... 339
Séguret (84)...................... 295
Sénanque, abbaye (84) 372
Serein, mont (84)................. 411
Serre de Tourre, belvédère (07) 128
Sévigné, Madame de 247
Sicard, Louis 147
Sigalon, Xavier 390
Silvacane, abbaye (13) 375
Sirene, observatoire (84)........... 369
Site-mémorial des Milles 110
Sivergues (84).................... 257
Ski.............................. 45
Sormiou, calanque (13) 196
Souleïado........................ 380
Souvenirs........................ 48
Spéléologie...................... 45
Sports aériens.................... 45
Stalactites 60
Stalagmites 60
Sugiton, calanque (13)............. 197
Suze-la-Rousse (26) 190

T

Les Taillades 222
Tarascon (13)..................... 377
Taulignan (26).................... 248
Taureaux camarguais.............. 201
Tauromachie.................... 90, 146
Tellines 245
Thalassothérapie.................. 45

Thermes 71
Le Thor (84) 250
Thouzon, grottes (84) 250
Tissus 88
La Tour-d'Aigues (84) 384
Tour Carbonnière (30) 102
Tourelles, mas gallo-romain (30) . . . 182
Tourisme industriel 45
Tourradons, pont (30) 338
Traité d'Utrecht 66
Traité de Paris 64
Transhumance 143
Transports 25
La Treille (13) 239
Truffes 20, 45, 386, 404
Turenne, Raymond de 175

U
Uzès (30) 389

V
Vaccarès, étang (13) 202
Vaison-la-Romaine (84) 396
Valbonne, chartreuse (30) 330
Val d'Enfer (13) 178
Val Joanis, jardins du château (84) . . 388
Vallon-Pont-d'Arc (07) 128, 402
Valréas (84) 404
Van Gogh, Vincent 17, 82, 142, 143
Vaudois, massacre 65
Vaugines (84) 256

Vaunage (30) 305
Vauvenargues (13) 356
Vauvert (30) 338
Vélo et Moto, musée (30) 417
Venasque (84) 111, 407
Ventoux, mont (84) 409
Véran, saint 221
Verdon, plage (13) 230
Vergèze (30) 307
Véroncle, gorges (84) 242
Verte, île (13) 226
Viallat, Claude 83
Vieux-Vernègues (13) 365
Le Vieux Mas (30) 182
Vigueirat, marais (13) 143
Vilar, Jean 152
Villeneuve-lès-Avignon (84) 413
Villers-Cotterêts, édit 83
Villes-sur-Auzon (84) 370
Vins 34, 95
Visiatiome, Marcoule (30) 171
Visites guidées 46
Voconces 396
Voie Aurélienne 67
Voie Domitienne 67
Voile 46

Z
Zidane, Zinedine 69, 279
Ziem, Félix 82
Zola, Émile 84

CARTES ET PLANS

PLANS DE VILLES

Aigues-Mortes 100
Aix-en-Provence 108-109
Apt 123
Arles. 138-139
Avignon 156-157
Les Baux-de-Provence. 176
Beaucaire 181
Bonnieux 192
Carpentras. 211
Cavaillon. 221
Marseille. 266-267, 268-269
Nîmes 302-303
Nyons 311
Orange 315
Pernes-les-Fontaines 323
Roussillon. 332
Saint-Rémy-de-Provence 346
Salon-de-Provence. 363
Tarascon 379
Uzès 391
Vaison-la-Romaine 400
Valréas. 405
Villeneuve-lès-Avignon. 414

PLANS DE MONUMENTS

Palais des Papes (Avignon). 153, 154
Abbaye de Montmajour 294
Abbaye de Saint-Maximin-
la-Sainte-Baume. 341
Glanum (Saint-Rémy-de-Provence). . 345
Abbaye de Sénanque. 373
Abbaye de Silvacane 376
Château de Tarascon 378
Quartier de Puymin (Vaison) 397
Quartier de la Villasse (Vaison) 399
Chartreuse du Val-de-Bénédiction
(Villeneuve-lès-Avignon). 416

CARTES DES CIRCUITS

Les Alpilles
(au départ de Saint-Rémy) 117
Circuit de l'ocre
(au départ d'Apt) 125
Les gorges de l'Ardèche (au départ
de Vallon-Pont-d'Arc) 130-131
L'étang de Berre
(au départ de Martigues). 185
La Camargue
(au départ d'Arles) 203
Le Luberon
(au départ d'Apt) 258-259
Les dentelles de Montmirail
(au départ de Vaison-la-Romaine). . 295
La Sainte-Baume
(au départ de Saint-Maximin) 352-353
La Sainte-Victoire
(au départ d'Aix-en-Provence). . . . 356
Au fil de la Durance
(au départ de La Tour-d'Aigues) . . 385
Le mont Ventoux
(au départ de Vaison-la-Romaine) .410

CARTES THÉMATIQUES

Relief 59
Les calanques 194-195
Marseille gréco-romaine. 272
L'aven d'Orgnac .319

LES CARTES ROUTIÈRES QU'IL VOUS FAUT

Vous trouverez la liste complète des cartes Michelin qu'il vous faut pour voyager sur cette destination en p. 25.

Changement de numération routière !

Sur de nombreux tronçons, les routes nationales passent sous la direction des départements. Leur numérotation est en cours de modification. La mise en place sur le terrain a commencé en 2006 mais devrait se poursuivre sur plusieurs années. De plus, certaines routes n'ont pas encore définitivement trouvé leur statut au moment où nous bouclons la rédaction de ce guide. Nous n'avons donc pas pu reporter systématiquement les changements de numéros sur l'ensemble de nos cartes et de nos textes.

👁 **Bon à savoir** – Dans la majorité des cas, on retrouve le n° de la nationale dans les derniers chiffres du n° de la départementale qui la remplace. Exemple : N 16 devient D 1 016 ou N 51 devient D 951.

Manufacture française des pneumatiques Michelin
Société en commandite par actions au capital de 304 000 000 EUR
Place des Carmes-Déchaux - 63000 Clermont-Ferrand (France)
R.C.S. Clermont-Fd B 855 200 507

© 2007 Michelin, Propriétaires-éditeurs.
Compogravure : Nord Compo, Villeneuve d'Ascq
Impression et brochage : Aubin, Ligugé
Dépot légal : janvier 2007 - ISSN 0293-9436
Printed in France : 01-07/7.1